FRANCE

ATLAS ROUTIER
ROAD ATLAS
STRASSENATLAS
WEGENATLAS
ATLANTE STRADALE
ATLAS DE CARRETERAS

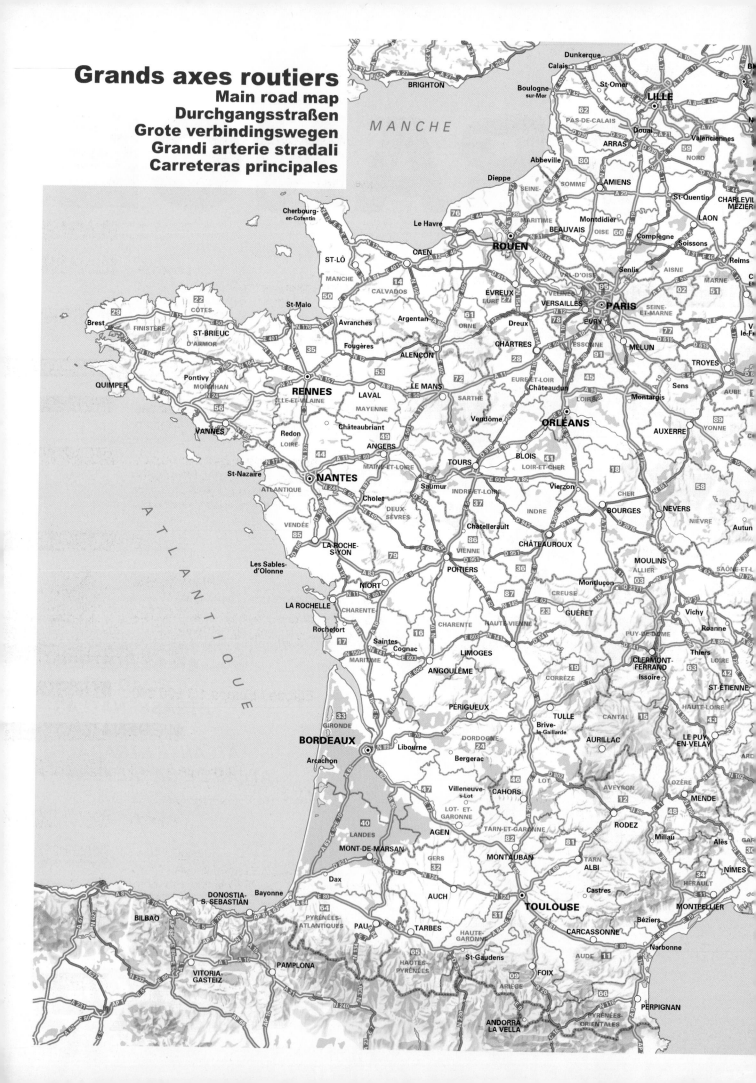

Grands axes routiers
Main road map
Durchgangsstraßen
Grote verbindingswegen
Grandi arterie stradali
Carreteras principales

Sommaire
Contents / Inhaltsübersicht / Inhoud
Sommario / Sumario

Intérieur de couverture : tableau d'assemblage
Inside front cover: key to map pages / Umsschlaginnenseite: Übersicht
Binnenzijde van het omslag: overzichtskaart
Copertina interna: quadro d'insieme / Portada interior : mapa índice

1 - 219

Légende **1**
Key / Zeichenerklärung / Verklaring van de tekens
Legenda / Signos convencionales

France 1/250 000 **2 - 219**
Frankreich 1: 250 000 / Frankrijk 1: 250 000 / Francia 1: 250 000

220 - 281

Distances **220**
Entfernungen / Afstanden / Distanze / Distancias

Index complet des communes **221 - 281**
Complete index of communes / Komplettes Ortsregister
Register van alle gemeenten / Indice completo dei comuni
Índice completo de municipios

282 - 296

Plans de ville
Town plans / Stadtpläne / Plattegronden / Piante di città / Planos
Bordeaux - Lille - Lyon - Marseille - Nantes - Paris - Toulouse

297 - 315

Europe / Europa 1/3 500 000 **297 - 315**

316 - 414

Restez en forme ! **316 - 319**
Keep fit! / Bleiben Sie fit! / Blijf in vorm!
Mantieniti in forma! / Manténgase en forma

Agenda **320 - 333**

Roulez Pro ! **334 - 339**
Drive like a pro! / Fahren Sie wie ein Profi.
Rijd als een prof. / Guida come un professionista
Conduzca como un profesional

Planifiez vos étapes **340 - 396**
Plan your journeys / Planen Sie Ihre Pausen / Plan uw etappes
Programmate le vostre tappe / Planifique sus paradas

France 1/1 200 000 **397 - 411**
Frankreich 1: 1 200 000 / Frankrijk 1: 1 200 000
Francia 1: 1 200 000

MICHELIN INNOVE SANS CESSE POUR UNE MEILLEURE MOBILITÉ PLUS SÛRE, PLUS ÉCONOME, PLUS PROPRE ET PLUS CONNECTÉE.

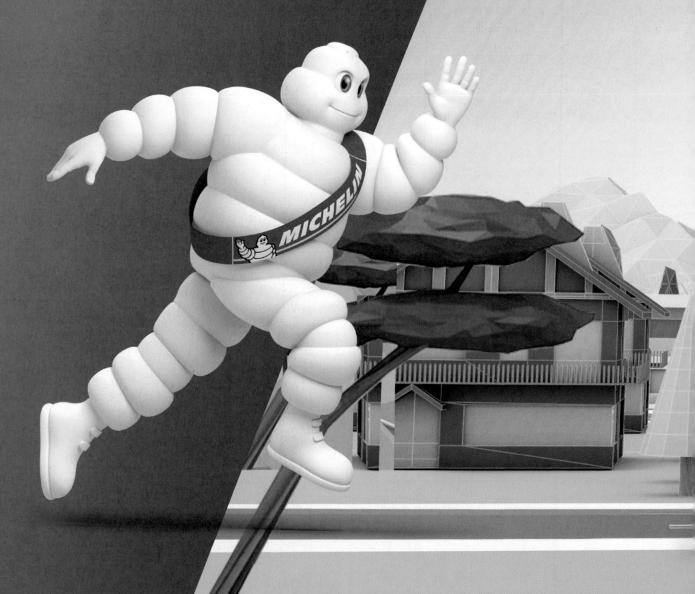

Les pneus s'usent plus vite sur les petits trajets en ville...

? VRAI !

La fréquence des freinages et des accélérations en ville use davantage vos pneus ! Dans les embouteillages, armez-vous de patience et conduisez en douceur.

La pression des pneus agit uniquement sur la sécurité...

? FAUX !

Au-delà de la tenue de route et de la consommation de carburant, une sous pression de 0,5 Bar diminue de 8 000 km la durée de vie de vos pneus. Pensez à vérifier la pression environ une fois par mois, surtout avant un départ en vacances ou un long trajet.

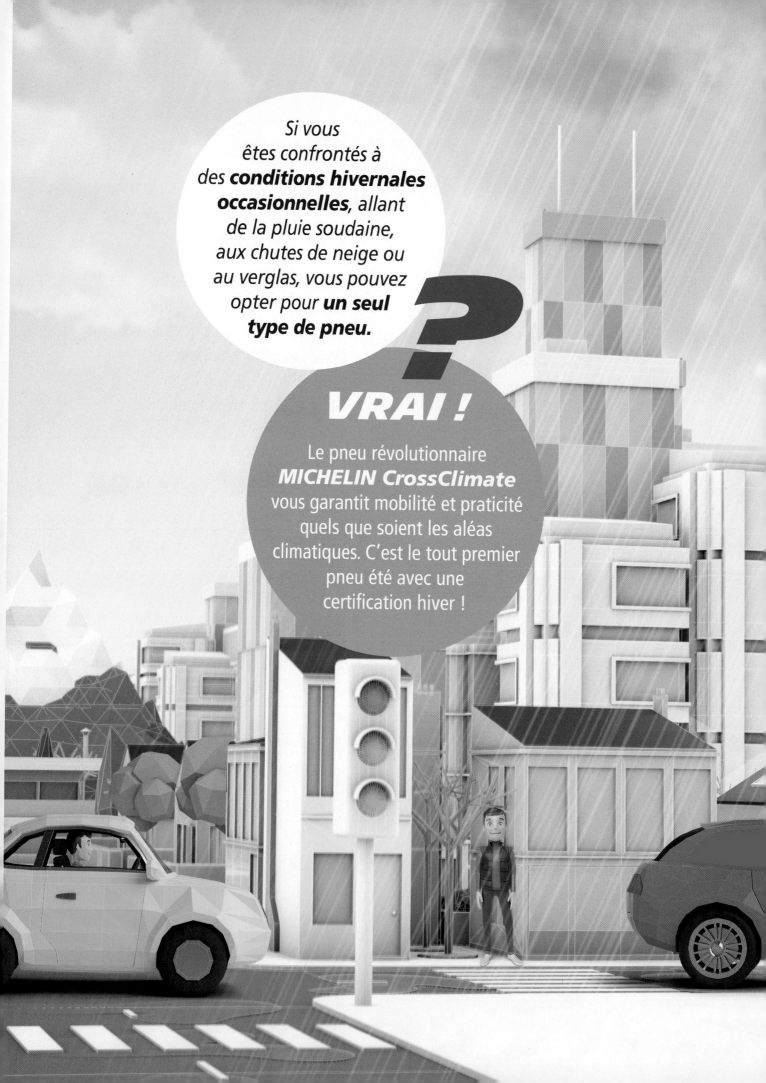

Équiper ma voiture avec **2 pneus hiver** me garantit une sécurité maximum...

?

FAUX !

En hiver, en dessous de 7°C notamment, pour une meilleure tenue de route, vos quatre pneus doivent être identiques et changés en même temps.

2 PNEUS HIVER SEULEMENT = la tenue de route de votre véhicule n'est pas optimale.

4 PNEUS HIVER = c'est le choix d'une **meilleure sécurité** dans les virages, en descente et en cas de freinage.

Si vous êtes régulièrement confrontés à la pluie, à la neige ou au verglas, optez pour un pneu de la gamme **MICHELIN Alpin**. Cette gamme vous offre confort et précision de conduite pour affronter les obstacles de l'hiver.

MICHELIN

MICHELIN S'ENGAGE

▶ MICHELIN EST
LE **N°1 MONDIAL**
DES PNEUS ÉCONOMES
EN ÉNERGIE POUR
LES VÉHICULES LÉGERS.

▶ POUR **SENSIBILISER**
LES PLUS JEUNES
À LA SÉCURITÉ ROUTIÈRE,
MÊME EN DEUX-ROUES :
DES ACTIONS DE TERRAIN
ONT ÉTÉ ORGANISÉES
DANS **16 PAYS** EN 2015.

QUIZ

1 POURQUOI BIBENDUM, LE BONHOMME MICHELIN, EST BLANC ALORS QUE LE PNEU EST NOIR ?

Le personnage de Bibendum a été imaginé à partir d'une pile de pneus, en 1898, à une époque où le pneu était fabriqué avec du caoutchouc naturel, du coton et du soufre et où il est donc de couleur claire. Ce n'est qu'après la Première guerre mondiale que sa composition se complexifie et qu'apparaît le noir de carbone. Mais Bibendum, lui, restera blanc !

2 SAVEZ-VOUS DEPUIS QUAND LE GUIDE MICHELIN ACCOMPAGNE LES VOYAGEURS ?

Depuis 1900, il était dit alors que cet ouvrage paraissait avec le siècle, et qu'il durerait autant que lui. Et il fait encore référence aujourd'hui, avec de nouvelles éditions et la sélection sur le site MICHELIN Restaurants dans quelques pays.

3 DE QUAND DATE « BIB GOURMAND » DANS LE GUIDE MICHELIN ?

Cette appellation apparaît en 1997 mais dès 1954 le Guide MICHELIN signale les « repas soignés à prix modérés ». Aujourd'hui, on le retrouve sur le site et dans l'application mobile MICHELIN Restaurants.

Si vous voulez en savoir plus sur Michelin en vous amusant, visitez l'Aventure Michelin et sa boutique à Clermont-Ferrand, France : **www.laventuremichelin.com**

MICHELIN
Une meilleure façon d'avancer

Légende | Key | Zeichenerklärung

Routes | Roads | Straßen

Légende	Key	Zeichenerklärung
Autoroute (section à péage)	Motorway (toll roads)	Autobahn (Mautstrecke)
Autoroute (section libre)	Motorway (toll-free section)	Autobahn (mautfreie Strecke)
Double chaussée de type autoroutier	Dual carriageway with motorway characteristics	Schnellstraße mit getrennten Fahrbahnen
Échangeurs : complets, partiel	Interchanges: complete, limited	Anschlussstellen : Voll - bzw. Teilanschlussstellen
Numéros d'échangeurs	Interchange numbers	Anschlussstellennummern
Aire de service - Aire de repos	Service area - Rest area	Tankstelle mit Raststätte - Rastplatz
Route de liaison internationale ou nationale	International and national road network	Internationale bzw.nationale Hauptverkehrsstraße
Route de liaison interrégionale ou de dégagement	Interregional and less congested road	Überregionale Verbindungsstraße oder Umleitungsstrecke
Autoroute - Route en construction	Motorway/Road under construction	Autobahn - Straße im Bau
(le cas échéant: date de mise en service prévue)	(when available: with scheduled opening date)	(ggf. voraussichtliches Datum der Verkehrsfreigabe)

Largeur des routes | Road widths | Straßenbreiten

Chaussées séparées	Dual carriageway	Getrennte Fahrbahnen
3 voies ou plus	3 or more lanes	3 oder mehr Fahrspuren
2 voies	2 lanes	2 Fahrspuren
1 voie	1 lane	1 Fahrspur

Distances (totalisées et partielles) | Distances (total and intermediate) | Entfernungen (Gesamt- und Teilentfernungen)

Sur autoroute	On motorway	Auf der Autobahn
Sur route / double chaussée de type autoroutier	On road / dual carriageway with motorway characteristics	Auf der Straße / Schnellstraße mit getrennten Fahrbahnen

Numérotation - Signalisation | Numbering - Signs | Nummerierung - Wegweisung

Route européenne - Autoroute	European route - Motorway	Europastraße - Autobahn	E 15 A 10
Route métropolitaine	Metropolitan road	Straße der Metropolregion	M 6202
Route nationale	National road	Nationalstraße	N 70 N 59 N 25
Route départementale	Departmental road	Departementstraße	D 15 D 97 D 26

Alertes Sécurité | Safety Warnings | Sicherheitsalerts.

Forte déclivité (flèche dans le sens de la montée) 10% et plus	Steep hill (ascent in direction of the arrow) 10% +	Starke Steigung (Steigung in Pfeilrichtung) 10% und mehr
Col et sa cote d'altitude	Pass and its height above sea level	Pass mit Höhenangabe
Passages de la route : à niveau, supérieur, inférieur	Level crossing: railway passing, under road, over road	Bahnübergänge: schienengleich, Unterführung, Überführung
Hauteur limitée (au-dessous de 4,50 m)	Height limit (under 4,50 m.)	Beschränkung der Durchfahrtshöhe (angegeben, wenn unter 4,50 m)
Limites de charge : d'un pont, d'une route	Load limit of a bridge, of a road (under 19 t.)	Höchstbelastung einer Straße/Brücke
(au-dessous de 19 t.)		(angegeben, wenn unter 19 t)
Barrière de péage - Sens unique	Toll barrier - One-way street	Mautstelle - Einbahnstraße
Route réglementée	Road subject to restrictions	Straße mit Verkehrsbeschränkungen
Route interdite	Prohibited road	Gesperrte Straße

Transports | Transportation | Verkehrsmittel

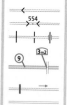

Gare - Voie ferrée - TGV	Station - Railway - TGV	Bahnhof - Bahnlinie - TGV
Aéroport - Aérodrome	Airport - Airfield	Flughafen - Flugplatz
Transport des autos: par bateau - par bac	Transportation of vehicles: by boat - by ferry	Autotransport: per Schiff - per Fähre
Transport par bateau: passagers seulement	Ferry services: passengers only	Schiffsverbindungen: Personenfähre

Administration | Administration | Verwaltung

Capitale de division administrative	Administrative district seat	Verwaltungshauptstadt	R P SP
Limites administratives	Administrative boundaries	Verwaltungsgrenzen	
Frontière - Douane	National boundary - Customs post	Staatsgrenze - Zoll	

Signes divers | Other signs | Sonstige Zeichen

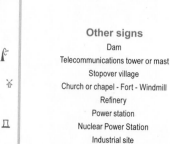

Barrage	Dam	Staudamm
Tour ou pylône de télécommunications	Telecommunications tower or mast	Funk-, Sendeturm
Village étape	Stopover village	Übernachtungsort
Église ou chapelle - Fort - Moulin à vent	Church or chapel - Fort - Windmill	Kirche oder Kapelle - Fort - Windmühle
Raffinerie	Refinery	Raffinerie
Centrale électrique	Power station	Kraftwerk
Centrale nucléaire	Nuclear Power Station	Kernkraftwerk
Zone industrielle	Industrial site	Industrie-oder Gewerbegebiet

1

Verklaring van de tekens

Wegen
Autosnelweg (gedeelte met tol)
Autosnelweg (tolvrij gedeelte)
Gescheiden rijbanen van het type autosnelweg
Aansluitingen: volledig, gedeeltelijk
Afritnummers

Serviceplaats - rustplaats
Internationale of nationale verbindingsweg
Interregionale verbindingsweg
Autosnelweg - weg in aanleg
(indien bekend: datum openstelling)

Breedte van de wegen
Gescheiden rijbanen
3 of meer rijstroken
2 rijstroken
1 rijstrook

Afstanden (totaal en gedeeltelijk)
Op autosnelwegen

Op andere wegen / Gescheiden rijbanen van het type autosnelweg

Wegnummers - Bewegwijzering
Europaweg - Autosnelweg
Stadsweg
Nationale weg
Departementale weg

Veiligheidswaarschuwingen
Steile helling (pijlen in de richting van de helling) 10% of meer
Bergpas en hoogte boven de zeespiegel
Wegovergangen: gelijkvloers, overheen, onderdoor
Vrije hoogte (indien lager dan 4,5 m)
Maximum draagvermogen: van een brug, van een weg
(indien minder dan 19 t)
Tol - Eenrichtingsverkeer
Beperkt opengestelde weg
Verboden weg

Transports
Station - Spoorweg - TGV
Luchthaven - Vliegveld
Vervoer van auto's: per boot - per veerpont
Vervoer per boot: enkel passagiers

Administratie
Hoofdplaats van administratief gebied
Administratieve grenzen
Staatsgrens - Douanekantoor

Diverse tekens
Stuwdam
Telecommunicatietoren of -mast
Dorp voor overnachting
Kerk of kapel - Fort - Molen
Raffinaderij
Elektriciteitscentrale
Kerncentrale
Industriezone

Legenda

Strade
Autostrada (tratto a pedaggio)
Autostrada (tratto esente da pedaggio)
Doppia carreggiata di tipo autostradale
Svincoli: completo, parziale
Svincoli numerati

Area di servizio - Area di riposo
Strada di collegamento internazionale o nazionale
Strada di collegamento interregionale o di disimpegno
Autostrada, strada in costruzione
(quando se: di apertura prevista)

Road widths
Carreggiate separate
3 o più corsie
2 corsie
1 corsia

Distanze (totali e parziali)
Su autostrada

Su strada / Doppia carreggiata di tipo autostradale

Numerazione - Segnaletica
Strada europea - Autostrada
Strada metropolitane
Strada nazionale
Strada dipartimentale

Segnalazioni stradali
Forte pendenza (salita nel senso della freccia) superiore a 10%
Passo ed altitudine
Passaggi della strada: a livello, cavalcavia, sottopassaggio

Limite di altezza (inferiore a 4,50 m)
Limite di portata di un ponte, di una strada (inferiore a 19 t.)
Casello - Strada a senso unico
Strada a circolazione regolamentata
Strada vietata

Trasporti
Stazione - Ferrovia - TGV
Aeroporto - Aerodromo
Trasporto auto: su traghetto - su chiatta
Trasporto con traghetto: passageri ed autovetture

Amministrazione
Capoluogo amministrativo
Confini amministrativi
Frontiera - Dogana

Simboli vari
Diga
Torre o pilone per telecomunicazioni
Paese tappa
Chiesa o cappella - Forte - Mulino a vento
Raffineria
Centrale elettrica
Centrale nucleare
Area industriale

Signos convencionales

Carreteras
Autopista (tramo de peaje)
Autopista (tramo libre)
Autovía
Enlaces: completo, parciales
Números de los accesos

Área de servicio - Área de descanso
Carretera de comunicación internacional o nacional
Carretera de comunicación interregional o alternativo
Autopista - carretera en construcción
(en su caso: fecha prevista de entrada en servicio)

Ancho de las carreteras
Calzadas separadas
Tres carriles o màs
Dos carriles
Un carril

Distancias (totales y parciales)
En autopista

En carretera / autovía

Numeración - Señalización
Carretera europea - Autopista
Carretera metropolitana
Carretera nacional
Carretera provincial

Alertas Seguridad
Pendiente pronunciada (las flechas indican el sentido del ascenso) 10% y superior
Puerto y su altitud
Pasos de la carretera: a nivel, superior, inferior
Altura limitada (inferior a 4,50 m)
Carga limite de un puente, de una carretera
(inferior a 19 t)
Barrera de peaje - Sentido único
Carretera restringida
Tramo prohibido

Transportes
Estación - Línea férrea - TGV
Aeropuerto - Aeródromo
Transporte de coches: por barco - por barcaza
Transporte por barco: pasajeros solamente

Administración
Capital de división administrativa
Limites administrativos
Frontera - Puesto de aduanas

Signos diversos
Presa
Torreta o poste de telecomunicación
Población-etapa
Iglesia o capilla - Fortaleza - Molino de viento
Refinería
Central eléctrica
Central nuclear
Polígono industrial

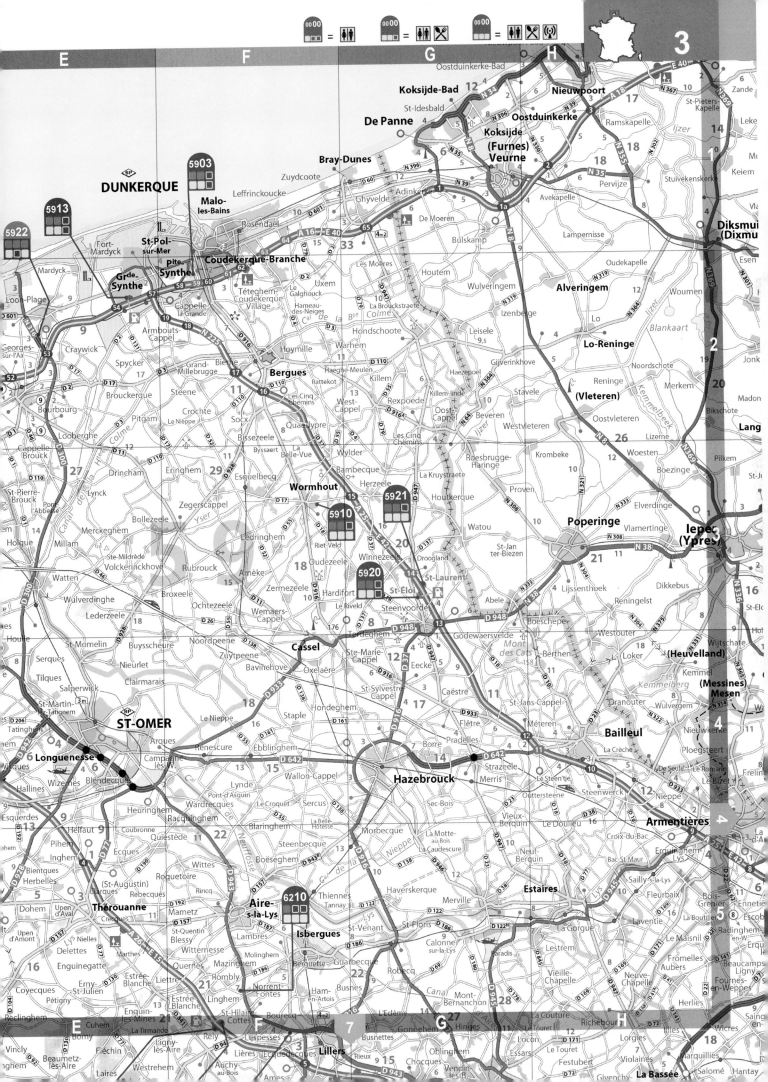

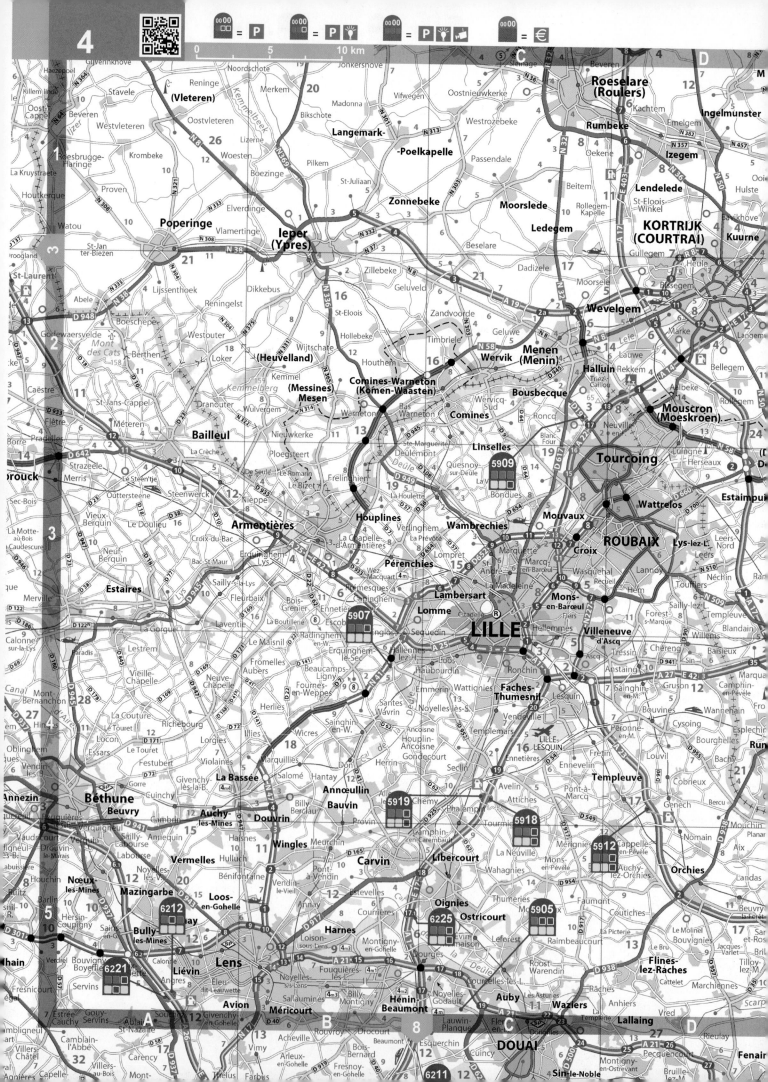

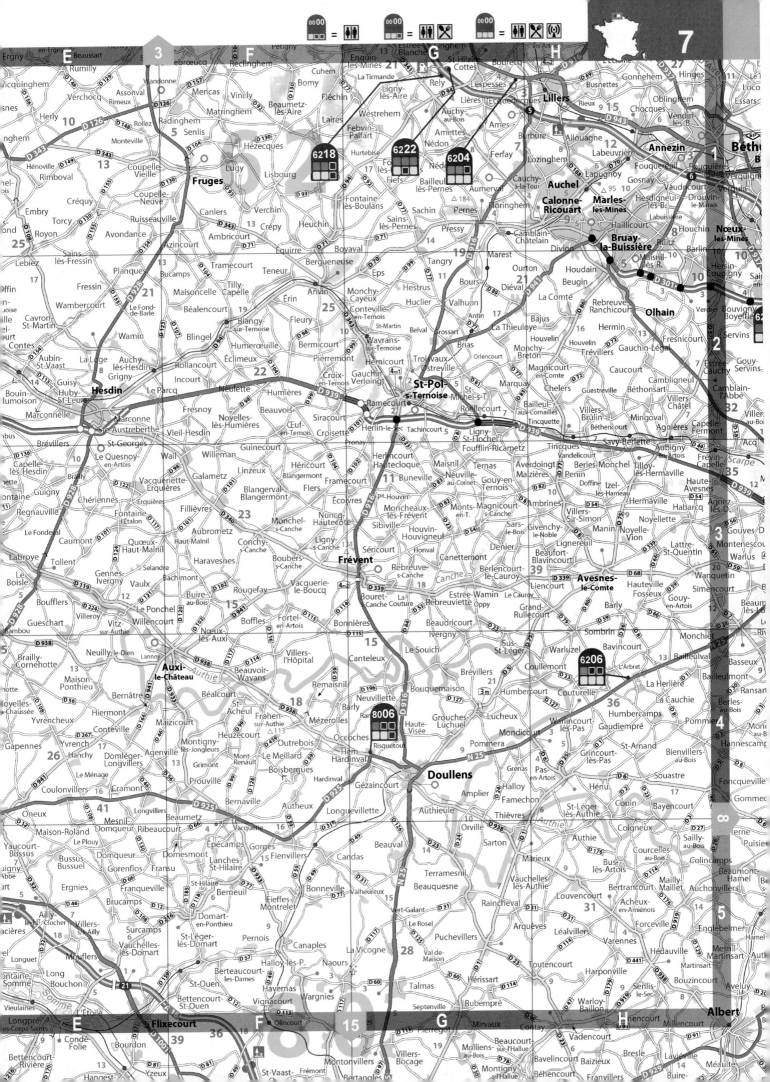

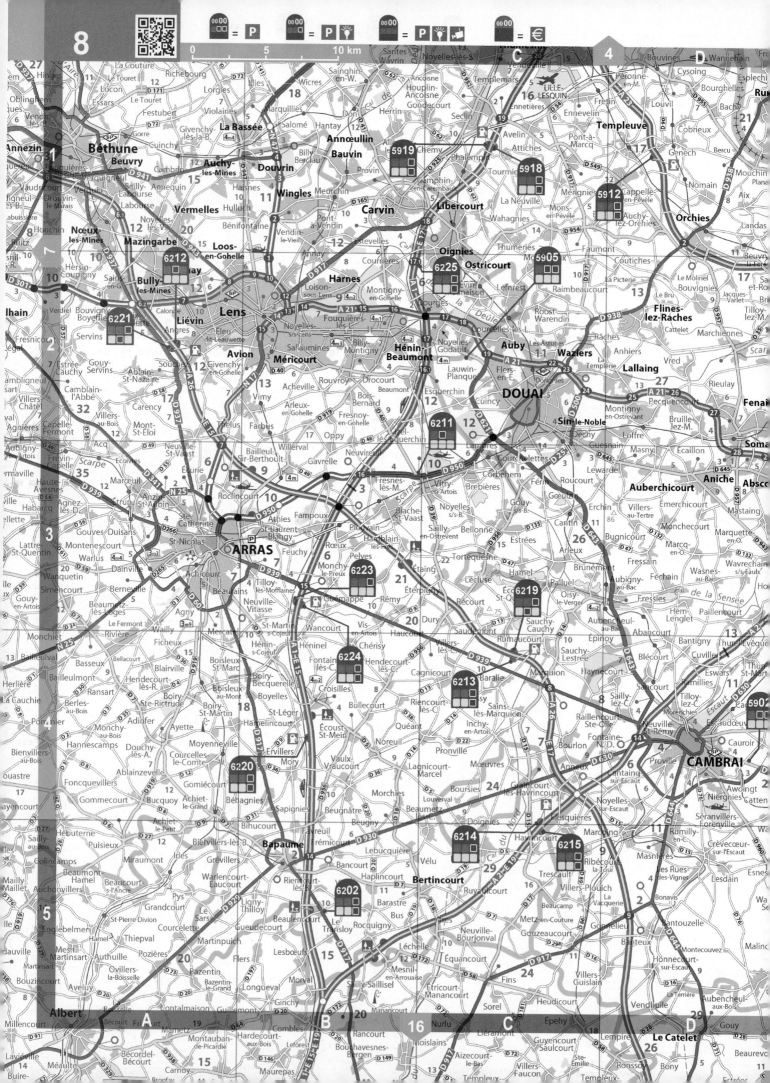

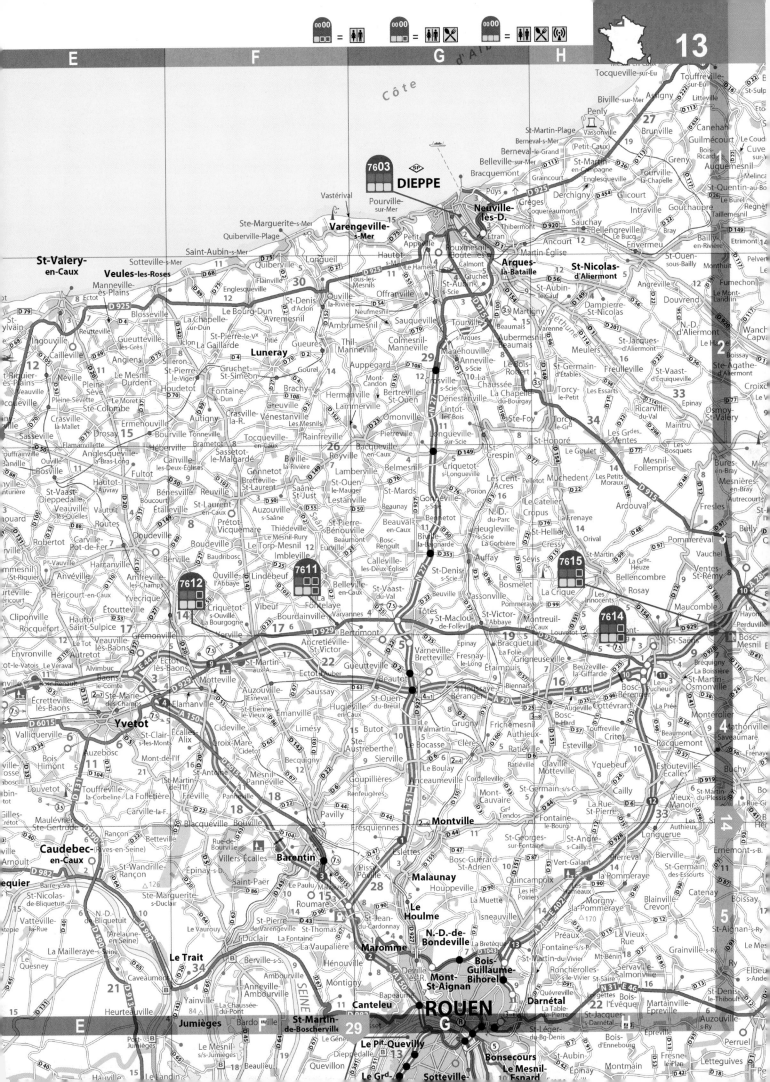

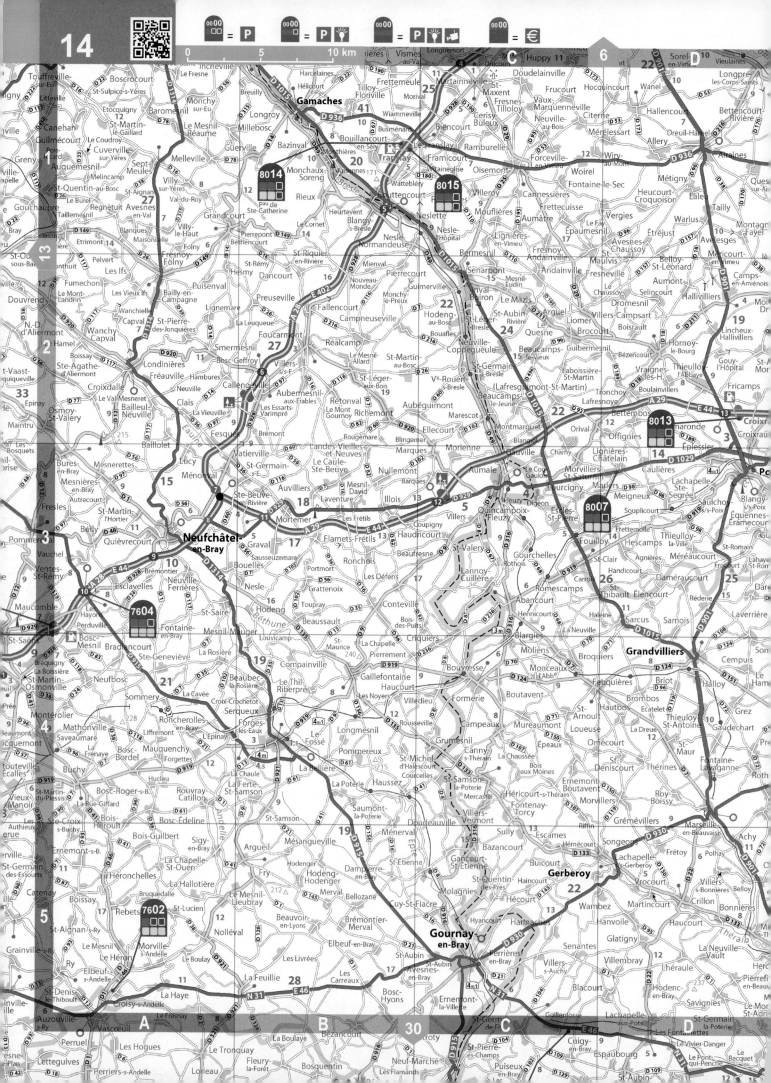

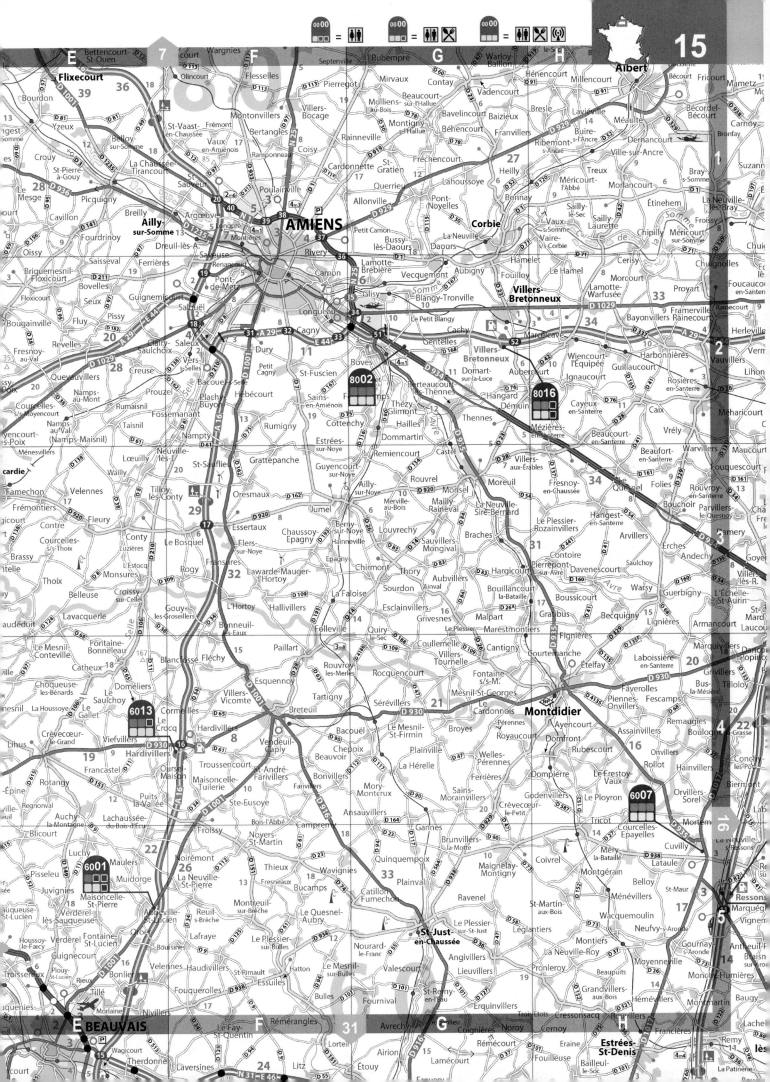

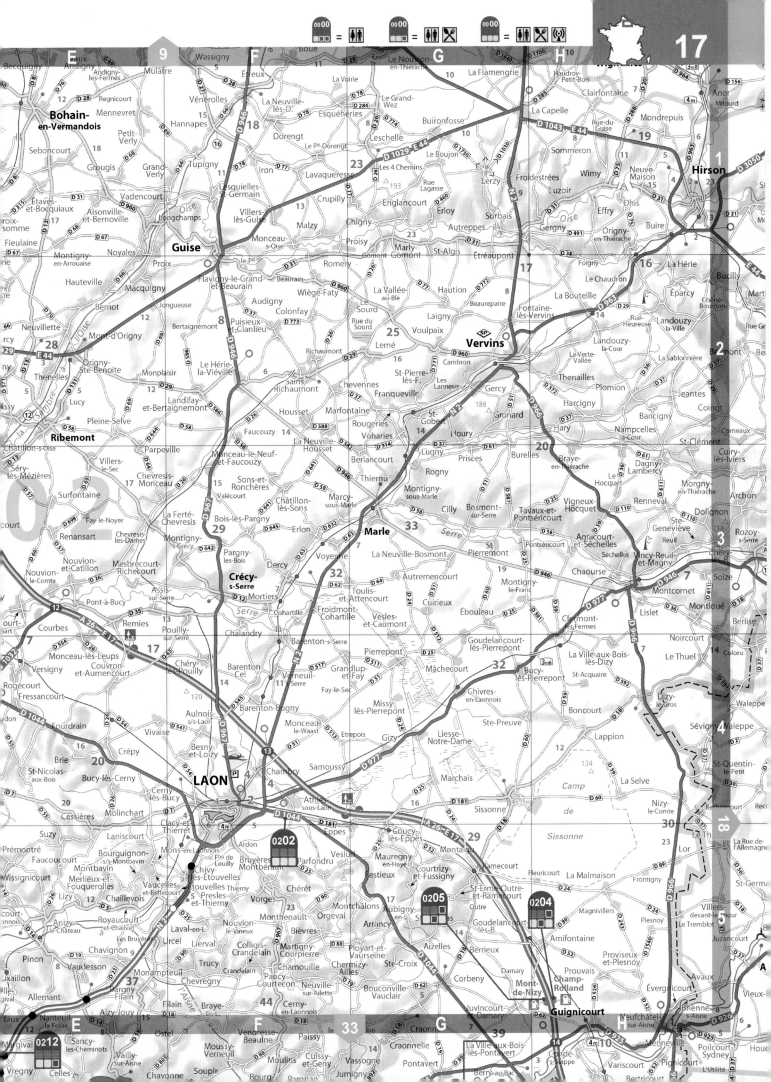

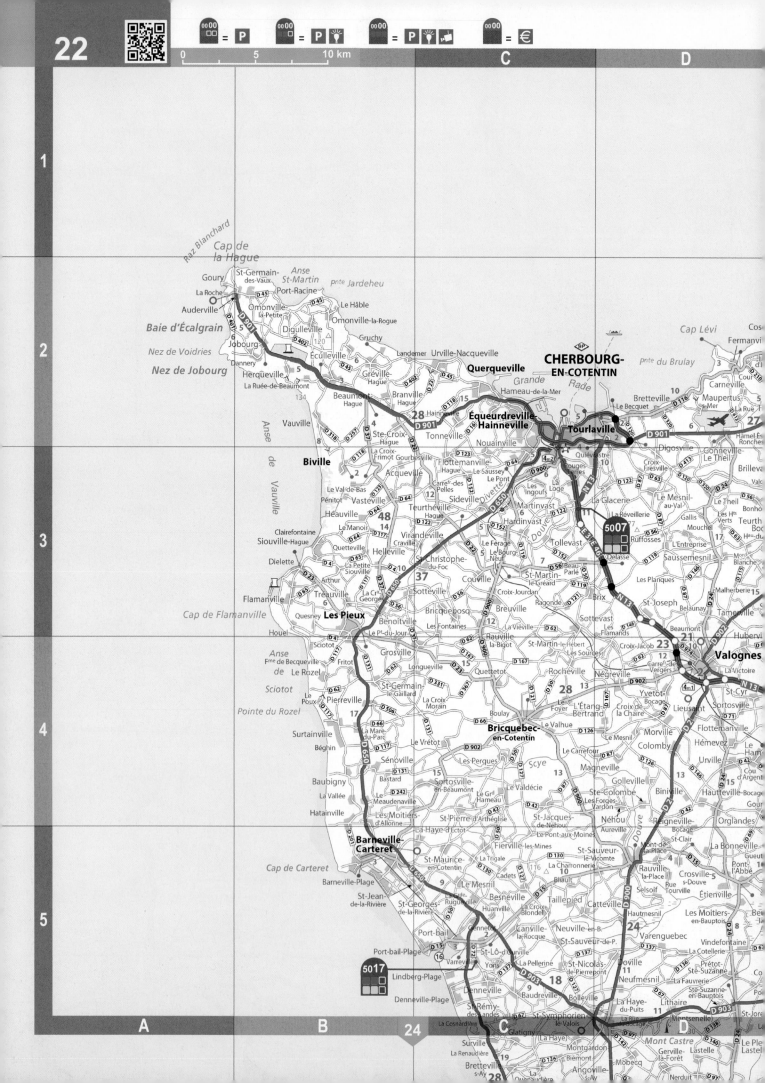

Une nouvelle adresse ?
Une observation sur la carte ?

Cet atlas est le vôtre : n'hésitez pas à nous
faire part de vos remarques !

@ : cartes@tp.michelin.com
✉ : MICHELIN TRAVEL PARTNER
27 cours de l'île Seguin
92100 Boulogne-Billancourt Cedex.

1

2

3

4

5

du Sen

(Vicq-s-Mer)
Vrasville   Réthoville   Néville-s-Mer   2   *Pointe de Barfleur*
10   D 116   Roville   D 10
Angoville-en-Saire   Varouville   Gatteville-le-Phare
Église   10   Gouberville   2   **Barfleur**
13   Tocqueville   D 901   Ste-Geneviève   La Bretonne
D 26   Clitourps   D 725   D 25   Landemer
la Rue-Sauxtour   Valcanville   D 355   Montfarville
Canteloup   16   Le Vicel   D 1   Maltot   Anneville-en-Saire
Le Vast   La Pernelle   La Froide-Rue   Yon   **5008**
D 120   Réville   D 10
Saire   Viquesney   6   Jonville
D 115   Le Tronquet   D 26   D 125   D 216   *Pointe de Saire*
D 128   Le   D 216   6
Quettehou   D 1   3   *Île de Tatihou*
D 25   Brévole   Le Rivage
Piédechou   **St-Vaast-la-Hougue**
25   Videcosville
Octeville-l'Avenel   Morsalines
Joret   D 216   D 14   10
nebut   Bidros   Crasville
D 62   Aumeville-Lestre
St-Martin-d'Audouville
D 421   Lestre
Vaudreville   Bourg de Lestre   Quinéville
D 42   D 42
tebourg   5   Ozeville   D 71   9   Les Gougins   *Îles St-Marcouf*
Fontenay-s-Mer
St-Floxel   D 14   D 69
E 46   Vaudville   St-Marcouf   Ravenoville-Plage
deville   **5004**   7
D 71   Azeville   3   D 15   D 421
ausseville   Ravenoville
Émondeville   D 15   Foucarville
Fresville   D 269   8   Beuzeville-au-Plain   Les Dunes-de-Varreville
28   St-Germain-de-V.
le   Neuville-au-Plain   Baudienville   8   St-Martin-de-Varreville
Ste-Mère-Église   D 17   D 115   D 423   D 421   La Madeleine
reville   D 15   Turqueville   Audouville-la-Hubert
igny   D 67   La Chaussée
Chef-du-Pont   Écoquenéauville   D 913   *Banc*   *Pointe du Hoc*
auville   Sébeville   D 70   *du*   **Grandcamp-Maisy**   St-Pierre-du-Mont
e Féirage   Boutteville   Pouppeville   *Grand Vey*   Le Févre   35   *Pointe de la Percée*
Carquebut   Hiesville   Ste-Marie-du-Mont   D 194   Englesqueville-la-Percée   Vierville-s-M.
Blosville   D 115   8   Brucheville   Létanville   Cricqueville-en-Bessin   D 514
Liesville-s-D.   La Croix-Pan   **1410**   Le Grand Vey   11   D 514   Poix   D 199   D 113   Asnières-en-B.   10   D 194   St-Laurent-s-Mer
D 69   Houesville   Géfosse-Fontenay   D 199   8   Louvières   D 517   Ste-Honorine-des-Pertes
Cretteville   D 913   Vierville   Cardonville   La Cambe   D 613   Deux-Jumeaux   Le Grand Hameau   **Port-en-Bessin-Huppain**
Houtteville   D 270   Angoville-au-Plain   Le Port   Bucaille   St-Clément   8   D 199   Le Val   Colleville-s-Mer   Huppain   Commes
30   Rue-Mary   Le Moulin   Coquebourg   Osmanville   D 613   Longueville   Normanville   Russy   11
Appeville   St-Côme   2   Brévands   D 124   St-Germain-du-Pert   Le Carrefour   Canchy   33   D 123   Étréham   Escures   Longues
upte   Vindelonde-au-Mont   3   La Fourchette   Les Veys   Isigny-s-Mer   Monfréville   Écrammeville   Aignerville   Engranville   Bellefontaine   Mosles   D 123   9   D 153   Fontenailles   La Rosié
Auvers   **Carentan les Marais**   6   Catz   **Cantepie**   N 13   N 13   L'Étard   **Trévières**   N 13   Maisons   12   13
17   Cantepie   N 13   N 174   E 46   D 5   25   Colombie   Tour-en-B.   Sully   Vaux-s-Aure
5015   La Lande   St-Hilaire   Vouilly   12   D 29   Mandeville-en-Bessin   D 516   St-Sulpice
Méautis   D 903   Godard   Petitville   St-Pellerin   Pont-Benard   D 5   Bricqueville   Le Beau   Moulin   11   D 97   E 46   Vaucelles   4   St-Vigo
La Planquette   D 971   **5002**   **5001**   Mon-en-...   Les Oubeaux   Castilly   Mestry   D 202   14   Rubercy   Beaumont   D 206   Cussy   **BAYEUX**
La Varimesnil   **5021**   La Belle Croix   D 13   Saonnet   Cottun

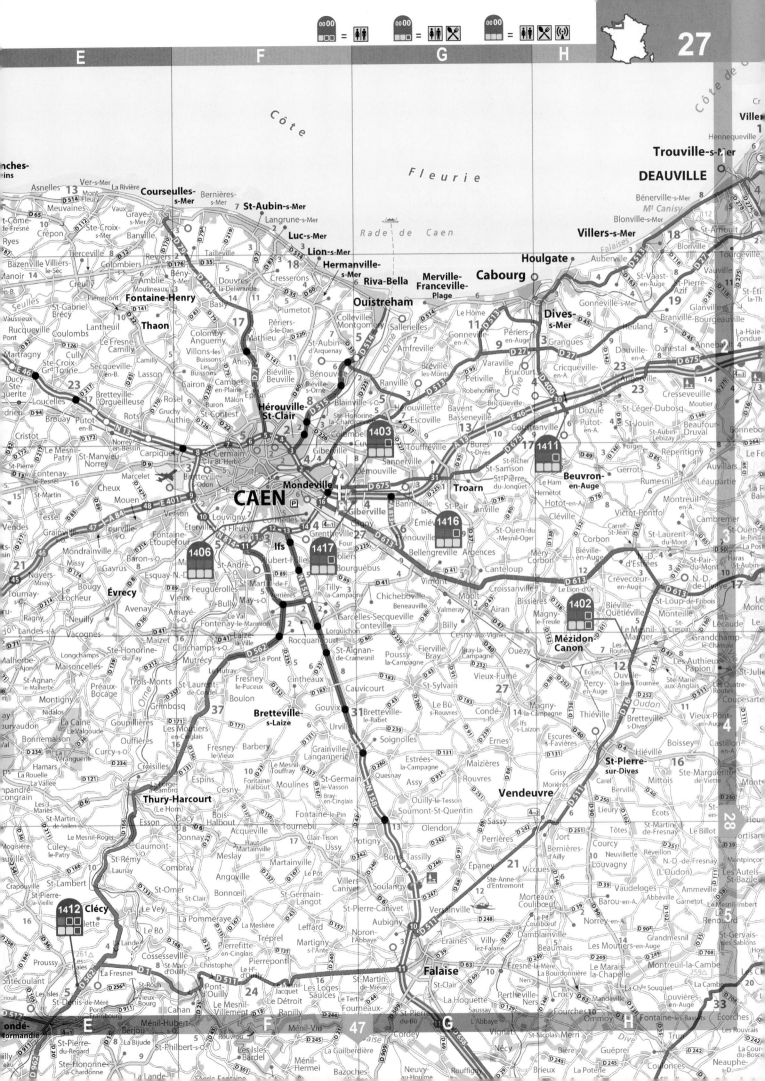

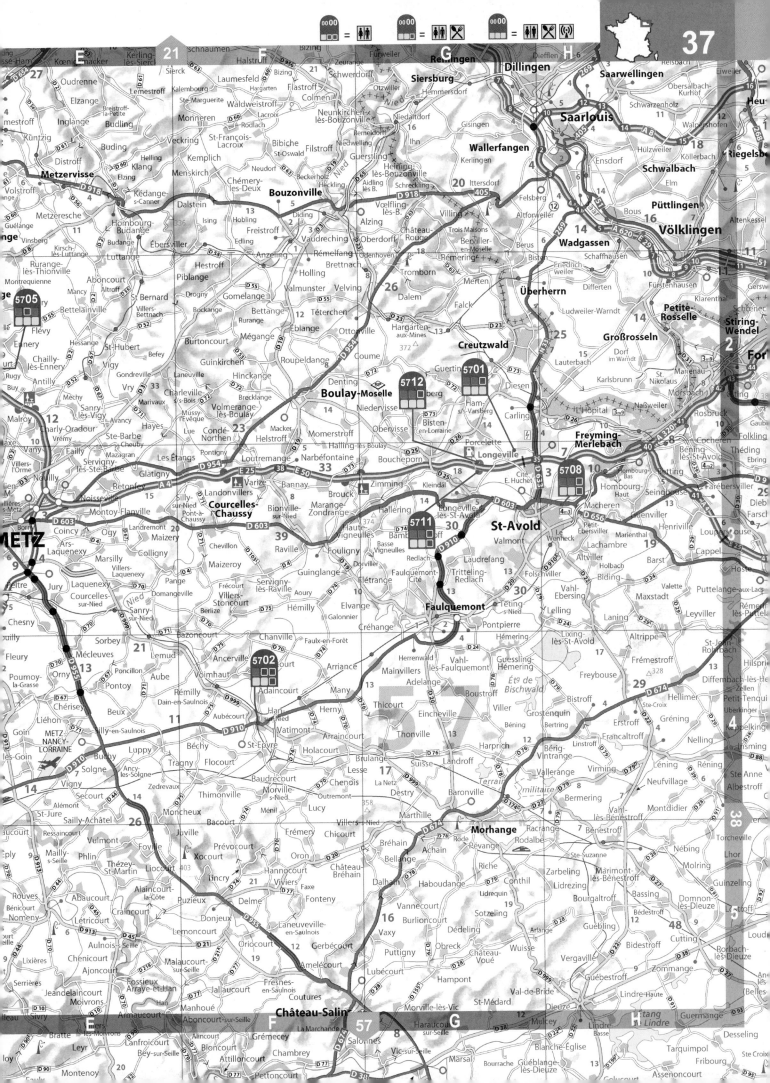

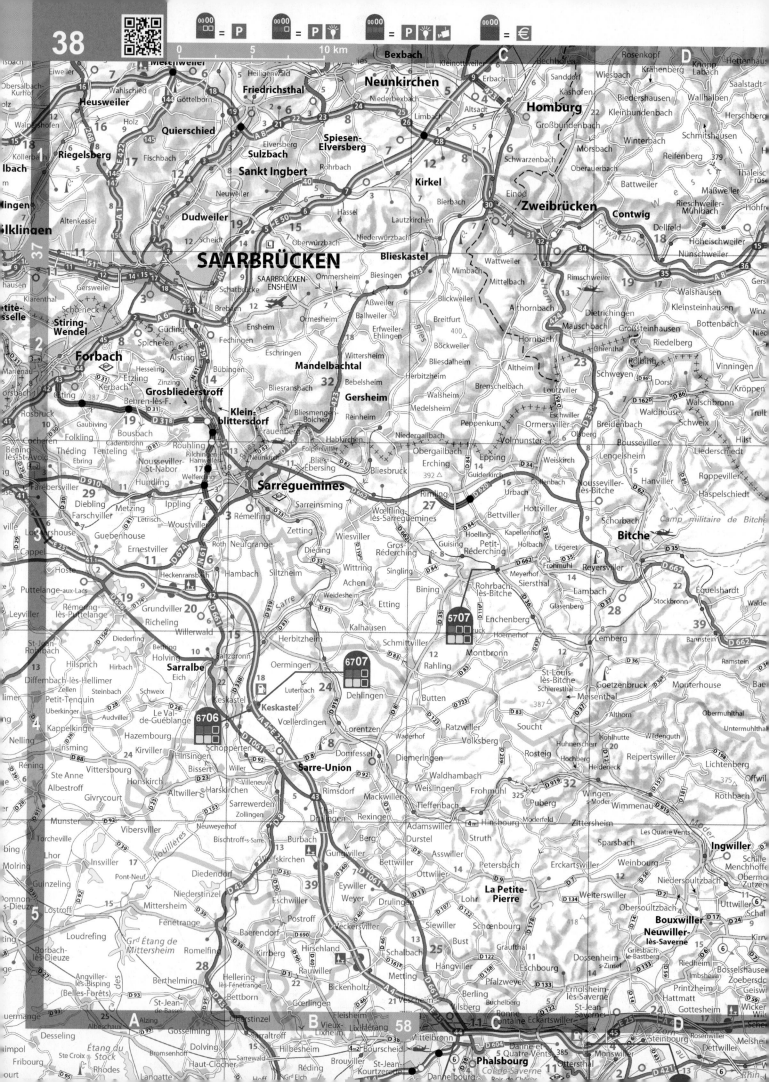

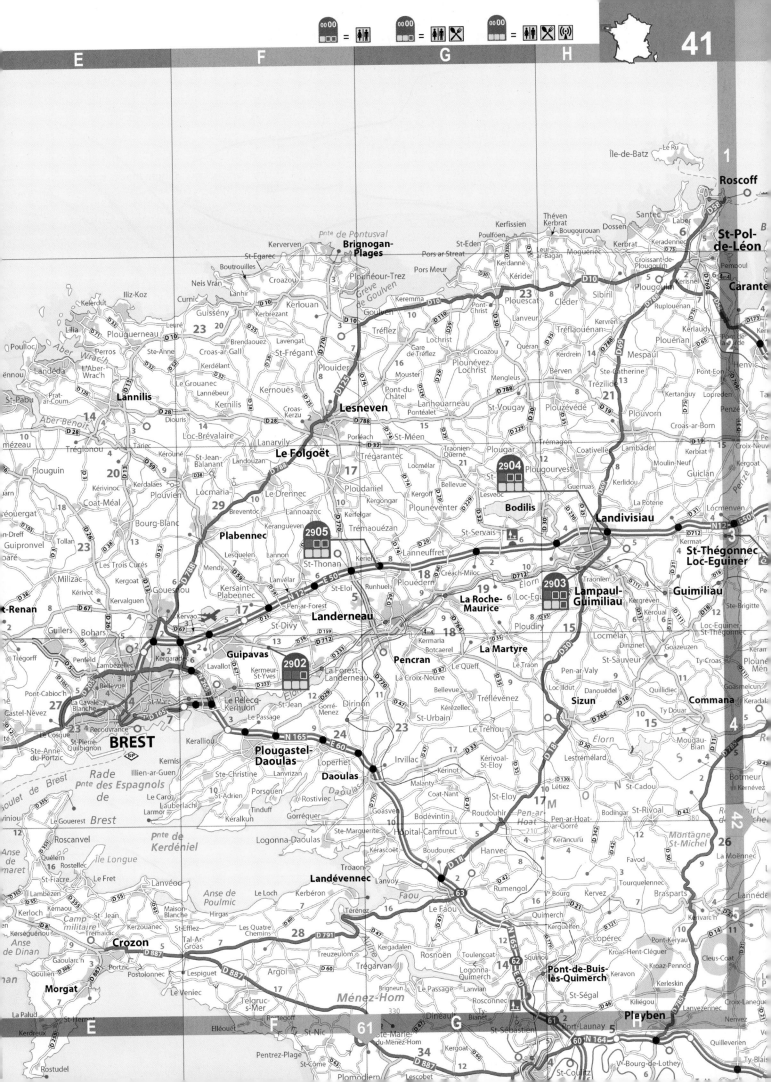

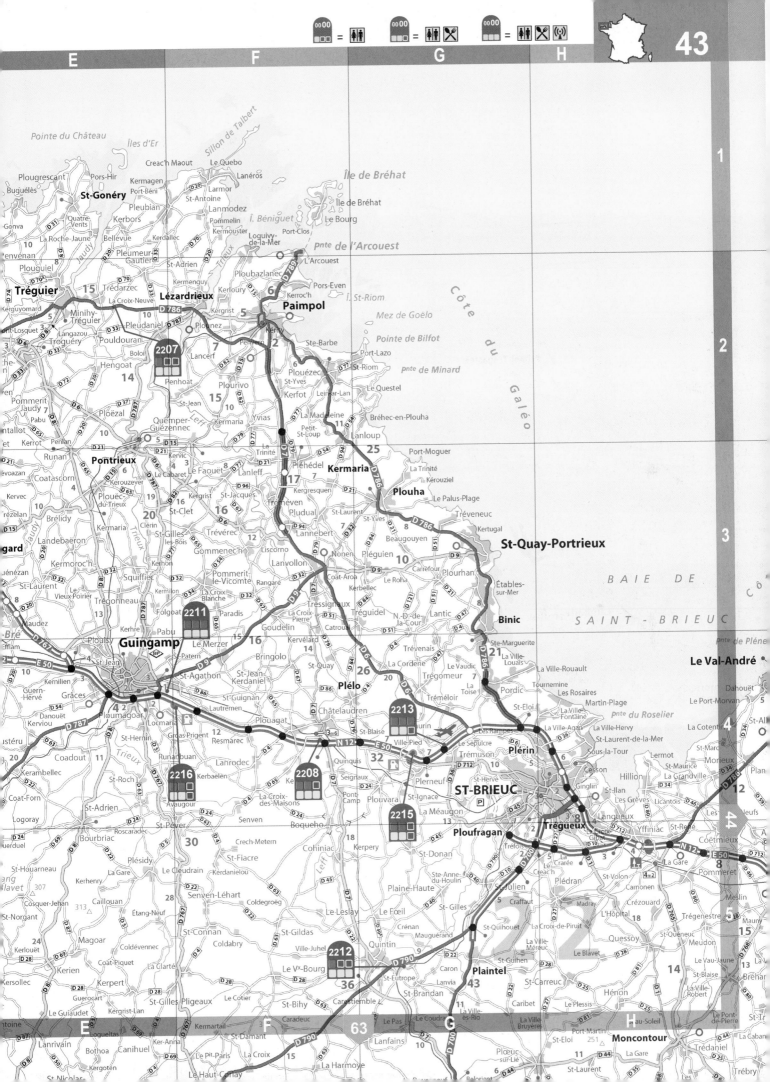

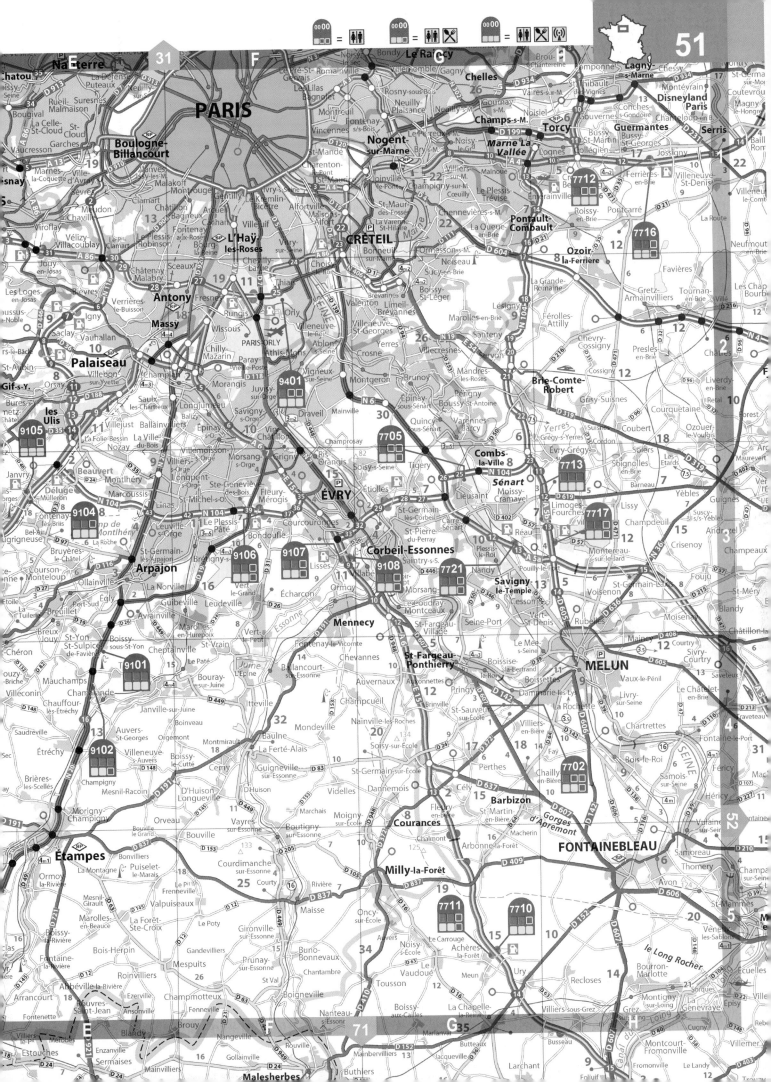

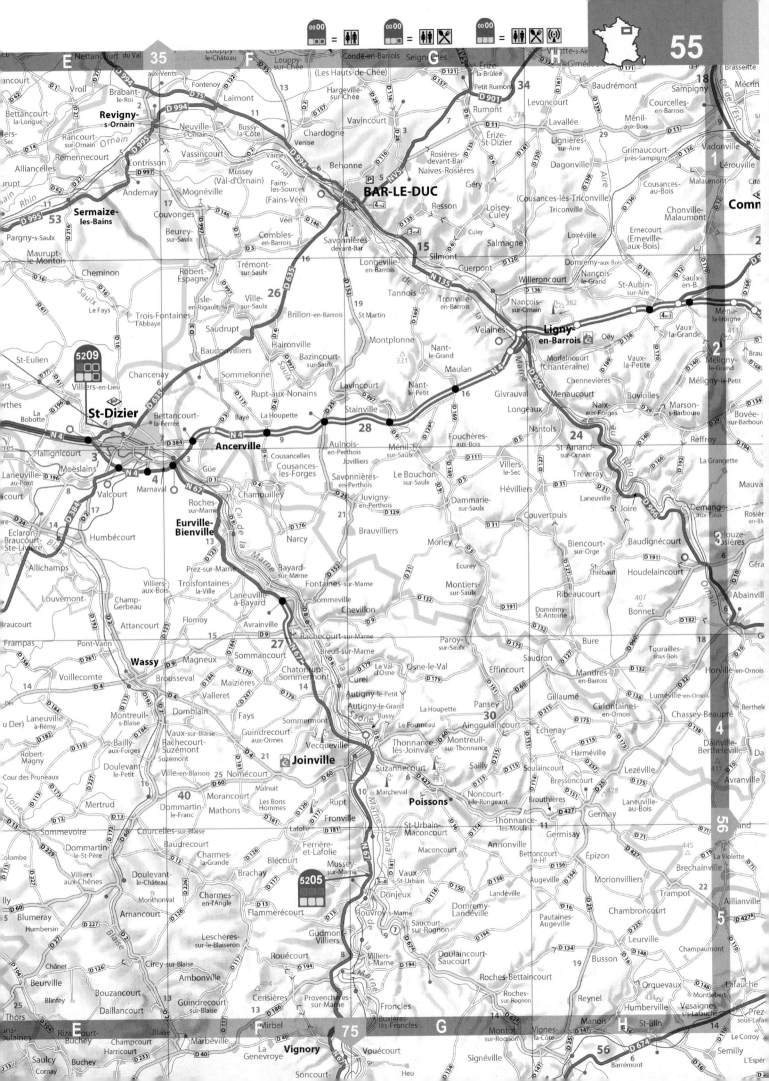

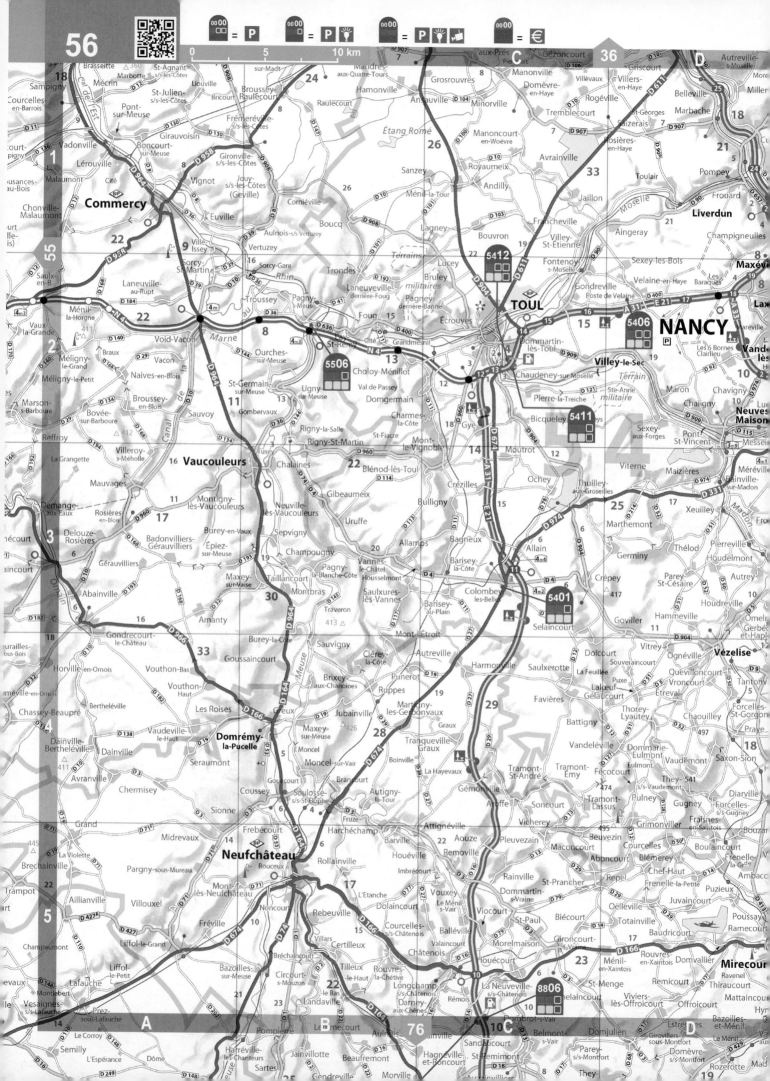

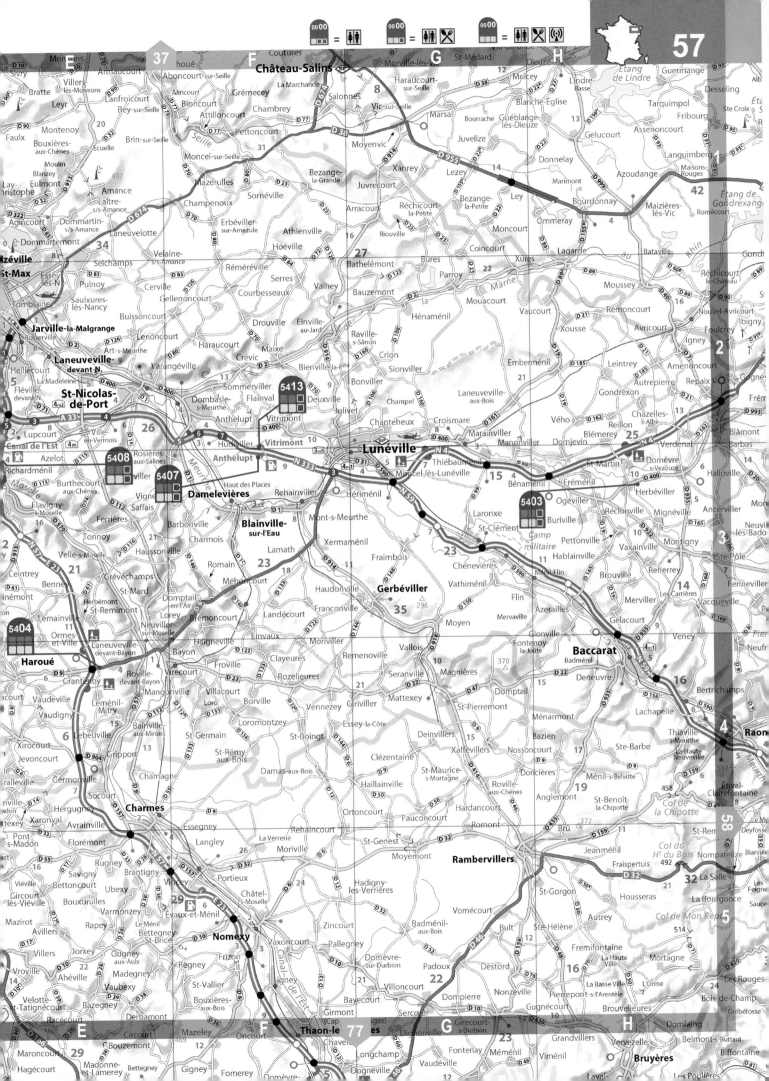

0   5   10 km

C   D

Cap de

p^{nte} de Brézellec

Pointe du Van

St-They   Kermeur   16

Baie des   Cléden-Cap-Sizun
Chaussée de Sein   Trépassés   3   D43   Quillivic

Île-de-Sein   Raz de Sein   2   Lescleden   St-Tremeur   Go

Pointe du Raz   Lescoff   Plogoff   Primelin   Trevenoue

Pendreff   13

Pennéac'h   St-Tugen   Es

Custrer

Ste-Eve

p^{nte} de Lervi

1

2

3

4

5

A   B   C   D

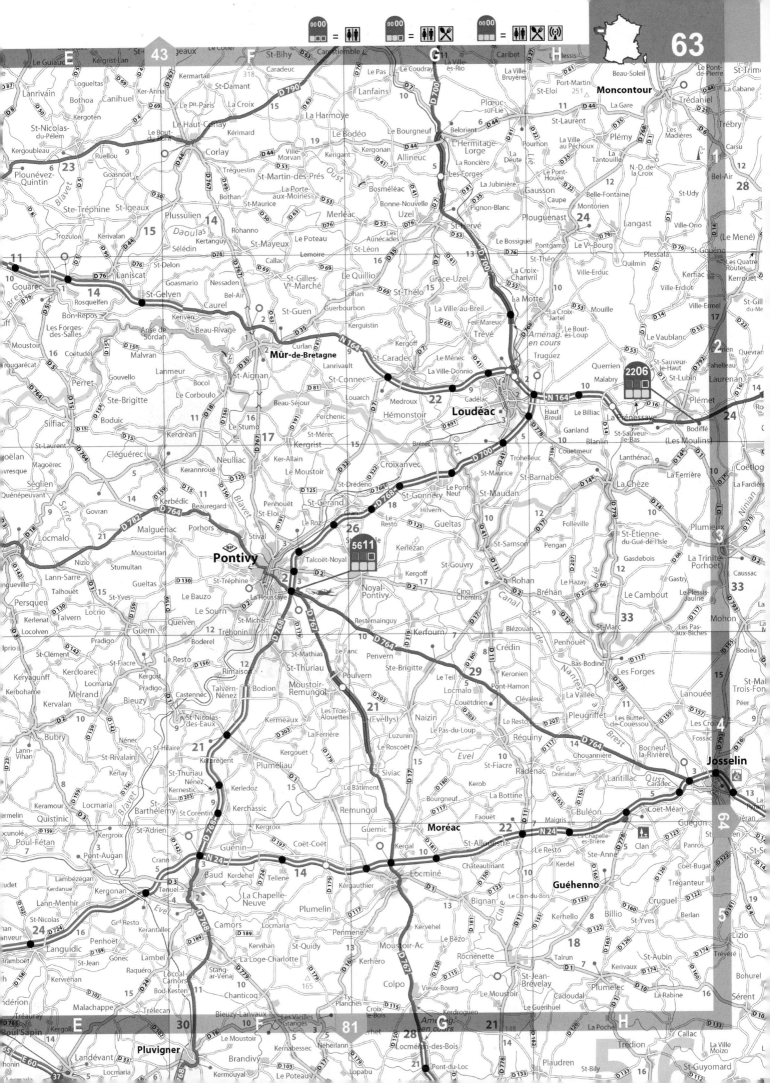

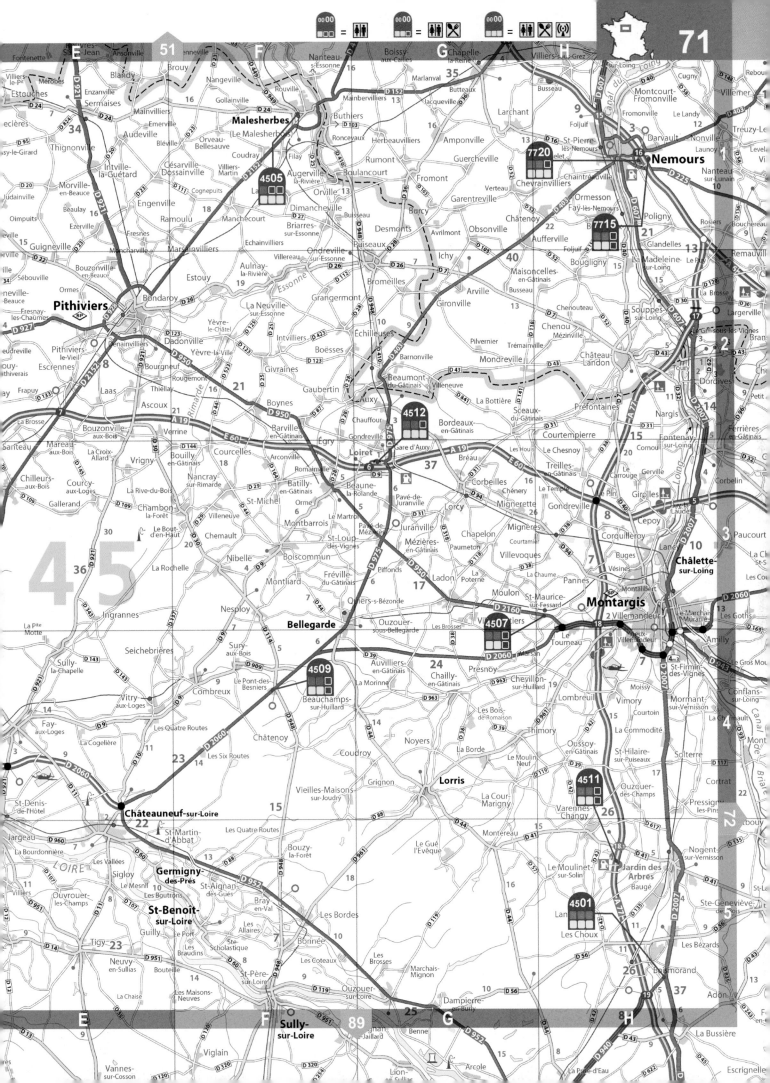

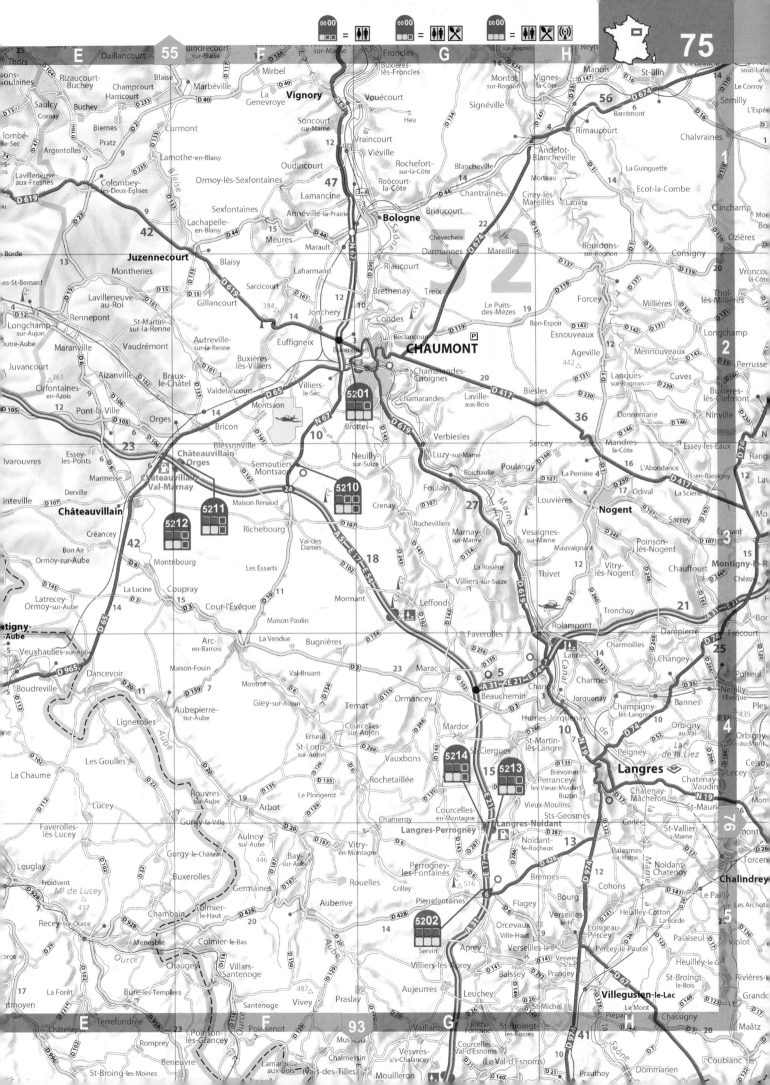

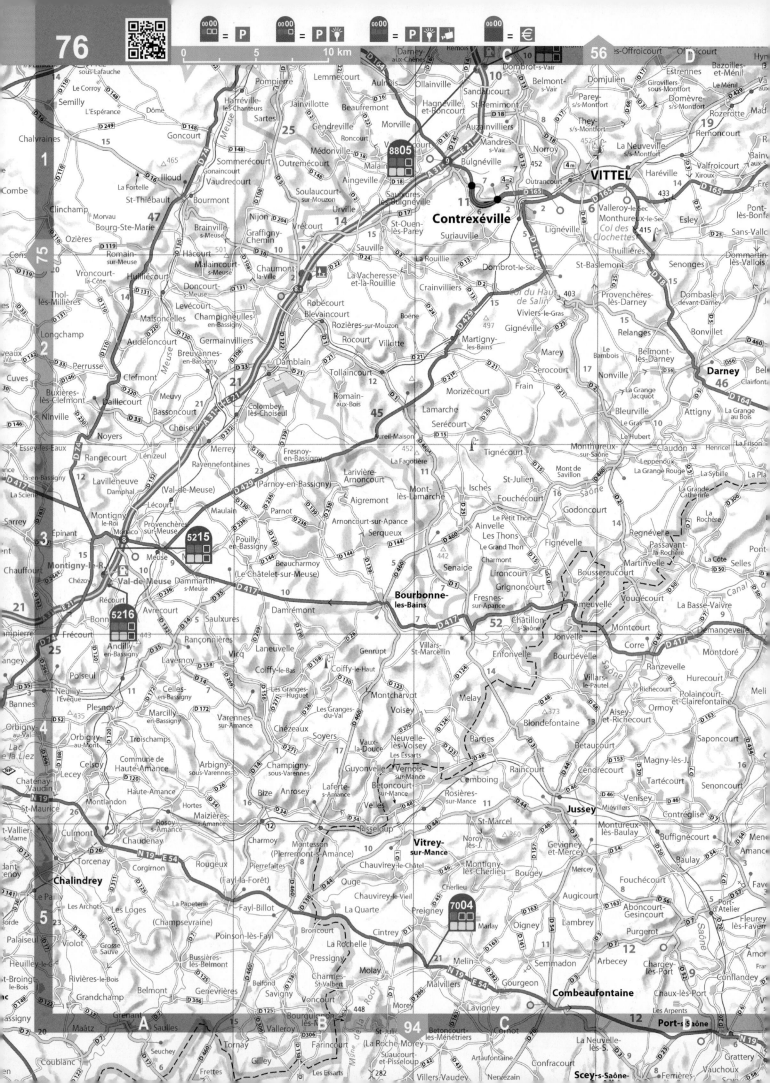

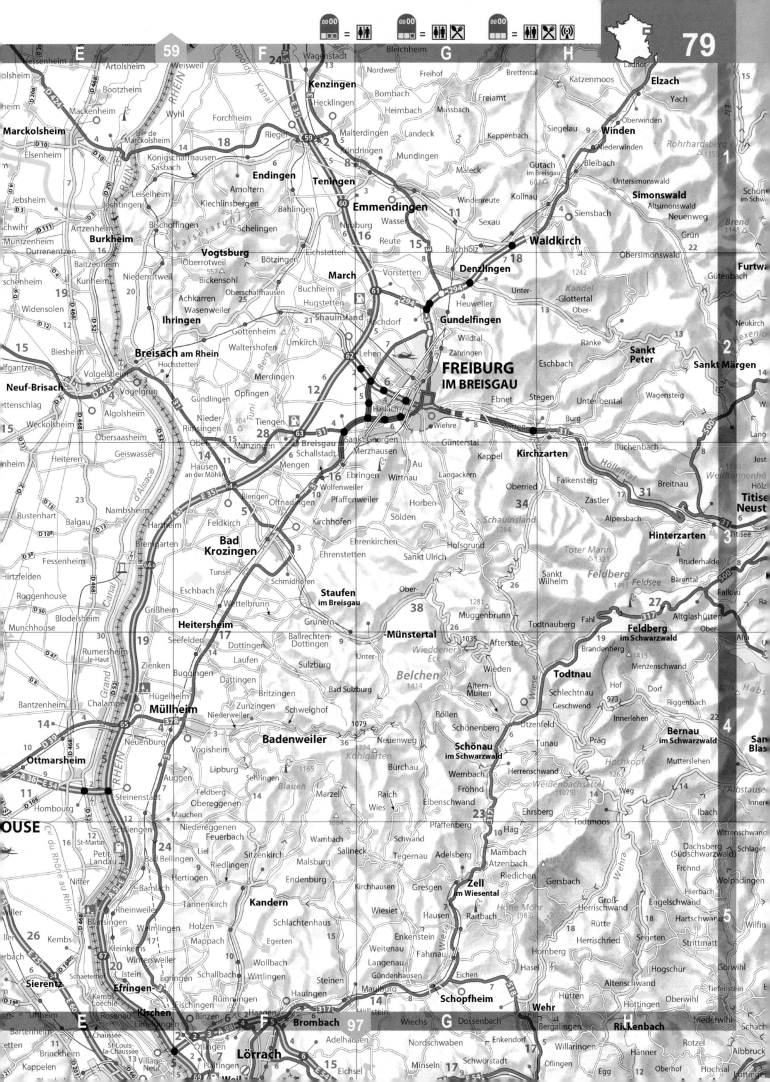

0   5   10 km

A   **B**   **C**   **D**

1

2

3

4

5

Doëlan
Le Pouldu
Anse
du Pouldu

Keranquernat   Fiacre   **Guidel**
Le Ménéguen
Guidel-Plages
St-Mathieu
8
Kergaher
LANN-BIHOUÉ
Kervinio
Fort-Bloqué
5
Kergantic
Kerham   **Ploemeur**
Le Courégant
11   **Larmor-
Plage**
Kerroch
Perello
Lomener
p^{nte} du Talut

LORIENT   **Lanester**   St-Sterlin

St-Efflam
Pen-
Mané
Kervihern   Beg-
Er-Lann
Mer
Locmiquélic
10   Nost
Riantec   Groach-Carnec
25   7
11   Kervon
Kervran   Mané
Gâvres   N
P^t-Lo
Plouhinec
Po
Lo
Locqénin

Basse des Bretons

Pen-Men   Quelhuit
Port-Lay
Port-Tudy
Kervédan
Kerlard   Kerohet
Crehal   **Groix**
Locmaria
Locqueltas   p^{nte} des Chats

ÎLE DE GROIX

Côte des Mégalithes

Magouëro
V^x-Passage   Larm
Le Magouër
Étel
Kerminihy
Kerou

Pointe du Pe

Côte Sau

Beg er Go

Pointe des Poulains
Stêr-Vraz
Stêr-Ouen   p^{nte} du Caro
Sauzon   Port-Fouque
Bordérune   11
Bordelanne   Bruté
Kêrlédan   10
Kervellan
Port Donnant   3
Kervilahouen   7
Port Goulphar   Domois   Bangor
Grd-Villa
Le
Cô

BELLE-ÎLE

LORIENT   Blavet   D 781   Kéroman   **Port-Louis**

Kerdu
Kervéga   Kerdu
L'ocoyarne
Kernours   Lothuen   Kervignac
St-Guénaël
Kernours
D 194

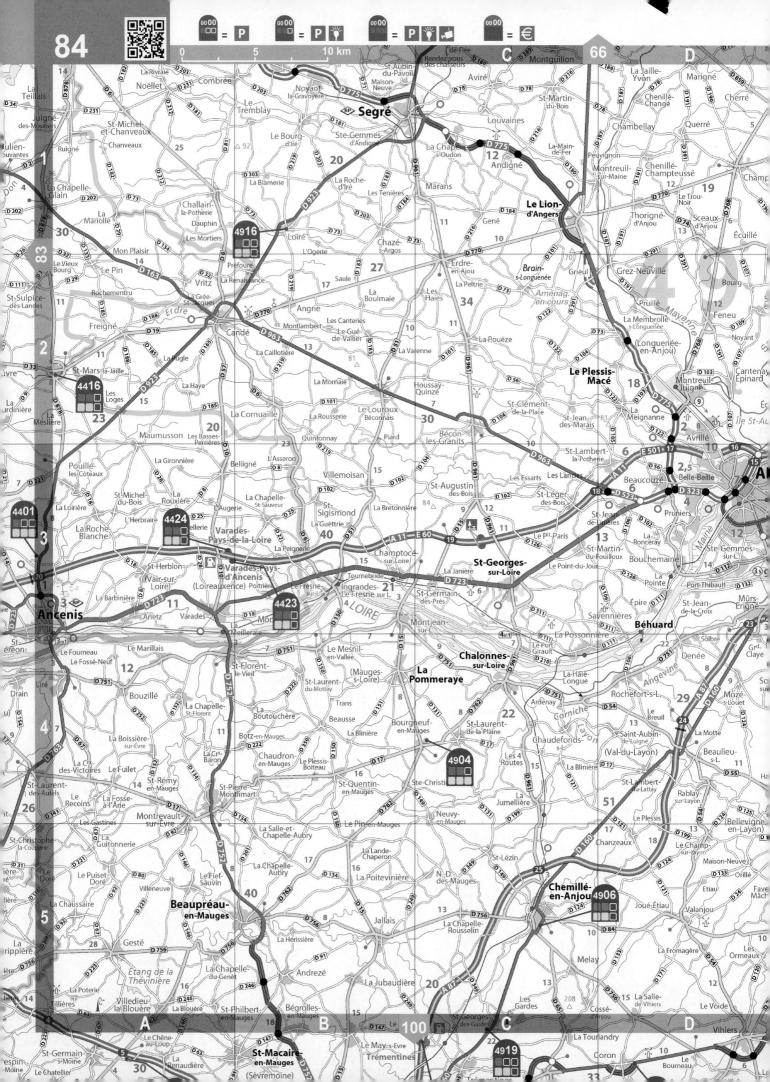

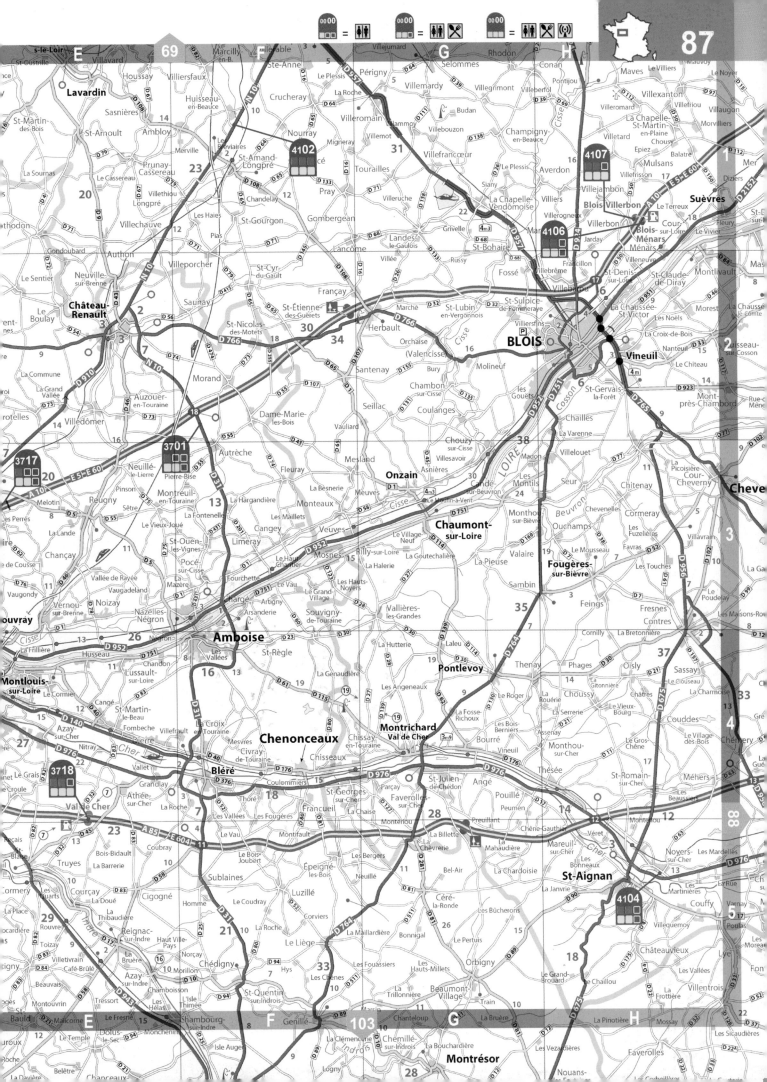

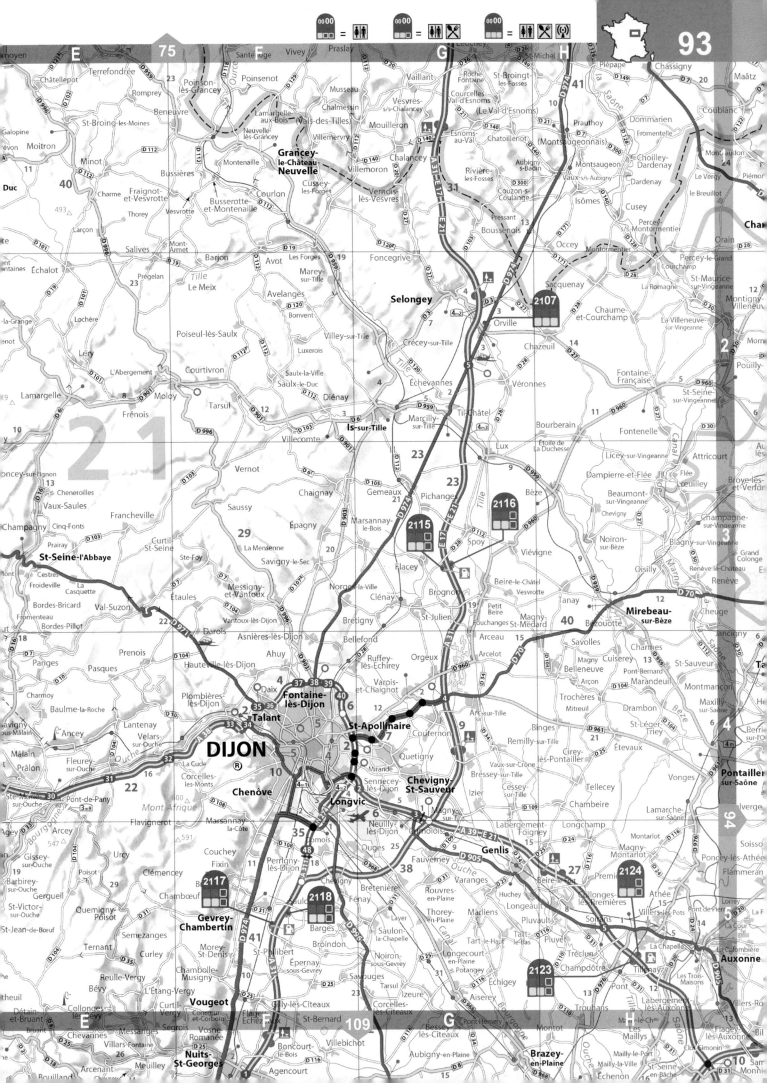

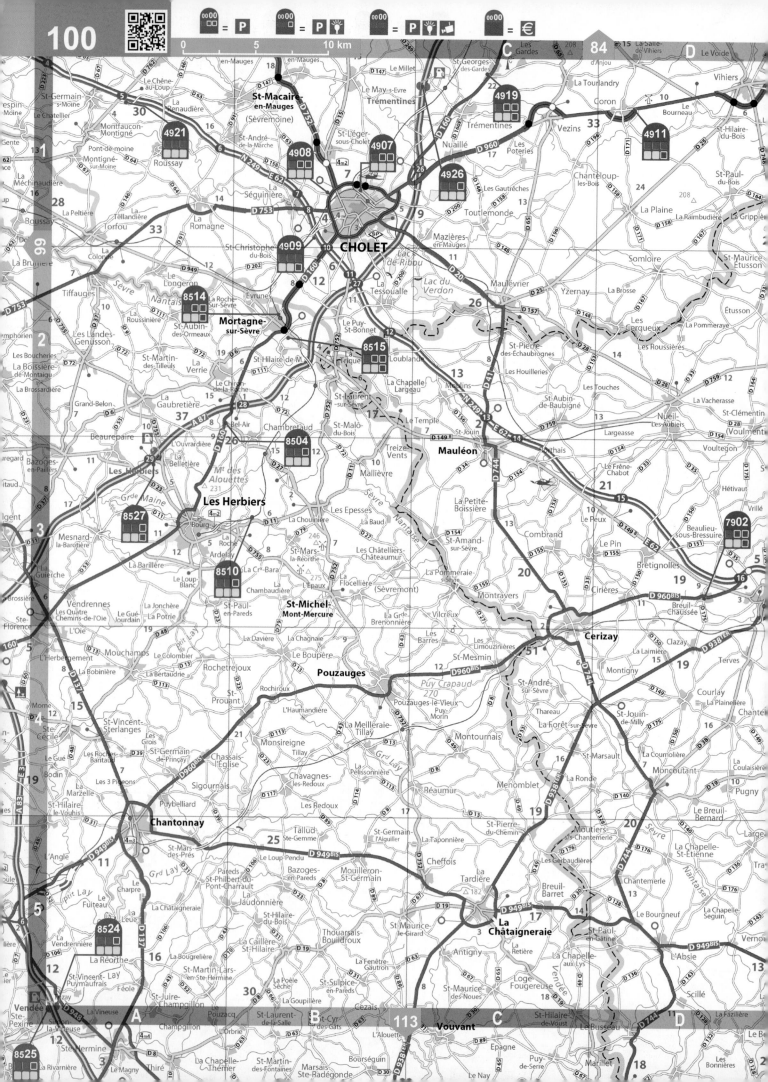

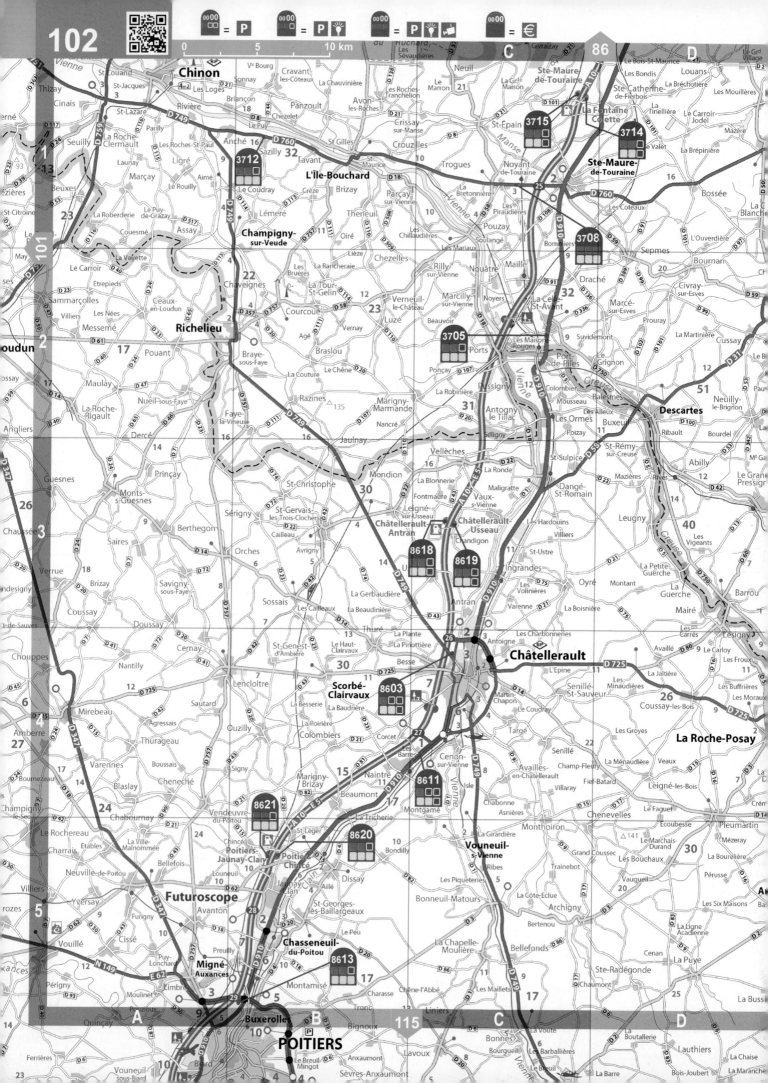

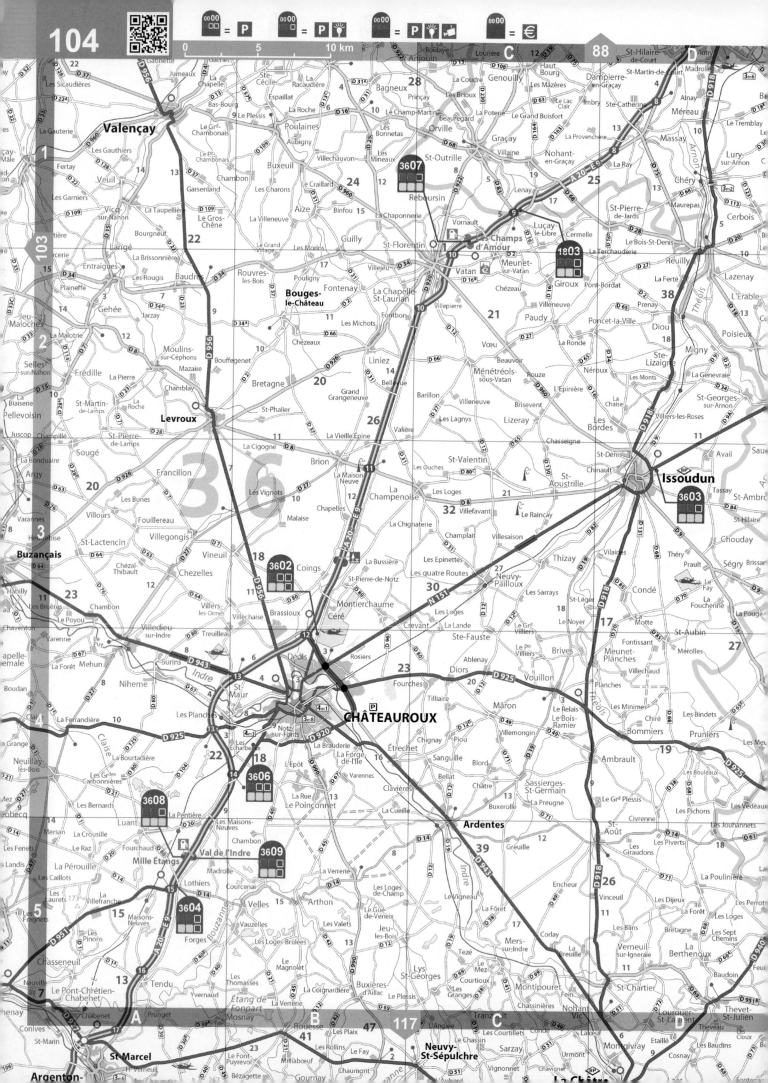

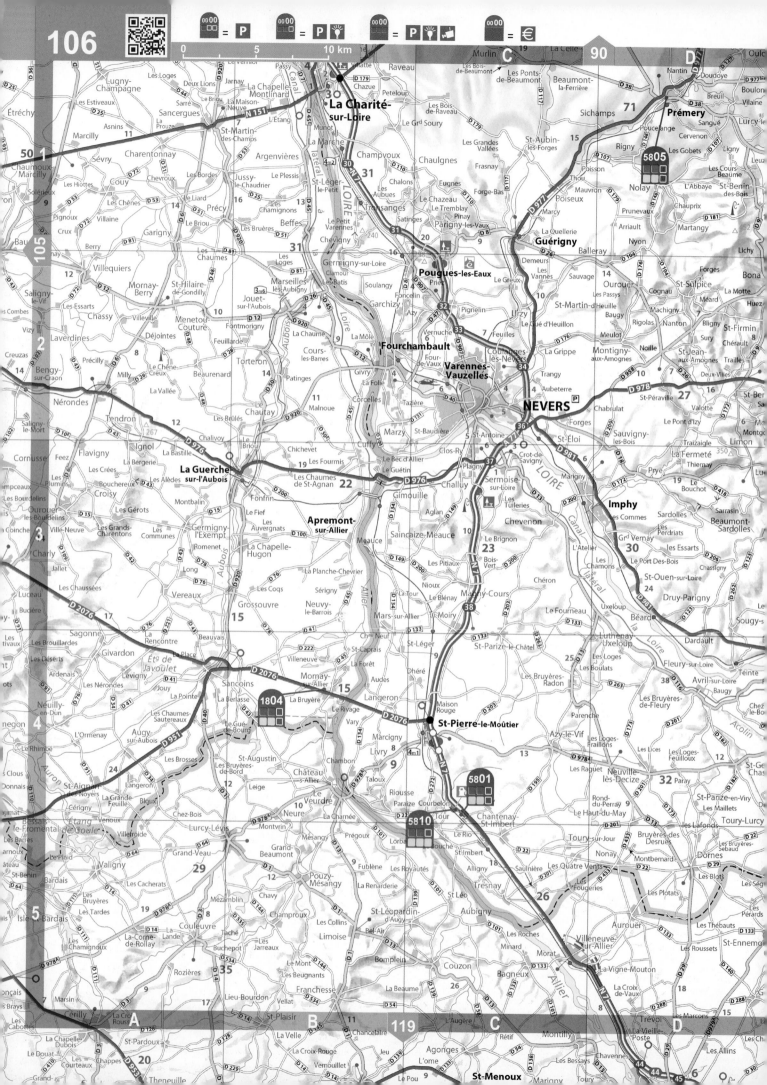

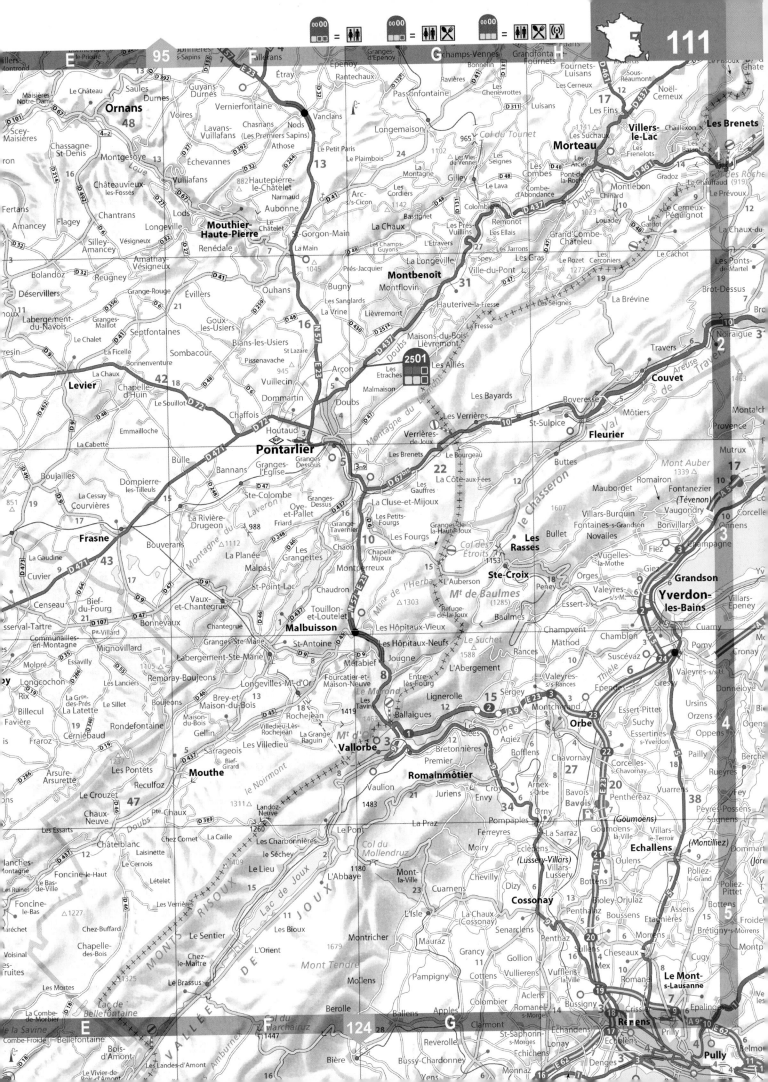

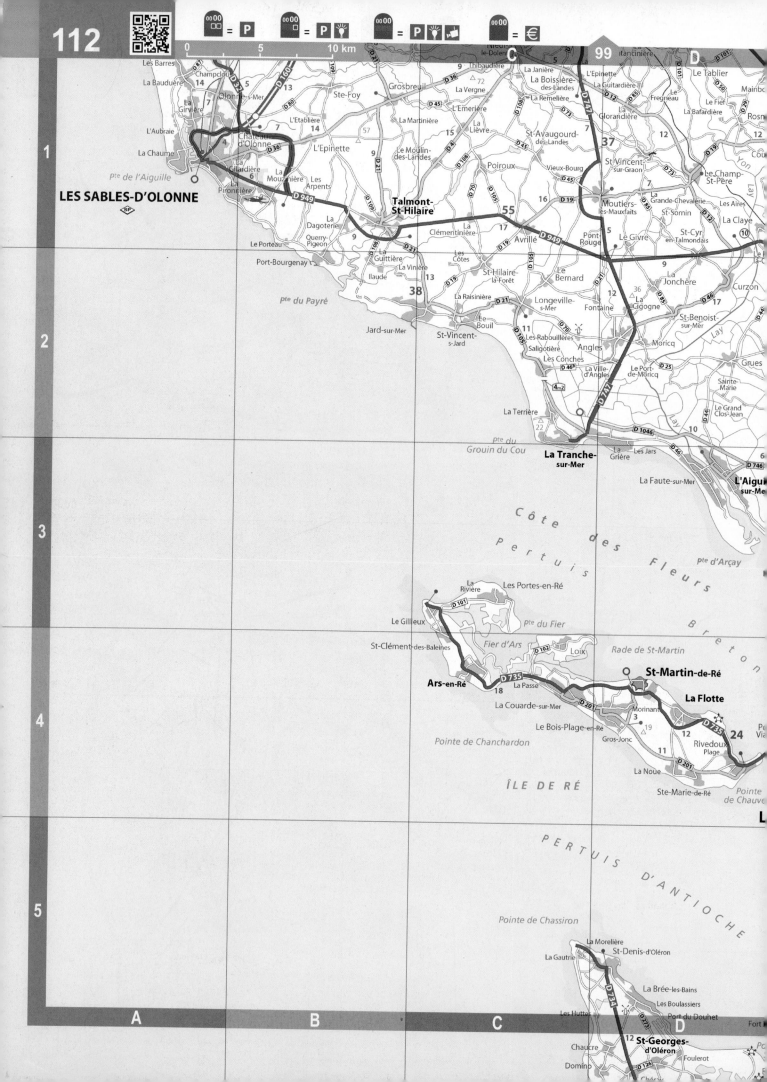

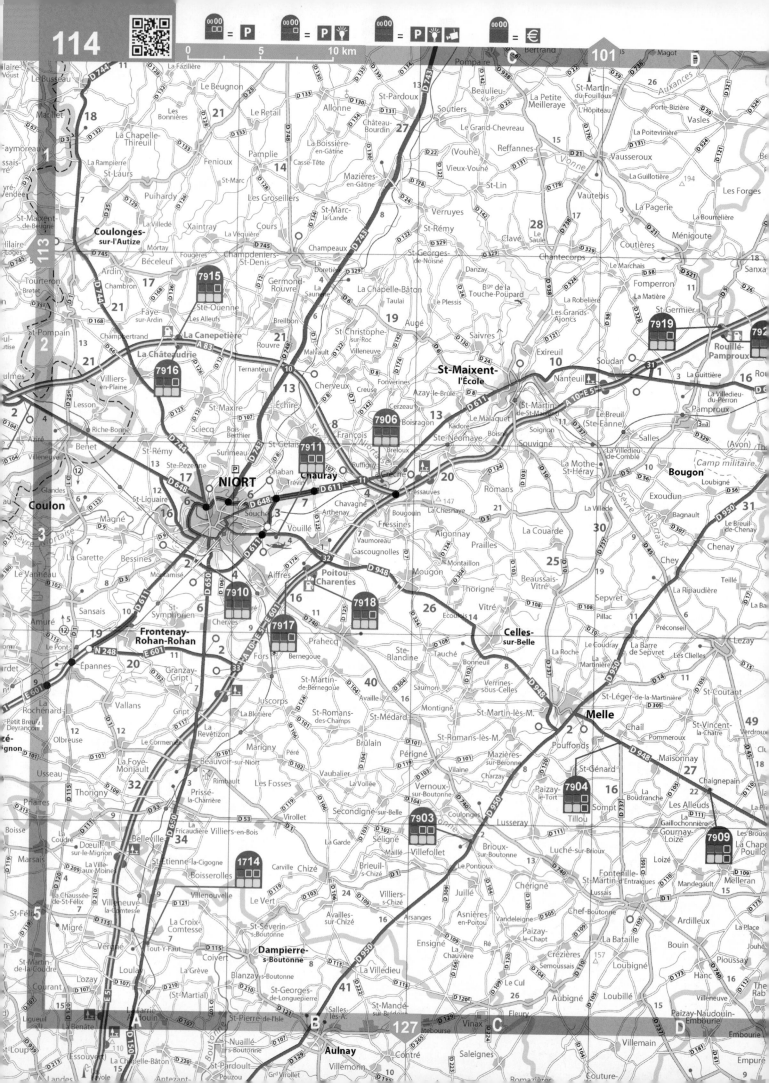

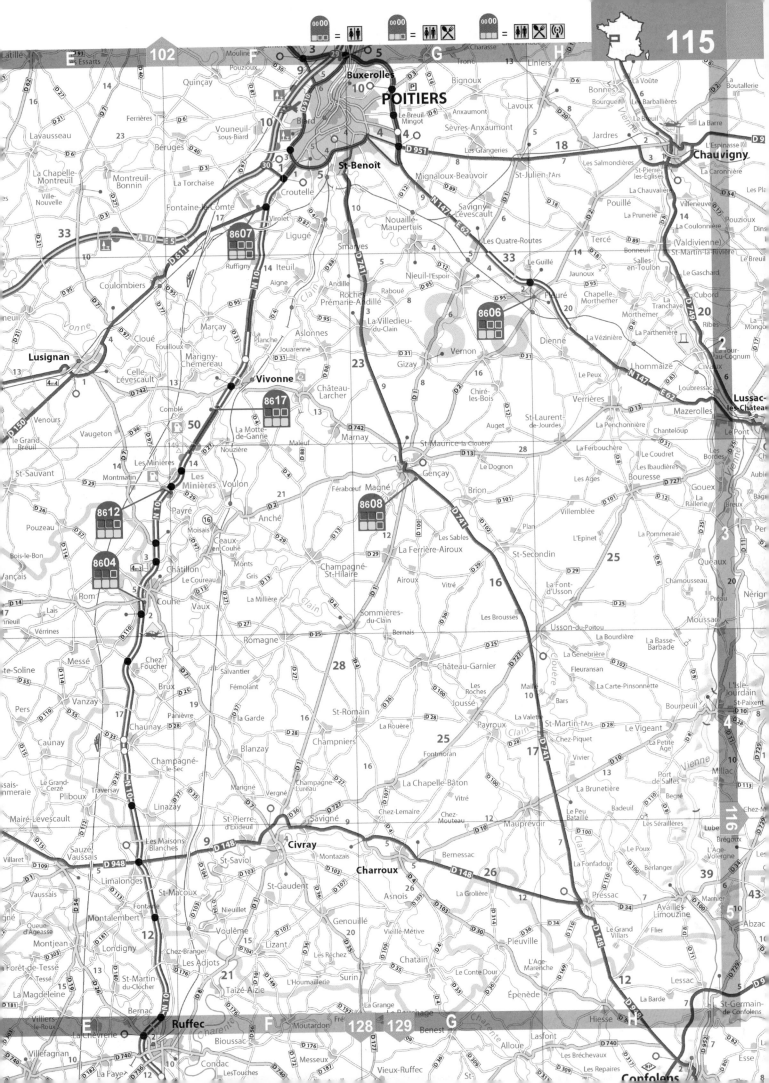

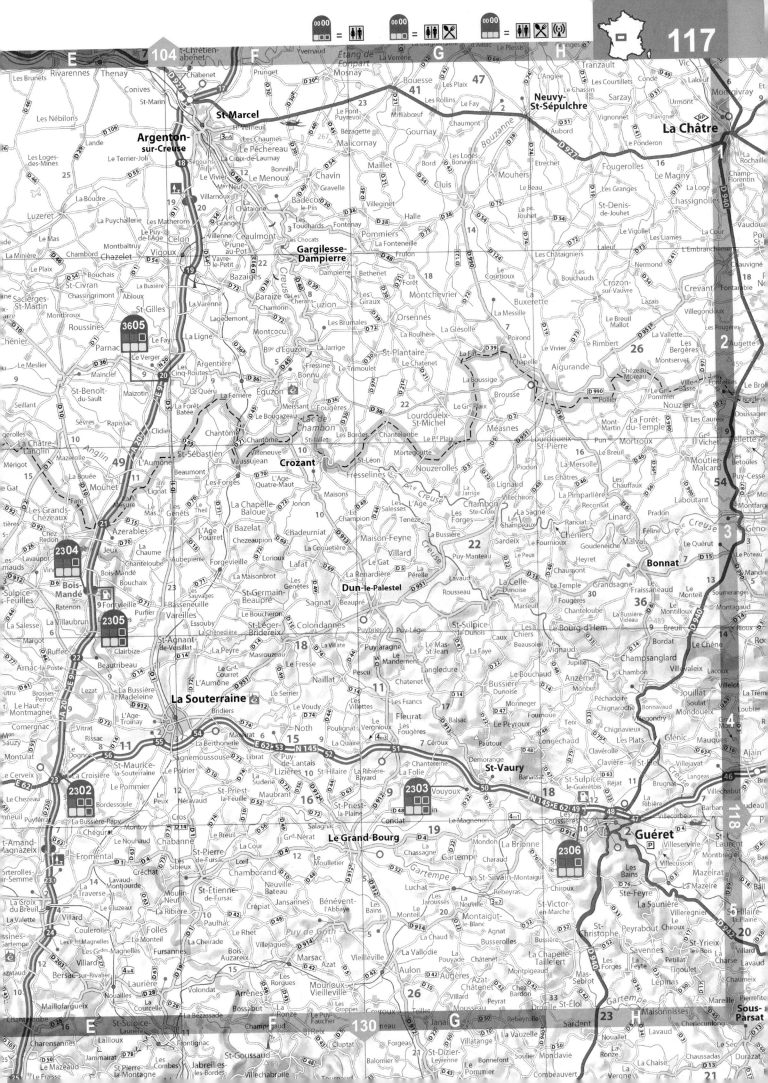

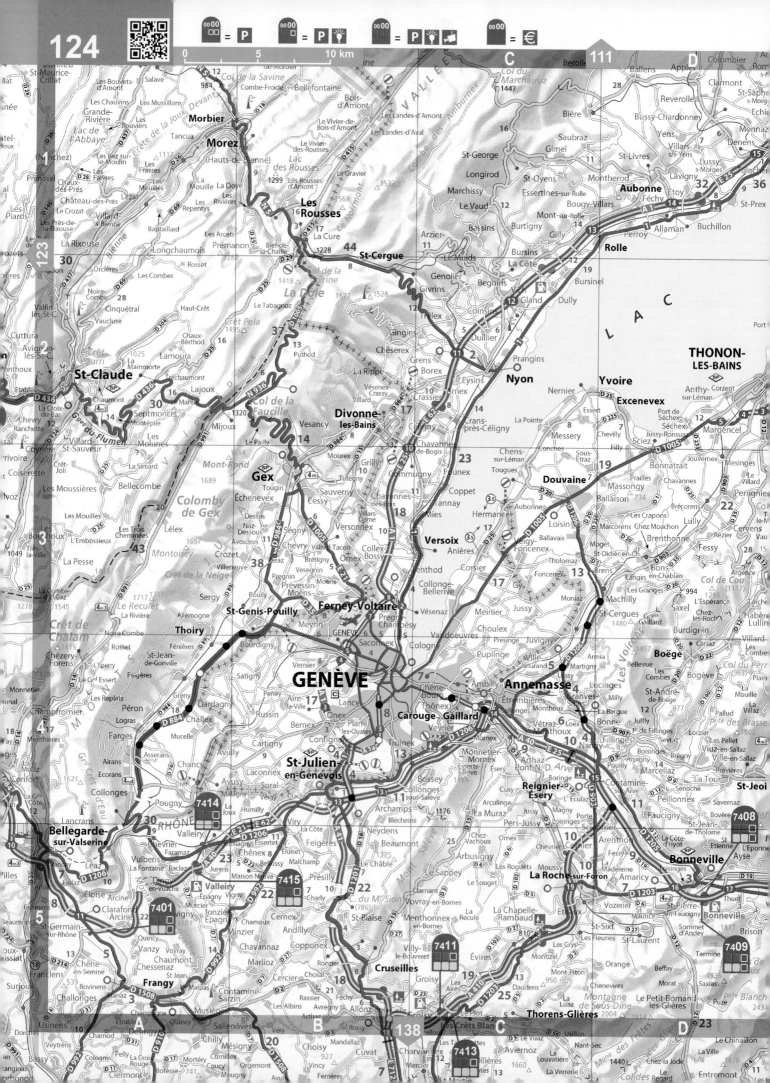

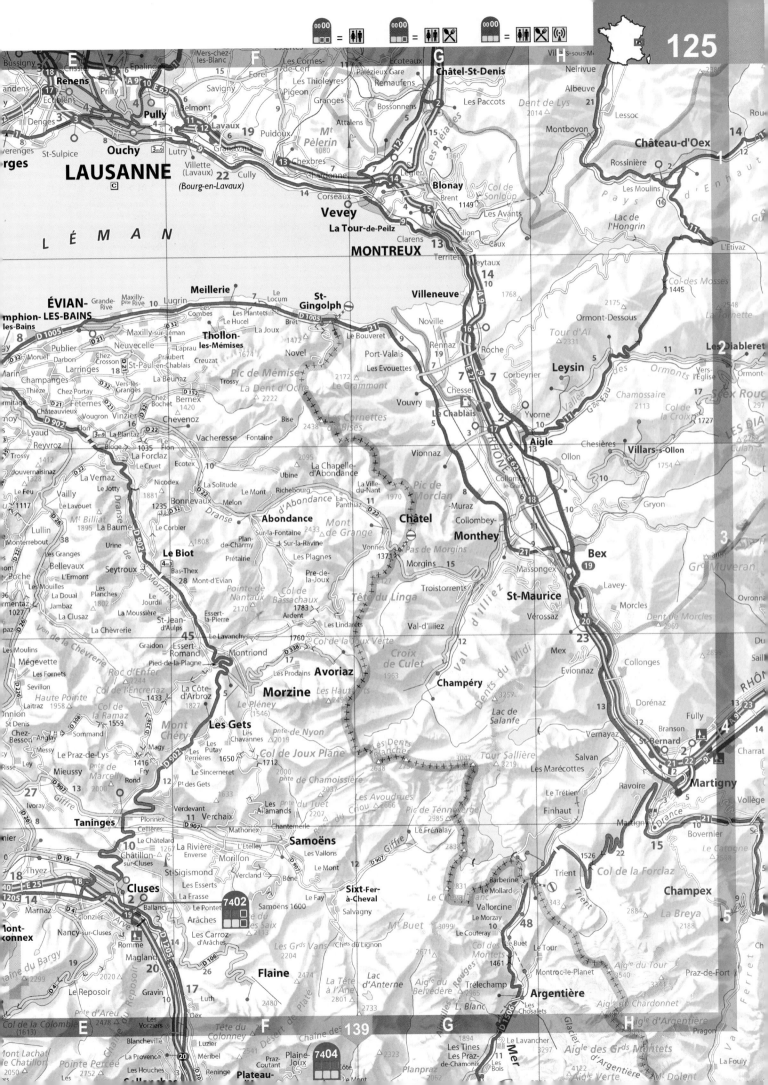

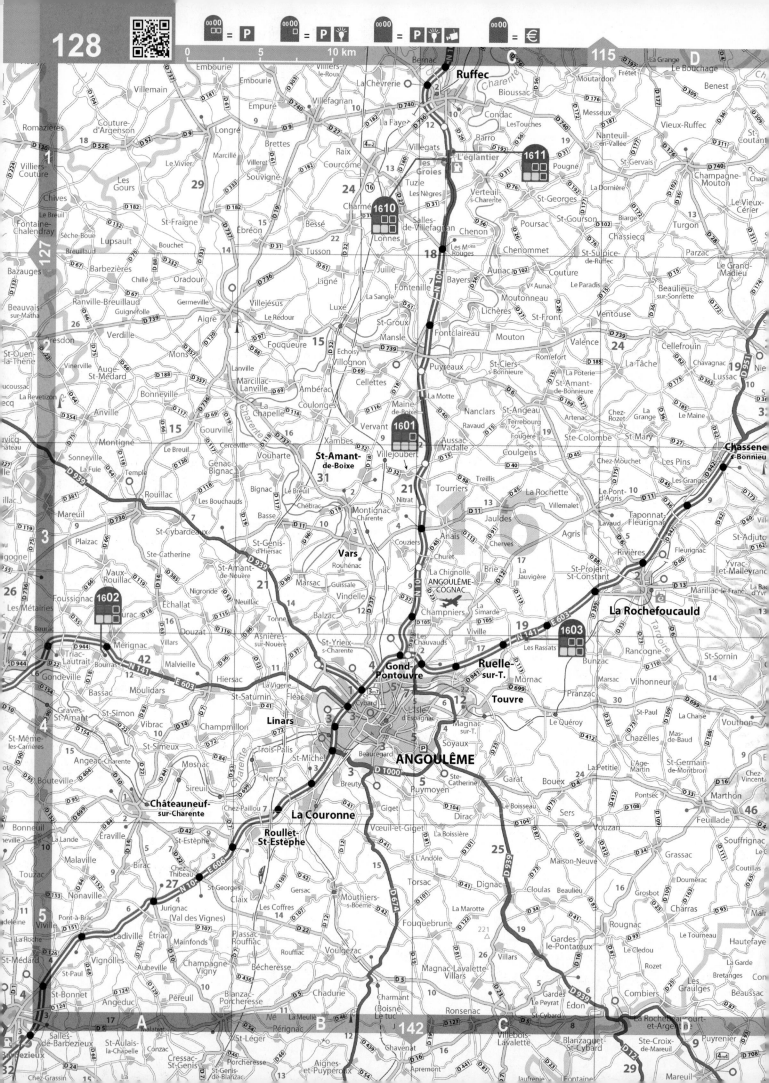

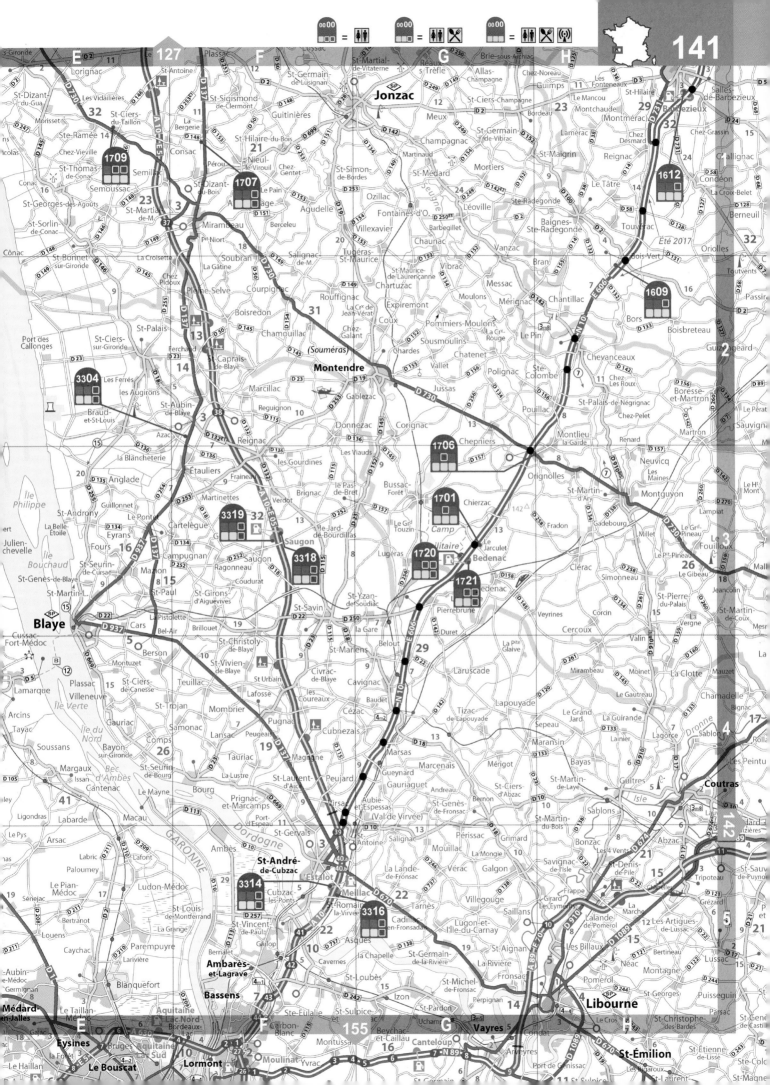

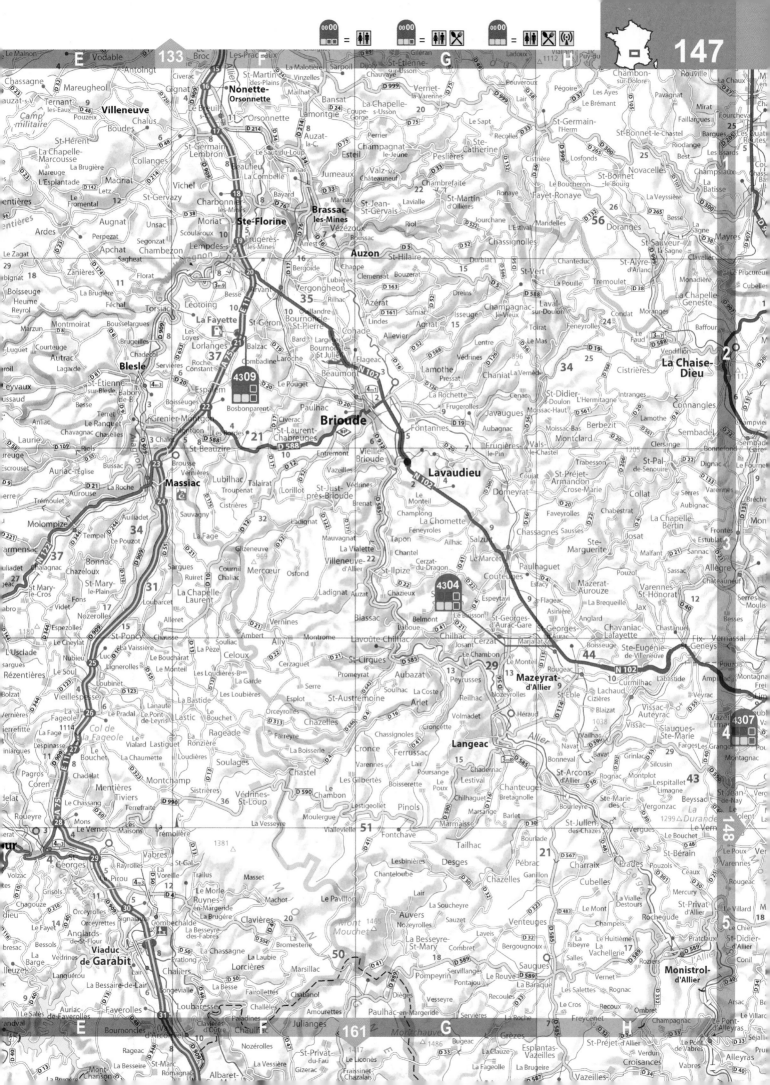

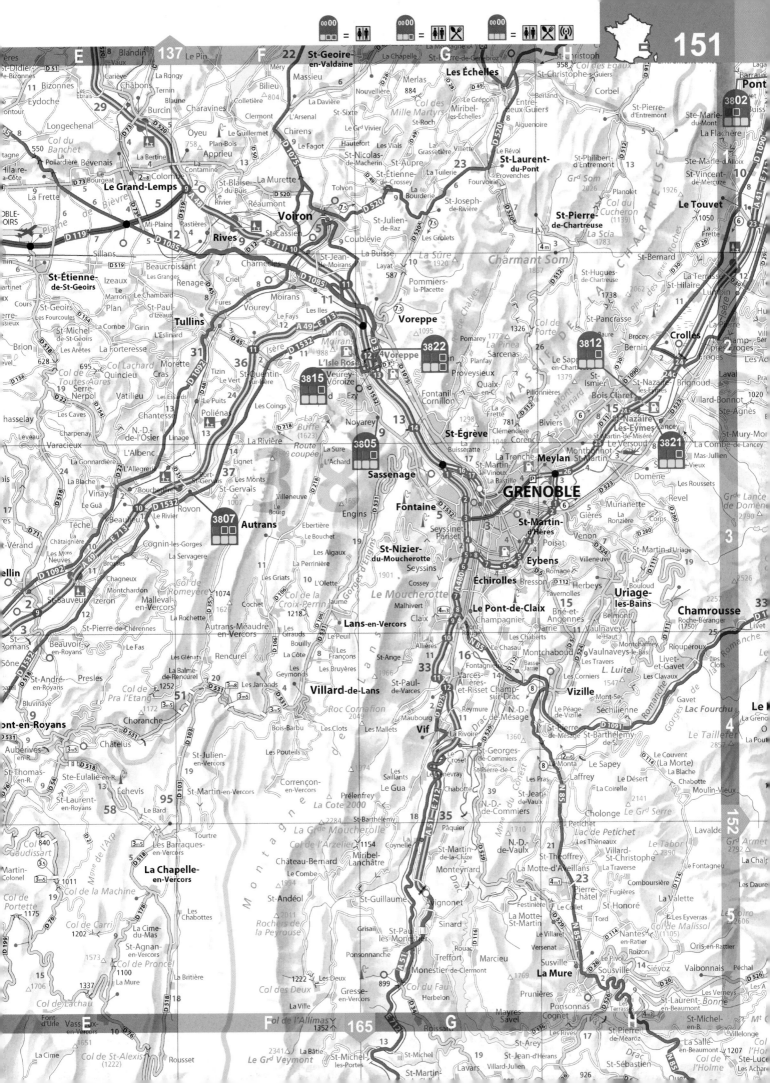

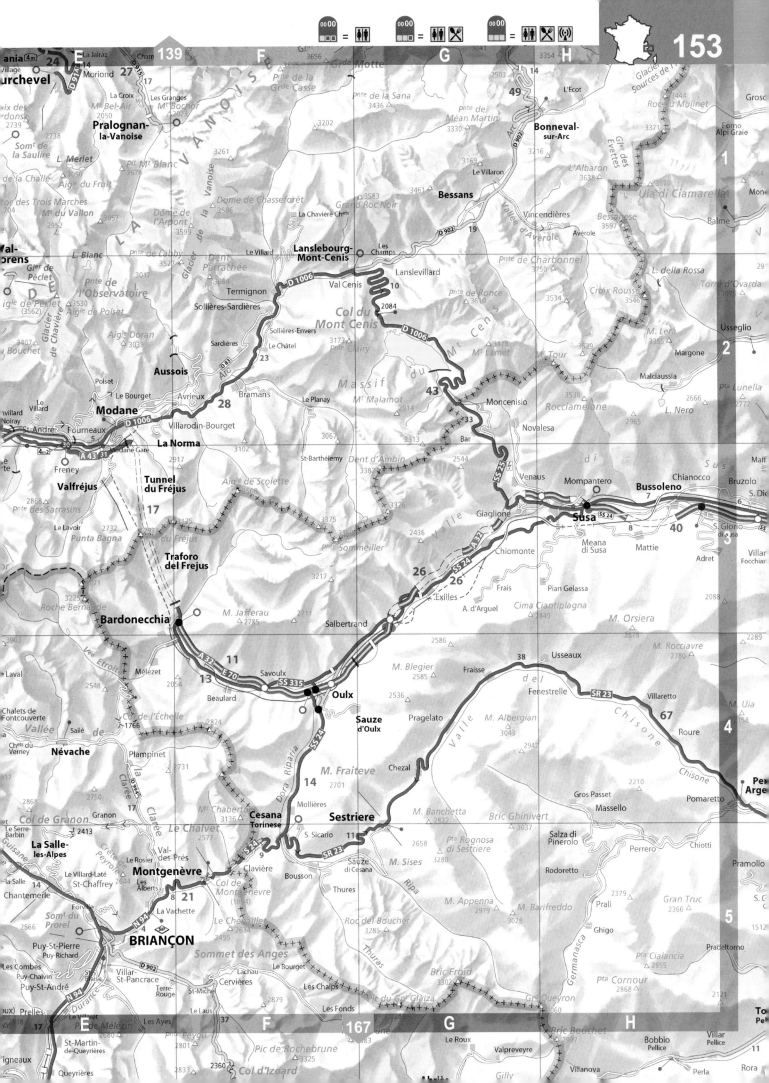

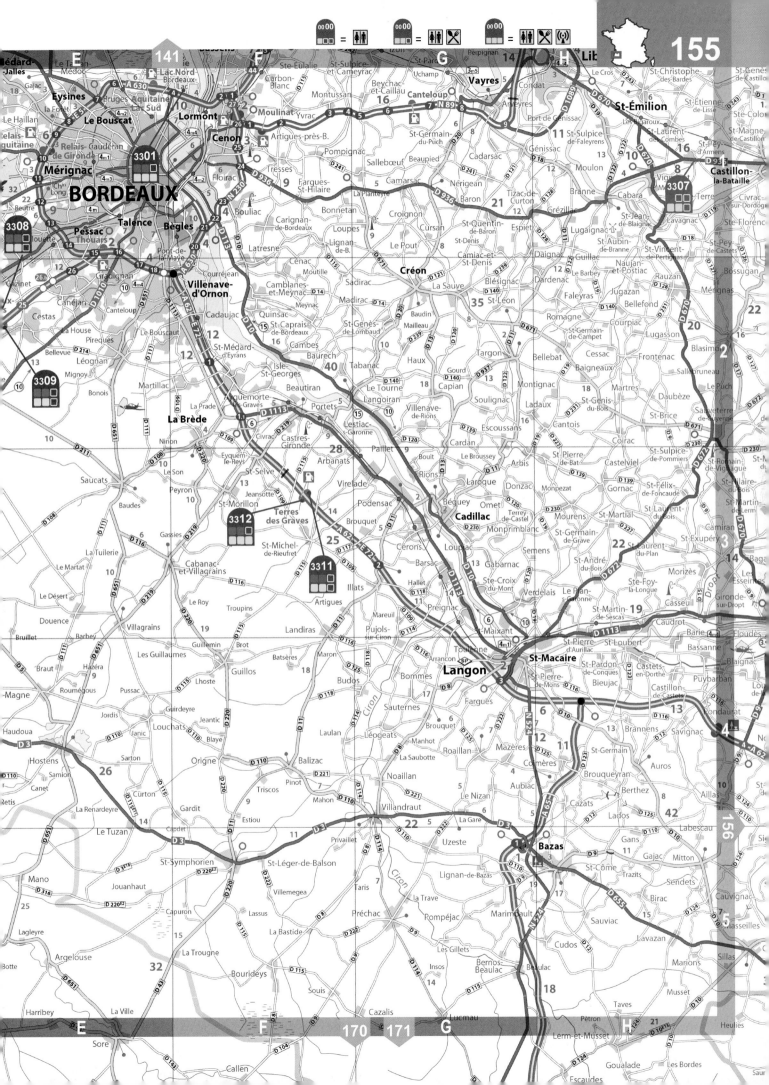

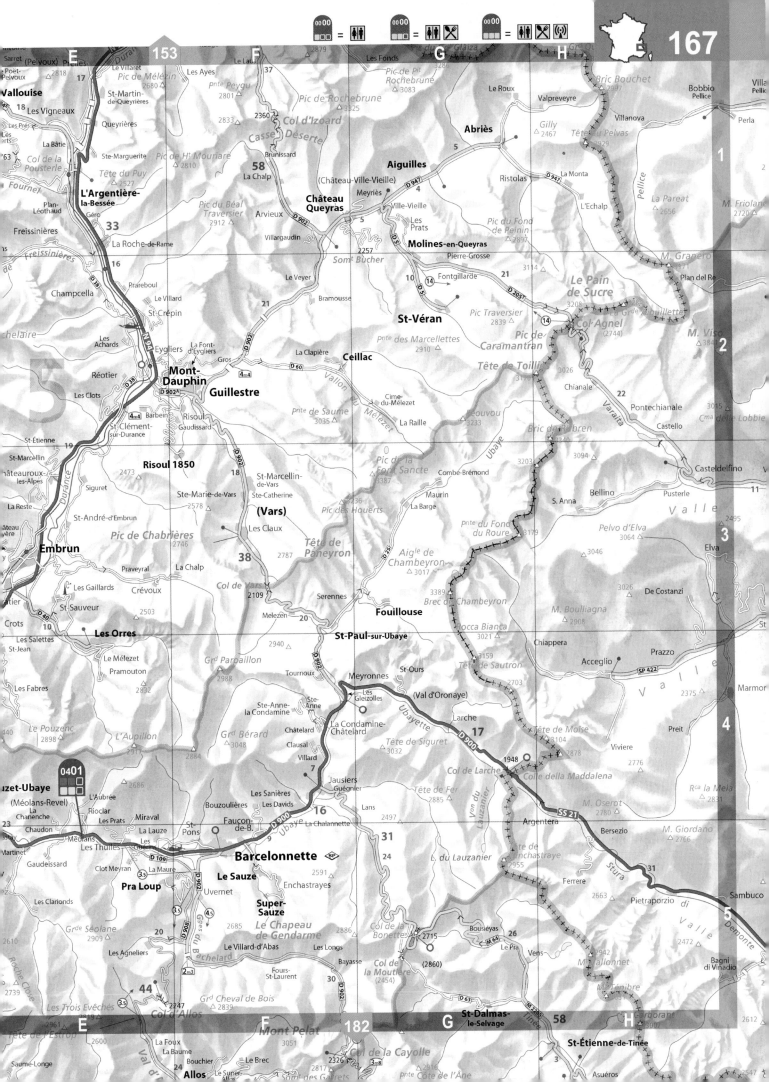

00 00 = P 00 00 = P 🔆 00 00 = P 🔆 📷 00 00 = €

0   5   10 km

CENTRE D'ESSAIS
DES LANDES

1

Hillan

Lafont

Monga

24

Ste-Eulalie-
en-Born

Bestaven

*Etang
d'Aureilhan*

D 87

D 626

Merquedey

Mimizan-Plage

6

Aureilhan

Mimizan

Baschoc

Salin

D 652

D 44

Esting

Leych

Archus

2

Jouanon

Bias

Lisacq

D 652

18

15

28

D 38

D 367

Côte d'Argent

34

Larden

Contis-Plage

D 41

8

La Lette

8

D 65

D 167

Mézos

Contis-
les-Marais

Le Cusson

St-Julien-
en-Born

Guetch

D 652

6

D 41

D 66

Le Co

3

Cap-de-
l'Homy Plage

Lit-et-Mixe

D 66

Uza

D 5

Padaou

Lévignacq

10

20

Miquéou

Lugadets

Naboude

Mixe

Vignacot

Carpit

Louise

Frouas

D 652

Mathiouic

D 331

Bernad

St-Girons-
Plage

D 42

5

St-Girons

Labaste

D 419

(Vielle-St-Girons)

D 5

4

Golfe de Gascogne

Gracian

Vielle

Linxe

Pouin

9

16

*Etang
de Léon*

Escalus

D 42

Pichelèbe

(St-Michel-Escalus)

Castets

12

Léon

D 142

St-Michel

Maa

24

St-Michel

16

Moliets-Plage

D 652

D 378

4001

D 16

14

12

13

D 378

Messanges-
Plage

Messanges

22

Herm

D 378

Cluq

5

Vieux-Boucau-les-Bains

D 50

Azur

Magescq

11

Quartier-Caliot

D 150

le Houdin

2

*Etang de
Soustons*

D 150

*Etang de
Pinsolle*

D 652

D 50

D 116

D 16

15

D 79

6

Soustons

A63 E70

**Seignosse-
le Penon**

21

14

D 337

*Etang
Blanc*

la Bagnère

10

D 652

D 17

10

10

16

A B C D

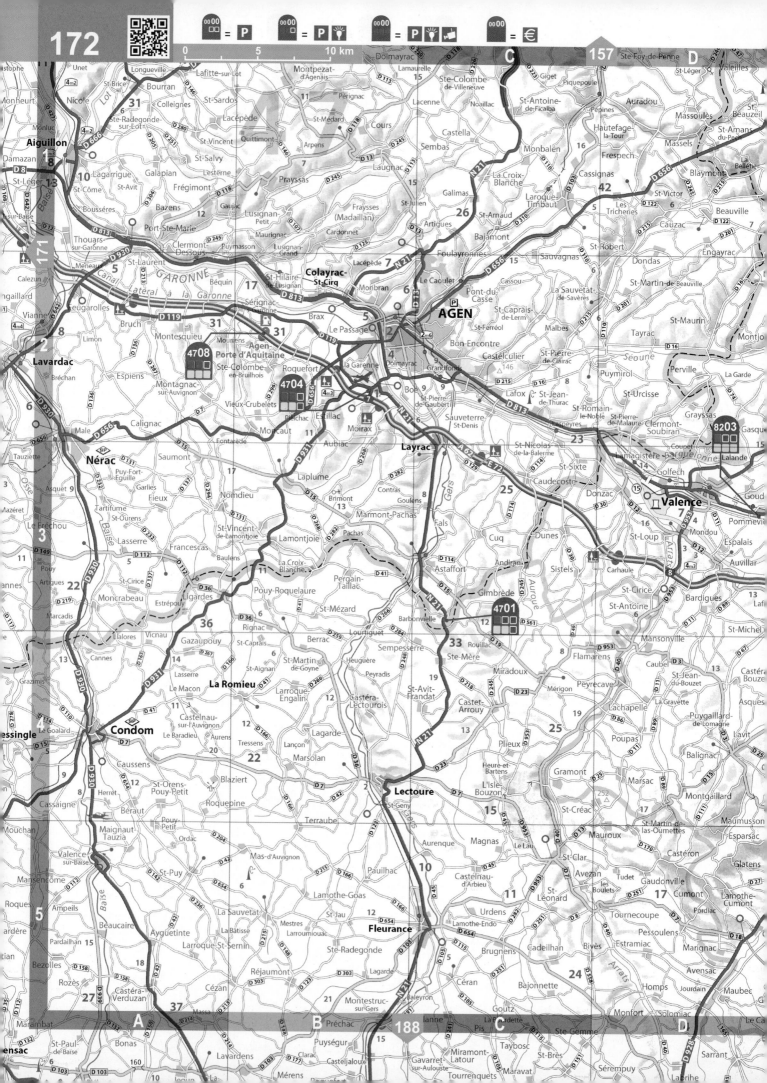

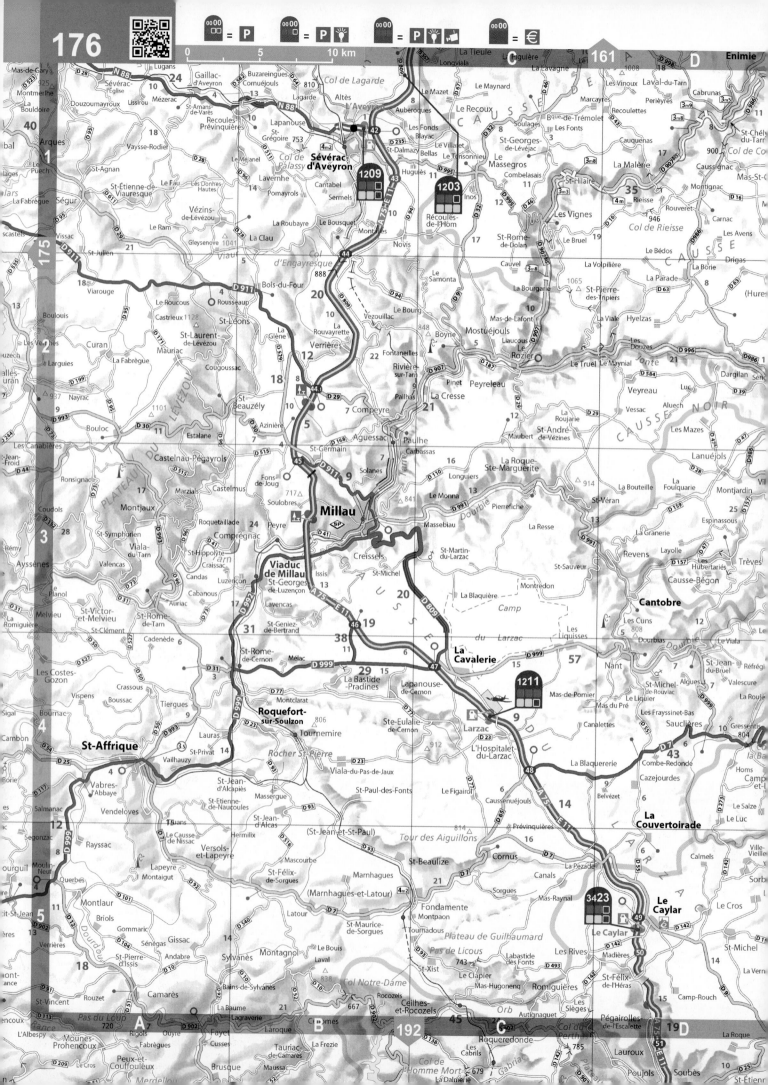

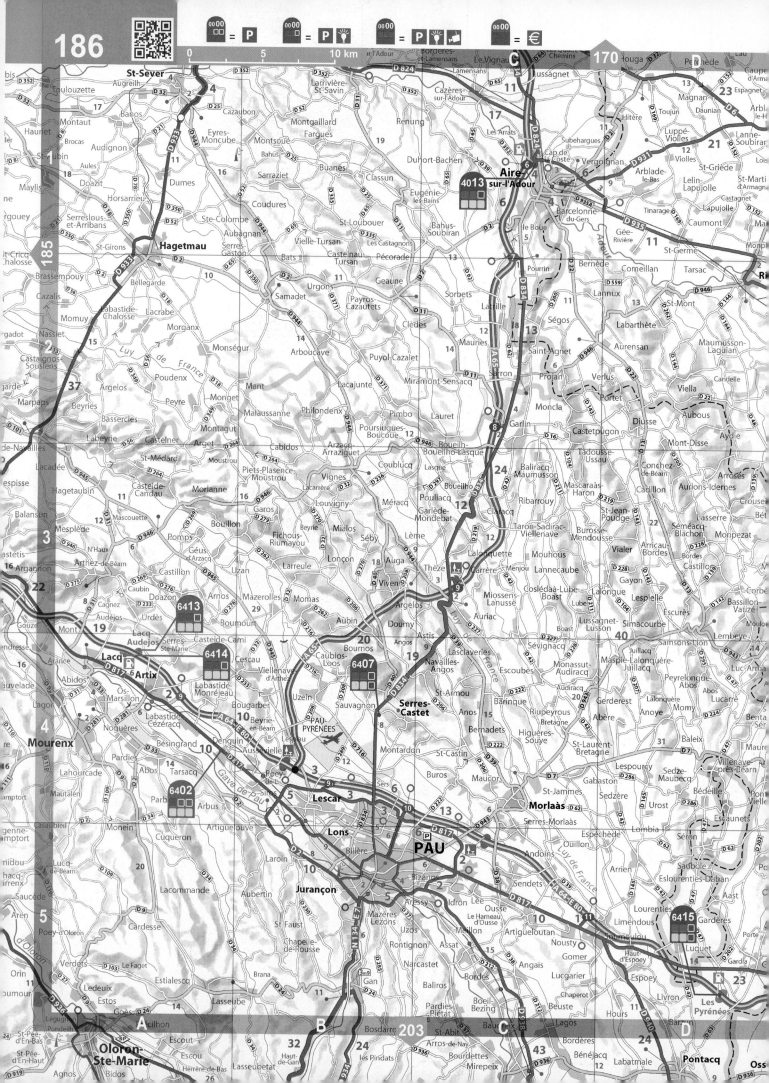

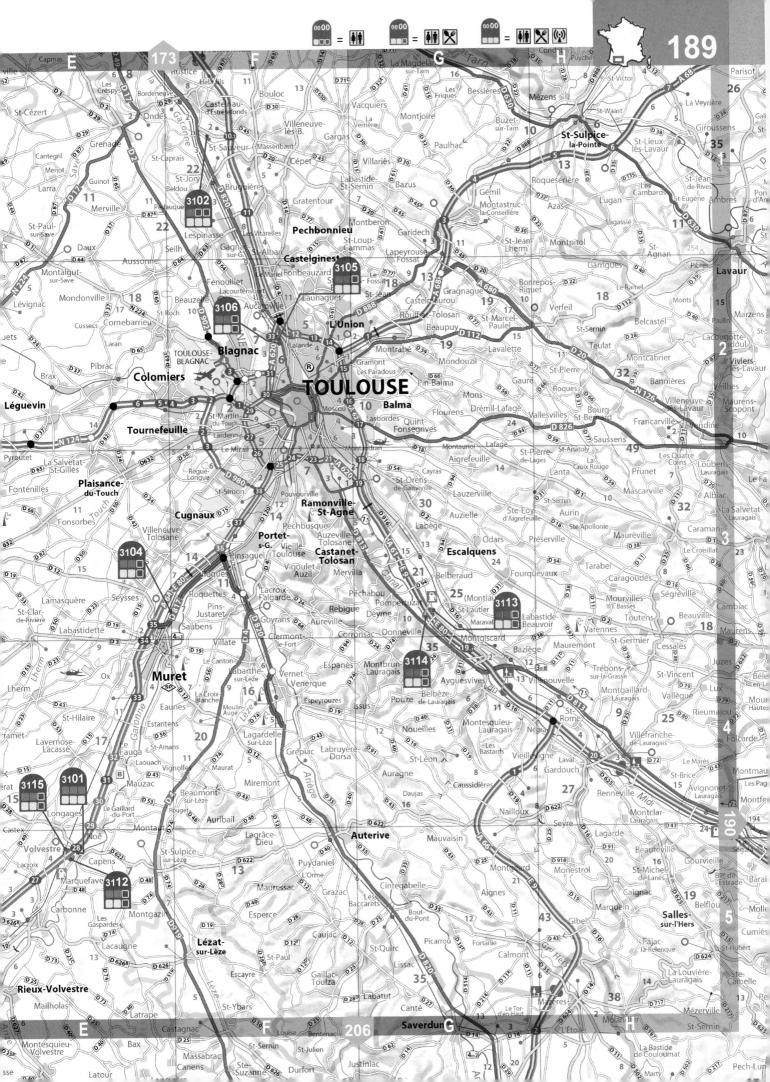

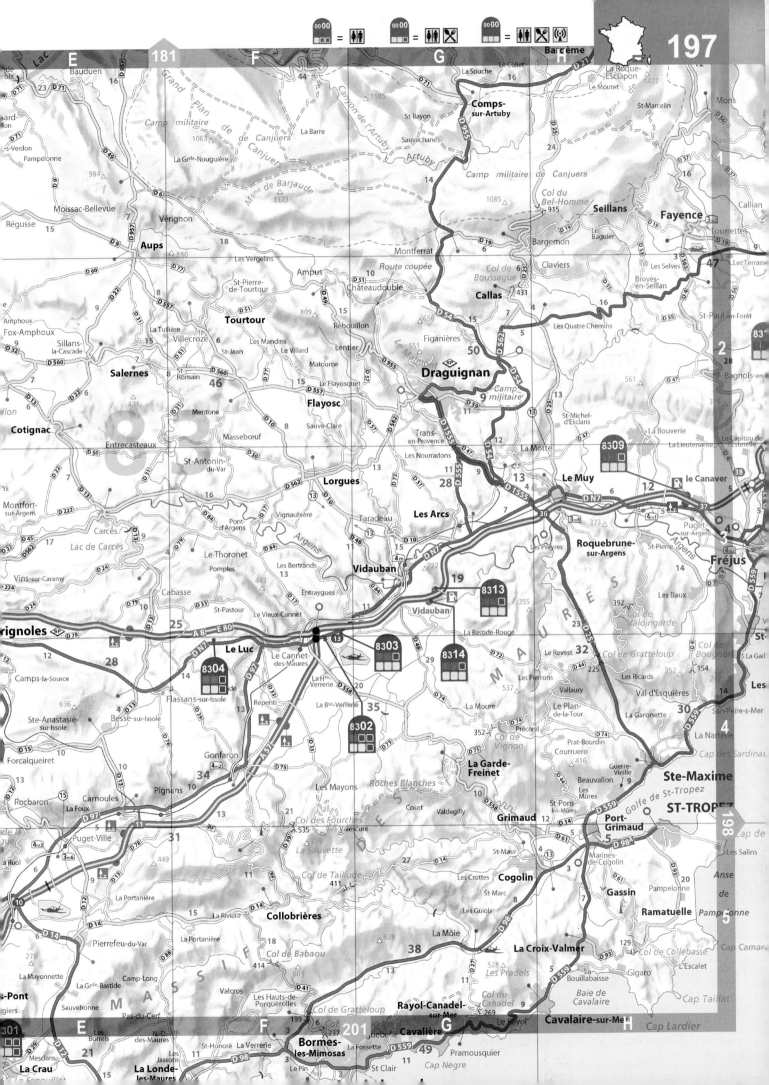

Une nouvelle adresse ?
Une observation sur la carte ?

Cet atlas est le vôtre : n'hésitez pas à nous faire part de vos remarques !

@ : cartes@tp.michelin.com
✉ : MICHELIN TRAVEL PARTNER
27 cours de l'île Seguin
92100 Boulogne-Billancourt Cedex.

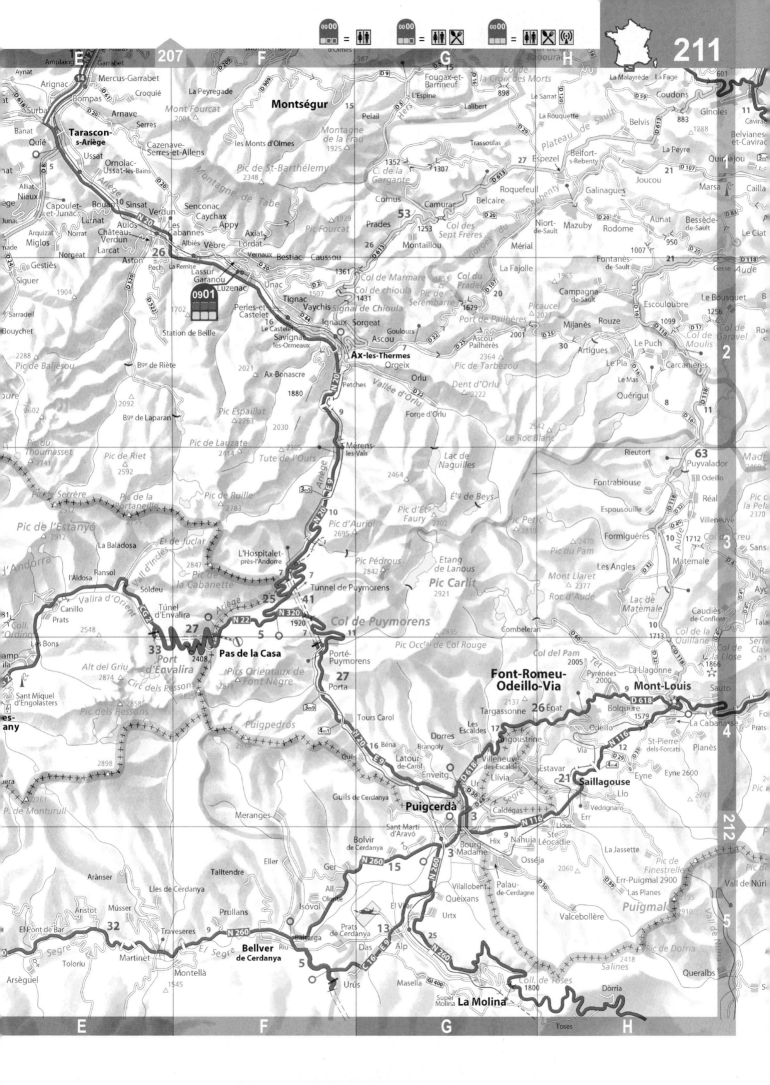

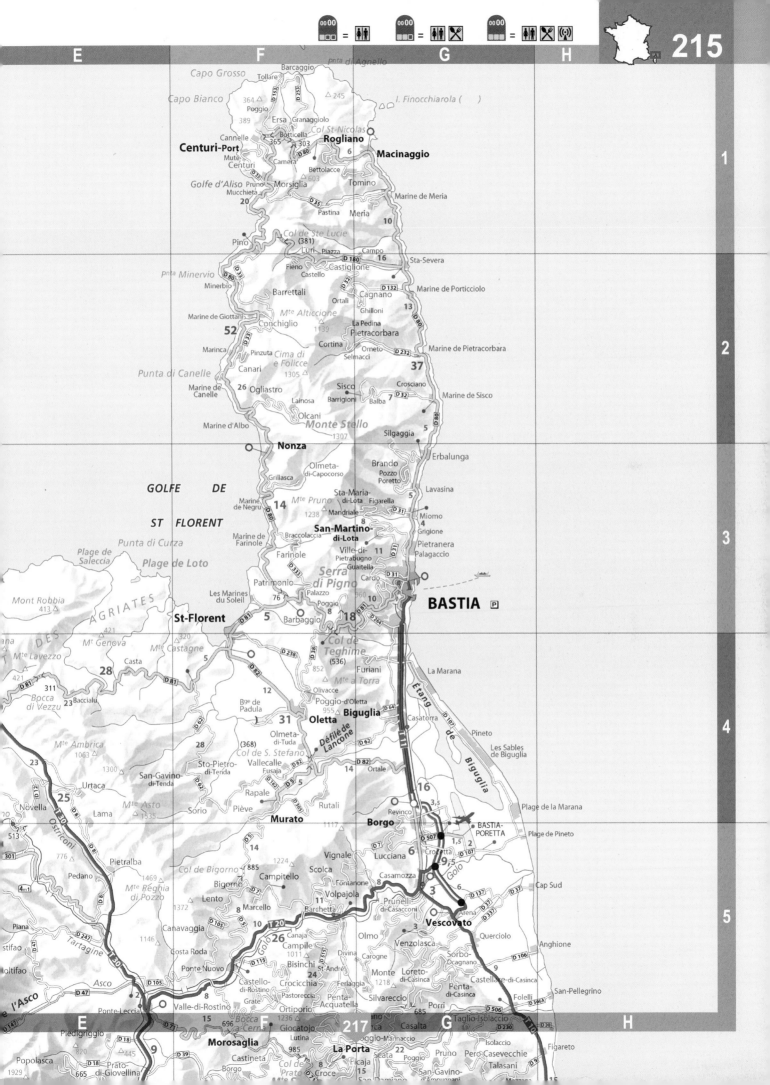

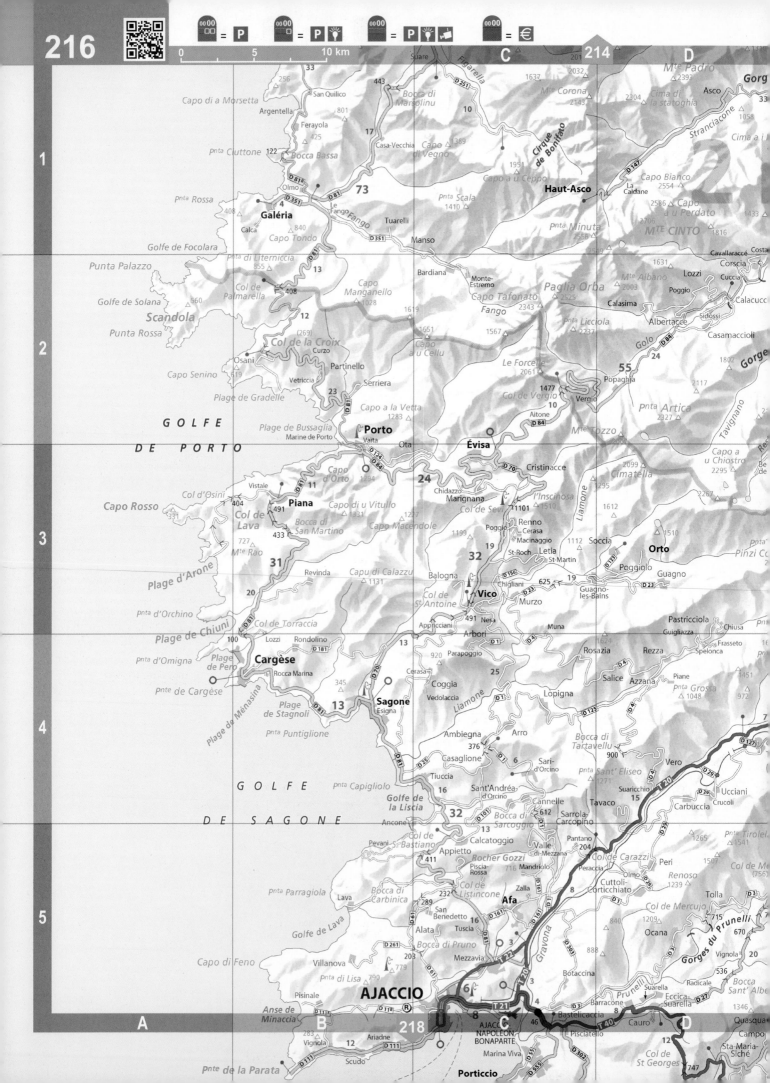

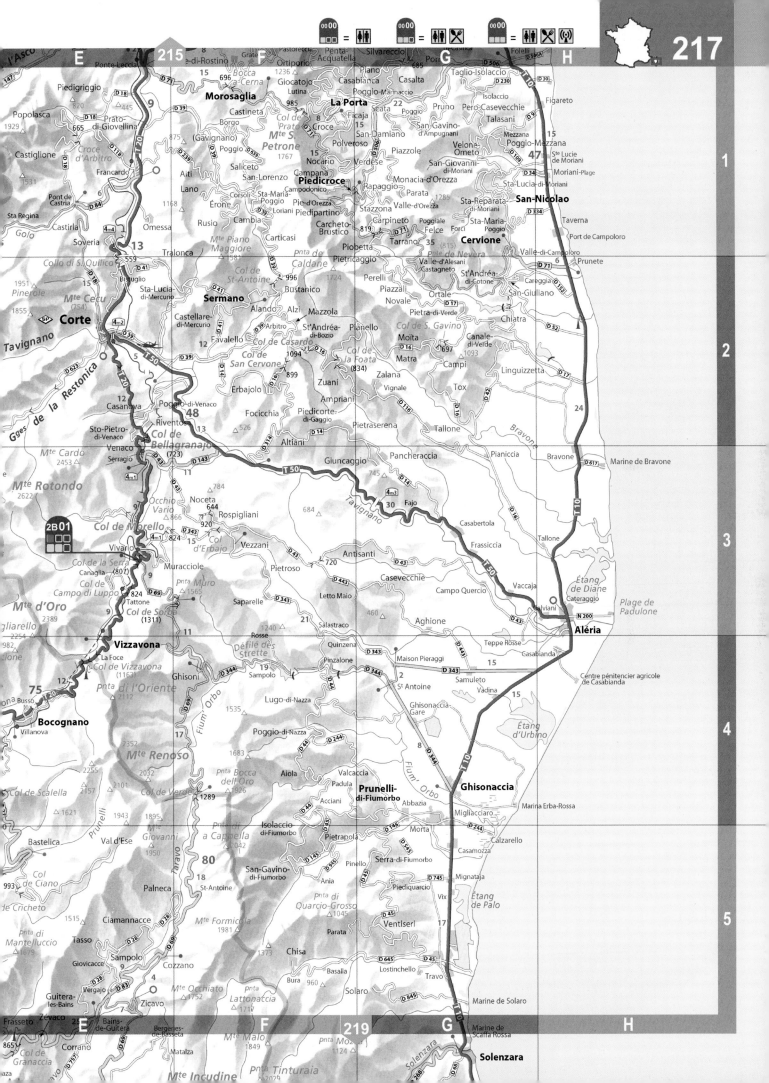

Distances - Entfernungen - Afstanden - Distanze - Distancias

Les distances sont comptées à partir du centre-ville et par la route la plus pratique, c'est-à-dire celle qui offre les meilleures conditions de roulage, mais qui n'est pas nécessairement la plus courte.

Distances are shown in kilometres and are calculated from town/city centres along the most practicable roads, although not necessarily taking the shortest route.

Die Entfernungen gelten ab Stadtmitte unter Berücksichtigung der günstigsten, jedoch nicht immer kürzesten Strecke.

De afstanden zijn in km berekend van centrum tot centrum langs de geschikste, dus niet noodzakelijkerwijze de kortste route.

Le distanze sono calcolate a partire dal centro delle città e seguendo la strada che, pur non essendo necessariamente la più breve, offre le migliori condizioni di viaggio.

Las distancias están calculadas desde el centro de la ciudad y por la carretera más práctica para el automovilista, es decir, la que ofrece mejores condiciones de circulación, que no tiene por qué ser la más corta.

> Pau ←→ Calais = 1071 km

Distances

Triangular distance matrix (km). Row = destination city; columns give the distance to each city in order: Amiens, Bayonne, Beaune, Besançon, Bordeaux, Boulogne-sur-Mer, Bourges, Brest, Brive-la-Gaillarde, Caen, Calais, Chambéry, Cherbourg-en-Cotentin, Clermont-Ferrand, Dunkerque, Gap, Genève, Grenoble, Le Havre, Lille, Limoges, Lyon, Le Mans, Marseille, Metz, Mulhouse, Nancy, Nantes, Narbonne, Nice, Nîmes, Orange, Orléans, Paris, Pau, Perpignan, Poitiers, Reims, Rennes, La Rochelle, Rodez, Rouen, St-Étienne, Strasbourg, Toulon, Toulouse, Tours, Troyes, Valence.

City	Distances to preceding cities (km)
Bayonne	908
Beaune	447, 779
Besançon	558, 898, 110
Bordeaux	722, 185, 592, 712
Boulogne-sur-Mer	127, 1022, 568, 658, 836
Bourges	387, 583, 248, 350, 397, 507
Brest	618, 813, 860, 962, 627, 680, 649
Brive-la-Gaillarde	620, 388, 403, 523, 202, 740, 284, 695
Caen	246, 794, 539, 640, 608, 307, 424, 376, 578
Calais	160, 1056, 599, 653, 870, 37, 535, 713, 653, 340
Chambéry	703, 841, 258, 263, 654, 823, 411, 1078, 465, 795, 865
Cherbourg-en-Cotentin	367, 847, 660, 762, 660, 429, 543, 409, 697, 124, 461, 915
Clermont-Ferrand	562, 555, 295, 398, 368, 682, 192, 823, 179, 594, 711, 269, 594
Dunkerque	200, 1057, 600, 654, 871, 48, 536, 753, 770, 380, 48, 900, 503, 712
Gap	808, 828, 363, 415, 779, 928, 516, 1183, 570, 900, 970, 162, 864, 380, 960
Genève	676, 882, 231, 176, 696, 759, 391, 1037, 507, 768, 756, 86, 891, 313, 756, 247
Grenoble	708, 821, 263, 315, 659, 808, 416, 1083, 474, 870, 870, 58, 923, 276, 708, 105, 143
Le Havre	181, 843, 501, 602, 657, 243, 397, 631, 243, 88, 275, 755, 211, 573, 58, 861, 729, 755
Lille	122, 987, 529, 584, 801, 118, 466, 755, 700, 382, 114, 793, 382, 642, 88, 970, 684, 793, 382
Limoges	531, 406, 379, 499, 220, 651, 195, 606, 95, 484, 680, 507, 484, 276, 793, 894, 692, 705, 606, 484
Lyon	600, 736, 155, 229, 549, 720, 282, 973, 360, 762, 762, 100, 815, 223, 762, 205, 167, 223, 460, 606, 484
Le Mans	331, 549, 408, 482, 532, 267, 243, 396, 267, 160, 420, 694, 160, 425, 396, 691, 655, 694, 232, 95, 420, 508
Marseille	912, 696, 467, 541, 648, 1032, 594, 1268, 509, 1004, 1074, 181, 967, 418, 1064, 127, 214, 308, 755, 856, 392, 310, 898
Metz	367, 1093, 308, 263, 907, 469, 486, 916, 721, 570, 466, 759, 530, 664, 357, 657, 664, 513, 374, 298, 680, 310, 316, 769
Mulhouse	383, 1022, 233, 137, 835, 671, 474, 1028, 646, 668, 668, 187, 1013, 535, 333, 191, 535, 378, 374, 298, 751, 350, 460, 482, 191
Nancy	507, 1036, 255, 204, 850, 485, 423, 888, 667, 550, 482, 778, 556, 480, 426, 673, 480, 482, 621, 521, 795, 466, 392, 641, 57, 110
Nantes	926, 515, 639, 740, 329, 569, 363, 298, 363, 292, 601, 854, 250, 393, 601, 641, 539, 539, 326, 373, 326, 482, 250, 972, 604, 503, 638
Narbonne	1068, 442, 542, 623, 394, 1046, 556, 1014, 349, 919, 1075, 385, 1041, 373, 1075, 234, 389, 391, 843, 935, 383, 391, 1004, 189, 924, 871, 935, 754
Nice	853, 580, 408, 482, 532, 973, 576, 1152, 392, 945, 1015, 124, 909, 482, 1068, 188, 250, 250, 971, 1005, 438, 250, 935, 188, 710, 909, 935, 1123, 482
Nîmes	798, 631, 353, 426, 583, 918, 480, 1169, 444, 890, 960, 147, 853, 363, 950, 194, 337, 201, 784, 853, 337, 201, 879, 251, 659, 604, 659, 854, 250, 279
Orange	271, 647, 302, 403, 461, 392, 124, 545, 318, 318, 552, 657, 318, 300, 552, 657, 530, 530, 466, 457, 428, 466, 119, 139, 530, 386, 350, 604, 420, 657, 147
Orléans	271, 771, 313, 415, 585, 255, 249, 501, 157, 127, 211, 759, 211, 428, 297, 673, 673, 480, 139, 350, 300, 466, 139, 556, 556, 428, 447, 604, 657, 759, 530, 55
Paris	135, 905, 339, 415, 585, 249, 255, 483, 211, 250, 107, 788, 250, 350, 234, 662, 541, 466, 205, 216, 339, 426, 194, 778, 333, 350, 312, 395, 690, 915, 684, 350, 133
Pau	922, 113, 791, 911, 206, 1036, 596, 826, 391, 802, 1071, 856, 777, 568, 1071, 725, 719, 862, 896, 1001, 421, 568, 725, 856, 856, 862, 856, 568, 341, 751, 480, 647, 530, 784
Perpignan	986, 496, 602, 676, 448, 1106, 617, 1068, 403, 972, 1135, 501, 1095, 434, 1135, 450, 587, 444, 996, 1065, 492, 451, 904, 996, 996, 856, 996, 528, 66, 475, 205, 254, 817, 848, 392
Poitiers	477, 437, 435, 554, 251, 590, 243, 478, 218, 357, 382, 834, 382, 297, 568, 677, 563, 509, 321, 357, 130, 418, 181, 577, 411, 520, 388, 109, 564, 936, 780, 665, 339, 451, 609, 181
Reims	172, 905, 274, 353, 728, 274, 353, 617, 382, 271, 127, 871, 271, 529, 216, 695, 694, 513, 145, 216, 529, 374, 190, 780, 149, 192, 272, 594, 874, 955, 686, 535, 235, 145, 609, 564, 216
Rennes	431, 630, 617, 718, 444, 596, 414, 243, 506, 188, 524, 947, 150, 421, 590, 947, 846, 846, 303, 374, 418, 700, 155, 947, 532, 430, 388, 109, 832, 1205, 832, 520, 418, 303, 144, 832, 109, 786, 303
La Rochelle	610, 368, 653, 754, 182, 668, 376, 441, 350, 435, 700, 821, 156, 390, 634, 821, 720, 720, 163, 760, 475, 464, 116, 720, 552, 477, 552, 149, 761, 979, 706, 567, 228, 552, 276, 979, 144, 535, 276, 258
Rodez	798, 452, 532, 635, 344, 918, 428, 849, 157, 727, 947, 385, 849, 246, 1220, 234, 391, 373, 788, 808, 276, 373, 480, 391, 871, 762, 783, 552, 214, 371, 144, 350, 571, 189, 864, 640, 214, 535, 152, 246, 744
Rouen	118, 840, 436, 436, 521, 165, 333, 501, 211, 127, 211, 826, 150, 476, 253, 837, 785, 673, 63, 216, 300, 448, 63, 796, 291, 192, 408, 282, 1056, 1123, 837, 470, 102, 65, 664, 1034, 378, 216, 313, 313, 472, 138
St-Étienne	618, 715, 214, 288, 529, 738, 321, 952, 340, 723, 770, 146, 845, 150, 770, 255, 209, 154, 673, 700, 221, 154, 700, 335, 581, 520, 565, 590, 770, 491, 209, 381, 516, 154, 410, 567, 390, 567, 491, 209, 272, 516, 483
Strasbourg	523, 1135, 347, 250, 948, 587, 475, 1072, 759, 625, 540, 1127, 385, 634, 593, 1145, 865, 760, 460, 163, 634, 531, 740, 1056, 163, 116, 156, 464, 864, 871, 781, 760, 288, 190, 929, 1112, 864, 156, 737, 864, 892, 847, 571
Toulon	817, 301, 530, 603, 480, 865, 567, 1331, 587, 770, 769, 258, 966, 527, 769, 187, 312, 230, 831, 826, 340, 230, 821, 63, 918, 708, 808, 378, 149, 149, 91, 253, 734, 831, 961, 562, 961, 868, 842, 813, 474, 813, 291, 932, 469
Toulouse	377, 534, 420, 521, 165, 496, 318, 480, 214, 521, 727, 380, 592, 341, 526, 400, 476, 416, 804, 836, 240, 341, 824, 291, 901, 788, 948, 408, 149, 472, 310, 408, 149, 65, 197, 216, 240, 535, 331, 240, 276, 813, 216, 149, 932, 744
Tours	300, 849, 226, 267, 663, 267, 124, 236, 236, 348, 509, 687, 187, 231, 509, 582, 481, 371, 240, 310, 171, 374, 117, 623, 253, 350, 253, 156, 956, 842, 648, 554, 126, 240, 548, 822, 102, 240, 240, 196, 554, 306, 374, 408, 932, 564, 117
Troyes	849, 255, 329, 663, 663, 383, 383, 450, 366, 163, 762, 160, 853, 266, 867, 160, 236, 236, 557, 485, 501, 104, 373, 767, 102, 218, 292, 785, 972, 989, 785, 626, 485, 102, 989, 626, 292, 373, 557, 557, 373, 102, 557, 373, 972, 571, 196, 298
Valence	300, 971, 512, 553, 785, 450, 450, 740, 366, 366, 762, 154, 857, 160, 867, 123, 160, 150, 838, 557, 557, 102, 373, 160, 909, 557, 557, 857, 206, 334, 53, 206, 660, 766, 716, 491, 506, 568, 838, 535, 294, 357, 154, 626, 294, 362, 548, 353, 760
Valenciennes	129, 971, 512, 553, 785, 168, 450, 740, 684, 366, 163, 762, 449, 539, 102, 857, 626, 566, 206, 102, 660, 334, 410, 909, 327, 373, 292, 587, 985, 1127, 857, 626, 485, 206, 1049, 880, 551, 242, 719, 677, 862, 441, 568, 483, 1035, 719, 298, 441, 760

FRANCE DÉPARTEMENTALE ET ADMINISTRATIVE

01 Ain
02 Aisne
03 Allier
04 Alpes-de-Haute-Provence
05 Hautes-Alpes
06 Alpes-Maritimes
07 Ardèche
08 Ardennes
09 Ariège
10 Aube
11 Aude
12 Aveyron
13 Bouches-du-Rhône
14 Calvados
15 Cantal
16 Charente
17 Charente-Maritime
18 Cher
19 Corrèze
2A Corse-du-Sud
2B Haute-Corse
21 Côte-d'Or
22 Côtes-d'Armor
23 Creuse
24 Dordogne
25 Doubs
26 Drôme
27 Eure
28 Eure-et-Loir
29 Finistère
30 Gard
31 Haute-Garonne
32 Gers
33 Gironde
34 Hérault
35 Ille-et-Vilaine
36 Indre
37 Indre-et-Loire
38 Isère
39 Jura
40 Landes
41 Loir-et-Cher
42 Loire
43 Haute-Loire
44 Loire-Atlantique
45 Loiret
46 Lot
47 Lot-et-Garonne

48 Lozère
49 Maine-et-Loire
50 Manche
51 Marne
52 Haute-Marne
53 Mayenne
54 Meurthe-et-Moselle
55 Meuse
56 Morbihan
57 Moselle
58 Nièvre
59 Nord
60 Oise
61 Orne
62 Pas-de-Calais
63 Puy-de-Dôme

64 Pyrénées-Atlantiques
65 Hautes-Pyrénées
66 Pyrénées-Orientales
67 Bas-Rhin
68 Haut-Rhin
69 Rhône
70 Haute-Saône
71 Saône-et-Loire
72 Sarthe
73 Savoie
74 Haute-Savoie
75 Ville de Paris
76 Seine-Maritime
77 Seine-et-Marne
78 Yvelines
79 Deux-Sèvres

80 Somme
81 Tarn
82 Tarn-et-Garonne
83 Var
84 Vaucluse
85 Vendée
86 Vienne
87 Haute-Vienne
88 Vosges
89 Yonne
90 Territoire-de-Belfort
91 Essonne
92 Hauts-de-Seine
93 Seine-Saint-Denis
94 Val-de-Marne
95 Val-d'Oise

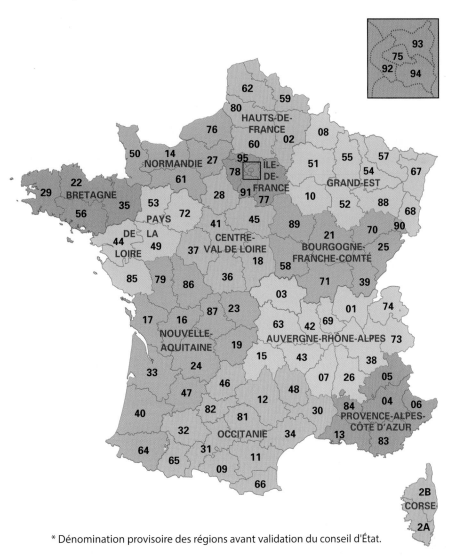

* Dénomination provisoire des régions avant validation du conseil d'État.

Localité *(Département)*   Page   Coordonnées

A

Aast *(64)* .... 186 D 5
Abainville *(55)* .... 56 A 3
Abancourt *(59)* .... 8 D 4
Abancourt *(60)* .... 14 C 3
Les Abatilles *(33)* .... 154 A 3
Abaucourt *(54)* .... 37 E 5
Abaucourt-Hautecourt *(55)* ... 20 A 5
Abbans-Dessous *(25)* .... 110 C 1
Abbans-Dessus *(25)* .... 110 C 1
Abbaretz *(44)* .... 83 F 2
L'Abbaye *(30)* .... 178 A 2
L'Abbaye-sous-Plancy *(10)* .... 53 G 3
Abbécourt *(02)* .... 16 C 4
Abbecourt *(60)* .... 31 E 1
Abbenans *(25)* .... 95 G 2
Abbeville ⟨P⟩ *(80)* .... 6 D 5
Abbéville-la-Rivière *(91)* .... 51 E 5
Abbéville-lès-Conflans *(54)* .. 20 C 5
Abbeville-St-Lucien *(60)* ..... 15 E 5
Abbévillers *(25)* .... 96 D 3
Abeilhan *(34)* .... 192 B 4
Abelcourt *(70)* .... 77 F 5
L'Aber-Wrac'h *(29)* .... 41 E 2
Abère *(64)* .... 186 D 4
L'Abergement-Clémenciat *(01)* 122 C 5
L'Abergement-de-Cuisery *(71)* 122 C 1
L'Abergement-de-Varey *(01)* . 137 E 1
Abergement-la-Ronce *(39)* ... 109 H 1
Abergement-le-Grand *(39)* ... 110 B 3
Abergement-le-Petit *(39)* ... 110 B 3
Abergement-lès-Thésy *(39)* .. 110 D 2
Abergement-St-Jean *(39)* .... 109 H 3
L'Abergement-
  Ste-Colombe *(71)* .... 109 F 4
Abidos *(64)* .... 186 A 4
Abilly *(37)* .... 102 D 3
Abitain *(64)* .... 185 F 4
Abjat-sur-Bandiat *(24)* .... 129 F 5
Ablain-St-Nazaire *(62)* ..... 8 A 2
Ablaincourt-Pressoir *(80)* ... 16 A 2
Ablainzevelle *(62)* .... 8 A 4
Ablancourt *(51)* .... 54 C 1
Ableiges *(95)* .... 30 D 4
Les Ableuvenettes *(88)* ..... 77 E 1
Ablis *(78)* .... 50 C 4
Ablon *(14)* .... 28 B 1
Ablon-sur-Seine *(94)* .... 51 F 2
Aboën *(42)* .... 148 C 1
Aboncourt *(54)* .... 56 C 5
Aboncourt *(57)* .... 21 F 4
Aboncourt-Gesincourt *(70)* .. 76 D 5
Aboncourt-sur-Seille *(57)* .. 57 F 1
Abondance *(74)* .... 125 F 3
Abondant *(28)* .... 50 A 1
Abos *(64)* .... 186 A 4
Abreschviller *(57)* .... 58 B 2
Abrest *(03)* .... 120 B 5
Les Abrets-en-Dauphiné *(38)* 137 F 5
Abriès *(05)* .... 167 G 1
Abscon *(59)* .... 8 D 3
L'Absie *(79)* .... 100 D 5
Abzac *(16)* .... 116 A 5
Abzac *(33)* .... 141 H 5
Accolans *(25)* .... 95 G 2
Accolay *(89)* .... 91 F 1
Accons *(07)* .... 163 E 1
Accous *(64)* .... 203 F 3
Achain *(57)* .... 37 G 5
Achen *(57)* .... 38 B 3
Achenheim *(67)* .... 59 E 2
Achères *(18)* .... 89 G 5
Achères *(28)* .... 49 H 3
Achères *(78)* .... 30 D 5
Achères-la-Forêt *(77)* ...... 51 G 5
Achery *(02)* .... 16 D 3
Acheux-en-Amiénois *(80)* .... 7 H 5
Acheux-en-Vimeu *(80)* .... 6 C 5
Acheville *(62)* .... 8 B 2
Achey *(70)* .... 94 B 2
Achicourt *(62)* .... 8 A 3
Achiet-le-Grand *(62)* .... 8 A 4
Achiet-le-Petit *(62)* .... 8 A 5
Achun *(58)* .... 107 F 1
Achy *(60)* .... 14 D 5
Acigné *(35)* .... 65 G 2
Aclou *(27)* .... 28 D 3
Acon *(27)* .... 49 G 2
Acq *(62)* .... 8 A 3
Acqueville *(14)* .... 27 F 5
Acqueville *(50)* .... 22 C 4
Acquigny *(27)* .... 29 G 3
Acquin-Westbécourt *(62)* .... 2 D 4
Acy *(02)* .... 32 D 1
Acy-en-Multien *(60)* .... 32 A 4
Acy-Romance *(08)* .... 18 B 5
Adaincourt *(57)* .... 37 F 4
Adainville *(78)* .... 50 B 2
Adam-lès-Passavant *(25)* .... 95 F 4
Adam-lès-Vercel *(25)* .... 95 G 5
Adamswiller *(67)* .... 38 C 5
Adast *(65)* .... 204 B 3
Adé *(65)* .... 204 B 1
Adelange *(57)* .... 37 G 4
Adelans-et-le-Val-
  de-Bithaine *(70)* .... 77 F 5
Adervielle *(65)* .... 205 E 4

Adilly *(79)* .... 101 F 5
Adinfer *(62)* .... 8 A 4
Adissan *(34)* .... 192 C 3
Les Adjots *(16)* .... 115 F 5
Adon *(08)* .... 18 B 4
Adon *(45)* .... 72 A 5
L'Affenadou *(30)* .... 178 A 2
Affieux *(19)* .... 130 D 5
Affléville *(54)* .... 20 B 4
Affoux *(69)* .... 135 F 2
Affracourt *(54)* .... 57 E 4
Affringues *(62)* .... 2 D 5
Agassac *(31)* .... 188 C 4
L'Agasse *(30)* .... 178 B 2
Agde *(34)* .... 192 D 5
Agel *(34)* .... 191 G 5
Agen ⟨P⟩ *(47)* .... 172 B 2
Agen-d'Aveyron *(12)* .... 175 H 1
Agencourt *(21)* .... 109 F 1
Agenville *(80)* .... 7 F 4
Agenvillers *(80)* .... 6 D 4
Les Ageux *(60)* .... 31 G 2
Ageville *(52)* .... 75 H 2
Agey *(21)* .... 93 E 5
Aghione *(2B)* .... 217 G 3
Agincourt *(54)* .... 57 E 1
Agmé *(47)* .... 156 C 4
Agnac *(47)* .... 156 C 3
Agnat *(43)* .... 147 G 2
Agneaux *(50)* .... 25 F 3
Agnetz *(60)* .... 31 F 1
Agnez-lès-Duisans *(62)* .... 8 A 3
Agnicourt-et-Séchelles *(02)* 17 H 3
Agnières *(62)* .... 7 H 3
Agnières-en-Dévoluy *(05)* .. 166 A 2
Agnin *(38)* .... 149 H 2
Agnos *(64)* .... 203 F 1
Agny *(62)* .... 8 A 3
Agon-Coutainville *(50)* .... 24 C 4
Agonac *(24)* .... 143 F 2
Agonès *(34)* .... 177 G 5
Agonges *(03)* .... 119 H 1
Agonnay *(17)* .... 127 E 2
Agos-Vidalos *(65)* .... 204 B 2
Agris *(16)* .... 128 C 3
Agudelle *(17)* .... 141 F 1
Les Agudes *(31)* .... 205 F 4
Aguessac *(12)* .... 176 B 2
Aguilcourt *(02)* .... 33 G 1
Aguts *(81)* .... 190 A 3
Agy *(14)* .... 25 H 2
Ahaxe-Alciette-
  Bascassan *(64)* .... 202 C 1
Ahetze *(64)* .... 184 C 3
Ahéville *(88)* .... 57 E 5
Ahuillé *(53)* .... 66 C 3
Ahun *(23)* .... 118 A 5
Ahuy *(21)* .... 93 F 4
Aibes *(59)* .... 10 A 2
Aibre *(25)* .... 95 H 2
Aïcirits *(64)* .... 185 F 4
Aiffres *(79)* .... 114 B 3
Aigaliers *(30)* .... 178 B 3
L'Aigle *(61)* .... 48 D 2
Aiglemont *(08)* .... 18 D 2
Aiglepierre *(39)* .... 110 C 2
Aigleville *(27)* .... 29 H 4
Aiglun *(04)* .... 181 F 2
Aiglun *(06)* .... 182 C 4
Aignan *(32)* .... 187 E 1
Aignay-le-Duc *(21)* .... 92 D 1
Aigne *(34)* .... 191 G 5
Aigné *(72)* .... 68 A 3
Aignerville *(14)* .... 23 G 5
Aignes *(31)* .... 189 G 5
Aignes-et-Puypéroux *(16)* .. 142 B 1
Aigneville *(80)* .... 6 C 5
Aigny *(51)* .... 34 A 4
Aigonnay *(79)* .... 114 C 3
Aigre *(16)* .... 128 A 2
Aigrefeuille *(31)* .... 189 G 3
Aigrefeuille-d'Aunis *(17)* . 113 F 5
Aigrefeuille-
  sur-Maine *(44)* .... 99 G 1
Aigremont *(30)* .... 178 A 4
Aigremont *(52)* .... 76 B 3
Aigremont *(78)* .... 30 D 5
Aigremont *(89)* .... 91 G 1
Aiguebelette-le-Lac *(73)* .. 137 H 5
Aiguebelle *(73)* .... 138 C 5
Aigueblanche *(73)* .... 138 D 5
Aiguefonde *(81)* .... 190 D 3
Aigueparse *(24)* .... 157 G 3
Aigueperse *(63)* .... 133 F 1
Aigueperse *(69)* .... 121 H 3
Aigues-Juntes *(09)* .... 206 D 2
Aigues-Mortes *(30)* .... 193 H 3
Aigues-Vives *(09)* .... 207 G 3
Aigues-Vives *(11)* .... 208 C 1
Aigues-Vives *(30)* .... 193 H 1
Aigues-Vives *(34)* .... 191 G 5
Aiguèze *(30)* .... 178 D 1
Aiguilhe *(43)* .... 148 B 4
L'Aiguille *(87)* .... 130 A 3
Aiguilles *(05)* .... 167 G 1
L'Aiguillon *(09)* .... 207 G 3
Aiguillon *(47)* .... 172 A 1
L'Aiguillon-sur-Mer *(85)* .. 112 D 3

L'Aiguillon-sur-Vie *(85)* .. 98 D 4
Aiguines *(83)* .... 181 G 5
Aigurande *(36)* .... 117 H 2
Ailefroide *(05)* .... 152 D 5
Ailhon *(07)* .... 163 E 3
Aillant-sur-Milleron *(45)* 72 A 5
Aillant-sur-Tholon *(89)* .. 72 D 4
Aillas *(33)* .... 156 A 4
Ailleux *(42)* .... 134 C 3
Aillevans *(70)* .... 95 G 1
Ailleville *(10)* .... 74 D 1
Aillevillers-et-Lyaumont *(70)* 77 F 3
Aillianville *(52)* .... 56 A 5
Aillières-Beauvoir *(72)* .. 48 B 5
Aillon-le-Jeune *(73)* ..... 138 A 4
Aillon-le-Vieux *(73)* ..... 138 A 4
Ailloncourt *(70)* .... 77 F 5
Ailly *(27)* .... 29 G 3
Ailly-le-Haut-Clocher *(80)* 7 E 5
Ailly-sur-Noye *(80)* ...... 15 G 3
Ailly-sur-Somme *(80)* ..... 15 F 1
Aimargues *(30)* .... 193 H 1
Aime-la-Plagne *(73)* ...... 139 E 4
Ainay-le-Château *(03)* .... 105 H 5
Ainay-le-Vieil *(18)* ...... 105 G 4
Aincille *(64)* .... 202 C 1
Aincourt *(95)* .... 30 C 4
Aincreville *(55)* .... 35 F 1
Aingeray *(54)* .... 56 D 1
Aingeville *(88)* .... 76 B 1
Aingoulaincourt *(52)* ..... 55 G 4
Ainharp *(64)* .... 185 G 5
Ainhice-Mongelos *(64)* .... 185 E 5
Ainhoa *(64)* .... 184 C 4
Ainvelle *(70)* .... 77 E 4
Ainvelle *(88)* .... 76 C 3
Airaines *(80)* .... 14 D 1
Airan *(14)* .... 27 G 3
Aire *(08)* .... 18 A 5
Aire-sur-la-Lys *(62)* ..... 3 F 5
Aire-sur-l'Adour *(40)* .... 186 C 1
Airel *(50)* .... 25 F 2
Les Aires *(34)* .... 192 A 3
Airion *(60)* .... 31 F 1
Airon-Notre-Dame *(62)* .... 6 C 2
Airon-St-Vaast *(62)* ...... 6 C 2
Airoux *(11)* .... 190 A 4
Airvault *(79)* .... 101 G 4
Aiserey *(21)* .... 93 G 5
Aisey-et-Richecourt *(70)* . 76 D 4
Aisey-sur-Seine *(21)* ..... 74 C 5
Aisne *(85)* .... 113 F 2
Aisonville-et-Bernoville *(02)* 17 E 1
Aïssey *(25)* .... 95 F 4
Aisy-sous-Thil *(21)* ...... 92 B 4
Aisy-sur-Armançon *(89)* ... 92 A 1
Aiti *(2B)* .... 217 F 1
Aiton *(73)* .... 138 B 4
Aix *(19)* .... 131 H 5
Aix *(59)* .... 4 D 5
Les Aix-d'Angillon *(18)* .. 105 G 1
Aix-en-Diois *(26)* .... 165 F 2
Aix-en-Ergny *(62)* .... 2 D 5
Aix-en-Issart *(62)* .... 6 D 1
Aix-en-Othe *(10)* .... 73 F 1
Aix-en-Provence ⟨P⟩ *(13)* . 195 H 3
Aix-la-Fayette *(63)* ...... 133 H 5
Aix-les-Bains *(73)* .... 137 H 3
Aix-Noulette *(62)* .... 4 A 5
Aixe-sur-Vienne *(87)* ..... 129 H 3
Aizac *(07)* .... 163 E 2
Aizanville *(52)* .... 75 E 2
Aize *(36)* .... 104 B 1
Aizecourt-le-Bas *(80)* .... 16 B 1
Aizecourt-le-Haut *(80)* ... 16 B 1
Aizecq *(16)* .... 128 C 1
Aizelles *(02)* .... 17 G 5
Aizenay *(85)* .... 99 F 4
Aizier *(27)* .... 28 D 1
Aizy-Jouy *(02)* .... 33 E 1
Ajac *(11)* .... 207 H 2
Ajaccio ⟨R⟩ *(2A)* .... 218 C 1
Ajain *(23)* .... 118 A 4
Ajat *(24)* .... 143 H 4
Ajoncourt *(57)* .... 37 E 5
Ajou *(27)* .... 29 E 5
Ajoux *(07)* .... 163 F 2
Alaigne *(11)* .... 207 H 2
Alaincourt *(02)* .... 16 D 3
Alaincourt *(70)* .... 76 D 3
Alaincourt-la-Côte *(57)* .. 37 E 5
Alairac *(11)* .... 208 A 1
Alaise *(25)* .... 110 D 2
Alan *(31)* .... 206 A 1
Alando *(2B)* .... 217 F 2
Alata *(2A)* .... 216 C 5
Alba-la-Romaine *(07)* ..... 163 F 4
Alban *(81)* .... 175 F 5
Albanne *(73)* .... 152 D 2
Albaret-le-Comtal *(48)* ... 161 E 1
Albaret-Ste-Marie *(48)* ... 161 F 1
Albaron *(13)* .... 194 B 2
Albas *(11)* .... 208 D 3
Albas *(46)* .... 158 A 5
Albé *(67)* .... 58 D 4
Albefeuille-Lagarde *(82)* . 173 G 3
L'Albenc *(38)* .... 151 E 3
Albens *(73)* .... 137 H 2
Albepierre-Bredons *(15)* .. 146 C 4
L'Albère *(66)* .... 213 E 4
Albert *(80)* .... 15 H 1

Albertacce *(2B)* .... 216 D 2
Albertville ⟨P⟩ *(73)* ..... 138 C 3
Albespeyres *(48)* .... 162 B 4
Albestroff *(57)* .... 37 H 4
Albias ⟨P⟩ *(81)* .... 174 D 4
Albiac *(31)* .... 189 H 3
Albiac *(46)* .... 159 E 2
Albias *(82)* .... 173 H 3
Albières *(11)* .... 208 C 3
Albiès *(09)* .... 207 F 5
Albiez-le-Jeune *(73)* ..... 152 C 2
Albiez-le-Vieux *(73)* ..... 152 C 2
Albiez-Montrond *(73)* ..... 152 C 3
Albignac *(19)* .... 144 D 4
Albigny *(74)* .... 138 B 1
Albigny-sur-Saône *(69)* ... 135 H 2
Albine *(81)* .... 191 E 4
Albiosc *(04)* .... 196 D 1
Albitreccia *(2A)* .... 218 D 1
Albon *(26)* .... 149 H 3
Albon-d'Ardèche *(07)* ..... 163 E 1
Aboussière *(07)* .... 149 G 5
Les Albres *(12)* .... 159 G 4
Alby-sur-Chéran *(74)* ..... 138 A 2
Alçay-Alçabéhéty-
  Sunharette *(64)* .... 202 D 1
Aldudes *(64)* .... 202 A 1
Alembon *(62)* .... 2 D 4
Alençon ⟨P⟩ *(61)* .... 47 H 4
Alénya *(66)* .... 213 F 3
Aléria *(2B)* .... 217 H 4
Alès ⟨P⟩ *(30)* .... 178 A 3
Alet-les-Bains *(11)* ...... 208 A 3
Alette *(62)* .... 6 D 1
Aleu *(09)* .... 206 C 4
Alex *(74)* .... 138 B 1
Alexain *(53)* .... 66 C 1
Aleyrac *(26)* .... 164 C 4
Alfortville *(94)* .... 51 F 1
Algajola *(2B)* .... 214 C 4
Algans *(81)* .... 190 A 2
Algolsheim *(68)* .... 79 E 2
Algrange *(57)* .... 20 D 3
Alièze *(39)* .... 110 B 5
Alignan-du-Vent *(34)* ..... 192 C 3
Alincourt *(08)* .... 34 B 1
Alincthun *(62)* .... 2 C 4
Alise-Ste-Reine *(21)* ..... 92 C 2
Alissas *(07)* .... 163 G 2
Alix *(69)* .... 135 G 2
Alixan *(26)* .... 150 C 5
Alizay *(27)* .... 29 G 2
Allain *(54)* .... 56 C 3
Allaines *(80)* .... 16 B 1
Allaines-Mervilliers *(28)* 70 C 2
Allainville *(28)* .... 49 H 2
Allainville *(78)* .... 50 C 4
Allainville-en-Beauce *(45)* 70 D 1
Allaire *(56)* .... 82 C 1
Allamont *(54)* .... 36 B 3
Allamps *(54)* .... 56 B 3
Allan *(26)* .... 163 H 4
Allanche *(15)* .... 146 D 3
Alland'Huy-et-Sausseuil *(08)* 18 C 5
Allarmont *(88)* .... 58 B 3
Allas-Bocage *(17)* .... 141 F 1
Allas-Champagne *(17)* ..... 127 G 5
Allas-les-Mines *(24)* ..... 157 H 1
Allassac *(19)* .... 144 C 3
Allauch *(13)* .... 196 A 4
Allègre *(43)* .... 148 A 3
Allègre-les-Fumades *(30)* . 178 B 2
Alleins *(13)* .... 195 F 1
Allemagne-en-Provence *(04)* 181 E 5
Allemanche-Launay-
  et-Soyer *(51)* .... 53 F 3
Allemans *(24)* .... 142 C 2
Allemans-du-Dropt *(47)* ... 156 C 3
Allemant *(02)* .... 17 E 5
Allemant *(51)* .... 53 G 2
Allemond *(38)* .... 152 A 3
Allenay *(80)* .... 6 B 5
Allenc *(48)* .... 161 H 4
Allenjoie *(25)* .... 96 D 2
Allennes-les-Marais *(59)* . 4 B 4
Allenwiller *(67)* .... 58 D 2
Allerey *(21)* .... 92 C 5
Allerey-sur-Saône *(71)* ... 109 F 3
Allériot *(71)* .... 109 F 4
Allery *(80)* .... 14 D 1
Alles-sur-Dordogne *(24)* .. 157 G 1
Les Alleuds *(49)* .... 85 E 4
Les Alleuds *(79)* .... 114 D 4
Les Alleux *(08)* .... 18 D 5
Alleuze *(15)* .... 147 E 5
Allevard *(38)* .... 152 A 1
Allèves *(74)* .... 138 A 3
Allex *(26)* .... 163 H 2
Alleyrac *(43)* .... 162 B 1
Alleyras *(43)* .... 162 A 1
Alleyrat *(19)* .... 131 G 5
Alleyrat *(23)* .... 131 G 1
Allez-et-Cazeneuve *(47)* .. 157 E 5
Alliancelles *(51)* .... 55 E 1
Alliat *(09)* .... 207 E 4
Allibaudières *(10)* .... 53 H 4
Allichamps *(52)* .... 55 E 3
Allier *(65)* .... 204 C 1
Allières *(09)* .... 206 C 2
Les Alliés *(25)* .... 111 G 2
Alligny-Cosne *(58)* .... 90 B 3

Alligny-en-Morvan *(58)* ... 92 A 5
Allineuc *(22)* .... 63 G 1
Allinges *(74)* .... 124 D 2
Allogny *(18)* .... 89 F 5
Allondans *(25)* .... 96 C 2
Allondaz *(73)* .... 138 C 3
Allonne *(60)* .... 31 E 1
Allonne *(79)* .... 114 B 1
Allonnes *(28)* .... 50 B 5
Allonnes *(49)* .... 85 H 4
Allonnes *(72)* .... 68 A 3
Allons *(04)* .... 182 A 3
Allons *(47)* .... 171 F 2
Allonville *(80)* .... 15 G 1
Allonzier-la-Caille *(74)* . 138 A 1
Allos *(04)* .... 182 A 1
Allouagne *(62)* .... 7 H 1
Alloue *(16)* .... 129 E 1
Allouis *(18)* .... 105 E 1
Allouville-Bellefosse *(76)* 13 E 4
Les Allues *(73)* .... 138 D 5
Les Allues-le-Roi *(78)* ... 30 C 5
Alluy *(58)* .... 107 F 2
Alluyes *(28)* .... 69 H 1
Ally *(15)* .... 145 H 3
Ally *(43)* .... 147 F 4
Almayrac *(81)* .... 174 D 3
Almenêches *(61)* .... 48 A 2
Almont-les-Junies *(12)* ... 159 H 4
Alos *(09)* .... 206 B 3
Alos *(81)* .... 174 B 4
Alos-Sibas-Abense *(64)* ... 203 E 1
Alotz *(64)* .... 184 C 3
L'Alouette *(33)* .... 155 E 1
Aloxe-Corton *(21)* .... 109 E 1
Alpe-d'Huez *(38)* .... 152 A 4
Alpuech *(12)* .... 160 C 2
Alquines *(62)* .... 2 D 5
Alrance *(12)* .... 175 H 3
Alsting *(57)* .... 38 A 2
Altagène *(2A)* .... 219 E 2
Alteckendorf *(67)* .... 39 E 5
Altenach *(68)* .... 97 E 1
Altenheim *(67)* .... 58 D 1
Altenstadt *(67)* .... 39 G 3
Althen-des-Paluds *(84)* ... 179 F 4
Altiani *(2B)* .... 217 F 2
Altier *(48)* .... 162 B 5
Altillac *(19)* .... 145 E 5
Altkirch ⟨P⟩ *(68)* .... 97 F 1
Altorf *(67)* .... 59 E 3
Altrippe *(57)* .... 37 H 4
Altviller *(57)* .... 37 H 3
Altwiller *(67)* .... 38 A 4
Aluze *(71)* .... 108 D 3
Alvignac *(46)* .... 158 D 1
Alvimare *(76)* .... 12 D 4
Alzen *(09)* .... 206 D 3
Alzi *(2B)* .... 217 F 2
Alzing *(57)* .... 21 G 4
Alzon *(30)* .... 177 E 4
Alzonne *(11)* .... 190 C 5
Amage *(70)* .... 77 G 4
Amagne *(08)* .... 18 C 5
Amagney *(25)* .... 95 E 4
Amailloux *(79)* .... 101 F 4
Amance *(10)* .... 74 C 1
Amance *(54)* .... 57 E 1
Amance *(70)* .... 76 D 5
Amancey *(25)* .... 111 E 1
Amancy *(74)* .... 124 D 5
Amange *(39)* .... 94 B 5
Amanlis *(35)* .... 65 G 3
Amanty *(55)* .... 56 A 3
Amanvillers *(57)* .... 20 D 5
Amanzé *(71)* .... 121 G 3
Amareins *(01)* .... 122 B 5
Amarens *(81)* .... 174 C 3
Amathay-Vésigneux *(25)* ... 111 E 1
Amayé-sur-Orne *(14)* ...... 27 F 3
Amayé-sur-Seulles *(14)* ... 25 H 3
Amazy *(58)* .... 91 E 4
Ambacourt *(88)* .... 57 E 5
Ambarès-et-Lagrave *(33)* .. 141 F 5
Ambax *(31)* .... 188 C 4
Ambazac *(87)* .... 130 B 1
Ambel *(38)* .... 166 A 1
Ambenay *(27)* .... 48 D 1
Ambérac *(16)* .... 128 B 2
Ambérieu-en-Bugey *(01)* ... 137 E 1
Ambérieux *(69)* .... 135 H 2
Ambérieux-en-Dombes *(01)* . 136 B 1
Ambernac *(16)* .... 129 E 1
Amberre *(86)* .... 101 H 4
Ambert ⟨P⟩ *(63)* .... 133 H 4
Ambès *(33)* .... 141 F 5
Ambeyrac *(12)* .... 159 F 4
Ambialet *(81)* .... 175 F 4
Ambiegna *(2A)* .... 216 C 4
Ambierle *(42)* .... 121 E 5
Ambiévillers *(70)* .... 77 E 3
Ambillou *(37)* .... 86 B 3
Ambillou-Château *(49)* .... 85 F 5
Ambilly *(74)* .... 124 C 4
Amblainville *(60)* .... 31 E 3
Amblans-et-Velotte *(70)* .. 95 F 1
Ambleny *(02)* .... 32 C 1
Ambléon *(01)* .... 137 F 3

Amblérieu *(38)* .... 137 E 2
Ambleteuse *(62)* .... 2 A 3
Ambleville *(16)* .... 127 H 5
Ambleville *(95)* .... 30 B 3
Amblie *(14)* .... 27 E 2
Amblimont *(08)* .... 19 F 4
Ambloy *(41)* .... 87 F 1
Ambly-Fleury *(08)* .... 18 C 5
Ambly-sur-Meuse *(55)* ..... 35 H 4
Amboise *(37)* .... 87 F 4
Ambon *(56)* .... 81 H 3
Ambonil *(26)* .... 163 H 2
Ambonnay *(51)* .... 34 A 4
Ambonville *(52)* .... 55 F 5
Ambourville *(76)* .... 13 F 5
Ambrault *(36)* .... 104 D 4
Ambres *(81)* .... 190 A 1
Ambricourt *(62)* .... 7 F 1
Ambrief *(02)* .... 32 D 2
Ambrières *(51)* .... 55 E 3
Ambrières-les-Vallées *(53)* 46 D 5
Ambrines *(62)* .... 7 H 3
Ambronay *(01)* .... 137 E 1
Ambrugeat *(19)* .... 131 G 5
Ambrumesnil *(76)* .... 13 G 2
Ambrus *(47)* .... 171 H 2
Ambutrix *(01)* .... 137 E 1
Amécourt *(27)* .... 30 B 1
Amel-sur-l'Étang *(55)* .... 20 B 4
Amelécourt *(57)* .... 37 F 5
Amélie-
  les-Bains-Palalda *(66)* .. 212 D 4
L'Amélie-sur-Mer *(33)* .... 126 B 5
Amendeuix-Oneix *(64)* ..... 185 F 4
Amenoncourt *(54)* .... 57 H 2
Amenucourt *(95)* .... 30 B 4
Ames *(62)* .... 7 G 1
Amettes *(62)* .... 7 G 1
Ameugny *(71)* .... 122 A 4
Ameuvelle *(88)* .... 76 D 3
Amexetu *(64)* .... 184 C 4
Amfreville *(14)* .... 27 G 2
Amfreville *(50)* .... 23 E 5
Amfreville-Saint-Amand *(27)* 29 F 3
Amfreville-la-Mi-Voie *(76)* 29 G 1
Amfreville-les-Champs *(27)* 29 H 2
Amfreville-les-Champs *(76)* 13 F 3
Amfreville-
  sous-les-Monts *(27)* ..... 29 H 2
Amfreville-sur-Iton *(27)* . 29 G 3
Amfroipret *(59)* .... 9 G 3
Amiens ⟨R⟩ *(80)* .... 15 F 2
Amifontaine *(02)* .... 17 H 5
Les Amignons *(06)* .... 182 C 2
Amigny *(50)* .... 25 F 3
Amigny-Rouy *(02)* .... 16 D 4
Amillis *(77)* .... 52 C 2
Amilly *(28)* .... 49 H 4
Amilly *(45)* .... 71 H 4
Amions *(42)* .... 134 C 2
Amirat *(06)* .... 182 C 4
Ammerschwihr *(68)* .... 78 C 1
Ammerzwiller *(68)* .... 78 C 5
Ammeville *(14)* .... 27 H 5
Amné *(72)* .... 67 H 3
Amnéville *(57)* .... 21 E 4
Amoncourt *(70)* .... 76 D 5
Amondans *(25)* .... 110 D 1
Amont-et-Effreney *(70)* ... 77 G 4
Amorots-Succos *(64)* ...... 185 F 4
Amotz *(64)* .... 184 C 4
Amou *(40)* .... 185 H 2
Amphion-les-Bains *(74)* ... 125 E 2
Ampilly-le-Sec *(21)* ...... 74 C 5
Ampilly-les-Bordes *(21)* .. 92 D 1
Amplepuis *(69)* .... 135 E 1
Amplier *(62)* .... 7 G 4
Ampoigné *(53)* .... 66 C 5
Amponville *(77)* .... 71 G 1
Ampriani *(2B)* .... 217 G 2
Ampuis *(69)* .... 135 H 5
Ampus *(83)* .... 197 F 2
Amuré *(79)* .... 113 H 3
Amy *(60)* .... 16 A 4
Anais *(16)* .... 128 C 3
Anais *(17)* .... 113 G 4
Anan *(31)* .... 188 B 4
Ance *(31)* .... 203 F 1
Anceaumeville *(76)* .... 13 G 4
Anceins *(61)* .... 48 C 1
Ancelle *(05)* .... 166 C 3
Ancemont *(55)* .... 35 H 4
Ancenis ⟨P⟩ *(44)* .... 84 A 4
Ancerville *(55)* .... 55 F 2
Ancerville *(57)* .... 37 F 4
Ancerviller *(54)* .... 58 A 3
Ancey *(21)* .... 93 E 4
Anchamps *(08)* .... 10 D 5
Anché *(37)* .... 102 A 1
Anché *(86)* .... 115 F 3
Anchenoncourt-
  et-Chazel *(70)* .... 77 E 4
Ancienville *(02)* .... 32 C 3
Ancier *(70)* .... 94 B 3
Ancinnes *(72)* .... 48 A 5
Ancizan *(65)* .... 205 E 4
Les Ancizes-Comps *(63)* ... 132 D 2
Ancône *(26)* .... 163 G 3
Ancourt *(76)* .... 13 H 1
Ancourteville-
  sur-Héricourt *(76)* ...... 13 E 3
Ancretiéville-St-Victor *(76)* 13 F 4

Ancretteville-sur-Mer (76) 12 D 2
Anceteville (50) 24 D 3
Anctoville (14) 25 H 3
Anctoville-sur-Boscq (50) 24 C 5
Ancy (69) 135 F 2
Ancy-Dornot (57) 36 D 4
Ancy-le-Franc (89) 74 A 5
Ancy-le-Libre (89) 74 A 5
Andainville (80) 14 C 2
Andance (07) 149 H 3
Andancette (26) 149 H 3
Andard (49) 85 E 3
Andé (27) 29 G 2
Andechy (80) 16 A 3
Andel (22) 44 A 3
Andelain (02) 16 D 4
Andelaroche (03) 120 D 4
Andelarre (70) 95 E 1
Andelarrot (70) 95 E 2
Andelat (15) 147 E 4
Andelnans (90) 96 C 1
Andelot (52) 75 H 1
Andelot-en-Montagne (39) 110 D 3
Andelot-Morval (39) 123 F 2
Andelu (78) 50 C 1
Les Andelys SP (27) 29 H 2
Andernay (55) 55 E 1
Andernos-les-Bains (33) 154 B 2
Anderny (54) 20 C 4
Andert-et-Condon (01) 137 G 3
Andevanne (08) 35 F 1
Andeville (60) 31 E 2
Andigné (49) 84 C 1
Andillac (81) 174 C 4
Andilly (17) 113 F 3
Andilly (54) 56 C 1
Andilly (74) 124 B 5
Andilly (95) 31 F 4
Andilly-en-Bassigny (52) 76 A 4
Andiran (47) 171 H 3
Andlau (67) 58 D 4
Andoins (64) 186 C 5
Andolsheim (68) 78 D 2
Andon (06) 182 C 5
Andonville (45) 70 D 1
Andornay (70) 95 H 1
Andouillé (53) 66 C 1
Andouillé-Neuville (35) 45 F 5
Andouque (81) 175 E 4
Andrein (64) 185 G 4
Andres (62) 2 C 3
Andrest (65) 187 E 5
Andrésy (78) 30 D 5
Andrezé (49) 84 B 5
Andrezel (77) 52 A 3
Andrézieux-Bouthéon (42) 135 E 5
Andryes (89) 91 E 3
Anduze (30) 177 H 3
Anères (65) 205 E 2
Anet (28) 50 A 1
Anetz (44) 84 A 3
Angaïs (64) 186 C 5
Angé (41) 87 G 4
Angeac-Champagne (16) 127 G 4
Angeac-Charente (16) 128 A 4
Angecourt (08) 19 F 4
Angeduc (16) 142 A 1
Angely (89) 91 H 2
Angeot (90) 78 B 5
Angers P (49) 84 D 3
Angerville (14) 27 H 2
Angerville (91) 70 D 1
Angerville-Bailleul (76) 12 C 3
Angerville-la-Campagne (27) 29 G 5
Angerville-la-Martel (76) 12 D 3
Angerville-l'Orcher (76) 12 B 4
Angervilliers (91) 50 D 3
Angeville (82) 173 E 4
Angevillers (57) 20 D 3
Angey (50) 45 G 1
Angicourt (60) 31 G 2
Angiens (76) 13 E 2
Angirey (70) 94 C 3
Angivillers (60) 15 G 5
Anglade (33) 141 E 3
Anglards-de-Salers (15) 146 A 3
Anglards-de-St-Flour (15) 147 E 5
Anglars (46) 159 E 2
Anglars-Juillac (46) 158 A 4
Anglars-Nozac (46) 158 B 2
Anglars-St-Félix (12) 159 G 5
Anglefort (01) 137 H 1
Anglemont (88) 57 H 4
Angles (04) 182 A 4
Les Angles (30) 179 E 4
Les Angles (65) 204 B 2
Les Angles (66) 211 H 3
Anglès (81) 191 F 3
Angles (85) 112 D 2
Les Angles-sur-Corrèze (19) 145 E 2
Angles-sur-l'Anglin (86) 103 E 5
Anglesqueville-la-Bras-Long (76) 13 E 3
Anglesqueville-l'Esneval (76) 12 B 4
Anglet (64) 184 C 3
Angliers (17) 113 F 4
Angliers (86) 101 H 3
Anglure (51) 53 G 3
Anglure-sous-Dun (71) 121 G 4
Anglus (52) 54 D 5
Angluzelles-et-Courcelles (51) 53 G 2
Angoisse (24) 143 H 1
Angomont (54) 58 A 3
Angos (65) 204 C 1
Angoulême P (16) 128 B 4
Angoulins (17) 113 E 5
Angoumé (40) 185 F 1
Angous (64) 185 G 5
Angoustrine (66) 211 G 4
Angoville (14) 27 F 5
Angoville-au-Plain (50) 23 E 5
Angoville-sur-Ay (50) 24 D 2
Angres (62) 4 A 5
Angresse (40) 184 D 1
Angrie (49) 84 B 2
Anguilcourt-le-Sart (02) 17 E 3
Angviller-lès-Bisping (57) 38 A 5
Angy (60) 31 F 2
Anhaux (64) 202 B 1
Anhiers (59) 4 D 5
Aniane (34) 192 D 2
Aniche (59) 8 D 3
Anisy (14) 27 F 2
Anizy-le-Château (02) 17 E 5
Anjeux (70) 77 E 4
Anjou (38) 149 H 2
Anjouin (36) 104 C 1
Anjoutey (90) 78 B 5
Anla (65) 205 F 3
Anlezy (58) 107 E 3
Anlhiac (24) 143 H 2
Annay (58) 90 A 2
Annay (62) 4 B 5
Annay-la-Côte (89) 91 G 2
Annay-sur-Serein (89) 91 H 1
Annebault (14) 28 A 2
Annebecq (14) 25 G 5
Annecy P (74) 138 B 1
Annecy-le-Vieux (74) 138 B 1
Annelles (08) 34 B 1
Annemasse (74) 124 C 4
Annéot (89) 91 G 3
Annepont (17) 127 F 2
Annequin (62) 4 A 5
Annesse-et-Beaulieu (24) 143 E 3
Annet-sur-Marne (77) 31 H 5
Anneux (59) 8 C 4
Anneville-en-Saire (50) 23 E 3
Annéville-la-Prairie (52) 75 F 1
Anneville-sur-Mer (50) 24 C 3
Anneville-sur-Scie (76) 13 G 2
Anneville-sur-Seine (76) 13 F 5
Anneyron (26) 149 H 2
Annezay (17) 127 E 1
Annezin (62) 7 H 1
Annœullin (59) 4 B 4
Annoire (39) 109 H 2
Annois (02) 16 C 3
Annoisin-Chatelans (38) 136 D 3
Annoix (18) 105 G 3
Annonay (07) 149 G 3
Annonville (52) 55 G 5
Annot (04) 182 B 3
Annouville-Vilmesnil (76) 12 C 3
Annoux (89) 91 H 2
Annoville (50) 24 D 4
Anor (59) 10 A 4
Anos (64) 186 C 4
Anost (71) 108 A 1
Anould (88) 78 A 1
Anoux (54) 20 C 4
Anoye (64) 186 D 4
Anquetierville (76) 12 D 5
Anrosey (52) 76 B 4
Ansac-sur-Vienne (16) 129 E 1
Ansacq (60) 31 F 1
Ansan (32) 188 B 1
Ansauville (54) 56 B 1
Ansauvillers (60) 15 G 5
Anse (69) 135 H 1
Anse de Sordan (56) 63 F 2
Anserville (60) 31 E 3
Ansignan (66) 208 C 5
Ansost (65) 187 E 3
Ansouis (84) 195 H 1
Anstaing (59) 4 D 4
Antagnac (47) 156 A 5
Ante (51) 35 E 4
Anterrieux (15) 161 E 1
Anteuil (25) 95 H 3
Antezant-la-Chapelle (17) 127 G 1
Anthé (47) 157 G 5
Anthelupt (54) 57 F 2
Anthenay (51) 33 F 3
Antheny (08) 10 B 5
Anthéor (83) 198 D 3
Antheuil (21) 109 E 1
Antheuil-Portes (60) 16 A 5
Anthien (58) 91 F 4
Anthon (38) 136 D 3
Anthy-sur-Léman (74) 124 D 2
Antibes (06) 199 F 2
Antichan (65) 205 F 3
Antichan-de-Frontignes (31) 205 G 3
Antignac (15) 146 A 2
Antignac (17) 127 F 5
Antignac (31) 205 F 4
Antigny (85) 100 C 5
Antigny (86) 116 B 1
Antigny-la-Ville (21) 108 C 1
Antilly (57) 21 E 5
Antilly (60) 32 B 3
Antin (65) 187 G 5
Antisanti (2B) 217 G 3
Antist (65) 204 C 1
Antogny le Tillac (37) 102 C 2
Antoigné (49) 101 G 1
Antoigny (61) 47 F 3
Antoingt (63) 147 E 1
Antonaves (05) 180 D 1
Antonne-et-Trigonant (24) 143 G 3
Antony SP (92) 51 F 2
Antorpe (25) 94 C 5
Antraigues-sur-Volane (07) 163 E 2
Antrain (35) 45 G 4
Antran (86) 102 C 3
Antras (09) 206 A 4
Antras (32) 187 H 1
Antrenas (48) 161 F 4
Antugnac (11) 208 A 3
Antully (71) 108 C 3
Anvéville (76) 13 E 3
Anville (16) 128 A 2
Anvin (62) 7 F 2
Any-Martin-Rieux (02) 10 B 5
Anzat-le-Luguet (63) 146 D 2
Anzeling (57) 21 G 4
Anzême (23) 117 H 4
Anzex (47) 171 H 1
Anzin (59) 9 F 2
Anzin-St-Aubin (62) 8 A 3
Anzy-le-Duc (71) 121 E 3
Aoste (38) 137 F 4
Aougny (51) 33 F 3
Aouste (08) 18 B 2
Aouste-sur-Sye (26) 164 D 2
Aouze (88) 56 C 5
Apach (57) 21 F 2
Apchat (63) 147 E 1
Apcher (63) 146 D 2
Apchon (15) 146 B 3
Apinac (42) 148 B 1
Appelle (81) 190 B 3
Appenai-sous-Bellême (61) 48 C 5
Appenans (25) 95 H 3
Appenwihr (68) 78 D 2
Appeville (50) 23 E 5
Appeville-Annebault (27) 28 D 2
Appietto (2A) 216 C 5
Appilly (60) 16 C 4
Appoigny (89) 73 E 4
Apprieu (38) 151 F 1
Appy (09) 207 F 5
Apremont (01) 123 G 4
Apremont (08) 35 E 2
Apremont (60) 31 G 3
Apremont (70) 94 A 3
Apremont (73) 138 A 5
Apremont (85) 99 E 4
Apremont-la-Forêt (55) 36 A 5
Apremont-sur-Allier (18) 106 B 3
Aprey (52) 75 G 5
Apt SP (84) 180 A 5
Arabaux (09) 207 E 3
Arâches (74) 125 F 5
Araghju (Castellu d') (2A) 219 F 3
Aragnouet (65) 204 D 4
Aragon (11) 190 D 5
Aramits (64) 203 F 1
Aramon (30) 179 E 5
Aranc (01) 137 F 1
Arance (64) 186 A 4
Arancou (64) 185 F 3
Arandas (01) 137 F 2
Arandon (38) 137 E 3
Araujuzon (64) 185 G 4
Araules (43) 148 D 4
Araux (64) 185 H 4
Arbanats (33) 155 G 3
Arbas (31) 205 H 3
Arbecey (70) 76 D 5
Les Arbelats (58) 107 F 4
Arbellara (2A) 219 E 3
Arbent (01) 123 H 3
Arbéost (65) 203 H 2
Arbérats-Sillègue (64) 185 F 4
Arbignieu (01) 137 G 3
Arbigny (01) 122 C 2
Arbigny-sous-Varennes (52) 76 B 4
Arbin (73) 138 A 5
Arbis (33) 155 H 3
Arblade-le-Bas (32) 186 D 1
Arblade-le-Haut (32) 186 D 1
Arbois (39) 110 C 3
Arbon (31) 205 G 3
Arbonne (64) 184 C 3
Arbonne-la-Forêt (77) 51 G 5
Arboras (34) 192 D 1
Arbori (2A) 216 C 4
Arbot (52) 75 F 4
Arbouans (25) 96 C 2
Arboucave (40) 186 B 2
Arbouet-Sussaute (64) 185 F 4
Arbourse (58) 90 C 5
Arboussols (66) 212 C 2
L'Arbresle (69) 135 G 2
Arbrissel (35) 65 H 4
Arbus (64) 186 A 4
Arbusigny (74) 124 C 5
Arc 1800 (73) 139 F 4
Arc-en-Barrois (52) 75 F 4
Arc-et-Senans (25) 110 C 1
Arc-lès-Gray (70) 94 B 3
Arc-sous-Cicon (25) 111 G 1
Arc-sous-Montenot (25) 110 D 3
Arc-sur-Tille (21) 93 G 4
Arcachon SP (33) 154 B 3
Arçais (79) 113 H 3
Arcambal (46) 158 C 5
Arcangues (64) 184 C 3
Arçay (18) 105 F 3
Arçay (86) 101 H 2
Arceau (21) 93 G 4
Arcelot (21) 93 G 4
Arcenant (21) 109 E 1
Arcens (07) 163 E 1
Arces (17) 126 D 5
Arces (89) 73 E 3
Arcey (21) 93 E 5
Arcey (25) 95 H 2
Archail (04) 181 G 2
Archamps (74) 124 B 4
Archelange (39) 110 A 1
Arches (15) 145 H 2
Arches (88) 77 G 2
Archettes (88) 77 G 2
Archiac (17) 127 G 5
Archignac (24) 144 A 5
Archignat (03) 118 C 3
Archigny (86) 102 C 5
Archingeay (17) 127 E 1
Archon (02) 18 A 3
Arcier (25) 95 E 4
Arcine (74) 124 A 5
Arcinges (42) 121 G 5
Arcins (33) 141 E 4
Arcis-le-Ponsart (51) 33 F 2
Arcis-sur-Aube (10) 54 A 4
Arcizac-Adour (65) 204 C 1
Arcizac-ez-Angles (65) 204 B 2
Arcizans-Avant (65) 204 B 3
Arcizans-Dessus (65) 204 A 3
Arcomie (48) 161 F 1
Arcomps (18) 105 F 5
Arçon (25) 111 G 2
Arcon (42) 134 B 1
Arconcey (21) 92 C 5
Arçonnay (72) 47 H 5
Arconsat (63) 134 A 2
Arconville (10) 74 D 2
Les Arcs (73) 139 F 4
Les Arcs (83) 197 G 3
Arcueil (94) 51 F 1
Arcy-Ste-Restitue (02) 32 D 2
Arcy-sur-Cure (89) 91 F 2
Ardelay (85) 100 A 3
Ardelles (28) 49 G 4
Ardelu (28) 50 C 5
Ardenais (18) 105 F 5
Ardenay-sur-Mérize (72) 68 B 3
Ardengost (65) 205 E 3
Ardentes (36) 104 C 5
Ardes (63) 147 E 1
Ardeuil-et-Montfauxelles (08) 34 D 2
Ardevon (50) 45 G 3
Ardiège (31) 205 G 2
Les Ardillats (69) 121 H 4
Ardilleux (79) 114 D 5
Ardillières (17) 113 G 5
Ardin (79) 114 A 2
Ardizas (32) 188 C 1
L'Ardoise (30) 179 E 3
Ardoix (07) 149 G 3
Ardon (39) 110 D 4
Ardon (45) 70 C 5
Ardouval (76) 13 H 3
Ardres (62) 2 D 3
Arèches (73) 138 D 3
Aregno (2B) 214 C 5
Areines (41) 69 F 5
Aren (64) 185 H 5
Arengosse (40) 169 G 3
Arenthon (74) 124 D 5
Arès (33) 154 B 2
Aresches (39) 110 D 3
Les Aresquiers (34) 193 F 3
Aressy (64) 186 C 5
Arette (64) 203 F 1
Arette-Pierre-St-Martin (64) 203 F 3
Arfeuille-Châtain (23) 132 A 1
Arfeuilles (03) 120 C 5
Arfons (81) 190 C 4
Argagnon (64) 185 H 3
Arganchy (14) 25 H 2
Argançon (10) 74 C 1
Argancy (57) 21 E 5
Argein (09) 206 A 3
Argelès (65) 204 D 2
Argelès-Gazost SP (65) 204 B 2
Argelès-Plage (66) 213 F 3
Argelès-sur-Mer (66) 213 F 3
Argeliers (11) 191 H 5
Argelliers (34) 193 E 1
Argelos (40) 186 A 2
Argelos (64) 186 C 3
Argelouse (40) 155 E 5
Argences (14) 27 G 3
Argens (04) 182 A 3
Argens-Minervois (11) 209 E 1
Argent-sur-Sauldre (18) 89 G 2
Argentan SP (61) 47 H 2
Argentat (19) 145 E 4
Argentenay (89) 74 A 5
Argenteuil SP (95) 31 E 5
Argenteuil-sur-Armançon (89) 74 A 5
Argentière (74) 125 G 5
L'Argentière-la-Bessée (05) 167 E 1
Argentières (77) 52 A 3
Argentine (73) 138 C 5
Argentolles (52) 75 E 1
Argenton (29) 40 D 3
Argenton (47) 156 B 5
Argenton-Château (79) 101 E 2
Argenton-l'Église (79) 101 F 2
Argenton-Notre-Dame (53) 66 D 5
Argenton-sur-Creuse (36) 117 F 1
Argentré (53) 66 D 2
Argentré-du-Plessis (35) 66 A 2
Argenvières (18) 106 B 1
Argenvilliers (28) 69 F 1
Argers (51) 35 E 4
Arget (64) 186 A 3
Argiésans (90) 96 C 1
Argillières (70) 94 B 1
Argilliers (30) 178 C 4
Argilly (21) 109 F 1
Argis (01) 137 F 1
Argiusta-Moriccio (2A) 219 E 1
Argnat (63) 133 E 2
Argœuves (80) 15 F 1
Argol (29) 41 F 5
Argonay (74) 138 B 1
Argouges (50) 45 H 3
Argoules (80) 6 D 3
Argueil (76) 14 B 5
Arguel (25) 94 D 5
Arguel (80) 14 C 2
Arguenos (31) 205 G 3
Argut-Dessous (31) 205 G 4
Argut-Dessus (31) 205 G 4
Argy (36) 103 H 3
Arhansus (64) 185 F 5
Aries-Espénan (65) 187 H 5
Arifat (81) 190 D 1
Arignac (09) 207 E 4
Arinthod (39) 123 G 2
Arith (73) 138 A 3
Arjuzanx (40) 169 F 3
Arlanc (63) 148 A 1
Arlay (39) 110 A 4
Arlebosc (07) 149 G 4
Arlempdes (43) 162 B 1
Arles SP (13) 194 C 1
Arles-sur-Tech (66) 212 D 4
Arlet (43) 147 G 4
Arleuf (58) 107 H 2
Arleux (59) 8 C 3
Arleux-en-Gohelle (62) 8 B 2
Arlos (31) 205 G 4
Armaillé (49) 66 A 5
Armancourt (60) 31 H 1
Armancourt (80) 16 A 4
Armaucourt (54) 57 E 1
Armbouts-Cappel (59) 3 F 2
Armeau (89) 72 D 3
Armendarits (64) 185 E 5
Armenteule (65) 205 E 4
Armentières (59) 4 B 3
Armentières-en-Brie (77) 32 B 5
Armentières-sur-Avre (27) 49 E 2
Armentières-sur-Ourcq (02) 32 D 3
Armentieux (32) 187 E 3
Armes (58) 91 E 3
Armillac (47) 156 D 4
Armissan (11) 209 G 1
Armix (01) 137 F 2
Armous-et-Cau (32) 187 F 2
Armoy (74) 125 E 2
Arnac (15) 145 G 4
Arnac-la-Poste (87) 117 E 4
Arnac-Pompadour (19) 144 B 1
Arnac-sur-Dourdou (12) 191 H 1
Arnage (72) 68 A 4
Arnancourt (52) 55 E 5
Arnas (69) 135 H 1
Arnaud-Guilhem (31) 205 H 1
Arnave (09) 207 E 4
Arnaville (54) 36 D 4
Arnay-le-Duc (21) 108 C 1
Arnay-sous-Vitteaux (21) 92 C 3
Arnayon (26) 165 E 4
Arné (65) 205 F 1
Arnéguy (64) 202 B 1
Arnèke (59) 3 F 3
Arnicourt (08) 18 B 4
Arnières-sur-Iton (27) 29 G 5
Arnoncourt-sur-Apance (52) 76 B 3
Arnos (64) 186 A 3
Arnouville-lès-Gonesse (95) 31 F 5
Arnouville-lès-Mantes (78) 30 B 5
Aroffe (88) 56 C 4
Aromas (39) 123 F 3
Aron (53) 47 E 5
Arone (Plage d') (2A) 216 A 3
Aroue (64) 185 G 4
Aroz (70) 94 D 1
Arpaillargues-et-Aureillac (30) 178 C 4
Arpajon (91) 51 E 3
Arpajon-sur-Cère (15) 160 A 1
Arpavon (26) 165 E 5
Arpenans (70) 95 F 1
Arpheuilles (18) 105 G 4
Arpheuilles (36) 103 G 3
Arpheuilles-St-Priest (03) 119 E 4
Arphy (30) 177 F 4
Arquenay (53) 66 D 3
Arques (11) 208 B 3
Arques (12) 175 H 1
Les Arques (46) 158 A 3
Arques (62) 3 E 4
Arques-la-Bataille (76) 13 G 2
Arquettes-en-Val (11) 208 C 2
Arquèves (80) 7 H 5
Arquian (58) 90 B 2
Arrabloy (45) 89 H 1
Arracourt (54) 57 G 1
Arradon (56) 81 G 2
Arraincourt (57) 37 G 4
Arrancourt (91) 51 E 5
Arrancy (02) 17 G 5
Arrancy-sur-Crusne (55) 20 B 3
Arrans (21) 92 B 1
Arras P (62) 8 A 3
Arras-en-Lavedan (65) 204 B 3
Arras-sur-Rhône (07) 149 H 3
Arrast-Larrebieu (64) 185 G 5
Arrauntz (64) 184 C 3
Arraute-Charritte (64) 185 F 4
Arraye-et-Han (54) 37 E 5
Arrayou-Lahitte (65) 204 C 2
Arre (30) 177 E 4
Arreau (65) 205 E 3
Arrelles (10) 74 A 3
Arrembécourt (10) 54 C 3
Arrènes (23) 117 F 5
Arrens-Marsous (65) 204 A 3
Arrentès-de-Corcieux (88) 78 A 1
Arrentières (10) 74 D 1
Arrest (80) 6 C 5
Arreux (08) 10 D 5
Arriance (57) 37 F 4
Arricau-Bordes (64) 186 D 3
Arrien (64) 186 D 5
Arrien-en-Bethmale (09) 206 A 4
Arrigas (30) 177 E 4
Arrigny (51) 54 D 3
Arro (2A) 216 C 4
Arrodets (65) 204 D 2
Arrodets-ez-Angles (65) 204 C 2
Arromanches-les-Bains (14) 27 E 1
Arronnes (03) 133 H 1
Arronville (95) 31 E 3
Arros-de-Nay (64) 204 A 1
Arros-d'Oloron (64) 203 F 1
Arrosès (64) 186 D 3
Arrou (28) 69 G 2
Arrouède (32) 188 A 4
Arrout (09) 206 A 3
Arry (57) 36 D 4
Arry (80) 6 C 3
Ars (16) 127 G 4
Ars (23) 131 F 1
Ars-en-Ré (17) 112 C 4
Ars-Laquenexy (57) 37 E 3
Ars-les-Favets (63) 119 E 4
Ars-sur-Formans (01) 135 H 1
Ars-sur-Moselle (57) 36 D 3
Arsac (33) 141 E 5
Arsac-en-Velay (43) 148 B 5
Arsague (40) 185 H 2
Arsans (70) 94 B 4
Arsonval (10) 74 D 1
Arsure-Arsurette (39) 111 E 4
Les Arsures (39) 110 C 2
Arsy (60) 31 H 1
Art-sur-Meurthe (54) 57 E 2
Artagnan (65) 187 E 4
Artaise-le-Vivier (08) 19 E 4
Artaix (71) 121 E 4
Artalens-Souin (65) 204 B 3
Artannes-sur-Indre (37) 86 C 5
Artannes-sur-Thouet (49) 85 G 5
Artas (38) 136 D 5
Artassenx (40) 170 D 5
Artemare (01) 137 G 2
Artemps (02) 16 C 3
Artenay (45) 70 C 3
Arthaz-Pont-Notre-Dame (74) 124 C 4
Arthel (58) 90 D 5
Arthémonay (26) 150 C 3
Arthenac (17) 127 G 5
Arthenas (39) 123 G 1
Arthès (81) 175 E 4
Arthez-d'Armagnac (40) 171 E 4
Arthez-d'Asson (64) 204 A 2
Arthez-de-Béarn (64) 186 A 3
Arthezé (72) 67 G 5
Arthies (95) 30 C 4
Arthon (36) 104 B 5
Arthon-en-Retz (44) 98 D 1
Arthonnay (89) 74 A 4
Arthun (42) 134 C 3
Artigat (09) 206 D 1
Artignosc-sur-Verdon (83) 196 D 1
Artigue (31) 205 F 4
Artiguedieu (32) 187 H 3
Artigueloutan (64) 186 C 5
Artiguelouve (64) 186 B 5
Artiguemy (65) 204 D 1
Artigues (09) 207 H 5
Artigues (11) 208 A 4
Artigues (65) 204 B 2
Artigues (83) 196 C 2
Artigues-Campan (65) 204 D 3

A **B** **C** **D** **E** **F** **G** **H** **I** **J** **K** **L** **M** **N** **O** **P** **Q** **R** **S** **T** **U** **V** **W** **X** **Y** **Z**

Localité *(Département)* Page Coordonnées

Les Artigues-de-Lussac (33)...141 H 5
Artigues-près-Bordeaux (33)..155 F 1
Artins (41)...86 D 1
Artix (09)...207 E 2
Artix (46)...158 C 4
Artix (64)...186 A 4
Artolsheim (67)...79 E 1
Artonges (02)...33 E 5
Artonne (63)...133 F 4
Artres (59)...9 F 3
Artzenheim (68)...79 E 1
Arudy (64)...203 H 1
Arue (40)...170 D 3
Arvant (43)...147 F 2
Arvert (17)...126 B 3
Arveyres (33)...155 G 1
Arvieu (12)...175 H 2
Arvieux (05)...167 F 1
Arvigna (09)...207 F 2
Arvillard (73)...152 B 1
Arville (41)...69 F 3
Arville (77)...71 G 2
Arvillers (80)...15 H 3
Arx (40)...171 G 3
Arzacq-Arraziguet (64)...186 B 3
Arzal (56)...82 A 2
Arzano (29)...62 C 4
Arzay (38)...150 D 1
Arzembouy (58)...90 D 5
Arzenc-d'Apcher (48)...161 E 1
Arzenc-de-Randon (48)...161 H 4
Arzens (11)...208 A 1
Arzillières-Neuville (51)...54 C 2
Arzon (56)...81 F 3
Arzviller (57)...58 B 1
Asasp (64)...203 F 1
Ascain (64)...184 B 4
Ascarat (64)...202 B 1
Aschbach (67)...39 G 4
Aschères-le-Marché (45)...70 D 2
Asco (2B)...216 D 1
Asco (Gorges de l') (2B)...217 E 1
Ascou (09)...207 G 5
Ascou-Pailhérès (09)...207 G 5
Ascoux (45)...71 G 2
Ascros (06)...182 D 4
Asfeld (08)...18 A 5
Aslonnes (86)...115 F 2
Asnan (58)...91 E 4
Asnans-Beauvoisin (39)...110 A 2
Asnelles (14)...27 E 1
Asnières (27)...28 B 3
Asnières-en-Bessin (14)...23 G 5
Asnières-en-Montagne (21)...92 B 1
Asnières-en-Poitou (79)...114 C 5
Asnières-la-Giraud (17)...127 F 2
Asnières-les-Bourges (18)...105 F 1
Asnières-lès-Dijon (21)...93 F 4
Asnières-sous-Bois (89)...91 F 3
Asnières-sur-Blour (86)...116 A 5
Asnières-sur-Nouère (16)...128 B 3
Asnières-sur-Oise (95)...31 F 3
Asnières-sur-Saône (01)...122 C 2
Asnières-sur-Seine (92)...31 F 3
Asnières-sur-Vègre (72)...67 F 4
Asnois (58)...91 F 4
Asnois (86)...115 G 5
Aspach (57)...58 A 2
Aspach (68)...97 F 1
Aspach-le-Bas (68)...78 C 5
Aspach-Michelbach (68)...78 C 5
Aspères (30)...178 A 5
Asperjoc (07)...163 E 3
Aspet (31)...205 H 2
Les Aspres (61)...48 D 2
Aspres-lès-Corps (05)...166 A 1
Aspres-sur-Buëch (05)...165 H 4
Aspret-Sarrat (31)...205 G 2
Asprières (12)...159 G 4
Asque (65)...204 D 2
Asques (33)...141 G 5
Asques (82)...173 E 4
Asquins (89)...91 F 3
Assac (81)...175 F 4
Assainvillers (80)...15 H 4
Assais (79)...101 G 4
Assas (34)...193 F 1
Assat (64)...186 C 5
Assay (37)...102 A 1
Assé-le-Bérenger (53)...67 F 2
Assé-le-Boisne (72)...47 H 5
Assé-le-Riboul (72)...67 H 2
Assenay (10)...73 H 2
Assencières (10)...54 A 5
Assenoncourt (57)...57 H 1
Assérac (44)...82 A 3
Assevent (59)...9 H 3
Assevillers (80)...16 A 2
Assier (46)...159 E 3
Assieu (38)...149 H 1
Assignan (34)...191 H 4
Assigny (18)...89 H 3
Assigny (76)...13 H 1

Les Assions (07)...162 D 5
Assis-sur-Serre (02)...17 E 3
Asson (64)...204 A 1
Assonval (62)...7 E 1
Asswiller (67)...38 C 5
Astaffort (47)...172 C 3
Astaillac (19)...145 E 5
Asté (65)...204 D 2
Aste-Béon (64)...203 H 2
Astet (07)...162 C 3
Astillé (53)...66 C 3
Astis (64)...186 C 3
Aston (09)...207 E 5
Astugue (65)...204 C 2
Athée (21)...93 H 5
Athée (53)...66 B 4
Athée-sur-Cher (37)...87 E 4
Athesans-Etroitefontaine (70)..95 G 1
Athie (21)...92 A 2
Athie (89)...91 H 2
Athienville (54)...57 F 1
Athies (62)...8 B 3
Athies (80)...16 B 2
Athies-sous-Laon (02)...17 F 4
Athis (51)...33 H 4
Athis-Mons (91)...51 F 2
Athis-Val de Rouvre (61)...47 E 1
Athos-Aspis (64)...185 F 4
Athose (25)...111 F 1
Attainville (95)...31 F 4
Attancourt (52)...55 E 3
Les Attaques (62)...2 C 3
Attenschwiller (68)...97 G 1
Attiches (59)...4 C 4
Attichy (60)...32 B 1
Attignat (01)...122 D 3
Attignat-Oncin (73)...137 H 5
Attignéville (88)...56 C 5
Attigny (08)...18 C 5
Attigny (88)...76 D 2
Attilloncourt (57)...57 F 1
Attilly (02)...16 C 2
Attin (62)...6 C 1
Atton (54)...36 D 5
Attray (45)...71 E 2
Attricourt (70)...93 H 3
Attuech (30)...177 H 3
Atur (24)...143 F 4
Aubagnan (40)...186 B 1
Aubagne (13)...196 A 5
Aubaine (21)...108 D 1
Aubais (30)...193 H 1
Aubarède (65)...187 F 5
Aubazat (43)...147 G 4
Aubazine (19)...144 D 3
Aube (57)...37 E 4
Aube (61)...48 C 2
Aubéguimont (76)...14 C 2
Aubenas (07)...163 E 3
Aubenas-les-Alpes (04)...180 C 4
Aubenasson (26)...164 D 2
Aubencheul-au-Bac (59)...8 D 3
Aubencheul-aux-Bois (02)...8 D 5
Aubenton (02)...10 B 5
Aubepierre (77)...52 A 3
Aubepierre-sur-Aube (52)...75 E 4
L'Aubépin (39)...123 F 2
Auberchicourt (59)...8 D 3
Aubercourt (80)...15 H 2
Aubergenville (78)...30 C 5
Aubérive (51)...34 B 3
Auberive (52)...75 F 5
Auberives-en-Royans (38)...151 E 4
Auberives-sur-Varèze (38)...149 H 1
Aubermesnil-aux-Érables (76)..14 B 2
Aubermesnil-Beaumais (76)...13 G 2
Aubers (59)...3 H 5
Aubertans (70)...95 E 3
Aubertin (64)...186 B 5
Auberville (14)...27 H 2
Auberville-la-Campagne (76)..12 D 5
Auberville-la-Manuel (76)...12 D 2
Auberville-la-Renault (76)...12 C 3
Aubervilliers (93)...31 F 5
Aubeterre (10)...53 H 4
Aubeterre-sur-Dronne (16)...142 B 2
Aubeville (16)...128 A 5
Aubevoye (27)...29 H 3
Aubiac (33)...155 H 4
Aubiac (47)...172 B 2
Aubière (63)...133 F 1
Les Aubiers (79)...100 D 2
Aubiet (32)...188 B 2
Aubignan (84)...179 G 3
Aubignas (07)...163 G 3
Aubigné (35)...45 F 5
Aubigné (79)...114 C 5
Aubigné-Racan (72)...86 A 1
Aubigné-sur-Layon (49)...85 E 5
Aubigneux... Aubigneux (70)...94 A 4
Aubignosc (04)...181 E 2
Aubigny (03)...106 C 5
Aubigny (14)...27 G 5
Aubigny (79)...101 G 4
Aubigny (80)...15 G 2
Aubigny-au-Bac (59)...8 D 3
Aubigny-aux-Kaisnes (02)...16 C 3

Aubigny-en-Artois (62)...7 H 3
Aubigny-en-Laonnois (02)...17 G 5
Aubigny-en-Plaine (21)...109 G 1
Aubigny-la-Ronce (21)...108 D 2
Aubigny-les-Clouzeaux (85)...99 G 5
Aubigny-les-Pothées (08)...18 C 2
Aubigny-les-Sombernon (21)...92 D 4
Aubigny-sur-Nère (18)...89 F 3
Aubilly (51)...33 G 3
Aubin (12)...159 G 4
Aubin (64)...186 B 3
Aubin-St-Vaast (62)...7 E 2
Aubinges (18)...89 G 5
Auboncourt-Vauzelles (08)...18 C 4
Aubonne (25)...111 F 1
Aubord (30)...194 A 1
Auboué (54)...20 D 5
Aubous (64)...186 D 2
Aubrac (12)...160 D 3
Aubres (26)...164 D 5
Aubréville (55)...35 F 3
Aubrives (08)...11 E 3
Aubrometz (62)...7 F 3
Aubry-du-Hainaut (59)...9 E 2
Aubry-en-Exmes (61)...47 H 1
Aubry-le-Panthou (61)...48 A 1
Aubure (68)...78 C 1
Aubussargues (30)...178 B 4
Aubusson ⟨SP⟩ (23)...131 G 2
Aubusson (61)...47 E 1
Aubusson-d'Auvergne (63)...134 A 3
Aubvillers (80)...15 G 3
Auby (59)...4 C 5
Aucaleuc (22)...44 C 4
Aucamville (31)...189 F 2
Aucamville (82)...189 E 1
Aucazein (09)...206 A 3
Aucelon (26)...165 E 3
Aucey-la-Plaine (50)...45 G 3
Auch P (32)...188 A 2
Auchel (62)...7 H 1
Auchonvillers (80)...8 A 5
Auchy-au-Bois (62)...7 G 1
Auchy-la-Montagne (60)...15 E 4
Auchy-lès-Hesdin (62)...7 F 2
Auchy-lès-Mines (62)...4 A 5
Auchy-lez-Orchies (59)...4 D 5
Audaux (64)...185 H 4
Audéjos (64)...186 A 4
Audelange (39)...110 B 1
Audeloncourt (52)...76 A 2
Audembert (62)...2 B 3
Audenge (33)...154 C 2
Auderville (50)...22 B 2
Audes (03)...118 D 2
Audeux (25)...94 C 4
Audeville (45)...71 E 1
Audierne (29)...61 E 2
Audignicourt (02)...16 C 5
Audignies (59)...9 G 3
Audignon (40)...186 A 1
Audigny (02)...17 F 2
Audincourt (25)...96 C 2
Audincthun (62)...2 D 5
Audinghen (62)...2 A 3
Audon (40)...169 F 5
Audouville-la-Hubert (50)...23 E 5
Audrehem (62)...2 D 4
Audressein (09)...206 A 3
Audresselles (62)...2 A 3
Audrieu (14)...27 E 2
Audrix (24)...157 G 1
Audruicq (62)...2 D 3
Audun-le-Roman (54)...20 C 3
Audun-le-Tiche (57)...20 C 2
Auenheim (67)...39 G 5
Auffargis (78)...50 C 2
Auffay (76)...13 G 3
Aufferville (77)...71 H 1
Auffreville-Brasseuil (78)...30 B 5
Auflance (08)...19 H 4
Auga (64)...186 B 3
Augan (56)...64 B 3
Auge (08)...10 B 5
Auge (23)...118 C 4
Augé (79)...114 C 2
Augea (39)...123 F 1
Auger-St-Vincent (60)...32 B 3
Augerans (39)...110 B 2
Augères (23)...117 G 3
Augerolles (63)...134 A 3
Augers-en-Brie (77)...52 D 2
Augerville-la-Rivière (45)...71 F 1
Augeville (52)...55 H 5
Augicourt (70)...76 C 5
Augignac (24)...129 F 5
Augirein (09)...205 H 3
Augisey (39)...123 F 1
Augnat (63)...147 E 1
Augnax (32)...188 B 1
Augne (87)...125 E 3
Augny (57)...36 D 3
Auguaise (61)...48 C 2
Augy (02)...33 E 1
Augy (89)...73 F 5
Augy-sur-Aubois (18)...106 A 4
Aujac (17)...127 G 2
Aujac (30)...177 H 1
Aujan-Mournède (32)...187 H 4
Aujargues (30)...193 H 1

Aujeurres (52)...75 G 5
Aujols (46)...158 C 5
Aulaines (72)...68 C 2
Aulan (26)...180 A 1
Aulas (30)...177 H 4
Aulhat-Flat (63)...133 G 5
Aulhat-St-Privat (63)...133 G 5
Aullène (2A)...219 E 2
Aulnat (63)...133 F 3
Aulnay (10)...54 B 4
Aulnay (17)...127 G 1
Aulnay (86)...101 H 3
Aulnay-aux-Planches (51)...53 H 1
Aulnay-la-Rivière (45)...71 F 2
Aulnay-l'Aître (51)...54 C 1
Aulnay-sous-Bois (93)...31 G 5
Aulnay-sur-Iton (27)...29 F 5
Aulnay-sur-Marne (51)...34 A 4
Aulnay-sur-Mauldre (78)...30 C 5
Les Aulneaux (72)...48 B 4
Aulnizeux (51)...53 G 1
Aulnois (88)...76 B 1
Aulnois-en-Perthois (55)...55 F 2
Aulnois-sous-Laon (02)...17 F 4
Aulnois-sous-Vertuzey (55)...56 B 1
Aulnoy (77)...52 B 1
Aulnoy-lez-Valenciennes (59)...9 F 3
Aulnoy-sur-Aube (52)...75 F 5
Aulnoye-Aymeries (59)...9 H 4
Aulon (23)...117 G 5
Aulon (31)...205 H 1
Aulon (65)...204 D 4
Aulos (09)...207 E 5
Ault (80)...6 B 5
Aulus-les-Bains (09)...206 C 5
Aulx-lès-Cromary (70)...95 E 3
Aumagne (17)...127 G 2
Aumale (76)...14 C 3
Aumâtre (80)...14 C 1
Aumelas (34)...193 E 1
Auménancourt (51)...33 H 1
Auménancourt-le-Petit (51)...33 H 1
Aumerval (62)...7 G 1
Aumes (34)...192 C 4
Aumessas (30)...177 E 4
Aumetz (57)...20 C 3
Aumeville-Lestre (50)...23 E 3
Aumont (39)...110 B 3
Aumont (80)...14 D 2
Aumont-Aubrac (48)...161 F 2
Aumont-en-Halatte (60)...31 G 2
Aumontzey (88)...77 H 1
Aumur (39)...109 H 1
Aunac (16)...128 C 2
Aunat (11)...207 H 5
Aunay-en-Bazois (58)...107 F 1
Aunay-les-Bois (61)...48 B 3
Aunay-sous-Auneau (28)...50 C 4
Aunay-sous-Crécy (28)...49 H 2
Aunay-sur-Odon (14)...26 D 4
Auneau-Bleury-
Saint-Symphorien (28)...50 B 4
Auneuil (60)...30 D 1
Aunou-le-Faucon (61)...47 H 2
Aunou-sur-Orne (61)...48 A 3
Auppegard (76)...13 G 2
Auquainville (14)...28 B 4
Auquemesnil (76)...14 A 1
Auradé (32)...188 D 3
Auradou (47)...172 D 1
Auragne (31)...189 G 4
Auray (56)...81 F 2
Aurec-sur-Loire (43)...148 D 2
Aureil (87)...124 D 5
Aureilhan (40)...168 D 1
Aureilhan (65)...187 E 5
Aureille (13)...195 E 5
Aurel (26)...165 E 2
Aurel (84)...180 A 2
Aurelle-Verlac (12)...160 D 4
Aurensan (32)...186 D 2
Aurensan (65)...187 E 5
Aureville (31)...189 F 3
Auriac (11)...208 C 3
Auriac (19)...145 G 3
Auriac (64)...186 C 3
Auriac-du-Périgord (24)...143 H 4
Auriac-Lagast (12)...175 G 3
Auriac-l'Église (15)...147 E 3
Auriac-sur-Dropt (47)...156 C 3
Auriac-sur-Vendinelle (31)...190 A 3
Auriat (23)...130 D 2
Auribail (31)...189 F 5
Auribeau (84)...180 B 5
Auribeau-sur-Siagne (06)...198 D 2
Aurice (40)...169 H 5
Auriébat (65)...187 E 3
Aurières (63)...132 D 4
Aurignac (31)...205 H 1
Aurimont (32)...188 B 3
Aurin (31)...189 H 3
Auriol (13)...196 B 4
Aurions-Idernes (64)...186 D 3
Auriolles (07)...163 E 5
Auriolles (33)...156 A 2
Auris (38)...151 G 3
Auron (06)...182 C 1
Aurons (13)...195 F 1

Auros (33)...155 H 4
Aurouër (03)...106 D 5
Auroux (48)...162 A 2
Aussac (81)...174 D 5
Aussac-Vadalle (16)...128 C 3
Ausseing (31)...206 A 1
Aussevielle (64)...186 A 4
Aussillon (81)...190 D 3
Aussois (73)...153 F 2
Ausson (31)...205 F 2
Aussonce (08)...34 A 1
Aussonne (31)...189 E 2
Aussos (32)...188 A 4
Aussurucq (64)...202 D 1
Autainville (41)...69 H 4
Autechaux (25)...95 F 3
Autechaux-Roide (25)...96 C 3
Les Autels (02)...18 A 3
Les Autels-St-Bazile (14)...28 A 5
Les Autels-Villevillon (28)...69 F 2
Auterive (31)...189 F 5
Auterive (32)...188 A 2
Auterive (82)...173 E 5
Auterrive (64)...185 F 3
Autet (70)...94 B 2
Auteuil (60)...30 D 2
Auteuil (78)...50 C 1
Autevielle-
St-Martin-Bideren (64)...185 F 4
Authe (08)...19 E 5
Autheuil (28)...69 H 3
Autheuil (61)...48 D 3
Autheuil-Authouillet (27)...29 H 4
Autheuil-en-Valois (60)...32 B 3
Autheux (80)...7 F 4
Authevernes (27)...30 B 3
Authezat (63)...133 F 4
Authie (14)...27 F 2
Authie (80)...7 H 5
Authieule (80)...7 G 4
Les Authieux (27)...29 G 5
Les Authieux-du-Puits (61)...48 B 2
Les Authieux-Papion (14)...27 H 4
Authieux-Ratiéville (76)...13 H 4
Les Authieux-
sur-Calonne (14)...28 B 2
Les Authieux-
sur-le-Port-St-Ouen (76)...29 G 1
Authiou (58)...90 D 5
Authoison (70)...95 E 2
Authon (04)...181 F 1
Authon (41)...87 E 1
Authon-du-Perche (28)...69 E 2
Authon-Ébéon (17)...127 G 2
Authon-la-Plaine (91)...50 D 4
Authou (27)...28 D 2
Authuille (80)...8 A 5
Authume (39)...110 A 1
Authumes (71)...109 H 3
Autichamp (26)...164 C 3
Autignac (34)...192 B 3
Autigny (76)...13 F 2
Autigny-la-Tour (88)...56 B 4
Autigny-le-Grand (52)...55 G 4
Autigny-le-Petit (52)...55 G 4
Autingues (62)...2 D 3
Autoire (46)...159 E 1
Autoreille (70)...94 C 4
Autouillet (78)...50 C 1
Autrac (43)...147 E 2
Autrans (38)...151 F 3
Autrans-Méaudre-
en-Vercors (38)...151 F 3
Autrèche (37)...87 F 3
Autrechêne (90)...96 D 1
Autrêches (60)...32 B 1
Autrécourt-et-Pourron (08)...19 F 4
Autrécourt-sur-Aire (55)...35 F 4
Autremencourt (02)...17 G 3
Autrepierre (54)...57 H 2
Autreppes (02)...17 G 1
Autretot (76)...13 E 4
Autreville (02)...16 D 4
Autreville (88)...56 C 4
Autréville-St-Lambert (55)...19 G 4
Autréville-sur-la-Renne (52)...75 F 2
Autréville-sur-Moselle (54)...56 D 1
Autrey (54)...56 D 3
Autrey (88)...57 H 5
Autrey-le-Vay (70)...95 F 2
Autrey-lès-Cerre (70)...95 F 1
Autrey-lès-Gray (70)...94 A 3
Autricourt (21)...74 D 3
Autruche (08)...19 E 5
Autruy-sur-Juine (45)...70 D 1
Autry (08)...35 E 2
Autry-Issards (03)...119 H 1
Autry-le-Châtel (45)...89 G 2
Autun ⟨SP⟩ (71)...108 B 3
Auty (82)...173 H 2
Auvare (06)...182 C 3
Auve (51)...34 D 4
Auvernaux (91)...87 H 5
Auvergny (27)...28 D 5
Auvers (43)...147 G 5
Auvers (50)...25 E 1
Auvers-le-Hamon (72)...67 F 4
Auvers-
sous-Montfaucon (72)...67 G 3
Auvers-St-Georges (91)...51 E 4
Auvers-sur-Oise (95)...31 E 4
Auverse (49)...85 H 2

Auvet-
et-la-Chapelotte (70)...94 A 2
Auvillar (82)...172 D 3
Auvillars (14)...28 A 3
Auvillars-sur-Saône (21)...109 G 1
Auvillers (60)...31 F 1
Auvillers-les-Forges (08)...10 C 5
Auvilliers (76)...14 B 3
Auvilliers-en-Gâtinais (45)...71 G 4
Aux-Aussat (32)...187 G 4
Aux Marais (60)...30 D 1
Auxais (50)...25 E 2
Auxange (39)...94 B 5
Auxant (21)...108 D 1
Auxelles-Bas (90)...78 A 5
Auxelles-Haut (90)...78 A 5
Auxerre P (89)...73 E 5
Auxey-Duresses (21)...109 E 2
Auxi-le-Château (62)...7 F 4
Auxillac (48)...161 F 5
Auxon (10)...73 G 2
Auxon (70)...95 E 1
Auxon-Dessous (25)...94 D 4
Auxon-Dessus (25)...94 D 4
Auxonne (21)...93 H 5
Auxy (45)...71 G 2
Auxy (71)...108 B 3
Auzainvilliers (88)...76 C 1
Auzances (23)...132 B 1
Auzas (31)...205 H 1
Auzat (09)...206 D 5
Auzat-la-Combelle (63)...147 F 1
Auzay (85)...113 G 2
Auzebosc (76)...13 E 4
Auzelles (63)...133 H 5
Auzers (15)...146 A 3
Auzet (04)...181 G 1
Auzeville-Tolosane (31)...189 G 3
Auzielle (31)...189 G 3
Auzits (12)...159 H 4
Auzon (43)...147 G 1
Auzouer-en-Touraine (37)...87 E 2
Auzouville-Auberbosc (76)...12 D 4
Auzouville-l'Esneval (76)...13 F 4
Auzouville-sur-Ry (76)...29 H 1
Auzouville-sur-Saâne (76)...13 F 3
Availles-
en-Châtellerault (86)...102 C 4
Availles-Limouzine (86)...115 H 5
Availles-sur-Chizé (79)...114 B 5
Availles-sur-Seiche (35)...66 A 3
Availles-Thouarsais (79)...101 G 3
Avajan (65)...205 E 4
Les Avalats (81)...175 E 4
Avallon ⟨SP⟩ (89)...91 G 3
Les Avanchers-Valmorel (73)..138 D 5
Avançon (05)...166 C 4
Avançon (08)...18 A 5
Avanne-Aveney (25)...94 D 5
Avant-lès-Marcilly (10)...53 E 5
Avant-lès-Ramerupt (10)...54 A 4
Avanton (86)...102 A 5
Avapessa (2B)...214 C 5
Avaray (41)...88 A 1
Avaux (08)...18 A 5
Aveize (69)...135 F 2
Aveizieux (42)...135 F 5
Avéjan (30)...178 B 3
Avelanges (21)...93 F 2
Avelesges (80)...14 D 1
Avelin (59)...4 C 4
Aveluy (80)...8 A 5
Avenas (69)...122 A 4
Avenay (14)...27 E 3
Avenay-Val-d'Or (51)...33 H 4
Avène (34)...192 A 1
Les Avenières-
Veyrins-Thuellin (38)...137 F 4
Avensac (32)...172 D 5
Avensan (33)...140 D 4
Aventignan (65)...205 F 2
Aveny (27)...30 B 3
Averan (65)...204 B 1
Averdoingt (62)...7 G 3
Averdon (41)...87 H 1
Avermes (03)...120 A 1
Avernes (95)...30 C 4
Avernes-sous-Exmes (61)...48 A 1
Avernes-St-Gourgon (61)...28 B 5
Avéron-Bergelle (32)...187 E 1
Averton (53)...47 G 5
Avesnelles (59)...9 H 5
Avesnes (59)...7 E 1
Avesnes-Chaussoy (80)...14 D 2
Avesnes-en-Bray (76)...14 B 5
Avesnes-en-Saosnois (72)...68 B 3
Avesnes-en-Val (76)...14 A 1
Avesnes-le-Comte (62)...7 H 3
Avesnes-le-Sec (59)...9 E 3
Avesnes-les-Aubert (59)...9 E 4
Avesnes-lès-Bapaume (62)...8 B 5
Avesnes-sur-Helpe ⟨SP⟩ (59)...9 H 4
Avessac (44)...82 D 1
Avessé (72)...67 F 4
Aveux (65)...205 F 2
Avezac (65)...205 E 2
Avezan (32)...172 D 5
Avèze (30)...177 H 4
Avèze (63)...132 B 5
Avezé (72)...68 D 1
Aviernoz (74)...138 B 1

Avignon 🅿 (84) 179 E 4
Avignon-lès-Saint-Claude (39) 124 A 2
Avignonet (38) 151 G 5
Avignonet-Lauragais (31) 189 H 4
Avillers (54) 20 B 4
Avillers (88) 57 E 5
Avillers-Ste-Croix (55) 36 B 4
Avilley (25) 95 F 3
Avilly-St-Léonard (60) 31 G 3
Avion (62) 4 B 5
Avioth (55) 19 H 4
Aviré (49) 84 C 1
Avirey-Lingey (10) 74 B 3
Aviron (27) 29 G 4
Avize (51) 33 H 5
Avocourt (55) 35 F 2
Avoine (37) 86 A 5
Avoine (61) 47 G 2
Avoise (72) 67 G 4
Avolsheim (67) 59 E 2
Avon (77) 51 H 5
Avon (79) 114 D 3
Avon-la-Pèze (10) 53 F 5
Avon-les-Roches (37) 102 B 1
Avondance (62) 7 F 1
Avord (18) 105 H 2
Avoriaz (74) 125 F 4
Avosnes (21) 92 D 4
Avot (21) 93 F 2
Avoudrey (25) 95 G 5
Avrainville (52) 55 F 3
Avrainville (54) 56 C 1
Avrainville (88) 57 E 5
Avrainville (91) 51 E 3
Avranches (SP) (50) 45 H 2
Avranville (88) 56 A 4
Avrechy (60) 31 F 1
Avrecourt (52) 76 A 3
Avrée (58) 107 G 4
Avremesnil (76) 13 F 2
Avressieux (73) 137 G 4
Avreuil (10) 73 H 3
Avricourt (54) 57 H 2
Avricourt (57) 57 H 2
Avricourt (60) 16 A 4
Avrieux (73) 153 F 2
Avrigney-Virey (70) 94 C 4
Avrigny (60) 31 G 1
Avril (54) 20 D 4
Avril-sur-Loire (58) 106 D 4
Avrillé (49) 84 D 2
Avrillé (85) 112 C 1
Avrillé-les-Ponceaux (37) 86 A 4
Avrilly (03) 121 E 3
Avrilly (27) 29 G 5
Avrilly (61) 46 D 3
Avroult (62) 2 D 5
Avy (17) 127 F 5
Awoingt (59) 8 D 4
Ax-les-Thermes (09) 207 F 5
Axat (11) 208 A 4
Axiat (09) 207 F 5
Ay-Champagne (51) 33 H 4
Ay-sur-Moselle (57) 21 E 4
Ayat-sur-Sioule (63) 132 D 1
Aydat (63) 133 E 4
Aydie (64) 186 D 2
Aydius (64) 203 G 2
Aydoilles (88) 77 G 1
Ayen (19) 144 B 3
Ayencourt (80) 15 H 4
Ayette (62) 8 A 4
Les Aygalades (13) 195 H 4
Ayguade-Ceinturon (83) 201 F 4
Ayguatébia-Talau (66) 212 A 3
Ayguemorte-les-Graves (33) 155 F 2
Ayguesvives (31) 189 G 4
Ayguetinte (32) 172 A 5
Ayherre (64) 185 E 4
Ayn (73) 137 G 4
Aynac (46) 159 E 2
Les Aynans (70) 95 G 1
Aynes (15) 145 G 3
Ayrens (15) 145 H 5
Ayron (86) 101 H 5
Ayros-Arbouix (65) 204 B 2
Ayse (74) 124 D 5
Ayssènes (12) 175 H 3
Aytré (17) 113 E 4
Les Ayvelles (08) 18 D 3
Ayzac-Ost (65) 204 B 2
Ayzieu (32) 171 F 5
Azannes-et-Soumazannes (55) 20 A 4
Azans (39) 110 A 1
Azas (31) 189 H 1
Azat-Châtenet (23) 117 G 5
Azat-le-Ris (87) 116 C 3
Azay-le-Brûlé (79) 114 C 2
Azay-le-Ferron (36) 103 F 4
Azay-le-Rideau (37) 86 B 5
Azay-sur-Cher (37) 87 E 4
Azay-sur-Indre (37) 87 E 5
Azay-sur-Thouet (79) 101 E 5
Azé (41) 69 F 5
Azé (53) 66 D 5
Azé (71) 122 B 2
Azelot (54) 57 E 3
Azerables (23) 117 E 3
Azerailles (54) 57 H 3
Azerat (24) 143 H 4
Azérat (43) 147 G 2
Azereix (65) 204 B 1
Azet (65) 205 E 4
Azeville (50) 23 E 4
Azillanet (34) 191 G 5
Azille (11) 191 F 5
Azilone-Ampaza (2A) 219 E 1
Azincourt (62) 7 F 2
Azolette (69) 121 H 4
Azoudange (57) 57 H 1
Azur (40) 168 C 5
Azy (18) 105 H 1
Azy-le-Vif (58) 106 C 4
Azy-sur-Marne (02) 32 D 4
Azzana (2A) 216 D 4

B

Baâlon (55) 19 G 5
Baâlons (08) 18 D 4
Babeau-Bouldoux (34) 191 H 4
Babœuf (60) 16 C 4
Le Babory-de-Blesle (43) 147 E 2
Baby (77) 52 D 5
Baccarat (54) 57 H 4
Baccon (45) 70 B 4
Bach (46) 174 A 1
Bachant (59) 9 H 4
Bachas (31) 188 C 5
La Bachellerie (24) 143 A 4
Bachimont (62) 7 F 3
Bachivillers (60) 30 D 2
Bachos (31) 205 F 3
Bachy (59) 4 D 4
Bacilly (50) 45 H 2
Le Bacon (48) 161 F 1
Baconnes (51) 34 B 3
La Baconnière (53) 66 C 1
Bacouël (60) 15 G 4
Bacouel-sur-Selle (80) 15 F 2
Bacourt (57) 37 F 5
Bacquepuis (27) 29 F 4
Bacqueville (27) 29 H 2
Bacqueville-en-Caux (76) 13 G 3
Badailhac (15) 160 B 1
Badaroux (48) 161 H 4
Badecon-le-Pin (36) 117 F 1
Badefols-d'Ans (24) 144 A 3
Badefols-sur-Dordogne (24) 157 F 1
Baden (56) 81 F 2
Badens (11) 208 C 1
Badevel (25) 96 D 2
Badinières (38) 137 E 5
Badménil-aux-Bois (88) 57 G 5
Badonviller (54) 58 A 3
Badonvilliers-Gérauvilliers (55) 56 A 3
Baerendorf (67) 38 B 5
Baerenthal (57) 38 D 4
La Baffe (88) 77 G 1
Baffie (63) 148 A 1
Bagard (30) 178 A 3
Bagas (33) 156 A 3
Bagat-en-Quercy (46) 158 A 5
Bâgé-la-Ville (01) 122 C 3
Bâgé-le-Châtel (01) 122 C 3
Bagert (09) 206 B 2
Bages (11) 209 F 2
Bages (66) 213 E 3
Bagiry (31) 205 G 3
Baglainval (28) 50 B 4
Bagnac-sur-Célé (46) 159 G 3
Bagneaux (89) 73 E 1
Bagneaux-sur-Loing (77) 71 H 1
Bagnères-de-Bigorre (SP) (65) 204 C 2
Bagnères-de-Luchon (31) 205 F 4
Bagneux (02) 16 D 5
Bagneux (03) 106 C 5
Bagneux (36) 104 B 1
Bagneux (49) 85 G 5
Bagneux (51) 53 G 3
Bagneux (54) 56 C 3
Bagneux (79) 101 F 1
Bagneux (92) 51 F 1
Bagneux-la-Fosse (10) 74 B 3
Bagnizeau (17) 127 G 2
Bagnoles (11) 191 E 5
Bagnoles-de-l'Orne (61) 47 F 3
Bagnolet (93) 51 F 1
Bagnols (63) 146 B 1
Bagnols (69) 135 G 2
Bagnols-en-Forêt (83) 198 C 2
Bagnols-les-Bains (48) 161 H 4
Bagnols-sur-Cèze (30) 178 D 2
Bagnot (21) 109 G 1
Baguer-Morvan (35) 45 E 3
Baguer-Pican (35) 45 F 3
Baho (66) 209 E 5
Bahus-Soubiran (40) 186 C 1
Baigneaux (28) 70 C 2
Baigneaux (33) 155 H 2
Baigneaux (41) 69 G 5
Baignes (70) 94 D 2
Baignes-Ste-Radegonde (16) 141 H 1
Baigneux-les-Juifs (21) 92 D 2
Baignolet (28) 70 B 2
Baigts (40) 185 H 1
Baigts-de-Béarn (64) 185 G 3
Baillargues (34) 193 G 2
Baillé (35) 45 H 5
Bailleau (28) 50 B 4
Bailleau-le-Pin (28) 49 H 5
Bailleau-l'Évêque (28) 49 H 4
Baillestavy (66) 212 C 3
Baillet-en-France (95) 31 F 4
Bailleul (59) 3 H 4
Bailleul (61) 47 H 1
Le Bailleul (72) 67 G 5
Bailleul (80) 6 D 5
Bailleul-aux-Cornailles (62) 7 G 2
Bailleul-la-Vallée (27) 28 C 3
Bailleul-le-Soc (60) 31 G 1
Bailleul-lès-Pernes (62) 7 G 1
Bailleul-Neuville (76) 14 A 2
Bailleul-Sir-Berthoult (62) 8 B 3
Bailleul-sur-Thérain (60) 31 E 1
Bailleulmont (62) 7 H 4
Bailleulval (62) 8 A 4
Bailleval (60) 31 G 1
Baillolet (76) 14 A 2
Baillou (41) 69 E 4
Bailly (60) 16 B 5
Bailly (78) 50 D 1
Bailly-aux-Forges (52) 55 E 4
Bailly-Carrois (77) 52 B 3
Bailly-en-Rivière (76) 14 A 1
Bailly-le-Franc (10) 54 D 4
Bailly-Romainvilliers (77) 52 A 1
Bain-de-Bretagne (35) 65 F 4
Baincthun (62) 2 B 4
Bainghen (62) 2 C 4
Bains (43) 148 A 5
Bains-de-Guitera (2A) 219 E 1
Bains-les-Bains (88) 77 E 3
Bains-sur-Oust (35) 64 C 5
Bainville-aux-Miroirs (54) 57 E 4
Bainville-aux-Saules (88) 77 E 1
Bainville-sur-Madon (54) 56 D 3
Bairols (06) 183 E 3
Bais (35) 65 H 3
Bais (53) 67 F 1
Baisieux (59) 4 D 4
Baissey (52) 75 G 5
Baives (59) 10 B 3
Baix (07) 163 G 2
Baixas (66) 209 E 5
Baizieux (80) 15 G 1
Le Baizil (51) 33 F 5
Bajamont (47) 172 C 1
Bajonnette (32) 172 C 5
Bajus (62) 7 H 2
Balacet (09) 206 A 4
Baladou (46) 158 C 1
Balagny-sur-Thérain (60) 31 E 2
Balaguères (09) 206 A 3
Balaguier-d'Olt (12) 159 F 4
Balaguier-sur-Rance (12) 175 G 5
Balaiseaux (39) 110 A 2
Balaives-et-Butz (08) 18 D 3
Balan (01) 136 C 2
Balan (08) 19 F 3
La Balandran (30) 194 B 1
Balanod (39) 123 E 2
Balansun (64) 185 H 3
Balanzac (17) 126 D 3
Balaruc-le-Vieux (34) 193 E 4
Balaruc-les-Bains (34) 193 E 4
Balâtre (80) 16 A 3
Balazé (35) 66 A 1
Balazuc (07) 163 E 4
Balbigny (42) 134 D 3
Balbins (38) 150 D 1
Balbronn (67) 58 D 2
Baldenheim (67) 59 E 5
Baldersheim (68) 78 D 4
La Baleine (50) 25 E 5
Baleix (64) 186 D 4
Balesmes (37) 102 D 2
Balesmes-sur-Marne (52) 75 H 5
Balesta (31) 205 F 1
Baleyssagues (47) 156 B 3
Balgau (68) 79 E 3
Balham (08) 18 A 5
Balignac (82) 172 D 4
Balignicourt (10) 54 B 4
Bâlines (27) 49 F 2
Balinghem (62) 2 C 3
Baliracq-Maumusson (64) 186 C 3
Baliros (64) 186 C 5
Balizac (33) 155 F 4
Ballainvilliers (91) 51 F 2
Ballaison (74) 124 D 3
Ballan-Miré (37) 86 C 4
Ballancourt-sur-Essonne (91) 51 F 4
Ballans (17) 127 H 2
Ballay (08) 34 D 1
Balledent (87) 116 D 5
Ballée (53) 67 E 4
Balleray (58) 106 D 2
Balleroy-sur-Drôme (14) 25 H 3
Ballersdorf (68) 97 E 1
Balléville (88) 56 C 5
Ballon (17) 113 F 5
Ballon-Saint-Mars (72) 68 A 2
Ballons (26) 180 C 1
Ballore (71) 121 G 1
Ballots (53) 66 A 4
Balloy (77) 52 C 5
Balma (31) 189 G 2
Le Balmay (01) 123 G 5
La Balme (73) 137 G 3
La Balme-de-Sillingy (74) 138 A 1
La Balme-de-Thuy (74) 138 B 1
La Balme-d'Épy (39) 123 F 2
La Balme-les-Grottes (38) 137 E 2
Balmont (74) 138 A 2
Balnot-la-Grange (10) 74 A 3
Balnot-sur-Laignes (10) 74 B 3
Balogna (2A) 216 C 3
Balot (21) 74 B 5
Balsac (12) 160 A 5
Balschwiller (68) 78 C 5
Balsièges (48) 161 G 5
Baltzenheim (68) 79 E 2
Balzac (16) 128 B 4
Bambecque (59) 3 G 3
Bambiderstroff (57) 21 G 5
Ban-de-Laveline (88) 58 B 5
Ban-de-Sapt (88) 58 B 5
Le Ban-St-Martin (57) 21 E 5
Ban-sur-Meurthe-Clefcy (88) 78 B 1
Banassac-Canilhac (48) 161 F 5
Banat (09) 207 E 4
Banca (64) 202 A 1
Bancigny (02) 17 H 2
Bancourt (62) 8 B 5
Bandol (83) 200 C 3
Baneins (01) 122 C 5
Baneuil (24) 157 F 1
Bangor (56) 80 D 5
Banhars (12) 160 B 3
Banios (65) 204 D 2
Banize (23) 131 F 2
Bannalec (29) 62 B 4
Bannans (25) 111 F 3
Bannay (18) 90 A 4
Bannay (51) 53 F 1
Bannay (57) 21 G 5
Banne (07) 162 D 5
Bannegon (18) 105 H 4
Bannes (46) 159 E 2
Bannes (51) 53 G 1
Bannes (52) 75 H 4
Bannes (53) 67 F 3
Les Bannettes (13) 196 A 3
Banneville-la-Campagne (14) 27 G 3
Bannières (81) 189 H 2
Bannoncourt (55) 35 H 5
Bannost (77) 52 C 2
Banogne-Recouvrance (08) 18 A 4
Banon (04) 180 C 3
Banos (40) 186 A 1
Bans (39) 110 B 2
Bansat (63) 147 F 1
Bantanges (71) 109 G 5
Banteux (59) 8 D 5
Banthelu (95) 30 C 3
Bantheville (55) 35 F 1
Bantigny (59) 8 D 4
Bantouzelle (59) 8 D 5
Bantzenheim (68) 79 E 4
Banvillars (90) 96 C 1
Banville (14) 27 E 1
Banvou (61) 47 E 2
Banyuls-dels-Aspres (66) 213 E 3
Banyuls-sur-Mer (66) 213 G 4
Baon (89) 74 A 5
Baons-le-Comte (76) 13 E 4
Bapaume (62) 8 B 5
Bapeaume (76) 13 G 5
Bar (19) 145 E 2
Bar-le-Duc 🅿 (55) 55 G 1
Bar-lès-Buzancy (08) 19 F 5
Bar-sur-Aube (SP) (10) 74 D 1
Le Bar-sur-Loup (06) 199 E 1
Bar-sur-Seine (10) 74 B 2
Baracé (49) 85 F 1
Baraigne (11) 190 A 5
Baraize (36) 117 F 2
Baralle (62) 8 C 4
Les Baraques (43) 148 B 5
Baraques-de-Montpezat (30) 178 A 5
La Baraquette (30) 178 D 4
Baraqueville (12) 175 F 1
Barastre (62) 8 B 5
Baratier (05) 167 E 3
Barbachen (65) 187 F 4
Barbaggio (2B) 215 F 3
Barbaira (11) 208 C 1
Barbaise (08) 18 C 3
Barbas (54) 58 A 3
Barbaste (47) 171 H 2
Barbâtre (85) 98 B 2
Barbazan (31) 205 G 2
Barbazan-Debat (65) 204 C 1
Barbazan-Dessus (65) 204 C 1
Barbechat (44) 83 H 4
La Barben (13) 195 G 2
Barbentane (13) 179 E 4
Barberaz (73) 137 H 4
Barberey-St-Sulpice (10) 53 H 5
Barberier (03) 119 H 4
Barbery (14) 27 F 4
Barbery (60) 31 H 3
Barbeville (14) 25 H 2
Barbey (77) 52 B 5
Barbey-Seroux (88) 78 A 1
Barbezières (16) 128 A 2
Barbezieux-St-Hilaire (16) 127 H 5
Barbières (26) 150 D 5
Barbirey-sur-Ouche (21) 93 E 5
Barbizon (77) 51 G 4
Barbonne-Fayel (51) 53 F 3
Barbonville (54) 57 F 3
Barbotan-les-Thermes (32) 171 F 4
Le Barboux (25) 96 C 5
Barbuise (10) 53 E 3
Barby (08) 18 B 5
Barby (73) 138 A 4
Barc (27) 29 E 4
Barcaggio (2B) 215 F 1
Le Barcarès (66) 209 F 5
Barcelonne (26) 164 C 1
Barcelonne-du-Gers (32) 186 C 1
Barcelonnette (SP) (04) 167 F 5
Barchain (57) 58 A 1
Barchetta (2B) 215 F 5
Barcillonnette (05) 166 A 4
Barcugnan (32) 187 G 4
Barcus (64) 203 E 1
Barcy (77) 32 A 4
Bard (42) 134 C 5
Bard-le-Régulier (21) 108 B 1
Bard-lès-Époisses (21) 92 A 2
Bard-lès-Pesmes (70) 94 B 4
La Barde (17) 142 A 4
Bardenac (16) 142 A 2
Bardiana (2B) 216 C 2
Bardigues (82) 172 D 3
Le Bardon (45) 70 B 5
Bardos (64) 185 E 3
Bardou (24) 157 E 2
Bardouville (76) 29 F 1
Les Bardys (87) 130 B 2
Barèges (65) 204 C 3
Bareilles (65) 205 E 3
Barembach (67) 58 C 3
Baren (31) 205 F 4
Barentin (76) 13 F 5
Barenton (50) 46 C 3
Barenton-Bugny (02) 17 F 4
Barenton-Cel (02) 17 F 4
Barenton-sur-Serre (02) 17 F 4
Barésia-sur-l'Ain (39) 123 H 1
Barfleur (50) 23 E 2
La Barge (15) 147 E 5
Bargème (83) 182 A 5
Bargemon (83) 197 H 1
Barges (21) 93 F 5
Barges (43) 162 B 1
Barges (70) 76 C 4
Bargny (60) 32 A 3
Barie (33) 155 H 4
Les Barils (27) 49 E 2
Barinque (64) 186 C 4
Barisey-au-Plain (54) 56 C 3
Barisey-la-Côte (54) 56 C 3
Barisis (02) 16 D 4
Barizey (71) 108 D 4
Barjac (09) 206 B 2
Barjac (30) 178 B 1
Barjac (48) 161 G 4
Barjols (83) 196 D 2
Barjon (21) 93 F 2
Barjouville (28) 50 A 5
Barles (04) 181 G 1
Barlest (65) 204 B 1
Barleux (80) 16 B 2
Barlieu (18) 89 H 3
Barlin (62) 7 H 2
Barly (62) 7 H 3
Barly (80) 7 G 4
Barmainville (28) 70 D 1
Barnas (07) 162 D 3
Barnave (26) 165 F 3
Barnay (71) 108 B 1
Barneville-Carteret (50) 22 B 5
Barneville-la-Bertran (14) 28 A 1
Barneville-Plage (50) 22 B 5
Barneville-sur-Seine (27) 29 E 1
Barnier (30) 194 A 1
La Baroche-Gondouin (53) 47 E 4
La Baroche-sous-Lucé (61) 47 E 3
Les Baroches (54) 20 C 5
Baromesnil (76) 14 A 1
Baron (30) 178 B 3
Baron (33) 155 G 1
Baron (60) 31 H 3
Baron (71) 121 G 2
Baron-sur-Odon (14) 27 E 3
Baronville (57) 37 G 4
Barou-en-Auge (14) 27 H 5
Baroville (10) 74 D 1
Le Barp (33) 154 D 3
Barquet (27) 29 E 4
Barr (67) 58 D 4
Barracone (2A) 216 D 5
Barrais-Bussolles (03) 120 C 3
Barran (32) 187 H 2
Barrancoueu (65) 205 E 3
Les Barraques (05) 166 B 2
Les Barraques-en-Vercors (26) 151 E 5
Barras (04) 181 F 2
Barraute-Camu (64) 185 G 4
Barraux (38) 152 A 1
La Barre (39) 110 B 1
La Barre (70) 95 E 3
Barre (81) 191 G 1
La Barre-de-Monts (85) 98 C 3
La Barre-de-Semilly (50) 25 G 3
Barre-des-Cévennes (48) 177 F 2
La Barre-en-Ouche (27) 28 D 5
Barrême (04) 181 H 4
Barret (16) 127 H 5
Barret-de-Lioure (26) 180 B 2
Barret-sur-Méouge (05) 180 C 1
Barretaine (39) 110 C 3
Barrettali (2B) 215 F 2
Barriac-les-Bosquets (15) 145 H 4
Barricourt (08) 19 F 5
Barro (16) 128 C 1
Barrou (37) 102 D 3
Le Barroux (84) 179 G 2
Barry (65) 204 C 1
Barry-d'Islemade (82) 173 G 3
Bars (24) 143 H 4
Bars (32) 187 G 3
Barsac (26) 165 E 2
Barsac (33) 155 G 3
Barsanges (19) 131 F 5
Barst (57) 37 H 3
Bart (25) 96 C 2
Bartenheim (68) 97 G 1
Barthe (65) 187 H 5
La Barthe-de-Neste (65) 205 E 2
Bartherans (25) 110 D 1
Les Barthes (82) 173 F 3
Bartrès (65) 204 B 1
Barville (27) 28 C 3
Barville (61) 48 B 4
Barville (76) 13 E 3
Barville (88) 56 B 5
Barville-en-Gâtinais (45) 71 F 2
Barzan (17) 126 D 5
Barzun (64) 204 B 1
Barzy-en-Thiérache (02) 9 G 5
Barzy-sur-Marne (02) 33 E 4
Bas-en-Basset (43) 148 C 2
Bas-et-Lezat (63) 133 G 1
Bas-Lieu (59) 9 H 4
Bas-Mauco (40) 169 H 5
Bas-Rupts (88) 78 A 2
Bas Warneton (59) 4 B 2
Bascons (40) 170 D 5
Bascous (32) 171 G 5
Baslieux (54) 20 B 3
Baslieux-lès-Fismes (51) 33 F 2
Baslieux-sous-Châtillon (51) 33 F 3
Basly (14) 27 F 2
Bassac (16) 128 A 4
Bassan (34) 192 B 4
Bassanne (33) 155 H 4
Basse-Goulaine (44) 83 G 5
Basse-Ham (57) 21 E 3
Basse-Rentgen (57) 21 E 2
Basse-sur-le-Rupt (88) 77 H 3
La Basse-Vaivre (70) 76 D 3
La Bassée (59) 4 B 4
Bassemberg (67) 58 C 5
Basseneville (14) 27 G 2
Bassens (33) 155 F 1
Bassens (73) 137 H 4
Bassercles (40) 186 A 2
Basses (86) 101 H 2
Basseux (62) 8 A 4
Bassevelle (77) 32 C 5
Bassignac (15) 145 H 2
Bassignac-le-Bas (19) 145 E 5
Bassignac-le-Haut (19) 145 F 3
Bassigney (70) 77 E 4
Bassillac (24) 143 F 3
Bassillon-Vauzé (64) 186 D 3
Bassing (57) 37 H 5
Bassoles-Aulers (02) 16 D 5
Bassoncourt (52) 76 A 2
Bassou (89) 73 E 4
Bassoues (32) 187 F 2
Bassu (51) 54 D 1
Bassuet (51) 54 D 1
Bassurels (48) 177 F 2
Bassussarry (64) 184 C 3
Bassy (74) 137 H 1
Bastanès (64) 185 H 4
Bastelica (2A) 217 E 5
Bastelicaccia (2A) 216 C 5
Bastennes (40) 185 H 2
Bastia 🅿 (2B) 215 G 3
La Bastide (30) 178 C 2
La Bastide (66) 212 C 3
La Bastide (83) 182 B 5
La Bastide -Pradines (12) 176 B 4
La Bastide-Clairence (64) 185 E 3
La Bastide-de-Besplas (09) 206 C 1
La Bastide-de-Bousignac (09) 207 G 2
La Bastide de Couloumat (11) 207 F 1
La Bastide-de-Lordat (09) 207 F 1
La Bastide-de-Sérou (09) 206 D 3
La Bastide-d'Engras (30) 178 C 3
La Bastide-des-Jourdans (84) 180 C 5
La Bastide-du-Salat (09) 206 A 2
La Bastide-l'Évêque (12) 174 D 1
La Bastide-Puylaurent (48) 162 B 3
La Bastide-Solages (12) 175 G 4
La Bastide-sur-l'Hers (09) 207 G 3
La Bastidonne (13) 196 A 5
La Bastidonne (84) 196 A 1
Le Bastit (46) 158 D 2
Basville (23) 131 H 2
La Bataille (79) 114 D 5

Localité *(Département)*   Page   Coordonnées

Bataville (57)....57 H 2
Bathelémont (54)....57 G 2
Bathernay (26)....150 C 3
La Bâthie (73)....138 D 4
La Bâtie (04)....182 A 5
La Bâtie-des-Fonds (26)....165 G 4
La Bâtie-Division (38)....137 F 5
La Bâtie-Montgascon (38)....137 F 4
La Bâtie-Montsaléon (05)....165 H 4
La Bâtie-Neuve (05)....166 C 3
La Bâtie-Rolland (26)....163 H 4
La Bâtie-Vieille (05)....166 C 4
Les Bâties (70)....94 C 2
Batilly (54)....20 D 5
Batilly (61)....47 G 2
Batilly-en-Gâtinais (45)....71 F 3
Batilly-en-Puisaye (45)....90 A 2
Bats (40)....186 B 2
Batsère (65)....204 D 2
Battenans-les-Mines (25)....95 F 3
Battenans-Varin (25)....96 C 4
Battenheim (68)....78 D 4
Battexey (88)....57 E 4
Battigny (54)....56 D 4
Battrans (70)....94 B 3
Batz-sur-Mer (44)....82 A 4
Batzendorf (67)....39 F 5
Baubigny (21)....108 D 2
Baubigny (50)....22 B 4
La Bauche (73)....137 G 5
Baud (56)....63 F 5
Baudemont (71)....121 G 3
Les Baudières (89)....73 F 4
Baudignan (40)....171 G 3
Baudignécourt (55)....55 H 3
Baudinard-sur-Verdon (83)....197 E 1
Baudoncourt (70)....77 F 5
Baudonvilliers (55)....55 F 2
Les Baudras (71)....108 B 5
Baudre (50)....25 F 3
Baudrecourt (52)....55 F 5
Baudrecourt (57)....37 F 4
Baudreix (64)....204 A 1
Baudrémont (55)....55 H 1
Baudres (36)....104 A 2
Baudreville (28)....50 C 5
Baudreville (50)....22 C 5
Baudricourt (88)....56 D 5
Baudrières (71)....109 F 5
Bauduen (83)....197 E 1
Baugé-en-Anjou (49)....85 G 2
Baugy (18)....105 H 2
Baugy (60)....16 A 5
Baugy (71)....121 E 3
Baulay (70)....76 D 5
La Baule (44)....82 A 4
Baule (45)....70 B 5
La Baule-Escoublac (44)....82 A 4
Baulme-la-Roche (21)....93 E 4
Baulne (91)....51 F 4
Baulne-en-Brie (02)....33 E 5
Baulny (55)....35 F 2
Baulon (35)....64 D 3
Baulou (09)....206 D 3
La Baume (74)....125 E 3
La Baume-Cornillane (26)....164 C 1
La Baume-de-Transit (26)....179 E 1
La Baume-d'Hostun (26)....150 D 4
Baume-les-Dames (25)....95 F 4
Baume-les-Messieurs (39)....110 B 4
La Baumette (06)....182 C 2
Bauné (49)....85 F 3
Baupte (50)....23 E 5
Bauquay (14)....27 E 4
Baurech (33)....155 F 5
La Baussaine (35)....45 E 5
Bauvin (59)....4 B 4
Les Baux (83)....197 H 3
Les Baux-de-Breteuil (27)....49 E 1
Les Baux-de-Provence (13)....194 D 1
Les Baux-Ste-Croix (27)....29 G 5
Bauzemont (54)....57 G 2
Bauzens (24)....143 H 3
Bauzy (41)....88 A 2
Bavans (25)....96 C 2
Bavay (59)....9 G 3
Bavelincourt (80)....15 G 1
Bavella (Col de) (2A)....219 F 1
Bavent (14)....27 G 2
Baverans (39)....110 A 1
Bavilliers (90)....96 C 1
Bavinchove (59)....3 F 4
Bavincourt (62)....7 H 4
Bax (31)....206 C 1
Bay (70)....94 B 4
Bay-sur-Aube (52)....75 F 5
Bayac (24)....157 F 2
Bayas (33)....141 H 4
Baye (29)....62 B 5
Baye (51)....53 F 1
Bayecourt (88)....57 H 4
Bayel (10)....74 D 1
Bayencourt (80)....7 H 4
Bayenghem-lès-Éperlecques (62)....2 D 3
Bayenghem-lès-Seninghem (62)....2 D 4

Bayers (16)....128 C 2
Bayet (03)....120 A 4
Bayeux [SP] (14)....26 D 2
Baynes (14)....25 G 2
Bayon (54)....57 F 4
Bayon-sur-Gironde (33)....141 E 4
Bayonne [SP] (64)....184 C 3
Bayons (04)....166 C 5
Bayonville (08)....35 E 1
Bayonville-sur-Mad (54)....36 C 4
Bayonvillers (80)....15 H 2
Bazac (16)....142 B 3
Bazaiges (36)....117 F 2
Bazailles (54)....20 B 3
Bazainville (78)....50 B 1
Bazancourt (51)....34 A 1
Bazancourt (60)....14 C 5
Bazarnes (89)....91 F 1
Bazas (33)....155 H 5
Bazauges (17)....127 H 2
Bazegney (88)....57 E 5
Bazeilles (08)....19 F 3
Bazeilles-sur-Othain (55)....19 H 5
Bazelat (23)....117 F 3
Bazemont (78)....30 C 5
Bazens (47)....172 A 1
Bazentin (80)....8 A 5
Bazenville (14)....27 E 2
La Bazeuge (87)....116 C 4
Bazian (32)....187 G 2
Bazicourt (60)....31 H 1
Baziège (31)....189 G 4
Bazien (88)....57 H 4
Bazillac (65)....205 E 1
Bazincourt-sur-Epte (27)....30 C 2
Bazincourt-sur-Saulx (55)....55 F 2
Bazinghen (62)....2 B 3
Bazinval (76)....14 B 1
La Bazoche-Gouet (28)....69 F 2
Bazoches (58)....91 G 4
Bazoches-au-Houlme (61)....47 G 1
Bazoches-en-Dunois (28)....70 A 2
Bazoches-lès-Bray (77)....52 C 5
Bazoches-les-Gallerandes (45)....70 D 2
Bazoches-les-Hautes (28)....70 C 2
Bazoches-sur-Guyonne (78)....50 C 1
Bazoches-sur-Hoëne (61)....48 C 3
Bazoches-sur-le-Betz (45)....72 B 2
Bazoches-sur-Vesles (02)....33 E 2
La Bazoge (50)....46 C 2
La Bazoge (72)....68 A 2
La Bazoge-Montpinçon (53)....66 D 1
Bazoges-en-Paillers (85)....100 A 3
Bazoges-en-Pareds (85)....100 B 5
Bazoilles-et-Ménil (88)....76 D 1
Bazoilles-sur-Meuse (88)....56 B 5
Bazolles (58)....107 F 1
Bazoncourt (57)....37 F 3
Bazonville (54)....20 C 3
La Bazoque (14)....25 H 3
La Bazoque (61)....47 E 1
Bazoques (27)....28 C 3
Bazordan (65)....205 F 1
La Bazouge-de-Chemeré (53)....67 E 3
La Bazouge-des-Alleux (53)....66 D 1
La Bazouge-du-Désert (35)....46 A 4
Bazougers (53)....66 D 3
Bazouges (53)....66 C 5
Bazouges-la-Pérouse (35)....45 G 4
Bazouges-sous-Hédé (35)....45 G 4
Bazouges-sur-le-Loir (72)....85 G 1
Bazuel (59)....9 F 5
Bazugues (32)....187 G 4
Bazus (31)....189 G 1
Bazus-Aure (65)....205 E 4
Bazus-Neste (65)....205 E 2
Le Béage (07)....162 C 1
Béalcourt (80)....7 F 4
Béalencourt (62)....7 F 2
Béard (58)....106 D 3
Béard-Géovreissiat (01)....123 G 4
Beaubec-la-Rosière (76)....14 B 4
Beaubery (71)....121 H 2
Beaubray (27)....29 E 5
Beaucaire (30)....178 D 5
Beaucaire (32)....187 G 4
Beaucamps-le-Jeune (80)....14 C 2
Beaucamps-le-Vieux (80)....14 C 2
Beaucamps-Ligny (59)....4 B 4
Beaucé (35)....46 A 5
Beaucens (65)....204 B 3
Le Beaucet (84)....179 G 4
Beauchalot (31)....205 H 2
Beauchamp (95)....31 E 4
Beauchamps (50)....45 H 1
Beauchamps (80)....6 B 5
Beauchamps-sur-Huillard (45)....71 G 4
Beauchastel (07)....163 H 1
Beauche (28)....49 F 2
Beauchemin (52)....75 G 4
Beauchêne (41)....69 F 4
Beauchêne (61)....46 D 2
Beauchery-St-Martin (77)....52 D 3
Beauclair (55)....19 G 5
Beaucoudray (50)....25 F 4
Beaucourt (90)....96 D 2
Beaucourt-en-Santerre (80)....15 H 3
Beaucourt-sur-l'Ancre (80)....8 A 5
Beaucourt-sur-l'Hallue (80)....15 G 1
Beaucouzé (49)....84 D 3

Beaucroissant (38)....151 F 2
Beaudéan (65)....204 D 2
Beaudéduit (60)....15 E 4
Beaudignies (59)....9 F 4
Beaudricourt (62)....7 G 3
Beaufai (61)....48 C 2
Beaufay (72)....68 B 2
Beauficel (50)....46 B 1
Beauficel-en-Lyons (27)....30 A 1
Beaufin (38)....166 A 1
Beaufort (31)....188 D 4
Beaufort (34)....191 G 5
Beaufort (38)....150 C 2
Beaufort (39)....123 F 1
Beaufort (59)....9 F 5
Beaufort (73)....138 D 3
Beaufort-Blavincourt (62)....7 H 3
Beaufort-en-Anjou (49)....85 F 3
Beaufort-en-Argonne (55)....19 G 5
Beaufort-en-Santerre (80)....15 H 3
Beaufort-sur-Gervanne (26)....164 D 2
Beaufou (85)....99 F 3
Beaufour-Druval (14)....27 H 2
Beaufremont (88)....76 B 1
Beaugas (47)....157 E 4
Beaugeay (17)....126 C 2
Beaugency (45)....70 B 5
Beaugies-sous-Bois (60)....16 C 4
Beaujeu (04)....181 G 1
Beaujeu (69)....122 A 5
Beaujeu-St-Vallier-et-Pierrejux (70)....94 B 2
La Beaujoire (44)....83 F 4
Beaulac (33)....155 G 5
Beaulandais (61)....47 E 3
Beaulencourt (62)....8 B 5
Beaulieu (07)....162 D 5
Beaulieu (14)....10 B 5
Beaulieu (15)....146 A 1
Beaulieu (21)....92 D 1
Beaulieu (34)....193 G 1
Beaulieu (36)....116 D 3
Beaulieu (38)....151 E 3
Beaulieu (43)....148 B 4
Beaulieu (58)....91 E 5
Beaulieu (61)....48 D 2
Beaulieu (63)....147 F 1
Beaulieu-en-Argonne (55)....35 F 4
Beaulieu-les-Fontaines (60)....16 B 4
Beaulieu-lès-Loches (37)....103 F 1
Beaulieu-sous-Bressuire (79)....100 D 3
Beaulieu-sous-la-Roche (85)....99 E 3
Beaulieu-sous-Parthenay (79)....114 C 1
Beaulieu-sur-Dordogne (19)....145 E 5
Beaulieu-sur-Layon (49)....84 D 4
Beaulieu-sur-Loire (45)....90 A 2
Beaulieu-sur-Mer (06)....183 F 5
Beaulieu-sur-Oudon (53)....66 C 3
Beaulieu-sur-Sonnette (16)....128 D 2
Beaulon (03)....120 C 1
Beaumais (14)....27 H 5
Beaumarchés (32)....187 E 2
Beaumat (46)....158 C 3
Beaumé (02)....10 A 5
La Beaume (05)....165 G 3
Beauménil (88)....77 H 1
Beaumerie-St-Martin (62)....6 D 2
Beaumes-de-Venise (84)....179 G 2
Beaumesnil (14)....25 G 5
Beaumesnil (27)....28 D 4
Beaumettes (84)....179 H 5
Beaumetz (80)....7 G 5
Beaumetz-lès-Aire (62)....7 F 1
Beaumetz-lès-Cambrai (62)....8 C 5
Beaumetz-lès-Loges (62)....8 A 4
Beaumont (07)....162 D 4
Beaumont (19)....145 E 1
Beaumont (32)....171 H 4
Beaumont (43)....147 F 2
Beaumont (54)....36 B 5
Beaumont (63)....133 E 3
Beaumont (74)....124 B 5
Beaumont (86)....102 B 4
Beaumont (89)....73 E 4
Beaumont-de-Lomagne (82)....173 E 5
Beaumont-de-Pertuis (84)....196 B 1
Beaumont-du-Gâtinais (77)....71 G 2
Beaumont-du-Lac (87)....131 E 3
Beaumont-du-Périgord (24)....157 F 2
Beaumont-du-Ventoux (84)....179 F 2
Beaumont-en-Argonne (08)....19 F 4
Beaumont-en-Auge (14)....28 A 2
Beaumont-en-Beine (02)....16 C 2
Beaumont-en-Cambrésis (59)....9 E 5
Beaumont-en-Diois (26)....165 F 3
Beaumont-en-Verdunois (55)....35 H 2
Beaumont-en-Véron (37)....86 A 5
Beaumont-Hague (50)....22 B 2
Beaumont-Hamel (80)....8 A 5
Beaumont-la-Ferrière (58)....106 C 1
Beaumont-le-Hareng (76)....13 H 4
Beaumont-le-Roger (27)....29 E 4
Beaumont-les-Autels (28)....69 F 1
Beaumont-les-Nonains (60)....30 D 2
Beaumont-lès-Randan (63)....133 G 3
Beaumont-lès-Valence (26)....164 C 1
Beaumont-Monteux (26)....149 H 5
Beaumont-Pied-de-Bœuf (53)....67 E 4

Beaumont-Pied-de-Bœuf (72)....68 B 5
Beaumont-Sardolles (58)....106 D 3
Beaumont-sur-Dême (72)....86 C 1
Beaumont-sur-Grosne (71)....109 E 5
Beaumont-sur-Lèze (31)....189 F 4
Beaumont-sur-Oise (95)....31 F 3
Beaumont-sur-Sarthe (72)....68 A 1
Beaumont-sur-Vesle (51)....34 A 3
Beaumont-sur-Vingeanne (21)....93 H 3
Beaumont-Village (37)....103 G 1
Beaumontel (27)....29 E 4
Beaumotte-Aubertans (70)....95 E 3
Beaumotte-lès-Pin (70)....94 C 4
Beaunay (51)....33 G 5
Beaune [SP] (21)....109 E 2
Beaune-d'Allier (03)....119 F 4
Beaune-la-Rolande (45)....71 F 3
Beaune-le-Froid (63)....132 D 5
Beaune-les-Mines (87)....130 B 2
Beaune-sur-Arzon (43)....148 A 2
Beaunotte (21)....92 D 1
Beaupont (01)....123 E 2
Beaupouyet (24)....142 C 5
Beaupréau-en-Mauges (49)....84 B 5
Beaupuy (31)....189 G 2
Beaupuy (32)....188 C 2
Beaupuy (47)....156 B 4
Beaupuy (82)....173 F 5
Beauquesne (80)....7 G 5
Beaurain (59)....9 F 4
Beaurains (62)....8 A 3
Beaurains-lès-Noyon (60)....16 B 4
Beaurainville (62)....6 D 2
Beaurecueil (13)....196 A 3
Beauregard (01)....135 H 1
Beauregard (46)....174 B 1
Beauregard-Baret (26)....150 D 5
Beauregard-de-Terrasson (24)....144 A 4
Beauregard-et-Bassac (24)....143 E 5
Beauregard-l'Évêque (63)....133 G 3
Beauregard-Vendon (63)....133 F 1
Beaurepaire (38)....150 C 2
Beaurepaire (60)....31 G 2
Beaurepaire (76)....12 B 3
Beaurepaire (85)....100 A 3
Beaurepaire-en-Bresse (71)....110 A 5
Beaurepaire-sur-Sambre (59)....9 G 5
Beaurevoir (02)....16 D 1
Beaurières (26)....165 G 3
Beaurieux (02)....33 F 1
Beaurieux (59)....10 A 2
Beauronne (24)....142 D 4
Beausemblant (26)....149 H 3
Beausoleil (06)....183 G 5
Beaussac (24)....128 D 5
Beaussais-Vitré (79)....114 C 3
Beaussault (76)....14 B 3
Beausse (49)....84 B 4
Le Beausset (83)....196 C 5
Beauteville (31)....189 H 5
Beautheil (77)....52 B 2
Beautiran (33)....155 F 2
Beautor (02)....16 D 4
Beautot (76)....13 G 4
Beauvain (61)....47 F 3
Beauvais [P] (60)....30 D 1
Beauvais-sur-Matha (17)....127 H 2
Beauvais-sur-Tescou (81)....173 H 5
Beauval (80)....7 G 5
Beauval-en-Caux (76)....13 G 3
Beauvallon (26)....163 H 1
Beauvallon (83)....197 H 4
Beauvau (49)....85 F 2
Beauvène (07)....163 F 1
Beauvernois (71)....110 A 3
Beauvezer (04)....182 A 2
Beauville (31)....189 H 3
Beauville (47)....172 D 1
Beauvilliers (28)....70 B 1
Beauvilliers (41)....69 G 5
Beauvilliers (89)....91 H 3
Beauvoir (50)....45 G 3
Beauvoir (60)....15 F 4
Beauvoir (77)....52 A 3
Beauvoir (89)....72 D 5
Beauvoir-de-Marc (38)....136 C 5
Beauvoir-en-Lyons (76)....14 B 5
Beauvoir-en-Royans (38)....151 E 4
Beauvoir-sur-Mer (85)....98 C 2
Beauvoir-sur-Niort (79)....114 A 4
Beauvoir-Wavans (62)....7 F 4
Beauvois (62)....7 F 2
Beauvois-en-Cambrésis (59)....9 E 4
Beauvois-en-Vermandois (02)....16 C 2
Beauvoisin (26)....179 H 1
Beauvoisin (30)....194 A 1
Beauvoisin (39)....109 H 3
Beaux (43)....148 C 3
Beauzac (43)....148 C 3
Beauzée-sur-Aire (55)....35 G 5
Beauzelle (31)....189 F 2
Beauziac (47)....171 G 1
Bébing (57)....58 A 1
Beblenheim (68)....78 D 1
Bec-de-Mortagne (76)....12 C 3
Le Bec-Hellouin (27)....28 D 2
Le Bec-Thomas (27)....29 F 2
Beccas (32)....187 F 4
Béceleuf (79)....114 A 2
Béchamps (54)....20 B 5

Bécherel (35)....44 D 5
Bécheresse (16)....128 B 5
Béchy (57)....37 F 4
Bécon-les-Granits (49)....84 C 2
Bécordel-Bécourt (80)....15 H 1
Bécourt (62)....2 C 5
Becquigny (02)....9 E 5
Becquigny (80)....15 H 3
Bédarieux (34)....192 A 2
Bédarrides (84)....179 F 3
Beddes (18)....118 B 1
Bédéchan (32)....188 B 3
Bédée (35)....64 D 1
Bédeilhac-et-Aynat (09)....207 E 4
Bédeille (09)....206 B 2
Bédeille (64)....186 D 4
Bedenac (17)....141 G 3
Bédoin (84)....179 H 2
Bédouès (48)....177 F 1
Bedous (64)....203 F 2
Béduer (46)....159 F 4
Beffes (18)....106 B 1
Beffia (39)....123 G 1
Beffu-et-le-Morthomme (08)....35 E 1
Beg-Meil (29)....61 H 4
Bégaar (40)....169 F 5
Bégadan (33)....140 D 1
Béganne (56)....82 B 1
Bégard (22)....42 D 3
Bègles (33)....155 F 1
Bégole (65)....205 E 1
Bégrolles-en-Mauges (49)....100 B 1
La Bégude (84)....180 B 5
Bégude Blanche (30)....178 D 5
La Bégude-de-Mazenc (26)....164 C 4
Bègues (03)....119 H 5
Les Bègues (05)....180 C 1
Béguey (33)....155 G 3
Béguios (64)....185 F 3
Béhagnies (62)....8 B 4
Béhasque-Lapiste (64)....185 F 4
Béhen (80)....6 D 5
Béhencourt (80)....15 G 1
Béhéricourt (60)....16 C 4
Béhobie (64)....184 A 4
Béhonne (55)....55 G 1
Béhorléguy (64)....202 C 1
Béhoust (78)....50 B 1
Behren-lès-Forbach (57)....38 A 2
Béhuard (49)....84 D 4
Beignon (56)....64 C 3
Beillé (72)....68 C 3
Beine (89)....73 F 5
Beine-Nauroy (51)....34 A 2
Beinheim (67)....39 H 5
Beire-le-Châtel (21)....93 G 3
Beire-le-Fort (21)....93 H 5
Beissat (23)....131 H 3
Bel-Air (34)....193 E 2
Bel-Air (49)....84 B 1
Bélâbre (36)....116 D 1
Belan-sur-Ource (21)....74 D 4
Bélarga (34)....192 D 3
Bélaye (46)....158 A 5
Belberaud (31)....189 G 3
Belbèse (82)....173 E 5
Belbèze-de-Lauragais (31)....189 G 4
Belbèze-en-Comminges (31)....206 A 1
Belcaire (11)....207 G 4
Belcastel (12)....159 H 5
Belcastel (81)....189 H 2
Belcastel-et-Buc (11)....208 B 2
Belcodène (13)....196 A 3
Bélesta (09)....207 G 4
Bélesta (66)....200 D 5
Bélesta-en-Lauragais (31)....190 A 4
Beleymas (24)....142 D 5
Belfahy (70)....77 H 5
Belfays (25)....96 D 4
Belflou (11)....189 H 5
Belfonds (61)....48 A 3
Belfort [P] (90)....96 C 1
Belfort-du-Quercy (46)....173 H 1
Belfort-sur-Rebenty (11)....207 H 4
Belgeard (53)....67 E 1
Belgentier (83)....196 D 5
Belgodère (2B)....214 D 5
Belhade (40)....155 E 5
Belhomert-Guéhouville (28)....49 F 4
Le Bélieu (25)....95 H 5
Béligneux (01)....136 C 2
Bélis (40)....170 C 3
Bellac [SP] (87)....116 C 5
Bellaffaire (04)....166 C 5
Bellagranajo (Col de) (2B)....217 E 2
Bellaing (59)....9 E 2
Bellancourt (80)....6 D 5
Bellange (57)....37 G 5
Bellavilliers (61)....48 D 4
Le Bellay-en-Vexin (95)....30 C 3
Belle-Église (60)....31 E 3
Belle-et-Houllefort (62)....2 B 4
Belle-Isle-en-Terre (22)....42 D 4
Belle-Poële (30)....177 H 1
Belleau (02)....32 C 4
Belleau (54)....37 E 5
Bellebat (33)....155 H 2

Bellebrune (62)....2 B 4
Bellechassagne (19)....131 G 4
Bellechaume (89)....73 E 3
Bellecombe (39)....124 A 3
Bellecombe-en-Bauges (73)....138 B 3
Bellecombe-Tarendol (26)....165 F 5
Bellefois (86)....102 A 5
Bellefond (21)....93 F 4
Bellefond (33)....155 H 2
Bellefonds (86)....102 C 5
Bellefontaine (39)....124 B 1
Bellefontaine (50)....46 B 2
Bellefontaine (88)....77 G 3
Bellefontaine (95)....31 G 4
Bellefosse (67)....58 C 4
Bellegarde (30)....194 B 1
Bellegarde (32)....188 A 4
Bellegarde (45)....71 G 3
Bellegarde-du-Razès (11)....207 H 2
Bellegarde-en-Diois (26)....165 F 4
Bellegarde-en-Forez (42)....135 E 4
Bellegarde-en-Marche (23)....131 H 1
Bellegarde-Marsal (81)....175 E 5
Bellegarde-Poussieu (38)....149 H 1
Bellegarde-Ste-Marie (31)....188 D 2
Bellegarde-sur-Valserine (01)....124 A 5
Belleherbe (25)....95 H 4
Bellemagny (68)....78 B 5
Bellême (61)....48 C 5
Bellenaves (03)....119 G 4
Bellencombre (76)....13 H 4
Belleneuve (21)....93 H 4
Bellenglise (02)....16 D 1
Bellengreville (14)....27 G 3
Bellengreville (76)....13 H 1
Bellenod-sur-Seine (21)....92 D 1
Bellenot-sous-Pouilly (21)....92 C 5
Bellentre (73)....139 E 4
Belleray (55)....35 H 3
Bellerive-sur-Allier (03)....120 A 5
Belleroche (42)....121 H 4
Belles-Huttes (88)....78 B 2
Belleserre (81)....190 B 3
Belleserre (31)....188 D 1
Belleu (02)....32 D 1
Belleuse (80)....15 E 3
Bellevaux (74)....125 E 3
Bellevesvre (71)....109 H 3
Belleville (54)....56 D 1
Belleville (69)....122 B 5
Belleville (79)....114 A 5
Belleville-en-Caux (76)....13 G 3
Belleville-et-Châtillon-sur-Bar (08)....19 E 5
Belleville-sur-Loire (18)....90 A 3
Belleville-sur-Mer (76)....13 H 1
Belleville-sur-Meuse (55)....35 H 3
Bellevigny (85)....99 G 4
Bellevue (60)....163 E 4
Bellevue (22)....43 E 1
Bellevue (44)....83 G 5
Bellevue (69)....135 G 5
Bellevue-Coëtquidan (56)....64 C 3
Bellevue-la-Montagne (43)....148 A 3
Belley [SP] (01)....137 G 3
Belleydoux (01)....123 H 3
Belley (76)....16 D 1
Bellignat (01)....123 G 4
Belligné (44)....84 A 3
Bellignies (59)....9 G 3
La Belliole (89)....72 B 2
Bellocq (64)....185 G 3
Belloc (09)....207 G 3
Belloc-St-Clamens (32)....187 H 3
Bellon (16)....142 B 2
Bellonne (62)....8 C 3
Bellot (77)....52 D 1
Bellou (14)....28 A 5
Bellou-en-Houlme (61)....47 E 2
Bellou-le-Trichard (61)....68 C 1
Bellou-sur-Huisne (61)....48 D 5
Belloy (60)....16 C 5
Belloy-en-France (95)....31 F 4
Belloy-en-Santerre (80)....16 A 2
Belloy-St-Léonard (80)....14 D 1
Belloy-sur-Somme (80)....15 E 1
Belluire (17)....127 F 5
Belmesnil (76)....13 G 3
Belmont (25)....95 F 5
Belmont (32)....187 F 1
Belmont (38)....110 B 2
Belmont (39)....110 B 2
Belmont (52)....76 A 5
Belmont (67)....58 C 4
Belmont (70)....77 G 5
Belmont (près de Chamrousse) (38)....151 H 4
Belmont (près de Virieu) (38)....137 E 5
Belmont-Bretenoux (46)....159 E 1
Belmont-d'Azergues (69)....135 G 2
Belmont-de-la-Loire (42)....121 H 4
Belmont-lès-Darney (88)....76 D 2
Belmont-Luthézieu (01)....137 G 2
Belmont-Ste-Foi (46)....174 A 1
Belmont-sur-Buttant (88)....77 H 1
Belmont-sur-Rance (12)....175 H 5

Belmont-sur-Vair (88) ....76 C 1
Belmont-Tramonet (73) ......137 G 5
Belmontet (46) ....173 F 1
Belon (29) ....62 A 5
Belonchamp (70) ....77 H 5
Belpech (11) ....207 F 1
Belrain (55) ....35 G 5
Belrupt (88) ....76 D 2
Belrupt-en-Verdunois (55) ....20 A 5
Bélus (40) ....185 F 2
Belval (08) ....18 D 2
Belval (50) ....25 E 4
Belval (88) ....58 B 4
Belval-Bois-des-Dames (08) ..19 F 5
Belval-en-Argonne (51) ....35 H 5
Belval-sous-Châtillon (51) ....33 G 3
Belvédère (06) ....183 F 3
Belvédère-Campomoro (2A) .218 C 3
Belverne (70) ....95 H 1
Belvès (24) ....157 H 2
Belvès-de-Castillon (33) .....156 A 1
Belvèze (82) ....173 E 1
Belvèze-du-Razès (11) ....207 H 2
Belvézet (30) ....178 C 3
Belvezet (48) ....162 A 4
Belvianes-et-Cavirac (11) ...208 A 4
Belvis (11) ....207 H 4
Belvoie (39) ....110 A 1
Belvoir (25) ....95 H 4
Belz (56) ....81 E 2
Bémécourt (27) ....49 E 1
Bénac (09) ....206 D 3
Bénac (65) ....204 C 1
Benagues (09) ....207 E 2
Benais (37) ....86 A 4
Bénaix (09) ....207 G 4
Bénaménil (54) ....57 H 3
Bénarville (76) ....12 D 3
Benassay (86) ....115 E 1
La Benâte (17) ....127 F 1
La Benâte (44) ....99 F 2
Benay (02) ....16 D 3
Benayes (19) ....130 C 5
Bendejun (06) ....183 F 4
Bendorf (68) ....97 F 2
Bénéjacq (64) ....204 A 1
Benerville-sur-Mer (14) ......27 H 1
Bénesse-lès-Dax (40) ....185 F 2
Bénesse-Maremne (40) .....184 D 2
Benest (16) ....128 D 1
Bénestroff (57) ....37 H 5
Bénesville (76) ....13 F 3
Benet (85) ....114 A 3
Beneuvre (21) ....93 F 1
Bénévent-l'Abbaye (23) .....117 F 5
Beney-en-Woëvre (55) ....36 B 4
Benfeld (67) ....59 E 4
Bengy-sur-Craon (18) ....105 H 2
Bénifontaine (62) ....4 B 5
Béning-lès-Saint-Avold (57) ..37 H 3
La Bénisson-Dieu (42) ......121 F 5
Bénivay-Ollon (26) ....179 H 1
Bennecourt (78) ....30 A 4
Bennetot (76) ....12 D 3
Benney (54) ....57 E 3
Bennwihr (68) ....78 D 1
Bénodet (29) ....61 G 4
Benoisey (21) ....92 B 2
Benoîtville (50) ....22 B 3
Benon (17) ....113 G 4
Bénonces (01) ....137 F 2
Bénouville (14) ....27 G 2
Bénouville (76) ....12 B 3
Benque (31) ....188 C 5
Benqué (65) ....204 D 2
Benque-
  Dessous-et-Dessus (31) .205 F 4
Benquet (40) ....170 C 5
Bentayou-Sérée (64) ....186 D 4
Bény (01) ....123 E 3
Le Bény-Bocage (14) ....25 H 5
Bény-sur-Mer (14) ....27 F 2
Béon (01) ....137 G 2
Béon (89) ....72 D 4
Béost (64) ....203 H 2
La Bérarde (38) ....152 C 5
Bérat (31) ....188 D 4
Béraut (32) ....172 A 4
Berbérust-Lias (65) ....204 B 2
Berbezit (43) ....147 H 2
Berbiguières (24) ....157 H 1
Berc (48) ....161 F 1
Bercenay-en-Othe (10) ....73 G 1
Bercenay-le-Hayer (10) ....53 E 5
Berche (25) ....96 C 2
Berchères-la-Maingot (28) ...50 A 4
Berchères-les-Pierres (28) ...50 A 5
Berchères-sur-Vesgre (28) ...50 A 1
Berck (62) ....6 C 2
Berck-Plage (62) ....6 B 2
Bercloux (17) ....127 F 2
Berd'huis (61) ....48 D 5
Berdoues (32) ....187 H 3
Bérelles (59) ....10 A 2
Bérengeville-
  la-Campagne (27) ....29 F 3
Berentzwiller (68) ....97 G 1
Bérenx (64) ....185 G 3
Béréziat (01) ....122 D 3
Berfay (72) ....68 D 3
Berg (67) ....38 B 5
Berg-sur-Moselle (57) ....21 F 3

Berganty (46) ....158 D 5
Bergbieten (67) ....58 D 2
Bergerac (24) ....156 D 1
Bergères (10) ....74 D 2
Bergères-lès-Vertus (51) .....53 H 1
Bergères-
  sous-Montmirail (51) ....53 E 1
Bergesserin (71) ....122 A 2
Bergheim (68) ....78 D 1
Bergholtz (68) ....78 C 3
Bergholtzzell (68) ....78 C 3
Bergicourt (80) ....15 E 3
Bergnicourt (08) ....34 A 1
Bergonne (63) ....133 F 5
Bergouey (40) ....185 H 1
Bergouey (64) ....185 F 3
Berteaucourt-
  lès-Thennes (80) ....15 G 2
Bertheauville (76) ....12 D 3
Berthecourt (60) ....31 E 1
Berthegon (86) ....102 A 3
Berthelange (25) ....94 C 5
Berthelming (57) ....38 A 5
Berthen (59) ....3 H 4
Berthenay (37) ....86 C 4
Berthenicourt (02) ....16 B 3
Berthenonville (27) ....30 B 3
La Berthenoux (36) ....104 D 5
Berthez (33) ....155 H 4
Bertholène (12) ....160 C 5
Berthouville (27) ....28 D 3
Bertignat (63) ....134 A 4
Bertignolles (10) ....74 C 2
Bertincourt (62) ....8 C 5
Bertoncourt (08) ....18 B 5
Bertrambois (54) ....58 A 2
Bertrancourt (80) ....7 H 5
Bertrange (57) ....21 E 4
Bertre (81) ....190 A 2
Bertren (65) ....205 F 3
Bertreville (76) ....12 D 3
Bertreville-St-Ouen (76) ......13 G 2
Bertric-Burée (24) ....142 D 2
Bertrichamps (54) ....57 H 4
Bertricourt (02) ....33 H 1
Bertrimont (76) ....13 G 4
Bertrimoutier (88) ....58 B 5
Bertry (59) ....9 E 5
Béru (89) ....73 G 5
Béruges (86) ....115 F 1
Bérulle (10) ....73 F 2
Bérus (72) ....47 H 5
Berven (29) ....41 H 2
Berville (14) ....27 H 4
Berville (76) ....13 F 3
Berville (95) ....30 D 3
Berville-en-Roumois (27) ....29 E 2
Berville-la-Campagne (27) ...29 E 4
Berville-sur-Mer (27) ....28 B 1
Berville-sur-Seine (76) ....13 F 5
Berviller-en-Moselle (57) .....21 H 4
Berzé-la-Ville (71) ....122 A 4
Berzé-le-Châtel (71) ....122 A 4
Berzème (07) ....163 F 3
Berzieux (51) ....34 D 3
Berzy-le-Sec (02) ....32 D 2
La Besace (08) ....19 F 4
Besain (39) ....110 C 4
Besançon (25) ....94 D 5
Bésayes (26) ....150 C 5
Bescat (64) ....203 H 1
Bésignan (26) ....180 A 1
Bésingrand (64) ....186 A 4
Beslé (44) ....64 D 5
Beslon (50) ....25 F 5
Besmé (02) ....16 C 5
Besmont (02) ....10 A 5
Besnans (70) ....95 H 3
Besné (44) ....82 C 3
Besneville (50) ....22 C 5
Besny-et-Loizy (02) ....17 F 4
Bessac (16) ....142 A 1
La Bessade-de-Lair (43) ...147 E 5
Bessais-le-Fromental (18) .105 H 3
Bessamorel (43) ....148 C 4
Bessan (34) ....192 C 4
Bessancourt (95) ....31 E 4
Bessans (73) ....153 G 1
Le Bessat (42) ....149 F 2
Bessay (03) ....113 E 1
Bessay-sur-Allier (03) ....120 A 2
La Besse (19) ....145 G 4
Besse (15) ....145 H 4
Bessé (16) ....128 B 1
La Besse (19) ....145 G 4
Besse (24) ....157 H 3
Besse (38) ....152 B 4
Besse-en-Chaume (21) ....109 E 1
Besse-
  et-St-Anastaise (63) ....133 E 5
Bessé-sur-Braye (72) ....68 D 5
Besse-sur-Issole (83) ....197 E 4
Bessède-de-Sault (11) ......207 H 5
Bessèges (30) ....178 A 1
Bessenay (69) ....135 G 3
Bessens (82) ....173 F 5
Besses (30) ....162 C 5
Besset (09) ....207 F 2
Bessey (42) ....149 G 1
Bessey-en-Chaume (21) ...109 E 1
Bessey-la-Cour (21) ....108 D 1
Bessey-lès-Cîteaux (21) ...109 G 1
La Besseyre-St-Mary (43) .147 G 5

Bessières (31) ....189 G 1
Bessines (79) ....114 A 3
Bessines-
  sur-Gartempe (87) ....117 E 5
Bessins (38) ....150 D 3
Besson (03) ....120 A 2
Bessoncourt (90) ....96 D 1
Bessonies (46) ....159 G 2
Les Bessons (48) ....161 F 2
Bessuéjouls (12) ....160 B 4
Bessy (10) ....53 H 3
Bessy-sur-Cure (89) ....91 F 2
Bestiac (09) ....207 F 5
Bétaille (46) ....144 D 5
Betaucourt (70) ....76 C 4
Betbèze (65) ....188 A 5
Betbezer-d'Armagnac (40) .171 E 4
Betcave-Aguin (32) ....188 A 4
Betchat (09) ....206 A 2
Bétête (23) ....118 A 3
Béthancourt-en-Valois (60) ..32 A 2
Béthancourt-en-Vaux (02) ...16 C 4
Béthelainville (55) ....35 G 3
Béthemont-la-Forêt (95) .....31 E 4
Béthencourt (59) ....9 E 4
Béthencourt-sur-Mer (80) ....6 B 5
Béthencourt-sur-Somme (80) 16 B 2
Bétheniville (51) ....34 B 2
Bétheny (51) ....33 H 2
Béthincourt (55) ....35 G 2
Béthines (86) ....116 B 1
Béthisy-St-Martin (60) ....32 A 2
Béthisy-St-Pierre (60) ....32 A 2
Bethmale (09) ....206 A 4
Béthon (51) ....53 E 3
Béthon (72) ....47 H 5
Bethoncourt (25) ....96 C 2
Béthonsart (62) ....7 H 2
Béthonvilliers (28) ....69 E 1
Bethonvilliers (90) ....78 B 5
Béthune (62) ....4 A 4
Bétignicourt (10) ....54 B 4
Beton-Bazoches (77) ....52 C 2
Betoncourt-lès-Brotte (70) ...77 F 5
Betoncourt-
  les-Ménétriers (70) ....94 C 1
Betoncourt-St-Pancras (70) .77 E 4
Betoncourt-sur-Mance (70) ..76 B 4
Bétous (32) ....187 E 1
Betplan (32) ....187 F 4
Betpouey (65) ....204 C 4
Betpouy (65) ....187 H 5
Bétracq (64) ....186 D 3
Bézaudun-les-Alpes (06) ..183 E 5
Bézaudun-sur-Bîne (26) ....164 D 3
Bezaumont (54) ....36 D 5
Bèze (21) ....93 H 3
Bézenac (24) ....157 H 1
Bézenet (03) ....119 F 3
Bézéril (32) ....188 C 3
Béziers (34) ....192 B 5
Bezinghem (62) ....2 C 5
Bezins-Garraux (31) ....205 G 3
La Bezole (11) ....207 H 2
Bezolles (32) ....172 A 5
Bezons (95) ....31 E 5
Bezonvaux (55) ....20 A 5
Bezouce (30) ....178 C 5
Bézouotte (21) ....93 H 4
Bézu-la-Forêt (27) ....30 B 2
Bézu-le-Guéry (02) ....32 C 4
Bézu-St-Éloi (27) ....30 B 2
Bézu-St-Germain (02) ....32 D 4
Bézues-Bajon (32) ....188 A 4
Biache-St-Vaast (62) ....8 B 3
Biaches (80) ....16 B 1
Bians-les-Usiers (25) ....111 F 2
Biard (86) ....115 F 1
Les Biards (50) ....46 A 3
Biarne (39) ....110 A 1
Biarre (80) ....16 A 3
Biarritz (64) ....184 C 3
Biarrotte (40) ....185 E 2
Biars-sur-Cère (46) ....159 E 1
Bias (40) ....168 D 2
Bias (47) ....157 E 5
Biaudos (40) ....184 D 2
Bibiche (57) ....21 G 4
Biblisheim (67) ....39 F 4
Bibost (69) ....135 G 3
Bichain (89) ....52 B 5
Bichancourt (02) ....16 C 4
Biches (58) ....107 F 2
Bickenholtz (57) ....38 B 5
Bicqueley (54) ....56 C 2
Bidache (64) ....185 E 3
Bidarray (64) ....184 D 5
Bidart (64) ....184 B 3
Bidestroff (57) ....37 H 5
Bidon (07) ....163 F 5
Bidos (64) ....203 F 1
Biécourt (88) ....56 C 5
Biederthal (68) ....97 G 2
Bief (25) ....96 C 4
Bief-des-Maisons (39) ....111 E 4
Bief-du-Fourg (39) ....111 E 3
Biefmorin (39) ....110 B 3
Biefvillers-lès-Bapaume (62) .8 B 5
Bielle (64) ....203 H 2
Biencourt (80) ....14 C 1
Biencourt-sur-Orge (55) ......55 H 3
Biennac (87) ....129 G 3

Bientques (62) ....3 E 5
Bienville (60) ....32 A 1
Bienville-la-Pite (54) ....57 G 2
Bienvillers-au-Bois (62) ....7 H 4
Biermes (08) ....18 B 5
Biermont (60) ....16 A 4
Bierné (53) ....67 E 5
Bierne (59) ....3 F 2
Bierre-lès-Semur (21) ....92 B 3
Bierry-
  les-Belles-Fontaines (89) .92 A 4
Biert (09) ....206 C 4
Bierville (76) ....13 H 5
Biesheim (68) ....79 E 2
Biesles (52) ....75 H 2
Bietlenheim (67) ....59 F 1
Bieujac (33) ....155 H 4
Bieuxy (02) ....32 C 1
Bieuzy (56) ....63 E 4
Bieuzy-Lanvaux (56) ....81 F 1
Biéville (50) ....25 G 3
Biéville-Beuville (14) ....27 F 2
Biéville-Quétiéville (14) ....27 H 3
Bièvres (02) ....17 F 5
Bièvres (08) ....19 G 4
Bièvres (91) ....51 E 2
Biffontaine (88) ....78 A 1
Biganon (33) ....154 D 5
Biganos (33) ....154 C 3
Bignac (16) ....128 B 3
Bignan (56) ....63 G 5
Bignay (17) ....127 F 1
La Bigne (14) ....25 H 4
Bignicourt (08) ....34 B 1
Bignicourt-sur-Marne (51) ...54 C 2
Bignicourt-sur-Saulx (51) ....54 D 1
Le Bignon (44) ....99 G 1
Le Bignon-du-Maine (53) .....66 D 4
Le Bignon-Mirabeau (45) .....72 A 2
Bignoux (86) ....115 G 1
Bigorno (2B) ....215 F 5
La Bigottière (53) ....66 C 1
Biguglia (2B) ....215 G 4
Bihucourt (62) ....8 B 5
Bilazais (79) ....101 G 3
Bilhac (19) ....144 D 5
Bilhères (64) ....203 G 2
Bilia (2A) ....218 D 3
Bilieu (38) ....151 F 1
Billancelles (28) ....49 G 4
Billancourt (80) ....16 B 3
Les Billanges (87) ....130 C 1
Les Billaux (33) ....141 H 5
Billé (35) ....45 H 5
Billecul (39) ....111 E 4
Billère (64) ....186 B 5
Billey (21) ....110 A 1
Billezois (03) ....120 B 4
Billiat (01) ....123 H 5
Billième (73) ....137 H 3
Billière (31) ....205 F 4
Billiers (56) ....82 A 2
Billio (56) ....63 H 5
Billom (63) ....133 G 4
Billy (03) ....120 B 4
Billy (14) ....27 G 3
Billy (41) ....88 A 4
Billy-Berclau (62) ....4 B 4
Billy-Chevannes (58) ....107 E 2
Billy-le-Grand (51) ....34 A 3
Billy-lès-Chanceaux (21) .....92 D 2
Billy-Montigny (62) ....4 B 5
Billy-sous-Mangiennes (55) .20 A 4
Billy-sur-Aisne (02) ....32 D 1
Billy-sur-Oisy (58) ....90 D 3
Billy-sur-Ourcq (02) ....32 D 3
Bilwisheim (67) ....59 E 1
Bilzheim (68) ....78 D 3
Bimont (62) ....6 D 1
Binarville (51) ....35 E 2
Binas (41) ....70 A 4
Bindernheim (67) ....59 E 5
Binges (21) ....93 H 4
Binic (22) ....43 G 4
Bining (57) ....38 C 3
Biniville (50) ....22 D 4
Binos (31) ....205 F 3
Binson-et-Orquigny (51) ......33 F 4
Bio (46) ....158 D 2
Biol (38) ....137 E 5
La Biolle (73) ....137 H 3
Biollet (63) ....132 C 4
Bion (50) ....46 C 3
Bioncourt (57) ....37 F 1
Bionville (54) ....58 B 3
Bionville-sur-Nied (57) ....21 G 5
Biot (06) ....199 F 1
Le Biot (74) ....125 E 3
Bioule (82) ....173 H 3
Biousse (16) ....128 C 1
Biozat (03) ....120 A 5
Birac (16) ....128 A 5
Birac (33) ....155 H 5
Birac-sur-Trec (47) ....156 C 4
Biran (32) ....187 H 1
Biranques (34) ....177 G 5
Biras (24) ....143 E 2

228

Localité *(Département)* Page Coordonnées

Biriatou (64) 184 A 4
Birieux (01) 136 C 1
Birkenwald (67) 58 D 2
Biron (17) 127 F 5
Biron (24) 157 G 3
Biron (64) 185 H 3
Biscarrosse (40) 154 B 5
Biscarrosse-Plage (40) 154 A 4
Bischheim (67) 59 F 2
Bischholtz (67) 39 E 4
Bischoffsheim (67) 58 D 3
Bischtroff-sur-Sarre (67) 38 B 5
Bischwihr (68) 78 D 2
Bischwiller (67) 39 G 5
Bisel (68) 97 F 2
Bisinao (2A) 218 D 1
Bisinchi (2B) 215 F 5
Bislée (55) 35 H 5
Bissert (67) 38 A 4
Bisseuil (51) 33 H 4
Bissey-la-Côte (21) 74 D 4
Bissey-la-Pierre (21) 74 B 5
Bissey-sous-Cruchaud (71) 108 D 4
Bissezeele (59) 3 F 3
Bissières (14) 27 H 3
Bissy-la-Mâconnaise (71) 122 B 2
Bissy-sous-Uxelles (71) 122 A 1
Bissy-sur-Fley (71) 108 D 5
Bisten-en-Lorraine (57) 21 G 5
Bistroff (57) 37 H 4
Bitche (57) 38 D 3
Bitry (58) 90 B 3
Bitry (60) 32 B 1
Bitschhoffen (67) 39 E 5
Bitschwiller-lès-Thann (68) 78 B 4
Biver (13) 200 A 1
Bivès (32) 172 D 5
Biviers (38) 151 H 2
Biville (50) 22 B 3
Biville-la-Baignarde (76) 13 G 3
Biville-la-Rivière (76) 13 F 3
Biville-sur-Mer (76) 13 H 1
Bivilliers (61) 48 D 3
Bizanet (11) 209 E 1
Bizanos (64) 186 B 5
Bize (52) 76 B 4
Bize (65) 205 F 2
Bize-Minervois (11) 191 H 5
Bizeneuille (03) 119 E 2
Biziat (01) 122 C 4
Bizonnes (38) 151 E 1
Le Bizot (25) 95 H 5
Les Bizots (71) 108 B 4
Bizou (61) 48 D 4
Bizous (65) 205 E 2
Bizy (27) 30 A 4
Blacé (69) 135 G 1
Blaceret (69) 122 A 5
Blacourt (60) 14 D 5
Blacqueville (76) 13 F 4
Blacy (51) 54 C 2
Blacy (89) 91 H 2
Blaesheim (67) 59 E 3
Blagnac (31) 189 F 2
Blagny (08) 19 G 4
Blagny-sur-Vingeanne (21) 93 H 3
Blaignac (33) 156 A 4
Blaignan (33) 140 D 2
Blain (44) 83 E 2
Blaincourt-lès-Précy (60) 31 F 3
Blaincourt-sur-Aube (10) 54 B 5
Blainville (28) 49 H 2
Blainville-Crevon (76) 13 H 5
Blainville-sur-l'Eau (54) 57 F 3
Blainville-sur-Mer (50) 24 C 3
Blainville-sur-Orne (14) 27 F 2
Blairville (62) 8 A 4
Blaise (08) 34 C 1
Blaise (52) 75 F 1
Blaise-sous-Arzillières (51) 54 C 2
Blaison-Saint-Sulpice (49) 85 E 3
Blaisy (52) 75 F 2
Blaisy-Bas (21) 92 D 4
Blaisy-Haut (21) 93 E 4
Blajan (31) 188 A 5
Blajoux (48) 177 E 1
Blamont (25) 96 C 3
Blâmont (54) 58 A 2
Blan (81) 190 B 3
Le Blanc (SP) (36) 103 F 5
Le Blanc-Mesnil (93) 31 G 5
Blancafort (18) 89 G 3
Blancey (21) 92 C 4
Blancfossé (60) 15 F 4
Blanche-Église (57) 57 H 1
Blanchefosse (08) 18 A 3
Blancherupt (67) 58 C 4
Blancheville (52) 75 G 1
Blandainville (28) 69 H 1
Blandas (30) 177 E 5
Blandin (38) 137 E 5
Blandouet (53) 67 F 3
Blandy (77) 51 H 3
Blandy (91) 71 E 1
Blangerval-Blangermont (62) 7 F 3
Blangy-le-Château (14) 28 B 2
Blangy-sous-Poix (80) 14 D 3
Blangy-sur-Bresle (76) 14 B 1
Blangy-sur-Ternoise (62) 7 F 2
Blangy-Tronville (80) 15 G 2
Blannay (89) 91 G 2
Blanot (21) 108 A 1
Blanot (71) 122 B 2
Blanquefort (32) 188 B 2
Blanquefort (33) 141 E 5
Blanquefort-sur-Briolance (47) 157 G 3
Blanzac (43) 148 B 4
Blanzac (87) 116 C 5
Blanzac-lès-Matha (17) 127 G 2
Blanzac-Porcheresse (16) 142 A 1
Blanzaguet-St-Cybard (16) 142 C 1
Blanzat (63) 133 E 3
Blanzay (86) 115 F 4
Blanzay-sur-Boutonne (17) 114 B 5
Blanzée (55) 20 A 5
Blanzey (70) 77 F 4
Blanzy (71) 108 B 5
Blanzy-la-Salonnaise (08) 18 A 5
Blanzy-lès-Fismes (02) 33 F 1
Blargies (60) 14 C 4
Blarians (25) 95 E 3
Blaringhem (59) 3 F 5
Blars (46) 158 D 4
Blaru (78) 30 A 4
Blasimon (33) 156 A 2
Blaslay (86) 102 A 4
Blassac (43) 147 G 3
Blaudeix (23) 118 A 4
Blausasc (06) 183 F 5
Blauvac (84) 179 H 3
Blauzac (30) 178 C 4
Blavignac (48) 161 F 1
Blavozy (43) 148 B 4
Blay (14) 25 H 2
Blaye (SP) (33) 141 E 3
Blaye-les-Mines (81) 174 D 4
Blaymont (47) 172 D 1
Blaziert (32) 172 A 4
Blécourt (52) 55 F 5
Blécourt (59) 8 D 4
Blégiers (04) 181 H 2
Bleigny-le-Carreau (89) 73 F 5
Blémerey (54) 57 H 3
Blémerey (88) 56 D 5
Blendecques (62) 3 E 4
Bléneau (89) 90 B 1
Blennes (77) 72 B 1
Blénod-lès-Pont-à-Mousson (54) 36 D 5
Blénod-lès-Toul (54) 56 C 3
Bléquin (62) 2 D 5
Blérancourt (02) 16 C 5
Bléré (37) 87 F 4
Blériot-Plage (62) 2 C 2
Bléruais (35) 64 C 2
Blésignac (33) 155 G 2
Blesle (43) 147 E 2
Blesme (51) 54 D 2
Blesmes (02) 32 D 4
Blessac (23) 131 G 1
Blessey (21) 92 D 3
Blessonville (52) 75 F 3
Blessy (62) 3 F 5
Blet (18) 105 H 3
Bletterans (39) 110 A 4
Bleurville (88) 76 D 2
Bleury-St-Symphorien (28) 50 B 4
Blevaincourt (88) 76 B 2
Blèves (72) 48 B 4
Bléville (76) 12 A 5
Blévy (28) 49 G 3
Le Bleymard (48) 162 A 4
Blicourt (60) 15 E 5
Blienschwiller (67) 58 D 4
Blies-Ébersing (57) 38 B 3
Blies-Guersviller (57) 38 B 2
Bliesbruck (57) 38 B 3
Blieux (04) 181 H 4
Blignicourt (10) 54 C 4
Bligny (10) 74 C 2
Bligny (51) 33 G 3
Bligny-en-Othe (89) 73 F 3
Bligny-le-Sec (21) 92 D 3
Bligny-lès-Beaune (21) 109 E 2
Bligny-sur-Ouche (21) 108 D 1
Blincourt (60) 31 H 1
Blingel (62) 7 F 2
Blis-et-Born (24) 143 G 3
Blismes (58) 107 G 1
Blodelsheim (68) 79 E 3
Blois (P) (41) 87 H 2
Blois-sur-Seille (39) 110 B 4
Blomac (11) 208 C 1
Blomard (03) 119 G 4
Blombay (08) 18 C 2
Blond (87) 129 H 1
Blondefontaine (70) 76 C 4
Blonville (14) 27 H 2
Blonville-sur-Mer (14) 27 H 1
Blosseville (76) 13 E 2
Blosville (50) 23 E 5
Blot-l'Église (63) 133 E 1
Blotzheim (68) 97 G 1
Blou (49) 85 G 4
Blousson-Sérian (32) 187 F 4
La Bloutière (50) 25 E 5
Bloye (74) 137 H 2
Bluffy (74) 138 B 2
Blumeray (52) 55 E 5
Blussangeaux (25) 95 H 3
Blussans (25) 95 H 3
Blye (39) 110 C 5
Blyes (01) 136 D 2
Le Bô (14) 27 E 5
Bobigny (P) (93) 31 F 5
Bobital (22) 44 C 4
Le Bocasse (76) 13 G 4
La Bocca (06) 199 E 2
Bocca Bassa (Col de) (2B) 216 B 1
Bocca di Vezzu (2B) 215 E 4
Bocé (49) 85 G 3
Bocognano (2A) 217 E 4
Bocquegney (88) 77 F 1
Bocquencé (61) 48 C 1
Le Bodéo (22) 63 F 1
Bodilis (29) 41 H 3
Boé (47) 172 B 2
Boëcé (61) 48 C 4
Boëge (74) 124 D 4
Boeil-Bezing (64) 186 C 5
Le Boël (35) 65 E 3
Boën-sur-Lignon (42) 134 C 3
Bœrsch (67) 58 D 3
Boeschepe (59) 3 H 4
Boëseghem (59) 3 F 5
Bœsenbiesen (67) 59 E 5
Boësse (79) 101 E 2
Boëssé-le-Sec (72) 68 C 2
Boësses (45) 71 G 2
Bœurs-en-Othe (89) 73 F 2
Boffles (62) 7 F 3
Boffres (07) 149 G 5
Bogève (74) 124 D 4
Bogny-sur-Meuse (08) 11 E 5
Bogros (63) 132 B 5
Bogy (07) 149 G 2
Bohain-en-Vermandois (02) 17 E 1
Bohal (56) 64 A 4
La Bohalle (49) 85 E 3
Bohars (29) 41 E 4
Bohas (01) 123 F 4
Boigneville (91) 51 F 5
Boigny-sur-Bionne (45) 70 D 4
Boinville-au-Chemin (28) 50 B 5
Boinville-en-Mantois (78) 30 B 5
Boinville-en-Woëvre (55) 20 B 5
Boinville-le-Gaillard (78) 50 C 4
Boinvilliers (78) 30 B 5
Boirargues (34) 193 F 2
Boiry-Becquerelle (62) 8 B 4
Boiry-Notre-Dame (62) 8 B 3
Boiry-Saint-Martin (62) 8 A 4
Boiry-Ste-Rictrude (62) 8 A 4
Bois (17) 127 F 5
Le Bois (73) 138 D 5
Bois-Anzeray (27) 28 D 5
Bois-Arnault (27) 48 D 1
Bois-Bernard (62) 8 B 2
Bois-Colombes (92) 31 E 5
Bois-d'Amont (39) 124 B 1
Bois-d'Arcy (78) 50 D 1
Bois-d'Arcy (89) 91 F 2
Bois-de-Céné (85) 98 D 2
Bois-de-Champ (88) 57 H 5
Le Bois-de-Cise (80) 6 B 5
Bois-de-Gand (39) 110 A 3
Bois-de-la-Pierre (31) 188 D 5
Bois de Mivoye (28) 50 A 5
Bois-d'Ennebourg (76) 29 H 1
Le Bois-d'Oingt (69) 135 G 2
Bois-du-Verne (71) 108 B 5
Bois-Grenier (59) 4 B 3
Bois-Guilbert (76) 14 A 5
Le Bois-Guillaume-Bihorel (76) 13 G 5
Le Bois-Hellain (27) 28 B 2
Bois-Héroult (76) 14 A 5
Bois-Herpin (91) 51 E 5
Bois-Himont (76) 13 E 4
Bois-Jérôme-St-Ouen (27) 30 A 4
Bois-le-Roi (27) 49 H 1
Bois-le-Roi (77) 51 H 4
Bois-lès-Pargny (02) 17 F 3
Bois-l'Évêque (76) 13 H 5
Bois-Normand-près-Lyre (27) 28 D 5
Le Bois-Plage-en-Ré (17) 112 D 4
Le Bois-Randenay (03) 120 A 5
Le Bois-Robert (76) 13 H 2
Bois-Ste-Marie (71) 121 G 3
Bois-Vert (16) 141 H 1
Boisbergues (80) 7 F 4
Boisbreteau (16) 141 H 2
Boiscommun (45) 71 F 3
Boisdinghem (62) 2 D 4
Boisdon (77) 52 C 2
Boisemont (27) 30 A 2
Boisemont (95) 30 D 4
Boisgasson (28) 69 G 3
Boisgervilly (35) 64 D 1
Boisjean (62) 6 D 2
Le Boisle (80) 7 E 3
Boisleux-au-Mont (62) 8 A 4
Boisleux-St-Marc (62) 8 A 4
Boismé (79) 101 E 4
Boismont (54) 20 B 3
Boismont (80) 6 C 4
Boismorand (45) 71 H 5
Boisney (27) 28 D 3
Boisragon (79) 114 B 2
Boisrault (80) 14 D 2
Boisredon (17) 141 F 2
Boisroger (50) 24 D 3
Boissanfeuilles (48) 162 A 3
Boissay (76) 14 A 5
La Boisse (01) 136 C 2
Boisse (17) 113 H 5
Boisse (24) 157 E 2
Boisse-Penchot (12) 159 G 4
Boisseau (41) 69 H 5
Boisseaux (45) 70 D 1
Boissède (31) 188 B 4
Boissei-la-Lande (61) 47 H 2
La Boisselle (80) 8 A 5
Boisserolles (79) 114 A 5
Boisseron (34) 193 G 1
Boisset (15) 159 G 2
Boisset (34) 191 F 4
Boisset (43) 148 B 2
Boisset-et-Gaujac (30) 177 H 3
Boisset-lès-Montrond (42) 135 E 4
Boisset-les-Prévanches (27) 29 H 5
Boisset-St-Priest (42) 134 D 5
Boissets (78) 50 A 1
Boissettes (77) 51 H 4
Boisseuil (17) 113 H 5
Boisseuil (87) 130 B 3
Boisseuilh (24) 144 A 2
Boissey (01) 122 C 2
Boissey (14) 27 H 4
Boissey-le-Châtel (27) 29 E 2
Boissezon (81) 190 D 3
Boissezon-de-Masviel (81) 191 H 2
Boissia (39) 110 C 5
La Boissière (14) 28 A 3
La Boissière (27) 29 H 5
La Boissière (34) 193 E 2
La Boissière (39) 123 G 2
La Boissière (53) 66 B 5
La Boissière-d'Ans (24) 143 G 3
La Boissière-de-Montaigu (85) 99 H 3
La Boissière-des-Landes (85) 112 C 1
La Boissière-du-Doré (44) 83 H 5
La Boissière-École (78) 50 B 2
La Boissière-en-Gâtine (79) 114 B 1
La Boissière-sur-Èvre (49) 84 A 4
Boissières (30) 193 H 1
Boissières (46) 158 B 4
Boissise- (77) 51 G 4
Boissise-la-Bertrand (77) 51 G 4
Boisson (30) 178 B 2
Boissy-aux-Cailles (77) 71 G 1
Boissy-en-Drouais (28) 49 H 2
Boissy-Fresnoy (60) 32 A 3
Boissy-la-Rivière (91) 51 E 5
Boissy-l'Aillerie (95) 30 D 4
Boissy-Lamberville (27) 28 D 3
Boissy-le-Bois (60) 30 D 2
Boissy-le-Châtel (77) 52 C 1
Boissy-le-Cutté (91) 51 F 4
Boissy-le-Repos (51) 53 F 1
Boissy-le-Sec (91) 50 D 4
Boissy-lès-Perche (28) 49 E 2
Boissy-Mauvoisin (78) 30 A 5
Boissy-sans-Avoir (78) 50 C 1
Boissy-sous-St-Yon (91) 51 E 3
Boissy-St-Léger (94) 51 G 2
Boissy-sur-Damville (27) 49 G 1
Boistrudan (35) 65 G 3
Boisville-la-St-Père (28) 50 B 5
Boisyvon (50) 46 A 1
Boitron (61) 48 B 3
Boitron (77) 32 C 5
Bolandoz (25) 111 E 2
Bolazec (29) 42 C 5
Bolbec (76) 12 D 4
Bollène (84) 179 E 1
La Bollène-Vésubie (06) 183 F 3
Bolleville (50) 22 C 5
Bolleville (76) 12 D 4
Bollezeele (59) 3 F 3
Bollwiller (68) 78 C 4
Bologne (52) 75 G 1
Bolozon (01) 123 F 4
Bolquère (66) 211 H 4
Bolsenheim (67) 59 E 4
Bombon (77) 52 A 3
Bommes (33) 155 G 4
Bommiers (36) 104 D 4
Bompas (09) 207 E 4
Bompas (66) 209 F 5
Bomy (62) 7 F 1
Bon-Encontre (47) 172 C 2
Bon-Repos (22) 63 E 2
Bona (58) 107 E 2
Bonac-Irazein (09) 206 A 4
Bonanech (82) 173 H 4
Bonas (32) 187 H 1
Bonboillon (70) 94 B 4
Boncé (28) 70 A 1
Bonchamp-lès-Laval (53) 66 D 2
Boncourt (02) 17 H 4
Boncourt (27) 29 H 4
Boncourt (28) 50 A 1
Boncourt (54) 20 C 5
Boncourt-le-Bois (21) 109 F 1
Boncourt-sur-Meuse (55) 56 A 1
Bondaroy (45) 71 F 2
Bondeval (25) 96 C 3
Bondigoux (31) 173 H 5
Les Bondons (48) 161 H 5
Bondoufle (91) 51 F 3
Bondues (59) 4 C 3
Bondy (93) 31 G 5
Bonen (22) 62 D 2
Bongheat (63) 133 H 3
Le Bonhomme (68) 78 B 1
Bonifacio (2A) 219 F 5
Bonifato (Cirque de) (2B) 216 C 1
Bonlier (60) 15 E 5
Bonlieu (39) 110 D 5
Bonlieu-sur-Roubion (26) 163 H 3
Bonloc (64) 185 E 4
Bonnac (09) 207 E 1
Bonnac (15) 147 E 3
Bonnac-la-Côte (87) 130 A 2
Bonnafoux (30) 194 C 1
Bonnal (25) 95 F 2
Bonnard (89) 73 E 4
Bonnat (23) 117 H 3
Bonnatrait (74) 124 D 3
Bonnaud (39) 110 A 5
Bonnay (25) 94 D 4
Bonnay (71) 122 A 1
Bonnay (80) 15 G 1
Bonne (74) 124 D 4
Bonnebosq (14) 28 A 3
Bonnecourt (52) 76 A 3
Bonnée (45) 71 F 5
Bonnefamille (38) 136 C 4
Bonnefoi (61) 48 C 2
Bonnefon (12) 160 D 4
Bonnefond (19) 131 F 5
Bonnefont (65) 187 G 5
Bonnefontaine (39) 110 C 4
Bonnegarde (40) 185 H 2
Bonneguête (74) 137 H 1
Bonneil (02) 32 D 4
Bonnelles (78) 50 D 3
Bonnemain (35) 45 E 4
Bonnemaison (14) 27 E 4
Bonnemazon (65) 204 D 2
Bonnencontre (21) 109 G 1
Bonnes (16) 142 B 3
Bonnes (86) 115 H 1
Bonnesvalyn (02) 32 D 3
Bonnet (55) 55 H 3
Bonnétable (72) 68 B 2
Bonnétage (25) 95 H 5
Bonnetan (33) 155 G 1
Bonneuil (16) 127 H 5
Bonneuil (36) 116 D 3
Bonneuil-en-France (95) 31 F 5
Bonneuil-en-Valois (60) 32 B 2
Bonneuil-les-Eaux (60) 15 F 4
Bonneuil-Matours (86) 102 C 5
Bonneuil-sur-Marne (94) 51 G 2
Bonneval (28) 69 H 2
Bonneval (43) 148 A 2
Bonneval (73) 138 D 5
Bonneval-en-Diois (26) 165 G 3
Bonneval-sur-Arc (73) 153 H 1
Bonnevaux (25) 111 E 3
Bonnevaux (30) 162 C 5
Bonnevaux (74) 125 F 3
Bonnevaux-le-Prieuré (25) 111 E 1
Bonneveau (41) 68 D 5
Bonnevent-Velloreille (70) 94 D 3
Bonneville (16) 128 A 2
La Bonneville (50) 22 D 5
Bonneville (SP) (74) 124 D 5
Bonneville (80) 7 F 5
Bonneville-Aptot (27) 29 E 2
Bonneville-et-St-Avit-de-Fumadières (24) 156 B 1
Bonneville-la-Louvet (14) 28 B 2
La Bonneville-sur-Iton (27) 29 F 5
Bonneville-sur-Touques (14) 28 A 1
Bonnières (60) 14 D 5
Bonnières (62) 7 F 3
Bonnières-sur-Seine (78) 30 A 4
Bonnieux (84) 180 A 5
Bonningues-lès-Ardres (62) 2 D 4
Bonningues-lès-Calais (62) 2 B 3
Bonnœil (14) 27 F 5
Bonnœuvre (44) 83 H 2
Bonnut (64) 185 H 2
Bonny-sur-Loire (45) 90 A 2
Le Bono (56) 81 F 2
Bonrepos (65) 205 E 1
Bonrepos-Riquet (31) 189 G 2
Bonrepos-sur-Aussonnelle (31) 188 D 3
Bons-en-Chablais (74) 124 D 3
Bons-Tassilly (14) 27 G 5
Bonsecours (76) 29 G 1
Bonsmoulins (61) 48 C 3
Bonson (06) 183 E 4
Bonson (42) 135 E 5
Bonvillard (73) 138 C 4
Bonvillaret (73) 138 C 4
Bonville (28) 50 A 5
Bonviller (54) 57 G 2
Bonvillers (60) 15 F 4
Bonvillet (88) 76 D 2
Bony (02) 16 C 1
Bonzac (33) 141 H 5
Bonzée (55) 36 A 3
Boô-Silhen (65) 204 B 2
Boofzheim (67) 59 F 4
Boos (40) 169 E 4
Boos (76) 29 G 1
Bootzheim (67) 79 E 1
Boqueho (22) 43 F 5
Bor-et-Bar (12) 174 D 2
Boran-sur-Oise (60) 31 F 3
Borce (64) 203 G 3
Borcq-sur-Airvault (79) 101 G 4
Bord-St-Georges (23) 118 C 4
Bordas (24) 143 E 4
La Borde (77) 52 A 4
Bordeaux (R) (33) 155 E 1
Bordeaux-en-Gâtinais (45) 71 G 3
Bordeaux-Lac (33) 155 E 1
Bordeaux-St-Clair (27) 30 B 3
Bordeaux-St-Clair (76) 12 B 3
Bordères (64) 204 A 1
Bordères-et-Lamensans (40) 186 C 1
Bordères-Louron (65) 205 E 4
Bordères-sur-l'Échez (65) 187 E 5
Les Bordes (36) 104 D 2
Les Bordes (45) 71 F 5
Bordes (64) 186 C 5
Bordes (65) 204 D 1
Les Bordes (71) 109 F 3
Les Bordes (89) 72 D 2
Les Bordes-Aumont (10) 74 A 2
Bordes-de-Rivière (31) 205 G 2
Les Bordes-sur-Arize (09) 206 C 2
Les Bordes-sur-Lez (09) 206 A 3
Bordezac (30) 178 A 1
Bords (17) 126 D 2
Borée (07) 162 D 1
Le Boréon (06) 183 F 2
Boresse-et-Martron (17) 142 A 2
Borest (60) 31 H 3
Borey (70) 95 F 1
Borgo (2B) 215 G 5
Bormes-les-Mimosas (83) 201 G 3
Le Born (31) 173 H 5
Le Born (48) 161 H 4
Born-de-Champs (24) 157 F 3
Bornambusc (76) 12 C 4
Bornay (39) 110 B 5
Borne (07) 162 C 3
La Borne (18) 89 G 5
Borne (43) 148 A 4
Bornel (60) 31 E 3
Boron (90) 96 D 1
Borre (59) 3 G 4
Borrèze (24) 144 B 5
Les Borrys (84) 195 G 1
Bors (près de Baignes-Ste-Radegonde) (16) 141 H 2
Bors (près de Montmoreau-St-Cybard) (16) 142 B 2
Bort-les-Orgues (19) 146 A 1
Bort-l'Étang (63) 133 H 3
Borville (54) 57 F 4
Le Bosc (09) 206 D 3
Le Bosc (34) 192 C 1
Bosc-Bénard-Commin (27) 29 E 2
Bosc-Bérenger (76) 13 H 4
Bosc-Bordel (76) 14 A 4
Le Bosc-du-Theil (27) 29 E 2
Bosc-Édeline (76) 14 A 4
Bosc-Guérard-St-Adrien (76) 13 G 5
Bosc-Hyons (76) 30 B 1
Bosc-le-Hard (76) 13 H 4
Bosc-Mesnil (76) 14 A 4
Le Bosc-Renoult (61) 28 B 5
Bosc-Renoult-en-Ouche (27) 28 D 5
Bosc-Renoult-en-Roumois (27) 29 E 2
Le Bosc-Roger (27) 30 B 3
Le Bosc-Roger-en-Roumois (27) 29 F 2
Bosc-Roger-sur-Buchy (76) 14 A 4
Boscamnant (17) 142 A 3
Bosdarros (64) 203 H 1
Bosgouet (27) 29 E 1
Bosguérard-de-Marcouville (27) 29 E 2
Bosjean (71) 109 H 4
Bosmie-l'Aiguille (87) 130 A 3
Bosmont-sur-Serre (02) 17 G 3
Bosmoreau-les-Mines (23) 130 D 1
Bosnormand (27) 29 F 2
Le Bosquel (80) 15 F 3
Bosquentin (27) 30 A 1
Bosrobert (27) 29 E 2
Bosroger (23) 131 G 1
Bossancourt (10) 74 C 1
Bossay-sur-Claise (37) 103 E 4
La Bosse (25) 95 H 5
La Bosse (41) 69 G 5
La Bosse (72) 68 C 2
La Bosse-de-Bretagne (35) 65 F 4
Bossée (37) 102 D 1
Bosselshausen (67) 38 D 5
Bossendorf (67) 39 E 5
Bosset (24) 142 C 5
Bosseval-et-Briancourt (08) 19 E 3
Bossey (74) 124 C 4
Bossieu (38) 150 D 1
Les Bossons (74) 139 F 1
Bossugan (33) 156 A 2
Bossus-lès-Rumigny (08) 10 B 5
Bost (03) 120 B 4
Bostens (40) 170 D 4
Bosville (76) 13 E 3
Botans (90) 96 C 1
Bothoa (22) 63 E 1
Botmeur (29) 42 A 5
Botsorhel (29) 42 B 4
Les Bottereaux (27) 48 D 1
Botticella (2B) 215 F 1

A B C D E F G H I J K L M N O P Q R S T U V W X Y Z

Botz-en-Mauges (49) ....84 B 4
Bou (45) ....70 D 5
Bouafle (78) ....30 C 5
Bouafles (27) ....29 H 3
Bouan (09) ....207 E 4
Bouaye (44) ....83 E 5
Boubers-lès-Hesmond (62) ... 7 E 1
Boubers-sur-Canche (62) ... 7 H 3
Boubiers (60) ....30 C 3
Bouc-Bel-Air (13) ....195 H 3
Boucagnères (32) .....188 B 4
Le Boucanet (30) .....193 H 3
Boucau (64) ....184 C 2
Boucé (03) ....120 B 3
Boucé (61) ....47 H 2
Boucey (50) ....45 G 3
Le Bouchage (16) .....128 D 1
Le Bouchage (38) .....137 F 4
Bouchain (59) ....8 D 3
Bouchamps-lès-Craon (53) ...66 B 5
Le Bouchaud (03) .....120 D 3
Le Bouchaud (39) .....110 B 3
Bouchavesnes-Bergen (80) ..16 B 1
Bouchemaine (49) .....84 D 3
Boucheporn (57) ......21 G 5
Bouchet (26) ....179 F 1
Le Bouchet-
   Mont-Charvin (74).....138 C 2
Le Bouchet-St-Nicolas (43) ..162 A 1
Bouchevilliers (27) ...30 B 1
Bouchoir (80) ....15 H 3
Les Boucholeurs (17) ..113 E 5
Bouchon (80) ....7 E 5
Le Bouchon-sur-Saulx (55) ..55 G 3
Les Bouchoux (39) ....123 H 3
Bouchy-St-Genest (51) .53 E 3
Boucieu-le-Roi (07) ..149 G 4
Bouclans (25) ....95 F 4
Boucoiran-et-Nozières (30) ..178 A 4
Bouconville (08) .....34 D 2
Bouconville (28) .....50 A 3
Bouconville-sur-Madt (55) ..56 B 1
Bouconville-Vauclair (02) ..17 G 5
Bouconvillers (60) ...30 C 3
Boucq (54) ....56 B 1
Boudes (63) ....147 E 1
Boudeville (76) ......13 F 3
Boudin (73) ....138 D 3
Boudou (82) ....173 E 3
Boudrac (31) ....205 F 1
Boudreville (21) .....75 E 4
Boudy-de-Beauregard (47) ..157 E 4
Boué (02) ....9 G 5
Bouée (44) ....82 D 4
Boueilh-
   Boueilho-Lasque (64) ..186 C 3
Bouelles (76) ....14 A 3
Bouër (72) ....68 D 3
Bouère (53) ....67 E 4
Bouessay (53) ....67 E 4
Bouesse (36) ....117 G 1
Bouëx (16) ....128 C 4
La Bouëxière (35) ....65 G 1
Bouffémont (95) ......31 F 4
Boufféré (85) ....99 G 2
Bouffignereux (02) ...33 G 1
Boufflers (80) ....7 E 3
Bouffry (41) ....69 F 3
Bougainville (80) ....15 E 2
Bougarber (64) ....186 B 4
Bougé-Chambalud (38) .149 H 2
Bouges-le-Chateau (36) ..104 B 2
Bougey (70) ....76 C 5
Bougival (78) ....51 E 1
Bouglainval (28) .....50 A 3
Bougligny (77) ....71 H 2
Bouglon (47) ....156 B 5
Bougneau (17) ....127 F 4
Bougnon (70) ....95 E 1
Bougon (79) ....114 D 3
Bougue (40) ....170 D 5
Bouguenais (44) ......83 H 5
Bouguy (60) ....31 H 1
Bougy (14) ....27 E 3
Bougy-lez-Neuville (45) ..70 D 3
Bouhans (71) ....109 H 4
Bouhans-et-Feurg (70) ..94 A 3
Bouhans-lès-Lure (70) ..77 G 5
Bouhans-lès-Montbozon (70)..95 F 2
Bouhet (17) ....113 G 4
Bouhey (21) ....92 B 5
Bouhy (58) ....90 C 3
Bouilh-Devant (65) ...187 G 5
Bouilh-Péreuilh (65) .187 F 5
Bouilhonnac (11) .....208 B 1
Bouillac (12) ....159 G 4
Bouillac (24) ....157 G 2
Bouillac (82) ....173 F 5
La Bouilladisse (13) .196 A 4
Bouillancourt-en-Séry (80)..14 B 1
Bouillancourt-la-Bataille (80)..15 H 5
Bouillancy (60) ......32 A 4
Bouilland (21) ....109 E 1
Bouillargues (30) ....178 C 4
La Bouille (76) ......29 F 1
Bouillé-Courdault (85) ..113 H 2
Bouillé-Loretz (79) ..101 F 1
Bouillé-Ménard (49) ..66 B 5
Bouillé-St-Paul (79) ..101 E 2
La Bouillie (22) .....44 B 2
Le Bouillon (61) .....48 A 3
Bouillon (64) ....186 B 3

Bouillonville (54) ...36 B 5
Bouilly (10) ....73 H 2
Bouilly (51) ....33 G 3
Bouilly (89) ....73 F 4
Bouilly-en-Gâtinais (45) ..71 F 3
Bouin (79) ....114 D 5
Bouin (85) ....98 C 2
Bouin-Plumoison (62) ..7 E 2
Bouisse (11) ....208 C 3
Bouix (21) ....74 C 4
Boujailles (25) ......111 E 3
Boujan-sur-Libron (34) ..192 B 4
Boujeons (25) ....111 F 4
Le Boujon (02) ....17 G 1
Boulages (10) ....53 G 3
Boulaincourt (88) ....56 D 5
Boulange (57) ....20 C 3
Boulaur (32) ....188 B 3
Le Boulay (37) ....87 E 2
Le Boulay (44) ....83 H 3
Le Boulay (76) ....13 G 4
Le Boulay (80) ....50 B 1
Boulay-les-Barres (45) ..70 C 4
Boulay-les-Ifs (53) ..47 G 4
Le Boulay-Morin (27) ..29 G 4
Boulay-de-Visa (82) ..173 E 1
Boulay-Moselle ◈ (57) ..21 G 5
La Boulaye (71) ......108 A 4
Boulazac Isle Manoire (24) ..143 F 3
Boulbon (13) ....179 E 5
Boulc (26) ....165 G 3
Boule-d'Amont (66) ...212 C 3
Bouleternère (66) ....212 C 3
Bouleurs (77) ....52 A 1
Bouleuse (51) ....33 G 2
Bouliac (33) ....155 F 1
Boulieu-lès-Annonay (07) ..149 G 2
Bouligneux (01) ......136 B 3
Bouligney (70) ....77 E 4
Bouligny (55) ....20 B 4
Boulin (65) ....187 F 5
Boullarre (60) ....32 B 3
Le Boullay-
   les-Deux-Églises (28) ..49 H 3
Boullay-les-Troux (91) ..50 D 2
Le Boullay-Mivoye (28) ..49 H 3
Le Boullay-Thierry (28) ..49 H 3
Boulleret (18) ....90 A 3
Boulleville (27) .....28 B 1
Bouloc (31) ....189 F 1
Bouloc (82) ....173 F 1
Boulogne (85) ....99 G 4
Boulogne-
   Billancourt ◈ (92) ..51 E 1
Boulogne-la-Grasse (60) ..15 H 4
Boulogne-sur-Gesse (31) ..188 A 5
Boulogne-sur-Helpe (59) ..9 H 5
Boulogne-sur-Mer ◈ (62)..2 A 4
Bouloire (72) ....68 C 4
Le Boulois (25) ......96 D 5
Boulon (14) ....27 F 4
Boulot (70) ....94 D 4
Le Boulou (66) ....213 E 4
Boulouris (83) ....198 D 3
La Boulouze (50) .....46 A 2
Boult (70) ....94 D 3
Boult-aux-Bois (08) ..19 E 5
Boult-sur-Suippe (51) ..33 H 1
Le Boulvé (46) ....157 H 5
Boulzicourt (08) .....18 D 3
Boumourt (64) ....186 A 3
Bouniagues (24) ......156 D 2
Le Boupère (85) ......100 B 4
Bouquehault (62) .....2 C 3
Bouquelon (27) ....28 C 1
Bouquemaison (80) ....7 G 4
Bouquemont (55) ......35 H 4
Bouquet (30) ....178 B 2
Bouquetot (27) ....29 E 1
Bouqueval (95) ....31 F 4
Bouranton (10) ....74 A 1
Bouras (29) ....177 G 4
Bouray-sur-Juine (91) ..51 F 4
Bourberain (21) ......93 H 2
Bourbévelle (70) .....76 D 4
Bourbon-Lancy (71) ...120 D 1
Bourbon-
   l'Archambault (03) ..119 G 1
Bourbonne-les-Bains (52) ..76 B 3
La Bourboule (63) ....132 C 5
Bourbourg (59) ....3 E 2
Bourbriac (22) ....43 E 5
Bourcefranc-le-Chapus (17)..126 B 2
Bourcia (33) ....123 F 3
Bourcq (08) ....34 C 1
Bourdainville (76) ...13 F 3
Bourdalat (40) ....171 E 3
Bourdeau (73) ....137 H 3
Bourdeaux (26) ....164 D 3
Bourdeilles (24) .....143 E 2
Le Bourdeix (24) .....129 E 5
Bourdelles (33) ......156 A 4
Bourdenay (10) ....53 E 5
Le Bourdet (79) ......113 H 4
Bourdettes (64) ......204 A 1
Bourdic (30) ....178 B 4
Bourdon (80) ....15 E 1
Bourdonnay (57) ......57 H 1

Bourdonné (78) ....50 B 2
La Bourdonnière (13) ..196 A 4
Bourdons-sur-Rognon (52)..75 H 2
Bourecq (62) ....7 G 1
Bouresches (02) ......32 D 4
Bouresse (86) ....115 H 3
Bouret-sur-Canche (62) ..7 G 3
Bourey (50) ....24 D 5
Le Bourg (46) ....159 E 3
Le Bourg (52) ....75 H 5
Le Bourg (56) ....81 G 2
Bourg-Achard (27) ....29 E 1
Bourg-Archambault (86) ..116 C 3
Bourg-Argental (42) ..149 F 2
Bourg-Beaudouin (27) ..29 H 1
Bourg-Blanc (29) .....41 E 3
Bourg-Bruche (67) ....58 B 4
Bourg-Charente (16) ..127 H 4
Bourg-d'Abren (82) ...156 C 1
Bourg-de-Bigorre (65) ..204 D 2
Bourg-de-Péage (26) ..150 C 4
Bourg-de-Sirod (39) ..110 D 4
Bourg-de-Thizy (69) ..135 E 1
Bourg-de-Visa (82) ...173 E 1
Bourg-des-Comptes (35) ..65 E 3
Bourg-des-Maisons (24) ..142 D 2
Le Bourg-d'Hem (23) ..117 H 3
Le Bourg-d'Iré (49) ..84 B 1
Bourg-d'Oisans (38) ..152 A 4
Bourg-d'Oueil (31) ...205 F 4
Bourg-du-Bost (24) ...142 C 2
Le Bourg-Dun (76) ....13 F 2
Bourg-en-Bresse Ⓟ (01) ..123 E 4
Bourg-et-Comin (02) ..33 F 1
Bourg-Fidèle (08) ....10 D 5
Bourg-la-Reine (92) ..51 E 1
Bourg-Lastic (63) ....132 B 4
Bourg-le-Comte (71) ..121 E 3
Bourg-le-Roi (72) ....48 A 5
Bourg-lès-Valence (26) ..149 H 5
Bourg-Madame (66) ....211 G 4
Bourg-sous-Châtelet (90) ..78 B 5
Bourg-
   sous-la-Roche-sur-Yon (85)..99 G 5
Bourg-St-Andéol (07) ..163 G 5
Bourg-St-Bernard (31) ..189 H 2
Bourg-St-Christophe (01) ..136 C 2
Le Bourg-St-Léonard (61) ..48 A 1
Bourg-St-Maurice (73) ..139 F 4
Bourg-Ste-Marie (52) ..76 A 1
Bourgaltroff (57) ....37 H 5
Bourganeuf (23) ......130 D 2
Bourgbarré (35) ......65 F 3
Bourgeauville (14) ...27 H 2
Bourges Ⓟ (18) ......105 F 2
Le Bourget (73) ......153 E 2
Le Bourget (93) ......31 F 5
Le Bourget-du-Lac (73) ..137 H 4
Bourget-en-Huile (73) ..138 B 5
Bourgheim (67) ....59 E 4
Bourghelles (59) .....4 D 4
Bourgnac (24) ....142 D 5
Bourgneuf (17) ....113 F 4
Bourgneuf (45) ....71 E 2
Bourgneuf (73) ....138 B 4
Bourgneuf-en-Mauges (49)..84 C 4
Bourgneuf-en-Retz (44) ..98 D 1
Le Bourgneuf-la-Forêt (53)..66 B 2
Bourgogne (51) ....33 H 1
Bourgoin-Jallieu (38) ..136 D 4
Bourgon (53) ....66 A 1
La Bourgonce (88) ....58 A 5
Bourgougnague (47) ...156 D 3
Bourguébus (14) ......27 F 3
Bourgueil (37) ....86 A 5
Bourguenolles (50) ...45 H 1
Le Bourguet (83) .....182 A 5
Bourguignon (25) .....96 C 3
Bourguignon-
   lès-Conflans (70) ..77 E 5
Bourguignon-
   lès-la-Charité (70) ..94 D 2
Bourguignon-
   sous-Montbavin (02) ..17 E 5
Bourguignons (10) ....74 B 2
Bourgvilain (71) .....122 A 3
Bourideys (33) ....155 F 5
Bouriège (11) ....208 A 3
Bourigeole (11) ......207 H 3
Bourisp (65) ....205 E 4
Bourlens (47) ....157 G 5
Bourlon (62) ....8 C 4
Bourmont (52) ....93 E 3
Bournainville-Faverolles (27)..28 C 3
Bournan (37) ....102 D 2
Bournand (86) ....101 H 1
Bournazel (12) ....159 H 5
Bournazel (81) ....174 C 3
Bourneau (85) ....113 G 1
Bournel (47) ....157 E 3
Bourneville-Sainte-Croix (27)..28 B 3
Bournezeau (85) ......99 H 5
Bourniquel (24) ......157 F 2
Bournois (25) ....95 G 2
Bournoncle-St-Pierre (43)..147 F 2
Bournoncles (15) .....161 E 1
Bournonville (62) ....2 C 4

Bournos (64) ....186 B 4
Bourogne (90) ....96 D 1
Bourpeuil (86) ....115 H 4
Bourran (47) ....172 A 1
Bourré (41) ....87 G 4
Bourréac (65) ....204 B 2
Bourret (82) ....173 F 4
Bourriot-Bergonce (40) ..171 E 2
Bourron-Marlotte (77) ..51 H 5
Bourrou (24) ....143 E 4
Bourrouillan (32) ....171 F 5
Bours (62) ....7 G 2
Bours (65) ....187 E 5
Boursault (51) ....33 G 4
Boursay (41) ....69 F 3
Bourscheid (57) ......58 C 1
Bourséguin (85) ......113 G 1
Bourseul (22) ....44 C 3
Bourseville (80) .....6 B 5
Boursin (62) ....2 C 4
Boursonne (60) ....32 B 3
Bourth (27) ....49 E 1
Bourthes (62) ....2 C 5
Bourville (76) ....13 F 2
Boury-en-Vexin (60) ..30 B 2
Bousbach (57) ....38 A 2
Bousbecque (59) ......4 C 2
Le Bouscat (33) ......155 E 1
Le Bouscaut (33) .....155 F 2
Bousies (59) ....9 F 4
Bousignies (59) ......5 E 5
Bousignies-sur-Roc (59) ..10 A 2
Le Bousquet (11) .....208 A 5
Le Bousquet (12) .....160 C 3
Le Bousquet-d'Orb (34) ..192 A 2
Boussac (23) ....118 B 3
La Boussac (35) ......45 F 3
Boussac (46) ....159 E 4
Boussac-Bourg (23) ...118 B 3
Boussais (79) ....101 F 4
Boussan (31) ....188 C 5
Boussay (37) ....103 E 4
Boussay (44) ....99 H 1
Bousse (57) ....21 E 4
Bousse (72) ....67 G 5
Bousselange (21) .....109 H 2
Boussenac (09) ....206 C 4
Boussenois (21) ......93 G 1
Boussens (31) ....206 A 1
Bousseraucourt (70) ..76 C 3
Boussès (47) ....171 G 2
Bousseviller (57) ....38 D 2
Boussey (21) ....92 C 4
Boussey (27) ....29 H 5
Boussicourt (80) .....15 H 3
Boussières (25) ......94 D 5
Boussières-en-Cambrésis (59)..9 E 4
Boussières-sur-Sambre (59)..9 H 3
Boussois (59) ....10 A 1
Boussy (74) ....138 A 2
Boussy-St-Antoine (91) ..51 G 2
Boust (57) ....21 E 3
Boustroff (57) ....37 G 4
Bout-du-Lac (74) .....138 B 2
Bout-du-Pont-de-Larn (81)..191 E 3
Boutancourt (08) .....18 D 3
Boutavent (60) ....14 C 4
La Bouteille (02) ....17 H 2
Bouteilles-St-Sébastien (24)..142 C 2
Boutenac (11) ....209 E 1
Boutenac-Touvent (17) ..127 E 5
Boutencourt (60) .....30 C 2
Boutervilliers (91) ..50 D 4
Bouteville (16) ......127 H 4
Boutiers-St-Trojan (16) ..127 H 3
Boutigny (77) ....32 A 5
Boutigny-sur-Essonne (91)..51 F 5
Boutigny-sur-Opton (28) ..50 A 2
Bouttencourt (80) ....14 B 1
Boutteville (50) .....23 E 5
Boutx (31) ....205 G 3
Bouvaincourt-sur-Bresle (80)..6 B 5
Bouvancourt (51) .....33 G 1
Bouvante (26) ....150 D 5
Bouvante-le-Haut (26) ..150 D 5
Bouvelinghem (62) ....2 D 4
Bouvellemont (08) ....18 D 4
Bouverans (25) ....111 F 3
La Bouverie (83) .....197 H 2
Bouvesse-Quirieu (38) ..137 E 3
Bouvières (26) ....165 E 4
Bouvignies (59) ......4 D 5
Bouvigny-Boyeffles (62) ..4 A 5
Bouville (28) ....69 H 1
Bouville (76) ....13 F 4
Bouville (91) ....51 F 5
Bouvincourt-
   en-Vermandois (80) ..16 B 2
Bouvresse (60) ....14 C 4
Bouvron (44) ....82 D 3
Bouvron (54) ....56 C 1
Boux-sous-Salmaise (21) ..92 D 3
Bouxières-aux-Bois (88) ..57 F 5
Bouxières-aux-Chênes (54) ..57 H 3
Bouxières-aux-Dames (54) ..56 D 1
Bouxières-
   sous-Froidmont (54).......36 D 4

Bouxurulles (88) .....57 E 5
Bouxwiller (67) ......38 D 5
Bouxwiller (68) ......97 F 2
Bouy (51) ....34 B 4
Bouy-Luxembourg (10) ..54 A 5
Bouy-sur-Orvin (10) ..53 E 5
Bouyon (06) ....183 E 4
Le Bouyssou (46) .....159 F 3
Bouzais (18) ....105 G 5
Bouzancourt (52) .....55 E 5
Bouzanville (54) .....56 D 5
Bouze-lès-Beaune (21) ..109 E 2
Bouzel (63) ....133 G 3
Bouzemont (88) ....77 E 1
Bouzeron (71) ....109 E 3
Bouzic (24) ....158 A 2
Bouziès (46) ....158 D 5
Bouzigues (34) ....193 E 4
Bouzillé (49) ....84 A 4
Bouzin (31) ....205 H 1
Bouzincourt (80) .....7 H 5
Bouzon-Gellenave (32) ..187 E 1
Bouzonville (57) .....21 G 4
Bouzonville-aux-Bois (45)..71 E 2
Bouzonville-en-Beauce (45)..71 E 2
Bouzy (51) ....33 H 4
Bouzy-la-Forêt (45) ..71 F 5
Bovée-sur-Barboure (55) ..56 A 2
Bovel (35) ....64 D 3
Bovelles (80) ....15 E 2
Boves (80) ....15 G 2
Boviolles (55) ....55 H 4
Boyardville (17) .....126 B 1
Boyaval (62) ....7 G 1
Boyelles (62) ....8 B 4
Boyer (42) ....121 F 5
Boyer (71) ....122 B 1
Boyeux-St-Jérôme (01) ..137 E 1
Boynes (45) ....71 F 2
Boz (01) ....122 C 2
Bozas (07) ....149 G 4
Bozel (73) ....139 E 5
Bozouls (12) ....160 B 5
Brabant-en-Argonne (55) ..35 F 3
Brabant-le-Roi (55) ..55 E 1
Brabant-sur-Meuse (55) ..35 G 2
Brach (33) ....140 C 4
Brachay (52) ....55 F 5
Braches (80) ....15 G 3
Brachy (76) ....13 F 2
Bracieux (41) ....88 A 2
Bracon (39) ....110 D 2
Bracquemont (76) .....13 G 1
Bracquetuit (76) .....13 H 4
Bradiancourt (76) ....14 A 4
Braffais (50) ....46 A 1
Bragassargues (30) ...178 A 4
Bragayrac (31) ....188 D 3
Brageac (15) ....145 H 3
Bragelogne (10) ......74 A 4
Bragny-sur-Saône (71) ..109 F 3
Brahic (07) ....162 C 5
Braillans (25) ....95 E 4
Brailly-Cornehotte (80) ..7 E 4
Brain (21) ....92 C 3
Brain-sur-Allonnes (49) ..85 H 4
Brain-sur-l'Authion (49) ..85 E 3
Brain-sur-Longuenée (49)..84 C 2
Brain-sur-Vilaine (35) ..64 D 5
Brainans (39) ....110 B 3
Braine (02) ....33 E 1
Brains (44) ....83 E 5
Brains-sur-Gée (72) ..67 H 3
Brains-sur-les-Marches (53)..66 A 4
Brainville (50) ......24 D 3
Brainville (54) ......20 C 5
Brainville-sur-Meuse (52)..76 A 1
Braisnes-sur-Aronde (60) ..16 A 5
Braize (03) ....105 H 5
Bralleville (54) .....57 E 4
Bram (11) ....207 H 1
Bramans (73) ....153 F 2
Brameloup (12) ....160 D 4
Bramevaque (65) ......205 F 3
Bran (17) ....141 H 2
Branceilles (19) .....144 D 5
Branches (89) ....73 E 4
Brancion (71) ....122 B 1
Brancourt (88) ....56 B 4
Brancourt-en-Laonnois (02)..17 E 5
Brancourt-le-Grand (02) ..16 D 1
Brandérion (56) ......81 E 4
Brandeville (55) .....35 G 1
Brandivy (56) ....81 F 1
Brando (2B) ....215 G 3
Brandon (71) ....122 A 3
Brandonnet (12) ......159 G 5
Brandonvillers (51) ..54 C 3
Branges (02) ....33 E 2
Branges (71) ....109 G 5
Brangues (38) ....137 F 3
Brannay (71) ....72 C 1
Branne (25) ....95 G 3
Branne (33) ....155 H 1
Brannens (33) ....155 H 4
Branoux-les-Taillades (30)..177 H 2
Brans (39) ....94 B 5
Bransac (43) ....148 C 3
Bransat (03) ....119 H 3
Branscourt (51) ......33 G 2
Bransles (77) ....72 A 2

Brantes (84) ....180 A 2
Brantigny (88) ....57 E 5
Brantôme-en-Périgord (24)..143 E 2
Branville (14) ....27 H 2
Branville-Hague (50) ..22 B 2
Braquis (55) ....20 B 5
Bras (83) ....196 D 3
Bras-d'Asse (04) .....181 F 4
Bras-sur-Meuse (55) ..35 H 2
Brasc (12) ....175 G 4
Braslou (37) ....102 B 2
Brasparts (29) ....41 H 5
Brassac (09) ....207 E 3
Brassac (81) ....191 E 2
Brassac (82) ....173 E 2
Brassac-les-Mines (63) ..147 F 1
Brasseitte (55) ......56 A 1
Brassempouy (40) .....185 H 2
Brasseuse (60) ....31 H 2
Brassy (58) ....91 H 5
Brassy (80) ....15 E 3
Bratte (54) ....57 E 1
Braucourt (52) ....55 E 3
Braud-et-St-Louis (33) ..141 E 2
Brauvilliers (55) ....55 G 3
Braux (04) ....182 B 3
Braux (10) ....54 C 4
Braux (21) ....92 C 3
Braux-le-Châtel (52) ..75 F 2
Braux-St-Remy (51) ...35 E 4
Braux-Ste-Cohière (51) ..35 E 3
Bravone (2B) ....217 H 3
Brax (31) ....189 E 2
Brax (47) ....172 B 2
Bray (27) ....29 E 3
Bray (71) ....122 B 1
Bray-Dunes (59) ......3 G 1
Bray-en-Val (45) .....71 F 5
Bray-et-Lû (95) ......30 B 3
Bray-lès-Mareuil (80) ..6 D 5
Bray-St-Christophe (02) ..16 C 3
Bray-sur-Seine (77) ..52 C 5
Bray-sur-Somme (80) ..16 A 1
Braye (02) ....32 D 1
Braye-en-Laonnois (02) ..33 E 1
Braye-en-Thiérache (02) ..17 H 3
Braye-sous-Faye (37) ..102 B 2
Braye-sur-Maulne (37) ..86 A 2
Brazey-en-Morvan (21) ..108 B 1
Brazey-en-Plaine (21) ..109 G 1
Bréal-sous-Montfort (35)..65 E 2
Bréal-sous-Vitré (35) ..66 B 2
Bréançon (95) ....30 D 3
Bréau (77) ....52 A 3
Bréau-et-Salagosse (30) ..177 E 4
Bréauté (76) ....12 C 4
Bréban (51) ....54 B 3
Brebières (62) ....8 C 3
Brebotte (90) ....96 D 1
Brécé (35) ....65 G 2
Brécé (53) ....46 C 4
Brécey (50) ....46 A 2
Brech (56) ....81 F 1
Brechainville (88) ...56 A 5
Bréchamps (28) ....50 A 2
Bréchaumont (68) .....78 B 5
Brèches (37) ....86 B 2
Breconchaux (25) .....95 F 4
Brectouville (50) ....25 G 4
Brécy (02) ....32 D 3
Brécy (18) ....105 H 1
Brécy-Brières (08) ...34 D 1
Brédannaz (74) ....138 B 2
La Brède (33) ....155 F 2
Bréel (61) ....47 F 1
La Brée-les-Bains (17) ..112 D 5
Brégnier-Cordon (01) ..137 F 4
La Bréguière (83) ....197 E 2
Brégy (60) ....32 A 4
Bréhain (57) ....37 G 5
Bréhain-la-Ville (54) ..20 C 3
Bréhal (50) ....24 D 5
Bréhan (56) ....63 H 3
Bréhand (22) ....44 A 4
Bréhec-en-Plouha (22) ..43 G 2
Bréhémont (37) ....86 B 4
Bréhéville (55) ......35 G 1
Breidenbach (57) .....38 D 2
Breil (49) ....86 A 3
Le Breil-sur-Mérize (72)..68 C 3
Breil-sur-Roya (06) ..183 G 3
La Breille-les-Pins (49)..85 H 4
Breilly (80) ....15 E 1
Breistroff-la-Grande (57)..21 E 2
Breitenau (67) ....58 C 5
Breitenbach (67) .....58 C 4
Breitenbach-Haut-Rhin (68)..78 B 2
Brélès (29) ....40 D 3
Brélidy (22) ....43 E 3
Brem-sur-Mer (85) ....98 D 5
Bréménil (54) ....58 A 3
Brêmes (62) ....2 C 3
Brémoncourt (54) .....57 F 3
Bremondans (25) ......95 G 5

A B C D E F G H I J K L M N O P Q R S T U V W X Y Z

Localité *(Département)*	Page	Coordonnées

Brémontier-Merval (76)....14 B 5
Brémoy (14)....25 H 4
Brémur-et-Vaurois (21)....92 D 1
Bren (26)....150 B 4
Brenac (11)....208 A 4
Brenas (34)....192 B 2
Brenat (63)....133 G 5
Brénaz (01)....137 G 1
Brenelle (02)....33 E 1
Brengues (46)....159 E 4
Brennes (52)....75 H 5
Brennilis (29)....42 A 5
Brénod (01)....123 G 5
Brenon (83)....182 A 5
Brenouille (60)....31 G 2
Brenoux (48)....161 H 4
Brens (01)....137 G 3
Brens (74)....124 D 3
Brens (81)....174 C 5
Brenthonne (74)....124 D 3
Breny (02)....32 D 3
La Bréole (04)....166 C 4
Brères (25)....110 C 1
Bréry (39)....110 B 4
Brès (07)....162 C 5
Bresdon (17)....127 H 2
Les Bréseux (25)....96 C 4
Bresilley (70)....94 B 5
Brésis (30)....162 C 5
Bresle (80)....15 H 1
Bresles (60)....31 E 1
Bresnay (03)....119 H 2
Bresolettes (61)....48 D 3
La Bresse (88)....78 A 3
Bresse-sur-Grosne (71)....122 B 1
Bressey-sur-Tille (21)....93 G 4
Bressieux (38)....150 D 2
Bressolles (01)....136 C 2
Bressolles (03)....120 A 1
Bressols (82)....173 G 4
Bresson (38)....151 G 3
Bressoncourt (52)....55 H 4
Bressuire ⬨ (79)....101 E 3
Brest ⬨ (29)....41 E 4
Brestot (27)....28 D 1
Bretagne (36)....104 B 2
Bretagne (90)....96 D 1
Bretagne-d'Armagnac (32)....171 G 5
Bretagne-de-Marsan (40)....170 C 4
Bretagnolles (27)....29 H 5
Breteau (45)....90 A 1
Breteil (35)....65 E 1
Bretenière (21)....93 G 5
La Bretenière (25)....95 F 3
La Bretenière (39)....110 B 1
Bretenières (39)....110 A 3
Bretenoux (46)....159 E 1
Breteuil-sur-Iton (27)....49 E 1
Breteuil (60)....15 F 4
Brethel (61)....48 C 2
Brethenay (52)....75 G 2
Le Brethon (03)....119 E 1
Bretigney (25)....95 H 2
Bretigney-Notre-Dame (25)....95 H 4
Bretignolles (79)....100 D 3
Brétignolles-le-Moulin (53)....47 E 4
Bretignolles-sur-Mer (85)....98 D 5
Bretigny (21)....93 G 3
Brétigny (27)....28 D 3
Brétigny (60)....16 C 4
Brétigny-sur-Orge (91)....51 F 3
Bretoncelles (61)....49 E 4
La Bretonnière (85)....113 E 1
Bretonvillers (25)....95 H 5
Brette (26)....165 E 3
Brette-les-Pins (72)....68 B 4
Bretten (68)....78 B 5
Brettes (16)....128 B 1
Bretteville (50)....13 H 5
Bretteville-du-Grand-Caux (76) 12 C 4
Bretteville-le-Rabet (14)....27 G 4
Bretteville-l'Orgueilleuse (14)..27 E 2
Bretteville-St-Laurent (76)....13 F 3
Bretteville-sur-Ay (50)....24 C 2
Bretteville-sur-Dives (14)....27 H 4
Bretteville-sur-Laize (14)....27 F 4
Bretteville-sur-Odon (14)....27 F 3
Brettnach (57)....21 G 4
Bretx (31)....189 E 1
Breuches (70)....77 F 5
Breuchotte (70)....77 H 5
Breugnon (58)....91 E 3
Le Breuil (03)....120 C 4
Le Breuil (51)....33 F 5
Breuil (51)....33 F 2
Le Breuil (69)....135 G 2
Le Breuil (71)....108 C 4
Breuil (80)....16 B 3
Breuil-Barret (85)....100 C 5
Le Breuil-Bernard (79)....100 D 4
Breuil-Bois-Robert (78)....30 B 5
Breuil-Chaussée (79)....100 D 3
Le Breuil-en-Auge (14)....28 A 2
Le Breuil-en-Bessin (14)....25 H 2
Le Breuil-la-Réorte (17)....113 H 5
Breuil-le-Sec (60)....31 G 1
Breuil-le-Vert (60)....31 F 1
Breuil-Magné (17)....126 C 1

Le Breuil-sous-Argenton (79) .101 E 2
Le Breuil-sur-Couze (63)....147 F 1
Breuil-sur-Marne (52)....55 F 4
Breuilaufa (87)....129 H 1
Breuilh (24)....143 F 4
Breuillet (17)....126 C 3
Breuillet (91)....51 E 3
Breuilpont (27)....29 H 5
Breurey-lès-Faverney (70)....77 E 5
Breuschwickersheim (67)....59 E 2
Breuvannes (52)....76 A 2
Breuvery-sur-Coole (51)....54 B 1
Breuville (50)....22 C 3
Breux (55)....19 H 4
Breux-Jouy (91)....51 E 3
Breux-sur-Avre (27)....49 F 2
Brévainville (41)....69 H 4
Bréval (78)....30 A 5
Brévands (50)....23 F 5
Brevans (39)....110 A 1
Le Brévedent (14)....28 B 2
La Brévenne (69)....135 G 3
Les Bréviaires (78)....50 C 2
Bréviandes (10)....73 H 1
La Brévière (14)....28 A 5
La Brévière (60)....32 A 1
Les Brévières (73)....139 G 5
Bréville (14)....27 G 2
Bréville (16)....127 H 3
Bréville-sur-Mer (50)....24 C 5
Brévillers (62)....7 E 3
Brévillers (80)....7 G 4
Brevilliers (70)....96 C 1
Brévilly (08)....19 F 3
Brévonnes (10)....54 B 5
Bréxent-Énocq (62)....6 C 1
Brey-et-Maison-du-Bois (25)..111 F 4
Brézé (49)....101 G 1
Bréziers (05)....166 C 4
Brézilhac (11)....207 H 1
Brézins (38)....151 E 2
Brezolles (28)....49 F 2
Brezons (15)....146 C 5
Brial (82)....173 G 4
Briançon ⬨ (05)....153 E 5
Briançonnet (06)....182 B 4
Brianny (21)....92 B 3
Briant (71)....121 F 3
Briantes (36)....118 A 1
Briare (45)....89 H 2
Briarres-sur-Essonne (45)....71 F 1
Briastre (59)....9 E 4
Briatexte (81)....190 A 1
Briaucourt (52)....75 G 1
Briaucourt (70)....77 E 4
Bricon (52)....75 F 2
Briconville (28)....49 H 4
Bricot-la-Ville (51)....53 E 2
Bricquebec-en-Cotentin (50)..22 C 4
Bricqueboscq (50)....22 C 3
Bricqueville (14)....25 G 2
Bricqueville-la-Blouette (50)..24 D 4
Bricqueville-sur-Mer (50)....24 D 5
Bricy (45)....70 C 3
Brides-les-Bains (73)....138 D 5
La Bridoire (73)....137 G 5
Bridoré (37)....103 F 2
Brie (02)....17 E 4
Brie (09)....206 D 1
Brie (16)....128 C 3
Brie (35)....65 G 3
Brie (80)....16 B 2
Brie-Comte-Robert (77)....51 G 2
Brié-et-Angonnes (38)....151 H 3
Brie-sous-Archiac (17)....127 G 5
Brie-sous-Barbezieux (16)....142 A 1
Brie-sous-Chalais (16)....142 A 1
Brie-sous-Matha (17)....127 H 2
Brie-sous-Mortagne (17)....127 E 5
Briec (29)....61 H 2
Briel-sur-Barse (10)....74 B 1
Brielles (35)....66 A 3
Brienne (71)....122 C 1
Brienne-la-Vieille (10)....54 C 5
Brienne-le-Château (10)....54 C 5
Brienne-sur-Aisne (08)....33 H 1
Briennon (42)....121 F 5
Brienon-
sur-Armançon (89)....73 F 3
Brières-les-Scellés (91)....51 E 4
Brieuil-sur-Chizé (79)....114 B 5
Brieulles-sur-Bar (08)....19 E 5
Brieulles-sur-Meuse (55)....35 G 1
Brieux (61)....47 H 1
Briey ⬨ (54)....20 C 4
Briffons (63)....132 C 4
Brignac (34)....192 C 2
Brignac (56)....64 B 1
Brignac-la-Plaine (19)....144 B 3
Brignais (69)....135 H 4
Brignancourt (95)....30 D 3
Brigné (49)....85 E 5
Brigneau (29)....62 B 5
Brignemont (31)....188 C 1
Brignogan-Plages (29)....41 F 2
Brignoles ⬨ (83)....196 D 4
Brignon (30)....178 B 4
Le Brignon (43)....148 B 5
Brignoud (38)....151 H 2
La Brigue (06)....183 H 2

Brigueil-le-Chantre (86)....116 C 3
Brigueuil (16)....129 G 1
Briis-sous-Forges (91)....51 E 3
Brillac (16)....116 A 5
La Brillanne (04)....180 D 4
Brillecourt (10)....54 B 4
Brillevast (50)....23 E 3
Brillon (59)....5 E 5
Brillon-en-Barrois (55)....55 F 2
Brimeux (62)....6 D 2
Brimont (51)....33 H 1
Brin-sur-Seille (54)....57 F 1
Brinay (18)....105 E 1
Brinay (58)....107 F 2
Brinckheim (68)....97 G 1
Brindas (69)....135 H 3
Bringolo (22)....43 F 4
Brinon-sur-Beuvron (58)....91 E 5
Brinon-sur-Sauldre (18)....89 E 2
Briod (39)....110 B 5
Briollay (49)....85 E 2
Brion (01)....123 G 4
Brion (36)....104 B 3
Brion (38)....151 E 2
Brion (48)....161 E 2
Brion (71)....108 A 3
Brion (86)....115 G 3
Brion-près-Thouet (79)....101 E 3
Brion-sur-Ource (21)....74 D 4
La Brionne (23)....117 G 5
Brionne (27)....28 D 3
Briord (01)....137 E 3
Briosne-lès-Sables (72)....68 B 2
Briot (60)....14 D 4
Briou (41)....70 A 5
Brioude ⬨ (43)....147 G 2
Brioux-sur-Boutonne (79)....114 C 5
Briouze (61)....47 F 2
Briquemesnil-Floixicourt (80)..15 E 2
Briquenay (08)....33 H 1
Briscous (64)....184 D 3
Brison-St-Innocent (73)....137 H 3
Brissac (30)....178 A 2
Brissac (34)....177 F 5
Brissac-Quincé (49)....85 E 4
Brissarthe (49)....85 E 1
Brissay-Choigny (02)....16 D 3
Brissy-Hamégicourt (02)....16 D 3
Brive-la-Gaillarde ⬨ (19)..144 C 4
Brives (36)....104 C 4
Brives-Charensac (43)....148 B 4
Brives-sur-Charente (17)....127 F 4
Brivezac (19)....145 E 5
Brix (50)....22 D 3
Brixey-aux-Chanoines (55)....56 B 4
Brizambourg (17)....127 F 2
Brizay (37)....102 B 1
Brizeaux (55)....35 F 4
Brizon (74)....124 D 5
Le Broc (06)....183 E 5
Le Broc (63)....147 F 1
Brocas (40)....169 H 3
Brochon (21)....93 F 5
Brocottes (14)....27 H 4
Brocourt (80)....14 C 2
Brocourt-en-Argonne (55)....35 F 3
Broglie (27)....28 C 4
Brognard (25)....96 C 2
Brognon (08)....10 B 5
Brognon (21)....93 G 3
La Brohinière (35)....64 C 1
Broin (21)....109 G 1
Broindon (21)....93 F 5
Broissia (39)....123 F 3
Brombos (60)....14 D 4
Bromeilles (45)....71 G 2
Brommat (12)....160 B 1
Bromont-Lamothe (63)....132 D 3
Bron (69)....136 B 3
Broncourt (52)....76 B 5
Bronvaux (57)....20 D 5
Broons (22)....44 B 5
Broons-sur-Vilaine (35)....65 G 2
Broquiers (60)....14 C 4
Broquiès (12)....175 H 4
Brossac (16)....142 A 2
Brossainc (07)....149 G 2
Brossay (49)....101 F 1
La Brosse-Montceaux (77)....52 B 5
Brosses (89)....91 F 2
Brosville (27)....29 G 4
Brotte-lès-Luxeuil (70)....77 F 5
Brotte-lès-Ray (70)....94 B 1
Brottes (52)....75 G 2
Brou (01)....123 E 4
Brou (28)....69 G 1
Brou-sur-Chantereine (77)....51 H 1
Brouage (17)....126 C 2
Brouains (50)....46 B 2
Broualan (35)....45 F 4
Brouay (14)....27 E 2
Brouchaud (24)....143 H 3
Brouchy (80)....16 C 3
Brouck (57)....21 G 5
Brouckerque (59)....3 E 2
Brouderdorff (57)....58 B 1
Broué (28)....50 A 2
Brouennes (55)....19 G 5

Le Brouilh-Monbert (32)....187 G 2
Brouilla (66)....213 F 3
Brouillamnon (18)....105 E 2
Brouillet (51)....33 F 2
Brouqueyran (33)....155 H 4
La Broussan (83)....200 D 3
La Brousse (17)....127 G 2
Brousse (23)....132 B 1
Brousse (63)....133 H 5
Brousse (81)....190 B 1
Brousse-le-Château (12)....175 G 4
Brousses-et-Villaret (11)....190 D 5
Brousseval (52)....55 F 4
Broussey-en-Blois (55)....56 A 2
Broussey-Raulecourt (55)....56 B 1
Broussy-le-Grand (51)....53 G 1
Broussy-le-Petit (51)....53 G 1
Broût-Vernet (03)....120 A 4
Brouthières (52)....55 H 4
Brouvelieures (88)....77 H 1
Brouville (54)....57 H 3
Brouviller (57)....58 B 1
Brouy (91)....71 F 1
Brouzet-lès-Alès (30)....178 B 2
Brouzet-lès-Quissac (30)....177 H 5
Les Brouzils (85)....99 G 3
Brovès-en-Seillan (83)....197 H 2
Broxeele (59)....3 E 3
Broye (71)....108 B 3
Broye-les-Loups-
et-Verfontaine (70)....94 A 3
Broye-lès-Pesmes (70)....94 A 4
Broyes (51)....53 F 2
Broyes (60)....15 G 4
Broze (81)....174 C 4
Brû (88)....77 H 5
Bruailles (71)....123 E 1
Bruay-la-Buissière (62)....7 H 1
Bruay-sur-l'Escaut (59)....9 F 2
Bruc-sur-Aff (35)....64 D 4
Brucamps (80)....7 E 5
Bruch (47)....172 A 2
Brucheville (50)....23 F 5
Brucourt (14)....27 H 4
Brue-Auriac (83)....196 D 2
Bruebach (68)....78 D 5
Brueil-en-Vexin (78)....30 C 4
La Bruère-sur-Loir (72)....86 B 1
La Bruffière (85)....99 H 2
Brugairolles (11)....208 A 2
Le Brugeron (63)....134 A 4
Bruges (33)....155 E 1
Bruges (64)....203 H 1
Brugheas (03)....118 D 5
Brugnac (47)....156 D 5
Brugnens (32)....172 C 5
Brugny-Vaudancourt (51)....33 G 4
La Bruguière (30)....178 C 3
Bruguières (31)....189 F 1
Bruille-lez-Marchiennes (59)..8 D 2
Bruille-St-Amand (59)....5 F 5
Bruis (05)....165 G 4
Brûlain (79)....114 B 4
Les Brulais (35)....64 D 4
Brulange (57)....37 G 4
La Bruslée (38)....151 G 2
Le Brûlat (83)....196 C 5
La Brûlatte (53)....66 B 2
Bruley (54)....56 B 2
Brullemail (61)....48 B 2
Brûlon (72)....67 F 3
Brumath (67)....59 F 1
Brumetz (02)....32 C 4
Brunehamel (02)....18 A 3
Brunelles (28)....49 E 5
Les Brunels (11)....190 B 4
Brunembert (62)....6 B 4
Brunet (04)....181 E 4
Bruniquel (82)....174 A 3
Brunoy (91)....51 G 2
Brunstatt-Didenheim (68)....78 D 5
Brunville (76)....13 H 1
Brunvillers-la-Motte (60)....15 G 5
Brusque (12)....191 H 1
Le Brusquet (04)....181 G 2
Brussey (70)....94 C 4
Brussieu (69)....135 F 3
Brusson (51)....54 D 3
Brusvily (22)....44 C 4
Brutelles (80)....6 B 4
Bruville (54)....20 C 5
Brux (86)....115 E 4
La Bruyère (03)....120 B 5
La Bruyère (70)....77 G 4
Bruyères (88)....77 H 1
Bruyères-et-Montbérault (02)..17 F 5
Bruyères-le-Châtel (91)....51 E 3
Bruyères-sur-Fère (02)....32 D 3
Bruyères-sur-Oise (95)....31 F 3
Bruys (02)....33 E 2
Bruz (35)....65 E 3
Bry (59)....9 F 3
Bry-sur-Marne (94)....51 G 1
Bryas (62)....7 G 2
Bû (28)....50 A 1
Le Bû-sur-Rouvres (14)....27 G 4
Buais-les-Monts (50)....46 B 3
Buanes (40)....186 B 1

Le Buat (50)....46 A 2
Bubertré (61)....48 D 3
Bubry (56)....63 E 4
Buc (78)....51 E 2
Buc (90)....96 C 1
La Bucaille (27)....30 A 3
Bucamps (60)....15 F 5
Bucéels (14)....26 D 3
Bucey-en-Othe (10)....73 G 1
Bucey-lès-Gy (70)....94 C 3
Bucey-lès-Traves (70)....94 D 1
Buchelay (78)....30 B 5
Buchères (10)....73 H 1
Buchy (57)....37 E 4
Buchy (76)....14 A 4
Bucilly (02)....10 A 5
Bucquoy (62)....8 A 4
Bucy-le-Long (02)....32 D 1
Bucy-le-Roi (45)....70 C 3
Bucy-lès-Cerny (02)....17 E 4
Bucy-lès-Pierrepont (02)....17 G 4
Bucy-St-Liphard (45)....70 B 4
Budelière (23)....118 D 4
Buding (57)....21 F 4
Budling (57)....21 F 3
Budos (33)....155 G 4
Bué (18)....90 A 4
Bueil (27)....30 A 5
Bueil-en-Touraine (37)....86 C 1
Buellas (01)....122 D 4
Buethwiller (68)....97 E 1
Buffard (25)....110 C 1
Buffières (71)....121 H 2
Buffignécourt (70)....76 D 5
Buffon (21)....92 B 1
Bugarach (11)....208 B 4
Bugard (65)....187 G 5
Bugeat (19)....131 E 5
Bugnein (64)....185 H 4
Bugnicourt (59)....8 D 3
Bugnières (52)....75 F 4
Bugny (25)....111 F 2
Le Bugue (24)....157 G 1
Buguélès (22)....43 E 1
Buhl (67)....39 G 4
Buhl (68)....78 C 3
Buhl-Lorraine (57)....58 B 1
Buhulien (22)....42 D 2
Buhy (95)....30 B 3
Buicourt (60)....14 C 5
Buigny-l'Abbé (80)....7 E 5
Buigny-lès-Gamaches (80)....6 B 5
Buigny-St-Maclou (80)....6 D 4
Buire (02)....10 A 5
Buire-au-Bois (62)....7 F 3
Buire-Courcelles (80)....16 B 1
Buire-le-Sec (62)....6 D 2
Buire-sur-l'Ancre (80)....15 H 1
Buironfosse (02)....17 G 1
Le Buis (87)....130 A 1
Buis-les-Baronnies (26)....179 H 1
Buis-sur-Damville (27)....49 G 1
Buissard (05)....166 B 2
La Buisse (38)....151 G 2
La Buissière (38)....152 A 1
Le Buisson (48)....161 F 3
Le Buisson (51)....54 D 1
Buisson (84)....179 G 1
Le Buisson-Corblin (61)....47 E 1
Le Buisson-de-Cadouin (24) .157 G 1
Buissoncourt (54)....57 F 2
Buissy (62)....8 C 4
Bujaleuf (87)....130 D 3
Bulan (65)....204 D 2
Bulat-Pestivien (22)....42 D 5
Bulcy (58)....90 B 5
Buléon (56)....63 H 4
Bulgnéville (88)....76 C 1
Bulhon (63)....133 G 2
Bullainville (28)....70 A 2
Bulle (25)....111 F 3
Bullecourt (62)....8 B 4
Bulles (60)....15 F 5
Bulligny (54)....56 C 3
Bullion (78)....50 D 3
Bullou (28)....69 G 1
Bully (42)....134 C 2
Bully (69)....135 G 2
Bully (76)....14 A 3
Bully-les-Mines (62)....4 A 5
Bulson (08)....19 E 4
Bult (88)....57 G 5
Bun (65)....204 A 3
Buncey (21)....74 C 5
Buneville (62)....7 G 3
Buno-Bonnevaux (91)....51 F 5
Bunus (64)....185 F 5
Bunzac (16)....128 D 4
Buoux (84)....180 A 5
La Burbanche (01)....137 F 2
Burbure (62)....7 H 1
Burcin (38)....151 E 1
Burcy (14)....46 C 1
Burcy (77)....71 G 1
Burdignes (42)....149 F 2
Burdignin (74)....124 D 4
Bure (55)....55 H 4
Buré (61)....48 B 4
Bure-les-Templiers (21)....75 E 5

Burelles (02)....17 G 3
Bures (54)....57 G 2
Bures (61)....48 B 3
Bures-en-Bray (76)....14 A 3
Bures-les-Monts (14)....25 G 5
Bures-sur-Yvette (91)....51 E 2
Le Buret (53)....67 E 4
Burey (27)....29 F 5
Burey-en-Vaux (55)....56 B 3
Burey-la-Côte (55)....56 B 3
Burg (65)....205 E 1
Burgalays (31)....205 G 4
Burgaronne (64)....185 G 4
Le Burgaud (31)....188 D 1
Burgille (25)....94 C 4
Burgnac (87)....130 A 3
Burgy (71)....122 B 2
Burie (17)....127 G 3
Buriville (54)....57 H 3
Burlats (81)....190 D 2
Burlioncourt (57)....37 G 5
Burnand (71)....122 A 1
Burnevillers (25)....96 D 4
Burnhaupt-le-Bas (68)....78 C 5
Burnhaupt-le-Haut (68)....78 C 5
Buros (64)....186 C 4
Burosse-Mendousse (64)....186 C 3
Burret (09)....206 D 3
Bursard (61)....48 A 3
Burthecourt-aux-Chênes (54)..57 E 3
Burthulet (22)....42 D 5
Burtoncourt (57)....21 F 4
Bury (60)....31 F 2
Burzet (07)....162 D 2
Burzy (71)....122 A 1
Bus (62)....8 B 5
Bus-la-Mésière (80)....16 A 4
Bus-lès-Artois (80)....7 H 5
Bus-St-Rémy (27)....30 B 3
Buschwiller (68)....97 G 1
Busigny (59)....9 E 5
Busloup (41)....69 G 4
Busnes (62)....3 G 5
Busque (81)....190 B 1
Bussac (24)....143 E 2
Bussac-Forêt (17)....141 G 3
Bussac-sur-Charente (17)....127 E 3
Bussaglia (Plage de) (2A)....216 B 2
Bussang (88)....78 A 4
Le Busseau (79)....114 A 1
Busseaut (21)....92 D 1
Busséol (63)....133 G 4
Busserolles (24)....129 E 4
Busserotte-
et-Montenaille (21)....93 F 1
Busset (03)....120 B 5
Bussiares (02)....32 C 4
La Bussière (45)....89 H 1
La Bussière (86)....103 E 5
Bussière-Badil (24)....129 E 4
Bussière-Boffy (87)....129 G 1
Bussière-Dunoise (23)....117 G 4
Bussière-Galant (87)....129 H 4
Bussière-Nouvelle (23)....132 A 1
Bussière-Poitevine (87)....116 B 4
Bussière-St-Georges (23)....118 B 3
La Bussière-sur-Ouche (21)..92 D 5
Bussières (21)....93 F 1
Bussières (42)....135 E 2
Bussières (63)....119 E 5
Bussières (70)....94 D 4
Bussières (71)....122 A 3
Bussières (77)....32 C 5
Bussières (89)....91 H 3
Bussières-et-Pruns (63)....133 F 1
Bussières-lès-Belmont (52)....76 A 5
Busson (52)....55 H 5
Bussu (80)....16 B 1
Bussunarits-Sarrasquette (64) 202 C 1
Bussurel (70)....96 C 2
Bussus-Bussuel (80)....7 E 5
Bussy (18)....105 H 3
Bussy (60)....16 B 4
Bussy-Albieux (42)....134 C 3
Bussy-aux-Bois (51)....54 C 3
Bussy-en-Othe (89)....73 E 3
Bussy-la-Côte (55)....55 F 1
Bussy-la-Pesle (21)....92 D 4
Bussy-la-Pesle (58)....91 E 5
Bussy-le-Château (51)....34 C 4
Bussy-le-Grand (21)....92 C 2
Bussy-le-Repos (51)....34 D 5
Bussy-le-Repos (89)....72 C 3
Bussy-lès-Daours (80)....15 G 1
Bussy-lès-Poix (80)....15 E 2
Bussy-Lettrée (51)....54 A 1
Bussy-Saint-Martin (77)....51 H 1
Bussy-St-Georges (77)....51 H 1
Bustanico (2B)....217 F 2
Bustince-Iriberry (64)....202 C 1
Buswiller (67)....39 E 5
Busy (25)....94 D 5
Buthiers (70)....94 D 4
Buthiers (77)....71 F 1
Butot (76)....13 G 4
Butot-Vénesville (76)....13 E 2
Butry-sur-Oise (95)....31 E 4
Butteaux (89)....73 G 4
Butten (67)....38 C 4

Buverchy (80).................16 B 3
Buvilly (39).................110 C 3
La Buxerette (36)..........117 H 2
Buxerolles (21)............75 F 5
Buxerolles (86)............115 G 1
Buxeuil (10)................74 B 3
Buxeuil (36)................104 B 1
Buxeuil (86)................102 D 2
Buxières-d'Aillac (36)....104 B 5
Buxières-lès-Clefmont (52)...76 A 2
Buxières-les-Froncles (52)...75 G 1
Buxières-les-Mines (03)...119 G 2
Buxières-lès-Villiers (52)...75 F 2
Buxières-sous-les-Côtes (55)...36 B 5
Buxières-sous-Montaigut (63) 119 F 4
Buxières-sur-Arce (10)...74 C 2
Buxy (71)...................108 D 5
Buy (60).....................32 A 2
Buysscheure (59)...........3 F 4
Buzan (09).................206 A 3
Buzançais (36).............103 H 3
Buzancy (02)................32 D 2
Buzancy (08)................19 F 5
Buzeins (12)...............176 B 1
Buzet-sur-Baïse (47)......171 H 1
Buzet-sur-Tarn (31)......189 H 1
Buziet (64)................203 G 1
Buzignargues (34)........193 G 1
Buzon (65).................187 F 4
Buzy (64)..................203 G 1
Buzy-Darmont (55).........20 B 5
By (25).....................110 D 2
Byans-sur-Doubs (25)......110 C 1

C

Cabanac (65)...............187 F 5
Cabanac-Cazaux (31)......205 G 2
Cabanac-et-Villagrains (33)...155 F 3
Cabanac-Séguenville (31)...188 D 1
La Cabanasse (66).........211 H 4
Cabanès (12)...............175 E 2
Les Cabanes (34)..........193 G 2
Cabanès (81)...............190 B 1
Les Cabanes-de-Fitou (11)...209 F 2
Le Cabanial (31)...........190 A 3
Les Cabannes (09)........207 E 5
Cabannes (13)..............179 F 5
Les Cabannes (81)........174 C 4
Cabara (33)................155 H 1
Cabariot (17)..............126 D 1
Cabas-Loumassès (32)....188 A 4
Cabasse (83)...............197 E 3
Cabasson (83)..............201 G 3
Le Cabellou (29)...........61 H 4
Cabestany (66).............213 F 2
Cabidos (64)...............186 B 3
Cabourg (14)................27 G 2
Cabrerets (46).............158 D 4
Cabrerolles (34)...........192 C 3
Cabrespine (11)............191 E 4
Cabrières (30).............178 C 4
Cabrières (34).............192 C 3
Cabrières-d'Aigues (84)...180 B 5
Cabrières-d'Avignon (84)...179 H 4
Cabriès (13)...............195 H 3
Cabris (06)................198 D 1
Cachan (32)................188 B 3
Cachan (94).................51 F 1
Cachen (30)................177 G 3
Cachen (40)................170 D 3
Cachy (80)..................15 G 2
Cadalen (81)...............174 C 5
Cadarcet (09)..............206 D 3
Cadarsac (33)..............155 G 1
Cadaujac (33)..............155 F 2
Cadéac (65)................205 E 4
Cadeilhan (32).............172 C 5
Cadeilhan-Trachère (65)...204 D 4
Cadeillan (32).............188 B 4
Cademène (25)..............110 D 1
Caden (56)..................82 B 1
Les Cadeneaux (13)........195 H 4
Cadenet (84)...............195 H 1
Caderousse (84)............179 E 3
La Cadière-d'Azur (83)....196 B 5
La Cadière-et-Cambo (30)...177 G 4
Cadillac (33)..............155 G 3
Cadillac-en-Fronsadais (33)...141 G 4
Cadillon (64)..............186 D 3
Cadix (81).................175 F 4
Cadol (29)..................62 A 4
Cadolive (13)..............196 A 4
Cadouarn (56)..............81 G 2
Cadouin (24)...............157 G 2
Cadours (31)...............188 D 1
Cadrieu (46)...............159 E 4
Caen Ⓡ (14)................27 F 3
Caëstre (59)................3 G 4
Caffiers (62)...............2 C 3
Cagnac-les-Mines (81)....174 D 4
Cagnano (2B)...............215 G 2
Cagnes-sur-Mer (06)......199 F 1
Cagnicourt (62).............8 C 4
Cagnoncles (59)............8 D 4
Cagnotte (40)..............185 F 2
Cagny (14)..................27 G 3
Cagny (80)..................15 F 2
Cahagnes (14)..............25 H 4
Cahagnolles (14)...........25 H 4
Cahaignes (27).............30 B 3
Cahan (61)..................47 E 1

Caharet (65)...............205 E 1
Cahon (80)...................6 C 5
Cahors Ⓟ (46)..............158 B 5
Cahus (46).................145 E 5
Cahuzac (11)...............207 G 1
Cahuzac (47)...............157 E 3
Cahuzac (81)...............190 B 4
Cahuzac-sur-Adour (32)...187 E 2
Cahuzac-sur-Vère (81)...174 C 4
Caignac (31)...............189 H 5
Le Cailar (30).............193 H 2
Cailhau (11)...............207 H 1
Cailhavel (11).............207 H 1
Cailla (11)................208 A 4
Caillac (46)...............158 B 4
Caillavet (32).............187 G 1
Caille (06)................182 B 5
La Caillère (85)...........100 B 5
Cailleville (76)............13 E 2
Caillouël-Crépigny (02)...16 C 4
Caillouet-Orgeville (27)...29 H 4
Cailloux-sur-Fontaines (69)...136 B 2
Cailly (76).................13 H 4
Cailly-sur-Eure (27)......29 G 3
La Caine (14)...............27 E 4
Cairanne (84)..............179 F 2
Le Caire (04)..............160 B 5
Cairon (14).................27 F 2
Caisnes (60)................16 C 5
Caissargues (30)..........178 C 5
Caix (80)...................15 H 2
Caixas (66)................212 D 3
Caixon (65)................187 E 4
Cajarc (46)................159 E 5
Cala Rossa (2A)...........219 G 3
Calacuccia (2B)...........216 D 2
Calais ⓢ (62)...............2 C 2
Calamane (46)..............158 B 4
Calan (56)..................62 D 5
Calanhel (22)..............42 C 5
Les Calans (13)...........194 D 1
Calas (13).................195 H 3
Calavanté (65).............204 D 1
Calcatoggio (2A)..........216 C 5
Calce (66).................209 E 5
Caldégas (66)..............211 G 4
Calenzana (2B)............214 C 5
Calès (24).................157 F 1
Calès (46).................158 C 2
Calignac (47)..............172 A 3
Caligny (61)................47 E 1
Callac (22).................42 D 5
Callac (56).................81 H 1
Callas (83)................197 G 2
Callen (40)................170 C 1
Callengeville (76).........14 B 2
Calleville (27)............29 E 3
Calleville-les-Deux-Églises (76)...13 G 3
Callian (32)...............187 G 2
Callian (83)...............198 C 1
Calmeilles (66)............212 D 3
Calmels-et-le-Viala (12)...175 H 4
La Calmette (30)..........178 B 4
Calmon (81)................190 D 3
Calmont (12)...............175 G 2
Calmont (31)...............189 G 5
Calmoutier (70)............95 F 1
Caloire (42)...............148 D 1
Calonges (47)..............156 C 5
Calonne-Ricouart (62).....7 H 1
Calonne-sur-la-Lys (62)...3 G 5
Calorguen (22).............44 D 4
La Calotterie (62)..........6 C 1
Caluire-et-Cuire (69)....136 B 3
Calvi ⓢ (2B)...............214 B 5
Calviac (46)...............159 F 1
Calviac-en-Périgord (24)...158 B 1
Calvignac (46).............158 D 5
Calvinet (15)..............159 H 2
Calvisson (30).............193 H 1
Calzan (09)................207 F 2
Camalès (65)...............187 E 4
Camarade (09)..............206 C 2
Camarès (12)...............176 A 3
Camaret-sur-Aigues (84)...179 F 2
Camaret-sur-Mer (29).......41 E 5
Camarsac (33)..............155 G 1
Cambayrac (46).............158 A 5
La Cambe (14)...............23 G 5
Cambernard (31)...........189 E 3
Cambernon (50).............24 D 3
Cambes (33)................155 F 2
Cambes (46)................159 E 3
Cambes (47)................156 C 3
Cambes-en-Plaine (14)....27 E 2
Cambia (2B)................217 F 1
Cambiac (31)...............190 A 3
Cambieure (11).............207 H 2
Camblain-Châtelain (62)...7 H 1
Camblain-l'Abbé (62).......8 A 2
Camblanes-et-Meynac (33)...155 F 2
Cambligneul (62)...........7 H 2
Cambo-les-Bains (64)....184 D 4
Cambon (81)................175 E 5
Cambon-et-Salvergues (34)...191 G 1
Cambon-lès-Lavaur (81)...190 A 2
Camboulazet (12)..........175 F 2
Camboulit (46).............159 F 4
Cambounès (81).............191 E 2

Cambounet-sur-le-Sor (81)...190 C 3
Le Cambout (22)............63 H 4
Cambrai ⓢ (59)..............8 D 4
Cambremer (14).............27 H 3
Cambrin (62).................4 A 5
Cambron (80)................6 D 5
Cambronne-lès-Clermont (60).31 F 2
Cambronne-lès-Ribécourt (60) 16 B 5
Camburat (46)..............159 F 3
Came (64)..................185 F 3
Camélas (66)...............212 D 3
Camelin (02)................16 C 5
Camembert (61).............28 A 5
Camer (44)..................82 B 3
Camérun (44)................82 B 3
Cametours (50).............25 E 3
Camiac-et-St-Denis (33)...155 G 2
Camiers (62).................6 C 1
Camiran (33)...............156 A 3
Camjac (12)................175 F 2
Camlez (22).................43 E 2
Les Cammazes (81)........190 B 4
Camoël (56).................82 A 2
Camoins-les-Bains (13)...196 A 5
Camon (09).................207 G 3
Camon (80)..................15 F 2
Camors (56).................63 F 5
Camou-Cihigue (64)......202 D 1
Camous (65)................205 E 3
Campagna-de-Sault (11)...207 H 5
Campagnac (12)............161 E 5
Campagnac (81)............174 B 4
Campagnac-les-Quercy (24)...158 A 3
Campagnan (34)............192 D 3
Campagne (34)..............193 G 1
Campagne (40)..............169 H 5
Campagne (60)..............16 B 4
Campagne-d'Armagnac (32)...171 F 5
Campagne-lès-Boulonnais (62)...2 D 5
Campagne-lès-Guines (62)...2 C 3
Campagne-lès-Hesdin (62)...6 D 2
Campagne-lès-Wardrecques (62)...3 F 4
Campagne-sur-Arize (09)...206 C 2
Campagne-sur-Aude (11)...208 A 3
Campagnolles (14)..........25 G 5
Campan (65)................204 D 2
Campana (2B)...............217 F 1
Campandré-Valcongrain (14)...27 E 4
Campbon (44)...............82 D 3
Campeaux (14)..............25 G 5
Campeaux (60)..............14 C 4
Campel (35).................64 D 3
Campénéac (56).............64 B 3
Campes (81)................174 C 3
Campestre-et-Luc (30)...176 D 4
Campet-et-Lamolère (40)...169 H 4
Camphin-en-Carembault (59)...4 C 5
Camphin-en-Pévèle (59)...4 D 4
Campi (2B).................217 G 2
Campigneulles-les-Grandes (62)...6 C 2
Campigneulles-les-Petites (62)...6 C 2
Campigny (14)..............25 H 2
Campigny (27)..............28 C 2
Campile (2B)...............215 F 5
Campistrous (65)..........205 E 1
Campitello (2B)............215 F 5
Camplong (34)..............192 A 2
Camplong-d'Aude (11)....208 D 2
Campneuseville (76)......14 B 2
Campo (2A).................218 D 1
Campôme (66)...............212 B 3
Campouriez (12)............160 B 3
Campoussy (66).............208 C 4
Campremy (60)..............15 H 4
Camprond (50)..............25 E 3
Camps-en-Amiénois (80)...14 D 2
Camps-la-Source (83)....197 E 4
Camps-St-Mathurin-
Léobazel (19)............145 F 5
Camps-sur-l'Agly (11)....208 B 4
Camps-sur-l'Isle (33)....142 A 5
Campsas (82)...............173 G 5
Campsegret (24)...........143 F 3
Campuac (12)...............160 B 4
Campugnan (33)............141 F 3
Campuzan (65)..............187 H 5
Camurac (11)...............207 G 4
Can Damoun (66)...........212 D 5
Can Parterre (66).........212 D 4
Canale-di-Verde (2B).....217 G 2
Canals (82)................173 G 5
Canaples (80)...............7 F 5
Canappeville (27).........29 G 3
Canapville (14)............28 A 2
Canapville (61)............28 B 5
Canari (2B)................215 F 2
Canaules-
et-Argentières (30)....178 A 4
Canavaggia (2B)...........215 F 5
Canaveilles (66)..........212 A 4
Cancale (35)................45 E 2
Canchy (14).................23 G 5
Canchy (80)..................6 D 4
Cancon (47)................157 E 4
Candas (80)..................7 F 5
Candé (49)..................84 A 2

Candé-sur-Beuvron (41)...87 G 3
Candes-St-Martin (37)...85 H 5
Candiac (34)...............194 A 3
Candillargues (34)........193 G 2
Candor (60).................16 B 4
Candresse (40).............185 G 1
Canehan (76)................14 A 1
Canéjan (33)...............155 E 2
Canens (31)................206 C 1
Canenx-et-Réaut (40)....170 D 3
Canet (11).................209 E 1
Canet (34).................192 D 2
Canet-de-Salars (12)....175 H 2
Canet-en-Roussillon (66)...209 F 5
Canet-Plage (66)..........209 F 5
Canettemont (62)...........7 G 3
Cangey (37).................87 F 3
Caniac-du-Causse (46)...158 D 3
Canihuel (22)...............63 E 1
Canilhac (48)..............161 E 5
Canisy (50).................25 F 3
Canlers (62).................7 F 1
Canly (60)..................31 H 1
Cannectancourt (60).......16 B 5
Cannelle (2A)..............216 C 4
Cannelle (2B)..............215 F 1
Cannes (06)................199 E 2
Cannes-Écluse (77).........52 B 5
Cannes-et-Clairan (30)...178 A 5
Cannessières (80).........14 C 1
Le Cannet (06).............199 E 2
Le Cannet (32).............187 E 2
Le Cannet-des-Maures (83)...197 F 4
Canny-sur-Matz (60).......16 A 4
Canny-sur-Thérain (60)...14 C 4
Canohès (66)...............213 E 4
Le Canon (33)..............154 A 2
La Canonica *(Ancienne
Cathédrale de)* (2B)...215 G 6
La Canourgue (48)........161 F 5
Canouville (76)............12 D 2
Cantaing-sur-Escaut (59)...8 D 4
Cantaous (65)..............205 E 2
Cantaron (06)..............183 F 5
Canté (09).................189 G 5
Canteleu (76)..............13 G 5
Canteleux (62)..............7 G 4
Canteloup (14).............27 G 3
Canteloup (50).............23 E 2
Cantenac (33)..............141 E 4
Cantenay-Épinard (49)...84 D 2
Cantiers (27)..............30 A 2
Cantigny (80)..............15 G 4
Cantillac (24).............143 E 1
Cantin (59)..................8 C 3
Cantoin (12)...............160 C 1
Cantois (33)...............155 H 2
Canville-la-Rocque (50)...22 C 5
Canville-les-Deux-Églises (76)...13 F 3
Cany-Barville (76)........13 E 2
Caorches-St-Nicolas (27)...28 C 4
Caours (80)..................6 D 5
Caouët (22).................42 C 5
Cap Blanc-Nez (62)........2 B 2
Le Cap-d'Agde (34).......192 D 5
Cap-d'Ail (06).............183 G 5
Cap Ferret (33)...........154 A 3
Cap Gris-Nez (62)..........2 A 3
Cap-Martin (06)...........183 G 5
Cap-Martin (06)...........183 G 5
Capbis (64)................203 H 2
Capbreton (40).............184 D 1
Capdenac (46)..............159 F 4
Capdenac-Gare (12)......159 F 4
Capdrot (24)...............157 G 3
La Capelle (02)............17 H 1
La Capelle (48)............161 E 5
Capelle (59).................9 F 3
La Capelle-Balaguier (12)...159 E 5
La Capelle-Bleys (12)....174 D 1
La Capelle-Bonance (12)...160 D 5
La Capelle-
et-Masmolène (30)....178 B 3
Capelle-Fermont (62)......7 H 3
La Capelle-lès-Boulogne (62)...2 B 4
Capelle-les-Grands (27)...28 C 4
Capelle-lès-Hesdin (62)...7 E 3
Capendu (11)...............208 C 1
Capens (31)................189 E 5
Capestang (34).............192 A 5
Capian (33)................155 G 2
Capinghem (59)..............4 B 3
Caplong (33)...............156 B 2
Capoulet-et-Junac (09)...207 E 4
Cappel (57).................37 H 3
Cappelle-Brouck (59).......3 E 3
Cappelle-en-Pévèle (59)...4 D 5
Cappelle-la-Grande (59)...3 E 2
Captieux (33)..............171 E 1
Capula *(Site de)* (2A)...219 E 2
Capvern (65)...............204 D 2
Capvern-les-Bains (65)...204 D 1
Les Carabins (33).........195 E 3
Caragoudes (31)...........189 H 3
Caraman (31)...............189 H 3
Caramany (66)..............208 C 5
Carantec (29)..............42 A 4
Carantilly (50)............25 E 3

Carayac (46)...............159 E 4
Carbay (49).................65 H 5
Carbes (81)................190 C 2
Carbini (2A)...............219 F 2
Carbon-Blanc (33)........155 F 1
Carbonne (31)..............189 E 5
Carbuccia (2A)............216 D 4
Carcagny (14)..............27 E 2
Carcanières (09)..........207 H 5
Carcans (33)...............140 C 4
Carcans-Plage (33)......140 B 4
Carcarès-Ste-Croix (40)...169 G 5
Carcassonne Ⓟ (11)......208 B 1
Carcès (83)................197 E 3
Carcheto-Brustico (2B)...217 G 1
Cardaillac (46)............159 F 3
Cardan (33)................155 G 3
Cardeilhac (31)............205 G 1
Cardesse (64)..............186 A 5
Cardet (30)................178 A 3
Cardo-Torgia (2A)........218 D 1
Cardonette (80)............15 G 1
Le Cardonnois (80)........15 G 4
Cardonville (14)...........23 F 5
Cardroc (35)................45 C 5
Careil (44).................82 A 4
Carelles (53)...............46 C 5
Carency (62).................8 A 2
Carennac (46)..............158 D 1
Carentan-les-Marais (50)...25 E 1
Carentoir (56).............64 C 4
Cargèse (2A)...............216 B 4
Cargiaca (2A)..............219 E 2
Carhaix-Plouguer (29)...62 C 1
Carignan (08)...............19 G 4
Carignan-de-Bordeaux (33)...155 F 1
Carisey (89)................73 G 4
Carla-Bayle (09)..........206 D 1
Carla-de-Roquefort (09)...207 F 3
Le Carlaret (09)..........207 F 2
Carlat (15)................160 A 1
Carlencas-et-Levas (34)...192 B 2
Carlepont (60).............16 B 5
Carling (57)................21 H 5
Carlipa (11)...............190 C 5
Carlucet (24)..............144 A 5
Carlucet (46)..............158 C 2
Carlus (81)................174 D 5
Carlux (24)................158 B 1
Carly (62)...................2 B 5
Carmaux (81)...............174 D 3
Carnac (56).................81 E 2
Carnac-Plage (56)..........81 E 3
Carnac-Rouffiac (46)....158 A 5
Carnas (30)................177 H 5
La Carneille (61)..........47 E 1
Carnet (50).................45 E 5
Carnetin (77)..............31 H 5
Carneville (50)............22 D 2
Carnières (59)..............9 E 4
Carnin (59)..................4 B 4
Carnoët (22)................42 C 5
Carnon-Plage (34)........193 G 3
Carnoules (83).............197 E 4
Carnoux-en-Provence (13)...196 A 5
Carnoy (80).................16 A 1
Caro (56)...................64 B 4
Caro (64)..................202 B 1
Carolles (50)...............45 G 1
Caromb (84)................179 G 3
Carpentras ⓢ (84)........179 G 3
Carpineto (2B).............217 G 1
Carpiquet (14).............27 F 3
Carquebut (50).............23 E 5
Carquefou (44).............83 G 4
Carqueiranne (83)........201 F 4
La Carquois (22)..........44 B 2
Carrépuis (80).............16 A 3
Carrère (64)...............186 C 3
La Carresse (64)..........185 F 3
Carrières-sous-Poissy (78)...30 D 5
Carrières-sur-Seine (78)...31 E 5
Carro (13).................195 F 4
Carros (06)................183 E 5
Carrouges (61).............47 G 3
Les Carroz-d'Arâches (74)...125 F 5
Carry-le-Rouet (13)......195 G 4
Cars (33)..................141 E 3
Les Cars (87)..............129 H 4
Carsac-Aillac (24)........158 A 1
Carsac-de-Gurson (24)...142 B 5
Carsan (30)................178 D 2
Carsen-Ponson (40)......169 G 4
Carsix (27).................28 D 3
Carspach (68)...............97 F 1
Cartelègue (33)............141 F 3
Carticasi (2B).............217 F 1
Cartignies (59).............9 H 5
Cartigny (80)..............16 B 1
Cartigny-l'Épinay (14)...25 G 2
Carves (24)................157 H 2
Carville (14)...............25 H 5
Carville-la-Folletière (76)...13 F 4
Carville-Pot-de-Fer (76)...13 E 3
Casabianca (2B)...........217 F 1
Casaglione (2A)...........216 C 4
Casalabriva (2A)..........218 D 2
Casalta (2B)...............217 G 1
Casamaccioli (2B)........216 D 2

Casamozza (2B)...........215 G 5
Casanova (2B)..............217 E 2
Casardo *(Col de)* (2B)...217 F 2
Casatorra (2B)............215 G 4
Cascastel-des-Corbières (11)...209 E 3
Casefabre (66).............212 D 3
Caseneuve (84)............180 B 4
Cases-de-Pène (66).......209 E 5
Casevecchie (2B)..........217 G 3
Cassaber (64)..............185 F 3
Cassagnabère-Tournas (31)...205 H 1
Cassagnas (48)............177 G 1
La Cassagne (24)..........144 B 5
Cassagne (31)..............206 A 2
Cassagnes (46)............157 H 4
Cassagnes (66)............208 D 5
Cassagnes-Bégonhès (12)...175 G 2
Cassagnoles (30)..........178 A 4
Cassagnoles (34)..........191 F 4
La Cassaigne (11).........207 H 1
Cassaigne (32).............172 A 4
Cassaignes (11)...........208 A 3
Cassaniouze (15)..........159 H 3
Cassano (2B)...............214 C 5
Cassel (59)..................3 F 4
Cassen (40)................185 G 1
Casseneuil (47)...........157 E 5
Les Cassés (11)...........190 A 4
Casseuil (33)..............155 H 3
Cassignas (47).............172 D 1
La Cassine (08).............19 E 4
Cassis (13)................196 A 5
Casson (44).................83 F 3
Cassuéjouls (12)..........160 C 2
Cast (29)...................61 G 1
Castagnac (31).............206 C 1
Castagnède (31)...........206 A 2
Castagnède (64)...........185 F 3
Castagniers (06)..........183 F 5
Castaignos-Souslens (40)...186 A 2
Castandet (40).............170 D 5
Castanet (12)..............175 E 1
Castanet (48)..............162 B 5
Castanet (81)..............174 C 4
Castanet (82)..............174 C 1
Castanet-le-Haut (34)...191 H 2
Castanet-Tolosan (31)...189 G 3
Castans (11)...............191 E 4
Casteide-Cami (64).......186 A 4
Casteide-Candau (64)...186 A 3
Casteide-Doat (64).......187 E 4
Casteil (66)...............212 B 4
Castel-Sarrazin (40).....185 H 2
Castelbajac (65)..........205 E 1
Castelculier (47).........172 C 2
Castelferrus (82).........173 E 4
Castelfranc (46)..........158 A 4
Castelgaillard (31)......188 C 4
Castelginest (31).........189 F 2
Casteljaloux (47).........171 G 1
Castella (47)..............172 C 1
Castellane Ⓟ (04)........182 A 4
Castellar (06).............183 G 4
Le Castellard-Mélan (04)...181 F 2
Castellare-di-Casinca (2B)...215 G 5
Castellare-di-Mercurio (2B)...217 F 2
Le Castellet (04).........181 E 4
Le Castellet (83).........196 C 5
Castellet (84).............180 B 5
Castellet-lès-Sausses (04)...182 B 3
Castello (2B)..............215 F 2
Castello-di-Rostino (2B)...215 F 5
Castelmary (12)...........175 E 2
Castelmaurou (31)........189 G 2
Castelmayran (82)........173 E 4
Castelmoron-d'Albret (33)...156 A 3
Castelmoron-sur-Lot (47)...156 D 5
Castelnau-Barbarens (32)...188 B 2
Castelnau-Chalosse (40)...185 G 1
Castelnau-d'Anglès (32)...187 G 2
Castelnau-d'Arbieu (32)...172 C 5
Castelnau-d'Aude (11)...208 D 1
Castelnau-d'Auzan-
Labarrère (32).........171 G 4
Castelnau-de-Brassac (81)...191 E 1
Castelnau-de-Guers (34)...192 C 4
Castelnau-de-Lévis (81)...174 D 4
Castelnau-
de-Mandailles (12)....160 D 4
Castelnau-de-Médoc (33)...140 D 4
Castelnau-
de-Montmiral (81)....174 B 4
Castelnau-d'Estrétefonds (31)189 F 1
Castelnau-Durban (09)...206 C 3
Castelnau-le-Lez (34)...193 F 2
Castelnau-Magnoac (65)...187 H 5
Castelnau-Montratier (46)...173 G 1
Castelnau-Pégayrols (12)...175 H 3
Castelnau-Picampeau (31)...188 C 5
Castelnau-
Rivière-Basse (65)....187 E 2
Castelnau-
sur-l'Auvignon (32)...172 A 4
Castelnau-Tursan (40)...186 B 2
Castelnau-Valence (30)...178 B 4

Localité *(Département)*   Page   Coordonnées

Castelnaud-de-Gratecambe (47).......157 E 4
Castelnaud-la-Chapelle (24)...157 H 2
Castelnaudary (11)........190 B 5
Castelnavet (32)........187 F 2
Castelner (40)........186 A 2
Castelnou (66)........212 D 3
Castelpers (12)........175 F 3
Castelreng (11)........207 H 2
Castels (24)........157 H 1
Castelsagrat (82)........173 E 2
Castelsarrasin SP (82)...173 F 3
Castelvieilh (65)........187 F 5
Castelviel (33)........155 H 3
Le Castéra (31)........188 D 2
Castéra-Bouzet (82)........172 D 4
Castéra-Lanusse (65)....204 D 1
Castéra-Lectourois (32)...172 B 4
Castéra-Lou (65)........187 F 5
Castéra-Loubix (64)....187 E 4
Castéra-Verduzan (32)...172 A 5
Castéra-Vignoles (31)...188 B 5
Castéras (09)........206 D 2
Casterets (65)........187 H 5
Casterino (06)........183 G 2
Castéron (32)........172 D 5
Castet (64)........203 H 2
Castet-Arrouy (32)....172 C 4
Castetbon (64)........185 H 4
Castétis (64)........185 H 3
Castetnau-Camblong (64)...185 H 4
Castetner (64)........185 H 3
Castetpugon (64)........186 C 2
Castets (40)........168 D 4
Castets-en-Dorthe (33)...155 H 4
Castex (09)........206 C 1
Castex (32)........187 G 4
Castex-d'Armagnac (32)...171 E 5
Casties-Labrande (31)....188 C 5
Castifao (2B)........215 E 5
Castiglione (2B)........217 E 1
Castillon (06)........183 G 4
Castillon (14)........25 H 2
Castillon (65)........204 D 2
Castillon (près de Arthez-de-Béarn) (64)...186 A 3
Castillon (près de Lembeye) (64)...186 D 3
Castillon-de-Castets (33)...155 H 4
Castillon-de-Larboust (31)...205 F 4
Castillon-de-St-Martory (31)...205 H 1
Castillon-Debats (32)....187 F 1
Castillon-du-Gard (30)...178 D 4
Castillon-en-Auge (14)...28 A 4
Castillon-en-Couserans (09)...206 A 3
Castillon-la-Bataille (33)...156 A 1
Castillon-Massas (32)...187 H 1
Castillon-Savès (32)....188 C 3
Castillonnès (47)........157 E 3
Castilly (14)........25 G 2
Castin (32)........187 H 1
Castineta (2B)........217 F 1
Castirla (2B)........217 E 1
Castres (02)........16 D 2
Castres SP (81)........190 C 2
Castres-Gironde (33)...155 F 2
Castries (34)........193 G 2
Le Cateau-Cambrésis (59)...9 F 5
Le Catelet (02)........16 D 1
Le Catelier (76)........13 H 3
Catenay (76)........13 H 5
Catenoy (60)........31 G 1
Cateri (2B)........214 C 5
Cathervielle (31)........205 F 4
Catheux (60)........15 E 4
Catigny (60)........16 B 4
Catillon-Fumechon (60)...15 G 5
Catillon-sur-Sambre (59)...9 F 5
Catllar (66)........212 B 3
Catonvielle (32)........188 C 2
Cattenières (59)........9 E 4
Cattenom (57)........21 E 3
Catteville (50)........22 C 5
Catus (46)........158 B 4
Catz (50)........23 F 5
Caubeyres (47)........171 H 1
Caubiac (31)........188 D 1
Caubios-Loos (64)........186 B 4
Caubon-St-Sauveur (47)...156 B 3
Caubous (31)........205 F 4
Caubous (65)........187 H 5
Caucalières (81)........190 D 3
La Cauchie (62)........7 H 4
Cauchy-à-la-Tour (62)...7 H 1
Caucourt (62)........7 H 2
Caudan (56)........62 D 5
Caudebec-en-Caux (76)...13 E 5
Caudebec-lès-Elbeuf (76)...29 F 2
Caudebronde (11)........190 D 4
Caudecoste (47)........172 C 3
Caudéran (33)........155 E 1
Caudeval (11)........207 G 2
Caudiès-de-Conflent (66)...212 A 3
Caudiès-de-Fenouillèdes (66)...208 B 4
Caudon (24)........158 A 1
Caudos (33)........154 C 4

Caudrot (33)........155 H 3
Caudry (59)........9 E 5
Cauffry (60)........31 G 2
Caugé (27)........29 F 4
Caujac (31)........189 F 5
Caulaincourt (02)........16 C 2
Le Caule-Ste-Beuve (76)...14 B 3
Caulières (80)........14 D 3
Caullery (59)........9 E 5
Caulnes (22)........44 C 5
Caumont (02)........16 C 4
Caumont (09)........206 B 2
Caumont (27)........28 C 5
Caumont (32)........186 D 1
Caumont (33)........156 A 2
Caumont (62)........7 E 3
Caumont (82)........173 E 4
Caumont-l'Éventé (14)...25 H 3
Caumont-sur-Durance (84)...179 F 4
Caumont-sur-Garonne (47)...156 B 5
Caumont-sur-Orne (14)...27 E 5
Cauna (40)........169 H 5
Caunay (79)........115 E 4
Cauneille (40)........185 F 2
Caunes-Minervois (11)...191 E 5
La Caunette (34)........191 G 5
Caunette-sur-Lauquet (11)...208 B 2
Caunettes-en-Val (11)...208 C 2
Caupenne (40)........185 H 1
Caupenne-d'Armagnac (32)...171 F 5
La Caure (51)........33 F 5
Caurel (22)........63 F 2
Caurel (51)........33 H 2
Cauria (Mégalithes de) (2A)...218 D 4
Cauro (2A)........216 D 5
Cauroir (59)........8 D 4
Cauroy (08)........34 B 1
Cauroy-lès-Hermonville (51)...33 G 1
Le Causé (82)........188 C 1
Cause-de-Clérans (24)...157 E 1
Caussade (82)........173 H 2
Caussade-Rivière (65)...187 B 3
Causse-Bégon (30)........176 D 3
Causse-de-la-Selle (34)...177 F 5
Caussens (32)........172 A 4
Causses-et-Veyran (34)...192 A 3
Caussidières (31)........189 G 4
Caussignac (48)........176 D 1
Caussiniojouls (34)....192 A 3
Caussols (06)........182 C 5
Caussou (09)........207 F 5
Cauterets (65)........204 B 3
Cauverville-en-Roumois (27)...28 D 1
Cauvicourt (14)........27 G 4
Cauvignac (33)........155 H 5
Cauvigny (60)........31 E 2
Cauville (14)........27 E 5
Cauville-sur-Mer (76)...12 B 4
Caux (34)........192 C 3
Caux-et-Sauzens (11)...208 A 1
Cauzac (47)........172 D 1
Cavagnac (46)........144 D 5
Cavaillon (84)........179 G 5
Cavalaire-sur-Mer (83)...197 H 5
La Cavalerie (12)........176 C 4
Cavalière (83)........201 H 3
Cavan (22)........42 D 3
Cavanac (11)........208 B 1
Cavarc (47)........157 E 3
Caveirac (30)........178 B 5
Caves (11)........209 F 3
Cavignac (33)........141 G 4
Cavigny (50)........25 F 2
Cavillargues (30)........178 D 3
Cavillon (80)........15 E 1
Cavron-St-Martin (62)...7 E 2
Caychax (09)........207 F 5
Cayeux-en-Santerre (80)...15 H 2
Cayeux-sur-Mer (80)...6 B 4
Le Caylar (34)........176 D 5
Caylus (82)........174 A 2
Cayrac (82)........173 H 3
Cayres (43)........162 A 1
Cayriech (82)........174 A 2
Le Cayrol (12)........160 C 4
Cayrols (15)........159 G 1
Cayron (32)........187 F 2
Cazac (31)........188 C 5
Cazalis (33)........170 D 1
Cazalis (40)........186 A 2
Cazalrenoux (11)........207 G 1
Cazals (46)........158 A 3
Cazals (82)........174 A 3
Cazals-des-Baylès (09)...207 G 2
Cazan (13)........195 G 1
Cazaril-Laspènes (31)...205 F 4
Cazaril-Tambourès (31)...205 F 1
Cazarilh (65)........205 F 3
Cazats (33)........155 H 4
Cazaubon (32)........171 F 4
Cazaugitat (33)........156 A 2
Cazaunous (31)........205 G 3
Cazaux (09)........206 D 2
Cazaux (33)........154 B 4
Cazaux-d'Anglès (32)...187 G 2
Cazaux-Debat (65)........205 E 4
Cazaux-Fréchet-Anéran-Camors (65)...205 E 4
Cazaux-Layrisse (31)...205 F 4
Cazaux-Savès (32)........188 C 3
Cazaux-Villecomtal (32)...187 F 4
Cazavet (09)........206 A 3

Cazeaux-de-Larboust (31)...205 F 4
Cazedarnes (34)........192 A 4
Cazenave-Serres-et-Allens (09)...207 E 4
Cazeneuve (32)........171 G 5
Cazeneuve-Montaut (31)...205 H 1
Cazères (31)........206 B 1
Cazères-sur-l'Adour (40)...186 C 1
Cazes-Mondenard (82)...173 F 2
Cazevieille (34)........193 F 1
Cazideroque (47)........157 G 5
Cazilhac (11)........208 B 1
Cazilhac (34)........177 F 4
Cazillac (46)........144 C 5
Cazoulès (24)........158 B 1
Cazouls-d'Hérault (34)...192 C 3
Cazouls-lès-Béziers (34)...192 A 4
Ceaucé (61)........46 D 4
Ceaulmont (36)........117 F 1
Céaux (50)........45 H 2
Céaux-d'Allègre (43)...148 A 3
Ceaux-en-Couhé (86)...115 F 3
Ceaux-en-Loudun (86)...102 A 2
Cébazan (34)........191 H 4
Cébazat (63)........133 F 3
Ceffia (39)........123 F 3
Ceffonds (52)........54 D 4
Ceignac (12)........175 G 1
Ceignes (01)........123 F 5
Ceilhes-et-Rocozels (34)...192 A 1
Ceillac (05)........167 G 2
Ceilloux (63)........133 H 4
Ceintrey (54)........57 E 3
Celas (30)........178 A 3
La Celette (18)........105 G 5
La Celle (03)........119 F 4
La Celle (18)........105 G 4
Cellé (41)........70 C 5
La Celle (63)........132 B 2
La Celle (83)........196 D 4
La Celle-Condé (18)...105 E 4
La Celle-Dunoise (23)...117 G 3
La Celle-en-Morvan (71)...108 A 2
La Celle-Guenand (37)...103 G 3
La Celle-les-Bordes (78)...50 D 3
Celle-Lévescault (86)...115 F 2
La Celle-sous-Chantemerle (51)...53 F 3
La Celle-sous-Gouzon (23)...118 B 4
La Celle-sous-Montmirail (02)...53 E 1
La Celle-St-Avant (37)...102 C 2
La Celle-St-Cloud (78)...51 E 1
La Celle-St-Cyr (89)...72 D 4
La Celle-sur-Loire (58)...90 A 3
La Celle-sur-Morin (77)...52 B 1
La Celle-sur-Nièvre (58)...90 C 5
Cellefrouin (16)........128 D 2
Celles (09)........207 E 3
Celles (15)........146 D 4
Celles (17)........127 G 4
Celles (24)........142 D 2
Celles (34)........192 C 2
Celles-en-Bassigny (52)...76 A 4
Celles-lès-Condé (02)...33 E 4
Celles-sur-Aisne (02)...33 E 1
Celles-sur-Belle (79)...114 C 4
Celles-sur-Durolle (63)...134 A 2
Celles-sur-Ource (10)...74 B 3
Celles-sur-Plaine (88)...58 A 4
La Cellette (23)........118 A 3
La Cellette (63)........119 E 5
Cellettes (16)........128 B 2
Cellettes (41)........87 H 3
Le Cellier (44)........83 G 4
Cellier-du-Luc (07)...162 B 3
Cellieu (42)........135 G 5
Cellule (63)........133 F 2
Celon (36)........117 F 1
Celony (13)........195 H 2
Celoux (15)........147 F 4
Celsoy (52)........76 A 4
Cély (77)........51 G 4
Cemboing (70)........76 C 4
Cempuis (60)........14 D 4
Cénac (33)........155 F 2
Cénac-et-St-Julien (24)...158 A 2
Cessac (33)........155 H 2
Cenans (70)........95 E 3
Cendras (30)........178 A 2
Le Cendre (63)........133 F 4
Cendrecourt (70)........76 C 4
Cendrey (25)........95 F 3
Cendrieux (24)........143 F 5
Cénevières (46)........158 D 5
Cenne-Monestiés (11)...190 C 5
Cenomes (12)........192 A 1
Cenon (33)........155 F 1
Cenon-sur-Vienne (86)...102 C 4
Censeau (39)........111 E 3
Censerey (21)........92 B 5
Censy (89)........91 H 1
Les Cent-Acres (76)...13 G 3
Centrès (12)........175 F 2
Centuri (2B)........215 F 1
Centuri-Port (2B)........215 F 1
Cenves (69)........122 A 4
Cépet (31)........189 F 1
Cépie (11)........208 A 1
Cepoy (45)........71 H 3
Céran (32)........172 C 5
Cérans-Foulletourte (72)...67 H 5
Cerbère (66)........213 G 4
Cerbois (18)........104 D 1

Cercié (69)........122 A 5
Cercier (74)........124 B 5
Cercles (24)........142 D 2
Cercottes (45)........70 C 4
Cercoux (17)........141 H 4
Le Cercueil (61)........47 H 3
Cerdon (01)........123 F 5
Cerdon (45)........89 F 2
Cère (40)........169 H 4
Céré-la-Ronde (37)...87 G 5
Cerelles (37)........86 D 3
Cérences (50)........24 D 5
Céreste (04)........180 C 5
Céret SP (66)........212 D 4
Cerfontaine (59)........10 A 2
Le Cergne (42)........121 G 5
Cergy (95)........30 D 4
Cergy-Pontoise (95)...30 D 4
Cérilly (03)........119 F 1
Cérilly (21)........74 C 4
Cérilly (89)........73 F 2
Cerisé (61)........48 A 4
Cerisières (52)........55 F 5
Cerisiers (89)........73 E 2
Cerisy (80)........15 H 1
Cerisy-Belle-Étoile (61)...46 D 1
Cerisy-Buleux (80)...14 C 1
Cerisy-la-Forêt (50)...25 G 2
Cerisy-la-Salle (50)...25 E 4
Cerizay (79)........100 C 3
Cérizols (09)........206 A 1
Cerizy (02)........16 D 3
La Cerlangue (76)........12 C 5
La Cerleau (08)........18 B 2
Cernans (39)........110 D 2
Cernay (14)........28 B 4
Cernay (28)........49 G 5
Cernay (68)........78 C 4
Cernay (86)........102 A 4
Cernay-en-Dormois (51)...34 D 2
Cernay-la-Ville (78)...50 D 2
Cernay-l'Église (25)...96 C 4
Cernay-lès-Reims (51)...33 H 2
Cerneux (77)........52 D 2
Cernex (74)........124 B 5
Cerniébaud (39)........111 E 4
Cernion (08)........18 C 2
Cernon (39)........123 G 2
Cernon (51)........54 B 1
Cernoy (60)........31 G 1
Cernoy-en-Berry (45)...89 H 2
Cernusson (49)........85 E 5
Cerny (91)........51 F 4
Cerny-en-Laonnois (02)...33 F 1
Cerny-lès-Bucy (02)...17 E 4
Céron (71)........121 E 4
Cérons (33)........155 G 3
Cerqueux (14)........28 B 4
Les Cerqueux (49)........100 D 2
Les Cerqueux-sous-Passavant (49)...101 E 1
Cerre-lès-Noroy (70)...95 F 1
Cers (34)........192 B 5
Cersay (79)........101 E 2
Cerseuil (02)........33 E 2
Cerseuil (51)........33 F 4
Cersot (71)........108 D 5
Certilleux (88)........68 B 5
Certines (01)........123 E 5
Cervens (74)........124 D 3
Cervières (05)........153 F 5
Cervières (42)........134 B 2
Cerville (54)........57 E 2
Cervione (2B)........217 G 2
Cervon (58)........91 G 5
Cerzat (43)........147 G 3
Cesancey (39)........110 A 5
Césarches (73)........138 C 3
Césarville-Dossainville (45)...71 E 1
Cescau (09)........206 A 3
Cescau (64)........186 B 4
Cesny-aux-Vignes (14)...27 G 4
Cesny-Bois-Halbout (14)...27 F 4
Cessac (33)........155 H 2
Cessales (31)........189 H 4
Cesse (55)........19 G 5
Cessenon-sur-Orb (34)...192 A 4
Cessens (73)........137 H 2
Cesseras (34)........191 G 5
Cesset (03)........119 H 3
Cesseville (27)........29 F 3
Cessey (21)........110 D 1
Cessey-sur-Tille (21)...93 G 4
Cessières (02)........17 E 5
Cessieu (38)........137 E 5
Cesson (77)........51 G 3
Cesson-Sévigné (35)...65 F 2
Cessoy-en-Montois (77)...52 C 4
Cessy (01)........124 B 3
Cessy-les-Bois (58)...90 C 4
Cestas (33)........155 E 2
Cestayrols (81)........174 C 4
Ceton (61)........68 D 1
Cette-Eygun (64)........203 G 3
Céüze (05)........166 A 4
Cevins (73)........138 D 4
Ceyrac (30)........177 H 4
Ceyras (34)........192 C 2
Ceyrat (63)........133 E 3

Ceyreste (13)........196 B 5
Ceyroux (23)........117 G 5
Ceyssac (63)........148 A 5
Ceyssat (63)........132 D 3
Ceyzériat (01)........123 E 4
Ceyzérieu (01)........137 G 2
Cézac (33)........141 G 4
Cézac (46)........173 G 1
Cezais (85)........113 G 1
Cézan (32)........172 B 5
Cézas (30)........177 G 4
Cézay (42)........134 C 3
Cezens (15)........146 C 5
Cézia (39)........123 G 2
Cézy (89)........72 D 3
Chaban (79)........114 B 3
Chabanais (16)........129 F 2
La Chabanne (03)........134 B 1
Chabestan (05)........165 H 4
Chabeuil (26)........164 C 1
Chabournay (86)........102 A 5
Chabrac (16)........129 F 2
Chabreloche (63)........134 A 2
Chabrignac (19)........144 B 2
Chabrillan (26)........164 C 2
Chabris (36)........88 B 5
Chacé (49)........85 G 5
Chacenay (10)........74 C 2
Chacrise (02)........32 D 2
Chadeleuf (63)........133 F 5
Chadenac (17)........127 G 5
Chadenet (48)........161 H 4
Chadrac (43)........148 B 4
Chadron (43)........148 B 5
Chadurie (16)........128 B 5
Chaffal (26)........164 D 1
Le Chaffaut-St-Jurson (04)...181 F 3
Chaffois (25)........111 F 2
Chagey (70)........95 H 1
Chagnon (42)........135 G 5
Chagny (08)........18 C 5
Chagny (71)........109 E 4
Chahaignes (72)........86 C 1
Chahains (61)........47 G 3
Chaignay (21)........93 F 3
Chaignes (27)........30 A 4
Chail (79)........114 D 4
Chaillac (36)........116 D 2
Chaillac-sur-Vienne (87)...129 G 2
Chailland (53)........66 C 1
Chaillé-les-Marais (85)...113 F 2
Chaillé-sous-les-Ormeaux (85)...99 G 5
Chailles (41)........87 H 2
Chaillevette (17)........126 C 3
Chaillevois (02)........17 E 5
Chailley (89)........73 F 3
Chaillol 1600 (05)........166 C 2
Chaillon (55)........36 A 5
Chailloué (61)........48 A 2
Chailly-en-Bière (77)...51 G 4
Chailly-en-Brie (77)...52 C 1
Chailly-en-Gâtinais (45)...71 G 4
Chailly-lès-Ennery (57)...21 E 5
Chailly-sur-Armançon (21)...92 C 5
Chainaz-les-Frasses (74)...138 A 3
Chaînée-des-Coupis (39)...110 A 3
Chaingy (45)........70 B 4
Chaintré (71)........122 B 4
Chaintréauville (77)...71 H 1
Chaintreaux (77)........72 A 2
Chaintrix-Bierges (51)...33 H 4
La Chaise (10)........54 D 5
La Chaise-Baudouin (50)...46 A 1
La Chaise-Dieu (43)...148 A 2
Chaise-Dieu-du-Theil (27)...49 E 2
Chaix (85)........113 G 2
La Chaize-Giraud (85)...98 D 5
La Chaize-le-Vicomte (85)...99 H 5
Chalabre (11)........207 H 3
Chalagnac (24)........143 F 4
Chalain-d'Uzore (42)...134 D 4
Chalain-le-Comtal (42)...134 D 4
Chalaines (55)........56 B 3
Chalais (16)........141 A 2
Chalais (24)........129 G 5
Chalais (36)........116 D 1
Chalais (86)........101 H 2
Chalamont (01)........136 D 1
Chalampé (68)........79 E 4
Chalancey (52)........93 G 1
Chalancon (26)........165 E 4
Chalandray (86)........101 G 5
Chalandrey (50)........46 A 2
Chalandry (02)........17 F 3
Chalandry-Élaire (08)...18 D 3
Le Chalange (61)........48 B 3
Le Chalard (87)........129 H 5
Chalaux (58)........91 G 4
La Chaldette (48)........161 E 2
Chaleins (01)........135 H 1
Chalencon (07)........163 F 1
Les Chalesmes (39)........111 E 4
Chalette-sur-Loing (45)...71 H 3
Chalette-sur-Voire (10)...54 B 4
Chaley (01)........137 F 1
Chalèze (25)........95 E 4
Chalezeule (25)........95 E 4
Chaliers (15)........147 F 5
Chalifert (77)........51 H 1
Chaligny (54)........56 D 2
Chalinargues (15)........146 D 4
Chalindrey (52)........75 H 5
Chalivoy-Milon (18)...105 H 3
Challain-la-Potherie (49)...84 A 1
Challans (85)........98 D 3
Challement (58)........91 E 4
Challerange (08)........34 D 2
Challes (72)........68 B 4
Challes-la-Montagne (01)...123 F 5
Challes-les-Eaux (73)...138 A 5
Challet (28)........49 H 3
Challex (01)........124 A 4
Challignac (16)........142 A 1
Challonges (74)........124 A 5
Challuy (58)........106 C 3
Chalmaison (77)........52 C 4
Chalmazel-Jeansagnière (42)...134 B 4
Chalmessin (52)........93 F 1
Chalmoux (71)........120 D 1
Chalo-St-Mars (91)...50 D 5
Le Chalon (26)........150 C 3
Chalon-sur-Saône SP (71)...109 E 4
Chalonnes-sous-le-Lude (49)...86 A 2
Chalonnes-sur-Loire (49)...84 C 4
Chalons (17)........126 C 3
Chalon (38)........149 H 4
Châlons-d'Aix (19)...132 A 4
Châlons-du-Maine (53)...66 B 2
Châlons-en-Champagne R (51)...34 B 5
Châlons-sur-Vesle (51)...33 G 2
Châlonvillars (70)........96 C 1
Chalou-Moulineux (91)...50 D 5
La Chalp (05)........167 F 1
Chaltrait (51)........33 G 5
Chalus (63)........147 F 1
Châlus (87)........129 H 4
Chalvignac (15)........145 G 3
Chalvraines (52)........76 A 1
Chamadelle (33)........142 A 4
Chamagne (88)........57 E 4
Chamagnieu (38)........136 D 4
Chamalières (63)........133 E 3
Chamalières-sur-Loire (43)...148 B 3
Chamaloc (26)........165 F 1
Chamant (60)........31 H 3
Chamarande (91)........51 E 4
Chamarandes-Choignes (52)...75 G 2
Chamaret (26)........163 H 5
La Chamba (42)........134 B 3
Chambain (21)........75 E 5
Chambeire (21)........93 H 4
Chambellay (49)........84 D 1
Chambéon (42)........134 D 4
Chambérat (03)........118 C 2
Chamberaud (23)........131 F 1
Chamberet (19)........130 D 5
Chambéria (39)........123 G 2
Chambéry P (73)...137 H 4
Chambeugle (89)........72 B 5
Chambezon (43)........147 F 2
Chambilly (71)........121 E 4
Chambines (27)........29 H 5
Chamblac (27)........29 E 3
Chamblanc (21)........109 G 2
Chamblay (39)........110 B 2
Chamblet (03)........119 E 3
Chambley-Bussières (54)...36 C 4
Chambly (60)........31 E 3
Chambœuf (21)........93 F 5
Chambœuf (42)........135 E 5
Chambois (61)........48 A 1
Chambolle-Musigny (21)...93 F 5
Le Chambon (07)........163 E 1
Chambon (17)........113 G 5
Chambon (18)........105 F 4
Chambon (30)........177 H 1
Chambon (37)........103 E 4
Le Chambon (43)........148 B 3
Le Chambon-Feugerolles (42)...149 E 1
Chambon-la-Forêt (45)...71 F 3
Chambon-le-Château (48)...161 H 4
Chambon-Ste-Croix (23)...117 G 3
Chambon-sur-Cisse (41)...87 G 2
Chambon-sur-Dolore (63)...147 H 1
Chambon-sur-Lac (63)...132 D 5
Le Chambon-sur-Lignon (43)...148 D 4
Chambon-sur-Voueize (23)...118 C 4
Chambonas (07)........162 C 5
Chambonchard (23)........118 D 5
La Chambonie (42)........134 B 3
Chamborand (23)........117 F 5
Chambord (27)........28 D 5
Chambord (41)........88 A 2
Chamboret (87)........130 A 1
Chamborigaud (30)........177 H 1
Chambornay-lès-Bellevaux (70)...95 E 3
Chambornay-lès-Pin (70)...94 D 4
Chamboulive (19)........130 C 2
Chambost-Allières (69)...135 F 4

Chambost-Longessaigne (69)...135 E 3
Chamboulive (19)...144 D 1
Chambourcy (78)...30 D 5
Chambourg-sur-Indre (37)...103 F 1
Chambray (27)...29 H 4
Chambray-lès-Tours (37)...86 D 4
La Chambre (73)...152 C 1
Chambrecy (51)...33 G 3
Les Chambres (50)...45 H 1
Chambretaud (85)...100 B 3
Chambrey (57)...57 F 1
Chambroncourt (52)...55 H 5
Chambroutet (79)...101 E 3
Chambry (02)...17 F 4
Chambry (77)...32 A 5
Chaméane (63)...133 H 5
Chamelet (69)...135 F 1
Chameroy (52)...75 G 5
Chamery (51)...33 G 3
Chamesey (25)...95 H 4
Chamesol (25)...96 C 3
Chamesson (21)...74 C 5
Chameyrat (19)...144 D 3
Chamigny (77)...32 C 5
Chamilly (71)...108 D 3
Chammes (53)...67 F 2
Chamole (39)...110 C 3
Chamonix-Mont-Blanc (74)...139 F 1
Chamouillac (17)...141 F 2
Chamouille (02)...17 F 5
Chamouilley (52)...55 F 3
Chamousset (73)...138 B 4
Chamoux (89)...91 H 5
Chamoux-sur-Gelon (73)...138 B 5
Chamoy (10)...73 H 2
Le Champ-de-la-Pierre (61)...47 G 3
Champ-d'Oiseau (21)...92 B 2
Champ-Dolent (27)...29 F 5
Champ-du-Boult (14)...46 B 1
Champ-Gerbeau (52)...55 E 3
Champ-Haut (61)...48 B 2
Champ-Laurent (73)...138 B 5
Champ-le-Duc (88)...77 H 1
Le Champ-près-Froges (38)...152 A 2
Le Champ-St-Père (85)...112 D 1
Champ-sur-Barse (10)...74 B 1
Champ-sur-Drac (38)...151 G 4
Le Champ-sur-Layon (49)...84 D 5
Champagnac (15)...145 H 2
Champagnac (17)...141 G 1
Champagnac-de-Belair (24)...143 F 1
Champagnac-la-Noaille (19)...145 F 2
Champagnac-la-Prune (19)...145 F 2
Champagnac-la-Rivière (87)...129 G 4
Champagnac-le-Vieux (43)...147 G 2
Champagnat (23)...131 H 1
Champagnat (71)...123 F 1
Champagnat-le-Jeune (63)...147 G 1
Champagne (07)...149 H 2
Champagne (17)...126 D 2
Champagne (28)...50 A 2
Champagne (69)...135 H 3
Champagné (72)...68 B 3
Champagne-en-Valromey (01)...137 G 2
Champagne-et-Fontaine (24)...142 C 1
Champagné-le-Sec (86)...115 E 4
Champagné-les-Marais (85)...113 E 2
Champagne-Mouton (16)...128 D 1
Champagné-St-Hilaire (86)...115 F 3
Champagne-sur-Loue (39)...110 C 1
Champagne-sur-Oise (95)...31 E 3
Champagne-sur-Seine (77)...52 A 5
Champagne-sur-Vingeanne (21)...93 H 3
Champagne-Vigny (16)...128 B 5
Champagneux (73)...137 G 4
Champagney (25)...94 D 4
Champagney (39)...94 A 5
Champagney (70)...77 H 5
Champagnier (38)...151 G 4
Champagnole (39)...110 D 4
Champagnolles (17)...127 E 5
Champagny (21)...93 E 3
Champagny-en-Vanoise (73)...139 E 5
Champagny-sous-Uxelles (71)...122 B 1
Champaissant (72)...68 C 1
Champallement (58)...91 E 5
Champanges (74)...125 E 2
Champaubert (51)...53 F 1
Champcella (05)...167 E 2
Champcenest (77)...52 C 2
Champcerie (61)...47 G 1
Champcervon (50)...45 H 1
Champcevinel (24)...143 F 3
Champcevrais (89)...90 B 1
Champcey (50)...45 G 1
Champclause (43)...148 D 5
Champcueil (91)...51 G 4
Champdeniers-St-Denis (79)...114 B 2
Champdeuil (77)...51 H 3
Champdieu (42)...134 C 4
Champdivers (39)...109 H 2
Champdolent (17)...126 D 1
Champdor-Corcelles (01)...137 F 1

Champdôtre (21)...93 H 5
Champdray (88)...77 H 1
Champeau-en-Morvan (21)...92 A 5
Champeaux (35)...65 H 2
Champeaux (50)...45 G 1
Les Champeaux (61)...28 A 5
Champeaux (77)...52 A 3
Champeaux (79)...114 B 2
Champeaux-et-la-Chapelle-Pommier (24)...143 E 1
Champeaux-sur-Sarthe (61)...48 C 3
Champeix (63)...133 F 5
Champenard (27)...29 H 4
La Champenoise (36)...104 C 3
Champenoux (54)...57 F 1
Champéon (53)...47 E 5
Champerboux (48)...161 G 5
Champétières (63)...134 A 5
Champey (70)...94 B 3
Champey-sur-Moselle (54)...36 D 4
Champfleur (72)...48 A 5
Champfleury (10)...53 H 3
Champfleury (51)...33 H 3
Champforgeuil (71)...109 E 4
Champfrémont (53)...47 G 4
Champfromier (01)...123 H 4
Champgenéteux (53)...67 F 1
Champguyon (51)...53 E 2
Champhol (28)...50 A 4
Champien (80)...16 A 3
Champier (38)...150 D 1
Champigné (49)...84 D 1
Champignelles (89)...72 B 5
Champigneul-Champagne (51)...34 A 5
Champigneul-sur-Vence (08)...18 D 3
Champigneulle (08)...35 E 1
Champigneulles (54)...57 E 1
Champigneulles-en-Bassigny (52)...76 B 2
Champignol-lez-Mondeville (10)...74 D 2
Champignolles (21)...108 C 2
Champignolles (27)...29 E 5
Champigny (51)...33 G 2
Champigny (89)...72 C 1
Champigny-en-Beauce (41)...87 G 1
Champigny-la-Futelaye (27)...49 H 1
Champigny-le-Sec (86)...101 H 5
Champigny-lès-Langres (52)...75 H 4
Champigny-sous-Varennes (52)...76 B 4
Champigny-sur-Aube (10)...53 H 3
Champigny-sur-Marne (94)...51 G 1
Champigny-sur-Veude (37)...102 B 2
Champillet (36)...118 A 1
Champillon (51)...33 H 4
Champis (07)...149 G 5
Champlan (91)...51 F 2
Champlat-et-Boujacourt (51)...33 G 3
Champlay (89)...72 D 4
Champlecy (71)...121 G 2
Champlemy (58)...90 D 5
Champlin (08)...10 B 5
Champlin (58)...91 E 5
Champlitte (70)...94 A 1
Champlitte-la-Ville (70)...94 A 1
Champlive (25)...95 F 4
Champlost (89)...73 F 3
Champmillon (16)...128 A 4
Champmotteux (91)...51 F 5
Champnétery (87)...130 C 3
Champneuville (55)...35 G 2
Champniers (16)...128 C 3
Champniers (86)...115 F 4
Champniers-et-Reilhac (24)...129 F 4
Champoléon (05)...166 C 2
Champoly (42)...134 B 2
Champosoult (61)...28 A 5
Champougny (55)...56 B 3
Champoulet (45)...90 A 1
Champoux (25)...95 E 4
Champrenault (21)...92 D 4
Champrepus (50)...45 H 1
Champrond (72)...68 D 3
Champrond-en-Gâtine (28)...49 F 5
Champrond-en-Perchet (28)...69 E 1
Champrougier (39)...110 A 3
Champs (02)...16 D 5
Champs (61)...48 C 3
Champs (63)...133 E 1
Les Champs-de-Losque (50)...25 E 2
Les Champs-Géraux (22)...44 D 4
Champs-Romain (24)...129 F 5
Champs-sur-Marne (77)...51 G 1
Champs-sur-Tarentaine-Marchal (15)...146 A 1
Champs-sur-Yonne (89)...91 H 1
Champsac (87)...129 G 4
Champsanglard (23)...117 H 4
Champsecret (61)...47 E 3
Champseru (28)...50 B 4
Champsevraine (52)...76 A 5
Champsiaux (87)...130 A 5
Champtercier (04)...181 F 2
Champtocé-sur-Loire (49)...84 B 3
Champtoceaux (49)...83 H 4
La Chapelaude (03)...118 D 2
La Chapelle (03)...120 B 5
La Chapelle (08)...19 F 3
La Chapelle (16)...128 B 2
La Chapelle (70)...145 G 1
La Chapelle (73)...152 C 1

Champvans-les-Moulins (25)...94 D 4
Champvert (58)...107 E 4
Champvoisy (51)...33 F 3
Champvoux (58)...106 B 1
Chamrousse (38)...151 H 3
Chamvres (72)...72 D 4
Chanac (48)...161 F 5
Chanac-les-Mines (19)...145 E 3
Chanaleilles (43)...161 G 1
Chanas (38)...149 H 2
Chanat-la-Mouteyre (63)...133 E 3
Chanay (01)...137 G 1
Chanaz (73)...137 G 2
Chançay (37)...87 E 3
Chancé (35)...65 H 3
Chanceaux (21)...92 D 2
Chanceaux-près-Loches (37)...103 E 1
Chanceaux-sur-Choiseille (37)...86 D 3
Chancelade (24)...143 E 3
Chancenay (52)...55 F 2
Chancey (70)...94 A 4
Chancia (39)...123 G 3
Chandai (61)...48 D 2
Chandelles (28)...50 A 3
Chandolas (07)...162 D 5
Chandon (42)...121 F 5
Chanéac (07)...149 E 5
Chaneins (01)...122 B 5
Chânes (71)...122 B 4
Le Change (24)...143 G 3
Changé (53)...66 C 2
Change (71)...108 D 3
Changé (72)...68 B 3
Changey (52)...75 H 4
Changis-sur-Marne (77)...32 B 5
Changy (42)...120 D 5
Changy (51)...54 D 1
Changy-Tourny (71)...121 G 2
Chaniat (43)...147 G 2
Chaniaux (48)...162 B 3
Chaniers (17)...127 F 3
Channay (21)...74 B 4
Channay-sur-Lathan (37)...86 A 3
Channes (10)...74 A 4
Chanonat (63)...133 F 4
Chanos-Curson (26)...149 H 4
Chanousse (05)...165 G 5
Chanoy (52)...75 H 4
Chanoz-Châtenay (01)...122 D 4
Chanteau (45)...70 D 4
Chantecoq (45)...72 B 3
Chantecorps (79)...114 C 1
Chanteheux (54)...57 G 2
Chanteix (19)...144 D 2
Chantelle (03)...119 H 4
Chanteloube (41)...130 B 1
Chanteloup (27)...49 F 1
Chanteloup (35)...65 F 3
Chanteloup (50)...24 D 5
Chanteloup (79)...100 A 4
Chanteloup-en-Brie (77)...51 H 1
Chanteloup-les-Bois (49)...100 C 1
Chanteloup-les-Vignes (78)...30 D 5
Chantelouve (38)...152 A 5
Chantemerle (05)...153 E 5
Chantemerle (51)...53 F 3
Chantemerle-les-Blés (26)...149 H 4
Chantemerle-lès-Grignan (26)...163 H 5
Chantemerle-sur-la-Soie (17)...127 E 1
Chantenay-St-Imbert (58)...106 C 5
Chantenay-Villedieu (72)...67 G 4
Chantepie (35)...65 F 2
Chantérac (24)...142 D 3
Chanterelle (15)...146 C 2
Chantes (70)...94 D 1
Chantesse (38)...151 F 2
Chanteuges (43)...147 H 4
Chantillac (16)...141 H 2
Chantilly (60)...31 G 3
Chantôme (36)...117 F 2
Chantonnay (85)...100 A 5
Chantraine (88)...77 F 1
Chantraines (52)...75 G 3
Chantrans (25)...111 E 1
Chantrezac (16)...129 E 2
Chantrigné (53)...47 E 4
Chanu (61)...46 D 2
Chanville (57)...37 H 4
Chanzeaux (49)...84 D 5
Chaon (41)...89 E 2
Chaouilley (54)...56 D 4
Chaource (10)...74 A 3
Chaourse (02)...17 H 3
Chapaize (71)...122 B 1
Chapareillan (38)...138 A 5
La Chapelle (16)...128 B 2
La Chapelle (73)...152 C 1

La Chapelle (89)...72 C 1
La Chapelle -en-Vexin (95)...30 B 3
La Chapelle-Achard (85)...99 E 5
La Chapelle-Agnon (63)...134 A 4
La Chapelle-Anthenaise (53)...66 D 2
La Chapelle-au-Mans (71)...107 H 5
La Chapelle-au-Moine (61)...47 E 2
La Chapelle-au-Riboul (53)...47 E 5
La Chapelle-Aubareil (24)...144 A 5
La Chapelle-Aubry (49)...84 B 5
La Chapelle-aux-Bois (88)...77 F 2
La Chapelle-aux-Brocs (19)...144 D 4
La Chapelle-aux-Chasses (03)...107 E 5
La Chapelle-aux-Choux (72)...86 A 1
La Chapelle-aux-Filtzméens (35)...45 E 4
La Chapelle-aux-Lys (85)...100 C 5
La Chapelle-aux-Naux (37)...86 B 4
La Chapelle-aux-Saints (19)...144 D 5
La Chapelle-Baloue (23)...117 F 3
La Chapelle-Basse-Mer (44)...83 H 4
La Chapelle-Bâton (17)...127 F 1
La Chapelle-Bâton (79)...114 B 2
La Chapelle-Bâton (86)...115 G 4
La Chapelle-Bayvel (27)...28 C 2
La Chapelle-Bertin (43)...147 H 3
La Chapelle-Bertrand (79)...101 F 5
La Chapelle-Biche (61)...46 D 2
La Chapelle-Blanche (22)...44 C 5
La Chapelle-Blanche (73)...138 A 5
La Chapelle-Blanche-St-Martin (37)...102 D 1
La Chapelle-Bouëxic (35)...64 D 3
La Chapelle-Caro (56)...64 A 4
La Chapelle-Cécelin (50)...46 A 1
La Chapelle-Chaussée (35)...45 E 5
La Chapelle-Craonnaise (53)...66 B 4
La Chapelle-d'Abondance (74)...125 F 3
La Chapelle-d'Alagnon (15)...146 D 4
La Chapelle-d'Aligné (72)...85 F 1
La Chapelle-d'Andaine (61)...47 E 3
La Chapelle-d'Angillon (18)...89 F 4
La Chapelle-d'Armentières (59)...4 B 3
La Chapelle-d'Aunainville (28)...50 C 5
La Chapelle-d'Aurec (43)...148 D 2
La Chapelle-de-Bragny (71)...109 E 5
La Chapelle-de-Brain (35)...64 D 5
La Chapelle-de-Guinchay (71)...122 B 4
La Chapelle-de-la-Tour (38)...137 F 4
La Chapelle-de-Mardore (71)...121 G 5
La Chapelle-de-Surieu (38)...149 H 1
Chapelle-des-Bois (25)...111 E 5
La Chapelle-des-Fougeretz (35)...65 F 1
La Chapelle-des-Marais (44)...82 B 4
La Chapelle-des-Pots (17)...127 F 3
La Chapelle-devant-Bruyères (88)...77 H 1
Chapelle-d'Huin (25)...111 E 2
La Chapelle-du-Bard (38)...152 B 1
La Chapelle-du-Bois (72)...68 C 1
La Chapelle-du-Bois-des-Faulx (27)...29 G 3
La Chapelle-du-Bourgay (76)...13 H 2
La Chapelle-du-Châtelard (01)...122 D 5
La Chapelle-du-Fest (50)...25 G 4
La Chapelle-du-Genêt (49)...84 A 5
La Chapelle-du-Lou-du-Lac (35)...64 D 1
La Chapelle-du-Mont-de-France (71)...121 H 3
La Chapelle-du-Mt-du-Chat (73)...137 H 3
La Chapelle-du-Noyer (28)...69 H 3
La Chapelle-en-Juger (50)...25 E 3
La Chapelle-en-Lafaye (42)...148 B 1
La Chapelle-en-Serval (60)...31 G 3
La Chapelle-en-Valgaudémar (05)...166 C 1
La Chapelle-en-Vercors (26)...151 E 5
La Chapelle-Enchérie (41)...26 D 5
La Chapelle-Erbrée (35)...66 A 2
La Chapelle-Faucher (24)...143 F 2
La Chapelle-Felcourt (51)...34 D 4
La Chapelle-Forainvilliers (28)...50 A 2
La Chapelle-Fortin (28)...49 E 3
La Chapelle-Gaceline (56)...64 C 5
La Chapelle-Gaudin (79)...101 E 3
La Chapelle-Gaugain (72)...68 D 5
La Chapelle-Gauthier (27)...52 A 4
La Chapelle-Gauthier (77)...52 A 4
La Chapelle-Geneste (43)...147 H 2
La Chapelle-Glain (44)...83 H 1
La Chapelle-Gonaguet (24)...143 E 3
La Chapelle-Grésignac (24)...142 C 1
Chapelle-Guillaume (28)...69 E 2
La Chapelle-Hareng (27)...28 C 4
La Chapelle-Haute-Grue (14)...28 A 5
La Chapelle-Hermier (85)...99 E 4
La Chapelle-Heulin (44)...83 G 5
La Chapelle-Hugon (18)...106 B 3

La Chapelle-Hullin (49)...66 A 5
La Chapelle-Huon (72)...68 D 5
La Chapelle-Iger (77)...52 B 3
La Chapelle-Janson (35)...46 A 5
La Chapelle-la-Reine (77)...71 G 1
La Chapelle-Largeau (79)...100 B 2
La Chapelle-Lasson (51)...53 G 3
La Chapelle-Launay (44)...82 D 3
La Chapelle-Laurent (15)...147 F 3
La Chapelle-lès-Luxeuil (70)...77 F 5
La Chapelle-Marcousse (63)...147 E 1
La Chapelle-Montabourlet (24)...142 D 1
La Chapelle-Montbrandeix (87)...129 G 4
La Chapelle-Monthodon (02)...33 F 4
La Chapelle-Montligeon (61)...48 D 4
La Chapelle-Montlinard (18)...106 B 1
La Chapelle-Montmartin (41)...88 B 5
La Chapelle-Montmoreau (24)...143 E 1
La Chapelle-Montreuil (86)...115 E 1
La Chapelle-Moulière (86)...102 C 5
La Chapelle-Moutils (77)...52 D 1
La Chapelle-Naude (71)...122 D 1
La Chapelle-Neuve (22)...42 D 5
La Chapelle-Neuve (56)...63 F 5
La Chapelle-Onzerain (45)...70 B 3
La Chapelle-Orthemale (36)...103 H 4
La Chapelle-Palluau (85)...99 F 4
La Chapelle-Pouilloux (79)...114 D 5
Chapelle-Royale (28)...69 F 2
La Chapelle-Rablais (77)...52 B 4
La Chapelle-Rainsouin (53)...67 E 2
La Chapelle-Rambaud (74)...124 C 5
La Chapelle-Réanville (27)...29 H 4
La Chapelle-Rousselin (49)...84 C 5
Chapelle-Spinasse (19)...145 F 2
La Chapelle-St-André (58)...90 D 4
La Chapelle-St-Aubert (35)...45 H 5
La Chapelle-St-Aubin (72)...68 A 3
La Chapelle-St-Étienne (79)...100 D 5
La Chapelle-St-Florent (49)...84 A 4
La Chapelle-St-Fray (72)...67 H 2
La Chapelle-St-Géraud (19)...145 F 5
La Chapelle-St-Jean (24)...144 A 3
La Chapelle-St-Laud (49)...85 F 2
La Chapelle-St-Laurent (79)...101 E 4
La Chapelle-St-Laurian (36)...104 B 2
La Chapelle-St-Luc (10)...53 H 5
La Chapelle-St-Martial (23)...131 E 1
La Chapelle-St-Martin (73)...137 G 4
La Chapelle-St-Martin-en-Plaine (41)...87 H 1
La Chapelle-St-Maurice (74)...138 B 3
La Chapelle-St-Mesmin (45)...70 C 4
La Chapelle-St-Ouen (76)...14 A 5
La Chapelle-St-Quillain (70)...94 C 3
La Chapelle-St-Rémy (72)...68 C 2
La Chapelle-St-Sauveur (44)...84 B 3
La Chapelle-St-Sauveur (71)...109 H 3
La Chapelle-St-Sépulcre (45)...72 A 3
La Chapelle-St-Sulpice (77)...52 A 3
La Chapelle-St-Ursin (18)...105 F 2
La Chapelle-sur-Aveyron (45)...72 A 5
La Chapelle-sur-Chézy (02)...32 D 5
La Chapelle-sur-Coise (69)...135 F 4
La Chapelle-sur-Dun (76)...13 F 2
La Chapelle-sur-Erdre (44)...83 F 4
La Chapelle-sur-Furieuse (39)...110 C 2
La Chapelle-sur-Loire (37)...86 A 5
La Chapelle-sur-Oreuse (89)...72 D 1
La Chapelle-sur-Oudon (49)...84 C 1
La Chapelle-sur-Usson (63)...147 G 1
La Chapelle-Taillefert (23)...117 H 5
La Chapelle-Thècle (71)...122 D 1
La Chapelle-Thémer (85)...113 F 1
La Chapelle-Thireuil (79)...114 A 1
La Chapelle-Thouarault (35)...65 E 2
La Chapelle-Urée (50)...46 A 2
Chapelle-Vallon (10)...53 H 4
La Chapelle-Vaupelteigne (89)...73 F 5
La Chapelle-Vendômoise (41)...87 G 1
La Chapelle-Vicomtesse (41)...69 F 3
La Chapelle-Viel (61)...48 D 2
La Chapelle-Villars (42)...149 G 1
Chapelle-Viviers (86)...116 A 2
La Chapelle-Voland (39)...109 H 4
La Chapelle-Yvon (14)...28 B 4
Les Chapelles (73)...139 E 4
Les Chapelles-Bourbon (77)...52 A 2
Chapelon (45)...71 G 3
La Chapelotte (18)...89 G 4
Chapet (78)...30 C 5
Chapeiry (74)...138 A 2
Chapois (39)...110 D 3
Chaponnay (69)...136 B 4
Chaponost (69)...135 H 3
Chappes (08)...18 B 4
Chappes (10)...74 A 2

Chappes (63)...133 F 2
Chaptelat (87)...130 A 2
Chapton (51)...53 F 1
Chaptuzat (63)...133 F 1
Le Chapus (17)...126 B 2
Charade (63)...133 E 3
Charancieu (38)...137 F 5
Charantonnay (38)...136 C 5
Charavines (38)...151 F 1
Charbogne (08)...18 C 5
Charbonnat (71)...108 A 4
Charbonnier-les-Mines (63)...147 F 1
Charbonnières (28)...69 E 2
Charbonnières (71)...122 B 2
Charbonnières-les-Bains (69)...135 H 3
Charbonnières-les-Sapins (25)...95 E 5
Charbonnières-les-Varennes (63)...133 E 2
Charbonnières-les-Vieilles (63)...133 E 1
Charbuy (89)...73 E 5
La Charce (26)...165 F 4
Charcé-St-Ellier-sur-Aubance (49)...85 E 4
Charcenne (70)...94 C 4
Charchigné (53)...47 F 4
Charchilla (39)...123 H 2
Charcier (39)...110 C 5
Chard (23)...132 B 2
Chardeny (08)...34 C 1
Chardes (17)...141 G 2
Chardogne (55)...55 F 1
Chardonnay (71)...122 B 1
Chareil-Cintrat (03)...119 H 4
Charency (39)...110 D 4
Charency-Vezin (54)...20 A 2
Charens (26)...165 F 4
Charensannes (87)...130 B 1
Charensat (63)...132 C 1
Charentay (69)...122 A 5
Charentenay (70)...94 C 2
Charentenay (89)...91 E 1
Charentilly (37)...86 C 3
Charenton-du-Cher (18)...105 H 5
Charenton-le-Pont (94)...51 F 1
Charentonnay (18)...106 A 1
Charette (37)...137 E 2
Charette-Varennes (71)...109 G 3
Charey (54)...36 C 4
Charézier (39)...110 C 5
Chargé (37)...87 F 3
Chargey-lès-Gray (70)...94 A 3
Chargey-lès-Port (70)...76 D 5
Chariez (70)...95 E 1
Charigny (21)...92 C 3
La Charité-sur-Loire (58)...106 B 1
Charix (01)...123 H 4
Charlas (31)...205 G 1
Charleval (13)...195 G 1
Charleval (27)...29 H 1
Charleville (51)...53 F 1
Charleville-Mézières (08)...18 D 2
Charleville-sous-Bois (57)...21 F 5
Charlieu (42)...121 F 5
Charly (18)...105 H 3
Charly (69)...135 H 4
Charly-Oradour (57)...21 E 5
Charly-sur-Marne (02)...32 C 5
Charmant (16)...128 B 5
Charmauvillers (25)...96 D 4
Charmé (16)...128 B 1
La Charme (39)...110 B 3
Le Charme (45)...72 B 5
La Charmée (71)...109 E 5
Charmeil (03)...120 A 5
Le Charmel (02)...33 E 3
Charmensac (15)...147 E 3
Charmentray (77)...31 H 5
Charmes (02)...16 D 4
Charmes (03)...119 H 5
Charmes (21)...93 H 4
Charmes (52)...75 H 4
Charmes (88)...57 E 5
Charmes-en-l'Angle (52)...55 F 5
Charmes-la-Côte (54)...56 C 2
Charmes-la-Grande (52)...55 F 5
Charmes-St-Valbert (70)...76 B 5
Charmes-sur-l'Herbasse (26)...150 C 3
Charmes-sur-Rhône (07)...163 H 1
Charmoille (25)...95 H 4
Charmoille (70)...95 E 1
Charmois (54)...57 F 3
Charmois (90)...96 C 4
Charmois-devant-Bruyères (88)...77 G 1
Charmois-l'Orgueilleux (88)...77 E 2
Charmont (51)...35 E 5
Charmont (95)...30 C 3
Charmont-en-Beauce (45)...70 D 1
Charmont-sous-Barbuise (10)...54 A 5
Les Charmontois (51)...35 F 5
Charmoy (10)...53 E 5
Charmoy (71)...108 B 4
Charmoy (89)...73 E 4

Localité *(Département)*   Page Coordonnées

A
B
C
D
E
F
G
H
I
J
K
L
M
N
O
P
Q
R
S
T
U
V
W
X
Y
Z

Charnas (07) .... 149 G 2
Charnat (63) ....133 H 2
Charnay (25) ....110 D 1
Charnay (69) ....135 G 2
Charnay-lès-Chalon (71) . 109 G 3
Charnay-lès-Mâcon (71).. 122 B 3
Charnècles (38) ....151 F 2
Charnizay (37) ....103 F 3
Charnod (39) ....123 F 3
Charnois (08) .... 11 E 3
Le Charnoy (77)..............52 B 1
Charnoz-sur-Ain (01) .....136 D 2
Charny (21) ....92 C 4
Charny (77) ....31 H 5
Charny-le-Bachot (10) ....53 H 3
Charny-Orée-de-Puisaye (89)..72 B 4
Charny-sur-Meuse (55).....35 H 2
Charolles ⬙ (71) ....121 G 2
Charols (26) ....164 C 3
Charonville (28) ....69 H 1
Chârost (18) ....105 E 2
Charpentry (55) ....35 F 2
Charpey (26) ....150 C 5
Charpont (28) ....50 A 2
Charquemont (25) ....96 C 5
Charrais (86) ....102 A 5
Charraix (43) ....147 H 5
Charras (16) ....128 D 5
Charray (28) ....69 H 4
Charre (64) ....185 G 4
Charrecey (71) ....108 D 3
Charrey-sur-Saône (21) .. 109 G 1
Charrey-sur-Seine (21) ....74 C 4
Charrin (58) ....107 F 4
Charritte-de-Bas (64) ....185 G 5
Charron (17) ....113 E 3
Charron (23) ....132 B 1
Charroux (03) ....119 H 4
Charroux (86) ....115 G 5
Chars (95) ....30 D 3
Charsonville (45) ....70 A 4
Chartainvilliers (28) ....50 A 4
Chartèves (02) ....33 E 4
La Chartre-sur-le-Loir (72) ..86 C 1
Chartrené (49) ....85 G 3
Chartres ⴖ (28) ....50 A 4
Chartres-de-Bretagne (35)..65 F 2
Chartrettes (77) ....51 H 4
Chartrier-Ferrière (19).. 144 B 4
Chartronges (77) ....52 C 2
Chartuzac (17) ....141 G 2
Charvieu-Chavagneux (38) .. 136 C 3
Charvonnex (74) ....138 B 1
Charzais (85)..............113 E 2
Chas (63) ....133 G 3
Chaserey (10) ....73 H 4
Chasnais (85) ....113 E 2
Chasnans (39) ....111 F 1
Chasnay (58) ....90 C 5
Chasné-sur-Illet (35) ......65 G 1
Chaspinhac (43) ....148 B 4
Chaspuzac (43) ....148 A 4
La Chassagne (39) ....110 A 3
Chassagne (63) ....147 E 1
Chassagne-Montrachet (21). 109 E 3
Chassagne-St-Denis (25). 111 E 1
Chassagnes (07) ....162 D 5
Chassagnes (43) ....147 H 3
Chassagny (69) ....135 H 4
Chassaignes (24) ....142 C 3
Chassal (39) ....123 H 2
Chassant (28) ....69 F 1
Chasse-sur-Rhône (38)...135 H 5
Chasseguey (50) ....46 B 2
Chasselas (71) ....122 B 3
Chasselay (38) ....151 E 2
Chasselay (69) ....135 H 2
Chassemy (02) ....33 E 1
Chassenard (03) ....121 E 2
Chasseneuil (36) ....104 A 5
Chasseneuil-du-Poitou (86)..102 B 5
Chasseneuil-
  sur-Bonnieure (16) .....128 D 3
Chassenon (16) ....129 F 2
Chasseradès (48) ....162 B 4
Chassey (21) ....92 C 3
Chassey-Beaupré (55).....55 H 4
Chassey-le-Camp (71) ... 108 D 3
Chassey-
  lès-Montbozon (70) .....95 F 2
Chassey-lès-Scey (70)....94 D 1
Chassiecq (16) ....128 D 1
Chassiers (07)..............163 E 4
Chassieu (69) ....136 B 3
Chassignelles (89) ....74 A 5
Chassignieu (38) ....137 F 5
Chassignolles (36) ....117 H 1
Chassignolles (43) ....147 G 1
Chassigny (52) ....93 H 1
Chassigny-sous-Dun (71)..121 G 4
Chassillé (72) ....67 G 3
Chassors (17) ....127 H 3
Chassy (18) ....106 A 2
Chassy (71) ....121 F 1
Chassy (89) ....72 D 5
Le Chastang (19) ....144 D 3

Chastanier (48) ....162 A 2
Chasteaux (19) ....144 B 4
Chastel (43) ....147 F 4
Chastel-Arnaud (26) .....165 E 3
Chastel-Nouvel (48) .....161 G 4
Chastel-sur-Murat (15) .. 146 C 4
Chastellux-sur-Cure (89)..91 G 4
Chastenay (89) ....90 D 1
Chastreix (63) ....132 C 5
Chatain (86) ....115 G 5
Châtaincourt (28) ....49 G 2
Châtas (88) ....58 B 4
Château (71) ....122 A 2
Château-Arnoux-
  St-Auban (04) ....181 E 2
Château-Bernard (38).....151 F 5
Château-Bréhain (57) .....37 G 5
Château-Chalon (39).....110 B 4
Château-Chervix (87) ....130 B 5
Château-Chinon (58)....107 H 2
Château-Gérard (89) ......91 H 2
Château-Guibert (85).....99 H 5
Château-la-Vallière (37)....86 B 2
Château-Lambert (70) .....77 H 4
Château-Landon (77) .....71 H 2
Château-Larcher (86) ....115 F 2
Château-l'Évêque (24) .. 143 F 3
Château-l'Hermitage (72)..68 A 5
Château-Porcien (08) ......18 A 5
Château-Queyras (05) ...167 G 1
Château-Regnault (08) ...11 E 5
Château-Renard (45) ......72 A 4
Château-Renault (37) ......87 E 2
Château-Salins ⬙ (57) ...37 G 5
Château-sur-Allier (03)... 106 B 4
Château-sur-Cher (18)....118 D 5
Château-sur-Epte (27) .....30 B 3
Château-Thébaud (44).....99 G 1
Château-Thierry ⬙ (02) ..32 D 4
Château-Verdun (09) ....207 E 5
Château-Ville-Vieille (05) ..167 G 1
Château-Voué (57) ....37 G 5
Châteaubernard (16)......127 G 4
Châteaubleau (77) ....52 B 3
Châteaubourg (07) ....149 H 5
Châteaubourg (35) ....65 G 2
Châteaubriant ⬙ (44)....65 G 5
Châteaudouble (26) ......164 D 1
Châteaudouble (83) ......197 G 2
Châteaudun ⬙ (28) ......69 H 3
Châteaufort (04) ....181 E 1
Châteaufort (78) ....50 D 2
Châteaugay (63) ....133 E 2
Châteaugiron (35) ....65 G 2
Châteaumeillant (18) ....118 B 1
Châteauneuf (21) ....92 D 5
Châteauneuf (42) ....135 G 5
Châteauneuf (71) ....121 G 4
Châteauneuf (73) ....138 B 5
Châteauneuf (85) ....98 D 2
Châteauneuf-
  de-Bordette (26) ....179 H 1
Châteauneuf-
  de-Chabre (05) ....180 D 1
Châteauneuf-
  de-Gadagne (84) ....179 F 4
Châteauneuf-
  de-Galaure (26) ....150 B 3
Châteauneuf-
  de-Randon (48) ....162 A 3
Châteauneuf-
  de-Vernoux (07) ....149 G 5
Châteauneuf-
  d'Entraunes (06)........182 C 2
Châteauneuf-
  d'Ille-et-Vilaine (35) .....45 E 3
Châteauneuf-d'Oze (05) .166 A 4
Châteauneuf-du-Faou (29)..62 A 2
Châteauneuf-du-Pape (84)..179 F 3
Châteauneuf-
  du-Rhône (26) ....163 G 4
Châteauneuf-
  en-Thymerais (28) ......49 G 3
Châteauneuf-Grasse (06)..199 E 1
Châteauneuf-la-Forêt (87)..130 C 4
Châteauneuf-
  le-Rouge (13)...........196 A 3
Châteauneuf-
  les-Martigues (13) ......195 G 4
Châteauneuf-Miravail (04)..180 C 2
Châteauneuf-
  sur-Charente (16)........128 A 4
Châteauneuf-sur-Cher (18)..105 F 4
Châteauneuf-sur-Isère (26)..150 B 5
Châteauneuf-sur-Loire (45)..71 E 5
Châteauneuf-sur-Sarthe (49)..85 E 1
Châteauneuf-
  Val-de-Bargis (58) ......90 C 5
Châteauneuf-
  Val-St-Donat (04) ......181 E 2

Châteauneuf-Villevieille (06). 183 F 5
Châteauponsac (87) ....116 D 5
Châteauredon (04) ....181 G 3
Châteaurenard (13) ....179 F 5
Châteaurenaud (71) ......109 H 5
Châteauroux ⴖ (36) .... 104 B 4
Châteauroux-les-Alpes (05)..167 E 3
Châteauvert (83) ....196 D 3
Châteauvieux (05) ....166 B 4
Châteauvieux (41) ....87 H 5
Châteauvieux (83) ....182 A 5
Châteauvieux-les-Fossés (25).111 E 1
Châteauvilain (38) ....137 E 5
Châteauvillain (52) ....75 E 3
Le Châtel (73)..............152 C 2
Châtel (74) ....125 G 3
Châtel-Censoir (89) ....91 F 2
Châtel-Chéhéry (08) ....35 E 2
Châtel-de-Joux (39) ......123 H 1
Châtel-de-Neuvre (03) ...120 A 2
Châtel-Gérard (89) ....91 H 2
Châtel-Guyon (63) ....133 E 2
Châtel-Montagne (03) ...120 C 5
Châtel-Moron (71) ....108 D 4
Châtel-St-Germain (57) ...20 D 5
Châtel-sur-Moselle (88) ...57 F 5
Châtelaillon-Plage (17)....113 E 5
Châtelain (53)...............66 D 5
La Châtelaine (39) ....110 C 3
Châtelais (49) ....66 B 5
Le Châtelard (23) ....132 B 1
Châtelard (38) ....151 E 4
Le Châtelard (73) ....138 B 3
Châtelaudren (22) ....43 F 4
Châteldon (63).............133 H 1
Châtelblanc (25) ....111 E 5
Le Châtelet (18) ....105 F 5
Le Châtelet-en-Brie (77) ...52 A 4
Le Châtelet-sur-Retourne (08)..34 A 1
Le Châtelet-sur-Sormonne (08) 10 D 5
Les Châtelets (28) ....49 F 3
Le Chateley (39) ....110 B 3
Le Châtelier (51) ....35 E 4
Châtellenot (21) ....92 C 5
Châtellerault ⴖ (86) .... 102 C 4
Le Châtellier (35)...........45 H 4
Le Châtellier (61) ....47 E 2
Les Châtelliers-
  Châteaumur (85) .... 100 B 3
Les Châtelliers-
  Notre-Dame (28) ....49 G 5
Châtelneuf (39) ....110 A 1
Châtelneuf (42) ....134 C 4
Chateloy (03) ....119 E 2
Châtelperron (03) ....120 C 3
Châtelraould-St-Louvent (51)..54 C 2
Châtelus (03) ....120 C 4
Châtelus (38) ....151 E 4
Châtelus (42) ....135 F 5
Châtelus-le-Marcheix (23) . 130 C 1
Châtelus-Malvaleix (23)...118 A 3
Châtenay (01) ....123 E 5
Châtenay (28) ....50 C 5
Châtenay (38) ....150 D 2
Châtenay (71) ....121 H 3
Châtenay-en-France (95) . 31 G 4
Châtenay-Mâcheron (52) ...74 H 4
Châtenay-Malabry (92) ...51 E 2
Châtenay-sur-Seine (77) ..52 B 5
Châtenay-Vaudin (52) .....74 A 4
Chatenet (17) ....141 G 2
Le Châtenet-en-Dognon (87) 130 C 2
Châteney (70) ....95 F 1
Châtenois (39) ....110 A 1
Châtenois (67).............58 D 5
Châtenois (70) ....95 F 1
Châtenois (88) ....56 C 5
Châtenois-les-Forges (90)..96 C 2
Châtenoy (45) ....71 F 4
Châtenoy (77) ....71 H 1
Châtenoy-en-Bresse (71)..109 F 4
Châtenoy-le-Royal (71) .. 109 E 4
Châtignac (16) ....142 A 2
Chatignonville (91) ....50 C 4
Châtillon (03) ....119 H 2
Châtillon (39) ....110 C 5
Châtillon (69) ....135 G 2
Châtillon (86) ....115 F 3
Châtillon (92) ....51 F 1
Châtillon-Coligny (45) .....72 A 5
Châtillon-en-Bazois (58) .. 107 F 2
Châtillon-en-Diois (26) ...165 F 2
Châtillon-en-Dunois (28) ...69 G 2
Châtillon-en-Michaille (01). 123 H 4
Châtillon-en-Vendelais (35)..66 A 1
Châtillon-Guyotte (25) ....95 E 4
Châtillon-la-Borde (77).....52 A 4
Châtillon-la-Palud (01) ...136 D 1
Châtillon-le-Duc (25) .....94 D 4
Châtillon-le-Roi (45) ....70 D 2
Châtillon-lès-Sons (02)......17 F 3
Châtillon-sous-les-Côtes (55)..20 A 5
Châtillon-St-Jean (26) ....150 D 4
Châtillon-sur-Bar (08) .....19 E 5
Châtillon-sur-Broué (51) ...54 D 3
Châtillon-
  sur-Chalaronne (01) ...122 C 5
Châtillon-sur-Cher (41).....88 A 5
Châtillon-sur-Cluses (74) .. 125 E 5
Châtillon-sur-Colmont (53)..46 C 5
Châtillon-sur-Indre (36) .. 103 G 2

Châtillon-sur-Lison (25).......110 D 1
Châtillon-sur-Loire (45) ....89 H 2
Châtillon-sur-Marne (51) ...33 F 4
Châtillon-sur-Morin (51) ...53 E 2
Châtillon-sur-Oise (02) .....17 E 2
Châtillon-sur-Saône (88) ...76 C 3
Châtillon-sur-Seine (21) ....74 C 4
Châtillon-sur-Thouet (79)..101 F 5
Châtin (58) ....107 G 1
Chatoillenot (52)............93 G 1
Chatonnay (38) ....136 D 5
Chatonnay (39) ....123 G 2
Chatonrupt-
  Sommermont (52) ....55 F 4
Chatou (78) ....51 E 1
La Châtre ⬙ (36) ....118 A 1
La Châtre-Langlin (36) ....117 E 2
Châtres (10) ....53 G 4
Châtres (24) ....144 A 3
Châtres (77) ....52 A 2
Châtres-la-Forêt (53).......67 E 2
Châtres-sur-Cher (41) ......88 C 5
Châtrices (51) ....35 E 4
Chattancourt (55)...........35 G 2
Chatte (38) ....151 E 3
Chattemoue (53) ....47 F 5
Chatuzange-le-Goubet (26) . 150 C 5
Chau-l'Abbaye (59) ....5 E 5
Chaucenne (25).............94 D 4
Chauchailles (48) ....161 E 2
Chauché (85) ....99 H 3
Le Chauchet (23)...........118 C 5
Chauchigny (10) ....53 H 5
Chaudardes (02) ....33 F 1
Chaudebonne (26) ....152 A 2
Chaudefonds-sur-Layon (49)..84 C 4
Chaudefontaine (25) ....95 E 4
Chaudefontaine (51) ....35 E 3
Chaudenay (71) ....76 A 5
Chaudenay (71) ....109 E 3
Chaudenay-la-Ville (21) .. 108 D 1
Chaudenay-le-Château (21)..92 D 5
Chaudeney-sur-Moselle (54)..56 C 2
Chaudes-Aigues (15) .....160 D 1
Chaudeyrac (48) ....162 A 3
Chaudeyrolles (43) ....148 D 5
La Chaudière (26) ....165 E 3
Chaudon (28) ....50 A 3
Chaudon-Norante (04)....181 G 3
Chaudrey (10) ....54 A 4
Le Chaudron (02) ....10 A 5
Chaudun (02) ....32 C 2
Chaudron-en-Mauges (49)..84 B 4
Chauffailles (71) ....121 G 4
Chauffayer (05) ....166 B 2
Chauffecourt (88)...........57 E 5
Chauffour-lès-Bailly (10)....74 B 2
Chauffour-lès-Étréchy (91)..51 E 4
Chauffour-sur-Vell (19) ...144 D 5
Chauffours (28) ....49 H 5
Chauffour (52) ....75 H 3
Chauffry (77) ....52 C 1
Chaufour-lès-Bonnières (78)..30 A 4
Chaufour-Notre-Dame (72)..67 H 3
Chaugey *(Près de*
  Recey-sur-Ource) (21) ...75 F 5
Chaugey *(Près de*
  Saint Jean-de-Losne) (21)... 109 H 1
Chaulgnes (58) ....106 C 1
Chaulhac (48) ....161 F 1
Chaulieu (50) ....46 C 2
La Chaulme (63) ....148 B 1
Chaulnes (80) ....16 A 2
Chaum (31) ....205 G 3
Chaumard (58) ....107 G 1
La Chaume (21) ....74 C 4
La Chaume (85) ....112 A 1
Chaume-et-Courchamp (21)..93 H 2
Chaume-lès-Baigneux (21)..92 C 2
Chaumeil (19) ....145 E 1
Chaumercenne (70).........94 B 4
Chaumeré (35) ....65 G 3
Chaumergy (39) ....110 A 3
Chaumes-en-Brie (77) .....52 A 2
Chaumesnil (10) ....54 C 5
Chaumont (18) ....105 H 4
Chaumont ⴖ (52) ....75 G 2
Chaumont (61) ....48 B 1
Chaumont (74) ....124 A 5
Chaumont (89) ....72 B 1
Chaumont-d'Anjou (49)....85 F 2
Chaumont-
  devant-Damvillers (55) ....35 H 1
Chaumont-en-Vexin (60)....30 C 2
Chaumont-la-Ville (52).....76 B 2
Chaumont-le-Bois (21).....74 C 4
Chaumont-le-Bourg (63) . 148 A 1
Chaumont-Porcien (08) ...18 A 4
Chaumont-sur-Aire (55)....35 G 5
Chaumont-sur-Loire (41)....87 G 3
Chaumont-sur-Tharonne (41)..88 C 2
Chaumontel (95) ....31 F 3
Chaumot (58) ....91 H 5
Chaumot (89) ....72 C 3
Chaumousey (88) ....77 F 1
Chaumoux-Marcilly (18) .. 106 A 1
Chaumussay (37) ....103 E 3
La Chaumusse (39)........110 D 5

Chaumuzy (51) ....33 G 3
Chaunac (17) ....141 G 1
Chaunay (86) ....115 E 4
Chauny (02) ....16 D 4
Chauray (79) ....114 B 3
Chauriat (63)...............133 G 3
La Chaussade (23) ....131 G 1
La Chaussaire (49) ....84 A 5
Chaussan (69) ....135 G 4
La Chaussée (76) ....13 G 2
La Chaussée (86) ....101 H 3
La Chaussée-d'Ivry (28) ....50 A 1
La Chaussée-Neuve (44) ...82 B 3
La Chaussée-St-Victor (41)..87 H 2
La Chaussée-sur-Marne (51)..54 C 1
Chaussenac (15) ....145 H 3
Chaussenans (39) ....110 C 3
Chausseterre (42) ....134 B 2
Chaussin (39) ....110 A 2
Chaussoy-Epagny (80) ....15 F 3
Chaussy (45) ....70 D 2
Chaussy (95) ....30 B 3
Le Chautay (18) ....106 B 2
Chauvac-Laux-Montaux (26). 180 B 1
Chauvé (44)...................82 D 5
Chauvency-le-Château (55)..19 H 5
Chauvency-St-Hubert (55)...19 H 4
Chauvigné (35) ....45 G 5
Chauvigny ⴖ (86) ....115 H 1
Chauvigny-du-Perche (41)..69 E 4
Chauvincourt (27) ....30 B 2
Chauvirey-le-Châtel (70)....76 B 5
Chauvirey-le-Vieil (70) .....76 B 5
Chauvoncourt (55)...........36 A 5
Chauvry (95) ....31 E 4
Chaux (21) ....109 F 1
La Chaux (25) ....111 G 1
La Chaux (61) ....47 G 3
La Chaux (71) ....109 H 3
Chaux (90) ....78 A 5
Chaux-Champagny (39)...110 D 3
Chaux-des-Crotenay (39)..110 D 5
Chaux-des-Prés (39) ......124 A 1
La Chaux-du-Dombief (39)..110 D 5
Chaux-en-Bresse (39) ....110 A 3
Chaux-la-Lotière (70) ......94 D 3
Chaux-lès-Clerval (25) .....95 G 3
Chaux-lès-Passavant (25)...95 F 5
Chaux-lès-Port (70) ....76 D 5
Chaux-Neuve (25) ....111 E 5
Chauzon (07) ....163 E 4
Chavagnac (15) ....146 C 4
Chavagnac (24) ....144 B 4
Chavagne (35) ....65 E 2
Chavagné (79) ....114 B 3
Chavagnes (49) ....85 E 5
Chavagnes-en-Paillers (85) ..99 H 3
Chavagnes-les-Redoux (85)..100 B 4
Chavaignes (49) ....85 H 2
Chavanac (19) ....131 F 4
Chavanat (23) ....131 F 2
Chavanatte (90) ....97 E 1
Chavanay (42) ....149 G 1
Chavanges (10) ....54 C 4
Chavaniac-Lafayette (43) . 147 H 4
Chavannaz (74) ....124 B 5
Chavanne (70) ....95 H 2
La Chavanne (73) ....138 A 5
Chavannes (18) ....105 E 3
Chavannes (26) ....149 H 4
Les Chavannes-
  en-Maurienne (73) .....152 C 1
Chavannes-les-Grands (90)..97 E 1
Chavannes-sur-l'Étang (68)..96 D 1
Chavannes-sur-Reyssouze (01)122 C 2
Chavannes-sur-Suran (01)... 123 F 3
Chavanod (74) ....138 A 2
Chavanoz (38) ....136 D 3
Chavaroux (63) ....133 G 2
Chavelot (88) ....77 F 1
Chavenat (16) ....142 B 1
Chavenay (78) ....50 D 1
Chavençon (60).............30 D 3
Chavenon (03) ....119 G 2
Chaveria (39) ....123 G 1
Chaveroche (19) ....131 G 5
Chaveyriat (01) ....122 D 4
Chavignol (18) ....90 A 4
Chavigny (02) ....32 D 1
Chavigny (54) ....56 D 2
Chavigny-Bailleul (27) ......49 G 1
Chavin (36) ....117 F 1
Chavoire (74) ....138 B 1
Chavonne (02) ....33 E 1
Chavornay (01) ....137 G 2
Chavot-Courcourt (51).....33 G 4
Chavoy (50) ....45 H 1
Chavroches (03) ....120 C 3
Le Chay (17) ....126 D 4
Chay (21) ....110 C 1
Chazay-d'Azergues (69)...135 H 2
Chazé-Henry (49) ....66 A 5
Chazé-sur-Argos (49) ......84 B 1
Chazeaux (07) ....163 E 3
Chazelet (36) ....117 E 2
Chazelles (15) ....147 F 4

Chazelles (16) ....128 D 4
Chazelles (39) ....123 E 2
Chazelles (43) ....147 G 5
Chazelles-sur-Albe (54) ....57 H 2
Chazelles-sur-Lavieu (42) . 134 C 5
Chazelles-sur-Lyon (42) .. 135 F 4
Chazemais (03) ....118 D 2
Chazeuil (21) ....93 H 2
Chazeuil (58) ....90 D 5
Chazey-Bons (01) ....137 G 3
Chazey-sur-Ain (01).......136 D 2
Chazilly (21) ....92 D 5
Chazot (25) ....95 G 4
Chécy (45) ....70 D 4
Chédigny (37) ....87 F 5
Chef-Boutonne (79) ......114 D 5
Chef-du-Pont (50) ....23 E 5
Chef-Haut (88) ....56 D 5
Cheffes (49)..................85 E 1
Cheffois (85) ....100 C 5
Cheffreville-Tonnencourt (14)..28 B 4
Le Chefresne (50) ....25 F 5
Chéhéry (08) ....19 E 4
Cheignieu-la-Balme (01)...137 F 2
Cheillé (37) ....86 B 5
Cheilly-lès-Maranges (71)...108 D 3
Chein-Dessus (31) ....205 H 2
Cheissoux (87) ....130 D 3
Le Cheix (63) ....133 E 5
Le Cheix-sur-Morge (63)...133 F 1
Cheix-en-Retz (44) ....83 E 5
Chélan (32) ....187 H 5
Chelers (62) ....7 H 2
Chélieu (38) ....137 F 5
Chelle-Debat (65) ....187 F 5
Chelle-Spou (65) ....204 D 1
Chelles (60) ....32 B 1
Chelles (77) ....51 G 1
Chelun (35) ....65 H 4
Chemaudin (25) ....94 C 5
Chemault (45) ....71 F 3
Chemazé (53)................66 C 5
Chemellier (49) ....85 F 4
Chemenot (39) ....110 A 3
Chéméré (44) ....82 D 5
Chéméré-le-Roi (53).......67 E 3
Chémery (41) ....88 A 4
Chémery (57) ....21 F 4
Chémery-Chéhéry (08) ....19 E 4
Chémery-les-Deux (57) ...21 F 4
Chemilla (39) ....123 G 3
Chemillé-en-Anjou (49)....84 C 5
Chemillé-sur-Dême (37) ...86 D 1
Chemillé-sur-Indrois (37) . 103 G 1
Chemilli (61) ....48 C 5
Chemilly (03) ....120 A 2
Chemilly (70) ....94 D 1
Chemilly-sur-Serein (89) ...73 G 5
Chemilly-sur-Yonne (89) ...73 E 4
Chemin (39) ....109 H 2
Le Chemin (51) ....35 E 3
Chemin-d'Aisey (21) ....92 C 1
Cheminas (07) ....149 G 4
Cheminon (51) ....55 E 2
Cheminot (57) ....36 D 4
Chemiré-en-Charnie (72) ...67 G 3
Chemiré-le-Gaudin (72)....67 H 4
Chemiré-sur-Sarthe (49) ...67 E 5
Chemy (59) ....4 C 1
Chenac-
  St-Seurin-d'Uzet (17) .. 126 D 5
Chenailler-Mascheix (19)... 145 E 4
La Chenalotte (25) ....111 H 1
Chénas (69) ....122 B 4
Chenaud (24) ....142 B 3
Chenay (51) ....33 G 2
Chenay (72) ....48 A 4
Chenay (79) ....114 D 3
Chenay-le-Châtel (71) ....121 E 4
Le Chêne (10) ....54 A 3
Chêne-Arnoult (89) ....72 B 4
Chêne-Bernard (39) ......110 A 3
Chêne-Chenu (28) ....49 H 3
Chêne-en-Semine (74) ... 124 A 5
Chêne-Sec (39) ....110 A 3
Chenebier (70)...............95 H 1
Chenecey-Buillon (25) ....110 D 1
Cheneché (86) ....102 A 4
Chênedollé (14)..............25 H 5
Chênedouit (61) ....47 F 1
Chênehutte-les-Tuffeaux (49)..85 E 3
Chênelette (49) ....121 H 4
Chénérailles (23) ....118 B 5
Chenereilles (42) ....148 C 1
Chenereilles (43) ....148 D 4
Chênex (74) ....124 B 5
Cheney (89) ....73 H 4
Chenicourt (54) ....37 E 5
Chéniers (23) ....117 H 3
Cheniers (51) ....34 A 5
Chenillé-Champteussé (49)..84 D 1
Chenillé-Changé (49) ......84 D 1
Cheniménil (88) ....77 G 1
Chennebrun (27) ....49 E 2
Chennegy (10) ....73 G 1
Chennevières (54) ....57 G 3
Chennevières-
  lès-Louvres (95) ....31 G 4

Chennevières-sur-Marne (94) ... 51 G1
Chenois (57) ... 37 F4
Chenoise (77) ... 52 C3
Chenommet (16) ... 128 C1
Chenon (16) ... 128 C1
Chenonceaux (37) ... 87 F4
Chenou (71) ... 71 H2
Chenôve (21) ... 93 F4
Chenôves (71) ... 108 D5
Chens-sur-Léman (74) ... 124 C3
Chenu (72) ... 86 B2
Cheny (89) ... 73 H4
Chepniers (17) ... 141 G2
Chepoix (60) ... 15 G4
La Cheppe (51) ... 34 C4
Cheppes-la-Prairie (51) ... 54 B1
Cheppy (55) ... 35 F2
Cheptainville (91) ... 51 E4
Chepy (51) ... 34 B5
Chépy (80) ... 6 C5
Chérac (17) ... 127 G3
Chérancé (53) ... 66 B5
Chérancé (72) ... 68 A1
Chéraute (64) ... 185 G5
Chéray (17) ... 126 A1
Cherbonnières (17) ... 127 G1
Cherbourg-en-Cotentin ⟨SP⟩ (50) ... 22 C2
Chérence (95) ... 30 B4
Chérencé-le-Héron (50) ... 46 A1
Chérencé-le-Roussel (50) ... 46 B2
Chéreng (59) ... 4 D4
Les Chères (69) ... 135 H2
Chérêt (02) ... 17 F5
Chériennes (62) ... 7 E3
Cherier (42) ... 134 C1
Chérigné (79) ... 114 C5
Les Chéris (50) ... 46 A2
Chérisay (72) ... 48 A5
Chérisey (57) ... 37 E4
Chérisy (28) ... 49 H2
Chérisy (62) ... 8 B4
Chérizet (71) ... 122 A1
Chermignac (17) ... 127 E4
Chermisey (88) ... 56 A4
Chermizy-Ailles (02) ... 17 F5
Chéronnac (87) ... 129 F3
Chéronvilliers (27) ... 48 D1
Chéroy (89) ... 72 B2
Cherré (49) ... 84 D1
Cherré (72) ... 68 D2
Cherreau (72) ... 68 D2
Cherrueix (35) ... 45 F2
Cherval (24) ... 142 D1
Cherveix-Cubas (24) ... 143 H2
Cherves (86) ... 101 H5
Cherves-Châtelars (16) ... 129 E3
Cherves-Richemont (16) ... 127 G3
Chervettes (17) ... 113 H5
Cherveux (79) ... 114 B2
Chervey (10) ... 74 C2
Cherville (51) ... 50 B4
Cherville (51) ... 34 A4
Chéry (18) ... 104 D1
Chéry-Chartreuve (02) ... 33 E2
Chéry-lès-Pouilly (02) ... 17 F4
Chéry-lès-Rozoy (02) ... 18 A3
Chesley (10) ... 74 A3
Le Chesnay (78) ... 51 E1
Le Chesne (08) ... 19 E5
Le Chesne (27) ... 29 F5
Chesnois-Auboncourt (08) ... 18 C4
Chesny (57) ... 37 E3
Chessenaz (74) ... 124 A5
Chessy (69) ... 135 G2
Chessy (77) ... 51 H1
Chessy-les-Prés (10) ... 73 G3
Chéu (89) ... 73 F4
Cheuge (21) ... 93 H3
Cheust (65) ... 204 B2
Cheux (14) ... 27 E3
Chevagnes (03) ... 120 B1
Chevagny-les-Chevrières (71) ... 122 B3
Chevagny-sur-Guye (71) ... 121 H1
Chevaigné (35) ... 65 F1
Chevaigné-du-Maine (53) ... 47 F4
Le Chevain (72) ... 48 A4
Cheval-Blanc (84) ... 179 G5
Chevaline (74) ... 138 B3
La Chevallerais (44) ... 83 F3
Chevanceaux (17) ... 141 H2
Chevannay (21) ... 92 D4
Chevannes (21) ... 109 E1
Chevannes (45) ... 72 A2
Chevannes (89) ... 91 E1
Chevannes (91) ... 51 G4
Chevannes-Changy (58) ... 91 E5
Chevennes (02) ... 17 F2
Chevenon (58) ... 106 C3
Chevenoz (74) ... 125 E2
Cheverny (41) ... 88 A3
Cheveuges (08) ... 19 E3
Chevières (08) ... 35 E1
Chevigney (70) ... 94 B4
Chevigney-lès-Vercel (25) ... 95 F5
Chevigny (21) ... 93 F5
Chevigny (39) ... 94 A5
Chevigny-en-Valière (21) ... 109 F2
Chevigny-St-Sauveur (21) ... 93 G4

Chevillard (01) ... 123 G5
Chevillé (72) ... 67 G4
Chevillon (52) ... 55 F3
Chevillon (89) ... 72 C4
Chevillon-sur-Huillard (45) ... 71 H4
La Chevillotte (25) ... 95 E5
Chevilly (45) ... 70 C3
Chevilly-Larue (94) ... 51 F2
Chiuni (Plage de) (2A) ... 216 B3
Chevinay (69) ... 135 G2
Chevincourt (60) ... 16 A5
Cheviré-le-Rouge (49) ... 85 G2
Chevrainvilliers (77) ... 71 H1
Chevreaux (39) ... 123 F1
Chevregny (02) ... 17 F5
Chèvremont (90) ... 96 D1
La Chèvrerie (16) ... 128 B1
Chevresis-Monceau (02) ... 17 F3
Chevreuse (78) ... 50 D2
Chèvreville (50) ... 46 B3
Chèvreville (60) ... 32 A4
Chevrier (74) ... 124 A5
Chevrières (38) ... 150 B1
Chevrières (42) ... 135 F5
Chevrières (60) ... 31 H1
Chevroches (58) ... 91 E3
La Chevrolière (44) ... 99 F1
Chevrotaine (39) ... 110 C5
Chevroux (01) ... 122 C2
Chevroz (25) ... 94 D4
Chevru (77) ... 52 C2
Chevry (01) ... 124 B3
Chevry (50) ... 25 F4
Chevry-Cossigny (77) ... 51 H2
Chevry-en-Sereine (77) ... 72 A1
Chevry-sous-le-Bignon (45) ... 72 A2
Chey (79) ... 114 D3
Cheylade (15) ... 146 B5
Le Cheylard (07) ... 163 E1
Cheylard-l'Évêque (48) ... 162 A3
Le Cheylas (38) ... 152 A1
Cheyssieu (38) ... 149 H1
Chezal-Benoît (18) ... 105 E4
La Chèze (22) ... 63 H3
Chèze (65) ... 204 B3
Chézeaux (52) ... 76 B4
Chezelle (03) ... 119 H4
Chezelles (36) ... 104 A3
Chezelles (37) ... 102 B2
Chèzeneuve (38) ... 136 D5
Chézery-Forens (01) ... 124 A4
Chézy (03) ... 120 B1
Chézy-en-Orxois (02) ... 32 C3
Chézy-sur-Marne (02) ... 32 D5
Chiappa (Pointe de la) (2A) ... 219 G3
Chiatra (2B) ... 217 G2
Chiché (79) ... 101 E4
Chicheboville (14) ... 27 G3
Chichée (89) ... 73 G5
Chichery (89) ... 73 E4
Chichey (51) ... 53 F2
Chichilianne (38) ... 165 G1
Chicourt (57) ... 37 F5
Chiddes (58) ... 107 H3
Chiddes (71) ... 121 H2
Chidrac (63) ... 133 F5
Chierry (02) ... 32 D4
Chieulles (57) ... 21 E5
Chignat (63) ... 133 G3
Chigné (49) ... 85 H2
Chignin (73) ... 138 A5
La Chignolle (16) ... 128 C3
Chigny (02) ... 17 G1
Chigny-les-Roses (51) ... 33 H3
Chigy (89) ... 73 E2
Chilhac (43) ... 147 G4
Chille (39) ... 110 B5
Chilleurs-aux-Bois (45) ... 71 E3
Le Chillou (79) ... 101 G2
Chilly (08) ... 10 C5
Chilly (74) ... 137 H1
Chilly (80) ... 16 A2
Chilly-le-Vignoble (39) ... 110 A5
Chilly-Mazarin (91) ... 51 F2
Chilly-sur-Salins (39) ... 110 C3
Chimilin (38) ... 137 F4
Le Chinaillon (74) ... 138 C1
Chindrieux (73) ... 137 H2
Chinon ⟨SP⟩ (37) ... 102 A1
Chipilly (80) ... 15 H1
Chirac (16) ... 129 F2
Chirac (48) ... 161 F4
Chirac-Bellevue (19) ... 145 H1
Chirassimont (42) ... 135 E2
Chirat-l'Église (03) ... 119 G4
Chiré-en-Montreuil (86) ... 101 H5
Chirens (38) ... 151 F1
Chirmont (80) ... 15 G3
Chirols (07) ... 162 D3
Chiroubles (69) ... 122 A4
Chiry-Ourscamp (60) ... 16 B5
Chis (65) ... 187 F5
Chisa (2B) ... 217 F5
Chissay-en-Touraine (41) ... 87 G4
Chisseaux (37) ... 87 F4
Chisséria (39) ... 123 G2
Chissey-en-Morvan (71) ... 108 A1
Chissey-lès-Mâcon (71) ... 122 B1

Chissey-sur-Loue (39) ... 110 C2
Chitenay (41) ... 87 H3
Chitray (36) ... 103 H5
Chitry (89) ... 73 F5
Chitry-les-Mines (58) ... 91 F5
Cissac-Médoc (33) ... 140 D3
Cissé (86) ... 102 A5
Cisternes-la-Forêt (63) ... 132 C3
Cistrières (43) ... 147 H2
Citerne (80) ... 14 C1
Citers (70) ... 77 F5
Citey (70) ... 94 C3
Citou (11) ... 191 E4
Citry (77) ... 32 C5
Civaux (86) ... 115 H2
Civens (42) ... 135 E3
Civières (27) ... 30 A3
Civrac-de-Blaye (33) ... 141 F4
Civrac-en-Médoc (33) ... 140 D2
Civrac-sur-Dordogne (33) ... 156 A1
Civray (18) ... 105 E3
Civray (86) ... 115 F5
Civray-de-Touraine (37) ... 87 F4
Civray-sur-Esves (37) ... 102 D2
Civrieux (01) ... 136 B2
Civrieux-d'Azergues (69) ... 135 H2
Civry (28) ... 70 A3
Civry-en-Montagne (21) ... 92 D4
Civry-la-Forêt (78) ... 50 B1
Cizancourt (80) ... 16 B2
Cizay-la-Madeleine (49) ... 85 G5
Cize (01) ... 123 F4
Cize (39) ... 110 D4
Cizely (58) ... 107 E2
Cizos (65) ... 187 H5
Clacy-et-Thierret (02) ... 17 F5
Cladech (24) ... 157 H2
Claira (66) ... 209 F5
Clairac (47) ... 156 C5
Clairavaux (23) ... 131 G3
Clairefontaine-en-Yvelines (78) ... 50 C3
Clairefougère (61) ... 46 D1
Clairegoutte (70) ... 95 H1
Clairfayts (59) ... 10 A3
Clairfontaine (02) ... 17 H1
Clairmarais (62) ... 3 E4
Clairoix (60) ... 32 A1
Clairvaux (10) ... 74 D2
Clairvaux-d'Aveyron (12) ... 159 H5
Clairvaux-les-Lacs (39) ... 123 H1
Clairy-Saulchoix (80) ... 15 E2
Clais (76) ... 14 A2
Claix (16) ... 128 B5
Claix (38) ... 151 G3
Clam (17) ... 127 G5
Clamanges (51) ... 53 H1
Clamart (92) ... 51 E1
Clamecy (02) ... 32 D1
Clamecy ⟨SP⟩ (58) ... 91 E3
Clamensane (04) ... 166 B5
Clamerey (21) ... 92 C4
Clans (06) ... 183 E3
Clans (70) ... 94 D1
Clansayes (26) ... 163 H5
Le Claon (55) ... 35 E3
Claouey (33) ... 154 B2
Le Clapier (12) ... 176 C5
Clapiers (34) ... 193 F2
Clara (66) ... 212 B3
Clarac (31) ... 205 G2
Clarac (65) ... 204 D1
Claracq (64) ... 186 C3
Clarafond (74) ... 124 A5
Clarbec (14) ... 28 A2
Clarens (65) ... 205 E1
Clarensac (30) ... 178 B5
Claret (04) ... 166 A5
Claret (34) ... 177 H5
Clarques (62) ... 3 E5
Clary (59) ... 9 E5
La Clarté (22) ... 42 D1
Clasville (76) ... 12 D2
Le Clat (11) ... 208 A5
Claudon (88) ... 76 D3
Les Claux (05) ... 167 F3
Clavans-en-Haut-Oisans (38) ... 152 B4
Clavé (79) ... 114 C2
Claveisolles (69) ... 121 H5
Clavette (17) ... 113 F4
Claveyson (26) ... 149 H3
Clavières (15) ... 147 F5
Clavières (15) ... 178 A3
Clavières (36) ... 104 C4
Claviers (83) ... 197 H2
Claville (27) ... 29 F4
Claville-Motteville (76) ... 13 H4
Clavy-Warby (08) ... 24 B1
La Claye (85) ... 112 D1
Claye-Souilly (77) ... 31 H5
Les Clayes-sous-Bois (78) ... 50 D1
La Clayette (71) ... 121 G3
Clayeures (54) ... 57 F4
Clazay (79) ... 100 D4
Clécy (14) ... 27 E5
Cléden-Cap-Sizun (29) ... 60 D2
Cléden-Poher (29) ... 62 B1
Cléder (29) ... 41 H2

Ciry-le-Noble (71) ... 121 G1
Ciry-Salsogne (02) ... 32 D1
Cisai-St-Aubin (61) ... 48 B1
Cisery (89) ... 91 H3
Clefs-Val-d'Anjou (49) ... 85 G2
Les Clefs (74) ... 138 C2
Cléguer (56) ... 62 C5
Cléguérec (56) ... 63 F3
Clelles (38) ... 165 G1
Clémencey (21) ... 93 E5
Clémensat (63) ... 133 F5
Clémery (54) ... 37 F5
Clémont (18) ... 89 F2
Clénay (21) ... 93 G3
Clenleu (62) ... 6 D1
Cléon (76) ... 29 F2
Cléon-d'Andran (26) ... 164 C3
Cleppé (42) ... 134 D3
Clérac (17) ... 141 H3
Cléré-du-Bois (36) ... 103 F3
Cléré-les-Pins (37) ... 86 B3
Cléré-sur-Layon (49) ... 101 E1
Clères (76) ... 13 G4
Clérey (10) ... 74 A1
Clérey-la-Côte (88) ... 56 B4
Clérey-Sud (70) ... 74 A2
Clerey-sur-Brenon (54) ... 56 D3
Clergoux (19) ... 145 F3
Clérieux (26) ... 150 B4
Les Clérimois (89) ... 72 D1
Le Clerjus (88) ... 77 F3
Clerlande (63) ... 133 F2
Clermain (71) ... 122 A3
Clermont (09) ... 206 C2
Clermont (40) ... 185 G1
Clermont ⟨SP⟩ (60) ... 31 F1
Clermont (74) ... 137 H1
Clermont-Créans (72) ... 85 H1
Clermont-de-Beauregard (24) ... 143 E5
Clermont-Dessous (47) ... 172 A1
Clermont-d'Excideuil (24) ... 143 H2
Clermont-en-Argonne (55) ... 35 F3
Clermont-en-Auge (27) ... 27 H3
Clermont-Ferrand Ⓡ (63) ... 133 E4
Clermont-le-Fort (31) ... 189 F4
Clermont-les-Fermes (02) ... 17 H4
Clermont-l'Hérault (34) ... 192 C2
Clermont-Pouyguillès (32) ... 187 H3
Clermont-Savès (32) ... 188 D2
Clermont-Soubiran (47) ... 172 D2
Clermont-sur-Lauquet (11) ... 208 B2
Cléron (25) ... 111 E1
Clerques (62) ... 2 D4
Clerval (25) ... 95 G3
Cléry (21) ... 94 A4
Cléry (73) ... 138 C4
Cléry-en-Vexin (95) ... 30 C3
Cléry-le-Grand (55) ... 35 F1
Cléry-le-Petit (55) ... 35 F1
Cléry-St-André (45) ... 70 B5
Cléry-sur-Somme (80) ... 16 B1
Clesles (51) ... 53 G4
Clessé (71) ... 122 B2
Clessé (79) ... 101 E4
Clessy (71) ... 121 F1
Cléty (62) ... 3 E5
Cleurie (88) ... 77 H2
Cleuville (76) ... 12 D3
Cléville (14) ... 27 H4
Cléville (76) ... 12 D4
Clévilliers (28) ... 49 H4
Cleyrac (33) ... 156 A2
Cleyzieu (01) ... 137 E2
Clézentaine (88) ... 57 E4
Clichy (92) ... 31 F5
Clichy-sous-Bois (93) ... 31 G5
Climbach (67) ... 39 F3
Clinchamp (52) ... 75 H1
Clinchamps-sur-Orne (14) ... 27 F4
Clion (17) ... 127 F5
Clion (36) ... 103 G3
Le Clion-sur-Mer (44) ... 82 C5
Cliousclat (26) ... 163 H2
Cliponville (76) ... 13 E3
Cliron (08) ... 18 D2
Clis (76) ... 82 A3
La Clisse (17) ... 127 E3
Clisson (44) ... 99 H1
Clitourps (50) ... 23 E2
Clohars-Carnoët (29) ... 62 B5
Clohars-Fouesnant (29) ... 61 G3
Le Cloître-Pleyben (29) ... 62 A1
Le Cloître-St-Thégonnec (29) ... 42 A4
Clomot (21) ... 92 C5
Clonas-sur-Varèze (38) ... 149 G1
Clos-Fontaine (77) ... 52 B3
Clos-Ry (58) ... 106 C3
La Clotte (17) ... 141 H4
Cloué (86) ... 115 E2
Les Clouzeaux (85) ... 99 F5
Cloyes-sur-le-Loir (28) ... 69 G3
Cloyes-sur-Marne (51) ... 54 C2
Clucy (39) ... 110 D2
Cluffy (35) ... 65 E1
Clugnat (23) ... 118 A3
Cluis (36) ... 117 G1
Clumanc (04) ... 181 H3
Cluny (71) ... 122 A2
La Clusaz (74) ... 138 C1
La Cluse (05) ... 166 A3
La Cluse-et-Mijoux (25) ... 111 G3
Les Cluses (66) ... 213 E4

Clèdes (40) ... 186 B2
Cleebourg (67) ... 39 G3
Clefmont (52) ... 76 A2
Cluses (74) ... 125 E5
Clussais-la-Pommeraie (79) ... 114 D4
Clux (71) ... 109 G2
Coadout (22) ... 43 E4
Coaraze (06) ... 183 F4
Coarraze (64) ... 204 A1
Coat-Méal (29) ... 41 E3
Coatascorn (22) ... 43 E3
Coatréven (22) ... 42 D2
Cobonne (26) ... 164 D2
Cobrieux (59) ... 4 D4
La Cochère (61) ... 48 A2
Cocherel (27) ... 29 H4
Cocheren (57) ... 37 H2
Coclois (10) ... 54 B4
Cocquerel (80) ... 7 E5
Cocumont (47) ... 156 A5
Codalet (66) ... 212 B3
Codognan (30) ... 193 H1
Codolet (30) ... 179 E2
Coémont (72) ... 86 B1
Coësmes (35) ... 65 G4
Coëtlogon (22) ... 64 A1
Coëtmieux (22) ... 43 H5
Coëtquen (22) ... 44 D4
Cœuvres-et-Valsery (02) ... 32 C2
Coëx (85) ... 99 E4
Coggia (2A) ... 216 C4
Coglès (35) ... 45 H4
Cogna (39) ... 123 H1
Cognac ⟨SP⟩ (16) ... 127 G4
Cognac-la-Forêt (87) ... 129 H3
Cognat-Lyonne (03) ... 120 A5
Cogners (72) ... 68 D4
Cognet (38) ... 165 H1
Cognières (70) ... 95 F2
Cognin (73) ... 137 H4
Cognin-les-Gorges (38) ... 151 E3
Cognocoli-Monticchi (2A) ... 218 D1
Cogny (18) ... 105 H4
Cogny (69) ... 135 G1
Cogolin (83) ... 197 H5
Cohade (43) ... 147 G2
Cohan (02) ... 33 F3
Cohennoz (73) ... 138 D3
Cohiniac (22) ... 43 F5
Cohons (52) ... 75 H5
Coiffy-le-Bas (52) ... 76 B4
Coiffy-le-Haut (52) ... 76 B4
Coigneux (80) ... 7 H5
Coignières (78) ... 50 C2
Coigny (50) ... 23 E5
Coimères (33) ... 155 H4
Coin-lès-Cuvry (57) ... 36 D4
Coin-sur-Seille (57) ... 36 D4
Coinces (45) ... 70 B3
Coincourt (54) ... 57 G2
Coincy (02) ... 32 D3
Coincy (57) ... 37 E3
Coings (36) ... 104 B3
Coingt (02) ... 17 A2
Coirac (33) ... 155 H2
Coise (69) ... 135 G2
Coise-St-Jean-Pied-Gauthier (73) ... 138 B5
Coiserette (39) ... 123 H3
Coisevaux (70) ... 95 H1
Coisia (39) ... 123 G3
Coivert (17) ... 114 A5
Coivrel (60) ... 15 H5
Coizard-Joches (51) ... 53 G1
Colayrac-St-Cirq (47) ... 172 B2
Colembert (62) ... 2 C4
Coligny (01) ... 123 E2
Coligny (51) ... 53 H1
Colincamps (80) ... 7 H5
Collan (89) ... 73 G5
La Collancelle (58) ... 107 F1
Collandres (15) ... 146 B3
Collandres-Quincarnon (27) ... 29 E5
Collanges (63) ... 147 F1
Collat (43) ... 147 H3
La Colle-sur-Loup (06) ... 199 F1
Collégien (77) ... 51 H1
Collemiers (89) ... 72 C2
Colleret (59) ... 10 A2
Le Collet-de-Dèze (48) ... 177 H2
Colletot (27) ... 28 D1
Colleville (76) ... 12 C3
Colleville-Montgomery (14) ... 27 F2
Colleville-sur-Mer (14) ... 23 H5
Collias (30) ... 178 C4
Colligis-Crandelain (02) ... 17 F5
Colligny (57) ... 37 E3
Colline-Beaumont (62) ... 6 C3
Collinée (22) ... 44 A5
Collioure (66) ... 213 G4
Collobrières (83) ... 197 F5
Collonge-en-Charollais (71) ... 108 C5
Collonge-la-Madeleine (71) ... 108 C4
Collonges (01) ... 124 A4
Collonges (69) ... 135 H2
Collonges-la-Rouge (19) ... 144 D4

Localité *(Département)* Page Coordonnées

A B C D E F G H I J K L M N O P Q R S T U V W X Y Z

Collonges-lès-Bévy (21)...... 109 E1
Collonges-lès-Premières (21)...93 H5
Collonges-sous-Salève (74)..124 B4
Collongues (06)..........182 C4
Collongues (65)..........187 F5
Collorec (29)............62 A1
Collorgues (30)..........178 B4
Colmar P (68)............78 D2
Colmars (04)............182 A4
Colmen (57).............21 G3
Colméry (58).............90 C4
Colmesnil-Manneville (76)...13 G2
Colmey (54).............20 A3
Colmier-le-Bas (52).....75 F5
Colmier-le-Haut (52)....75 F5
Colognac (30)..........177 G3
Cologne (32)...........188 C1
Colomars (06)..........183 F5
Colombe (38)...........151 E1
La Colombe (41).........69 H4
La Colombe (50).........25 F5
Colombé-la-Fosse (10)...75 E1
Colombé-le-Sec (10).....75 E1
Colombe-lès-Bithaine (70)...77 F5
Colombe-lès-Vesoul (70)...95 E1
Colombelles (14).......27 F2
Colombes (92)..........31 E5
Colombey-les-Belles (54)...56 C3
Colombey-lès-Choiseul (52)...76 B2
Colombey-les-Deux-Églises (52)...75 E1
Colombier (03).........119 F4
Le Colombier (06)......199 E1
Colombier (21).........108 D1
Colombier (24).........156 D2
Colombier (30).........178 D2
Colombier (42).........149 F2
Colombier (70)..........95 E1
Colombier-en-Brionnais (71)...121 G3
Colombier-Fontaine (25)...95 H3
Colombier-le-Cardinal (07) ..149 G2
Colombier-le-Jeune (07)...149 G5
Colombier-le-Vieux (07)...149 G4
Colombier-Saugnieu (69)...136 C3
Colombières (14)........25 G2
Colombières-sur-Orb (34)...191 H5
Colombiers (17)........127 F4
Colombiers (18)........105 G5
Colombiers (34)........192 A5
Colombiers (61).........47 H4
Colombiers (86)........102 B4
Colombiers-du-Plessis (53)...46 C5
Colombiers-sur-Seulles (14)...27 E2
Colombiès (12).........175 E1
Colombotte (70)........95 F1
Colomby (50)...........22 D4
Colomby-Anguerny (14)...27 F2
Colomby-sur-Thaon (14)...27 F2
Colomiers (31).........189 F2
Colomieu (01)..........137 F3
Colonard-Corubert (61)...48 D5
Colondannes (23).......117 F4
Colonfay (02)...........17 F2
Colonne (39)...........110 B3
Colonzelle (26)........163 H5
Colpo (56)..............63 G5
Colroy-la-Grande (88)...58 B5
Colroy-la-Roche (67)....58 C4
Coltainville (28).......50 A4
Coltines (15)..........146 D4
Coly (24)..............144 A4
Combaillaux (34).......193 E2
Combas (30)...........178 A5
Combe (30)............178 D2
La Combe-de-Lancey (38)...151 H2
Combeaufontaine (70)....76 C5
Combefa (81)..........174 D3
La Combelle (63).......147 F1
Comberanche-et-Épeluche (24)...142 C2
Comberjon (70).........95 H1
Comberouger (82)......173 E5
Combertault (21).......109 F2
Les Combes (25)........111 H1
Combes (34)...........192 A2
Combiers (16).........128 D5
Comblanchien (21)......109 F1
Comblat (15)..........146 B5
Combles (80)...........16 A1
Combles-en-Barrois (55)...55 F1
Comblessac (35)........64 C4
Combleux (45)..........70 D4
Comblizy (51)...........33 F4
Comblot (61)...........48 C4
Combloux (74).........139 E1
Combon (27)............29 E4
Combourg (35)..........45 F4
Combourtillé (35)......65 H1
Combovin (26).........164 D1
Combrailles (63).......132 C3
Combrand (79).........100 C3
Combray (14)...........27 F5
Combre (42)...........135 E1
Combrée (49)............84 B1
Combres (28)...........49 F5
Combres-sous-les-Côtes (55)...36 A4
Combressol (19).......145 G1
Combret (12)..........175 H5

Combreux (45)...........71 F4
Combrimont (88).........58 B5
Combrit (29)............61 G4
Combronde (63).........133 E1
La Comelle (71).........108 A3
Comiac (46)............145 F5
Comigne (11)...........208 C1
Comines (59).............4 C2
Commana (29)............41 H4
Commarin (21)...........92 D5
Commeaux (61)...........47 G1
Commelle (38)..........150 D1
Commelle-Vernay (42)...134 D1
Commenailles (39)......110 A4
Commenchon (02).........16 C4
Commensacq (40)........169 G2
Commentry (03).........119 E4
Commeny (95)............30 C3
Commequiers (85)........98 D4
Commer (53)............66 D1
Commercy (55)...........56 A1
Commerveil (72).........48 B5
Commes (14)............23 H5
Commissey (89)..........73 H5
La Commodité (45).......71 H4
Communailles-en-Montagne (39)...111 E3
Communay (69).........135 H4
Compains (63)..........146 D1
Compainville (76).......14 B4
Le Compas (23).........132 B1
Compertrix (51).........34 B5
Compeyre (12)..........176 B2
Compiègne (60).........32 A1
Compigny (89)...........52 C5
Compolibat (12)........159 G5
La Compôte (73)........138 B3
Comprégnac (12).......176 B3
Compreignac (87)......130 A1
Comps (07)............162 D5
Comps (26)............164 D4
Comps (30)............178 D5
Comps (33)............141 E5
Comps-la-Grand-Ville (12)...175 G2
Comps-sur-Artuby (83)...197 G1
La Comté (62)............7 H2
Comus (11)............207 G4
Conan (41).............87 H1
Conand (01)...........137 E2
Conat (66)............212 B3
Conca (2A)............219 G2
Concarneau (29)........61 H4
Concevreux (02).........33 F1
Concèze (19)..........144 B2
Les Conches (85).......112 C2
Conches-en-Ouche (27)...29 E5
Conches-sur-Gondoire (77)...51 H1
Conchez-de-Béarn (64)...186 D3
Conchil-le-Temple (62)...6 C2
Conchy-les-Pots (60)....16 A4
Conchy-sur-Canche (62)...7 F3
Concorès (46).........158 B3
Concoret (56)..........64 C2
Concots (46)..........158 D5
Concoules (30)........162 B5
Concourson-sur-Layon (49)...85 F5
Concremiers (36).......116 C1
Concressault (18).......89 G3
Concriers (41)..........70 A5
Condac (16)...........128 C1
Condal (71)...........123 E2
Condamine (01)........123 G5
Condamine (39)........110 A5
La Condamine (MCO)....183 G5
La Condamine-Châtelard (04)...167 F4
Condat (15)...........146 C2
Condat (46)...........144 D5
Condat-en-Combraille (63)...132 B2
Condat-lès-Montboissier (63)...133 H5
Condat-sur-Ganaveix (19)...144 C1
Condat-sur-Trincou (24)...143 F1
Condat-sur-Vézère (24)...144 A4
Condat-sur-Vienne (87)...130 A3
Condé (36)............104 D3
Condé-en-Barrois (55)...55 G1
Condé-en-Brie (02).....33 E4
Condé-en-Normandie (14)...47 E1
Condé-Folie (80)........15 E1
Condé-lès-Autry (08)....35 E2
Condé-lès-Herpy (08)....18 A5
Condé-lès-Vouziers (08)...34 D1
Condé-Northen (57)......21 F5
Condé-Sainte-Libiaire (77)...32 A5
Condé-sur-Aisne (02)....32 D1
Condé-sur-Ifs (14)......27 G4
Condé-sur-Iton (27).....49 E1
Condé-sur-l'Escaut (59)...5 F5
Condé-sur-Marne (51)....34 B2
Condé-sur-Risle (27)....28 D2
Condé-sur-Sarthe (61)....47 H4
Condé-sur-Seulles (14)...26 D2
Condé-sur-Suippe (02)...33 G1
Condé-sur-Vesgre (78)....50 B2
Condé-sur-Vire (50).....37 F1
Condeau (61)...........49 E5
Condécourt (95).........30 D4

Condeissiat (01).......122 D4
Condéon (16)..........141 H1
Condes (39)...........123 G3
Condes (52)............75 G2
Condette (62)............2 B5
Condezaygues (47)......157 G4
Condillac (26).........163 H3
Condom (32)...........172 A4
Condom-d'Aubrac (12)...160 C3
Condorcet (26)........165 E5
Condren (02)...........16 C4
Condrieu (69).........149 G1
Les Confins (74).......138 D1
Conflandey (70)........76 D5
Conflans (73).........138 C3
Conflans-Ste-Honorine (78)...30 D5
Conflans-sur-Anille (72)...68 D4
Conflans-sur-Lanterne (70)...77 E4
Conflans-sur-Loing (45)...72 A4
Conflans-sur-Seine (51)...53 F3
Confolens (16)........129 F1
Confolent-Port-Dieu (19)...132 B5
Confort (01)..........123 H4
Confort-Meilars (29)....61 E2
Confracourt (70)........94 C1
Confrançon (01).......122 D3
Congé-sur-Orne (72)....68 A1
Congénies (30)........193 H1
Congerville-Thionville (91)...50 D5
Congis-sur-Thérouanne (77)...32 B4
Congrier (53)..........66 A5
Congy (51)............53 G2
Conie-Molitard (28).....69 H2
Conilhac-Corbières (11)...208 D1
Conilhac-de-la-Montagne (11)208 A3
Conjux (73)...........137 H3
Conleau (56)...........81 G2
Conlie (72)............67 H2
Conliège (39).........110 B5
Connac (12)...........175 G4
Connangles (43).......147 H2
Connantray-Vaurefroy (51)...53 H2
Connantre (51)..........53 G2
Connaux (30)..........178 D3
Conne-de-Labarde (24)...157 E2
Connelles (27).........29 H2
Connerré (72)..........68 C3
Connezac (24).........129 E5
Connigis (02)..........33 E4
Conquereuil (44).......83 E1
Conques-en-Rouergue (12)...159 H4
Conques-sur-Orbiel (11)...191 E5
Le Conquet (29)........40 D4
Conqueyrac (30).......177 H4
Cons-la-Grandville (54)...20 B2
Cons-Ste-Colombe (74)...138 C3
Consac (17)...........141 F1
Conségudes (06).......182 D4
Consenvoye (55)........35 G2
Consigny (52)..........75 H2
Consolation-Maisonnettes (25)95 H5
Le Contadour (04)......180 C2
Contalmaison (80)........8 A5
Contamine-Sarzin (74)...124 B5
Contamine-sur-Arve (74)...124 D4
Les Contamines-Montjoie (74)139 E2
Contault (51)..........34 D5
Contay (80)............15 G1
Conte (39)............110 D4
Contes (06)...........183 F4
Contes (62).............7 E2
Contescourt (02).......16 C4
Contest (53)...........66 D1
Conteville (14)........27 G4
Conteville (27)........28 C1
Conteville (60)........15 E4
Conteville (76)........14 B3
Conteville (80).........7 E4
Conteville-en-Ternois (62)...7 G2
Conteville-lès-Boulogne (62)...2 B4
Conthil (57)..........37 G5
Contigné (49)..........67 E5
Contigny (03).........120 A3
Contilly (72)..........48 B5
Continvoir (37)........86 A4
Contis-Plage (40).....168 C2
Contoire (80)..........15 H3
Contrazy (09).........206 B2
Contré (17)...........127 H1
Contre (80)............15 E3
Contréglise (70)........76 D4
Contremoulins (76).....12 C3
Contres (18)..........105 G3
Contres (41)...........87 H4
Contres-en-Vairais (72)...68 C1
Contreuve (08)........34 C1
Contrevoz (01)........137 F2
Contrexéville (88)......76 C1
Contrières (50)........24 D4
Contrisson (55)........55 E1
Conty (80)............15 E3
Contz-les-Bains (57)...21 F2
Conzieu (01)..........137 F3
Coole (51)............54 B2
Coolus (51)............34 B5
La Copechagnière (85)...99 G3
Copponex (74).........124 B5
Coquainvilliers (14)...28 A3
Coquelles (62)...........2 C2
La Coquille (24).......129 G5

Corancez (28)..........50 A5
Corancy (58)..........107 H1
Coray (29)............62 A3
Corbara (2B)..........214 C4
Corbarieu (82)........173 G4
Corbas (69)...........136 B4
Corbehem (62)...........8 C3
Corbeil (51)...........54 B3
Corbeil-Cerf (60)......31 E2
Corbeil-Essonnes (91)...51 G3
Corbeilles (45)........71 G3
Corbel (73)...........151 H1
Corbelin (38)........137 F4
Corbenay (70)..........77 F4
Corbeny (02)...........17 G5
Corbère (66)..........212 D2
Corbère-Abères (64)...186 D3
Corbère-les-Cabanes (66)...212 D2
Corberon (21).........109 F2
Corbès (30)...........177 H3
Corbie (80)............15 G1
Le Corbier (73).......152 C2
La Corbière (70).......77 G5
Corbières (04)........180 D5
Corbières (11)........207 H2
Corbigny (58)..........91 F5
Corbon (14)............27 H3
Corbon (61)............48 D4
Corbonod (01).........137 H1
Corbreuse (91).........50 D4
Corcelle-Mieslot (25)...95 E4
Corcelles (01)........123 G5
Corcelles-en-Beaujolais (69)...122 B5
Corcelles-Ferrières (25)...94 C5
Corcelles-les-Arts (21)...109 E2
Corcelles-lès-Cîteaux (21)...93 G5
Corcelles-les-Monts (21)...93 F4
Corcieux (88)..........78 A1
Corcondray (25)........94 C5
Corconne (30).........177 H5
Corcoué-sur-Logne (44)...99 F2
Corcy (02)............32 C2
Cordéac (38)..........165 H1
Cordebugle (14)........28 B3
Cordelle (42).........134 D1
Cordemais (44).........82 D4
Cordes-sur-Ciel (81)...174 C3
Cordes-Tolosannes (82)...173 F4
Cordesse (71).........108 B2
Cordey (14)............47 G1
Cordon (74)...........139 E1
Cordonnet (70).........94 D3
Coren (15)...........147 E4
Corenc (38)...........151 H3
Corent (63)...........133 F4
Corfélix (51)..........53 F1
Corgengoux (21).......109 F2
Corgenon (01).........122 D4
Corgirnon (52).........76 A5
Corgnac-sur-l'Isle (24)...143 G2
Corgoloin (21)........109 F1
Corignac (17).........141 G2
Corlay (22)............63 F1
Corlée (52)............75 H4
Corlier (01)..........123 G5
Cormainville (28)......70 A2
Cormaranche-en-Bugey (01)...137 F1
Cormatin (71).........122 A1
Corme-Écluse (17).....126 D4
Corme-Royal (17).....126 D3
Cormeilles (27)........28 B2
Cormeilles (60)........15 F4
Cormeilles-en-Parisis (95)...31 E5
Cormeilles-en-Vexin (95)...30 D4
Cormelles-le-Royal (14)...27 F2
Cormenon (41)..........69 E4
Cormeray (41)..........87 H3
Cormeray (50)..........45 G3
Cormery (37)...........87 E5
Cormes (72)...........68 D2
Cormicy (51)..........33 G1
Le Cormier (27)........29 H5
Le Cormier (41)........82 B5
Cormolain (14)........25 H3
Cormont (62)...........6 C1
Cormontreuil (51)......33 H2
Cormoranche-sur-Saône (01)122 B4
Cormost (10)..........74 A2
Cormot-le-Grand (21)...108 D2
Cormoyeux (51)........33 G3
Cormoz (01)..........123 E2
Corn (46).............159 E3
Cornac (46)...........159 E1
Cornant (89)...........52 C5
Cornas (07)...........149 H5
Cornay (08)............35 E2
Corné (49).............85 F3
Cornebarrieu (31).....189 F2
Corneilhan (34).......192 B4
Corneilla-de-Conflent (66)...212 B3
Corneilla-del-Vercol (66)...213 F3
Corneilla-la-Rivière (66)...208 D5
Corneillan (32)........186 D2
Corneuil (27)..........49 G1
Corneville-la-Fouquetière (27)28 D4
Corneville-sur-Risle (27)...28 D3
Cornier (74)..........124 C5
Corniéville (55)........56 B1
Cornil (19)...........144 D3
Cornillac (26)........165 F5

Cornille (24)..........143 F3
Cornillé (35)..........65 H2
Cornillé-les-Caves (49)...85 F3
Cornillon (30)........178 C2
Cornillon-Confoux (13)...195 F2
Cornillon-en-Trièves (38)...165 H1
Cornillon-sur-l'Oule (26)...165 F4
Cornimont (88).........78 A3
Cornod (39)...........123 G3
Cornot (70)............94 C1
La Cornuaille (49).....84 B2
Cornus (12)...........176 C5
Cornusse (18).........105 H3
Corny (27).............30 A2
Corny-Machéroménil (08)...18 C4
Corny-sur-Moselle (57)...36 D4
Coron (49)............100 D1
Corpe (85)............113 E1
Corpeau (21)..........109 E3
Corpoyer-la-Chapelle (21)...92 D2
Corps (38)............166 A1
Corps-Nuds (35)........65 F3
Corquilleroy (45)......71 H3
Corquoy (18)..........105 F3
Corrano (2A)..........219 E1
Corravillers (70)......77 H4
Corre (70)............76 D4
Correncon-en-Vercors (38)...151 F4
Corrèze (19)..........145 E2
Corribert (51).........33 F5
Corrobert (51).........33 E5
Corrombles (21)........92 A3
Corronsac (31)........189 G3
Corroy (51)...........53 G2
Corsaint (21)..........92 A2
Corsavy (66)..........212 C4
Corscia (2B)..........216 D2
Corsept (44)...........82 C4
Corseul (22)...........44 C3
Cortambert (71).......122 A2
Corte (2B)............217 E2
Cortevaix (71)........122 A1
Cortone (Col de) (2A)...218 C2
Cortrat (45)...........71 H4
Les Corvées-les-Yys (28)...49 G5
Corveissiat (01)......123 F4
Corvol-d'Embernard (58)...90 D5
Corvol-l'Orgueilleux (58)...90 D3
Corzé (49)............85 E2
Cos (09)..............207 E3
Cosges (39)...........110 A4
Coslédaà-Lube-Boast (64)...186 C3
Cosmes (53)............66 C4
Cosnac (19)...........144 C4
Cosne-Cours-sur-Loire (58)...90 A4
Cosne-d'Allier (03)...119 F2
Cosnes-et-Romain (54)...20 B2
Cosqueville (50).......23 E2
Cossaye (58)..........107 E4
Cossé-d'Anjou (49).....84 C5
Cossé-en-Champagne (53)...67 F3
Cossé-le-Vivien (53)...66 B3
Cossesseville (14).....27 F5
Cosswiller (67)........58 D2
Costa (2B)............214 D5
Costaros (43).........162 B1
Costeilades (48)......162 B5
Les Costes (05).......166 B2
Les Costes-Gozon (12)...175 H4
La Côte (70)...........77 G5
La Côte-d'Aime (73)...139 E4
La Côte-d'Arbroz (74)...125 F4
La Côte-en-Couzan (42)...134 B3
La Côte-St-André (38)...150 D1
Le Coteau (42).........134 D1
Côtebrune (25).........95 F4
Les Côtes-d'Arey (38)...149 H1
Les Côtes-de-Corps (38)...166 A1
Coti-Chiavari (2A)....218 C2
Cotignac (83).........197 E2
La Cotinière (17).....126 A1
Cottance (42).........135 E3
Cottenchy (80)........15 G2
Cottévrard (76)........13 H4
Cottun (14)...........25 H2
La Couarde (79).......114 C3
La Couarde-sur-Mer (17)...112 C4
Couargues (18).........90 A5
Coubert (77)...........51 H2
Coubeyrac (33)........156 A2
Coubisou (12).........160 C4
Coubjours (24)........144 A3
Coublanc (52)..........94 A1
Coublanc (71).........121 G4
Coublevie (38)........151 G1
Coublucq (64).........186 B3
Coubon (43)...........148 B5
Coubron (93)...........31 G5
Couches (71)..........108 D3
Couchey (21)...........93 F5
La Coucourde (26).....163 H3
Coucouron (07)........162 D1
Coucy (08)............18 C5
Coucy-la-Ville (02)....16 D5
Coucy-le-Château-Auffrique (02)...16 D5
Coucy-lès-Eppes (02)...17 G5
Couddes (41)...........87 H4
Coudehard (61).........48 A1

Coudekerque-Branche (59)...3 F2
Coudekerque-Village (59)...3 F2
Coudes (63)...........133 F5
Coudeville-sur-Mer (50)...24 D5
Coudons (11)..........207 H4
Coudoux (13)..........195 G2
Coudray (27)...........30 A2
Le Coudray (28)........50 A5
Le Coudray (44)........83 E2
Coudray (45)...........71 F1
Coudray (53)...........66 D5
Coudray-au-Perche (28)...69 E1
Le Coudray-Macouard (49)...85 G5
Le Coudray-Montceaux (91)...51 G3
Coudray-Rabut (14)....28 A2
Le Coudray-St-Germer (60)...31 E2
Le Coudray-sur-Thelle (60)...31 E2
Coudreceau (28)........49 E5
Coudrecieux (72).......68 D3
Coudres (27)...........49 G1
Coudroy (45)...........71 G4
Coudun (60)............16 A5
Coudures (40).........186 B1
Coueilles (31)........188 C5
Couëron (44)...........83 E4
Couesmes (37)..........86 B2
Couesmes-en-Froulay (53)...46 D4
Les Couëts (44)........83 F5
Couffé (44)............83 H3
Couffoulens (11)......208 B1
Couffy (41)............87 H5
Couffy-sur-Sarsonne (19)...131 H4
Couflens (09).........206 B5
Coufouleux (81).......174 B5
Couhé (86)............115 E3
Couilly-Pont-aux-Dames (77)...52 A1
Couin (62).............7 H4
Couiza (11)...........208 A3
Couladère (31)........206 B1
Coulaines (72).........68 A3
Coulandon (03)........119 H1
Coulangeron (89).......91 E1
Coulanges (03)........120 D2
Coulanges (41).........87 G2
Coulanges-la-Vineuse (89)...91 E1
Coulanges-lès-Nevers (58)...106 C2
Coulanges-sur-Yonne (89)...91 G3
Coulans-sur-Gée (72)...67 H3
Coulaures (24)........143 G2
Couleuvre (03)........106 A5
Coulevon (70)..........95 E1
Coulgens (16).........128 C3
Coulimer (61)..........48 C4
Coullemelle (80)......15 G4
Coullemont (62).........7 H4
Coullons (45).........89 G2
Coulmer (61)...........48 B1
Coulmier-le-Sec (21)...74 C5
Coulmiers (45).........70 B4
Coulobres (34).......192 B4
Coulogne (62)..........2 C2
Couloisy (60)..........32 B1
Coulombiers (72).......68 A1
Coulombiers (86)......115 F2
Coulombs (14)..........27 E2
Coulombs (28)..........50 A3
Coulombs-en-Valois (77)...32 B4
Coulomby (62)..........2 D4
Coulommes (51).........32 A5
Coulommes-et-Marqueny (08)18 C4
Coulommes-la-Montagne (51)33 G2
Coulommiers (77)......52 B1
Coulommiers-la-Tour (41)...69 G5
Coulon (79)...........114 A3
Coulonces (14).........25 G5
Coulonces (61).........47 H1
La Coulonche (61)......47 E2
Coulongé (72)..........86 A1
Coulonges (16)........128 B2
Coulonges (17)........127 G4
Coulonges (86)........116 C3
Coulonges-Cohan (02)...33 E3
Coulonges-les-Sablons (61)...49 E5
Coulonges-sur-l'Autize (79)...114 A1
Coulonges-sur-Sarthe (61)...48 B4
Coulonges-Thouarsais (79) ...101 F3
Coulonvillers (80)......7 E4
Couloumé-Mondebat (32)...187 E2
Coulounieix-Chamiers (24) ...143 F3
Coulours (89)..........73 E2
Couloutre (58).........90 C4
Coulouvray-Boisbenâtre (50)...46 A1
Coulvain (14)..........25 H4
Coulx (47)............156 D5
Coume (57)............21 G5
Counozouls (11).......208 A5
Coupelle-Neuve (62).....7 F1
Coupelle-Vieille (62)...7 F1
Coupesarte (14)........28 A4
Coupetz (51)...........54 B1
Coupéville (51)........34 C5
Coupiac (12)..........175 G4
Couplevoie (59)........10 A4
Coupray (73)...........75 F3
Coupru (02)...........32 C4
Couptrain (53).........47 F4
Coupvray (77).........32 A5

Localité *(Département)* Page Coordonnées
237

Couquèques *(33)* 140 D 2
Cour-Cheverny *(41)* 87 H 3
Cour-et-Buis *(38)* 150 C 1
Cour-l'Évêque *(52)* 75 F 3
La Cour-Marigny *(45)* 71 G 4
Cour-Maugis-sur-Huisne *(61)* 48 D 4
Cour-St-Maurice *(25)* 95 H 4
Cour-sur-Loire *(41)* 87 H 1
Courances *(91)* 51 G 4
La Courançonne *(84)* 179 F 2
Courant *(17)* 114 A 5
Le Courau *(30)* 178 C 2
Courban *(21)* 74 D 4
La Courbe *(61)* 47 G 2
Courbehaye *(28)* 70 A 2
Courbépine *(27)* 28 C 3
Courbes *(02)* 17 E 3
Courbessac *(30)* 178 C 5
Courbesseaux *(54)* 57 F 2
Courbetaux *(51)* 53 E 1
Courbette *(39)* 110 B 5
Courbeveille *(53)* 66 C 3
Courbevoie *(92)* 31 E 5
Courbiac *(47)* 157 H 5
Courbillac *(16)* 127 H 3
Courboin *(02)* 33 E 5
Courbons *(04)* 181 F 2
Courbouzon *(39)* 110 A 5
Courbouzon *(41)* 88 A 1
Courçais *(03)* 118 C 2
Courçay *(37)* 87 E 5
Courceaux *(89)* 52 D 5
Courcebœufs *(72)* 68 B 2
Courcelette *(80)* 8 A 5
Courcelles *(17)* 127 F 1
Courcelles *(25)* 110 D 1
Courcelles *(25)* 96 C 2
Courcelles *(45)* 71 F 3
Courcelles *(54)* 56 D 5
Courcelles *(58)* 90 D 4
Courcelles *(60)* 31 E 3
Courcelles *(90)* 97 E 2
Courcelles-au-Bois *(80)* 7 H 5
Courcelles-Chaussy *(57)* 37 F 3
Courcelles-de-Touraine *(37)* 86 B 3
Courcelles-en-Barrois *(55)* 55 H 1
Courcelles-en-Bassée *(77)* 52 B 5
Courcelles-
en-Montagne *(52)* 75 G 5
Courcelles-Epayelles *(60)* 15 H 4
Courcelles-Frémoy *(21)* 92 A 3
Courcelles-la-Forêt *(72)* 67 H 5
Courcelles-le-Comte *(62)* 8 A 4
Courcelles-lès-Gisors *(60)* 30 B 2
Courcelles-lès-Lens *(62)* 4 C 5
Courcelles-lès-Montbard *(21)* 92 B 2
Courcelles-lès-Semur *(21)* 92 B 3
Courcelles-Sapicourt *(51)* 33 G 2
Courcelles-
sous-Châtenois *(88)* 56 C 5
Courcelles-
sous-Moyencourt *(80)* 15 E 2
Courcelles-sous-Thoix *(80)* 15 E 3
Courcelles-sur-Aire *(55)* 35 G 5
Courcelles-sur-Aujon *(52)* 75 F 4
Courcelles-sur-Blaise *(52)* 55 E 4
Courcelles-sur-Nied *(57)* 37 E 3
Courcelles-sur-Seine *(27)* 29 H 3
Courcelles-sur-Vesle *(02)* 33 E 1
Courcelles-sur-Viosne *(95)* 30 D 4
Courcelles-sur-Voire *(10)* 54 C 4
Courcelles-Val-d'Esnoms *(52)* 93 G 1
Courcemain *(51)* 53 G 3
Courcemont *(72)* 68 B 2
Courcerac *(17)* 127 G 2
Courcerault *(61)* 48 D 4
Courceroy *(10)* 52 D 4
Courchamp *(77)* 52 C 3
Courchamps *(02)* 32 C 4
Courchamps *(49)* 85 G 5
Courchapon *(25)* 94 C 4
Courchaton *(70)* 95 G 2
Courchelettes *(59)* 8 C 3
Courchevel *(73)* 153 E 1
Courcité *(53)* 47 F 5
Courcival *(72)* 68 B 1
Courcôme *(16)* 128 B 1
Courçon *(17)* 113 G 4
Courcoué *(37)* 102 B 2
Courcouronnes *(91)* 51 F 3
Courcoury *(17)* 127 F 3
Courcuire *(70)* 94 C 4
Courcy *(14)* 27 H 5
Courcy *(50)* 24 D 4
Courcy *(51)* 33 H 2
Courcy-aux-Loges *(45)* 71 E 3
Courdemanche *(27)* 49 H 1
Courdemanche *(72)* 68 C 5
Courdemanges *(51)* 54 C 2
Courdimanche *(95)* 30 D 4
Courdimanche-
sur-Essonne *(91)* 51 F 5
Le Courégant *(56)* 80 C 1
Couret *(31)* 205 H 2
Courgains *(72)* 68 B 1
Courgeac *(16)* 142 B 1
Courgenard *(72)* 68 D 2
Courgenay *(89)* 73 E 1
Courgent *(78)* 30 B 5
Courgeon *(61)* 48 D 4
Courgeoût *(61)* 48 C 4
Courgis *(89)* 73 F 5
Courgivaux *(51)* 53 E 2
Courgoul *(63)* 133 E 5
Courjeonnet *(51)* 53 G 1
Courlac *(16)* 142 B 2
Courlandon *(51)* 33 F 2
Courlans *(39)* 110 A 5
Courlaoux *(39)* 110 A 5
Courlay *(79)* 100 D 4
Courlay-sur-Mer *(17)* 126 C 4
Courléon *(49)* 86 A 4
Courlon *(21)* 93 F 1
Courlon-sur-Yonne *(89)* 52 C 5
Courmangoux *(01)* 123 F 3
Courmas *(51)* 33 G 3
Courmelles *(02)* 32 D 1
Courmelois *(51)* 34 A 3
Courmemin *(41)* 88 B 3
Courménil *(61)* 48 A 1
Courmes *(06)* 182 D 5
Courmont *(02)* 33 E 3
Courmont *(70)* 95 H 1
Cournanel *(11)* 208 A 2
La Courneuve *(93)* 31 F 5
Courniou *(34)* 191 G 3
Cournols *(63)* 133 E 4
Cournon *(56)* 64 C 5
Cournon-d'Auvergne *(63)* 133 F 3
Cournonsec *(34)* 193 E 3
Cournonterral *(34)* 193 E 3
La Couronne *(13)* 195 F 4
La Couronne *(16)* 128 B 4
Courouvre *(55)* 35 H 5
Courpalay *(77)* 52 B 3
Courpiac *(33)* 155 H 2
Courpière *(63)* 133 H 3
Courpignac *(17)* 141 F 2
Courquetaine *(77)* 51 H 2
Courréjean *(33)* 155 F 2
Courrensan *(32)* 171 H 5
Courrières *(62)* 4 B 5
Courris *(81)* 175 F 4
Courruero *(83)* 197 H 4
Courry *(30)* 178 A 1
Cours *(46)* 158 C 4
Cours *(47)* 172 B 1
Le Cours *(56)* 64 A 5
Cours *(58)* 90 B 3
Cours *(79)* 114 B 1
Cours *(69)* 121 G 5
Cours-de-Monségur *(33)* 156 B 3
Cours-de-Pile *(24)* 157 E 1
Cours-les-Bains *(33)* 156 A 5
Cours-les-Barres *(18)* 106 B 2
Coursac *(24)* 143 E 4
Coursan *(11)* 209 G 1
Coursan-en-Othe *(10)* 73 G 3
Coursegoules *(06)* 182 D 5
Courset *(62)* 2 C 5
Courseulles-sur-Mer *(14)* 27 F 1
Courson *(14)* 25 F 5
Courson-les-Carrières *(89)* 91 E 2
Courson-Monteloup *(91)* 51 E 3
Courtacon *(77)* 52 D 2
Courtagnon *(51)* 33 G 3
Courtalain *(28)* 69 G 3
Courtaoult *(10)* 73 G 3
Courtauly *(11)* 207 H 2
Courtavon *(68)* 97 F 2
Courtefontaine *(25)* 96 D 4
Courtefontaine *(39)* 110 C 1
Courteilles *(27)* 49 F 2
Courteix *(19)* 131 H 4
Courtelevant *(90)* 97 E 2
Courtemanche *(80)* 15 H 4
Courtemaux *(45)* 72 A 3
Courtémont *(51)* 34 D 3
Courtemont-Varennes *(02)* 33 E 4
Courtempierre *(45)* 71 H 2
Courtenay *(38)* 137 E 3
Courtenay *(45)* 72 B 3
Courtenot *(10)* 74 B 2
Courteranges *(10)* 74 A 1
Courteron *(10)* 74 C 3
Courtes *(01)* 122 D 2
Courtesoult-et-Gatey *(70)* 94 B 1
Courtetain-et-Salans *(25)* 95 G 4
La Courtète *(11)* 207 H 1
Courteuil *(60)* 31 G 3
Courthézon *(84)* 179 F 3
Courthiézy *(51)* 33 E 4
Courties *(32)* 187 F 2
Courtieux *(60)* 32 B 1
Courtillers *(72)* 67 F 5
Courtils *(50)* 45 H 2
La Courtine *(23)* 131 H 4
Courtisols *(51)* 34 C 4
Courtivron *(21)* 93 F 2
Courtoin *(89)* 72 B 2
Courtois-sur-Yonne *(89)* 72 C 1
Courtomer *(61)* 48 B 3
Courtomer *(77)* 52 A 3
Courtonne-la-Meurdrac *(14)* 28 B 3
Courtonne-
les-Deux-Églises *(14)* 28 B 4
Courtrizy-et-Fussigny *(02)* 17 G 5
Courtry *(77)* 31 G 5
Courvaudon *(14)* 27 E 4
Courvières *(25)* 111 E 3
Courville *(51)* 33 F 2
Courville-sur-Eure *(28)* 49 G 4
Courzieu *(69)* 135 G 3
Cousance *(39)* 123 F 1
Cousances-au-Bois *(55)* 55 H 1
Cousances-les-Forges *(55)* 55 F 3
Cousolre *(59)* 10 A 2
Coussa *(09)* 207 E 2
Coussac-Bonneval *(87)* 130 B 5
Coussan *(65)* 187 F 5
Coussay *(86)* 102 A 4
Coussay-les-Bois *(86)* 102 D 4
Coussegrey *(10)* 73 H 4
Coussergues *(12)* 160 C 5
Coussey *(88)* 56 B 4
Les Coussières *(23)* 117 H 5
Coust *(18)* 105 G 5
Coustaussa *(11)* 208 A 3
Coustellet *(84)* 179 H 5
Coustouge *(11)* 208 D 2
Coustouges *(66)* 212 D 5
Coutances (SP) *(50)* 24 D 4
Coutansouze *(03)* 119 G 4
Coutarnoux *(89)* 91 H 2
Coutençon *(77)* 52 B 4
Coutens *(09)* 207 F 2
Couterne *(61)* 47 F 4
Couternon *(21)* 93 G 4
Couteuges *(43)* 147 G 3
Coutevroult *(77)* 52 A 1
Couthenans *(70)* 95 H 1
Couthures-sur-Garonne *(47)* 156 B 4
Coutiches *(59)* 4 D 5
Coutières *(79)* 114 D 1
Coutouvre *(42)* 121 F 5
Coutras *(33)* 141 H 4
La Coutronne *(13)* 196 B 4
Couture *(16)* 128 C 2
La Couture *(62)* 3 H 5
La Couture *(85)* 113 E 1
La Couture-Boussey *(27)* 29 H 5
Couture-d'Argenson *(79)* 128 A 1
Couture-sur-Loir *(41)* 68 D 5
Couturelle *(62)* 7 H 4
Coutures *(24)* 142 D 2
Coutures *(33)* 156 A 3
Coutures *(49)* 85 F 4
Coutures *(82)* 173 E 4
Couvains *(50)* 25 G 3
Couvains *(61)* 48 C 1
La Couvertoirade *(12)* 176 D 5
Couvertpuis *(55)* 55 G 3
Couvignon *(10)* 74 D 1
Couville *(50)* 22 C 3
Couvonges *(55)* 55 F 1
Couvrelles *(02)* 33 E 1
Couvron-
et-Aumencourt *(02)* 17 E 4
Couvrot *(51)* 54 C 2
Coux *(07)* 163 G 2
Coux *(17)* 141 G 2
Coux-et-Bigaroque
-Mouzens *(24)* 157 G 1
Couy *(18)* 106 A 1
La Couyère *(35)* 65 G 4
Couze-et-St-Front *(24)* 157 F 1
Couzeix *(87)* 130 A 2
Couziers *(37)* 101 H 1
Couzon *(03)* 106 C 5
Couzon *(69)* 135 H 2
Couzon-sur-Coulange *(52)* 93 H 1
Couzou *(46)* 158 C 2
Cox *(31)* 188 D 1
Coye-la-Forêt *(60)* 31 G 3
Coyecques *(62)* 3 E 5
Coyolles *(02)* 32 B 2
Coyrière *(39)* 124 A 3
Coyron *(39)* 123 H 1
Coyviller *(54)* 57 E 3
Cozance *(38)* 137 E 3
Cozes *(17)* 126 D 4
Cozzano *(2A)* 217 E 5
Crac'h *(56)* 81 F 2
Craches *(78)* 50 C 3
Crachier *(38)* 136 D 5
Crain *(89)* 91 E 3
Craincourt *(57)* 37 E 5
Craintilleux *(42)* 135 E 5
Crainvilliers *(88)* 76 C 2
Cramaille *(02)* 32 D 2
Cramans *(39)* 110 C 2
Cramant *(51)* 33 H 5
Cramchaban *(17)* 113 H 4
Craménil *(61)* 47 F 2
Cramoisy *(60)* 31 F 2
Cramont *(80)* 7 E 4
Crampagna *(09)* 207 E 2
Cran-Gevrier *(74)* 138 A 1
Crancey *(10)* 53 F 4
Crançot *(39)* 110 B 5
Crandelles *(15)* 145 H 5
Crannes-en-Champagne *(72)* 67 H 3
Crans *(01)* 136 D 1
Crans *(39)* 110 D 4
Cransac *(12)* 159 H 4
Crantenoy *(54)* 57 E 4
Cranves-Sales *(74)* 124 C 4
Craon *(53)* 66 B 4
Craon *(86)* 101 H 4
Craonne *(02)* 33 F 1
Craonnelle *(02)* 33 F 1
Crapeaumesnil *(60)* 16 A 4
Craponne *(69)* 135 H 3
Craponne-sur-Arzon *(43)* 148 A 2
Cras *(38)* 151 F 2
Cras *(46)* 158 C 4
Cras-sur-Reyssouze *(01)* 122 D 3
Crastatt *(67)* 58 D 2
Crastes *(32)* 188 B 1
Crasville *(27)* 29 F 3
Crasville *(50)* 23 E 3
Crasville-la-Mallet *(76)* 13 E 2
Crasville-la-Rocquefort *(76)* 13 F 2
La Crau *(13)* 179 F 5
La Crau *(83)* 201 E 3
Cravanche *(90)* 96 C 1
Cravans *(17)* 127 E 4
Cravant *(45)* 70 A 5
Cravant *(89)* 91 F 1
Cravant-les-Côteaux *(37)* 102 B 1
Cravencères *(32)* 187 E 1
Cravent *(78)* 30 A 5
Crayssac *(46)* 158 B 4
Craywick *(59)* 3 E 2
Crazannes *(17)* 127 E 2
Cré *(72)* 85 G 1
Créances *(50)* 24 C 2
Créancey *(21)* 92 D 5
Créancey *(52)* 75 E 3
Crécey-sur-Tille *(21)* 93 G 2
La Crèche *(79)* 114 B 3
Crêches-sur-Saône *(71)* 122 B 4
Créchets *(65)* 205 F 3
Créchy *(03)* 120 B 4
Crécy-au-Mont *(02)* 16 D 5
Crécy-Couvé *(28)* 49 H 2
Crécy-en-Ponthieu *(80)* 6 D 3
Crécy-la-Chapelle *(77)* 52 A 1
Crécy-sur-Serre *(02)* 17 F 3
Crédin *(56)* 63 G 4
Crégols *(46)* 158 D 5
La Crégut *(15)* 146 B 1
Crégy-lès-Meaux *(77)* 32 A 5
Créhange *(57)* 37 G 3
Créhen *(22)* 44 C 3
Creil *(60)* 31 G 2
Creissan *(34)* 191 H 4
Creissels *(12)* 176 B 3
Crémarest *(62)* 2 B 4
Cremeaux *(42)* 134 C 2
Crémery *(80)* 16 A 3
Crémieu *(38)* 136 D 3
Crempigny-
Bonneguête *(74)* 137 H 1
Cremps *(46)* 158 C 5
Crenans *(39)* 123 H 2
Crenay *(52)* 75 G 3
Creney-près-Troyes *(10)* 54 A 5
Crennes-sur-Fraubée *(53)* 47 F 5
Creno *(Lac de) (2A)* 216 D 3
Créon *(33)* 155 G 2
Créon-d'Armagnac *(40)* 171 F 4
Créot *(71)* 108 D 3
Crépand *(21)* 92 B 2
Crépey *(54)* 56 C 3
Crépol *(26)* 150 C 3
Crépon *(14)* 27 E 1
Crépy *(02)* 17 E 4
Crépy *(62)* 7 F 1
Crépy-en-Valois *(60)* 32 A 2
Créquy *(62)* 7 E 1
Le Crès *(34)* 193 G 2
Cresancey *(70)* 94 B 3
Crésantignes *(10)* 73 H 2
Les Cresnays *(50)* 46 A 2
Crespian *(30)* 178 A 5
Crespières *(78)* 50 C 1
Crespin *(12)* 175 E 2
Crespin *(59)* 5 F 5
Crespin *(81)* 175 E 3
Crespinet *(81)* 175 E 4
Crespy-le-Neuf *(10)* 54 C 5
Cressac-St-Genis *(16)* 142 A 1
Cressanges *(03)* 119 H 2
Cressat *(23)* 118 A 5
La Cresse *(12)* 176 C 2
Cressé *(17)* 127 H 2
Cressensac *(46)* 144 C 5
Cresserons *(14)* 27 F 2
Cresseveuille *(14)* 27 H 2
Cressia *(39)* 123 F 1
Cressin-Rochefort *(01)* 137 G 3
Cressonsacq *(60)* 15 H 5
Cressy *(76)* 13 H 3
Cressy-Omencourt *(80)* 16 B 3
Cressy-sur-Somme *(71)* 107 G 5
Crest *(26)* 164 C 2
Le Crest *(63)* 133 F 4
Crest-Voland *(73)* 138 D 2
Creste *(63)* 133 E 5
Le Crestet *(07)* 149 G 5
Crestet *(84)* 179 G 2
Crestot *(27)* 29 F 3
Créteil (P) *(94)* 51 G 1
Créton *(27)* 49 G 1
Cretteville *(50)* 23 E 5
Creuë *(55)* 36 A 4
Creully *(14)* 27 E 2
La Creuse *(70)* 95 F 1
Creuse *(80)* 15 E 2
Le Creusot *(71)* 108 C 4
Creutzwald *(57)* 21 H 5
Creuzier-le-Neuf *(03)* 120 B 4
Creuzier-le-Vieux *(03)* 120 B 5
Crevans-et-la-Chapelle-
lès-Granges *(70)* 95 H 2
Crevant *(36)* 117 H 2
Crevant-Laveine *(63)* 133 G 2
Crévéchamps *(54)* 57 E 3
Crèvecœur-en-Auge *(14)* 27 H 3
Crèvecœur-en-Brie *(77)* 52 A 2
Crèvecœur-le-Grand *(60)* 15 E 4
Crèvecœur-le-Petit *(60)* 15 G 4
Crèvecœur-sur-l'Escaut *(59)* 8 D 5
Creveney *(70)* 95 F 1
Crévic *(54)* 57 F 2
Crevin *(35)* 65 F 3
Crévoux *(05)* 167 E 3
Creyers *(05)* 165 G 3
Creys-Mépieu *(38)* 137 F 3
Creyssac
(près de Bourdeilles) (24) 143 E 2
Creyssac
(près de Ribérac) (24) 142 C 3
Creysse *(24)* 157 E 1
Creysse *(46)* 158 C 1
Creysseilles *(07)* 163 F 2
Creyssensac-et-Pissot *(24)* 143 E 4
Crézançay-sur-Cher *(18)* 105 F 4
Crézancy *(02)* 33 E 4
Crézancy-en-Sancerre *(18)* 89 H 5
Crézières *(79)* 114 C 5
Crézilles *(54)* 56 C 3
Cricquebœuf *(14)* 28 A 1
Cricqueville-en-Auge *(14)* 27 H 2
Cricqueville-en-Bessin *(14)* 23 G 5
Criel-sur-Mer *(76)* 6 A 5
Crillat *(39)* 123 H 1
Crillon *(60)* 14 D 5
Crillon-le-Brave *(84)* 179 H 2
Crimolois *(21)* 93 G 5
Crion *(54)* 57 G 2
La Crique *(76)* 13 H 3
Criquebeuf-en-Caux *(76)* 12 C 3
Criquebeuf-
la-Campagne *(27)* 29 F 3
Criquebeuf-sur-Seine *(27)* 29 G 2
Criquetot-le-Mauconduit *(76)* 12 D 2
Criquetot-l'Esneval *(76)* 12 B 4
Criquetot-
sur-Longueville *(76)* 13 G 3
Criquetot-sur-Ouville *(76)* 13 F 3
Criquiers *(76)* 14 C 4
Crisenoy *(77)* 51 H 3
Crisolles *(60)* 16 B 4
Crissay-sur-Manse *(37)* 102 C 1
Crissé *(72)* 67 H 2
Crissey *(39)* 110 A 1
Crissey *(71)* 109 E 4
Cristinacce *(2A)* 216 C 3
Cristot *(14)* 27 E 2
Criteuil-la-Magdeleine *(16)* 127 H 5
Critot *(76)* 13 H 4
Croce *(2B)* 217 F 1
Crochte *(59)* 3 F 2
Crocicchia *(2B)* 215 F 5
Crocq *(23)* 131 H 2
Le Crocq *(60)* 15 E 4
Crocy *(14)* 27 H 5
Crœttwiller *(67)* 39 G 4
Croignon *(33)* 155 G 1
Croisances *(43)* 161 H 1
Croisette *(62)* 7 F 3
Le Croisic *(44)* 81 H 5
La Croisière *(23)* 117 E 4
La Croisière *(84)* 179 E 1
La Croisille *(27)* 29 F 5
La Croisille-sur-Briance *(87)* 130 C 4
Croisilles *(14)* 27 E 4
Croisilles *(28)* 50 A 2
Croisilles *(61)* 48 B 1
Croisilles *(62)* 8 B 4
Croismare *(54)* 57 G 2
Croissanville *(14)* 27 H 3
Croisset *(76)* 29 F 1
Croissy-Beaubourg *(77)* 51 H 1
Croissy-sur-Celle *(60)* 15 E 3
Croissy-sur-Seine *(78)* 51 E 1
Le Croisty *(56)* 62 D 3
Croisy *(18)* 106 A 3
Croisy-sur-Andelle *(76)* 14 A 5
Croisy-sur-Eure *(27)* 29 H 4
Croix *(59)* 4 C 3
Croix *(90)* 96 D 2
Croix *(Col de la) (2A)* 216 B 2
La Croix-aux-Bois *(08)* 34 D 1
La Croix-aux-Mines *(88)* 78 B 1
La Croix-Avranchin *(50)* 45 H 3
La Croix-Blanche *(47)* 172 C 1
Croix-Caluyau *(59)* 9 F 4
Croix-Chapeau *(17)* 113 F 5
La Croix-Comtesse *(17)* 114 A 5
La Croix-de-la-Rochette *(73)* 138 B 5
Croix-du-Bac *(59)* 3 H 5
La Croix du Breuil *(87)* 117 E 5
La Croix-du-Perche *(28)* 69 F 1
La Croix-en-Brie *(77)* 52 B 3
La Croix-en-Champagne *(51)* 34 C 4
Croix-en-Ternois *(62)* 7 G 2
La Croix-en-Touraine *(37)* 87 F 4
Croix-Fonsomme *(02)* 17 E 1
La Croix-Helléan *(56)* 64 A 3
Croix-Mare *(76)* 13 F 4
Croix-Moligneaux *(80)* 16 B 2
La Croix-St-Leufroy *(27)* 29 G 4
La Croix-sur-Gartempe *(87)* 116 B 5
La Croix-sur-Ourcq *(02)* 32 D 3
La Croix-sur-Roudoule *(06)* 182 C 3
La Croix-Valmer *(83)* 197 H 5
Croixanvec *(56)* 63 G 3
Croixdalle *(76)* 14 A 2
La Croixille *(53)* 66 B 1
Croixrault *(80)* 14 D 3
Croizet-sur-Gand *(42)* 135 E 2
Crolles *(38)* 151 H 2
Crollon *(50)* 45 H 3
Cromac *(87)* 116 D 3
Cromary *(70)* 95 E 4
Cronat *(71)* 107 F 5
Cronce *(43)* 147 G 4
La Cropte *(53)* 67 E 3
Cropus *(76)* 13 G 3
Cros *(30)* 177 G 4
Le Cros *(34)* 176 D 5
Cros *(63)* 146 B 1
Les Cros-d'Arconsat *(63)* 134 A 2
Cros-de-Cagnes *(06)* 199 F 1
Cros-de-Géorand *(07)* 162 C 2
Cros-de-Montvert *(15)* 145 G 4
Cros-de-Ronesque *(15)* 160 B 1
Crosey-le-Grand *(25)* 95 G 3
Crosey-le-Petit *(25)* 95 G 3
Crosmières *(72)* 67 G 5
Crosne *(91)* 51 G 2
Crossac *(44)* 82 C 3
Crosses *(18)* 105 G 2
Crosville-la-Vieille *(27)* 29 F 3
Crosville-sur-Douve *(50)* 22 D 5
Crosville-sur-Scie *(76)* 13 G 2
Crotelles *(37)* 87 E 2
Crotenay *(39)* 110 C 4
Croth *(27)* 49 H 1
Le Crotoy *(80)* 6 C 4
Crots *(05)* 167 E 3
Crottes-en-Pithiverais *(45)* 70 D 2
Crottet *(01)* 122 C 3
Le Crouais *(35)* 64 C 1
Crouay *(14)* 25 H 2
La Croupte *(14)* 28 B 4
Crouseilles *(64)* 186 D 3
Croutelle *(86)* 115 F 1
Les Croûtes *(10)* 73 G 3
Croutoy *(60)* 32 B 1
Crouttes *(61)* 28 A 5
Crouttes-sur-Marne *(02)* 32 C 5
Crouy *(02)* 32 D 1
Crouy *(80)* 15 E 1
Crouy-en-Thelle *(60)* 31 F 3
Crouy-sur-Cosson *(41)* 88 A 1
Crouy-sur-Ourcq *(77)* 32 B 4
Le Crouzet *(25)* 111 E 4
Crouzet-Migette *(25)* 110 D 2
La Crouzille *(63)* 119 E 5
La Crouzille *(87)* 130 B 1
Crouzilles *(37)* 102 B 1
Crozant *(23)* 117 F 3
Croze *(23)* 131 G 3
Crozes-Hermitage *(26)* 149 H 4
Crozet *(01)* 124 B 3
Le Crozet *(42)* 120 D 5
Les Crozets *(39)* 123 H 2
Crozon *(29)* 41 E 5
Crozon-sur-Vauvre *(36)* 117 H 2
Cruas *(07)* 163 H 3
Crucey *(28)* 49 F 2
Crucheray *(41)* 87 F 1
Cruéjouls *(12)* 160 C 5
Cruet *(73)* 138 A 5
Crugey *(21)* 92 D 5
Crugny *(51)* 33 F 2
Cruguel *(56)* 63 H 5
Cruis *(04)* 180 D 3
Crulai *(61)* 48 D 2
Crupies *(26)* 164 D 4
Crupilly *(02)* 17 G 1
Cruscades *(11)* 209 E 1
Cruseilles *(74)* 124 B 5
Crusnes *(54)* 20 C 3
Cruviers-Lascours *(30)* 178 B 4
Crux-la-Ville *(58)* 107 E 1
Cruzille *(71)* 122 B 1
Cruzilles-lès-Mépillat *(01)* 122 C 4
Cruzy *(34)* 191 H 5
Cruzy-le-Châtel *(89)* 74 A 5
Cry *(89)* 92 A 1
Cubelles *(43)* 147 H 5
Cubières *(48)* 162 A 4
Cubières-sur-Cinoble *(11)* 208 C 4
Cubiérettes *(48)* 162 A 5
Cubjac *(24)* 143 G 3
Cublac *(19)* 144 A 4
Cublize *(69)* 135 E 1
Cubnezais *(33)* 141 G 4
Cubrial *(25)* 95 G 2
Cubry *(25)* 95 G 2
Cubry-lès-Faverney *(70)* 77 E 5
Cubry-lès-Soing *(70)* 94 C 1
Cubzac-les-Ponts *(33)* 141 F 5
Cucharmoy *(77)* 52 C 3
Cuchery *(51)* 33 G 3
Cucq *(62)* 6 C 1
Cucugnan *(11)* 208 D 4
Cucuron *(84)* 180 B 5
Cucuruzzu *(Site de) (2A)* 219 E 2
Cudos *(33)* 155 H 5
Cudot *(89)* 72 C 4
Cuébris *(06)* 182 D 4
Cuélas *(32)* 187 H 4

A B C D E F G H I J K L M N O P Q R S T U V W X Y Z

Localité *(Département)*   Page   Coordonnées

A B C D E F G H I J K L M N O P Q R S T U V W X Y Z

Cuers (83)..................197 E 5
Cuffies (02)................32 D 1
Cuffy (18).................106 B 3
Cugand (85)................99 H 1
Cuges-les-Pins (13)........196 B 5
Cugnaux (31)...............189 F 3
Cugney (70)................94 B 4
Cugny (02).................16 C 3
Cuguen (35)................45 F 4
Cuguron (31)...............205 F 2
Cuhon (86).................101 H 4
Cuignières (60)............31 G 1
Cuigy-en-Bray (60).........30 C 1
Cuillé (53)................66 A 3
Cuinchy (62)...............4 A 4
Cuincy (59)................8 C 2
Le Cuing (31)..............205 F 1
Cuinzier (42)..............121 G 5
Cuirieux (02)..............17 G 3
Cuiry-Housse (02)..........33 E 2
Cuiry-lès-Chaudardes (02)..33 F 1
Cuiry-lès-Iviers (02)......18 A 3
Cuis (51)..................33 H 4
Cuise-la-Motte (60)........32 B 1
Cuiseaux (71)..............123 F 1
Cuiserey (21)..............93 H 4
Cuisery (71)...............122 C 1
Cuisia (39)................123 F 1
Cuisiat (01)...............123 F 3
Cuisles (51)...............33 F 3
Cuissai (61)...............47 H 4
Cuissy-et-Geny (02)........33 F 1
Cuisy (55).................35 G 2
Cuisy (77).................31 H 4
Cuisy-en-Almont (02).......32 C 1
La Cula (42)...............135 G 5
Culan (18).................118 C 1
Culètre (21)...............108 D 1
Culey-le-Patry (14)........27 E 5
Culhat (63)................133 G 2
Culin (38).................136 D 5
Culles-les-Roches (71).....108 D 5
Cully (14).................27 E 2
Culmont (52)...............76 A 4
Culoz (01).................137 G 2
Cult (70)..................94 C 4
Cultures (48)..............161 G 4
Cumières (51)..............33 G 4
Cumières-le-Mort-Homme (55)35 G 4
Cumiès (11)................190 A 5
Cumont (82)................172 D 5
Cunac (81).................175 E 4
Cunault (49)...............85 F 4
Cuncy-lès-Varzy (58).......91 E 4
Cunèges (24)...............156 D 2
Cunel (55).................35 F 1
Cunelières (90)............96 D 1
Cunfin (10)................74 D 3
Cunlhat (63)...............133 H 4
Les Cuns (12)..............176 D 3
Cuntorba (Castello de) (2A)218 D 2
Cuon (49)..................85 G 3
Cuperly (51)...............34 B 4
Cuq (47)...................172 C 3
Cuq (81)...................190 B 2
Cuq-Toulza (81)............190 A 3
Cuqueron (64)..............186 A 5
Curac (16).................142 A 2
Curan (12).................176 A 2
Curbans (04)...............166 B 4
Curbigny (71)..............121 G 3
Curçay-sur-Dive (86).......101 G 2
Curchy (80)................16 A 3
Curciat-Dongalon (01)......122 D 2
Curcy-sur-Orne (14)........27 E 4
Curdin (71)................121 E 1
Curel (04).................180 C 2
Curel (52).................55 G 4
Curemonte (19).............144 D 5
Cures (72).................67 H 2
Curey (50).................45 G 3
Curgies (59)...............9 F 3
Curgy (71).................108 B 2
Curienne (73)..............138 A 4
Curières (12)..............160 C 5
Curis-au-Mont-d'Or (69)....135 H 2
Curley (21)................93 F 5
Curlu (80).................16 A 1
Curmilhac (43).............147 H 4
Curmont (52)...............75 F 1
Curnier (26)...............165 E 5
Cursan (33)................155 G 1
Curtafond (01).............122 D 3
Curtil-sous-Buffières (71).121 H 2
Curtil-sous-Burnand (71)...122 A 1
Curtil-St-Seine (21).......93 F 3
Curtil-Vergy (21)..........109 E 1
Le Curtillard (38).........152 A 2
Curvalle (81)..............175 G 5
Curzay-sur-Vonne (86)......115 G 2
Curzon (85)................112 D 2
Cusance (25)...............95 G 4
Cuse-et-Adrisans (25)......95 F 2
Cusey (52).................93 H 1
Cussac (15)................146 D 5
Cussac (87)................129 G 4
Cussac-Fort-Médoc (33).....141 E 4
Cussac-sur-Loire (43)......148 B 5

Cussangy (10)..............73 H 3
Cussay (37)................102 D 2
Cusset (03)................120 B 5
Cussey-les-Forges (21).....93 F 1
Cussey-sur-Lison (25)......110 D 1
Cussey-sur-l'Ognon (25)....94 D 4
Cussy (14).................25 H 2
Cussy-en-Morvan (71).......108 A 1
Cussy-la-Colonne (21)......108 D 2
Cussy-le-Châtel (21).......108 D 1
Cussy-les-Forges (89)......91 H 3
Custines (54)..............56 D 1
Cutry (02).................32 C 1
Cutry (54).................20 B 2
Cuts (60)..................16 C 5
Cutting (57)...............37 H 5
Cuttoli-Corticchiato (2A)..216 D 5
Cuttura (39)...............123 H 2
Cuvat (74).................138 A 1
Cuve (70)..................77 E 4
Cuvergnon (60).............32 B 3
Cuverville (14)............27 E 4
Cuverville (27)............29 H 2
Cuverville (76)............12 B 3
Cuverville-sur-Yères (76)..14 A 1
Cuves (50).................46 A 2
Cuves (52).................75 H 2
Cuvier (39)................111 E 3
Cuvillers (59).............8 D 4
Cuvilly (60)...............15 H 5
Cuvry (57).................36 D 4
Cuxac-Cabardès (11).......190 D 4
Cuxac-d'Aude (11).........209 F 1
Cuy (60)...................16 B 4
Cuy (89)...................72 C 1
Cuy-St-Fiacre (76).........14 C 5
Cuzac (46).................159 G 4
Cuzance (46)...............144 C 5
Cuzieu (01)................137 G 2
Cuzieu (42)................135 E 4
Cuzion (36)................117 F 2
Cuzorn (47)................157 G 4
Cuzy (71)..................107 H 4
Cys-la-Commune (02)........33 E 1
Cysoing (59)...............4 D 4

D

Dabisse (04)...............181 E 3
Dabo (57)..................58 C 2
Dachstein (67).............59 E 2
Dadonville (45)............71 E 2
Daglan (24)................158 A 2
Dagneux (01)...............136 C 2
Dagny (77).................52 C 2
Dagny-Lambercy (02)........17 H 3
Dagonville (55)............55 H 1
La Daguenière (49).........85 E 3
Dahlenheim (67)............59 E 2
Dahouët (22)...............44 A 2
Daignac (33)...............155 H 1
Daigny (08)................19 F 3
Daillancourt (52)..........55 E 5
Daillecourt (52)...........76 A 2
Dainville (62).............8 A 3
Dainville-Bertheléville (55)56 A 4
Daix (21)..................93 F 4
Dalem (57).................21 G 4
Dalhain (57)...............37 G 5
Dalhunden (67).............39 G 5
Dallet (63)................133 F 3
Dallon (02)................16 D 2
Dalou (09).................207 E 2
Dalstein (57)..............21 F 4
Daluis (06)................182 C 3
Damazan (47)...............171 H 1
Dambach (67)...............39 E 3
Dambach-la-Ville (67)......58 D 5
Dambelin (25)..............95 H 3
Dambenois (25).............96 C 2
Dambenoît-lès-Colombe (70).77 F 5
Damblain (88)..............76 B 2
Damblainville (14).........27 G 5
Dambron (28)...............70 C 2
Dame-Marie (27)............49 F 1
Dame-Marie (61)............48 D 5
Dame-Marie-les-Bois (37)...87 F 2
Damelevières (54)..........57 F 3
Daméraucourt (60)..........14 D 3
Damerey (71)...............109 F 3
Damery (51)................33 G 4
Damery (80)................16 A 3
Damgan (56)................81 H 3
Damiatte (81)..............190 B 2
Damigny (61)...............47 H 4
Damloup (55)...............20 A 5
Dammard (02)...............32 C 3
Dammarie (28)..............50 A 5
Dammarie-en-Puisaye (45)...90 A 2
Dammarie-les-Lys (77)......51 H 4
Dammarie-sur-Loing (45)....72 A 5
Dammarie-sur-Saulx (55)....55 G 3
Dammartin-en-Goële (77)....31 H 4
Dammartin-en-Serve (78)....30 B 5
Dammartin-les-Templiers (25)95 F 4
Dammartin-Marpain (39).....94 A 5
Dammartin-sur-Meuse (52)...76 A 3
Dammartin-sur-Tigeaux (77).52 A 1
Damousies (59).............9 H 4

Damouzy (08)...............18 D 2
Damparis (39)..............110 A 1
Dampierre (10).............54 B 3
Dampierre (14).............25 H 4
Dampierre (39).............94 C 5
Dampierre (52).............75 H 4
Dampierre-au-Temple (51)...34 B 4
Dampierre-en-Bray (76).....14 B 5
Dampierre-en-Bresse (71)...109 G 3
Dampierre-en-Burly (45)....89 G 1
Dampierre-en-Crot (18).....89 G 3
Dampierre-en-Graçay (18)...104 C 1
Dampierre-en-Montagne (21).92 C 3
Dampierre-en-Yvelines (78).50 D 2
Dampierre-et-Flée (21).....93 H 3
Dampierre-le-Château (51)..34 D 4
Dampierre-les-Bois (25)....96 D 2
Dampierre-lès-Conflans (70)77 E 4
Dampierre-sous-Bouhy (58)..90 C 3
Dampierre-sous-Brou (28)...69 G 1
Dampierre-St-Nicolas (76)..13 H 2
Dampierre-sur-Avre (28)....49 G 2
Dampierre-sur-Blévy (28)...49 G 3
Dampierre-sur-Boutonne (17)114 B 5
Dampierre-sur-Linotte (70).95 E 3
Dampierre-sur-Loire (49)...85 H 5
Dampierre-sur-Moivre (51)..34 C 5
Dampierre-sur-Salon (70)...94 B 2
Dampjoux (25)..............96 C 3
Damprichard (25)...........96 D 4
Les Damps (27).............29 G 2
Dampsmesnil (27)...........30 B 3
Dampvalley-lès-Colombe (70)95 E 1
Dampvalley-St-Pancras (70).77 E 4
Dampvitoux (54)............36 B 4
Damrémont (52).............76 B 3
Damville (27)..............49 F 1
Damvillers (55)............35 H 1
Damvix (85)................113 H 3
Dancé (42).................134 C 2
Dancé (61).................48 D 5
Dancevoir (52).............75 E 4
Dancharia (64).............184 C 4
La Danchère (38)...........152 B 5
Dancourt (76)..............14 B 2
Dancourt-Popincourt (80)...16 A 4
Dancy (28).................70 A 2
Danestal (14)..............27 H 2
Dangé-St-Romain (86).......102 C 3
Dangeau (28)...............69 H 2
Dangers (28)...............49 H 4
Dangeul (72)...............68 A 1
Dangolsheim (67)...........58 D 2
Dangu (27).................30 B 2
Dangy (50).................25 E 4
Danizy (02)................16 D 4
Danjoutin (90).............96 C 1
Danne-et-Quatre-Vents (57).58 C 1
Dannelbourg (57)...........58 C 1
Danneville (50)............22 C 5
Dannemarie (25)............96 D 3
Dannemarie (68)............97 E 1
Dannemarie (78)............50 B 2
Dannemarie-sur-Crète (25)..94 C 5
Dannemoine (89)............73 H 4
Dannemois (91).............51 G 4
Dannes (62)................2 A 5
Dannevoux (55).............35 G 2
Danvou-la-Ferrière (14)....26 D 5
Danzé (41).................69 F 4
Daon (53)..................66 D 5
Daoulas (29)...............41 G 4
Darazac (19)...............145 F 3
Darbonnay (39).............110 B 3
Darbres (07)...............163 F 3
Darcey (21)................92 C 2
Dardenac (33)..............155 H 2
Dardenay (52)..............93 H 1
Dardez (27)................29 G 4
Dardilly (69)..............135 H 3
Dareizé (69)...............135 F 2
Dargies (60)...............14 D 3
Dargnies (80)..............6 B 5
Dargoire (42)..............135 G 5
Darmannes (52).............75 G 2
Darnac (87)................116 B 4
Darnétal (76)..............29 G 1
Darnets (19)...............145 G 1
Darney (88)................76 D 2
Darney-aux-Chênes (88).....56 C 5
Darnieulles (88)...........77 F 1
Darois (21)................93 F 4
Darsac (43)................148 A 4
Darvault (77)..............71 H 1
Darvoy (45)................70 D 5
Dasle (25).................96 D 2
Daubensand (67)............59 F 4
Daubeuf-la-Campagne (27)...29 F 3
Daubeuf-près-Vatteville (27)29 H 2
Daubeuf-Serville (76)......12 D 3
Daubèze (33)...............155 H 2
Daucourt (51)..............35 E 4
Dauendorf (67).............39 E 5
Daugnague (40).............169 G 5
Daumazan-sur-Arize (09)....206 C 1
Daumeray (49)..............85 F 1
Dauphin (04)...............180 D 4
Dausse (47)................157 G 4

Daux (31)..................189 E 2
Dauzat-sur-Vodable (63)....147 E 1
Davayat (63)...............133 F 2
Davayé (71)................122 B 3
Davéjean (11)..............208 D 3
Davenescourt (80)..........15 H 3
Davézieux (07).............149 G 2
Davignac (19)..............145 F 1
Davrey (10)................73 H 3
Davron (78)................50 D 1
Dax (40)...................185 F 1
Deauville (14).............28 A 1
Deaux (30).................178 A 3
Débats-Rivière-d'Orpra (42)134 C 3
Decazeville (12)...........159 G 4
Dechy (59).................8 C 3
Décines-Charpieu (69)......136 B 3
Decize (58)................107 E 4
La Défense (92)............31 E 5
Dégagnac (46)..............158 A 3
Degré (72).................67 H 3
Dehault (72)...............68 C 1
Dehéries (59)..............9 E 5
Dehlingen (67).............38 B 4
Deinvillers (88)...........57 G 4
Déjointes (18).............106 A 2
Delain (70)................94 B 2
Delettes (62)..............3 E 5
Delincourt (60)............30 C 2
Delle (90).................96 D 2
Delme (57).................37 F 5
Delouze-Rosières (55)......56 A 3
Le Déluge (60).............31 E 2
Delut (55).................35 H 1
Deluz (25).................95 E 4
Demandolx (04).............182 A 4
Demange-aux-Eaux (55)......55 H 3
Demangevelle (70)..........76 D 4
Demi-Quartier (74).........139 E 2
La Demie (70)..............95 E 2
Demigny (71)...............109 E 3
Démouville (14)............27 G 3
Demptézieu (38)............137 E 4
Demu (32)..................187 F 1
Démuin (80)................15 H 2
Denain (59)................9 E 3
Dénat (81).................175 E 5
Denazé (53)................66 B 4
Dénestanville (76).........13 G 2
Deneuille-lès-Chantelle (03)119 H 4
Deneuille-les-Mines (03)...119 F 3
Deneuvre (54)..............57 H 4
Denèvre (70)...............94 B 2
Dénezé-sous-Doué (49)......85 F 5
Dénezé-sous-le-Lude (49)...85 A 2
Denezières (39)............110 C 5
Denguin (64)...............186 A 4
Denicé (69)................135 G 1
Denier (62)................7 H 3
Denipaire (88).............58 A 5
Dennebrœucq (62)...........7 F 1
Denneville (50)............22 C 5
Dennevy (71)...............108 D 3
Denney (90)................96 D 1
Denonville (28)............50 C 5
Denting (57)...............21 G 5
Déols (36).................104 B 4
Derbamont (88).............57 E 5
Dercé (86).................102 A 3
Derchigny (76).............13 H 1
Dercy (02).................17 F 3
Dernacueillette (11).......208 C 3
Dernancourt (80)...........15 H 1
Derval (44)................83 F 1
Désaignes (07).............149 F 5
Désandans (25).............95 H 2
Descartes (37).............102 D 2
Le Deschaux (39)...........110 A 2
Le Désert (14).............25 H 5
Le Désert (38).............166 B 1
Désertines (03)............119 E 3
Désertines (53)............46 C 4
Les Déserts (73)...........138 A 4
Déservillers (25)..........111 E 2
Desges (43)................147 G 5
Desingy (74)...............137 H 1
Desmonts (45)..............71 G 1
Desnes (39)................110 A 4
Desseling (57).............57 H 1
Dessenheim (68)............79 E 3
Dessia (39)................123 F 2
Destord (88)...............57 G 5
La Destrousse (13).........196 A 4
Destry (57)................37 G 4
Desvres (62)...............2 C 5
Détain-et-Bruant (21)......109 E 1
Détrier (73)...............138 B 5
Le Détroit (14)............27 F 5
Dettey (71)................108 A 4
Dettwiller (67)............58 D 1
Deuil-la-Barre (95)........31 F 5
Deuillet (02)..............16 D 4
Deûlémont (59).............4 B 3
Les Deux-
Aygues Granval (07)........162 D 4
Deux-Chaises (03)..........119 G 3
Deux-Évailles (53).........67 E 1
Les Deux-Fays (39).........110 A 3
Deux-Jumeaux (14)..........23 G 5
Deux-Verges (15)...........160 D 2

Les Deux-Villes (08).......19 G 3
Deuxnouds-
devant-Beauzée (55)........35 G 4
Deuville (54)..............57 F 2
Devay (58).................107 E 4
Devecey (25)...............94 D 4
Devesset (07)..............149 E 4
Devèze (16)................187 H 5
Déviat (16)................142 A 1
Dévillac (47)..............157 F 3
Deville (08)...............11 E 5
Déville-lès-Rouen (76).....13 G 5
Devise (80)................16 B 2
Dévoluy (05)...............166 A 2
Dévrouze (71)..............109 G 4
Deycimont (88).............77 H 1
Deyme (31).................189 G 3
Deyvillers (88)............77 G 1
Le Dézert (50).............25 F 2
Dezize-lès-Maranges (71)...108 D 3
Dhuisy (77)................32 C 4
Dhuizel (02)...............33 E 1
Dhuizon (41)...............88 B 2
Diancey (21)...............92 B 5
Diane-Capelle (57).........58 A 1
Diant (77).................72 B 1
Diarville (54).............56 D 4
Le Diben (29)..............42 A 2
Diconne (71)...............109 G 4
Dicy (89)..................72 B 4
Didenheim (68).............78 D 5
Die (26)...................165 F 2
Diebling (57)..............38 A 3
Diebolsheim (67)...........59 F 5
Diedendorf (67)............38 B 5
Dieffenbach-au-Val (67)....58 D 5
Dieffenbach-lès-Wœrth (67).39 F 4
Dieffenthal (67)...........58 D 5
Diefmatten (68)............78 C 5
Dielette (50)..............22 B 3
Dième (69).................135 F 1
Diemeringen (67)...........38 B 4
Diémoz (38)................136 C 4
Diénay (21)................93 F 2
Dienne (15)................146 C 4
Dienné (86)................115 H 2
Diennes-Aubigny (58).......107 E 3
Dienville (10).............54 C 5
Dieppe (76)................13 G 1
Dieppe-
sous-Douaumont (55)........20 A 5
Dieppedalle (76)...........29 F 1
Dierre (37)................87 E 4
Dierrey-St-Julien (10).....73 G 1
Dierrey-St-Pierre (10).....53 G 5
Diesen (57)................21 H 5
Dietwiller (68)............78 D 5
Dieudonné (60).............31 E 2
Dieue-sur-Meuse (55).......35 H 4
Dieulefit (26).............164 D 4
Dieulivol (33).............156 B 3
Dieulouard (54)............36 D 5
Dieupentale (82)...........173 G 5
Dieuze (57)................37 H 5
Diéval (62)................7 H 2
Diffembach-lès-Hellimer (57)37 H 4
Diges (89).................90 D 1
Digna (39).................123 F 1
Dignac (16)................128 C 5
La Digne-d'Amont (11)......208 A 2
La Digne-d'Aval (11).......208 A 2
Digne-les-Bains (04).......181 F 3
Dignonville (88)...........77 G 1
Digny (28).................49 G 4
Digoin (71)................121 E 2
Digosville (50)............22 D 3
Digulleville (50)..........22 B 2
Dijon (21).................93 F 4
Dilo (89)..................73 G 3
Dimancheville (45).........71 F 1
Dimbsthal (67).............58 D 1
Dimechaux (59).............10 A 2
Dimont (59)................10 A 2
Dinan (22).................44 D 4
Dinard (35)................44 D 2
Dinéault (29)..............61 G 1
Dingé (35).................45 F 5
Dingsheim (67).............59 E 2
Dingy-en-Vuache (74).......124 A 5
Dingy-St-Clair (74)........138 B 1
Dinozé (88)................77 G 2
Dinsac (87)................116 C 4
Dinsheim (67)..............58 D 3
Dinteville (52)............75 E 3
Dio-et-Valquières (34).....192 B 2
Dionay (38)................150 D 3
Dions (30).................178 A 4
Diors (36).................104 C 4
Diou (03)..................120 C 1
Diou (36)..................104 D 2
Dirac (16).................128 C 4
Dirinon (29)...............41 G 4
Dirol (58).................91 H 4
Dissais (85)...............113 E 1
Dissangis (89).............91 H 2
Dissay (86)................102 B 5
Dissay-sous-Courcillon (72)86 C 1
Dissé-sous-Ballon (72).....68 B 1
Dissé-sous-le-Lude (72)....86 A 2
Distré (49)................85 G 5
Distroff (57)..............21 E 4
Diusse (64)................186 D 2

Divajeu (26)...............164 C 2
Dives (60).................16 B 4
Dives-sur-Mer (14).........27 H 2
Divion (62)................7 H 1
Divonne-les-Bains (01).....124 B 2
Dixmont (89)...............72 D 3
Dizimieu (38)..............136 D 3
Dizy (51)..................33 G 4
Dizy-le-Gros (02)..........17 H 4
Doazit (40)................186 A 1
Doazon (64)................186 A 3
Docelles (88)..............77 H 1
Dœuil-sur-le-Mignon (17)...114 A 5
Dognen (64)................185 H 5
Dogneville (88)............77 F 1
Dohem (62).................3 E 5
Dohis (02).................18 A 3
Doignies (59)..............8 C 5
Doingt (80)................16 B 1
Doissat (24)...............157 H 2
Doissin (38)...............137 E 5
Doix lès Fontaines (85)....113 G 2
Doizieux (42)..............149 F 1
Dol-de-Bretagne (35).......45 F 3
Dolaincourt (88)...........56 C 5
Dolancourt (10)............74 C 1
Dolcourt (54)..............56 C 4
Dole (39)..................110 A 1
Dolignon (02)..............17 H 3
Dolleren (68)..............78 B 4
Dollon (72)................68 C 3
Dollot (89)................72 B 2
Dolmayrac (47).............157 F 5
Dolo (22)..................44 B 4
Dolomieu (38)..............137 F 4
Dolus-d'Oléron (17)........126 B 1
Dolus-le-Sec (37)..........103 E 1
Dolving (57)...............58 B 1
Dom-le-Mesnil (08).........19 E 3
Domagné (35)...............65 H 2
Domaize (63)...............133 H 4
Domalain (35)..............65 H 3
Domancy (74)...............139 E 1
Domarin (38)...............136 D 4
Domart-en-Ponthieu (80)....7 F 5
Domart-sur-la-Luce (80)....15 G 2
Domats (89)................72 B 2
Domazan (30)...............178 D 4
Dombasle-
devant-Darney (88).........76 D 2
Dombasle-en-Argonne (55)...35 G 3
Dombasle-en-Xaintois (88)..56 D 5
Dombasle-sur-Meurthe (54)..57 F 2
Domblain (52)..............55 F 4
Domblans (39)..............110 B 4
Dombras (55)...............20 A 3
Dombrot-le-Sec (88)........76 C 2
Dombrot-sur-Vair (88)......76 C 1
Domecy-sur-Cure (89).......91 G 4
Domecy-sur-le-Vault (89)...91 G 3
Doméliers (60).............15 E 4
Domène (38)................151 H 3
Domérat (03)...............118 D 3
Domesmont (80).............7 F 5
Domessargues (30)..........178 A 4
Domessin (73)..............137 G 5
Domèvre-en-Haye (54).......56 C 1
Domèvre-sous-Montfort (88).76 D 1
Domèvre-sur-Avière (88)....77 F 1
Domèvre-sur-Durbion (88)...57 G 5
Domèvre-sur-Vezouze (54)...57 H 3
Domeyrat (43)..............147 G 3
Domeyrot (23)..............118 A 2
Domezain-Berraute (64).....185 F 4
Domfaing (88)..............77 H 1
Domfessel (67).............38 B 4
Domfront (60)..............15 H 4
Domfront-
en-Champagne (72)..........67 H 2
Domfront-en-Poiraie (61)...46 D 3
Domgermain (54)............56 C 2
La Dominelais (35).........65 F 5
Domino (85)................126 A 1
Dominois (80)..............6 D 3
Domjean (50)...............25 G 4
Domjevin (54)..............57 H 3
Domjulien (88).............76 D 1
Domléger-Longvillers (80)..7 E 4
Domloup (35)...............65 G 2
Dommarie-Eulmont (54)......56 D 4
Dommarien (52).............93 H 1
Dommartemont (54)..........57 E 2
Dommartin (01).............122 C 3
Dommartin (25).............111 F 2
Dommartin (58).............107 G 2
Dommartin (80).............15 G 2
Dommartin-aux-Bois (88)....77 E 1
Dommartin-Dampierre (51)...34 D 4
Dommartin-la-Chaussée (54).36 C 4
Dommartin-la-Montagne (55).36 A 4
Dommartin-le-Coq (10)......54 B 4
Dommartin-le-Franc (52)....55 F 4
Dommartin-le-St-Père (52)..55 E 5
Dommartin-
lès-Cuiseaux (71)..........123 E 1
Dommartin-
lès-Remiremont (88)........77 H 3
Dommartin-lès-Toul (54)....56 C 2
Dommartin-lès-Vallois (88).76 D 1
Dommartin-Lettrée (51).....54 A 1

Localité *(Département)*   Page   Coordonnées

Dommartin-sous-Amance (54) ....57 E 1
Dommartin-sous-Hans (51) ....34 D 3
Dommartin-sur-Vraine (88) ....56 C 5
Dommartin-Varimont (51) ....34 D 5
Dommary-Baroncourt (55) ....20 B 4
Domme (24) ....158 A 2
Dommery (08) ....18 C 3
Dommiers (02) ....29 H 4
Domnom-lès-Dieuze (57) ....37 H 5
Domois (21) ....93 F 5
Domont (95) ....31 F 4
Dompaire (88) ....77 E 1
Dompcevrin (55) ....35 H 5
Dompierre (60) ....15 H 4
Dompierre (61) ....47 E 2
Dompierre (88) ....57 G 4
Dompierre-aux-Bois (55) ....36 A 4
Dompierre-Becquincourt (80) ....16 A 1
Dompierre-du-Chemin (35) ....66 A 1
Dompierre-en-Morvan (21) ....92 A 4
Dompierre-les-Églises (87) ....116 D 4
Dompierre-les-Ormes (71) ....121 H 3
Dompierre-les-Tilleuls (25) ....111 E 3
Dompierre-sous-Sanvignes (71) ....108 A 5
Dompierre-sur-Authie (80) ....6 D 3
Dompierre-sur-Besbre (03) ....120 C 1
Dompierre-sur-Chalaronne (01) ....122 C 5
Dompierre-sur-Charente (17) ....127 F 3
Dompierre-sur-Helpe (59) ....9 H 4
Dompierre-sur-Héry (58) ....91 E 5
Dompierre-sur-Mer (17) ....113 F 4
Dompierre-sur-Mont (39) ....123 G 1
Dompierre-sur-Nièvre (58) ....90 C 5
Dompierre-sur-Veyle (01) ....123 E 5
Dompierre-sur-Yon (85) ....99 G 4
Dompnac (07) ....162 C 4
Domprel (25) ....95 G 5
Dompremy (51) ....54 D 2
Domprix (54) ....20 B 4
Domps (87) ....130 D 4
Domptail (88) ....57 G 4
Domptail-en-l'Air (54) ....57 F 3
Domptin (02) ....32 C 4
Domqueur (80) ....7 E 5
Domremy-aux-Bois (55) ....55 H 2
Domremy-en-Ornois (52) ....55 G 5
Domremy-la-Canne (55) ....20 B 4
Domrémy-la-Pucelle (88) ....56 B 4
Domsure (01) ....123 E 2
Domvallier (88) ....56 D 5
Domvast (80) ....6 D 4
Don (59) ....4 B 4
Donazac (11) ....207 H 2
Donchery (08) ....19 E 3
Doncières (88) ....57 G 4
Doncourt-aux-Templiers (55) ....36 B 4
Doncourt-lès-Conflans (54) ....20 C 5
Doncourt-lès-Longuyon (54) ....20 B 3
Doncourt-sur-Meuse (52) ....76 A 2
Dondas (47) ....172 D 2
Donges (44) ....82 C 4
Donjeux (52) ....55 G 5
Donjeux (57) ....37 F 5
Le Donjon (03) ....120 D 3
Donnat (30) ....178 D 2
Donnay (14) ....27 F 5
Donnazac (81) ....174 C 4
Donnelay (57) ....57 H 1
Donnemain-St-Mamès (28) ....69 H 2
Donnemarie (52) ....75 H 2
Donnemarie-Dontilly (77) ....52 C 4
Donnement (52) ....54 B 4
Donnenheim (67) ....59 E 1
Donnery (45) ....70 D 4
Donneville (31) ....189 G 3
Donnezac (33) ....141 F 2
Dontreix (23) ....132 B 1
Dontrien (51) ....34 B 2
Donville-les-Bains (50) ....24 C 5
Donzac (33) ....155 G 3
Donzac (82) ....172 D 3
Donzacq (40) ....185 H 1
Le Donzeil (23) ....131 F 1
Donzenac (19) ....144 C 3
Donzère (26) ....163 G 5
Donzy (58) ....90 C 4
Donzy-le-National (71) ....122 A 2
Donzy-le-Pertuis (71) ....122 B 2
Donzy-le-Pré (58) ....90 C 4
Doranges (63) ....147 H 1
Dorans (90) ....96 C 1
Dorat (63) ....133 H 2
Le Dorat (87) ....116 C 4
Dorceau (61) ....49 E 5
Dordives (45) ....71 H 2
Dore-l'Église (63) ....148 A 2
La Dorée (53) ....46 B 4
Dorengt (02) ....17 F 1
Dorlisheim (67) ....58 D 3
Dormans (51) ....33 F 4
Dormelles (77) ....72 A 1
Dormillouse (05) ....166 D 2
La Dornac (24) ....144 B 4
Dornas (07) ....163 E 1
Dornecy (58) ....91 E 3
Dornes (58) ....106 D 5
Dornot (57) ....36 D 4
Dorres (66) ....211 G 4

Dortan (01) ....123 G 3
Dosches (10) ....54 A 5
Dosnon (10) ....54 A 3
Dossenheim-Kochersberg (67) ....59 E 2
Dossenheim-sur-Zinsel (67) ....58 D 5
Douadic (36) ....103 F 5
Douai ⟨SP⟩ (59) ....8 C 2
Douains (27) ....29 H 4
Le Douard (13) ....195 G 4
Douarnenez (29) ....61 F 2
Douaumont (55) ....35 H 2
Doubs (25) ....111 F 2
Doucelles (72) ....68 A 1
Douces (49) ....85 F 5
Douchapt (24) ....142 D 3
Douchy (02) ....16 C 2
Douchy-Montcorbon (45) ....72 B 4
Douchy-lès-Ayette (62) ....8 A 4
Douchy-les-Mines (59) ....9 E 3
Doucier (39) ....110 C 5
Doucy (73) ....138 D 5
Doucy-en-Bauges (73) ....138 B 3
Doudeauville (62) ....2 C 5
Doudeauville (76) ....14 C 4
Doudeauville-en-Vexin (27) ....30 A 2
Doudelainville (80) ....14 C 1
Doudeville (76) ....13 E 3
Doudrac (47) ....157 E 3
Doue (77) ....52 C 1
Doué-la-Fontaine (49) ....85 F 5
Douelle (46) ....158 B 5
Le Douhet (17) ....127 F 2
Douillet (72) ....67 H 1
Douilly (80) ....16 C 2
Doulaincourt (52) ....55 G 5
Doulaize (25) ....110 D 1
Doulcon (55) ....35 F 1
Doulevant-le-Château (52) ....55 E 5
Doulevant-le-Petit (52) ....55 E 4
Doulezon (33) ....156 A 2
Le Doulieu (59) ....3 H 5
Doullens (80) ....7 G 4
Doulon (44) ....83 F 5
Doumely-Bégny (08) ....18 B 4
Doumy (64) ....186 B 3
Dounoux (88) ....77 F 2
Les Dourbes (04) ....181 G 3
Dourbies (30) ....177 E 3
Dourdain (35) ....65 H 1
Dourdan (91) ....50 D 4
Le Dourduff (29) ....42 A 3
Dourges (62) ....4 C 5
Dourgne (81) ....190 C 3
Douriez (62) ....6 D 3
Dourlers (59) ....9 H 4
Le Dourn (81) ....175 F 4
Dournazac (87) ....129 G 4
Dournon (39) ....110 D 2
Dours (65) ....187 F 5
Doussard (74) ....138 B 3
Doussay (86) ....102 A 3
Douvaine (74) ....124 C 3
Douville (24) ....143 E 5
Douville-en-Auge (14) ....27 F 4
Douville-sur-Andelle (27) ....29 H 1
Douvrend (76) ....13 H 2
Douvres (01) ....137 E 1
Douvres-la-Délivrande (14) ....27 F 2
Douvrin (62) ....4 B 5
Doux (08) ....18 C 5
Doux (79) ....101 H 4
Douy (28) ....69 G 3
Douy-la-Ramée (77) ....32 A 4
Douzains (47) ....157 E 3
Douzat (16) ....128 A 3
La Douze (24) ....143 G 4
Douzens (11) ....208 C 1
Douzies (59) ....9 H 3
Douzillac (24) ....142 D 4
Douzy (08) ....19 F 3
Doville (50) ....22 D 5
La Doye (39) ....124 B 1
Doye (39) ....110 D 4
Dozulé (14) ....27 H 2
Dracé (69) ....122 B 4
Draché (37) ....102 C 2
Drachenbronn-Birlenbach (67) ....39 F 4
Dracy (89) ....90 C 1
Dracy-le-Fort (71) ....109 E 4
Dracy-lès-Couches (71) ....108 D 3
Dracy-St-Loup (71) ....108 B 2
Dragey (50) ....45 G 2
Draguignan ⟨SP⟩ (83) ....197 G 2
Draillant (74) ....124 D 3
Drain (49) ....83 H 4
Draix (04) ....181 G 2
Draize (08) ....18 B 4
Drambon (21) ....93 H 4
Dramelay (39) ....123 G 2
Le Dramont (83) ....198 D 3
Drancy (93) ....31 G 5
Drap (06) ....183 F 5
Dravegny (02) ....33 E 2
Draveil (91) ....51 F 2
Drée (21) ....92 D 4
Dréfféac (44) ....82 C 2
Drémil-Lafage (31) ....189 G 2
Le Drennec (29) ....41 F 3

Dreslincourt (60) ....16 B 5
Dreuil-Hamel (80) ....14 D 1
Dreuil-lès-Amiens (80) ....15 F 1
Dreuil-lès-Molliens (80) ....15 E 2
Dreuilhe (09) ....207 G 3
Dreux ⟨SP⟩ (28) ....49 H 2
Drevant (18) ....105 G 5
Dricourt (08) ....34 C 1
Driencourt (80) ....16 B 1
Drignac (15) ....145 H 4
Drincham (59) ....3 E 3
Drocourt (78) ....30 C 4
Drocourt (62) ....8 B 2
Droisy (27) ....49 G 1
Droisy (74) ....137 H 1
Droiturier (03) ....120 C 4
Droizy (02) ....32 D 2
Drom (01) ....123 F 4
Dromesnil (80) ....14 D 2
Drosay (76) ....13 E 2
Drosnay (51) ....54 C 3
Droué (41) ....69 F 3
Droue-sur-Drouette (28) ....50 B 3
Drouges (35) ....65 H 4
Drouilly (51) ....54 C 1
Droupt-St-Basle (10) ....53 G 4
Droupt-Ste-Marie (10) ....53 G 4
Drouville (54) ....57 F 2
Drouvin-le-Marais (62) ....4 A 5
Droux (87) ....116 C 5
Droyes (52) ....54 D 4
Drubec (14) ....28 A 2
Drucat (80) ....6 D 4
Drucourt (27) ....28 C 3
Drudas (31) ....188 D 1
Druelle (12) ....175 G 1
Drugeac (15) ....145 H 3
Druillat (01) ....123 E 5
Drulingen (67) ....38 B 5
Drumettaz-Clarafond (73) ....137 H 4
Drusenheim (67) ....39 G 5
Druy-Parigny (58) ....106 D 3
Druye (37) ....86 C 4
Druyes-les-Belles-Fontaines (89) ....90 D 2
Dry (45) ....70 B 5
Duault (22) ....42 C 5
Ducey-les-Chéris (50) ....45 H 2
Duclair (76) ....13 F 5
Ducy-Ste-Marguerite (14) ....27 E 2
Duerne (69) ....135 G 4
Duesme (21) ....92 D 1
Duffort (32) ....187 H 5
Dugny (93) ....31 F 5
Dugny-sur-Meuse (55) ....35 H 3
Duhort-Bachen (40) ....186 C 1
Duilhac-sous-Peyrepertuse (11) ....208 C 4
Duingt (74) ....138 B 2
Duisans (62) ....8 A 3
Dullin (73) ....137 G 5
Dumes (40) ....186 A 1
Dun (09) ....207 F 2
Dun-le-Palestel (23) ....117 G 3
Dun-le-Poëlier (36) ....88 B 5
Dun-les-Places (58) ....91 H 5
Dun-sur-Auron (18) ....105 G 3
Dun-sur-Grandry (58) ....107 G 1
Dun-sur-Meuse (55) ....35 G 1
Duneau (72) ....68 C 3
Dunes (82) ....172 C 3
Les Dunes-de-Varreville (50) ....23 F 4
Dunet (36) ....116 D 2
Dung (25) ....96 C 2
Dunière-sur-Eyrieux (07) ....163 G 1
Dunières (43) ....149 E 3
Dunkerque ⟨SP⟩ (59) ....3 F 1
Duntzenheim (67) ....59 E 1
Duppigheim (67) ....59 E 3
Duran (32) ....188 A 2
Durance (47) ....171 G 2
Duranus (06) ....183 F 4
Duranville (27) ....28 C 3
Duras (47) ....156 B 3
Duravel (46) ....157 H 4
Durban (32) ....188 A 3
Durban-Corbières (11) ....209 E 3
Durban-sur-Arize (09) ....206 C 2
Durbans (46) ....158 D 3
Durcet (61) ....47 E 1
Durdat-Larequille (03) ....119 E 4
Dureil (72) ....67 G 5
Durenque (12) ....175 G 3
Durfort (09) ....206 D 1
Durfort (81) ....190 B 4
Durfort-et-St-Martin-de-Sossenac (30) ....177 H 4
Durfort-Lacapelette (82) ....173 F 2
Durlinsdorf (68) ....97 F 2
Durmenach (68) ....97 F 2
Durmignat (63) ....119 F 4
Durnes (25) ....111 F 1
Durningen (67) ....59 E 1
Durrenbach (67) ....39 F 4
Durrenentzen (68) ....79 E 2
Durstel (67) ....38 C 5
Durtal (49) ....85 F 1
Durtol (63) ....133 E 3
Dury (02) ....16 C 3
Dury (62) ....8 B 3
Dury (80) ....15 F 2

Dussac (24) ....143 H 1
Duttlenheim (67) ....59 E 3
Duvy (60) ....32 A 2
Duzey (55) ....20 B 3
Dyé (89) ....73 G 4
Dyo (71) ....121 G 3

E

Eancé (35) ....65 H 4
Eaubonne (95) ....31 F 5
Eaucourt-sur-Somme (80) ....6 D 5
Eaunes (31) ....189 F 4
Eaux-Bonnes (64) ....203 H 3
Eaux-Chaudes (64) ....203 H 3
Eaux-Puiseaux (10) ....73 G 2
Eauze (32) ....171 G 5
Ébaty (21) ....109 E 3
Ebblinghem (59) ....3 F 4
Ébéon (17) ....127 G 2
Eberbach-Seltz (67) ....39 H 4
Ebersheim (67) ....59 E 5
Ebersmunster (67) ....59 E 5
Ebersviller (57) ....21 F 4
Éblange (57) ....21 G 4
Ébouleau (02) ....17 G 3
Ébréon (16) ....128 B 1
Ébreuil (03) ....119 G 5
L'Écaille (08) ....34 A 1
Écaillon (59) ....8 D 3
Écalles-Alix (76) ....13 F 4
Écaquelon (27) ....28 D 2
Écardenville-la-Campagne (27) ....29 E 3
Écardenville-sur-Eure (27) ....29 H 4
Écausseville (50) ....23 E 4
Eccica-Suarella (2A) ....216 D 5
Eccles (59) ....10 A 2
Échalas (69) ....135 H 5
Échallat (16) ....128 A 3
Échallon (01) ....123 H 4
Échalot (21) ....93 E 2
Échalou (61) ....47 E 2
Échandelys (63) ....133 H 5
Échannay (21) ....92 D 5
Écharcon (91) ....51 F 3
Échassières (03) ....119 G 4
Échauffour (61) ....48 B 2
Échavanne (70) ....95 H 1
Échay (25) ....110 D 1
Échebrune (17) ....127 G 4
L'Échelle (08) ....18 C 2
L'Échelle-le-Franc (51) ....33 E 5
L'Échelle-St-Aurin (80) ....16 A 3
Les Échelles (73) ....151 G 1
Échemines (10) ....53 G 5
Échemiré (49) ....85 G 2
Échenans (70) ....96 C 2
Échenans-sous-Mont-Vaudois (70) ....96 C 1
Échenay (52) ....55 H 4
Échenevex (01) ....124 B 3
Échenon (21) ....109 H 1
Échenoz-la-Méline (70) ....95 E 1
Échenoz-le-Sec (70) ....95 E 2
Échery (68) ....58 C 5
Échevanne (70) ....94 B 3
Échevannes (21) ....93 G 2
Échevannes (25) ....111 F 1
Échevis (26) ....151 E 4
Échevronne (21) ....109 E 1
Échigey (21) ....93 G 5
Échillais (17) ....126 C 2
Échilleuses (45) ....71 G 2
Echinghen (62) ....2 B 4
Échiré (79) ....114 B 2
Échirolles (38) ....151 G 3
Échouboulains (77) ....52 A 4
Échourgnac (24) ....142 C 4
Eckartswiller (67) ....58 D 1
Eckbolsheim (67) ....59 F 2
Eckwersheim (67) ....59 F 1
Éclaibes (59) ....9 H 4
L'Éguille (17) ....126 C 3
Éclaires (51) ....35 F 4
Éclance (10) ....54 D 5
Éclans-Nenon (39) ....110 B 1
Éclaron-Braucourt-Ste-Livière (52) ....55 E 3
Eclassan (07) ....149 G 3
L'Éclème (62) ....7 H 1
Écleux (39) ....110 C 2
Éclimeux (62) ....7 F 2
Eclose (38) ....136 D 5
Écluse-Vaux (80) ....16 A 1
Écluzelles (28) ....49 H 2
Écly (08) ....18 B 5
Écoche (42) ....121 G 5
Écoivres (62) ....7 G 3
École (38) ....138 B 4
École-Valentin (25) ....94 D 4
Écollemont (51) ....54 D 3
Écoman (49) ....69 H 4
Écommoy (72) ....68 A 5
Écoquenéauville (50) ....23 E 5
Écorcei (61) ....48 C 2
Les Écorces (25) ....96 C 5
Écorches (61) ....48 A 1
Écordal (08) ....18 C 5
Écorpain (72) ....68 D 4
Écos (27) ....30 B 3
Écot (25) ....96 C 3
Écot-la-Combe (52) ....75 H 1

Écotay-l'Olme (42) ....134 C 5
Écots (14) ....27 H 4
Écouché (61) ....47 G 2
Écouen (95) ....31 F 4
Écouflant (49) ....85 E 2
Écouis (27) ....30 A 4
Écourt-St-Quentin (62) ....8 C 3
Écoust-St-Mein (62) ....8 B 4
Écouviez (55) ....20 A 2
L'Écouvotte (25) ....95 F 4
Écoyeux (17) ....127 F 2
Ecquedecques (62) ....7 H 1
Ecques (62) ....3 E 5
Ecquetot (27) ....29 E 3
Ecquevilly (78) ....30 C 5
Écrainville (76) ....12 C 4
Écrammeville (14) ....23 G 5
Écretteville-lès-Baons (76) ....13 E 4
Écretteville-sur-Mer (76) ....12 D 2
Écrille (39) ....123 G 1
Écromagny (70) ....77 G 5
Écrosnes (28) ....50 B 4
Écrouves (54) ....56 C 2
Ectot-l'Auber (76) ....13 F 4
Ectot-lès-Baons (76) ....13 E 4
Écublé (28) ....49 H 3
Écueil (51) ....33 G 3
Écueillé (36) ....103 H 1
Écuélin (59) ....9 H 4
Écuelle (70) ....94 A 2
Écuelles (71) ....109 G 2
Écuelles (77) ....52 A 5
Écuillé (49) ....84 D 1
Écuires (62) ....6 D 2
Écuisses (71) ....108 C 4
Éculleville (50) ....22 B 2
Écully (69) ....135 H 3
Écuras (16) ....129 E 4
Écurat (17) ....127 E 3
Écurcey (25) ....96 C 3
Écurey-en-Verdunois (55) ....35 G 1
Écurie (62) ....8 A 3
Écury-le-Repos (51) ....53 H 1
Écury-sur-Coole (51) ....34 B 5
Écutigny (21) ....108 D 1
Écuvilly (60) ....16 B 4
Édern (29) ....61 H 2
Édon (16) ....128 D 5
Les Éduts (17) ....127 H 1
Effiat (63) ....133 F 1
Effincourt (52) ....55 G 4
Effry (02) ....17 H 1
Égat (66) ....211 H 4
Égleny (89) ....72 D 5
Égletons (19) ....145 F 1
Égligny (77) ....52 C 5
Églingen (68) ....78 C 5
L'Église (30) ....177 H 2
L'Église (83) ....198 D 2
L'Église-aux-Bois (19) ....131 E 4
L'Église-de-Cros (30) ....177 G 4
Église-Neuve-de-Vergt (24) ....143 F 4
Église-Neuve-d'Issac (24) ....142 D 5
Égliseneuve-d'Entraigues (63) ....146 C 1
Égliseneuve-des-Liards (63) ....133 H 5
Égliseneuve-près-Billom (63) ....133 G 4
Les Églises-d'Argenteuil (17) ....127 G 1
Églisolles (63) ....148 B 1
Les Églisottes-et-Chalaures (33) ....142 A 4
Égly (91) ....51 E 3
Égreville (77) ....72 A 2
Égriselles-le-Bocage (89) ....72 C 2
Égry (45) ....71 F 2
Éguelshardt (57) ....38 D 3
Eguenigue (90) ....96 D 1
L'Éguille (17) ....126 C 3
Éguilles (13) ....195 H 2
Éguilly (21) ....92 C 4
Éguilly-sous-Bois (10) ....74 C 2
Éguisheim (68) ....78 D 2
Éguzon (36) ....117 F 2
Éhuns (70) ....77 F 5
Eichhoffen (67) ....58 D 4
Eincheville (57) ....37 G 4
Einvaux (54) ....57 F 3
Einville-au-Jard (54) ....57 F 2
Eix (55) ....20 A 5
Élan (08) ....18 D 3
Élancourt (78) ....50 D 1
Elange (57) ....20 D 3
Elbach (68) ....97 E 1
Elbeuf (76) ....29 F 2
Elbeuf-en-Bray (76) ....14 B 5
Elbeuf-sur-Andelle (76) ....14 D 3
Élencourt (60) ....14 D 3
Élesmes (59) ....9 H 3
Életot (76) ....12 C 2
Éleu-dit-Leauwette (62) ....4 B 5
Élincourt (59) ....9 E 5
Élincourt-Ste-Marguerite (60) ....16 A 5
Élise-Daucourt (51) ....35 E 4
Ellecourt (76) ....14 C 2

Ellon (14) ....26 D 2
Elne (66) ....213 F 3
Elnes (62) ....2 D 5
Éloie (90) ....78 A 5
Éloise (74) ....124 A 5
Éloyes (88) ....77 G 2
Elsenheim (67) ....79 E 1
Elvange (57) ....37 G 3
Elven (56) ....81 H 1
Elzange (57) ....21 F 4
Elze (30) ....162 C 5
Émagny (25) ....94 C 4
Émalleville (27) ....29 G 4
Émancé (78) ....50 B 3
Émanville (27) ....29 E 4
Émanville (76) ....13 F 4
Emberménil (54) ....57 H 2
Embreville (80) ....6 B 5
Embres-et-Castelmaure (11) ....209 E 3
Embrun (05) ....167 E 3
Embry (62) ....7 E 1
Émerainville (77) ....51 H 1
Émerchicourt (59) ....8 D 3
Émeringes (69) ....122 A 4
Éméville (60) ....32 B 2
Émiéville (14) ....27 G 3
Emlingen (68) ....97 F 1
Emmerin (59) ....4 C 4
Émondeville (50) ....23 E 4
Empeaux (31) ....188 D 3
Empurany (07) ....149 F 5
Empuré (16) ....128 B 1
Empury (58) ....91 G 4
Encausse (32) ....188 D 1
Encausse-les-Thermes (31) ....205 G 2
Enchastrayes (04) ....167 F 5
Enchenberg (57) ....38 C 3
Encourtiech (09) ....206 B 3
Endoufielle (32) ....188 D 3
Énencourt-le-Sec (60) ....30 C 2
Énencourt-Léage (60) ....30 C 2
Enfonvelle (52) ....76 C 4
Engayrac (47) ....172 D 1
Engente (10) ....74 D 1
Engenville (45) ....71 E 1
Enghien-les-Bains (95) ....31 F 5
Engins (38) ....151 G 3
Englancourt (02) ....17 G 1
Englebelmer (80) ....7 H 5
Englefontaine (59) ....9 H 4
Englesqueville-en-Auge (14) ....28 A 1
Englesqueville-la-Percée (14) ....23 G 5
Englos (59) ....4 B 4
Engomer (09) ....206 A 3
Engwiller (67) ....39 E 5
Enguinegatte (62) ....3 E 5
Ennemain (80) ....16 B 2
Ennery (57) ....21 E 5
Ennery (95) ....31 E 4
Ennetières-en-Weppes (59) ....4 B 3
Ennevelin (59) ....4 C 4
Ennezat (63) ....133 F 2
Ennordres (18) ....89 F 3
Enquin-les-Mines (62) ....3 E 5
Enquin-sur-Baillons (62) ....6 D 1
Enriez (04) ....182 B 3
Ensigné (79) ....114 C 5
Ensisheim (68) ....78 D 4
Ensuès-la-Redonne (13) ....195 G 4
Entrages (04) ....181 G 3
Entraigues (38) ....152 A 5
Entraigues (63) ....133 G 2
Entraigues-sur-la-Sorgue (84) ....179 F 4
Entrains-sur-Nohain (58) ....90 C 3
Entrammes (53) ....66 D 3
Entrange (57) ....20 D 3
Entraunes (06) ....182 B 1
Entraygues-sur-Truyère (12) ....160 A 3
Entre-deux-Eaux (88) ....78 B 1
Entre-deux-Guiers (38) ....151 G 1
Entre-deux-Monts (39) ....110 D 5
Entre-les-Fourg (25) ....111 G 4
Entrecasteaux (83) ....197 F 3
Entrechaux (84) ....179 H 2
Entremont (74) ....138 C 1
Entremont-le-Vieux (73) ....137 H 5
Entrepierres (04) ....181 E 2
Entressen (13) ....195 E 2
Entrevaux (04) ....182 C 3
Entrevennes (04) ....181 E 4
Entrevernes (74) ....138 B 2
Entzheim (67) ....59 E 3
Enval (63) ....133 E 2
Enveitg (66) ....211 G 4
Envermeu (76) ....13 H 2
Envronville (76) ....13 E 4
Éourres (05) ....180 C 1
Eoux (31) ....188 C 5
Épagne (10) ....54 C 5
Épagne-Épagnette (80) ....6 D 5
Épagny (02) ....16 D 5

A B C D E F G H I J K L M N O P Q R S T U V W X Y Z

Localité *(Département)*   Page   **Coordonnées**

A B C D E F G H I J K L M N O P Q R S T U V W X Y Z

Épagny (21).............93 F3
Épagny-Metz-Tessy (74).....138 A1
Épaignes (27).............28 C2
Épaney (14).............27 G5
Épannes (79).............114 A4
Éparcy (02).............10 A5
Les Éparges (55).............36 A4
Épargnes (17).............126 D5
Les Éparres (38).............136 D5
Épaumesnil (80).............14 D1
Épaux-Bézu (02).............32 D4
Épeautrolles (28).............69 H1
Épécamps (80).............7 F5
Épégard (27).............29 E3
Épehy (80).............16 C1
Épeigné-les-Bois (37).............87 F5
Épeigné-sur-Dême (37).............86 C1
Épénancourt (80).............16 B2
Épenède (16).............115 H5
Épenouse (25).............95 G5
Épenoy (25).............95 F5
Épense (51).............35 E5
Épercieux-St-Paul (42).....135 E3
Éperlecques (62).............3 E4
Épernay (51).............33 G4
Épernay-sous-Gevrey (21).....93 F5
Épernon (28).............50 B3
Éperrais (61).............48 C5
Épersy (73).............138 A3
Épertully (71).............108 D3
Épervans (71).............109 F4
Les Épesses (85).............100 B3
Épeugney (25).............110 D1
Epfig (67).............58 D4
Épiais (41).............69 G5
Épiais-lès-Louvres (95).....31 G4
Épiais-Rhus (95).............30 D3
Épieds (02).............32 D4
Épieds (27).............29 H5
Épieds (49).............101 G1
Épieds-en-Beauce (45).......70 B4
Épierre (73).............138 C5
Épiez-sur-Chiers (54).......20 A2
Épiez-sur-Meuse (55).......56 A3
Épinac (71).............108 C2
Épinal (88).............77 F1
Épinant (52).............76 A3
Épinay (27).............28 D5
Épinay-Champlâtreux (95).....31 F4
L'Épinay-le-Comte (61).......46 C4
Épinay-sous-Sénart (91).....51 G2
Épinay-sur-Duclair (76).....13 F5
Épinay-sur-Odon (14).......26 D4
Épinay-sur-Orge (91).......51 F2
Épinay-sur-Seine (93).......31 F5
L'Épine (05).............165 G5
L'Épine (51).............34 B5
L'Épine (85).............98 B2
L'Épine-aux-Bois (02).......52 D1
L'Épine-des-Champs (61).....46 C3
Épineu-le-Chevreuil (72).....67 G3
Épineuil (89).............73 H4
Épineuil-le-Fleuriel (18).....118 D1
Épineuse (60).............31 G1
Épineux-le-Seguin (53).....67 F4
Épiniac (35).............45 F3
Épinonville (55).............35 F2
Épinouze (26).............149 H2
Épinoy (62).............8 D4
Épire (49).............84 D3
Épiry (58).............107 F1
Épisy (77).............52 A5
Épizon (52).............55 H5
Éplessier (80).............14 D3
Éply (54).............37 E5
Époisses (21).............92 A3
Épône (78).............30 C5
Épothémont (10).............54 D4
Épouville (76).............12 B4
Époye (51).............34 A2
Eppe-Sauvage (59).............10 A3
Eppes (02).............17 G5
Eppeville (80).............16 B1
Epping (57).............38 C3
Épretot (76).............12 C5
Épreville (76).............12 C5
Épreville-en-Lieuvin (27).....28 C3
Épreville-en-Roumois (27).....29 E2
Épreville-près-le-Neubourg (27).....29 E3
Épron (14).............27 F2
Eps (62).............7 G2
Épuisay (41).............69 E4
Équancourt (80).............8 C5
Équemauville (14).............28 A1
Équennes-Éramecourt (80).....14 D3
Équeurdreville-Hainneville (50).....22 C2
Équevilley (70).............77 F5
Équevillon (39).............110 D4
Équihen-Plage (62).............2 A5
Équilly (50).............24 D5
Équirre (62).............7 F1
Éragny (95).............30 D4
Éragny-sur-Epte (60).....30 C2
Éraines (14).............27 G5
Éraville (16).............128 A5

Erbajolo (2B).............217 F2
Erbalunga (2B).............215 G3
Erbéviller-sur-Amezule (54).....57 F1
Erbray (44).............83 H1
Erbrée (35).............66 A2
Ercé (09).............206 C4
Ercé-en-Lamée (35).......65 F4
Ercé-près-Liffré (35).......65 G1
Erceville (45).............70 D1
Erches (80).............15 H3
Ercheu (80).............16 B3
Erchin (59).............8 D3
Erching (57).............38 C3
Erckartswiller (67).......38 C5
Ercourt (80).............6 C5
Ercuis (60).............31 F2
Erdeven (56).............81 H1
Erdre-en-Anjou (49).......84 C2
Éréac (22).............44 B5
Ergersheim (67).............59 E2
Ergnies (80).............7 E5
Ergny (62).............2 D5
Ergué-Gabéric (29).......61 H3
Érigné (49).............85 E3
Érin (62).............7 F2
Éringes (21).............92 C2
Eringhem (59).............3 F3
Erize-la-Brûlée (55).......55 G1
Érize-la-Grande (55).......35 G5
Érize-la-Petite (55).......35 G5
Érize-St-Dizier (55).......55 G1
Erlon (02).............17 F3
Erloy (02).............17 G1
Ermenonville (60).............31 H3
Ermenonville-la-Grande (28)....49 H5
Ermenonville-la-Petite (28)....69 H1
Ermenouville (76).............13 E2
Ermont (95).............31 E5
Ernecourt (55).............55 H1
Ernée (53).............46 B5
Ernemont-Boutavent (60)....14 C4
Ernemont-la-Villette (76)....14 C5
Ernemont-sur-Buchy (76)....14 A5
Ernes (14).............27 G4
Ernestviller (57).............38 A3
Ernolsheim-Bruche (67)....59 E2
Ernolsheim-lès-Saverne (67)....38 D5
Erny-St-Julien (62).......3 E5
Érôme (26).............149 H4
Érondelle (80).............6 D5
Érone (2B).............217 F1
Éroudeville (50).............23 E4
Erp (09).............206 B3
Erquery (60).............31 G1
Erquinghem-le-Sec (59)....4 B4
Erquinghem-Lys (59).......4 B3
Erquinvillers (60).......15 G5
Erquy (22).............44 A2
Err (66).............211 H4
Erre (59).............8 D2
Errevet (70).............78 A5
Errouville (54).............20 C3
Ersa (2B).............215 F1
Erstein (67).............59 F4
Erstroff (57).............37 H4
Ervauville (45).............72 B3
Ervillers (62).............8 B4
Ervy-le-Châtel (10).......73 G3
Esbareich (65).............205 F3
Esbarres (21).............109 G1
Esboz-Brest (70).............77 G4
Escala (65).............205 E2
Escalans (40).............171 G4
Les Escaldes (66).............211 G4
L'Escale (04).............181 E3
Escales (11).............208 D1
Escalles (62).............2 B3
Escalquens (31).............189 G3
Escames (60).............14 C5
Escamps (46).............174 A1
Escamps (89).............91 E1
Escandolières (12).............159 H5
Escanecrabe (31).............188 B5
Escardes (51).............53 E2
L'Escarène (06).............183 F4
Escarmain (59).............9 F4
Escaro (66).............212 B4
Escassefort (47).............156 C4
Escatalens (82).............173 F4
Escaudain (59).............9 E3
Escaudes (33).............171 E1
Escaudœuvres (59).......8 D4
Escaufourt (59).............9 F5
Escaunets (65).............186 D4
Escautpont (59).............5 F5
Escazeaux (82).............173 F5
Eschau (67).............59 F3
Eschbach (67).............39 F5
Eschbach-au-Val (68).......78 C2
Eschbourg (67).............38 C5
Eschentzwiller (68).......78 D5
Escherange (57).............20 D3
Esches (60).............31 E3
Eschwiller (67).............38 B5
Esclagne (09).............207 G3
Esclainvillers (80).......15 G3
Esclanèdes (48).............161 G5
Esclassan-Labastide (32)....187 H4
Esclauzels (46).............158 C5
Esclavelles (76).............14 A3

Esclavolles-Lurey (51).......53 F3
Escles (88).............77 E2
Escles-St-Pierre (60).......14 C3
Esclottes (47).............156 B2
Escobecques (59).............4 B4
Escœuilles (62).............2 C4
Escoire (24).............143 A3
Escolives-Ste-Camille (89)....91 F1
Escombres-et-le-Chesnois (08)....19 G3
Escondeaux (65).............187 F4
Esconnets (65).............204 D2
Escorailles (15).............145 H3
Escornebœuf (32).............188 C2
Escorpain (28).............49 G2
Escos (64).............185 F3
Escosse (09).............207 E2
Escot (64).............203 F2
Escots (65).............204 D2
Escou (64).............203 G1
Escoubès (64).............186 C4
Escoubès-Pouts (65).......204 C2
Escoulis (34).............206 A2
Escouloubre (11).............207 H5
Escource (40).............169 E2
Escoussans (33).............155 G3
Escoussens (81).............190 C3
Escout (64).............203 G1
Escoutoux (63).............133 H3
Escoville (14).............27 G2
Escragnolles (06).............182 C5
Escrennes (45).............71 E2
Escrignelles (45).............90 A1
Escroux (81).............191 F1
Escueillens (11).............207 H2
Escurès (65).............186 D3
Escures-sur-Favières (14)....27 H4
Escurolles (03).............120 A5
Eslettes (76).............13 G5
Esley (88).............76 D1
Eslourenties-Daban (64)....186 D5
Esmans (77).............52 B5
Esmery-Hallon (80).......16 B3
Esmoulières (70).............77 H4
Esmoulins (70).............94 A3
Esnandes (17).............113 E3
Esnans (25).............95 F4
Esnes (59).............8 D5
Esnes-en-Argonne (55)....35 G2
Esnoms-au-Val (52).......93 G1
Esnon (89).............73 E3
Esnouveaux (52).............75 H2
Espagnac (19).............145 E3
Espagnac-Ste-Eulalie (46)....159 E4
Espalais (82).............172 B3
Espalem (43).............147 F2
Espalion (12).............160 B4
Espaly-St-Marcel (43)....148 B4
Espanès (31).............189 G4
Espaon (32).............188 B4
Esparron (05).............166 A4
Esparron (31).............188 B5
Esparron (83).............196 C2
Esparron-de-Verdon (04)....196 D1
Esparros (65).............204 D2
Esparsac (82).............172 D5
Espartignac (19).............144 C1
Espas (32).............187 E1
Espaubourg (60).............30 C1
Espèche (65).............204 D2
Espéchède (64).............186 D5
Espédaillac (46).............158 D3
Espelette (64).............184 C4
Espeluche (26).............163 H4
Espenel (26).............165 E2
Espérausses (81).............191 E2
Espéraza (11).............208 A5
Esperce (31).............189 F5
Espère (46).............158 B4
L'Espérou (30).............177 E3
Espès-Undurein (64).......185 G5
Espeyrac (12).............160 A3
Espeyroux (46).............159 E2
Espezel (11).............207 H4
Espiaube (65).............204 D4
Espiells (65).............204 D2
Espiens (47).............172 A2
Espiet (33).............155 G1
Espinas (82).............174 B2
Espinasse (15).............146 A3
Espinasse (63).............132 C1
Espinasse-Vozelle (03)....120 A5
Espinasses (05).............166 C4
Espinchal (63).............146 C1
Espins (14).............27 F4
Espira-de-Conflent (66)....212 C3
Espira-de-l'Agly (66)....209 E5
Espirat (63).............133 G3
Espiute (64).............185 G4
Esplantas-Vazeilles (43)....161 H1
Esplas (09).............206 D1
Esplas-de-Sérou (09)....206 C3
Espoey (64).............186 D5
Espondeilhan (34).............192 B4
Espradels (82).............162 B3
Esprels (70).............95 F2
Esquay-Notre-Dame (14)....27 E2
Esquay-sur-Seulles (14)....27 E2
Esquéhéries (02).............17 G1
Esquelbecq (59).............3 F3
Esquennoy (60).............15 F4

Esquerchin (59).............8 C2
Esquerdes (62).............3 E4
Esquibien (29).............61 E2
Esquièze-Sère (65).............204 B4
Esquiule (64).............203 F1
Les Essards (16).............142 B3
Les Essards (17).............127 E3
Les Essards (37).............86 A4
Les Essards-Taignevaux (39)....110 A3
Essarois (21).............75 E5
Essars (62).............4 A4
Les Essarts (27).............29 F5
Les Essarts (41).............86 D1
Les Essarts (76).............29 F1
Les Essarts en Bocage (85)....99 H4
Les Essarts-le-Roi (78)....50 C2
Les Essarts-le-Vicomte (51)....53 E2
Les Essarts-lès-Sézanne (51)....53 F2
Essay (61).............48 A3
Esse (16).............129 F1
Essé (35).............65 G3
Essegney (88).............57 F3
Les Esseintes (33).............156 A3
Essert (89).............91 G2
Essert (90).............96 C1
Essert-Romand (74).............125 F4
Essertaux (80).............15 F3
Essertenne (71).............108 C4
Essertenne-et-Cecey (70)....94 A3
Essertines-en-Châtelneuf (42)....134 C4
Essertines-en-Donzy (42)....135 E3
Esserts-Blay (73).............138 D4
Esserval-Combe (39).............111 E3
Esserval-Tartre (39).............111 E3
Essey (21).............92 C5
Essey-et-Maizerais (54)....36 B5
Essey-la-Côte (54).............57 F4
Essey-les-Eaux (52).......75 H3
Essey-lès-Nancy (54)....57 E2
Essey-les-Ponts (52)....75 E3
Essia (39).............123 G1
Essigny-le-Grand (02)....16 D3
Essigny-le-Pit (02)....16 D2
Essises (02).............32 D5
Essômes-sur-Marne (02)....32 D4
Esson (14).............27 E4
Essoyes (10).............74 C3
Essuiles (60).............15 F5
Les Estables (43).............162 D1
Establet (26).............165 F4
Estadens (31).............205 H2
Estagel (66).............208 D3
Estaing (12).............160 B4
Estaing (65).............204 A3
Estaires (59).............4 B3
Estal (46).............159 E1
Estampes (32).............187 G4
Estampures (65).............187 G4
Estancarbon (31).............205 H2
Estandeuil (63).............133 H4
Estang (32).............171 F5
L'Estaque (13).............195 H4
Estarvielle (65).............205 E4
Estavar (66).............211 H4
Esteil (63).............147 F1
Esténos (31).............205 G3
Estensan (65).............204 D4
Estérençuby (64).............202 C1
Esterre (65).............204 B4
Estevelles (62).............4 B5
Esteville (76).............13 H4
Estézargues (30).............178 D4
Estialescq (64).............186 A5
Estibeaux (40).............185 G2
Estigarde (40).............171 F3
Estillac (47).............172 C1
Estipouy (32).............187 G3
Estissac (10).............73 G1
Estivals (19).............144 B5
Estivareilles (03).............119 E2
Estivareilles (42).............148 C1
Estivaux (19).............144 C2
Estoher (66).............212 C3
Estos (64).............186 A5
Estoublon (04).............181 F4
Estouches (91).............71 E1
Estourmel (59).............9 E4
Estouteville-Écalles (76)....13 H4
Estouy (45).............71 F2
Estrablin (38).............136 B5
Estramiac (32).............172 D5
Estray (25).............111 F1
Estrebay (08).............18 D3
Estrébœuf (80).............6 C4
L'Estréchure (30).............177 G3
Estrée-Blanche (62).......3 E5
Estrée-Cauchy (62).......7 H2
Estrée-Wamin (62).......7 G2
Estrées (59).............8 C3
Estrées (62).............6 D1
Estrées-Deniécourt (80)....16 A2
Estrées-la-Campagne (14)....27 G3
Estrées-lès-Crécy (80)....7 E3
Estrées-Mons (80).............16 B2
Estrées-St-Denis (60)....31 H1
Estrées-sur-Noye (80)....15 F3

Estrennes (88).............76 D1
Estreux (59).............9 F2
Estrun (59).............8 D3
Estry (14).............25 H5
Esves-le-Moutier (37)....103 E2
Esvres (37).............86 D5
Eswars (59).............8 D4
Étable (73).............138 B5
Étables (07).............149 G4
Étables-sur-Mer (22)....43 G3
Étagnac (16).............129 F2
Étaimpuis (76).............13 G4
Étain (55).............20 B5
Étaing (62).............8 C3
Étainhus (76).............12 C4
Étais (21).............92 C1
Étais-la-Sauvin (89)....90 D3
Étalans (25).............95 F5
Étalante (21).............93 E1
Étalle (08).............10 C5
Étalleville (76).............13 F3
Étalon (80).............16 A3
Étalondes (76).............6 A5
Étampes (91).............51 E3
Étampes-sur-Marne (02)....32 D4
L'Étang-Bertrand (50)....22 D4
L'Étang-la-Ville (78)....50 D1
Étang de la Galoperie (59)....10 A4
L'Étang-Vergy (21).............93 E5
Les Étangs (57).............21 F5
Étaples (62).............6 C1
Étaule (89).............91 G3
Étaules (17).............126 B3
Étaules (21).............93 F3
Étauliers (33).............141 F3
Étaves-et-Bocquiaux (02)....17 E1
Étavigny (60).............32 B3
Etcharry (64).............185 G4
Etchebar (64).............203 F2
Éteaux (74).............124 C5
Éteignières (08).............10 C5
Eteimbes (68).............78 B5
Étel (56).............80 D2
Ételfay (80).............16 A1
L'Ételon (03).............105 G5
Étercy (74).............138 A2
Éternoz (25).............110 D2
Éterpigny (62).............8 C3
Éterpigny (80).............16 B2
Éterville (14).............27 F3
Étevaux (21).............93 H4
Eth (59).............9 G3
Étienville (50).............22 D5
Étigny (89).............72 D2
Les Étilleux (28).............69 E1
Étinehem (80).............15 H1
Étiolles (91).............51 G3
Étival (39).............123 H1
Étival-Clairefontaine (88)....58 A4
Étival-lès-le-Mans (72)....67 H4
Étivey (89).............92 A1
Étobon (70).............95 H1
Étoges (51).............33 G5
Les Étoiles (28).............69 E1
L'Étoile (39).............110 B4
L'Étoile (80).............7 E5
Étoile-St-Cyrice (05)....180 C1
Étoile-sur-Rhône (26)....163 H1
Éton (55).............20 B4
Étormay (21).............92 C2
Étouars (24).............129 E5
Étourvy (10).............74 A4
Étoutteville (76).............13 E3
Étouvans (25).............95 H2
Étouvelles (02).............17 F5
Étouvy (14).............25 G5
Étouy (60).............31 F1
Étrabonne (25).............94 C5
Étran (59).............13 G1
Étrappe (25).............95 H2
L'Étrat (42).............135 E1
Étray (25).............111 F1
Étraye-Wavrille (55)....35 H1
Étréaupont (02).............17 H1
Étrechet (36).............104 B4
Étréchy (18).............105 H1
Étréchy (51).............33 G5
Étréchy (91).............51 E4
Étréham (14).............23 H5
Étreillers (02).............16 C2
Étréjust (80).............14 D1
Étrelles (35).............66 A2
Étrelles-et-la-Montbleuse (70)....94 C3
Étrelles-sur-Aube (10)....53 G3
Étrembières (74).............124 C4
Étrépagny (27).............30 B2
Étrepigney (39).............110 B1
Étrépigny (08).............18 D3
Étrépilly (02).............32 D4
Étrépilly (77).............31 H2
Étrepy (51).............54 D1
Étretat (76).............12 B3
Étreux (02).............17 F1
Étreval (54).............56 D4
Étrez (01).............122 D3
Étriac (16).............128 A5
Étriché (49).............85 E1
Étricourt-Manancourt (80)....8 C5

Étrigny (71).............122 B1
Étrochey (21).............74 C4
Étrœungt (59).............9 H5
Étroitefontaine (70)....95 G1
Étroussat (03).............119 H4
Étrun (62).............8 A3
Etsaut (64).............203 G3
Ettendorf (67).............39 E5
Etting (57).............38 B3
Étueffont (90).............78 A5
Étupes (25).............96 C2
Éturqueraye (27).............28 D1
Étusson (79).............100 D2
Étuz (70).............94 D4
Etzling (57).............38 A2
Eu (76).............6 B5
Euffigneix (52).............75 F2
Eugénie-les-Bains (40)....186 B1
Euilly-et-Lombut (08)....19 G4
Eulmont (54).............57 E1
Eup (31).............205 G3
Eurre (26).............164 C2
Eurville (52).............13 F3
Eurville-Bienville (52)....55 F3
Eus (66).............212 C3
Euvezin (54).............36 B5
Euville (55).............56 A1
Euvy (51).............53 H2
L'Euze (84).............179 G3
Euzet (30).............178 B3
Évaillé (72).............68 D4
Évans (39).............94 C5
Évaux-et-Ménil (88)....57 F5
Évaux-les-Bains (23)....118 D5
Ève (60).............31 H4
Évecquemont (78).............30 D4
Évenos (83).............200 D3
Évergnicourt (02).............33 H1
Everly (77).............52 C4
Évette-Salbert (90).......96 C1
Éveux (69).............135 G2
Évian-les-Bains (74)....125 E2
Évigny (08).............18 D3
Évillers (25).............111 F2
Évin-Malmaison (62)....4 C5
Évires (74).............124 C5
Évisa (2A).............216 C3
Évosges (01).............137 F1
Évran (22).............44 B4
Évrange (57).............21 E2
Évrecy (14).............27 E3
Évres (55).............35 F4
Évreux (27).............29 G4
Évricourt (60).............16 B4
Évriguet (56).............64 A2
Évron (53).............67 E2
Évrunes (85).............100 B2
Évry (89).............72 C1
Évry (91).............51 F3
Évry-Grégy-sur-Yerres (77)....51 H4
Excenevex (74).............124 D2
Excideuil (24).............143 H2
Exermont (08).............35 F2
Exideuil (16).............129 F2
Exincourt (25).............96 C2
Exireuil (79).............114 C2
Exmes (61).............48 A1
Exoudun (79).............114 D3
Expiremont (17).............141 G2
Eybens (38).............151 G3
Eybouleuf (87).............130 C3
Eyburie (19).............144 D1
Eycheil (09).............206 B3
Eydoche (38).............151 E1
Eygalayes (26).............180 C1
Eygalières (13).............195 E1
Eygaliers (26).............179 H1
Eygliers (05).............167 F2
Eygluy-Escoulin (26)....164 D2
Eyguians (05).............165 H5
Eyguières (13).............195 F1
Eygurande (19).............132 A1
Eygurande-et-Gardedeuil (24)....142 B4
Eyjeaux (87).............130 B3
Eyliac (24).............143 H3
Eymet (24).............156 D3
Eymeux (26).............150 D4
Eymoutiers (16).............129 E4
Eymoutiers (87).............130 D3
Eyne (66).............211 H4
Eyne 2600 (66).............211 H4
Eynesse (33).............156 B1
Eyragues (13).............179 F5
Eyrans (33).............141 E3
Eyrein (19).............145 F2
Eyrenville (24).............156 D2
Eyres-Moncube (40)....186 A1
Eyroles (26).............165 E5
Eysines (33).............155 F1
Eysson (25).............95 G5
Eysus (64).............203 G1
Eyvirat (24).............143 F2
Eywiller (67).............38 B5
Eyzahut (26).............164 C4
Eyzerac (24).............143 G1
Les Eyzies-de-Tayac (24)....143 H5
Eyzin-Pinet (38).............136 C5
Ézanville (95).............31 F4
Èze (06).............183 F5
Èze-Bord-de-Mer (06)....183 F5
Ézy-sur-Eure (27).............49 H1

F

Fa (11) 208 A3
Fabas (09) 206 B2
Fabas (31) 188 C5
Fabas (82) 173 G5
Fabras (07) 162 D3
La Fabrègue (30) 177 H3
Fabrègues (34) 193 E3
Fabrègues (48) 177 G2
Fabrezan (11) 208 D1
Faches-Thumesnil (59) 4 C4
Fâchin (58) 107 H2
Facture (33) 154 C3
La Fage-Montivernoux (48) 161 E2
La Fage-St-Julien (48) 161 E2
Le Faget (31) 190 A3
Faget-Abbatial (32) 188 A3
Fagnières (51) 34 B5
Fagnon (08) 18 D3
Fahy-lès-Autrey (70) 94 A2
Failly (57) 21 E5
Faimbe (25) 95 H2
Fain-lès-Montbard (21) 92 B2
Fain-lès-Moutiers (21) 92 A2
Fains (27) 29 H5
Fains-la-Folie (28) 70 B1
Fains-les-Sources (55) 55 F1
Fains-Véel (55) 55 F1
Faissault (08) 18 C4
Fajac-en-Val (11) 208 C2
Fajac-la-Relenque (11) 189 H5
Fajoles (46) 158 B2
La Fajolle (11) 207 G5
Fajolles (82) 173 E4
Falaise (08) 34 D1
Falaise (14) 27 G5
La Falaise (78) 30 C5
Falck (57) 21 H4
Faleyras (33) 155 H2
Falga (31) 190 A3
Le Falgoux (15) 146 B4
Falgueyrat (24) 157 E3
Falicon (06) 183 F5
Falkwiller (68) 78 C5
Fallencourt (76) 14 B2
Fallerans (25) 95 E2
Falleron (85) 99 E3
Falletans (39) 110 B1
Fallières (88) 77 G3
Fallon (70) 95 G2
La Faloise (80) 15 F3
Fals (47) 172 C3
Falvy (80) 16 B2
Famars (59) 9 F3
Famechon (62) 7 H4
Famechon (80) 15 E3
Fameck (57) 20 D4
Familly (14) 28 B5
Fampoux (62) 8 B3
Fanjeaux (11) 207 H1
Fanlac (24) 143 H4
Le Faou (29) 41 G5
Le Faouët (22) 43 F3
Le Faouët (56) 62 C3
Faramans (01) 136 C2
Faramans (38) 150 D1
Farbus (62) 8 B2
Farceaux (27) 30 A2
La Fare-en-Champsaur (05) 166 B2
La Fare-les-Oliviers (13) 195 G2
Farébersviller (57) 37 H3
Fareins (01) 135 H1
Faremoutiers (77) 52 B1
Farges (01) 124 A4
Les Farges (24) 144 A4
Farges (63) 132 B3
Farges-Allichamps (18) 105 F4
Farges-en-Septaine (18) 105 H2
Farges-lès-Chalon (71) 109 E4
Farges-lès-Mâcon (71) 122 C1
Fargniers (02) 16 D4
Fargues (33) 155 G4
Fargues (40) 186 B1
Fargues (46) 158 A5
Fargues-St-Hilaire (33) 155 F1
Fargues-sur-Ourbise (47) 171 G2
Farincourt (52) 94 B1
Farinole (2B) 215 F3
Les Farjons (84) 179 G4
La Farlède (83) 201 E3
Farnay (42) 135 G5
Faronville (45) 70 D2
Farrou (12) 159 F5
Farschviller (57) 38 A3
Fatines (72) 68 B3
Fatouville-Grestain (27) 28 B1
Le Fau (15) 146 B4
Fau-de-Peyre (48) 161 F2
Fauch (81) 175 E5
Faucigny (74) 124 D4
Faucogney-et-la-Mer (70) 77 G4
Faucompierre (88) 77 H1
Faucon (84) 179 H1
Faucon-de-B. (04) 167 F5
Faucon-du-Caire (04) 166 B5
Fauconcourt (88) 57 G4
Faucoucourt (02) 17 E5
Faudoas (82) 173 E5
Le Fauga (31) 189 E4
Faugères (07) 162 D4
Faugères (34) 192 B3

Fauguernon (14) 28 B3
Fauguerolles (47) 156 C5
Fauillet (47) 156 C5
Le Faulq (14) 28 B2
Faulquemont (57) 37 G3
Faulquemont-Cité (57) 37 G3
Faulx (54) 57 E1
Faumont (59) 4 C5
Fauquembergues (62) 2 D5
La Faurie (05) 165 H3
Faurilles (24) 157 F2
Fauroux (82) 173 E2
Faussergues (81) 175 F3
Fauverney (21) 93 G5
Fauville (27) 29 G4
Fauville-en-Caux (76) 12 D4
Faux (08) 18 C5
Faux (24) 157 E2
Faux-Fresnay (51) 53 G3
Faux-la-Montagne (23) 131 F3
Faux-Mazuras (23) 131 E2
Faux-Vésigneul (51) 54 B1
Faux-Villecerf (10) 53 F5
Favalello (2B) 217 F2
Favars (19) 144 D3
Faveraye-Mâchelles (49) 85 E5
Faverdines (18) 105 G5
Faverelles (45) 90 A2
Faverges-de-la-Tour (38) 137 F4
Faverges-Seythenex (74) 138 C3
Faverney (70) 77 E5
Faverois (90) 96 D2
Faverolles (02) 32 C3
Faverolles (15) 147 E5
Faverolles (28) 50 A2
Faverolles (36) 103 H1
Faverolles (52) 75 G4
Faverolles (61) 47 F2
Faverolles (80) 15 H4
Faverolles-et-Coëmy (51) 33 F2
Faverolles-la-Campagne (27) 29 F4
Faverolles-lès-Lucey (21) 75 E5
Faverolles-les-Mares (27) 28 C3
Faverolles-sur-Cher (41) 87 G4
La Favière (39) 111 E4
Favières (24) 49 G4
Favières (54) 56 C4
Favières (77) 51 H2
Favières (80) 6 C4
Favone (2A) 219 G2
Favresse (51) 54 D2
Favreuil (62) 8 B5
Favrieux (78) 30 B5
Le Favril (27) 28 C3
Le Favril (28) 49 G4
Le Favril (59) 9 G5
Fay (61) 48 B2
Le Fay (71) 109 H5
Fay (72) 67 H3
Fay (80) 16 A2
Fay-aux-Loges (45) 71 E4
Fay-de-Bretagne (44) 83 E3
Fay-en-Montagne (39) 110 C4
Fay-le-Clos (26) 149 H3
Fay-les-Étangs (60) 30 D2
Faÿ-lès-Marcilly (10) 53 E5
Faÿ-lès-Nemours (77) 71 H1
Le Faÿ-St-Quentin (60) 31 E1
Fay-sur-Lignon (43) 148 D5
Faycelles (46) 159 F4
La Faye (16) 128 B1
Faye (41) 69 G5
Faye-d'Anjou (49) 84 D4
Faye-la-Vineuse (37) 102 B2
Faye-l'Abbesse (79) 101 E3
Faye-sur-Ardin (79) 114 A2
Le Fayel (60) 31 H1
Le Fayel (près de Compiègne) (60) 31 H1
Le Fayel (près de Gisors) (60) 30 C3
Fayence (83) 197 H1
Fayet (02) 16 D2
Fayet (12) 191 H1
Le Fayet (74) 139 E1
Fayet-le-Château (63) 133 H4
Fayet-Ronaye (63) 147 H1
Fayl-Billot (52) 76 B5
Faymont (70) 95 H1
Faymont (88) 77 G3
Faymoreau (85) 113 H1
Fays (52) 55 F4
Fays (88) 77 H1
Fays-la-Chapelle (10) 73 H2
Fayssac (81) 174 C4
Féas (64) 203 F1
Febvin-Palfart (62) 7 G1
Fécamp (76) 12 C3
Féchain (59) 8 D3
Fèche-l'Église (90) 96 D2
Fédry (52) 94 C1
Fegersheim (67) 59 F3
Fégréac (44) 82 C1
Feigères (74) 124 B5
Feigneux (60) 32 A2
Feignies (59) 9 H3
Feillens (01) 122 C3
Feings (41) 87 H3
Feings (61) 48 D3
Feins (35) 45 F5
Feins-en-Gâtinais (45) 90 A1

Feissons-sur-Isère (73) 138 D4
Feissons-sur-Salins (73) 138 D5
Le Fel (12) 160 A3
Fel (61) 48 A1
Felce (2B) 217 G1
Feldbach (68) 97 F2
Feldkirch (68) 78 D4
Feliceto (2B) 214 D5
Félines (07) 149 G2
Félines (43) 148 A2
Félines-Minervois (34) 191 F5
Félines-sur-Rimandoule (26) 164 D3
Félines-Termenès (11) 208 D3
Felleries (59) 10 A3
Fellering (68) 78 B4
Felletin (23) 131 G2
Felluns (66) 208 C5
Felon (90) 78 B5
Felzins (46) 159 G3
Fenain (59) 8 D2
Fénay (21) 93 F5
Fendeille (11) 190 A5
Fénery (79) 101 E5
Fénétrange (57) 38 A5
Feneu (49) 84 D2
Féneyrols (82) 174 B3
Féniers (23) 131 G3
Fenioux (17) 127 F2
Fenioux (79) 114 A1
Fenneviller (54) 58 A3
Fénols (81) 174 D5
Le Fenouiller (85) 98 D4
Fenouillet (31) 189 F2
Fenouillet (66) 208 B5
Fenouillet-du-Razès (11) 207 H1
Féole (85) 100 A5
Fépin (08) 11 E4
Ferayola (2B) 216 B1
Fercé (44) 65 G5
Fercé-sur-Sarthe (72) 67 H4
Ferdrupt (88) 77 H4
La Fère (02) 16 D4
Fère-Champenoise (51) 53 H2
Fère-en-Tardenois (02) 33 E3
Fèrebrianges (51) 53 G1
La Férée (08) 18 B3
Férel (56) 82 A2
Ferfay (62) 7 G1
Féricy (77) 52 A4
Férin (59) 8 C3
Fermaincourt (28) 49 H2
Fermanville (50) 22 B1
La Fermeté (58) 106 D3
Ferney-Voltaire (01) 124 B3
Fernoël (63) 132 A3
Férolles (45) 71 E5
Férolles-Attilly (77) 51 H2
Féron (59) 10 A4
Ferques (62) 2 B3
Ferrals-les-Corbières (11) 208 D1
Ferrals-les-Montagnes (34) 191 F4
Ferran (11) 207 H1
Ferrassières (26) 180 B2
Le Ferré (35) 45 H4
Ferrensac (47) 157 E3
Ferrère (65) 205 F3
Les Ferres (06) 183 E4
Ferrette (68) 97 F2
Ferreux (10) 53 E4
La Ferrière (22) 63 H4
La Ferrière (37) 86 D2
La Ferrière (38) 152 A2
La Ferrière (85) 99 G4
La Ferrière-Airoux (86) 115 G3
La Ferrière-au-Doyen (14) 25 H4
La Ferrière-au-Doyen (61) 48 C2
La Ferrière-aux-Étangs (61) 47 E2
La Ferrière-Béchet (61) 47 H4
La Ferrière-Bochard (61) 47 H5
La Ferrière-de-Flée (49) 66 C5
La Ferrière-en-Parthenay (79) 101 G5
Ferrière-et-Lafolie (52) 55 F5
La Ferrière-Harang (14) 25 G4
Ferrière-la-Grande (59) 9 H3
Ferrière-la-Petite (59) 10 A3
Ferrière-Larçon (37) 103 E2
Ferrière-sur-Beaulieu (37) 103 F1
La Ferrière-sur-Risle (27) 29 E5
Ferrières (17) 113 G4
Ferrières (50) 46 B3
Ferrières (54) 57 E3
Ferrières (60) 15 G4
Ferrières (65) 204 A2
Ferrières (80) 15 E2
Ferrières (81) 191 E2
Ferrières-en-Bray (76) 14 C5
Ferrières-en-Brie (77) 51 H1
Ferrières-Haut-Clocher (27) 29 F4
Ferrières-la-Verrerie (61) 48 B2
Ferrières-le-Lac (25) 96 D4
Ferrières-les-Bois (25) 94 C5
Ferrières-lès-Ray (70) 94 C2
Ferrières-lès-Scey (70) 94 D1
Ferrières-les-Verreries (34) 177 G5
Ferrières-Poussarou (34) 191 H3
Ferrières-St-Hilaire (27) 28 C4
Ferrières-St-Mary (15) 147 E3
Ferrières-sur-Ariège (09) 207 E3
Ferrières-sur-Sichon (03) 134 A1
Ferrussac (43) 147 G4

Fertans (25) 111 E1
La Ferté (39) 110 B2
La Ferté-Alais (91) 51 F4
La Ferté-Beauharnais (41) 88 C2
La Ferté-Bernard (72) 68 D2
La Ferté-en-Ouche (02) 17 E3
La Ferté-Frênel (61) 48 C1
La Ferté-Gaucher (77) 52 D1
La Ferté-Hauterive (03) 120 A3
La Ferté-Imbault (41) 88 D4
La Ferté-Loupière (89) 72 C4
La Ferté-Macé (61) 47 F3
La Ferté-Milon (02) 32 B3
La Ferté-sous-Jouarre (77) 32 C5
La Ferté-St-Aubin (45) 88 C1
La Ferté-St-Cyr (41) 88 B1
La Ferté-St-Samson (76) 14 B4
La Ferté-sur-Chiers (08) 19 G4
La Ferté-Vidame (28) 49 E3
La Ferté-Villeneuil (28) 69 H4
Fertrève (58) 107 F2
Fervaches (50) 25 F4
Fervaques (14) 28 B4
Fescamps (80) 15 H4
Fesches-le-Châtel (25) 96 D2
Fesmy-le-Sart (02) 9 G5
Fesques (76) 14 A2
Fessanvilliers-Mattanvilliers (28) 49 F2
Fessenheim (68) 79 B3
Fessenheim-le-Bas (67) 59 E2
Fessevillers (25) 96 D4
Les Fessey (70) 77 G4
Fessy (74) 124 D3
Festalemps (24) 142 C3
Festes-et-St-André (11) 207 H3
Festieux (02) 17 G5
Festigny (51) 33 F4
Festigny (89) 91 E2
Festubert (62) 4 A4
Le Fête (21) 108 C1
Féternes (74) 125 E2
Fétigny (39) 123 G2
Feucherolles (78) 50 D1
Feuchy (62) 8 B3
Feugarolles (47) 172 A2
Feugères (50) 25 E3
Feuges (10) 53 H5
Feuguerolles (27) 29 F3
Feuguerolles-sur-Orne (14) 27 F3
Feuguerolles-sur-Seulles (14) 26 D3
Feuilla (11) 209 F3
Feuillade (16) 128 D4
La Feuillade (24) 144 B4
La Feuillée (29) 42 A5
Feuillères (80) 16 A1
Feuilleuse (28) 49 G3
La Feuillie (50) 24 D2
La Feuillie (76) 14 B5
Feule (25) 96 C3
Feuquières (60) 14 D4
Feuquières-en-Vimeu (80) 6 C5
Feurs (42) 135 E3
Feusines (36) 118 A1
Feux (18) 90 A5
Fèves (57) 21 E5
Féy (57) 36 D4
Fey-en-Haye (54) 36 C5
Feyt (19) 132 B4
Feytiat (87) 130 B3
Feyzin (69) 136 B4
Fiac (81) 190 A1
Ficaja (2B) 217 G1
Ficajola (2A) 216 B3
Ficheux (62) 8 A4
Fichous-Riumayou (64) 186 B3
Le Fidelaire (27) 29 E5
Le Fied (39) 110 C4
Le Fief-Sauvin (49) 84 A5
Fieffes-Montrelet (80) 7 F5
Fiefs (62) 7 G1
Fiennes (62) 2 C3
Fienvillers (80) 7 F5
Le Fleix (24) 156 C1
Fierville-la-Campagne (14) 27 G4
Fierville-les-Mines (50) 22 C5
Fierville-les-Parcs (14) 28 A2
Le Fieu (33) 142 A4
Fieux (47) 172 A3
Figanières (83) 197 G2
Figareto (2B) 217 H1
Figari (2A) 219 F4
Figarol (31) 205 H2
Figeac (46) 159 F3
Fignévelle (88) 76 C3
Fignières (80) 15 H3
Filain (02) 17 F5
Filain (70) 95 E2
Filitosa (Site Préhistorique de) (2A) 218 D2
Fillé (72) 68 A4
Fillières (54) 20 C3
Fillièvres (62) 7 F3
Fillinges (74) 124 D3
Fillols (66) 212 B3
Filstroff (57) 21 G4
Fiménil (88) 77 H1
Finhan (82) 173 F5
Finiels (48) 162 A5
Les Fins (25) 111 H1

Fins (80) 8 C5
Fiquefleur-Équainville (27) 28 B1
Firbeix (24) 129 G5
Firfol (14) 28 B3
Firmi (12) 159 H4
Firminy (42) 148 D1
Fislis (68) 97 G2
Fismes (51) 33 F2
Fitilieu (38) 137 F5
Fitou (11) 209 F4
Fitz-James (60) 31 F1
Fix-St-Geneys (43) 147 H4
Fixem (57) 21 E3
Fixin (21) 93 F5
Flacey (21) 93 G3
Flacey (28) 69 H2
Flacey-en-Bresse (71) 110 A5
La Flachère (38) 152 A1
Flachères (38) 137 E5
Flacourt (78) 30 B5
Flacy (89) 73 H3
Flagey (21) 111 E1
Flagey (52) 75 G5
Flagey-Echézeaux (21) 109 F1
Flagey-lès-Auxonne (21) 109 H1
Flagey-Rigney (25) 95 E3
Flagnac (12) 159 G3
Flagy (70) 77 E5
Flagy (71) 122 A1
Flagy (77) 52 A4
Flaignes-Havys (08) 18 B2
Flaine (74) 125 F5
Flainval (54) 57 F2
Flamanville (50) 22 B3
Flamanville (76) 13 E5
Flamarens (32) 172 D4
La Flamengrie (02) 17 H1
La Flamengrie (59) 9 G3
Flamets-Frétils (76) 14 B3
Flamicourt (80) 16 B1
Flammerans (21) 94 A5
Flammerécourt (52) 55 F5
Flancourt (52) 54 D4
Flancourt-Catelon (27) 29 E1
Flancourt-Crescy-en-Roumois (27) 29 E2
Flangebouche (25) 95 G5
Flassan (84) 179 H3
Flassans-sur-Issole (83) 197 A4
Flassigny (55) 19 H5
Flastroff (57) 21 G3
Flaucourt (80) 16 A1
Flaugeac (24) 156 D2
Flaujac-Gare (46) 159 E3
Flaujac-Poujols (46) 158 C5
Flaujagues (33) 156 A1
Flaumont-Waudrechies (59) 9 H4
Flaux (30) 178 C3
Flavacourt (60) 30 C2
Flaviac (07) 163 G2
Flavignac (87) 129 H4
Flavignerot (21) 93 F5
Flavigny (18) 106 A3
Flavigny (51) 33 H5
Flavigny-le-Grand-et-Beaurain (02) 17 F2
Flavigny-sur-Moselle (54) 57 E3
Flavigny-sur-Ozerain (21) 92 C3
Flavin (12) 175 G1
Flavy-le-Martel (02) 16 C3
Flavy-le-Meldeux (60) 16 B3
Flaxieu (01) 137 G2
Flaxlanden (68) 78 D5
Flayat (23) 131 H3
Flayosc (83) 197 G2
Fléac (16) 128 B4
Fléac-sur-Seugne (17) 127 F5
La Flèche (72) 85 G1
Fléchin (62) 7 G1
Fléchy (60) 15 F4
Flée (21) 92 B3
Flée (72) 86 B1
Fleigneux (08) 19 F3
Fleisheim (57) 58 B1
Le Fleix (24) 156 C1
Fleix (86) 116 A1
Fléré-la-Rivière (36) 103 F2
Flers (61) 47 E1
Flers (62) 7 F3
Flers (80) 8 B5
Flers-en-Escrebieux (59) 8 C3
Flers-sur-Noye (80) 15 F3
Flesquières (59) 8 C5
Flesselles (80) 15 F1
Flétrange (57) 37 G3
Fléty (58) 107 G4
Fleurac (16) 128 A3
Fleurac (24) 143 H5
Fleurance (32) 172 C5
Fleurat (23) 117 G4
Fleurbaix (62) 3 H5
Fleuré (61) 47 H2
Fleuré (86) 116 B2
Fleurey (25) 96 C4
Fleurey-lès-Faverney (70) 76 D5
Fleurey-lès-Lavoncourt (70) 94 C1
Fleurey-lès-St-Loup (70) 77 F4
Fleurey-sur-Ouche (21) 93 E4
Fleurie (69) 122 A4
Fleuriel (03) 119 H4
Fleurieu-sur-Saône (69) 135 H2

Fleurieux-sur-l'Arbresle (69) 135 G2
Fleurigné (35) 46 A5
Fleurigny (89) 72 D1
Fleurines (60) 31 G2
Fleurville (71) 122 C2
Fleury (02) 32 C2
Fleury (11) 209 G1
Fleury (50) 25 E5
Fleury (57) 37 E4
Fleury (60) 30 D2
Fleury (62) 7 F2
Fleury (80) 15 E3
Fleury-devant-Douaumont (55) 35 H2
Fleury-en-Bière (77) 51 G4
Fleury-la-Forêt (27) 30 A1
Fleury-la-Montagne (71) 121 F4
Fleury-la-Rivière (51) 33 G4
Fleury-la-Vallée (89) 73 E4
Fleury-les-Aubrais (45) 70 C4
Fleury-Mérogis (91) 51 F3
Fleury-sur-Aire (55) 35 F4
Fleury-sur-Andelle (27) 29 H1
Fleury-sur-Loire (58) 106 D4
Fleury-sur-Orne (14) 27 F3
Fléville (08) 35 E2
Fléville-devant-Nancy (54) 57 E2
Fléville-Lixières (54) 20 C4
Flévy (57) 21 E4
Flexanville (78) 50 B1
Flexbourg (67) 58 D2
Fley (71) 108 D5
Fleys (89) 73 G5
Flez-Cuzy (58) 91 F4
Fligny (08) 10 B5
Flin (54) 57 H3
Flines-lès-Mortagne (59) 5 E5
Flines-lez-Raches (59) 4 D5
Flins-Neuve-Église (78) 30 A5
Flins-sur-Seine (78) 30 C5
Flipou (27) 29 H2
Flirey (54) 36 C5
Flixecourt (80) 15 E1
Flize (08) 19 E3
La Flocellière (85) 100 B3
Flocourt (57) 37 F4
Flocques (76) 6 A5
Flogny-la-Chapelle (89) 73 G4
Floing (08) 19 E3
Floirac (17) 127 E5
Floirac (33) 155 F1
Floirac (46) 158 D1
Florac-Trois-Rivières (48) 177 F1
Florange (57) 20 D4
Florémont (88) 57 E5
Florensac (34) 192 C4
Florent-en-Argonne (51) 35 E3
Florentia (39) 123 F2
Florentin (81) 174 D5
Florentin-la-Capelle (12) 160 B3
Floressas (46) 157 H5
Florimont (90) 97 E2
Florimont-Gaumier (24) 158 A3
Floringhem (62) 7 G1
Flornoy (52) 55 F3
Flosaille (88) 136 D4
La Flotte (17) 112 D4
Flottemanville (50) 22 D4
Flottemanville-Hague (50) 22 C3
Floudès (33) 156 A4
Floure (11) 208 C1
Flourens (31) 189 G2
Floursies (59) 9 H4
Floyon (59) 9 H5
Flumet (73) 138 D2
Fluquières (02) 16 C2
Fluy (80) 15 E2
Foameix-Ornel (55) 20 A5
Foce (2A) 219 E3
Focicchia (2B) 217 F2
Foëcy (18) 105 E1
Le Fœil (22) 43 G5
Foisches (08) 11 E3
Foissac (12) 159 F4
Foissac (30) 178 B3
Foissiat (01) 122 D3
Foissy (21) 108 C1
Foissy-lès-Vézelay (89) 91 G3
Foissy-sur-Vanne (89) 73 E1
Foix (09) 207 E3
Folcarde (31) 190 A4
Folelli (2B) 215 G5
Folembray (02) 16 D5
Folgensbourg (68) 97 G1
La Folie (14) 25 G2
La Folie (28) 50 C4
Folies (80) 15 H3
Folkling (57) 38 A2
Follainville-Dennemont (78) 30 B4
Folles (87) 117 E5
La Folletière (76) 13 E4
La Folletière-Abenon (14) 28 C5
Folleville (27) 28 C3
Folleville (80) 15 G4
Folligny (50) 45 H1

A B C D E F G H I J K L M N O P Q R S T U V W X Y Z

Localité *(Département)*   Page   Coordonnées

Folschviller (57)..............37 G3
Fomerey (88)...............77 F1
Fomperron (79).............114 D2
Fonbeauzard (31)...........189 F2
Foncegrive (21).............93 G2
Fonches-Fonchette (80)......16 A3
Foncine-le-Bas (39).........111 E5
Foncine-le-Haut (39)........111 E5
Foncquevillers (62).........8 A4
Fond-de-France (38)........152 A2
Fondamente (12)...........176 C5
Fondettes (37).............86 C4
Fondremand (70)...........94 D3
Fongalop (24)..............157 G2
Fongrave (47).............156 D5
Fongueusemare (76)........12 C3
Fonroque (24).............156 D2
Fons (07)..................163 E4
Fons (30)..................178 A5
Fons (46)..................159 F3
Fons-sur-Lussan (30).......178 B2
Fonsommes (02).............17 E1
Fonsorbes (31).............189 E3
Font-Brun (83).............201 F4
Font-Romeu-
  Odeillo-Via (66)..........211 H4
Fontafie (16)..............129 E2
Fontain (25)...............94 D5
Fontaine (10)..............74 D1
Fontaine (38)..............151 G3
Fontaine (90)..............96 D1
Fontaine-au-Bois (59).......9 F4
Fontaine-au-Pire (59).......9 E4
Fontaine-Bellenger (27).....29 H3
Fontaine-Bonneleau (60).....15 E4
Fontaine-Chaalis (60).......31 H3
Fontaine-Chalendray (17)....127 H1
Fontaine-Couverte (53)......66 A4
Fontaine-Daniel (53)........66 D1
Fontaine-de-Vaucluse (84)...179 H4
Fontaine-Denis-Nuisy (51)...53 F3
La Fontaine-du-Buis (39)....179 E4
Fontaine-en-Bray (76).......14 A4
Fontaine-en-Dormois (51)....34 D2
Fontaine-Étoupefour (14)....27 E3
Fontaine-Fourches (77)......52 D5
Fontaine-Française (21).....93 H2
Fontaine-Guérin (49)........85 G3
Fontaine-Henry (14)........27 F2
Fontaine-Heudebourg (27)....29 G3
Fontaine-la-Gaillarde (89)...72 D1
Fontaine-la-Guyon (28)......49 H4
Fontaine-la-Louvet (27).....28 C3
Fontaine-la-Mallet (76).....12 B5
Fontaine-la-Rivière (91).....51 E5
Fontaine-la-Soret (27)......28 D3
Fontaine-l'Abbé (27)........28 D4
Fontaine-Lavaganne (60).....14 D4
Fontaine-le-Bourg (76)......13 H5
Fontaine-le-Comte (86)......115 F1
Fontaine-le-Dun (76)........13 F2
Fontaine-le-Pin (14)........27 F5
Fontaine-le-Port (77).......51 H4
Fontaine-le-Puits (73)......138 D5
Fontaine-le-Sec (80)........14 C1
Fontaine-les-Bassets (61)....47 H1
Fontaine-les-Boulans (62)....7 G1
Fontaine-lès-Cappy (80).....16 A2
Fontaine-les-Clercs (02).....16 D2
Fontaine-les-Clerval (25)....95 G3
Fontaine-les-Coteaux (41)....69 E5
Fontaine-les-Croisilles (62)...8 B4
Fontaine-lès-Dijon (21).....93 F4
Fontaine-les-Grès (10)......53 G5
Fontaine-lès-Hermans (62)....7 G1
Fontaine-lès-Luxeuil (70)....77 F4
Fontaine-les-Ribouts (28)....49 G3
Fontaine-lès-Vervins (02)....17 G2
Fontaine-l'Étalon (62).......7 E3
Fontaine-Luyères (10).......54 A5
Fontaine-Mâcon (10)........53 E4
Fontaine-Notre-Dame (02)....17 E2
Fontaine-Notre-Dame (59).....8 D4
Fontaine-Raoul (41)........69 G3
Fontaine-Simon (28)........49 F4
Fontaine-sous-Jouy (27)....29 H4
Fontaine-
  sous-Montdidier (80)......15 G4
Fontaine-sous-Préaux (76)....13 H5
Fontaine-St-Lucien (60).....15 E5
La Fontaine-St-Martin (72)...67 H5
Fontaine-sur-Ay (51).......33 H4
Fontaine-sur-Coole (51).....54 B1
Fontaine-sur-Maye (80).......7 E4
Fontaine-sur-Somme (80)......7 E5
Fontaine-Uterte (02)........16 D1
Fontainebleau (77).........51 H5
Fontainebrux (39)..........110 A5
Fontaines (71).............109 E3
Fontaines (85).............113 G2
Fontaines (89).............90 C1
Fontaines-d'Ozillac (17)....141 G1
Fontaines-en-Duesmois (21)...92 C1
Fontaines-en-Sologne (41)....88 A3
Fontaines-les-Sèches (21)....74 B5
Fontaines-St-Clair (55).....35 G3
Fontaines-sur-Marne (52).....55 F3
Fontaines-sur-Saône (69)....135 H2

Les Fontainettes (60).......30 C1
Fontains (77)..............52 B4
Fontan (06)................183 H3
Fontanès (30)..............178 A5
Fontanès (34)..............193 F1
Fontanès (42)..............135 F5
Fontanes (46)..............173 H1
Fontanes (48)..............162 A4
Fontanès-de-Sault (11).....207 H5
Fontanes-du-Causse (46)....158 D3
Fontanges (15).............146 A4
Fontangy (21)..............92 B4
Fontanières (23)...........118 D5
Fontanil-Cornillon (38).....151 G2
Fontannes (43).............147 G2
Fontans (48)...............161 G2
Fontarèches (30)...........178 C3
Fontclaireau (16)..........128 C2
Fontcouverte (11)..........208 D1
Fontcouverte (17)..........127 F3
Fontcouverte-
  La-Toussuire (73).........152 C2
La Fontelaye (76)...........13 F3
Fontenai-les-Louvets (61)....47 H4
Fontenai-sur-Orne (61)......47 H2
Fontenailles (77)..........52 B3
Fontenailles (89)..........91 E2
Fontenay (27)..............30 A3
Fontenay (36)..............104 B2
Fontenay (50)..............46 B2
Fontenay (71)..............121 G2
Fontenay (76)..............12 B4
Fontenay (88)..............77 G1
Fontenay-aux-Roses (92).....51 F1
Fontenay-de-Bossery (10)....53 E4
Fontenay-en-Parisis (95)....31 G4
Fontenay-le-Comte (85).....113 G2
Fontenay-le-Fleury (78).....50 D1
Fontenay-le-Marmion (14)....27 F3
Fontenay-le-Pesnel (14).....27 E3
Fontenay-le-Vicomte (91)....51 F4
Fontenay-lès-Briis (91).....51 E3
Fontenay-Mauvoisin (78).....30 B5
Fontenay-près-Chablis (89)...73 G5
Fontenay-près-Vézelay (89)...91 F4
Fontenay-sous-Bois (94).....51 G1
Fontenay-
  sous-Fouronnes (89).......91 E2
Fontenay-St-Père (78).......30 B4
Fontenay-sur-Conie (28).....70 B2
Fontenay-sur-Eure (28).....49 H5
Fontenay-sur-Loing (45).....71 H2
Fontenay-sur-Mer (50).......23 E4
Fontenay-sur-Vègre (72).....67 G4
Fontenay-Torcy (60)........14 C5
Fontenay-Trésigny (77)......52 A2
Fontenelle (02).............9 H5
Fontenelle (21)............93 H2
La Fontenelle (35).........45 G4
La Fontenelle (41).........69 F3
Fontenelle (90)............96 D1
Fontenelle-en-Brie (02).....33 E5
Fontenelle-Montby (25)......95 G3
Les Fontenelles (25).......96 C5
Fontenermont (14)..........46 B1
Fontenet (17)..............127 G2
Fontenille (16)............128 B2
Fontenille-St-Martin-
  d'Entraigues (79).........114 C5
Fontenilles (31)...........189 E3
Les Fontenis (70)..........94 D3
Fontenois-la-Ville (70).....77 E3
Fontenois-
  lès-Montbozon (70)........95 E2
Fontenotte (25)............95 F3
Fontenouilles (89).........72 B4
Fontenoy (02)..............32 C1
Fontenoy (89)..............90 D1
Fontenoy-la-Joûte (54)......57 H4
Fontenoy-le-Château (88)....77 E3
Fontenoy-sur-Moselle (54)....56 C2
Fontenu (39)...............110 C5
Fonters-du-Razès (11)......207 G1
Fontès (34)................192 C3
Fontet (33)................156 A4
Fontette (10)..............74 C2
Fontevraud-l'Abbaye (49)....85 H5
Fontfreyde (63)............133 E4
Fontgombault (36)..........103 F5
Fontguenand (36)...........88 A3
Fontienne (04).............180 D3
Fontiers-Cabardès (11).....190 C4
Fontiès-d'Aude (11)........208 C1
Fontjoncouse (11)..........209 E2
Fontjouvale (84)...........180 A4
Fontoy (57)................37 F5
Fontpédrouse (66)..........212 A4
Fontrabiouse (66)..........211 H3
Fontrailles (65)...........187 G4
Fontvannes (10)............73 G1
Fontvieille (13)...........194 D1
Fonville (28)..............49 H2
Forbach (57)...............38 A2
Forcalqueiret (83).........197 E4
Forcalquier (04)...........180 D4
La Force (11)..............207 H1
La Force (24)..............156 D1
Forcé (53).................66 D3
Forcelles-sous-Gugney (54)...56 D4
Forcelles-St-Gorgon (54)....56 D4
Forceville (80)............7 H5

Forceville-en-Vimeu (80)....14 C1
Forcey (52)................75 H2
Forciolo (2A)..............219 E1
La Forclaz (74)............125 E3
Forest-en-Cambrésis (59)....9 F4
Forest-l'Abbaye (80)........6 D4
Forest-Landerneau (29).....41 F4
Forest-Montiers (80)........6 C3
Forest-St-Julien (05)......166 B3
Forest-sur-Marque (59)......4 D3
Foreste (02)...............16 C2
La Forestière (51).........53 E3
La Forêt (23)..............155 E1
La Forêt-Auvray (61).......47 F1
Forêt de Guînes (62)........2 C3
La Forêt-de-Tessé (16).....115 E5
La Forêt-du-Parc (27).......29 G5
La Forêt-du-Temple (23).....117 H2
La Forêt-Fouesnant (29).....61 H3
Forêt-la-Folie (27)........30 A3
La Forêt-le-Roi (91).......50 D4
La Forêt-Ste-Croix (91).....51 E5
La Forêt-sur-Sèvre (79)....100 C4
La Forge (88)..............77 H2
La Forge-de-l'Ile (36).....104 B4
Forgès (19)................145 E4
Les Forges (23)............118 B5
Forges (49)................85 F5
Les Forges (56)............63 H4
Forges (61)................48 A4
Forges (77)................52 B5
Les Forges (79)............114 B4
Les Forges (88)............77 F1
Les Forges-de-Paimpont (35)...64 C3
Forges-la-Forêt (35).......65 H4
Forges-les-Bains (91)......50 D3
Forges-les-Eaux (76).......14 B4
Forges-sur-Meuse (55)......35 G2
Forgevieille (23)..........117 F3
Forgues (31)...............188 D4
La Forie (63)..............134 B5
Forléans (21)..............92 A3
Formentin (14).............28 A3
Formerie (60)..............14 C4
Formigny (14)..............23 G5
Formiguères (66)...........211 H3
Fornex (09)................206 C1
Fors (79)..................114 B4
Forstfeld (67).............39 H5
Forstheim (67).............39 F4
Fort-du-Plasne (39)........110 D5
Fort-Louis (67)............39 H5
Fort-Mahon-Plage (80).......6 B3
Fort-Mardyck (59)...........3 E2
Fort-Moville (27)..........28 C1
Le Fort-Vert (62)...........2 C2
Fortan (41)................69 E5
Fortel-en-Artois (62).......7 F3
La Forteresse (38).........151 E2
Fortschwihr (68)...........78 D2
Fos (31)...................205 G4
Fos (34)...................192 B3
Fos-sur-Mer (13)...........195 E4
Le Fossat (09).............206 D1
Fossé (08).................19 F5
Fossé (41).................87 H2
Fosse (66).................208 B5
Le Fossé (76)..............14 B4
La Fosse-Corduan (10)......53 F4
La Fosse-de-Tigné (49).....85 E5
Fosse-Nouvelle (18)........105 G5
Fossemagne (24)............143 G4
Fossemanant (80)...........15 F2
Les Fosses (79)............114 B4
Fosses (95)................31 G4
Fossès-et-Baleyssac (33)....156 A3
Fosseuse (60)..............31 E3
Fosseux (62)................7 H3
Fossieux (57)..............37 E5
Fossoy (02)................33 E4
Le Fousseret (31)..........188 D5
Foucarmont (76)............14 B2
Foucart (76)...............12 D4
Foucarville (50)...........23 E4
Foucaucourt-en-Santerre (80)...16 A2
Foucaucourt-Hors-Nesle (80)...14 C1
Foucaucourt-sur-Thabas (55)...35 F4
Fouchécourt (70)...........76 D5
Fouchécourt (88)...........76 C3
Foucherans (39)............95 E5
Foucherans (39)...........110 A1
Fouchères (10).............74 A2
Fouchères (89).............72 C2
Fouchères-aux-Bois (55)....55 G3
Foucherolles (45)..........72 B3
Fouchy (67)................58 C5
Foucrainville (27).........29 H5
Fouday (67)................58 C4
Foudon (49)................85 E3
Fouencamps (80)............15 G2
Fouesnant (29).............61 H4
Foufflin-Ricametz (62)......7 G3
Foug (54)..................56 B2
Fougaron (31)..............205 H3
Fougax-et-Barrineuf (09)...207 G4
Fougeré (49)...............85 G1
Fougeré (85)...............99 H5
Fougères (35)..............46 A5
Fougères (53)..............117 F2
Fougères-sur-Bièvre (41)....87 H3
Les Fougerêts (56).........64 B5

Fougerolles (36)...........117 H1
Fougerolles (70)...........77 F4
Fougerolles-du-Plessis (53)...46 B4
Fougueyrolles (24).........156 B1
La Fouillade (12)..........174 D2
Fouilleuse (60)............31 G1
Fouillouse (05)............166 B4
La Fouillouse (42).........135 E5
Le Fouilloux (17)..........141 H3
Fouilloy (60)..............14 C3
Fouilloy (80)..............15 G2
Foulain (52)...............75 G3
Foulangues (60)............31 F2
Foulayronnes (47)..........172 C1
Foulbec (27)...............28 C1
Foulcrey (57)..............58 A2
Fouleix (24)...............143 F5
Foulenay (39)..............110 A3
Fouligny (57)..............37 F3
Foulognes (14).............25 H3
Fouquebrune (16)...........128 C5
Fouquenies (60)............15 E5
Fouquereuil (62)............7 H1
Fouquerolles (60)..........15 F5
Fouquescourt (80)..........16 A3
Fouqueure (16).............128 B2
Fouqueville (27)...........29 F3
Fouquières-lès-Béthune (62)....7 H1
Fouquières-lès-Lens (62).....4 B5
Four (38)..................136 D4
Four d'en-Haut (60)........32 A2
Fouras (17)................126 C1
Fourbanne (25).............95 F4
Fourcatier-
  et-Maison-Neuve (25)......111 E4
Fourcès (32)...............171 H4
Fourchambault (58).........106 B2
Fourches (14)..............47 H1
Fourcigny (80).............14 C3
Fourdrain (02).............17 E4
Fourdrinoy (80)............15 E1
Fourg (25).................110 C1
Fourges (27)...............30 B3
Les Fourgs (25)............111 G3
Fourilles (03).............119 H4
Fourmagnac (46)............159 F3
Fourmetot (27).............28 D1
Fourmies (59)..............10 A4
Fournaudin (89)............73 F2
Fourneaux (42).............135 E2
Fourneaux (45).............70 C5
Fourneaux (50).............25 F4
Fourneaux (73).............153 E3
Fourneaux-le-Val (14)......47 G1
Fournels (48)..............161 G2
Fournès (30)...............178 D4
Fournes-Cabardès (11)......190 D5
Fournes-en-Weppes (59)......4 B4
Le Fournet (14)............28 A3
Fournet-Blancheroche (25)...96 C5
Fournets-Luisans (25)......111 H1
Fourneville (14)...........28 B1
Fournival (60).............15 G5
Fournols (63)..............134 A5
Fournoulès (15)............159 H3
Fouronnes (89).............91 E2
Fourques (30)..............194 C1
Fourques (66)..............213 E3
Fourques-sur-Garonne (47)...156 B5
Fourqueux (78).............50 D1
Fourquevaux (31)...........189 G3
Fours (33).................141 E2
Fours (58).................107 F4
Fours-en-Vexin (27)........30 B3
Fours-Saint-Laurent (04)...167 F5
Fourtou (11)...............208 B4
Foussais-Payré (85)........113 H1
Foussemagne (90)...........96 D1
Le Fousseret (31)..........188 D5
Foussignac (16)............128 A3
Foussignargues (30)........178 A1
Fouvent-le-Haut (70).......94 B1
La Foux (83)...............182 B5
La Foux-d'Allos (04).......182 A1
Fouzilhon (34).............192 B3
Foville (57)...............37 E5
Fox-Amphoux (83)...........197 E2
La Foye-Monjault (79)......114 A1
Fozières (34)..............192 C1
Fozzano (2A)...............219 E2
Fragnes-la-Loyère (71).....109 E3
Frahier-et-Chatebier (70)...96 C1
Fraignot-et-Vesvrotte (21)...93 F1
Fraillicourt (08)..........18 A3
Fraimbois (54).............57 G3
Frain (88).................76 C2
Frainville (28)............50 B5
Frais (90).................96 D1
Fraisans (39)..............94 C5
Fraisnes-en-Saintois (54)...56 D5
Fraisse (24)...............142 C5
Fraisse-Cabardès (11)......190 D5
Fraissé-des-Corbières (11)...209 E3
Fraisse-sur-Agout (34).....191 G2
Fraisses (42)..............135 G4
Fraissines (81)............175 G4
Fraissinet-de-Fourques (48)...177 E2
Fraissinet-de-Lozère (48)...162 A5
Fraize (88)................78 B1

Fralignes (10).............74 B2
La Framboisière (28).......49 F3
Frambouhans (25)...........96 C5
Framecourt (62).............7 G3
Framerville-Rainecourt (80)...16 A2
Framicourt (80)............14 C1
Framont (70)...............94 A2
Frampas (52)...............55 E4
Francalmont (70)...........77 F4
Francaltroff (57)..........37 H4
Francardo (2B).............217 E1
Francarville (31)..........189 H2
Francastel (60)............15 E4
Francazal (31).............206 A2
Francescas (47)............172 A3
Francheleins (01)..........122 B5
Franchesse (03)............106 B5
Francheval (08)............19 F3
Franchevelle (70)..........77 G5
La Francheville (08).......18 D3
Francheville (21)..........93 E3
Francheville (27)..........49 E1
Francheville (39)..........110 A3
Francheville (51)..........34 C5
Francheville (54)..........56 C1
Francheville (61)..........47 H3
Francheville (69)..........135 H3
Francières (60)............31 H1
Francières (80).............7 E5
Francillon (36)............104 A3
Francillon-sur-Roubion (26)...164 D3
Francilly-Selency (02).....16 D2
Francin (73)...............138 A5
Franclens (74).............124 A5
Francon (31)...............188 C5
Franconville (54)..........57 F3
Franconville (95)..........31 E5
Francoulès (46)............158 C4
Francourville (28).........50 B5
Le Francport (60)..........32 A1
Francueil (37).............87 F4
La Frandière (85)..........98 B2
Frangy (74)................124 A5
Frangy-en-Bresse (71)......109 H4
Franken (68)...............97 F1
Franleu (80)...............6 C5
Franois (25)...............94 D5
Franquevaux (30)...........194 A2
Franqueville (02)..........17 G2
Franqueville (27)..........28 D3
Franqueville (80)...........7 F5
Franqueville-St-Pierre (76)...29 G1
La Franqui (11)............209 F3
Frans (01).................135 H1
Fransart (80)..............16 A3
Fransèches (23)............131 F1
Fransu (80)................7 E5
Fransures (80).............15 F3
Franvillers (80)...........15 G1
Franxault (21).............109 H1
Frapelle (88)..............58 B5
Fraquelfing (57)...........58 A2
Fraroz (39)................111 E4
Frasnay-Reugny (58)........107 E2
Frasne (25)................111 E3
Frasne-le-Château (70).....94 C4
La Frasnée (39)............123 H1
Le Frasnois (39)...........110 D5
Frasnoy (59)................9 G3
La Frasse (74).............125 F5
Frasseto (2A)..............219 E1
Frauenberg (57)............38 B2
Frausseilles (81)..........174 C4
Fravaux (10)...............74 D1
La Fraysse (81)............175 F5
Frayssas (47)..............172 B1
Frayssinet (46)............158 C3
Frayssinet-le-Gélat (46)...157 A4
Frayssinhes (46)...........159 E1
Frazé (28).................69 F1
Fréauville (76)............14 A2
Frebécourt (88)............56 B5
Frébuans (39)..............110 A5
Le Frêche (40).............171 E4
Fréchède (65)..............187 G4
Fréchencourt (80)..........15 G1
Fréchendets (65)...........204 D2
Le Fréchet (31)............206 A1
Fréchet-Aure (65)..........205 E3
Le Fréchou (47)............171 H4
Fréchou-Fréchet (65).......204 C1
Frécourt (52)..............76 A3
Frédéric-Fontaine (70).....95 H1
La Frédière (17)...........127 F2
Frédille (36)..............104 A2
Frégimont (47).............172 A1
Frégouville (32)...........188 C2
Fréhel (22)................44 B2
Freigné (49)...............84 A2
Freissinières (05).........167 E1
La Freissinouse (05).......166 B4
Freistroff (57)............21 G4
Freix-Anglards (15)........145 H5
Fréjairolles (81)..........175 E5
Fréjeville (81)............190 C2

Fréjus (83)................198 C3
Fréland (68)...............78 C1
Frelinghien (59)............4 B3
Frémainville (95)..........30 C4
Frémécourt (95)............30 D3
Fréménil (54)..............57 H3
Frémeréville-
  sous-les-Côtes (55).......56 A1
Frémery (57)...............37 F5
Frémestroff (57)...........37 H4
Frémicourt (62)............8 B5
Fremifontaine (88).........57 H5
Frémontiers (80)...........15 F3
Frémonville (54)...........58 A2
La Frénaye (76)............12 D5
Frencq (62).................6 C1
Frenelle-la-Grande (88)....56 D5
Frenelle-la-Petite (88)....56 D5
Frênes (61)................46 D1
Freneuse (76)..............29 G2
Freneuse (78)..............30 B4
Freneuse-sur-Risle (27)....28 D2
Freney (73)................153 E3
Le Freney-d'Oisans (38)....152 B4
Fréniches (60).............16 B4
Frénois (21)...............93 E2
Frénois (88)...............76 D1
Frénouville (14)...........27 G3
Frépillon (95).............31 E4
Fresles (76)...............14 A3
La Fresnaie-Fayel (61).....48 A1
La Fresnais (35)...........45 E2
Fresnay (10)...............54 D5
Fresnay (51)...............53 G2
Fresnay-en-Retz (44).......98 D1
Fresnay-le-Comte (28)......70 A1
Fresnay-le-Gilmert (28)....49 H4
Fresnay-le-Long (76).......13 G4
Fresnay-le-Samson (61).....28 A5
Fresnay-l'Évêque (28)......70 C1
Fresnay-sur-Sarthe (72)....67 H1
La Fresnaye-au-Sauvage (61)...47 G2
La Fresnaye-
  sur-Chédouet (72).........48 A4
Le Fresne (27).............29 F5
Le Fresne (51).............34 C5
Le Fresne-Camilly (14).....27 E2
Fresne-Cauverville (27)....28 C3
Fresne-l'Archevêque (27)...29 H2
Fresne-le-Plan (76)........29 H1
Fresne-Léguillon (60)......30 D2
Fresne-lès-Reims (51)......33 H1
Le Fresne-Poret (50).......46 C2
Fresne-St-Mamès (70).......94 C2
Le Fresne-sur-Loire (44)...84 B3
Fresnes-
  Montchevreuil (60)........30 D2
Fresnes (02)...............16 D5
Fresnes (21)...............92 C2
Fresnes (41)...............87 H3
Fresnes (89)...............73 H5
Fresnes (94)...............51 F2
Fresnes-au-Mont (55).......35 H5
Fresnes-en-Saulnois (57)...37 F5
Fresnes-en-Tardenois (02)....33 E3
Fresnes-en-Woëvre (55).....36 A3
Fresnes-lès-Montauban (62)....8 B3
Fresnes-Mazancourt (80)....16 A2
Fresnes-sur-Apance (52)....76 C3
Fresnes-sur-Escaut (59).....5 F5
Fresnes-sur-Marne (77).....31 H5
Fresnes-Tilloloy (80)......14 C1
Fresneville (80)...........14 C2
Fresney (27)...............29 H5
Fresney-le-Puceux (14).....27 F4
Fresney-le-Vieux (14)......27 F4
Fresnicourt (62)............7 H2
Fresnières (60)............16 A4
Fresnois-la-Montagne (54)...20 B4
Fresnoy (62)................7 F2
Fresnoy-Andainville (80)...14 C1
Fresnoy-au-Val (80)........15 E2
Fresnoy-en-Bassigny (52)...76 B3
Fresnoy-en-Chaussée (80)...15 H3
Fresnoy-en-Gohelle (62).....8 B2
Fresnoy-en-Thelle (60).....31 E3
Fresnoy-Folny (76).........14 A2
Fresnoy-la-Rivière (60)....32 A2
Fresnoy-le-Château (10)....74 A1
Fresnoy-le-Grand (02)......17 E1
Fresnoy-le-Luat (60).......31 H3
Fresnoy-lès-Roye (80)......16 A3
Frespech (47)..............172 D1
Fresquiennes (76)..........13 G4
Fressac (30)...............177 H4
Fressain (59)...............8 D3
Fressancourt (02)..........17 E4
Fresse (70)................77 H5
Fresse-sur-Moselle (88)....78 A4
Fressenneville (80).........6 B5
Fressies (59)...............8 D3
Fressin (62)...............7 F2
Fressines (79).............114 B3
Le Frestoy-Vaux (60).......15 H4
Fresville (50).............23 E4
Le Fret (29)...............41 E5
Fréterive (73).............138 B4
Fréteval (41)..............69 G4
Fréthun (62)................2 C3

Fretigney-et-Velloreille (70)....94 D 2
Frétigny (28)................49 F 5
Fretin (59)..................4 C 4
Frétoy (77).................52 C 2
Frétoy-le-Château (60)....16 B 4
La Frette (38)..............151 E 1
La Frette (71).............109 G 5
La Frette-sur-Seine (95)....31 E 5
Frettecuisse (80)..........14 C 1
Frettemeule (80)...........14 B 1
Fretterans (71)...........109 H 3
Frettes (70)................94 A 1
Le Fréty (08)...............18 B 3
Freulleville (76)...........13 H 2
Frévent (62)................7 G 3
Fréville (76)...............13 F 4
Fréville (88)...............56 A 5
Fréville-du-Gâtinais (45)....71 G 3
Frévillers (62).............7 H 2
Frévin-Capelle (62).........8 A 3
Freybouse (57)............37 H 4
Freycenet-la-Cuche (43)....162 C 1
Freycenet-la-Tour (43)....148 C 5
Freychenet (09)..........207 F 3
Freyming-Merlebach (57)....37 H 2
Freysselines (19).........145 E 1
Freyssenet (07)...........163 F 3
Friaize (28)................49 G 5
Friardel (14)...............28 B 4
Friaucourt (80)............6 B 5
Friauville (54).............20 C 5
Fribourg (57)..............58 A 1
Fricamps (80)..............14 D 2
Frichemesnil (76).........13 G 4
Fricourt (80)...............16 A 1
Fridefont (15)............161 E 1
Friedolsheim (67).........58 D 1
Frières-Faillouël (02).....16 D 3
Friesen (68)...............97 E 1
Friesenheim (67).........59 F 5
Frignicourt (51)...........54 C 2
Frise (80)..................16 A 1
Friville-Escarbotin (80).....6 B 5
Frizon (88)................57 F 5
Froberville (76)...........12 C 3
Frocourt (60)..............30 D 1
Fræningen (68).............78 D 5
Fræschwiller (67)..........39 F 4
Froges (38)...............151 H 2
Frohen-le-Grand (80).......7 F 4
Frohen-le-Petit (80).......7 F 4
Frohmuhl (67).............38 C 4
Froideconche (70).........77 F 4
Froidefontaine (90).......96 D 1
Froidestrées (02).........17 G 1
Froideterre (70)..........77 G 5
Froidevaux (25)...........95 H 4
Froideville (39)..........110 A 4
Froidfond (85)............99 E 3
Froidmont (60)............31 E 1
Froidmont-Cohartille (02)....17 F 3
Froidos (55)...............35 F 4
Froissy (60)...............15 F 5
Frôlois (21)...............92 D 2
Frolois (54)...............56 D 3
Fromelennes (08)..........11 E 3
Fromelles (59)..............4 B 4
Fromental (87)...........117 E 5
Fromentières (51).........33 F 5
Fromentières (53).........66 D 4
Fromentine (85)...........98 B 2
Fromeréville-les-Vallons (55)....35 G 3
Fromezey (55)..............20 A 5
Fromont (77)...............71 G 1
Fromy (08)..................19 G 4
Froncles-Buxières (52)....55 G 5
Fronsac (31)..............205 G 3
Fronsac (33)..............141 G 5
Le Frontal (30)...........162 C 5
Frontenac (33)...........155 H 2
Frontenac (46)...........159 F 4
Frontenard (71)..........109 G 3
Frontenas (69)...........135 G 2
Frontenaud (71)..........123 E 1
Frontenay (39)...........110 B 4
Frontenay-
Rohan-Rohan (79)......114 A 4
Frontenay-sur-Dive (86)....101 H 2
Frontenex (73)...........138 C 4
Frontignan (34)..........193 E 4
Frontignan-
de-Comminges (31)....205 G 3
Frontignan-Plage (34)....193 E 4
Frontignan-Savès (31)....188 C 4
Fronton (31)..............173 G 5
Frontonas (38)...........136 D 4
Fronville (52).............55 G 5
Frossay (44)...............82 B 4
Frosse (85)...............113 E 1
Frotey-lès-Lure (70)......95 G 1
Frotey-lès-Vesoul (70)....95 E 1
Frouard (54)...............56 D 1
Frouville (95).............31 E 3
Frouzins (31)............189 E 3
Froville (54)..............57 F 4
Froyelles (80).............7 E 4
Frozes (86)...............101 H 5
Frucourt (80).............14 C 1
Frugerès-les-Mines (43)....147 F 2
Fruges (62)................7 F 1
Frugières-le-Pin (43)....147 G 3
La Fruitière (65).........204 B 4

Fruncé (28)................49 G 5
Fry (76)....................14 B 5
Fuans (25)................95 H 5
Fublaines (77)............32 A 5
Le Fugeret (04)..........182 B 3
Le Fuilet (49)............84 A 4
Fuilla (66)...............212 B 3
Fuissé (71)..............122 B 3
Fuligny (10)...............54 D 5
Fulleren (68).............97 E 1
Fultot (76)................13 E 3
Fulvy (89).................92 A 1
Les Fumades-les-Bains (30)....178 B 2
Fumay (08).................11 E 4
Fumel (47)...............157 G 4
Fumichon (14).............28 B 3
Furchhausen (67).........58 D 1
Furdenheim (67)..........59 E 2
Furiani (2B).............215 G 4
Furmeyer (05)............166 A 4
Fussey (21)..............109 E 1
Fussy (18)...............105 F 1
Fustérouau (32)..........187 E 1
Fustignac (31)...........188 C 5
Futeau (55)................35 F 4
Fuveau (13)..............196 A 3
Fyé (72)....................47 H 5

G

Gaas (40).................185 G 2
Gabarnac (33)............155 G 3
Gabarret (40)............171 F 4
Gabas (64)...............203 H 3
Gabaston (64)............186 C 4
Gabat (64)...............185 F 4
Gabian (34)..............192 B 3
Gabillou (24)............143 H 3
Gabre (09)...............206 D 2
Gabriac (12).............160 C 5
Gabriac (48).............177 F 2
Gabrias (48).............161 G 4
La Gabrière (36).........103 G 4
Gacé (61)..................48 B 1
La Gacilly (56)...........64 C 5
Gâcogne (58).............91 G 5
Gadancourt (95)..........30 C 4
Gadencourt (27)..........29 H 5
Gaël (35)..................64 C 1
Gageac-et-Rouillac (24)....156 C 2
Gages-le-Haut (12)......160 B 5
Gagnac-sur-Cère (46)....145 E 5
Gagnac-sur-G. (31)......189 F 1
Gagnières (30)..........178 A 1
Gagny (93)................51 G 1
Gahard (35)...............45 G 5
Gailhan (30).............177 H 5
Gaillac (81).............174 C 5
Gaillac-d'Aveyron (12)....176 A 1
Gaillac-Toulza (31).....189 F 5
Gaillagos (65)..........204 A 3
Gaillan-en-Médoc (33)....140 C 2
Gaillard (74)............124 C 4
Gaillardbois-Cressenville (27)....29 H 1
La Gaillarde (76)........13 F 2
Gaillefontaine (76)......14 B 4
Gaillères (40)...........170 D 4
Gaillon (27)...............29 H 3
Gaillon-sur-Montcient (78)....30 C 4
Gainneville (76)..........12 B 5
Gaja-et-Villedieu (11)....208 A 2
Gaja-la-Selve (11)......207 G 1
Gajac (33)...............155 H 5
Gajan (09)...............206 B 2
Gajan (30)...............178 B 5
Gajoubert (87)..........116 A 5
Galametz (62)..............7 F 3
Galan (65)...............205 E 1
Galapian (47)...........172 A 1
La Galère (06)...........199 E 2
Galéria (2B).............216 B 1
Galey (09)...............205 H 3
Galez (65)...............205 E 1
Galfingue (68)............78 C 5
Galgan (12)..............159 G 4
Galgon (33)..............141 G 5
Galiax (32)..............187 E 2
Galié (31)...............205 G 3
Galimas (47)............172 C 1
Galinagues (11).........207 H 4
Gallardon (28)...........50 B 4
Gallargues-le-Montueux (30)....193 H 1
La Galle (84)............179 E 2
Le Gallet (60)............15 E 4
Gallician (30)...........194 A 2
Galluis (78)..............50 C 1
Gamaches (80).............14 B 1
Gamaches-en-Vexin (27)....30 B 2
Gamarde-les-Bains (40)....185 G 1
Gamarthe (64)...........185 E 5
Gambais (78).............50 B 2
Gambaiseuil (78).........50 B 2
Gambsheim (67)...........59 G 1
Gan (64).................186 B 5
Ganac (09)...............207 E 3
Ganagobie (04)..........181 E 3
Ganay (13)..............195 H 2
Gancourt-St-Étienne (76)....14 C 5
Gandelain (61)...........47 G 4
Gandelu (02)..............32 C 4
Gandrange (57)...........21 E 4
Ganges (34)..............177 F 4

Gannat (03)..............119 H 5
Gannay-sur-Loire (03)....107 F 5
Gannes (60)...............15 G 4
Les Gannes (63).........132 B 5
Gans (33)................155 H 5
Ganties (31).............205 H 2
Ganzeville (76)...........12 C 3
Gap P (05)...............166 B 3
Gapennes (80).............7 E 4
Gâprée (61)...............48 B 3
Garac (31)...............188 D 2
Garancières (78)..........50 B 1
Garancières-en-Beauce (28)....50 C 5
Garancières-en-Drouais (28)....49 H 2
Garanou (09).............207 F 5
Garat (16)...............128 C 4
Garcelles-Secqueville (14)....27 G 3
Garches (92)...............51 E 1
Garchizy (58)............106 B 2
Garchy (58)...............90 B 5
Gardanne (13)...........196 A 3
La Garde (04)...........182 A 5
La Garde (38)...........152 A 4
La Garde (48)...........161 F 1
La Garde (83)...........201 E 3
La Garde-Adhémar (26)....163 H 5
La Garde-Freinet (83)....197 G 4
La Garde-Guérin (48)....162 B 5
Gardefort (18)............90 A 5
Gardegan-et-Tourtirac (33)....156 A 1
Gardères (65)...........186 D 5
Les Gardes (49)..........100 C 1
Gardes-le-Pontaroux (16)....128 C 5
Gardie (11)..............208 B 2
La Gardiole (30)........177 H 4
Gardonne (24)...........156 C 1
Gardouch (31)...........189 H 4
Garein (40)..............169 H 3
Garencières (27)..........29 H 5
La Garenne-
Colombes (92)...........31 E 5
Garennes-sur-Eure (27)....30 A 5
Garentreville (77)........71 G 1
Garéoult (83)...........196 D 4
Gargas (31)..............189 F 1
Gargas (84)..............180 A 4
Gargenville (78)..........30 C 5
Garges-lès-Gonesse (95)....31 F 5
Gargilesse-Dampierre (36)....117 F 2
Garidech (31)............189 G 1
Garigny (18).............106 A 1
Garin (31)...............205 F 4
Garindein (64)...........185 G 5
Garlan (29)...............42 B 3
Garlède-Mondebat (64)....186 C 3
Garlin (64)..............186 C 2
Le Garn (30).............178 C 1
Garnat-sur-Engièvre (03)....107 F 5
Garnay (28)...............49 H 2
Garnerans (01)...........122 B 4
Garons (30)..............194 B 1
Garos (64)...............186 B 3
Garravet (32)............188 C 4
Garrebourg (57)...........58 C 1
Garrevaques (81).........190 B 3
Garrey (40)..............185 G 1
Le Garric (81)...........174 D 4
Garrigues (34)...........193 G 1
Garrigues (81)...........189 H 2
Garrigues-Ste-Eulalie (30)....178 B 4
Garris (64)..............185 F 4
Garrosse (40)...........169 F 3
Gars (06)................182 C 4
Gartempe (23)...........117 G 5
Gas (28)...................50 B 3
Gascueil (47)............172 A 1
Gascougnolles (79)......114 B 3
Gasny (27)................30 B 4
Gasparets (11)..........209 E 1
Gasques (82).............172 D 2
Gassin (83)..............197 H 5
Le Gast (14)..............46 B 1
Gastes (40)..............154 B 5
Gastines (53).............66 A 3
Gastines-sur-Erve (72)....67 F 4
Gastins (77)..............52 B 3
Gauville-Oisème (28)......50 A 4
Gâtelles (28).............49 H 4
Gatey (39)................110 A 2
Gathemo (50)..............46 B 1
Gatteville-le-Phare (50)....23 E 2
Gattières (06)...........183 E 5
Gattigues (48)...........177 E 2
Gatuzières (48)..........177 E 2
La Gaubretière (85)......100 A 2
La Gaucherie (41)........88 A 3
Gauchin-Légal (62).......7 H 2
Gauchin-Verloingt (62)....7 G 2
Gauchy (02)...............16 D 2
Gauciel (27)..............29 G 4
La Gaudaine (28)..........69 E 1
La Gaude (06)............183 E 5
Gaudechart (60)..........14 D 4
Gaudent (65)............205 F 3
Gaudiempré (62)...........7 H 4
Gaudonville (32).........172 D 5

Gaudreville (28)..........50 D 5
Gaudreville-la-Rivière (27)....29 F 5
Gaugeac (24)............157 G 3
Gaujac (30)..............178 D 3
Gaujac (32)..............188 B 3
Gaujac (47)..............156 B 4
Gaujacq (40).............185 H 2
Gaujan (32)..............188 B 4
Le Gault-du-Perche (41)....69 F 2
Le Gault-Soigny (51)......53 E 1
Le Gault-St-Denis (28)....70 A 1
Gauré (31)...............189 H 2
Gauriac (33).............141 E 4
Gauriaguet (33).........141 G 4
Gaussan (65)............205 F 1
Gausson (22)..............63 H 1
Gauville (61).............48 C 1
Gauville (80)............14 C 3
Gauville-la-Campagne (27)....29 G 4
Gavarnie (65)...........204 B 5
Gavarnie-Gèdre (65).....204 B 4
Gavarret-sur-Aulouste (32)....188 A 1
Gavaudun (47)...........157 G 4
Gavet (38)...............151 H 4
Gavignano (2B)..........217 F 1
Gavisse (57)..............21 E 3
La Gavotte (13).........195 H 4
Gavray (50)...............25 E 5
Le Gâvre (44).............83 E 2
Gavrelle (62)..............8 B 3
Gâvres (56)...............80 D 1
Gavrus (14)...............27 E 3
Gayan (65)...............187 E 5
Gaye (51)..................53 G 2
Gayon (64)...............186 D 3
Gazaupouy (32)..........172 A 4
Gazave (65).............205 E 2
Gazax-et-Baccarisse (32)....187 F 2
Gazeran (78)..............50 C 3
Gazinet (33)............155 E 2
Gazost (65).............204 B 2
Geaune (40).............186 B 2
Geay (17)................127 E 2
Geay (79)................101 F 3
Gée (49)..................85 F 3
Gée-Rivière (32).........186 D 1
Geffosses (50)...........24 C 3
Géfosse-Fontenay (14)....23 E 4
Geishouse (68)...........78 B 4
Geispitzen (68)..........79 E 5
Geispolsheim (67)........59 E 3
Geiswasser (68)..........79 E 3
Geiswiller (67)..........58 D 5
Gélacourt (54)...........57 H 3
Gélannes (10)............53 F 4
Gélaucourt (54)..........56 D 4
Gellainville (28)........50 A 5
Gellenoncourt (54).......57 F 2
Gelles (63)..............132 C 3
Gellin (25)..............111 F 4
Gelos (64)...............186 B 5
Geloux (40)..............169 H 4
Gelucourt (57)...........57 H 1
Gelvécourt-et-Adompt (88)....77 E 1
Gémages (61).............68 D 1
Gemaingoutte (88).........58 B 5
Gembrie (65)............205 F 3
Gemeaux (21).............93 G 3
Gémenos (13)............196 B 5
Gémigny (45).............70 B 4
Gémil (31)...............189 G 1
Gemmelaincourt (88)......56 D 5
Gémonval (25)............95 H 2
Gémonville (54)..........56 C 4
Gémozac (17)............127 E 5
Genac-Bignac (16).......128 B 3
Genainville (95)..........30 B 3
Genas (69)...............136 C 3
Génat (09)..............207 E 4
Genay (21)...............92 B 2
Genay (69)..............135 H 2
Gençay (86).............115 G 3
Gendreville (88).........76 B 1
Gendrey (39).............94 B 5
Gené (49)................84 C 1
Génébrières (82)........173 H 4
Genech (59)...............4 D 4
Génelard (71)...........121 G 1
Générac (30)............194 A 1
Générac (33)............141 F 2
Générargues (30)........177 H 3
Générest (65)...........205 F 2
Generville (11).........207 G 1
Geneslay (61)............47 E 4
Le Genest (53)...........66 C 2
Genestelle (07).........163 E 2
Geneston (44)............99 F 1
Génestoux (63)..........132 D 5
La Génête (71)...........122 A 3
La Génétouze (17).......142 A 3
La Génétouze (85)........99 F 4
Genêts (50)...............45 G 2
Les Genettes (61)........48 C 2
Geneuille (25)...........94 D 4
La Genevraye (77)........71 H 1
Genevreuille (70)........95 F 1
Genevrey (70).............95 F 1
Genevrières (52).........76 B 5
La Genevroye (52)........75 F 1

Geney (25)................95 G 2
La Geneytouse (87)......130 C 3
Génicourt (95)...........30 D 4
Génicourt-sur-Meuse (55)....35 H 4
Genilac (42).............135 G 5
Genillé (37).............103 F 1
Génis (24)...............144 A 2
Génissac (33)...........155 H 1
Génissieux (26).........150 C 4
Genlis (21)..............93 G 5
Gennes (25)..............95 E 5
Gennes (49)..............85 F 4
Gennes-Ivergny (62)......7 E 3
Gennes-sur-Glaize (53)....66 D 4
Gennes-sur-Seiche (35)....66 A 3
Genneteil (49)...........85 H 2
Gennetines (03).........106 D 5
Genneton (79)...........101 E 1
Genneville (14)..........28 B 1
Gennevilliers (92).......31 F 5
Genod (39)..............123 G 3
Génois (Pont) (2B)......217 F 3
Génolhac (30)...........177 H 1
Génos (31)..............205 G 3
Génos (65)..............205 E 4
Genouillac (16).........129 E 2
Genouillac (23).........118 A 3
Genouillé (17)..........113 G 5
Genouillé (86)..........115 F 5
Genouilleux (01)........122 B 5
Genouilly (18)..........104 C 1
Genouilly (71)..........108 D 5
Genrupt (52).............76 B 4
Gensac (33).............156 B 1
Gensac (65).............187 E 4
Gensac (82).............173 E 4
Gensac-de-Boulogne (31)....188 A 5
Gensac-la-Pallue (16)....127 H 4
Gensac-sur-Garonne (31)....206 B 1
Genté (16)...............127 G 4
Gentelles (80)...........15 G 2
Les Gentillons (05).....166 B 2
Gentilly (94)............51 F 1
Gentioux-Pigerolles (23)....131 F 3
Genvry (60)...............16 B 4
Georfans (70)............95 G 2
Les Georgets (71).......108 B 5
Géovreisset (01)........123 G 3
Ger (46)..................46 C 2
Ger (64).................186 D 5
Ger (65).................204 B 2
Ger de Boutx (31).......205 H 3
Geraise (39)............110 D 2
Gérard (33)...............65 H 2
Gérardmer (88)...........78 A 2
Géraudot (10)............74 B 1
Géravilliers (55)........56 A 3
Gerbaix (73)............137 G 4
Gerbamont (88)...........77 H 3
Gerbécourt (54)..........57 G 5
Gerbécourt-
et-Haplemont (54)......57 E 4
Gerbépal (88)............78 A 1
Gerberoy (60)............14 D 5
Gerbéviller (54).........57 G 3
Gercourt-et-Drillancourt (55)....35 G 2
Gercy (02)................17 G 2
Gerde (31)...............204 D 2
Gerderest (64)..........186 D 4
Gère-Bélesten (64)......203 H 2
Gergny (02)...............17 H 1
Gergueil (21).............93 E 5
Gergy (71)...............109 F 3
Gerland (21)............109 F 1
Germ (65)................205 E 4
Germagnat (01)..........123 F 3
Germagny (71)...........108 D 5
Germaine (02).............16 C 2
Germaine (51)............33 H 3
Germaines (52)...........75 F 5
Germainvilette (52)......76 B 2
Germainville (28).........50 A 2
Germay (52)..............55 H 4
Germéfontaine (25).......95 G 5
Germenay (58)............91 F 5
Germignac (17)..........127 G 5
Germigney (39)..........110 B 2
Germigney (70)...........94 A 4
Germignonville (28)......70 B 2
Germigny (51)............33 G 2
Germigny (89)............73 G 3
Germigny-des-Prés (45)....71 E 5
Germigny-l'Évêque (77)....32 A 5
Germigny-l'Exempt (18)....106 A 3
Germigny-
sous-Coulombs (77)....32 C 4
Germigny-sur-Loire (58)....106 B 2
Germinon (51)............34 A 5
Germiny (54).............56 D 3
Germisay (52)............55 H 5
Germolles-sur-Grosne (71)....122 A 3
Germond-Rouvre (79)....114 B 2
Germondans (25)..........95 E 3
Germont (08)..............19 E 5
Germonville (54).........57 E 4
Germs-sur-l'Oussouet (65)....204 C 2
Gernelle (08).............19 E 3
Gernicourt (02)..........33 G 1
Géronce (64)............185 H 5
Géronville (76)...........12 D 3
Gerrots (14)..............27 H 3

Gerstheim (67)...........59 F 4
Gertwiller (67)..........58 D 4
Geruge (39).............110 A 5
Gervans (26)............149 H 4
Gerville (76).............12 C 3
Gerville-la-Forêt (50)....24 D 2
Géry (57).................55 G 1
Gerzat (63)..............133 F 3
Gesnes (53)...............66 D 2
Gesnes-en-Argonne (55)....35 H 2
Gesnes-le-Gandelin (72)....47 H 5
Gespunsart (08)..........11 E 5
Gestas (64)..............185 G 4
Gesté (49)...............84 A 5
Gestel (56)...............62 C 5
Gestiès (09)............207 E 5
Gesvres (53)..............47 G 5
Gesvres-le-Chapitre (32)....32 A 4
Gétigné (44)..............99 H 1
Les Gets (74)...........125 F 4
Geu (65)................204 B 2
Geudertheim (67).........59 F 1
Géus-d'Arzacq (64)......186 A 3
Geüs-d'Oloron (64)......185 H 5
Gévezé (35)...............65 E 1
Gevigney-et-Mercey (70)....76 D 5
Gevingey (39)...........110 A 5
Gevresin (25)...........111 E 2
Gevrey-Chambertin (21)....93 F 3
Gevrolles (21)............75 E 3
Gevry (39)...............110 A 2
Gex ⊗ (01)..............124 B 3
Geyssans (26)...........150 C 4
Gez (65)................204 B 2
Gez-ez-Angles (65)......204 C 2
Gézaincourt (80)..........7 G 4
Gézier-et-Fontenelay (70)....94 C 3
Gézoncourt (54)..........36 C 5
Ghisonaccia (2B)........217 G 4
Ghisoni (2B)............217 F 4
Ghissignies (59)..........9 F 4
Ghyvelde (59).............3 G 1
Giat (63)...............132 B 3
Gibeaumeix (54)..........56 B 3
Gibel (31)..............189 H 5
Gibercourt (02)..........16 D 3
Giberville (14)...........27 G 3
Gibles (71).............121 G 3
Gibourne (17)...........127 H 1
Gibret (40).............185 H 1
Gicourt (60)..............31 F 1
Le Gicq (17)............127 H 1
Gidy (45).................70 C 4
Giel-Courteilles (61)....47 G 1
Gien (45).................89 H 1
Gien-sur-Cure (58)......108 A 1
Giens (83)..............201 F 4
Gières (38).............151 H 3
La Giettaz (73).........138 D 2
Gièville (50).............25 G 4
Gièvres (41).............88 B 5
Giey-sur-Aujon (52)......75 F 4
Giez (74)...............138 B 3
Gif-sur-Yvette (91)......51 E 2
Giffaumont-Champaubert (51)....54 D 3
Gigaro (83).............197 H 5
Gigean (34).............193 E 3
Gigen (34)..............193 E 3
Gignac (34).............192 D 2
Gignac (46).............144 B 5
Gignac (84).............180 B 4
Gignac-la-Nerthe (13)....195 G 4
Gignat (63).............133 G 1
Gigney (88)..............77 F 1
Gigneville (88)..........76 C 2
Gigney (88)..............77 F 1
Gigny (39)..............123 F 2
Gigny (89)...............74 B 5
Gigny-Bussy (51).........54 C 3
Gigny-sur-Saône (71)....109 F 5
Gigondas (84)...........179 G 2
Gigors (04).............166 C 5
Gigors-et-Lozeron (26)....164 D 1
Gigot (25)...............95 H 5
Gigouzac (45)...........158 B 4
Gijounet (81)...........191 F 1
Gildwiller (68)..........78 C 5
Gilette (06)............183 E 4
Gilhac-et-Bruzac (07)....163 G 1
Gilhoc-sur-Ormèze (07)....149 G 5
Gillancourt (52).........75 F 2
Gillaumé (52)............55 H 4
Gilles (28)...............30 A 5
Gilley (25)..............111 G 1
Gilley (52)..............94 B 1
Gilley (38).............110 D 4
Gillois (39)............110 D 3
Gillonnay (38)..........151 E 1
Gilly-lès-Cîteaux (21)....93 F 5
Gilly-sur-Isère (73)....138 C 3
Gilly-sur-Loire (71)....120 D 1
Gilocourt (60)...........32 A 2
Gimat (82)..............172 D 5
Gimbrède (32)...........172 C 3
Gimeaux (63)............133 F 2
Gimécourt (55)...........55 H 1
Gimel-les-Cascades (19)....145 E 2
Gimeux (16).............127 G 4
La Gimond (42)..........135 F 5
Gimont (32).............188 C 2
Gimouille (58)..........106 B 3

A B C D E F G H I J K L M N O P Q R S T U V W X Y Z

Ginai (61) ....48 A 2
Ginals (82) ....174 B 2
Ginasservis (83) ....196 C 1
Ginchy (80) ....8 B 5
Gincla (11) ....208 B 5
Gincrey (55) ....20 A 5
Gindou (46) ....158 A 3
Ginestas (11) ....191 H 5
Ginestet (24) ....156 D 1
Gingsheim (67) ....59 E 1
Ginoles (11) ....208 A 4
Ginouillac (46) ....158 C 2
Gintrac (46) ....158 D 1
Giocatojo (2B) ....217 F 1
Gionges (51) ....33 H 5
Giou-de-Mamou (15) .....160 A 1
Gioux (23) ....131 G 3
Gipcy (03) ....119 G 2
Girac (46) ....159 E 1
Girancourt (88) ....77 F 1
Giraumont (54) ....20 C 5
Giraumont (60) ....16 A 5
Girauvoisin (55) ....56 A 1
Gircourt-lès-Viéville (88) ....57 E 5
Girefontaine (70) ....77 E 4
Giremoutiers (77) ....52 B 1
Girgols (15) ....146 A 5
Giriviller (54) ....57 G 4
Girmont (88) ....57 F 5
Girmont-Val-d'Ajol (88) .....77 G 3
Girolles (45) ....71 H 3
Girolles (89) ....91 G 2
Giromagny (90) ....78 A 5
Giron (01) ....123 H 4
Gironcourt-sur-Vraine (88) ...56 C 5
Gironde-sur-Dropt (33) ...155 H 3
Girondelle (08) ....10 C 5
Gironville (77) ....71 G 2
Gironville-et-Neuville (28) ...49 H 3
Gironville-sous-les-Côtes (55) .56 B 1
Gironville-sur-Essonne (91) ...51 F 5
Le Girouard (85) ....99 F 5
Giroussens (81) ....189 H 1
Giroux (36) ....104 C 2
Giroux-Vieux (63) ....134 A 4
Giry (58) ....90 D 5
Gisay-la-Coudre (27) ....28 D 5
Giscaro (32) ....188 C 4
Giscos (33) ....171 E 1
Gisors (27) ....30 C 2
Gissac (12) ....176 A 5
Gissey-le-Vieil (21) ....92 C 4
Gissey-sous-Flavigny (21) ...92 D 3
Gissey-sur-Ouche (21) ....93 E 5
Gisy-les-Nobles (89) ....72 C 1
Giuncaggio (2B) ....217 G 3
Giuncheto (2A) ....218 D 3
Givardon (18) ....106 A 4
Givarlais (03) ....119 E 2
Givenchy-en-Gohelle (62) ....8 A 2
Givenchy-le-Noble (62) ....7 H 3
Givenchy-lès-la-Bassée (62) ..4 A 4
Giverny (27) ....30 A 4
Giverville (27) ....28 C 3
Givet (08) ....11 E 3
Givonne (08) ....19 F 3
Givors (69) ....135 H 5
Givraines (45) ....71 F 2
Givrand (85) ....98 D 4
Givrauval (55) ....55 H 2
Le Givre (85) ....112 D 1
Givrezac (17) ....127 E 5
Givron (08) ....18 B 4
Givry (08) ....18 C 5
Givry (71) ....109 E 4
Givry (89) ....91 G 3
Givry-en-Argonne (51) ....35 E 5
Givry-lès-Loisy (51) ....33 G 5
Givrycourt (57) ....38 A 4
Gizaucourt (51) ....34 D 4
Gizay (86) ....115 G 2
Gizeux (37) ....86 A 4
Gizia (39) ....123 F 1
Gizy (02) ....17 G 4
La Glacerie (50) ....22 D 3
Glageon (59) ....10 A 3
Glaignes (60) ....32 A 2
Glainans (25) ....95 H 3
Glaine-Montaigut (63) .....133 G 3
Glaire (08) ....19 E 3
Le Glaizil (05) ....166 A 2
Glamondans (25) ....95 F 4
Gland (02) ....32 D 4
Gland (89) ....74 A 5
Glandage (26) ....165 G 2
Glandelles (77) ....71 H 2
Glandon (87) ....144 A 1
Glanes (46) ....159 E 1
Glanges (87) ....130 B 4
Glannes (51) ....54 C 2
Glanon (21) ....109 G 2
Glanville (14) ....28 A 2
Glatens (82) ....172 D 5
Glatigny (50) ....24 C 2
Glatigny (57) ....21 F 5
Glatigny (60) ....14 D 5
Glay (25) ....96 D 3

Gleizé (69) ....135 H 1
Glénac (56) ....64 C 5
Glénat (15) ....159 G 1
Glénay (79) ....101 F 3
Glénic (23) ....117 H 4
Glennes (02) ....33 H 1
Glénouze (86) ....101 H 2
Glény (19) ....145 F 4
Glère (25) ....96 D 3
Glicourt (76) ....13 H 1
Glisolles (27) ....29 F 5
Glisy (80) ....15 G 2
Glomel (22) ....62 D 2
Glonville (54) ....57 H 3
Glorianes (66) ....212 C 3
Glos (28) ....28 B 3
Glos-la-Ferrière (61) ....48 D 1
Glos-sur-Risle (27) ....28 D 2
Glozel (03) ....134 A 1
Gluges (46) ....158 D 1
Gluiras (07) ....163 F 1
Glun (07) ....149 H 5
Glux-en-Glenne (58) ....107 H 3
Goas (82) ....173 E 5
La Godefroy (50) ....45 H 2
Godenvillers (60) ....15 H 4
Goderville (76) ....12 C 4
Godewaersvelde (59) ....3 G 4
Godisson (61) ....48 B 2
La Godivelle (63) ....146 D 2
Godoncourt (88) ....76 D 3
Gœrlingen (67) ....58 B 1
Gœrsdorf (67) ....39 F 4
Goès (64) ....203 G 1
Goetzenbruck (57) ....38 D 4
Gœulzin (59) ....8 C 3
Gogney (54) ....58 A 2
Gognies-Chaussée (59) ....9 H 3
La Gohannière (50) ....46 A 2
Gohier (49) ....85 F 3
Gohory (28) ....69 G 2
Goimpy (28) ....50 B 5
Goin (57) ....37 E 4
Goincourt (60) ....30 D 1
Golancourt (60) ....16 C 3
Golbey (88) ....77 F 1
Goldbach-Altenbach (68) ...78 C 4
Golfe-Juan (06) ....199 E 2
Golfech (82) ....172 D 3
Golinhac (12) ....160 B 3
Golleville (50) ....22 D 4
Gombergean (41) ....87 F 1
Gomelange (57) ....21 G 4
Gomené (22) ....64 A 1
Gomer (64) ....186 D 5
Gometz-la-Ville (91) ....51 E 2
Gometz-le-Châtel (91) ....51 E 2
Gomiécourt (62) ....8 A 4
Gommecourt (62) ....8 A 4
Gommecourt (78) ....30 A 4
Gommegnies (59) ....9 G 3
Gommenec'h (22) ....43 F 3
Gommersdorf (68) ....97 E 1
Gommerville (28) ....50 D 5
Gommerville (76) ....12 C 4
Gomméville (21) ....74 C 4
Gomont (08) ....18 A 5
Goncelin (38) ....152 A 1
Goncourt (52) ....76 A 1
Gond-Pontouvre (16) ......128 B 4
Gondecourt (59) ....4 C 4
Gondenans-les-Moulins (25) .95 F 2
Gondenans-Montby (25) ....95 G 3
Gondeville (16) ....127 H 4
Gondrecourt-Aix (54) ....20 B 4
Gondrecourt-le-Château (55) ..56 A 3
Gondreville (45) ....71 H 3
Gondreville (54) ....56 C 2
Gondreville (60) ....32 A 3
Gondrexange (57) ....58 A 2
Gondrexon (54) ....57 H 2
Gondrin (32) ....171 H 5
Les Gonds (17) ....127 F 3
Gonesse (95) ....31 G 5
Gonez (65) ....187 F 5
Gonfaron (83) ....197 F 4
Gonfreville (50) ....24 D 2
Gonfreville-Caillot (76) ....12 C 4
Gonfreville-l'Orcher (76) .....12 B 5
Gonnehem (62) ....7 H 1
Gonnelieu (59) ....8 D 5
Gonnetot (76) ....13 F 3
Gonneville-en-Auge (14) .....27 G 2
Gonneville-la-Mallet (76) .....12 B 4
Gonneville-sur-Honfleur (14) ..28 B 1
Gonneville-sur-Mer (14) ......27 H 2
Gonneville-sur-Scie (76) .....13 G 3
Gonsans (25) ....95 F 5
Gontaud-de-Nogaret (47) ..156 C 5
La Gonterie-Boulouneix (24) ..143 E 1
Gonzeville (76) ....13 F 3
Goos (40) ....185 G 1
Gorbio (06) ....183 G 5
Gorcy (54) ....20 B 2
Gordes (84) ....179 H 4
Gorenflos (80) ....7 E 5
Gorges (44) ....99 H 1
Gorges (50) ....24 D 2
Gorges (80) ....7 F 5
Gorges de Franchard (77) ....51 H 5

La Gorgue (59) ....3 H 5
Gorhey (88) ....77 E 1
Gornac (33) ....155 H 3
Gorniès (34) ....177 F 5
Gorre (87) ....129 H 3
Gorrevod (01) ....122 C 2
Gorron (53) ....46 C 4
Gorses (46) ....159 F 2
Gorze (57) ....36 C 4
Gosnay (62) ....7 H 1
Gosné (35) ....65 G 1
Gosselming (57) ....58 A 1
Gotein-Libarrenx (64) ....203 E 1
Les Goths (45) ....72 A 3
Gottenhouse (67) ....58 D 1
Gottesheim (67) ....58 D 1
Gouaix (77) ....52 D 4
Goualade (33) ....171 F 1
Gouarec (22) ....63 E 2
Gouaux (65) ....205 E 4
Gouaux-de-Larboust (31) ..205 F 4
Gouaux-de-Luchon (31) .....205 F 4
Gouberville (50) ....23 E 2
Gouchaupre (76) ....13 H 1
Goudargues (30) ....178 C 2
Goudelancourt-
  lès-Berrieux (02) ....17 G 5
Goudelancourt-
  lès-Pierrepont (02) ....17 G 4
Goudelin (22) ....43 F 3
Goudet (43) ....162 B 4
Goudex (31) ....188 C 4
Goudon (65) ....187 F 5
Goudourville (82) ....172 D 3
Gouesnach (29) ....61 G 3
La Gouesnière (35) ....45 E 2
Gouesnou (29) ....41 E 3
les Gouëts (41) ....87 H 2
Gouex (86) ....116 A 3
Gouézec (29) ....61 H 1
Gougenheim (67) ....59 E 1
Gouhelans (25) ....95 F 3
Gouhenans (70) ....95 G 1
Gouillons (28) ....50 C 5
Gouise (03) ....120 B 2
Goujounac (46) ....158 A 4
La Goulafrière (27) ....28 C 5
Le Goulet (27) ....29 H 3
Goulet (61) ....47 H 2
Goulien (29) ....60 D 2
Goulier (09) ....206 D 5
Goulles (19) ....145 F 5
Les Goulles (21) ....75 E 4
Gouloux (58) ....91 H 5
Goult (61) ....47 H 3
Goult (84) ....179 H 5
Goulven (29) ....41 G 2
Goumois (25) ....96 D 4
Goupillières (14) ....27 E 4
Goupillières (27) ....29 E 3
Goupillières (76) ....13 F 4
Goupillières (78) ....50 B 1
Gourbera (40) ....169 E 5
Gourbesville (50) ....22 D 4
Gourbit (09) ....206 D 4
Gourchelles (60) ....14 C 3
Gourdan-Polignan (31) .....205 F 2
Gourdièges (15) ....160 C 1
Gourdon (06) ....182 D 5
Gourdon (07) ....163 E 2
Gourdon (71) ....108 C 5
Gourdon-Murat (19) ....131 E 5
Gourette (64) ....203 H 3
Gourfaleur (50) ....25 F 3
Gourgançon (51) ....53 H 2
Gourgé (79) ....101 F 4
Gourgeon (70) ....76 C 5
Gourgue (65) ....204 D 1
Gourhel (56) ....64 B 3
Gourin (56) ....62 B 2
Gourlizon (29) ....61 F 2
Gournay (07) ....30 A 4
Gournay (36) ....117 G 1
Gournay (76) ....12 B 5
Gournay-en-Bray (76) ....14 C 5
Gournay-le-Guérin (27) ....49 E 2
Gournay-Loizé (79) ....114 D 5
Gournay-sur-Aronde (60) ....15 H 5
Gournay-sur-Marne (93) .....51 G 1
Les Gours (16) ....128 A 1
Gours (33) ....142 A 5
Gourvieille (11) ....189 H 5
Gourville (16) ....128 A 2
Gourvillette (17) ....127 H 2
Goury (50) ....22 A 2
Goussaincourt (55) ....56 B 4
Goussainville (28) ....50 A 1
Goussainville (95) ....31 G 4
Goussancourt (02) ....33 F 3
Goussargues (30) ....178 C 2
Gousse (40) ....169 F 5
Goussonville (78) ....30 B 5
Goustranville (14) ....27 H 2
La Goutelle (63) ....132 C 3
Goutevernise (31) ....206 B 1
Goutrens (12) ....159 H 5
Gouts (40) ....169 G 5
Gouts (82) ....173 E 1
Gouts-Rossignol (24) ....142 D 1

Gouttières (27) ....29 E 4
Gouttières (63) ....132 C 1
Goutz (32) ....172 C 5
Gouvernes (77) ....51 H 1
Gouves (80) ....8 A 3
Gouvets (50) ....25 F 5
Gouvieux (60) ....31 F 3
Gouville (27) ....49 F 1
Gouville-sur-Mer (50) ....24 C 3
Gouvix (14) ....27 F 4
Goux (32) ....187 E 2
Goux (39) ....110 A 2
Goux-lès-Dambelin (25) ......95 H 3
Goux-les-Usiers (25) ....111 F 2
Goux-sous-Landet (25) ......110 D 1
Gouy (76) ....29 G 1
Gouy (80) ....8 C 5
Gouy-en-Artois (62) ....7 H 3
Gouy-en-Ternois (62) ....7 G 3
Gouy-les-Groseillers (60) ....15 F 3
Gouy-l'Hôpital (80) ....14 D 2
Gouy-Servins (62) ....8 A 2
Gouy-Saint-André (62) ....6 D 2
Gouzangrez (95) ....30 C 4
Gouze (64) ....185 H 3
Gouzeaucourt (59) ....8 C 5
Gouzens (31) ....206 B 1
Gouzon (23) ....118 B 4
Gouzougnat (23) ....118 B 5
Goven (35) ....65 E 3
Goviller (54) ....56 D 3
Govy-lès-Dambelin ...
Goxwiller (67) ....58 D 4
Goyencourt (80) ....16 A 3
Goyrans (31) ....189 F 3
Grabels (34) ....193 F 2
Graçay (18) ....104 C 1
Grâce-Uzel (22) ....63 G 2
Grâces (22) ....43 E 4
Gradignan (33) ....155 E 4
Graffigny-Chemin (52) ....76 B 1
Gragnague (31) ....189 G 2
Graignes (50) ....25 F 2
Grailhen (65) ....205 E 4
Graimbouville (76) ....12 C 4
Graincourt-
  lès-Havrincourt (62) ....8 C 4
Grainville (27) ....29 H 1
Grainville-la-Teinturière (76) ..13 E 3
Grainville-Langannerie (14) ..27 G 4
Grainville-sur-Odon (14) .....27 E 4
Grainville-sur-Ry (76) ....13 H 5
Grainville-Ymauville (76) .....12 C 4
Le Grais (61) ....47 F 2
Graissac (12) ....160 C 2
Graissessac (34) ....192 A 2
Graix (42) ....149 F 2
Le Grallet (17) ....126 C 3
Gramat (46) ....158 D 2
Gramazie (11) ....207 H 1
Grambois (84) ....196 A 1
Grammond (42) ....135 F 5
Grammont (70) ....95 G 2
Gramond (12) ....175 F 1
Gramont (82) ....172 C 4
Granace (2A) ....219 E 3
Grancey-le-Château-
  Neuvelle (21) ....93 F 1
Grancey-sur-Ource (21) ......74 C 3
Grand (88) ....56 A 5
Le Grand-Abergement (01) ..123 H 5
Le Grand Berbegal (13) ....194 D 1
Grand Boisviel (13) ....194 D 3
Le Grand-Bornand (74) .....138 C 1
Le Grand-Bourg (23) ....117 G 5
Grand-Bourgtheroulde (27) ..29 E 2
Grand-Brassac (24) ....142 D 2
La Grand-Cabane (30) ......194 B 1
Grand-Camp (27) ....28 C 4
Grand-Camp (76) ....12 D 4
Le Grand-Castang (24) ......157 F 1
Le Grand-Celland (50) ....46 A 2
Grand-Champ (56) ....81 G 1
Grand-Charmont (25) ....96 C 2
Grand-Châtel (39) ....123 H 2
La Grand-Combe (30) ....177 H 2
Grand-Corent (39) ....123 F 4
Grand-Couronne (76) ....29 F 1
La Grand-Croix (42) ....135 G 5
Grand-Failly (54) ....20 A 3
Grand-Fayt (59) ....9 G 5
Grand-Fort-Philippe (59) ......2 D 2
Grand-Fougeray (35) ....65 E 5
Grand-Laviers (80) ....6 D 5
Le Grand-Lemps (38) ....151 E 1
Le Grand-Lucé (72) ....68 C 4
Le Grand-Madieu (16) ....128 D 1
Grand-Millebrugge (59) ....3 F 2
Le Grand Piquey (33) ....154 A 2
Le Grand-Pressigny (37) ....102 D 3
Le Grand-Quevilly (76) ....29 F 1
Grand-Rozoy (02) ....32 D 2
Grand-Rullecourt (62) ....7 H 3
Grand-Serre (26) ....150 C 2
Grand Taureau (25) ....111 G 2
Grand-Vabre (12) ....159 H 3
Grand-Verly (02) ....17 F 1
Le Grand-Viel (85) ....98 B 1
Le Grand-Village-Plage (17) ..126 B 2
Grandcamp-Maisy (14) ....23 G 5
Grandchain (27) ....28 D 4

Grandchamp (08) ....18 B 4
Grandchamp (52) ....76 A 5
Grandchamp (72) ....68 A 3
Grandchamp (78) ....50 B 2
Grandchamp (89) ....72 C 5
Grandchamp-le-Château (14) ..28 A 4
Grandchamps-
  des-Fontaines (44) ....83 F 3
Grandcombe-Châteleu (25) ..111 H 1
Grand'Combe-des-Bois (25) ..96 C 5
Grandcourt (76) ....14 A 1
Grandcourt (80) ....8 A 5
La Grande-Fosse (88) ....58 B 5
La Grande-Motte (34) ....193 G 3
La Grande-Paroisse (77) .....52 A 5
La Grande-Résie (70) ....94 A 4
Grande-Rivière (39) ....124 A 1
La Grande-Romaine (77) .....51 H 2
Grande-Synthe (59) ....3 E 2
Grandecourt (70) ....94 C 1
Les Grandes-Armoises (08) ...19 E 5
Les Grandes-Chapelles (10) ...53 H 4
Les Grandes-Dalles (76) .....12 D 2
Les Grandes-Loges (51) .....34 A 4
Grandeyrolles (63) ....133 E 5
Grandfontaine (25) ....94 D 5
Grandfontaine (67) ....58 C 3
Grandfontaine-sur-Creuse (25) ..95 G 5
Grandfresnoy (60) ....31 H 1
Grandham (08) ....35 E 2
Grandjean (17) ....127 F 2
Grand'Landes (85) ....99 E 3
Grandlup-et-Fay (02) ....17 G 4
Grandmesnil (14) ....27 H 5
Grandpré (08) ....35 E 1
Grandpuits (77) ....52 B 3
Grandrieu (48) ....161 H 2
Grandrieux (02) ....18 A 3
Grandrif (63) ....134 B 5
Grandris (69) ....135 F 1
Grandrû (60) ....16 C 4
Grandrupt (88) ....58 B 4
Grandrupt-de-Bains (88) .....77 E 2
Les Grands-Chézeaux (87) ..117 E 3
Grandsaigne (19) ....145 E 1
Grandval (63) ....134 A 5
Grandvals (48) ....160 D 2
Grandvaux (71) ....121 G 2
Grandvelle-et-le-Perrenot (70) ..94 D 2
Grandvillars (90) ....96 D 2
La Grandville (08) ....19 E 2
Grandville (10) ....54 A 3
Grandvillers (88) ....77 H 1
Grandvillers-aux-Bois (60) ..15 H 5
Grandvilliers (27) ....49 F 1
Grandvilliers (60) ....14 D 4
Grane (26) ....164 C 2
La Grange (13) ....196 A 2
La Grange (25) ....95 H 4
La Grange-aux-Bois (51) .....35 E 3
Grange-de-Vaivre (39) ......110 C 2
Grange-le-Bocage (89) ....52 D 5
Grange-Neuve (30) ....178 D 1
Grangermont (45) ....71 F 2
Les Granges (10) ....73 H 3
Les Granges (2A) ....219 E 3
Granges (71) ....109 E 4
Granges-Aumontzey (88) ....77 H 1
Granges-d'Ans (24) ....143 H 3
Granges-de-la-Brasque (06) ..183 F 3
Granges-de-Vienney (25) ....95 F 5
Les Granges-Gontardes (26) ..163 H 5
Granges-la-Ville (70) ....95 G 2
Granges-le-Bourg (70) ....95 H 2
Les Granges-le-Roi (91) ......50 D 4
Granges-les-Beaumont (26) ..150 C 4
Granges-Narboz (25) ....111 F 3
Granges-Sainte-Marie (25) ..111 F 4
Granges-sur-Aube (51) ....53 G 3
Granges-sur-Baume (39) ...110 B 4
Granges-sur-Lot (47) ....156 D 5
Les Grangettes (25) ....111 F 3
Granier (73) ....139 E 4
Granieu (38) ....137 F 4
Les Granons (04) ....180 C 5
Grans (13) ....195 F 2
Granville (50) ....24 C 5
Granzay-Gript (79) ....114 A 4
Gras (07) ....163 F 5
Les Gras (25) ....111 H 2
Grassac (16) ....128 D 5
Grasse (06) ....198 D 1
Grassendorf (67) ....59 E 2
Grateloup-Saint-Gayrand (47) ..156 D 5
Gratens (31) ....188 D 5
Gratentour (31) ....189 F 1
Gratibus (80) ....15 H 3
Gratot (50) ....24 D 3
Gratreuil (51) ....34 D 2
Grattepanche (80) ....15 F 3
Le Gratteris (25) ....95 E 5
Grattery (70) ....94 D 1
Le Grau-du-Roi (30) ....193 H 3
Graufthal (67) ....38 C 5
Les Graulges (24) ....128 D 5
Graulhet (81) ....190 B 1
Grauves (51) ....33 G 5
Graval (76) ....14 B 3
La Grave (05) ....152 C 4
Gravelines (59) ....2 D 1
La Gravelle (53) ....66 B 2

Gravelotte (57) ....36 D 3
La Graverie (14) ....25 G 5
Graveron-Sémerville (27) ....29 F 4
Graves-Saint-Amant (16) ..128 A 4
Graveson (13) ....179 E 5
Gravières (07) ....162 C 5
Gravigny (27) ....29 G 4
Gravon (77) ....52 C 5
Gray (70) ....94 B 3
Gray-la-Ville (70) ....94 A 3
Grayan-et-l'Hôpital (33) ....140 B 1
Graye-et-Charnay (39) .....123 F 2
Graye-sur-Mer (14) ....27 E 1
Grayssas (47) ....172 D 2
Grazac (31) ....189 F 5
Grazac (43) ....148 D 3
Grazac (81) ....174 A 5
Grazay (53) ....67 E 1
La Grande-Verrière (71) ....108 A 3
Les Grdes-Ventes (76) ....13 H 3
Gréalou (46) ....159 E 4
Gréasque (13) ....196 A 3
Grébault-Mesnil (80) ....6 C 5
Grécourt (80) ....16 B 3
Gredisans (39) ....94 A 5
La Grée-Penvins (56) ....81 H 3
La Grée-Saint-Laurent (56) ..64 A 3
Gréez-sur-Roc (72) ....69 E 2
Greffeil (11) ....208 B 2
Grèges (76) ....13 H 1
Grémecey (57) ....57 F 1
Grémévillers (60) ....14 D 5
Gremilly (55) ....20 A 4
Grémonville (76) ....13 F 4
Grenade (31) ....189 E 1
Grenade-sur-l'Adour (40) ..186 B 1
Grenant (52) ....94 A 1
Grenant-lès-Sombernon (21) ..92 D 5
Grenay (38) ....136 C 4
Grenay (62) ....4 A 5
Grendelbruch (67) ....58 C 3
Greneville-en-Beauce (45) ..71 E 2
Grenier-Montgon (43) ....147 E 2
Grening (57) ....37 H 4
Grenoble P (38) ....151 G 3
Grenois (58) ....91 E 4
Grentheville (14) ....27 F 3
Grentzingen (68) ....97 E 1
Greny (76) ....13 H 1
Gréolières (06) ....182 D 5
Gréolières-les-Neiges (06) ..182 D 4
Gréoux-les-Bains (04) ....181 E 5
Grépiac (31) ....189 F 4
Le Grès (31) ....188 D 1
Grésigny-Sainte-Reine (21) ..92 C 1
Gresin (73) ....137 G 4
La Gresle (42) ....121 G 5
Gresse-en-Vercors (38) .....151 F 5
Gressey (78) ....50 B 1
Gresswiller (67) ....58 D 3
Gressy (77) ....31 H 5
Grésy-sur-Aix (73) ....137 H 3
Grésy-sur-Isère (73) ....138 B 4
Gretz-Armainvilliers (77) .....51 H 2
Greucourt (70) ....94 C 2
Greuville (76) ....13 F 2
Greux (88) ....56 B 4
La Grève-sur-Mignon (17) ..113 H 4
Les Grèves (22) ....43 H 5
Gréville-Hague (50) ....22 B 4
Grévillers (62) ....8 B 4
Grevilly (71) ....122 B 1
Grez (60) ....14 D 4
Le Grez (72) ....67 G 1
Grez-en-Bouère (53) ....67 F 4
Grez-Neuville (49) ....84 D 2
Grez-sur-Loing (77) ....71 H 1
Grézac (17) ....126 D 4
Grézels (46) ....157 H 5
Grèzes (24) ....144 B 4
Grèzes (43) ....161 G 1
Grèzes (46) ....159 E 3
Grèzes (48) ....161 F 4
Grézet-Cavagnan (47) ......156 B 5
Grézian (65) ....205 E 4
Grézieu-la-Varenne (69) ...135 H 3
Grézieu-le-Marché (69) ....135 F 4
Grézieux-le-Fromental (42) ..134 D 4
Grézillac (33) ....155 H 1
Grézillé (49) ....85 F 4
Grézolles (42) ....134 C 2
Gricourt (02) ....16 D 2
Grièges (01) ....122 B 4
La Grière (85) ....112 D 2
Gries (67) ....59 F 1
Griesbach-au-Val (68) ....78 C 2
Griesheim-près-Molsheim (67) ..59 E 2
Griesheim-sur-Souffel (67) ..59 E 2
Grignan (26) ....164 C 5
Grigneuseville (76) ....13 H 4
Grignols (24) ....143 E 4
Grignols (33) ....156 A 5
Grignon (21) ....92 B 2
Grignon (73) ....138 C 4
Grignoncourt (88) ....76 C 3
Grigny (62) ....3 H 4
Grigny (69) ....135 H 4
Grigny (91) ....51 F 3
La Grigonnais (44) ....83 F 2
La Grillette (30) ....179 G 4

Grillon (84) .... 164 **C 5**
Grilly (01) .... 124 **B 3**
Grimaucourt-en-Woëvre (55) ..20 **A 5**
Grimaucourt-
   près-Sampigny (55) ....55 **H 1**
Grimaud (83) .... 197 **G 5**
La Grimaudière (86) ....101 **H 4**
Grimault (89) .... 91 **H 1**
Grimbosq (14) .... 27 **E 4**
Grimesnil (50) .... 25 **E 4**
Grimone (26) .... 165 **G 2**
Grimonviller (54) ....56 **D 4**
Grincourt-lès-Pas (62) ....7 **H 4**
Grindorff-Bizing (57) ....21 **G 3**
Gripp (65) .... 204 **D 3**
La Gripperie-
   St-Symphorien (17) ..126 **C 2**
Gripport (54) .... 57 **E 4**
Gript (79) .... 114 **A 4**
Griscourt (54) .... 36 **D 5**
Griselles (21) .... 74 **B 4**
Griselles (45) .... 72 **A 3**
Grisolles (02) .... 32 **D 3**
Grisolles (82) .... 173 **G 5**
Grisy (14) .... 27 **H 4**
Grisy-les-Plâtres (95) ....30 **D 3**
Grisy-Suisnes (77) ....51 **H 2**
Grisy-sur-Seine (77) ......52 **D 4**
Grives (24) .... 157 **H 2**
Grivesnes (80) .... 15 **G 3**
Grivillers (80) .... 16 **A 4**
Grivy-Loisy (08) .... 34 **C 1**
Groffliers (62) .... 6 **C 2**
La Groise (59) .... 9 **G 5**
Groises (18) .... 90 **A 5**
Groissiat (01) .... 123 **G 4**
Groisy (74) .... 124 **C 5**
Groix (56) .... 80 **C 2**
Groléjac (24) .... 158 **A 2**
Gron (18) .... 105 **H 1**
Gron (89) .... 72 **C 2**
Gronard (02) .... 17 **G 2**
Gros-Chastang (19) ...... 145 **F 3**
Gros-Réderching (57) ....38 **C 3**
Grosbliederstroff (57) ....38 **A 2**
Grosbois (25) .... 95 **F 4**
Grosbois-en-Montagne (21) ..92 **D 4**
Grosbois-lès-Tichey (21) ..109 **H 2**
Grosbreuil (85) .... 112 **B 1**
Les Groseillers (79) ...... 114 **B 1**
Groslay (95) .... 31 **F 5**
Groslée (01) .... 137 **F 3**
Groslée-St-Benoît (01) ..137 **F 3**
Grosley-sur-Risle (27) ....29 **E 4**
Grosmagny (90) .... 78 **A 5**
Grosne (90) .... 96 **D 1**
Grospierres (07) .... 163 **H 5**
Grosrouvre (78) .... 50 **B 1**
Grosrouvres (54) .... 56 **C 1**
Grossa (2A) .... 218 **D 3**
Grosseto-Prugna (2A) ....218 **D 1**
Grossœuvre (27) .... 29 **G 5**
Grossouvre (18) .... 106 **B 3**
Grostenquin (57) .... 37 **H 4**
Grosville (50) .... 22 **C 4**
Le Grouanec (29) .... 41 **F 2**
Grouches-Luchuel (80) ....7 **G 4**
Grougis (02) .... 17 **E 1**
La Groutte (18) .... 105 **G 5**
Grozon (39) .... 110 **B 3**
Gruchet-le-Valasse (76) ..12 **D 4**
Gruchet-St-Siméon (76) ..13 **F 2**
Grues (85) .... 112 **D 2**
Gruey-lès-Surance (88) ..77 **E 2**
Gruffy (74) .... 138 **A 2**
Grugé-l'Hôpital (49) ......66 **A 4**
Grugies (02) .... 16 **D 2**
Grugny (76) .... 13 **G 4**
Gruissan (11) .... 209 **G 2**
Gruissan-Plage (11) ...... 209 **G 2**
Grumesnil (76) .... 14 **C 4**
Grun-Bordas (24) .... 143 **E 4**
Grundviller (57) .... 38 **A 3**
Gruny (80) .... 16 **A 3**
Grury (71) .... 107 **H 5**
Gruson (59) .... 4 **D 4**
Grusse (39) .... 110 **A 3**
Grussenheim (68) .... 79 **E 1**
Grust (65) .... 204 **B 3**
Gruyères (08) .... 18 **D 3**
Le Gua (17) .... 126 **C 4**
Le Gua (38) .... 151 **G 4**
Guagno (2A) .... 216 **D 2**
Guagno-les-Bains (2A) ..216 **D 3**
Guainville (28) .... 30 **A 5**
Guarbecque (62) .... 3 **F 5**
Guargualé (2A) .... 218 **D 1**
Guchan (65) .... 205 **E 4**
Guchen (65) .... 205 **E 4**
Gudas (09) .... 207 **E 3**
Gudmont (52) .... 55 **G 5**
Güe (55) .... 55 **F 3**
Le Gué-d'Alleré (17) ......113 **G 4**
Le Gué-de-la-Chaîne (61) ..48 **C 5**
Le Gué-de-Longroi (28) ..50 **B 4**
Le Gué-de-Velluire (85) ..113 **G 2**
Gué-d'Hossus (08) .... 10 **D 4**
Le Gué-du-Loir (41) ......69 **F 5**
Le Gué-Lian (72) .... 47 **H 1**
Gué-Plat (61) .... 47 **E 2**
Guebenhouse (57) .... 38 **A 3**
Gueberschwihr (68) ......78 **C 2**

Guébestroff (57) ....37 **H 5**
Guéblange-lès-Dieuze (57) ..57 **H 1**
Guébling (57) .... 37 **H 5**
Guebwiller ◇ (68) ....78 **C 3**
Guécélard (72) .... 68 **A 4**
Le Guédeniau (49) ....85 **G 3**
Guégon (56) .... 63 **H 4**
Guéhébert (50) .... 24 **D 4**
Guéhenno (56) .... 63 **H 5**
Gueltas (56) .... 63 **G 3**
Guémappe (62) .... 8 **B 3**
Guémar (68) .... 78 **D 1**
Guémené-Penfao (44) ....83 **E 1**
Guémené-sur-Scorff (56) ..63 **E 3**
Guemps (62) .... 2 **D 3**
Guénange (57) .... 21 **E 4**
Guengat (29) .... 61 **G 2**
Guénin (56) .... 63 **F 5**
Guénouvry (44) .... 83 **E 1**
Guenroc (22) .... 44 **D 5**
Guenrouet (44) .... 82 **D 2**
Guentrange (57) .... 21 **E 4**
Guermantes (77) .... 51 **H 1**
Guern (56) .... 63 **E 3**
Guernanville (27) .... 29 **E 5**
Guernes (78) .... 30 **B 4**
Le Guerno (56) .... 82 **A 1**
Guerny (27) .... 30 **B 3**
Guéron (14) .... 25 **H 2**
Guerpont (55) .... 55 **G 3**
Guerquesalle (61) .... 28 **A 5**
Les Guerreaux (71) ...... 121 **E 1**
Guerstling (57) .... 21 **G 5**
Guerting (57) .... 21 **G 5**
Guerville (76) .... 14 **B 1**
Guerville (78) .... 30 **B 5**
Gueschart (80) .... 7 **E 4**
Guesnain (59) .... 8 **C 3**
Guesnes (86) .... 102 **A 3**
Guessling-Hémering (57) ..37 **G 4**
Guéthary (64) .... 184 **B 3**
Gueudecourt (80) .... 8 **B 5**
Gueugnon (71) .... 121 **E 1**
Gueures (76) .... 13 **F 2**
Gueutteville (76) .... 13 **G 4**
Gueutteville-les-Grès (76) ..13 **E 2**
Gueux (51) .... 33 **G 2**
Guevenatten (68) .... 78 **B 5**
Guewenheim (68) .... 78 **C 5**
Gugnécourt (88) .... 77 **E 1**
Gugney (54) .... 56 **D 4**
Gugney-aux-Aulx (88) ....57 **E 5**
Guibermesnil (80) .... 14 **D 2**
Guibeville (91) .... 51 **E 3**
Guichainville (27) .... 29 **G 5**
Guiche (64) .... 185 **E 3**
La Guiche (71) .... 121 **H 1**
Guichen (35) .... 65 **E 3**
Guiclan (29) .... 41 **H 3**
Guidel (56) .... 62 **C 5**
Guidon du Bouquet (30) ..178 **B 2**
La Guierche (72) .... 68 **A 2**
Guignecourt (60) .... 15 **E 5**
Guignemicourt (80) ...... 15 **E 2**
Guignen (35) .... 65 **E 3**
Guignes (77) .... 52 **A 3**
Guigneville (45) .... 71 **E 2**
Guigneville-sur-Essonne (91) ..51 **F 4**
Guignicourt (02) .... 33 **G 1**
Guignicourt-sur-Vence (08) ..18 **D 3**
Guignonville (45) .... 71 **E 2**
Guigny (62) .... 7 **E 3**
Les Guigues (13) .... 195 **G 2**
Guilberville (50) .... 25 **G 4**
Le Guildo (22) .... 44 **C 3**
Guiler-sur-Goyen (29) ....61 **F 2**
Guilers (29) .... 41 **E 4**
Guilherand-Granges (07) ..149 **H 5**
Guillac (33) .... 155 **H 1**
Guillac (56) .... 64 **A 3**
Guillaucourt (80) .... 15 **H 2**
Guillaumes (06) .... 182 **C 2**
Guillemont (80) .... 16 **A 1**
La Guillermie (03) ...... 134 **A 1**
Guilleville (28) .... 50 **D 5**
Guilliers (56) .... 64 **A 2**

Guilligomarc'h (29) ......62 **C 4**
Guillon (89) .... 91 **H 3**
Guillon-les-Bains (25) ....95 **G 4**
Guillonville (28) .... 70 **B 3**
Guillos (33) .... 155 **F 4**
Guilly (36) .... 104 **B 2**
Guilly (45) .... 71 **F 5**
Guilmécourt (76) .... 13 **H 1**
Guilvinec (29) .... 61 **F 4**
Guimaëc (29) .... 42 **B 3**
Guimiliau (29) .... 41 **H 3**
La Guimorais (35) .... 45 **E 2**
Guimps (16) .... 141 **H 1**
Guinarthe-Parenties (64) ..185 **G 4**
Guincourt (08) .... 18 **D 4**
Guindrecourt-
   aux-Ormes (52) ....55 **F 4**
Guindrecourt-sur-Blaise (52) ..75 **F 1**
Guinecourt (62) .... 7 **F 3**
Guînes (62) .... 2 **C 3**
Guingamp ◇ (22) .... 43 **E 4**
Guinglange (57) .... 37 **H 3**
Guinkirchen (57) .... 21 **F 5**
Guinzeling (57) .... 37 **H 5**
Guipavas (29) .... 41 **F 4**
Guipel (35) .... 45 **F 5**
Guipronvel (29) .... 41 **E 3**
Guipry-Messac (35) ......65 **E 4**
Guipy (58) .... 91 **E 5**
Guiry-en-Vexin (95) ......30 **C 4**
Guiscard (60) .... 16 **C 4**
Guiscriff (56) .... 62 **B 3**
Guise (02) .... 17 **F 1**
Guiseniers (27) .... 30 **A 3**
Le Guislain (50) .... 25 **E 4**
Guissény (29) .... 41 **F 2**
Guisy (62) .... 7 **E 2**
Guitalens (81) .... 190 **B 2**
Guitalens-l'Albarède (81) ..190 **B 2**
Guitera-les-Bains (2A) ..217 **E 1**
Guitinières (17) .... 141 **F 1**
Guitrancourt (78) .... 30 **C 4**
Guîtres (33) .... 141 **H 4**
Guitry (27) .... 30 **A 3**
Guitté (22) .... 44 **C 5**
Guivry (02) .... 16 **C 4**
Guizancourt (80) .... 15 **H 2**
Guizengeard (16) .... 142 **A 2**
Guizerix (65) .... 187 **H 5**
Gujan-Mestras (33) ...... 154 **B 3**
Gumbrechtshoffen (67) ..39 **E 4**
Gumery (10) .... 52 **D 4**
Gumiane (26) .... 165 **E 4**
Gumières (42) .... 134 **C 5**
Gumond (19) .... 145 **F 3**
Gundershoffen (67) ...... 39 **E 4**
Gundolsheim (68) .... 78 **D 3**
Gungwiller (67) .... 38 **B 5**
Gunsbach (68) .... 78 **C 2**
Gunstett (67) .... 39 **F 4**
Guntzviller (57) .... 58 **B 1**
Guny (02) .... 16 **D 5**
Guran (31) .... 205 **F 4**
Gurat (16) .... 142 **C 1**
Gurcy-le-Châtel (77) ......52 **B 4**
Gurgy (89) .... 73 **E 5**
Gurgy-la-Ville (21) .... 75 **F 4**
Gurgy-le-Château (21) ....75 **E 5**
Gurmençon (64) .... 203 **G 1**
Gurs (64) .... 185 **H 5**
Gurunhuel (22) .... 42 **D 4**
Gury (60) .... 16 **A 4**
Gussainville (55) .... 20 **B 5**
Gussignies (59) .... 9 **G 3**
Guyancourt (78) .... 50 **D 2**
Guyans-Durnes (25) ...... 111 **F 1**
Guyans-Vennes (25) ...... 95 **H 5**
Guyencourt (02) .... 33 **G 1**
Guyencourt-Saulcourt (80) ..16 **C 1**
Guyencourt-sur-Noye (80) ..15 **G 3**
La Guyonnière (85) ...... 99 **H 2**
Guyonvelle (52) .... 76 **B 4**
Guzargues (34) .... 193 **F 1**
Guzet-Neige (09) .... 206 **C 5**
Gy (70) .... 94 **C 3**
Gy-en-Sologne (41) ......88 **A 4**
Gy-les-Nonains (45) ......72 **A 4**
Gy-l'Évêque (89) .... 91 **E 1**
Gye (54) .... 56 **C 2**
Gyé-sur-Seine (10) .... 74 **B 3**

H

Habarcq (62) .... 7 **H 3**
Habas (40) .... 185 **G 2**
Habère-Lullin (74) ...... 124 **D 3**
Habère-Poche (74) ...... 124 **D 3**
L'Habit (27) .... 49 **H 1**
L'Habitarelle (près de Châteauneuf-
   de-Randon) (48) ... 162 **A 3**
L'Habitarelle
   (près de Villefort) (48) ... 162 **B 5**
Hablainville (54) .... 57 **H 3**
Habloville (61) .... 47 **G 1**
Haboudange (57) .... 37 **G 5**
Habsheim (68) .... 78 **D 5**
Hachan (65) .... 187 **H 5**
Hâcourt (52) .... 76 **A 2**
Hacqueville (27) .... 30 **A 4**
Hadancourt-
   le-Haut-Clocher (60) ..30 **C 3**
Hadigny-les-Verrières (88) ..57 **F 5**
Hadol (88) .... 77 **G 2**

Haegen (67) .... 58 **C 1**
Hagécourt (88) .... 77 **E 1**
Hagedet (65) .... 187 **E 3**
Hagen (57) .... 21 **E 2**
Hagenbach (68) .... 97 **E 1**
Hagenthal-le-Bas (68) ....97 **G 2**
Hagenthal-le-Haut (68) ..97 **G 2**
Haget (65) .... 187 **F 4**
Hagetaubin (64) .... 186 **A 3**
Hagetmau (40) .... 186 **A 2**
Hagéville (54) .... 56 **C 1**
Hagnéville-et-Roncourt (88) ..76 **C 1**
Hagnicourt (08) .... 18 **C 4**
Hagondange (57) .... 21 **E 4**
Haguenau ◇ (67) .... 39 **F 5**
La Haie-Fouassière (44) ..83 **G 5**
La Haie-Longue (49) ...... 84 **C 4**
La Haie-Traversaine (53) ..46 **D 5**
Les Haies (69) .... 135 **H 5**
Haigneville (54) .... 57 **F 3**
Haillainville (88) .... 57 **G 4**
Le Haillan (33) .... 155 **E 1**
Hailles (80) .... 15 **G 2**
Haillicourt (62) .... 7 **H 1**
Haimps (17) .... 127 **H 2**
Hainvillers (60) .... 15 **H 4**
Haironville (55) .... 55 **F 2**
Haisnes (62) .... 4 **A 5**
Haleine (61) .... 47 **E 4**
Halinghen (62) .... 2 **B 5**
Hallencourt (80) .... 14 **D 1**
Hallennes-lez-Haubourdin (59) ..4 **B 4**
Hallering (57) .... 21 **G 5**
Les Halles (69) .... 135 **F 3**
Halles-sous-les-Côtes (55) ..19 **G 5**
Hallignicourt (52) .... 55 **E 2**
Hallines (62) .... 3 **E 4**
La Hallotière (76) .... 14 **A 5**
Halloville (54) .... 58 **A 3**
Halloy (60) .... 14 **D 4**
Halloy (62) .... 7 **G 4**
Halloy-lès-Pernois (80) ....7 **F 5**
Hallu (80) .... 16 **A 2**
Halluin (59) .... 4 **C 2**
Halsou (64) .... 184 **D 4**
Halstroff (57) .... 21 **G 3**
Le Ham (50) .... 22 **D 4**
Le Ham (53) .... 47 **F 5**
Ham (80) .... 16 **C 3**
Ham-en-Artois (62) ...... 3 **F 5**
Ham-les-Moines (08) ....18 **C 2**
Ham-sous-Varsberg (57) ..21 **H 5**
Ham-sur-Meuse (08) ....11 **E 3**
Hamars (14) .... 27 **E 4**
Hambach (57) .... 38 **A 3**
Hambers (53) .... 67 **E 1**
Hamblain-les-Prés (62) ....8 **B 3**
Hambye (50) .... 25 **E 5**
Le Hameau (83) .... 196 **C 1**
Hamel (59) .... 8 **C 3**
Le Hamel (60) .... 14 **D 4**
Le Hamel (80) .... 15 **H 2**
Hamelet (80) .... 15 **H 1**
Hamelin (50) .... 46 **A 3**
Hamelincourt (62) .... 8 **B 4**
Hames-Boucres (62) ...... 2 **C 3**
Hammeville (54) .... 56 **D 3**
Hamonville (54) .... 56 **B 1**
Hampigny (10) .... 54 **C 4**
Hampont (57) .... 37 **G 5**
Han-devant-Pierrepont (54) ..20 **B 3**
Han-lès-Juvigny (55) ......19 **H 5**
Han-sur-Meuse (55) ...... 36 **A 5**
Han-sur-Nied (57) .... 37 **F 4**
Hanc (79) .... 114 **D 5**
Hanches (28) .... 50 **B 3**
Hancourt (80) .... 16 **C 2**
Handschuheim (67) ...... 59 **E 2**
Hangard (80) .... 15 **G 2**
Hangenbieten (67) ...... 59 **E 2**
Hangest-en-Santerre (80) ..15 **H 3**
Hangest-sur-Somme (80) ..15 **E 1**
Hangviller (57) .... 38 **C 5**
Hannaches (60) .... 14 **C 5**
Hannapes (02) .... 17 **F 1**
Hannappes (08) .... 18 **A 2**
Hannescamps (62) .... 8 **A 4**
Hannocourt (57) .... 37 **F 5**
Hannogne-St-Martin (08) ..19 **E 3**
Hannogne-St-Rémy (08) ..18 **A 4**
Hannonville-
   sous-les-Côtes (55) ..36 **A 4**
Hannonville-Suzémont (54) ..36 **B 3**
Le Hanouard (76) .... 13 **E 3**
Hans (51) .... 34 **D 3**
Hantay (59) .... 4 **B 4**
Hanvec (29) .... 41 **G 5**
Hanviller (57) .... 38 **D 3**
Hanvoile (60) .... 14 **D 5**
Happencourt (02) .... 16 **C 3**
Happonvilliers (28) ...... 49 **G 5**
Haramont (02) .... 32 **B 2**
Haraucourt (08) .... 19 **F 4**
Haraucourt (54) .... 57 **G 1**
Haraucourt-sur-Seille (57) ..57 **G 1**
Haraumont (55) .... 35 **G 1**
Haravesnes (62) .... 7 **F 3**
Haravilliers (95) .... 30 **D 3**
Harbonnières (80) .... 15 **H 2**

Harbouey (54) .... 58 **A 3**
Harcanville (76) .... 13 **E 3**
Harchéchamp (88) .... 56 **B 5**
Harcigny (02) .... 17 **H 2**
Harcourt (27) .... 29 **E 3**
Harcy (08) .... 10 **D 5**
Hardancourt (88) .... 57 **G 4**
Hardanges (53) .... 47 **E 1**
Hardecourt-aux-Bois (80) ..16 **A 1**
Hardelot-Plage (62) ...... 2 **A 5**
Hardencourt-Cocherel (27) ..29 **H 4**
Hardifort (59) .... 3 **F 3**
Hardinghen (62) .... 2 **C 4**
Hardinvast (50) .... 22 **C 3**
Hardivillers (60) .... 15 **F 4**
Hardivillers-en-Vexin (60) ..15 **E 4**
La Hardoye (08) .... 18 **A 3**
Hardricourt (78) .... 30 **C 4**
La Harengère (27) .... 29 **F 2**
Haréville (88) .... 76 **D 1**
Harfleur (76) .... 12 **B 5**
Hargarten-aux-Mines (57) ..21 **G 4**
Hargeville (78) .... 30 **B 5**
Hargeville-sur-Chée (55) ..55 **G 1**
Hargicourt (02) .... 16 **C 1**
Hargicourt (80) .... 15 **H 3**
Hargnies (08) .... 11 **E 3**
Hargnies (59) .... 9 **H 3**
Harly (02) .... 16 **D 2**
Harméville (52) .... 55 **H 4**
Harmonville (88) .... 56 **C 4**
La Harmoye (22) .... 63 **F 1**
Harnes (62) .... 4 **B 5**
Harol (88) .... 77 **E 1**
Haroué (54) .... 57 **E 4**
Harponville (80) .... 7 **H 5**
Harprich (57) .... 37 **G 4**
Harquency (27) .... 30 **A 2**
Harreberg (57) .... 58 **B 2**
Harréville-les-Chanteurs (52) ..76 **B 1**
Harricourt (08) .... 19 **F 5**
Harricourt (52) .... 75 **E 1**
Harsault (88) .... 77 **E 2**
Harskirchen (67) .... 38 **B 4**
Hartennes-et-Taux (02) ..32 **D 2**
Hartmannswiller (68) ....78 **C 4**
Hartzviller (57) .... 58 **B 2**
Harville (55) .... 36 **B 3**
Hary (02) .... 17 **H 2**
Haselbourg (57) .... 58 **C 1**
Hasnon (59) .... 5 **E 5**
Hasparren (64) .... 184 **D 4**
Haspelschiedt (57) ...... 38 **D 3**
Haspres (59) .... 9 **E 3**
Hastingues (40) .... 185 **E 2**
Hatrize (54) .... 20 **C 5**
Hatten (67) .... 39 **G 4**
Hattencourt (80) .... 16 **A 3**
Hattenville (76) .... 12 **D 4**
Hattigny (57) .... 58 **A 2**
Hattmatt (67) .... 38 **D 5**
Hattonchâtel (55) .... 36 **B 4**
Hattonville (55) .... 36 **B 4**
Hattstatt (68) .... 78 **D 2**
Hauban (65) .... 204 **C 2**
Haubourdin (59) .... 4 **C 4**
Hauconcourt (57) .... 21 **E 5**
Haucourt (60) .... 14 **D 5**
Haucourt (62) .... 8 **B 3**
Haucourt (76) .... 14 **B 4**
Haucourt-en-Cambrésis (59) ..9 **E 5**
Haucourt-Moulaine (54) ..20 **C 2**
Haudainville (55) .... 35 **H 3**
Haudiomont (55) .... 36 **A 3**
Haudivillers (60) .... 15 **F 5**
Haudonville (54) .... 57 **G 3**
Haudricourt (76) .... 14 **C 3**
Haulchin (59) .... 9 **E 3**
Haulies (32) .... 188 **A 3**
Haulmé (08) .... 11 **E 5**
Haumont-lès-Lachaussée (55) ..36 **A 4**
Haumont-
   près-Samogneux (55) ..35 **H 2**
Hauriet (40) .... 185 **H 1**
Hausgauen (68) .... 97 **F 1**
Haussez (76) .... 14 **B 4**
Haussignémont (51) ...... 54 **D 2**
Haussimont (51) .... 54 **A 2**
Haussonville (54) .... 57 **F 3**
Haussy (59) .... 9 **E 4**
Haut-Asco (2B) .... 216 **D 1**
Haut-Clocher (57) .... 58 **A 1**
Le Haut-Corlay (22) ...... 63 **F 1**
Haut-de-Bosdarros (64) ..203 **H 1**
Haut-du-Them-
   Château-Lambert (70) ..77 **H 4**
Haut-Lieu (59) .... 9 **H 5**
Haut-Loquin (62) .... 2 **C 4**
Haut-Mauco (40) .... 169 **H 5**
Le Haut-Vauguière (34) ..193 **G 2**
Hautage (80) .... 15 **H 2**
Hautaget (65) .... 205 **E 2**
Hautbos (60) .... 14 **D 4**
Haute-Avesnes (62) ...... 8 **A 3**
La Haute-Beaume (05) ..165 **G 3**
La Haute-Chapelle (61) ..46 **D 3**
Haute-Épine (60) .... 14 **D 4**
Haute-Isle (95) .... 30 **B 4**
Haute-Kontz (57) .... 21 **F 2**
La Haute-Maison (77) ....52 **B 1**
Haute-Vigneulles (57) ....37 **G 3**
Hautecloque (62) .... 7 **G 3**

Hautecour (39) .... 123 **H 1**
Hautecour (73) .... 138 **D 5**
Hautecourt-Romanèche (01) ..123 **F 4**
Hautefage (19) .... 145 **F 4**
Hautefage-la-Tour (47) ..172 **C 1**
Hautefaye (24) .... 128 **D 5**
Hautefeuille (77) .... 52 **B 2**
Hautefond (71) .... 121 **F 2**
Hautefontaine (60) ...... 32 **B 1**
Hautefort (24) .... 143 **H 3**
Hauteluce (73) .... 138 **D 3**
Hautepierre-le-Châtelet (25) ..111 **F 1**
Hauterive (03) .... 120 **B 5**
Hauterive (61) .... 48 **A 4**
Hauterive (89) .... 73 **E 4**
Hauterive-la-Fresse (25) ..111 **G 2**
Hauterives (26) .... 150 **C 2**
Hauteroche (21) .... 92 **C 3**
Hautes-Duyes (04) ...... 181 **F 2**
Les Hautes-Rivières (08) ..11 **E 4**
Hautesvignes (47) ...... 156 **C 5**
Hautevelle (70) .... 77 **F 4**
Hautevesnes (02) .... 17 **E 2**
Hauteville (02) .... 18 **B 4**
Hauteville (08) .... 18 **B 4**
Hauteville (51) .... 54 **D 3**
Hauteville (62) .... 7 **H 3**
Hauteville (73) .... 138 **B 5**
La Hauteville (78) .... 50 **B 2**
Hauteville-la-Guichard (50) ..25 **E 3**
Hauteville-lès-Dijon (21) ..93 **F 4**
Hauteville-Lompnes (01) ..137 **F 1**
Hauteville-sur-Fier (74) ..138 **A 1**
Hauteville-sur-Mer (50) ..24 **C 4**
Haution (02) .... 17 **G 2**
Hautmont (59) .... 9 **H 3**
Hautmougey (88) .... 77 **E 3**
Hautot-l'Auvray (76) ...... 13 **E 3**
Hautot-le-Vatois (76) ...... 13 **E 4**
Hautot-St-Sulpice (76) ....13 **E 3**
Hautot-sur-Mer (76) ...... 13 **G 2**
Hautot-sur-Seine (76) ....29 **F 1**
Hautteville-Bocage (50) ..22 **D 4**
Hautvillers (51) .... 33 **G 4**
Hautvillers-Ouville (80) ....6 **D 4**
Hauville (27) .... 29 **E 1**
Hauviné (08) .... 34 **B 2**
Haux (33) .... 155 **G 2**
Haux (64) .... 203 **E 3**
Havange (57) .... 20 **D 3**
Havelu (28) .... 50 **A 1**
Haveluy (59) .... 9 **E 2**
Havernas (80) .... 7 **F 5**
Haverskerque (59) .... 3 **G 5**
Le Havre ◇ (76) .... 12 **A 5**
Havrincourt (62) .... 8 **C 5**
L'Haÿ-les-Roses ◇ (94) ..51 **F 2**
Hayange (57) .... 20 **D 4**
Haybes (08) .... 11 **E 4**
La Haye (76) .... 14 **A 5**
La Haye (88) .... 77 **E 2**
La Haye-Aubrée (27) ...... 28 **D 1**
La Haye-Bellefond (50) ..25 **F 4**
La Haye-de-Calleville (27) ..29 **E 3**
La Haye-de-Routot (27) ..28 **D 1**
La Haye-d'Ectot (50) ...... 22 **C 4**
La Haye-du-Puits (50) ....24 **D 1**
La Haye-du-Theil (27) ....29 **E 3**
La Haye-le-Comte (27) ....29 **G 3**
La Haye-Malherbe (27) ....29 **F 2**
La Haye-Pesnel (50) ...... 45 **H 1**
La Haye-St-Sylvestre (27) ..28 **D 5**
Les Hayes (41) .... 86 **D 1**
Hayes (57) .... 21 **F 5**
Haynecourt (59) .... 8 **D 4**
Les Hays (39) .... 110 **A 3**
Hazebrouck (59) .... 3 **G 4**
Hazembourg (57) .... 38 **A 4**
Le Heaulme (95) .... 30 **D 3**
Héauville (50) .... 22 **B 3**
Hébécourt (27) .... 30 **B 1**
Hébécourt (80) .... 15 **F 2**
Hébécrevon (50) .... 25 **F 3**
Héberville (76) .... 13 **E 3**
Hébuterne (62) .... 8 **A 5**
Hèches (65) .... 205 **E 2**
Hecken (68) .... 78 **C 5**
Hecmanville (27) .... 28 **D 3**
Hécourt (27) .... 29 **H 5**
Hécourt (60) .... 14 **C 5**
Hecq (59) .... 9 **F 4**
Hectomare (27) .... 29 **F 3**
Hédauville (80) .... 7 **H 5**
Hédé-Bazouges (35) ...... 45 **E 5**
Hégenheim (68) .... 97 **G 1**
Hégeney (67) .... 39 **F 4**
Hégenheim (68) .... 97 **G 1**
Heidolsheim (67) .... 79 **E 1**
Heidwiller (68) .... 97 **F 1**
Heiligenberg (67) .... 58 **D 3**
Heiligenstein (67) .... 58 **D 4**
Heillecourt (54) .... 57 **E 2**
Heilles (60) .... 16 **E 2**
Heilly (80) .... 15 **H 1**
Heiltz-le-Hutier (51) ...... 54 **D 2**
Heiltz-le-Maurupt (51) ....55 **E 1**
Heiltz-l'Évêque (51) ...... 54 **D 1**
Heimersdorf (68) .... 97 **F 1**

246

A B C D E F G H I J K L M N O P Q R S T U V W X Y Z

Localité *(Département)* Page Coordonnées

Heimsbrunn *(68)* 78 C 5
Heining-lès-Bouzonville *(57)* 21 G 4
Heippes *(55)* 35 G 4
Heiteren *(68)* 79 E 3
Heiwiller *(68)* 97 F 1
Hélesmes *(59)* 9 E 2
Hélette *(64)* 185 E 4
Helfaut *(62)* 3 E 4
Helfrantzkirch *(68)* 97 G 1
Helléan *(56)* 64 A 3
Hellenvilliers *(27)* 49 G 1
Hellering-lès-Fénétrange *(57)* 38 B 5
Helleville *(50)* 22 B 3
Hellimer *(57)* 37 H 4
Héloup *(61)* 47 H 5
Helstroff *(57)* 21 G 5
Hem *(59)* 4 D 3
Hem-Hardinval *(80)* 7 G 4
Hem-Lenglet *(59)* 8 D 3
Hem-Monacu *(80)* 16 A 1
Hémevez *(50)* 22 D 4
Hémévillers *(60)* 15 H 5
Hémilly *(57)* 37 F 3
Héming *(57)* 58 A 1
Les Hemmes *(62)* 2 C 2
Hémonstoir *(22)* 63 G 2
Hénaménil *(54)* 57 G 2
Hénanbihen *(22)* 44 B 3
Hénansal *(22)* 44 B 3
Hendaye *(64)* 184 A 4
Hendecourt-
lès-Cagnicourt *(62)* 8 B 4
Hendecourt-lès-Ransart *(62)* 8 A 4
Hénencourt *(80)* 15 H 1
Henflingen *(68)* 97 F 1
Hengoat *(22)* 43 E 2
Hengwiller *(67)* 58 C 2
Hénin-Beaumont *(62)* 4 B 5
Hénin-sur-Cojeul *(62)* 8 B 4
Héninel *(62)* 8 B 4
Hennebont *(56)* 62 D 5
Hennecourt *(88)* 77 E 1
Hennemont *(55)* 20 B 5
Hennequeville *(14)* 28 A 1
Henneveux *(62)* 2 C 4
Hennezel *(88)* 77 E 2
Hennezis *(27)* 30 A 3
Hénon *(22)* 43 H 5
Hénonville *(60)* 30 D 3
Hénouville *(76)* 13 F 5
Henrichemont *(18)* 89 G 5
Henridorff *(57)* 58 C 1
Henriville *(57)* 37 H 3
Hénu *(62)* 7 H 4
Henvic *(29)* 42 A 3
Hérange *(57)* 58 B 1
L'Herbaudière *(85)* 98 B 1
Herbault *(41)* 87 G 2
Herbeauvilliers *(77)* 71 G 1
Herbécourt *(80)* 16 A 1
Herbelles *(62)* 3 E 5
L'Herbergement *(85)* 99 G 3
Herbeuval *(08)* 19 H 4
Herbeuville *(55)* 36 A 4
Herbeville *(78)* 30 C 5
Herbéviller *(54)* 57 H 3
Herbeys *(38)* 151 H 3
Les Herbiers *(85)* 100 A 3
Herbignac *(44)* 82 B 2
Herbinghen *(62)* 2 C 4
Herbisse *(10)* 53 H 3
Herbitzheim *(67)* 38 B 4
Herblay *(95)* 31 E 5
Herbsheim *(67)* 59 E 4
Hercé *(53)* 46 C 4
Herchies *(60)* 14 D 5
La Hérelle *(60)* 15 G 4
Hérenguerville *(50)* 24 D 4
Hérépian *(34)* 192 A 2
Hères *(65)* 187 E 3
Hergnies *(59)* 5 F 5
Hergugney *(88)* 57 E 4
Héric *(44)* 83 F 3
Héricourt *(62)* 7 F 3
Héricourt *(70)* 96 C 1
Héricourt-en-Caux *(76)* 13 E 3
Héricourt-sur-Thérain *(60)* 14 C 4
Héricy *(77)* 51 H 4
La Hérie *(02)* 10 A 5
Le Hérie-la-Viéville *(02)* 17 F 2
Hériménil *(54)* 57 G 3
Hérimoncourt *(25)* 96 D 3
Hérin *(59)* 9 E 2
Hérissart *(80)* 7 G 5
Hérisson *(03)* 119 E 2
Herleville *(80)* 16 A 2
La Herlière *(62)* 7 H 4
Herlies *(59)* 4 B 4
Herlin-le-Sec *(62)* 7 G 3
Herlincourt *(62)* 7 G 3
Herly *(62)* 7 E 1
Herly *(80)* 16 A 3
L'Herm *(09)* 207 E 3
Herm *(40)* 168 D 5
Hermanville *(76)* 13 G 2
Hermanville-sur-Mer *(14)* 27 F 2
Les Hermaux *(48)* 161 E 4
Hermaville *(62)* 7 H 3
Hermé *(77)* 52 D 4
Hermelange *(57)* 58 B 2
Hermelinghen *(62)* 2 C 4
L'Hermenault *(85)* 113 G 1
Herment *(63)* 132 B 3
Hermeray *(78)* 50 B 3
Hermes *(60)* 31 E 1
Hermeville *(76)* 12 B 4
Herméville-en-Woëvre *(55)* 20 A 5
Hermies *(62)* 8 C 5
Hermillon *(73)* 152 C 2
Hermin *(62)* 7 H 2
L'Hermitage *(35)* 65 E 2
L'Hermitage-Lorge *(22)* 63 G 1
Les Hermites *(37)* 86 D 1
L'Hermitière *(61)* 68 D 1
Hermival-les-Vaux *(14)* 28 B 3
Hermonville *(51)* 33 G 1
Hernicourt *(62)* 7 G 2
Herny *(57)* 37 F 4
Le Héron *(76)* 14 A 5
Héronchelles *(76)* 14 A 5
Hérouville *(95)* 31 E 4
Hérouville-St-Clair *(14)* 27 F 2
Hérouvillette *(14)* 27 G 2
Herpelmont *(88)* 77 H 1
Herpont *(51)* 34 D 4
Herpy-l'Arlésienne *(08)* 18 A 5
Herqueville *(27)* 29 H 2
Herqueville *(50)* 22 B 2
Herran *(31)* 205 H 3
Herré *(40)* 171 F 4
Herrère *(64)* 203 G 1
Herrin *(59)* 4 B 4
Herrlisheim *(67)* 59 G 1
Herrlisheim-près-Colmar *(68)* 78 D 2
Herry *(18)* 90 B 5
Hersbach *(67)* 58 C 3
Herserange *(54)* 20 B 2
Hersin-Coupigny *(62)* 4 A 5
Hertzing *(57)* 58 A 2
Hervelinghen *(62)* 2 B 3
Hervilly *(80)* 16 C 1
Héry *(58)* 91 E 5
Héry *(73)* 138 D 2
Héry *(89)* 73 F 4
Héry-sur-Alby *(74)* 138 A 2
Herzeele *(59)* 3 G 3
Hesbécourt *(80)* 16 C 1
Hescamps *(80)* 14 D 3
Hesdigneul-lès-Béthune *(62)* 2 B 5
Hesdigneul-lès-Boulogne *(62)* 7 H 1
Hesdin *(62)* 7 E 2
Hesdin-l'Abbé *(62)* 2 B 5
Hésingue *(68)* 97 G 1
Hesmond *(62)* 7 E 2
Hesse *(57)* 58 B 1
Hessenheim *(67)* 79 E 1
Hestroff *(57)* 21 F 4
Hestrud *(59)* 10 A 2
Hestrus *(62)* 7 G 2
Hétomesnil *(60)* 15 E 4
Hettange-Grande *(57)* 21 E 3
Hettenschlag *(68)* 79 E 2
Heubécourt-Haricourt *(27)* 30 A 3
Heuchin *(62)* 7 G 1
Heucourt-Croquoison *(80)* 14 D 1
Heudebouville *(27)* 29 G 3
Heudicourt *(27)* 30 B 2
Heudicourt *(80)* 8 C 5
Heudicourt-
sous-les-Côtes *(55)* 36 B 5
Heudreville-en-Lieuvin *(27)* 28 C 3
Heudreville-sur-Eure *(27)* 29 G 3
Heugas *(40)* 185 F 1
Heugleville-sur-Scie *(76)* 13 G 3
Heugnes *(36)* 103 H 2
Heugon *(61)* 48 B 1
Heugueville-sur-Sienne *(50)* 24 D 4
Heuilley-Cotton *(52)* 75 H 5
Heuilley-le-Grand *(52)* 75 H 5
Heuilley-sur-Saône *(21)* 94 A 4
Heuland *(14)* 27 H 2
Heume-l'Église *(63)* 132 C 4
La Heunière *(27)* 29 H 4
Heuqueville *(27)* 29 H 2
Heuqueville *(76)* 12 B 4
Heuringhem *(62)* 3 E 5
Heurteauville *(76)* 13 E 5
Heurtevent *(14)* 28 A 4
Heussé *(50)* 46 C 4
Heutrégiville *(51)* 34 A 2
Heuzecourt *(80)* 7 F 4
Hévilliers *(55)* 55 H 3
Heyrieux *(38)* 136 C 4
Hézecques *(62)* 7 F 1
Le Hézo *(56)* 81 G 3
Hibarette *(65)* 204 C 1
Hières-sur-Amby *(38)* 136 D 3
Hierges *(08)* 11 E 3
Hiermont *(80)* 7 E 4
Hiers-Brouage *(17)* 126 C 2
Hiersac *(16)* 128 A 4
Hiesse *(16)* 129 E 1
Hiesville *(50)* 23 E 5
Hiéville *(14)* 27 H 4
Higuères-Souye *(64)* 186 C 4
Hiis *(65)* 204 C 1
Hilbesheim *(57)* 58 B 1
Hillion *(22)* 43 H 4
Hilsenheim *(67)* 59 E 5
Hilsprich *(57)* 38 A 4
Hinacourt *(02)* 16 D 3
Hinckange *(57)* 21 F 5
Hindisheim *(67)* 59 E 3
Hindlingen *(68)* 97 E 1
Hinges *(62)* 7 H 1
Le Hinglé *(22)* 44 D 4
Hinsbourg *(67)* 38 C 4
Hinsingen *(67)* 38 A 4
Hinx *(40)* 185 G 1
Hipsheim *(67)* 59 F 3
Hirel *(35)* 45 E 2
Hirmentaz *(74)* 125 E 3
Hirschland *(67)* 38 B 5
Hirsingue *(68)* 97 F 1
Hirson *(02)* 10 A 5
Hirtzbach *(68)* 97 F 1
Hirtzfelden *(68)* 79 E 3
His *(31)* 206 A 2
Hitte *(65)* 204 D 1
Hix *(66)* 211 G 4
Hochfelden *(67)* 59 E 1
Hochstatt *(68)* 78 D 5
Hochstett *(67)* 39 E 5
Hocquigny *(50)* 45 H 1
Hocquincourt *(80)* 14 D 1
Hocquinghen *(62)* 2 C 4
Hodenc-en-Bray *(60)* 14 D 5
Hodenc-l'Évêque *(60)* 31 E 2
Hodeng-au-Bosc *(76)* 14 C 2
Hodeng-Hodenger *(76)* 14 B 5
Hodent *(95)* 30 C 3
Hœdic *(56)* 81 F 5
Hœnheim *(67)* 59 F 2
Hœrdt *(67)* 59 F 1
Hoéville *(54)* 57 F 2
Hoff *(57)* 58 B 1
Hoffen *(67)* 39 G 4
Les Hogues *(27)* 29 H 1
La Hoguette *(14)* 27 G 5
Hohatzenheim *(67)* 59 E 1
Hohengœft *(67)* 58 D 2
Hohfrankenheim *(67)* 59 E 1
Hohrod *(68)* 78 C 2
Hohrodberg *(68)* 78 C 2
Le Hohwald *(67)* 58 D 4
Hohwiller *(67)* 39 G 4
Holacourt *(57)* 37 F 4
Holling *(57)* 21 G 4
Holnon *(02)* 16 C 2
Holque *(59)* 3 E 3
Holtzheim *(67)* 59 E 2
Holtzwihr *(68)* 78 D 1
Holving *(57)* 38 A 4
Hombleux *(80)* 16 B 3
Homblières *(02)* 16 D 2
Hombourg *(68)* 79 E 5
Hombourg-Budange *(57)* 21 F 4
Hombourg-Haut *(57)* 21 H 5
Le Hôme *(14)* 27 G 2
L'Hôme-Chamondot *(61)* 48 D 3
Homécourt *(54)* 20 D 5
Hommarting *(57)* 58 B 1
L'Homme-d'Armes *(26)* 163 G 3
Hommert *(57)* 58 C 2
Hommes *(37)* 86 A 3
Le Hommet-
d'Arthenay *(50)* 25 F 2
Homps *(11)* 191 G 5
Homps *(32)* 172 D 5
Hon-Hergies *(59)* 9 G 3
Hondainville *(60)* 31 F 2
Hondeghem *(59)* 3 G 4
Hondevilliers *(77)* 32 D 5
Hondouville *(27)* 29 G 3
Hondschoote *(59)* 3 G 2
Honfleur *(14)* 28 B 1
Honguemare-
Guenouville *(27)* 29 E 1
Honnechy *(59)* 9 E 5
Honnecourt-sur-Escaut *(59)* 8 D 5
L'Honor-de-Cos *(82)* 173 G 3
Honskirch *(57)* 38 A 4
Hontanx *(40)* 171 E 5
L'Hôpital *(22)* 43 H 5
L'Hôpital *(57)* 21 H 5
Hôpital-Camfrout *(29)* 41 G 5
L'Hôpital-d'Orion *(64)* 185 G 3
L'Hôpital-du-Grosbois *(25)* 95 F 5
L'Hôpital-le-Grand *(42)* 134 D 5
L'Hôpital-le-Mercier *(71)* 121 E 3
L'Hôpital-
sous-Rochefort *(42)* 134 C 3
L'Hôpital-St-Blaise *(64)* 185 H 5
Hôpital-St-Jean *(46)* 144 C 5
L'Hôpital-St-Lieffroy *(25)* 95 G 3
Les Hôpitaux-Neufs *(25)* 111 G 4
Les Hôpitaux-Vieux *(25)* 111 G 3
Horbourg-Wihr *(68)* 78 D 2
Hordain *(59)* 8 D 3
La Horgne *(08)* 18 D 4
Horgues *(65)* 204 C 1
L'Horme *(42)* 135 G 5
Hornaing *(59)* 9 E 2
Hornoy-le-Bourg *(80)* 14 D 2
Le Horps *(53)* 47 E 5
Horsarrieu *(40)* 186 A 1
Hortes *(52)* 76 A 4
Horville-en-Ornois *(55)* 55 H 4
L'Hosmes *(27)* 49 F 1
L'Hospitalet *(04)* 180 C 3
L'Hospitalet *(46)* 158 C 2
L'Hospitalet-du-Larzac *(12)* 176 C 4
L'Hospitalet-
près-l'Andorre *(09)* 211 F 3
Hossegor *(40)* 184 D 1
Hosta *(64)* 202 C 1
Hoste *(57)* 38 A 3
Hostens *(33)* 155 E 4
Hostiaz *(01)* 137 F 2
Hostun *(26)* 150 D 4
L'Hôtellerie *(14)* 28 C 3
L'Hôtellerie-de-Flée *(49)* 66 B 5
Hotonnes *(01)* 137 G 1
Hotot-en-Auge *(14)* 27 H 3
Hottot-les-Bagues *(14)* 26 D 3
Hottviller *(57)* 38 C 3
La Hoube *(57)* 58 C 2
La Houblonnière *(14)* 28 A 3
Les Houches *(74)* 139 F 1
Houchin *(62)* 7 H 1
Houdain *(62)* 7 H 2
Houdain-lez-Bavay *(59)* 9 G 3
Houdan *(78)* 50 A 1
Houdancourt *(60)* 31 H 1
Houdelaincourt *(55)* 55 H 3
Houdelmont *(54)* 56 D 3
Houdemont *(54)* 57 E 2
Houdetot *(76)* 13 E 2
Houdilcourt *(08)* 33 H 1
Houdreville *(54)* 56 D 3
Houécourt *(88)* 56 C 5
Houeillès *(47)* 171 G 2
Houesville *(50)* 23 E 5
Houetteville *(27)* 29 G 3
Houéville *(88)* 56 C 5
Houeydets *(65)* 205 E 1
Le Houga *(32)* 186 D 1
Houilles *(78)* 31 E 5
Houlbec-Cocherel *(27)* 29 H 4
Houlbec-près-
le-Gros-Theil *(27)* 29 E 2
Houldizy *(08)* 18 D 2
Houlette *(16)* 127 H 3
Houlgate *(14)* 27 H 2
Houlle *(62)* 3 E 4
Le Houlme *(76)* 13 G 5
L'Houmeau *(17)* 113 E 4
Hounoux *(11)* 207 H 2
Houplin-Ancoisne *(59)* 4 C 4
Houplines *(59)* 4 B 3
Houppeville *(76)* 13 G 5
Houquetot *(76)* 12 C 4
Hourc *(65)* 187 F 5
Le Hourdel *(80)* 6 B 4
Hourges *(51)* 33 F 2
Hours *(64)* 186 D 5
Hourtin *(33)* 140 C 3
Hourtin-Plage *(33)* 140 B 3
Houry *(02)* 17 G 3
La House *(33)* 155 E 2
Houssay *(41)* 87 E 1
Houssay *(53)* 66 C 4
La Houssaye *(27)* 29 E 5
La Houssaye-Béranger *(76)* 13 G 4
La Houssaye de M. *(27)* 29 H 5
La Houssaye-en-Brie *(77)* 52 A 2
Le Housseau *(53)* 47 E 4
Houssen *(68)* 78 D 1
Housseras *(88)* 57 H 5
Housset *(02)* 17 F 2
Housséville *(54)* 56 D 4
La Houssière *(88)* 78 A 1
La Houssoye *(60)* 30 D 1
Houtaud *(25)* 111 F 2
Houtkerque *(59)* 3 G 3
Houtteville *(50)* 23 E 5
Houville-en-Vexin *(27)* 29 H 2
Houville-la-Branche *(28)* 50 B 4
Houvin-Houvigneul *(62)* 7 G 3
Houx *(28)* 50 B 3
Hoymille *(59)* 3 F 2
Hte-Goulaine *(44)* 83 G 5
Hte-Rivoire *(69)* 135 F 3
Huanne-Montmartin *(25)* 95 F 3
Hubersent *(62)* 2 B 5
Hubert-Folie *(14)* 27 F 3
Huberville *(50)* 22 D 4
Huby-Saint-Leu *(62)* 7 E 2
Huchenneville *(80)* 6 D 5
Huclier *(62)* 7 G 2
Hucqueliers *(62)* 6 D 1
Hudimesnil *(50)* 24 D 5
Hudiviller *(54)* 57 F 2
Huelgoat *(29)* 42 B 5
Huest *(27)* 29 G 4
Huêtre *(45)* 70 C 3
Huez *(38)* 152 A 4
Hugier *(70)* 94 B 4
Hugleville-en-Caux *(76)* 13 G 4
Huillé *(49)* 85 F 1
Huilliécourt *(52)* 76 A 2
Huilly-sur-Seille *(71)* 122 D 1
Huiron *(51)* 54 C 2
Huismes *(37)* 86 A 5
Huisnes-sur-Mer *(50)* 45 G 2
D'Huison-Longueville *(91)* 51 F 4
Huisseau-en-Beauce *(41)* 87 F 1
Huisseau-sur-Cosson *(41)* 88 A 2
Huisseau-sur-Mauves *(45)* 70 B 4
L'Huisserie *(53)* 66 C 3
Hulluch *(62)* 4 B 5
Hultehouse *(57)* 58 C 1
Humbauville *(51)* 54 B 2
Humbécourt *(52)* 55 E 3
Humbercamps *(62)* 7 H 4
Humbercourt *(80)* 7 H 4
Humbert *(62)* 6 D 1
Humberville *(52)* 75 H 1
Humbligny *(18)* 89 H 5
La Hume *(33)* 154 B 3
Humerœuille *(62)* 7 F 2
Humes *(52)* 75 H 4
Humières *(62)* 7 F 2
Hunawihr *(68)* 78 D 1
Hundling *(57)* 38 A 3
Hundsbach *(68)* 97 F 1
Huningue *(68)* 97 H 1
Hunspach *(67)* 39 G 4
Hunting *(57)* 21 F 3
Huos *(31)* 205 F 2
Huparlac *(12)* 160 C 2
Huppy *(80)* 6 D 5
Hurbache *(88)* 58 A 5
Hure *(33)* 156 A 4
Hurecourt *(70)* 76 D 4
Hures-la-Parade *(48)* 176 D 2
Huriel *(03)* 118 D 3
Hurigny *(71)* 122 B 3
Hurtières *(38)* 152 A 2
Hurtigheim *(67)* 59 E 2
Husseau *(37)* 87 E 4
Husseren-les-Châteaux *(68)* 78 C 2
Husseren-Wesserling *(68)* 78 B 4
Hussigny-Godbrange *(54)* 20 C 2
Husson *(50)* 46 C 3
La Hutte *(72)* 67 H 1
Huttendorf *(67)* 39 E 5
Huttenheim *(67)* 59 E 4
Hyds *(03)* 119 F 4
Hyémondans *(25)* 95 H 3
Hyencourt-le-Grand *(80)* 16 A 2
Hyenville *(50)* 24 D 4
Hyères *(83)* 201 F 3
Hyères-Plage *(83)* 201 F 4
Hyet *(70)* 95 E 3
Hyèvre-Magny *(25)* 95 G 3
Hyèvre-Paroisse *(25)* 95 G 3
Hymont *(88)* 77 E 1

I

Ibarrolle *(64)* 185 F 5
Ibarron *(64)* 184 C 4
Ibigny *(57)* 58 A 2
Ibos *(65)* 187 E 5
Ichtratzheim *(67)* 59 F 3
Ichy *(77)* 71 G 2
Idaux-Mendy *(64)* 202 D 1
Idrac-Respaillès *(32)* 187 H 3
Idron *(64)* 186 C 5
Ids-St-Roch *(18)* 105 E 5
Iffendic *(35)* 64 D 2
Les Iffs *(35)* 45 E 5
Ifs *(14)* 27 F 3
Les Ifs *(près de Fécamp) (76)* 12 C 3
Les Ifs *(près de Londinières) (76)* 14 A 2
Igé *(61)* 48 C 5
Igé *(71)* 122 B 2
Iges *(08)* 19 E 3
Ignaucourt *(80)* 15 H 2
Ignaux *(09)* 207 F 5
Igney *(54)* 57 H 2
Igney *(88)* 57 F 5
Ignol *(18)* 106 A 3
Igny *(70)* 94 C 3
Igny *(91)* 51 E 2
Igny-Comblizy *(51)* 33 F 4
Igon *(64)* 204 A 1
Igornay *(71)* 108 B 2
Igoville *(27)* 29 G 2
Iguerande *(71)* 121 F 4
Iholdy *(64)* 185 E 5
Ilay *(39)* 110 D 5
Île-aux-Moines *(56)* 81 G 2
L'Île-Bouchard *(37)* 102 B 1
Île-d'Aix *(17)* 113 E 5
Île-d'Arz *(56)* 81 G 2
Île-de-Batz *(29)* 41 H 1
Île de Bréhat *(22)* 43 F 1
Île-de-Sein *(29)* 60 C 2
L'Île-d'Elle *(85)* 113 F 3
Île-d'Houat *(56)* 81 F 4
L'Île-d'Olonne *(85)* 98 D 5
L'Île-d'Yeu *(85)* 98 A 4
Île-Molène *(29)* 40 B 4
L'Île-Rousse *(2B)* 214 C 4
L'Ile-Saint-Denis *(93)* 31 F 5
Île-Tudy *(29)* 61 G 4
Ilharre *(64)* 185 F 4
Ilhat *(09)* 207 F 3
Les Ilhes *(11)* 190 D 5
Ilhet *(65)* 205 E 3
Ilheu *(65)* 205 F 3
Iliz-Koz *(29)* 41 E 2
Illange *(57)* 21 E 4
Illartein *(09)* 206 A 3
Las Illas *(66)* 213 E 4
Illats *(33)* 155 G 3
Ille-sur-Têt *(66)* 212 D 2
Illeville-sur-Montfort *(27)* 28 D 2
Illfurth *(68)* 78 D 5
Illhaeusern *(68)* 78 D 1
Illiat *(01)* 122 C 4
Illier-et-Laramade *(09)* 207 E 5
Illiers-Combray *(28)* 69 G 1
Illiers-l'Évêque *(27)* 49 H 1
Illies *(59)* 4 B 4
Illifaut *(22)* 64 B 1
Illkirch-Graffenstaden *(67)* 59 F 3
Illois *(76)* 14 B 3
Illoud *(52)* 76 A 1
Illy *(08)* 19 F 3
Illzach *(68)* 78 D 4
Ilonse *(06)* 183 E 3
Les Imberts *(84)* 179 H 5
Imbleville *(76)* 13 F 3
Imécourt *(08)* 35 E 1
Imling *(57)* 58 B 1
L'Immaculée *(44)* 82 B 4
Imphy *(58)* 106 D 3
Inaumont *(08)* 18 B 4
Incarville *(27)* 29 G 2
Incheville *(76)* 6 B 5
Inchy *(59)* 9 E 5
Inchy-en-Artois *(62)* 8 C 4
Incourt *(62)* 7 F 2
Indevillers *(25)* 96 D 4
Indre *(44)* 83 E 5
Ineuil *(18)* 105 F 4
Les Infournas *(05)* 166 B 2
Ingenheim *(67)* 59 E 1
Ingersheim *(68)* 78 D 2
Inghem *(62)* 3 E 5
Inglange *(57)* 21 F 3
Ingolsheim *(67)* 39 G 4
Ingouville *(76)* 13 E 2
Ingrandes *(36)* 116 B 1
Ingrandes *(86)* 102 C 3
Ingrandes-de-Touraine *(37)* 86 A 5
Ingrandes-le-
Fresne-sur-Loire *(49)* 84 B 3
Ingrannes *(45)* 71 E 3
Ingré *(45)* 70 C 4
Inguiniel *(56)* 62 D 4
Ingwiller *(67)* 38 D 5
Inières *(12)* 175 H 1
Injoux-Génissiat *(01)* 123 H 5
Innenheim *(67)* 59 E 3
Innimond *(01)* 137 F 3
Inor *(55)* 19 G 4
Insming *(57)* 38 A 4
Insviller *(57)* 38 A 5
Intraville *(76)* 13 H 1
Intres *(07)* 149 E 5
Intréville *(28)* 70 C 1
Intville-la-Guétard *(45)* 71 E 1
Inval-Boiron *(80)* 14 C 2
Inxent *(62)* 6 D 1
Inzinzac-Lochrist *(56)* 62 D 5
Ippécourt *(55)* 35 G 4
Ippling *(57)* 38 A 3
Irai *(61)* 48 D 2
Irais *(79)* 101 G 3
Irancy *(89)* 91 F 1
Iré-le-Sec *(55)* 19 H 5
Irigny *(69)* 135 H 4
Irissarry *(64)* 185 E 5
Irleau *(79)* 113 H 3
Irles *(80)* 8 A 5
Irodouër *(35)* 44 D 5
Iron *(02)* 17 F 1
Irouléguy *(64)* 202 B 1
Irreville *(27)* 29 G 4
Irvillac *(29)* 41 G 4
Is-en-Bassigny *(52)* 75 H 3
Is-sur-Tille *(21)* 93 G 2
Isbergues *(62)* 3 F 5
Isches *(88)* 76 C 3
Isdes *(45)* 89 E 1
Isenay *(58)* 107 F 3
Isigny-le-Buat *(50)* 46 A 2
Isigny-sur-Mer *(14)* 23 F 5
Island *(89)* 91 G 3
Isle *(87)* 130 A 3
L'Isle-Adam *(95)* 31 E 4
L'Isle-Arné *(32)* 188 B 2
Isle-Aubigny *(10)* 54 A 4
Isle-Aumont *(10)* 74 A 1
L'Isle-Bouzon *(32)* 172 C 4
L'Isle-d'Abeau *(38)* 136 D 4
L'Isle-de-Noé *(32)* 187 H 2
L'Isle-d'Espagnac *(16)* 128 C 4
L'Isle-en-Dodon *(31)* 188 B 4
Isle-et-Bardais *(03)* 106 A 5
L'Isle-Jourdain *(32)* 188 D 2
L'Isle-Jourdain *(86)* 116 A 4
Isle-St-Georges *(33)* 155 F 2
L'Isle-sur-la-Sorgue *(84)* 179 G 4
L'Isle-sur-le-Doubs *(25)* 95 H 3
Isle-sur-Marne *(51)* 54 D 3
L'Isle-sur-Serein *(89)* 91 H 2
Les Isles-Bardel *(14)* 47 F 1
Isles-les-Meldeuses *(77)* 32 B 5
Isles-lès-Villenoy *(77)* 32 A 5
Isles-sur-Suippe *(51)* 34 A 1
Les Islettes *(55)* 35 F 3
Les Isnards *(84)* 180 A 3
Isneauville *(76)* 13 G 5
Isola *(06)* 182 D 1
Isola 2000 *(06)* 183 E 1
Isolaccio-di-Fiumorbo *(2B)* 217 F 5
Isômes *(52)* 93 H 1
Ispagnac *(48)* 161 H 5
Ispes *(40)* 154 A 4
Ispoure *(64)* 202 B 1
Isques *(62)* 2 B 5
Issac *(24)* 142 D 5
Les Issambres *(83)* 198 C 4
Issamoulenc *(07)* 163 F 2

Issancourt-et-Rumel (08) ...... 19 E 3
Issanlas (07) .... 162 C 2
Issans (25) .... 95 H 2
Les Issards (09) .... 207 F 2
Issarlès (07) .... 162 C 1
Issé (44) .... 83 G 1
Isse (51) .... 34 A 4
Issel (11) .... 190 B 4
Issendolus (46) .... 159 E 2
Issenhausen (67) .... 39 E 5
Issenheim (68) .... 78 C 3
Issepts (46) .... 159 E 3
Isserpent (03) .... 120 C 5
Isserteaux (63) .... 133 G 4
Issigeac (24) .... 157 E 2
Issirac (30) .... 178 C 1
Issoire (63) ⟨SP⟩ .... 133 G 5
Issoncourt (55) .... 35 G 5
Issor (64) .... 203 F 1
Issou (78) .... 30 C 5
Issoudun (36) ⟨SP⟩ .... 104 D 3
Issoudun-Létrieix (23) ...... 131 G 1
Issus (31) .... 189 G 4
Issy-les-Moulineaux (92) ..... 51 E 1
Issy-l'Évêque (71) .... 107 H 5
Istres (13) ⟨SP⟩ .... 195 E 3
Les Istres-et-Bury (51) ...... 33 H 5
Isturits (64) .... 185 E 4
Itancourt (02) .... 16 D 2
Iteuil (86) .... 115 F 2
Ittenheim (67) .... 59 E 2
Itterswiller (67) .... 58 D 4
Itteville (91) .... 51 F 4
Ittlenheim (67) .... 59 E 2
Itxassou (64) .... 184 D 4
Itzac (81) .... 174 B 3
Ivergny (62) .... 7 G 4
Iverny (77) .... 31 H 5
Iviers (02) .... 18 A 2
Iville (27) .... 29 F 3
Ivors (60) .... 32 B 3
Ivory (39) .... 110 C 3
Ivoy-le-Pré (18) .... 89 G 4
Ivrey (39) .... 110 D 2
Ivry-en-Montagne (21) .... 108 D 2
Ivry-la-Bataille (27) .... 50 A 1
Ivry-le-Temple (60) .... 30 D 3
Ivry-sur-Seine (94) .... 51 F 1
Iwuy (59) .... 9 E 4
Izaourt (65) .... 205 F 2
Izaut-de-l'Hôtel (31) .... 205 G 2
Izaux (65) .... 205 E 2
Izé (53) .... 67 F 1
Izeaux (38) .... 151 E 2
Izel-lès-Équerchin (62) .... 8 B 2
Izel-lès-Hameau (62) .... 7 H 3
Izenave (01) .... 123 G 5
Izernore (01) .... 123 G 4
Izeron (38) .... 151 E 3
Izeste (64) .... 203 H 2
Izeure (21) .... 93 G 5
Izier (21) .... 93 G 4
Izieu (01) .... 137 G 4
Izon (33) .... 141 G 5
Izon-la-Bruisse (26) .... 180 B 1
Izotges (32) .... 187 E 2
Izy (45) .... 70 D 2

J

Jablines (77) .... 31 H 5
Jabreilles-les-Bordes (87) .. 130 C 1
Jabron (83) .... 182 A 5
Jabrun (15) .... 160 D 2
Jacob-Bellecombette (73) .... 137 H 5
Jacou (34) .... 193 F 2
Jacque (65) .... 187 F 5
Jaffe (17) .... 126 C 4
Jagny-sous-Bois (95) .... 31 G 4
Jaignes (77) .... 32 B 5
Jaillans (26) .... 150 D 4
La Jaille-Yvon (49) .... 84 D 1
Jaillon (54) .... 56 C 1
Jailly (58) .... 107 E 1
Jailly-les-Moulins (21) ...... 92 D 3
Jainvillotte (88) .... 76 B 1
Jalesches (23) .... 118 A 3
Jaleyrac (15) .... 145 H 3
Jaligny-sur-Besbre (03) ..... 120 C 3
Jallais (49) .... 84 B 5
Jallanges (21) .... 109 G 2
Jallans (28) .... 69 H 3
Jallaucourt (57) .... 37 F 5
Jallerange (25) .... 94 B 5
Jalognes (18) .... 90 A 5
Jalogny (71) .... 122 A 2
Jâlons (51) .... 34 A 4
Jambles (71) .... 108 D 4
Jambville (78) .... 30 C 4
Jaméricourt (60) .... 30 C 2
Jametz (55) .... 19 H 5
Jameyzieu (38) .... 136 B 3
Janailhac (87) .... 130 A 4
Janaillat (23) .... 130 D 1
Jancigny (21) .... 93 H 3
Jandun (08) .... 18 C 3
Janneyrias (38) .... 136 C 3
Jans (44) .... 83 F 1
Janville (14) .... 27 G 3
Janville (28) .... 70 C 2
Janville (60) .... 16 A 5
Janville (76) .... 13 E 2
Janville-sur-Juine (91) ...... 51 E 4

Janvilliers (51) .... 33 F 5
Janvry (51) .... 33 G 2
Janvry (91) .... 51 E 3
Janzé (35) .... 65 G 3
Jarcieu (38) .... 149 H 2
La Jard (17) .... 127 F 4
Jard-sur-Mer (85) .... 112 C 2
Le Jardin (19) .... 145 F 2
Jardin (38) .... 136 B 5
Jardres (86) .... 115 H 1
Jargeau (45) .... 71 E 5
Jarjayes (05) .... 166 B 4
Jarménil (88) .... 77 G 2
Jarnac (16) .... 127 H 4
Jarnac-Champagne (17) .... 127 G 5
Jarnages (23) .... 118 A 5
Jarnioux (69) .... 135 G 1
Jarnosse (42) .... 121 G 5
Jarny (54) .... 20 C 5
Jarret (65) .... 204 B 2
La Jarrie (17) .... 113 F 5
Jarrie (38) .... 151 H 3
La Jarrie-Audouin (17) ...... 127 F 1
Jarrier (73) .... 152 C 2
Jars (18) .... 89 H 4
Jarsy (73) .... 138 B 4
Jarville-la-Malgrange (54) ... 57 E 2
Jarzé Villages (49) .... 85 F 2
Jas (42) .... 135 E 3
Jasney (70) .... 77 E 4
Jassans-Riottier (01) .... 135 H 1
La Jasse-de-Bernard (30) .... 178 A 3
Jasseines (10) .... 54 B 4
Jasseron (01) .... 123 E 4
Jasses (64) .... 185 H 5
Le Jassonneix (19) .... 131 G 5
Jatxou (64) .... 184 C 4
Jau-Dignac-et-Loirac (33) ... 140 C 1
Jaucourt (10) .... 74 D 1
La Jaudonnière (85) .... 100 B 5
Jaudrais (28) .... 49 G 3
Jaujac (07) .... 162 D 3
Jauldes (16) .... 128 C 3
Jaulges (89) .... 73 G 4
Jaulgonne (02) .... 33 E 4
Jaulnay (37) .... 102 B 3
Jaulnes (77) .... 52 C 5
Jaulny (54) .... 36 C 4
Jaulzy (60) .... 32 B 1
Jaunac (07) .... 163 E 1
Jaunay-Clan (86) .... 102 B 5
La Jaunière (78) .... 50 B 2
Jaures (24) .... 143 E 4
Jausiers (04) .... 167 F 4
Jaux (60) .... 31 H 1
Jauzé (72) .... 68 B 1
Javaugues (43) .... 147 G 2
Javené (35) .... 46 A 5
Javerdat (87) .... 129 H 1
Javerlhac-et-la-Chapelle-
St-Robert (24) .... 129 E 5
Javernant (10) .... 73 H 2
La Javie (04) .... 181 G 2
Javols (48) .... 161 F 3
Javrezac (16) .... 127 G 3
Javron (53) .... 47 F 4
Jax (43) .... 147 H 3
Jaxu (64) .... 185 E 5
Jayac (24) .... 144 B 5
Jayat (01) .... 122 D 3
Jazeneuil (86) .... 115 E 2
Jazennes (17) .... 127 F 4
Jeancourt (02) .... 16 C 1
Jeandelaincourt (54) .... 37 E 5
Jeandelize (54) .... 20 C 5
Jeanménil (88) .... 57 H 5
Jeansagnière (42) .... 134 B 3
Jeantes (02) .... 17 H 2
Jebsheim (68) .... 79 E 1
Jegun (32) .... 187 H 1
La Jemaye (24) .... 142 C 3
Jenlain (59) .... 9 F 3
Jenzat (03) .... 119 H 5
Jésonville (88) .... 76 D 2
Jessains (10) .... 74 C 1
Jetterswiller (67) .... 58 D 2
Jettingen (68) .... 97 F 1
Jeu-les-Bois (36) .... 104 C 5
Jeu-Maloches (36) .... 103 H 2
Jeufosse (78) .... 30 A 4
Jeugny (10) .... 73 H 2
Jeumont (59) .... 10 A 1
Jeurre (39) .... 123 H 2
Jeux-lès-Bard (21) .... 92 A 2
Jeuxey (88) .... 77 G 1
Jevoncourt (54) .... 57 E 4
Jezainville (54) .... 36 D 5
Jézeau (65) .... 205 E 3
Jezier (07) .... 162 D 4
Joannas (07) .... 162 D 4
Les Joannins (26) .... 163 G 5
Job (63) .... 134 B 4
Jobourg (50) .... 22 B 2
Joch (66) .... 212 C 3
Jœuf (54) .... 20 B 5
Joganville (50) .... 23 E 4
Joigny (89) .... 72 D 3
Joigny-sur-Meuse (08) .... 11 E 5
Joinville (52) .... 55 G 4
Joinville-le-Pont (94) .... 51 G 1
Joiselle (51) .... 53 E 2
Jolimetz (59) .... 9 G 4

Jolivet (54) .... 57 G 2
Jonage (69) .... 136 C 3
Joncels (34) .... 192 B 1
La Jonchère (85) .... 112 D 2
La Jonchère-
St-Maurice (87) .... 130 C 1
Jonchères (26) .... 165 F 3
Joncherey (90) .... 96 D 2
Jonchery (52) .... 75 F 2
Jonchery-sur-Suippe (51) ..... 34 B 3
Jonchery-sur-Vesle (51) ...... 33 G 2
Joncourt (02) .... 16 D 1
Joncreuil (10) .... 54 C 4
Joncy (71) .... 108 D 5
Jongieux (73) .... 137 H 3
Jonquerets-de-Livet (27) ..... 28 D 4
Jonquerettes (84) .... 179 F 4
Jonquery (51) .... 33 F 3
Le Jonquet (04) .... 180 C 3
Jonquières (11) .... 208 D 2
Jonquières (34) .... 192 C 2
Jonquières (60) .... 31 H 1
Jonquières (81) .... 190 C 2
Jonquières (84) .... 179 F 3
Jonquières-St-Vincent (30) .. 178 D 5
Jons (69) .... 136 C 3
Jonval (08) .... 19 D 4
Jonvelle (70) .... 76 C 3
Jonville-en-Woëvre (55) ...... 36 B 4
Jonzac (17) ⟨SP⟩ .... 141 G 1
Jonzier-Épagny (74) .... 124 B 5
Jonzieux (42) .... 149 E 2
Joppécourt (54) .... 20 C 3
Les Jordes (19) .... 145 E 3
Jorquenay (52) .... 75 H 4
Jort (14) .... 27 H 5
Jorxey (88) .... 57 E 5
Josat (43) .... 147 H 3
Josnes (41) .... 70 A 5
Josse (40) .... 185 E 1
Josselin (56) .... 64 A 3
Jossigny (77) .... 51 H 1
Jou-sous-Monjou (15) .... 160 B 1
Jouac (87) .... 116 D 3
Jouaignes (02) .... 33 E 2
Jouancy (89) .... 91 H 1
Jouarre (77) .... 32 C 5
Jouars Pontchartrain (78) .... 50 C 1
Jouaville (54) .... 20 D 5
Joucas (84) .... 179 H 4
Joucou (11) .... 207 H 4
Joudes (71) .... 123 E 2
Joudreville (54) .... 20 B 4
Joué-du-Bois (61) .... 47 G 3
Joué-du-Plain (61) .... 47 G 2
Joué-en-Charnie (72) .... 67 G 3
Joué-Étiau (49) .... 84 D 5
Joué-l'Abbé (72) .... 68 A 2
Joué-lès-Tours (37) .... 86 D 4
Joué-sur-Erdre (44) .... 83 G 2
Jouet-sur-l'Aubois (18) ..... 106 B 2
Jouey (21) .... 108 C 1
Jougne (25) .... 111 F 3
Jouhe (39) .... 110 A 1
Jouhet (86) .... 116 B 2
Jouillat (23) .... 117 H 4
Jouques (13) .... 196 B 2
Jouqueviel (81) .... 174 D 2
Jourgnac (87) .... 130 A 4
Journans (01) .... 123 E 4
Journet (86) .... 116 B 2
Journiac (24) .... 143 G 5
Journy (62) .... 2 D 4
Jours-en-Vaux (21) .... 108 D 2
Jours-lès-Baigneux (21) ...... 92 D 1
Joursac (15) .... 146 D 4
Joussé (86) .... 115 G 4
Jouvençon (71) .... 122 D 1
La Jouvente (35) .... 44 D 2
La Joux (39) .... 110 D 3
Joux (69) .... 135 E 2
Joux-la-Ville (89) .... 91 G 2
Jouy (28) .... 50 A 4
Jouy (89) .... 72 B 2
Jouy-aux-Arches (57) .... 36 D 3
Jouy-en-Argonne (55) .... 35 G 3
Jouy-en-Josas (78) .... 51 E 2
Jouy-en-Pithiverais (45) ..... 71 E 2
Jouy-le-Châtel (77) .... 52 C 2
Jouy-le-Moutier (95) .... 30 D 4
Jouy-le-Potier (45) .... 88 C 1
Jouy-lès-Reims (51) .... 33 G 3
Jouy-Mauvoisin (78) .... 30 B 5
Jouy-sous-les-Côtes (55) ..... 56 B 1
Jouy-sous-Thelle (60) .... 30 D 2
Jouy-sur-Eure (27) .... 29 H 4
Jouy-sur-Morin (77) .... 52 C 1
Joyeuse (07) .... 162 D 4
Joyeux (01) .... 136 C 1
Joze (63) .... 133 G 2
Jozerand (63) .... 133 F 1
Jû-Belloc (32) .... 187 E 2
Juan-les-Pins (06) .... 199 F 2
Juaye-Mondaye (14) .... 26 D 2
Jubainville (88) .... 56 B 4
La Jubaudière (49) .... 84 B 5
Jubécourt (55) .... 35 F 3
Jublains (53) .... 67 E 1
Le Juch (29) .... 61 F 2
Jugazan (33) .... 155 H 2
Jugeals-Nazareth (19) .... 144 C 4

Jugon-les-Lacs (22) .... 44 B 4
Jugy (71) .... 122 B 1
Juicq (17) .... 127 F 2
Juif (71) .... 109 G 5
Juignac (16) .... 142 B 1
Juigné-des-Moutiers (44) ..... 84 A 1
Juigné-sur-Loire (49) .... 85 E 3
Juigné-sur-Sarthe (72) .... 67 F 4
Juignettes (27) .... 48 D 1
Juillac (19) .... 144 B 2
Juillac (32) .... 187 F 3
Juillac (33) .... 156 A 1
Juillac-le-Coq (16) .... 127 H 4
Juillaguet (16) .... 142 C 1
Juillan (65) .... 204 C 1
Juillé (16) .... 128 B 2
Juillé (72) .... 68 A 1
Juillé (79) .... 114 C 5
Juillenay (21) .... 92 B 4
Juilles (32) .... 188 B 2
Juilley (50) .... 45 H 3
Juilly (21) .... 92 B 3
Juilly (77) .... 31 H 4
Jujols (66) .... 212 A 3
Jujurieux (01) .... 123 F 5
Julianges (48) .... 161 F 1
Juliénas (69) .... 122 B 4
Julienne (16) .... 127 H 4
Julienrupt (88) .... 77 H 2
Jullianges (43) .... 148 A 2
Jullié (69) .... 122 A 4
Jullouville (50) .... 45 G 1
Jully (89) .... 74 B 5
Jully-lès-Buxy (71) .... 108 D 5
Jully-sur-Sarce (10) .... 74 B 2
Julos (65) .... 204 B 1
Julvécourt (55) .... 35 G 4
Jumeauville (78) .... 30 C 5
Jumeaux (63) .... 147 F 1
Les Jumeaux (79) .... 101 G 4
Jumel (80) .... 15 F 3
Jumelles (27) .... 29 G 5
Jumelles (49) .... 85 G 3
La Jumellière (49) .... 84 C 4
Jumencourt (02) .... 16 D 5
Jumièges (76) .... 29 E 1
Jumigny (02) .... 33 F 1
Jumilhac-le-Grand (24) ...... 143 H 1
Junas (30) .... 193 H 1
Junay (89) .... 73 H 4
Juncalas (65) .... 204 B 2
Jungholtz (68) .... 78 C 4
Junhac (15) .... 160 A 3
Les Junies (46) .... 158 A 4
Juniville (08) .... 34 B 1
Jupilles (72) .... 68 B 5
Jurançon (64) .... 186 B 5
Juranville (45) .... 71 G 3
Juré (42) .... 134 B 2
Jurignac (16) .... 128 A 5
Jurques (14) .... 25 H 4
Jurvielle (31) .... 205 F 4
Jury (57) .... 37 E 3
Juscorps (79) .... 114 B 4
Jusix (47) .... 156 A 4
Jussac (15) .... 146 A 5
Jussarupt (88) .... 77 H 1
Jussas (17) .... 141 G 2
Jussecourt-Minecourt (51) .... 54 D 1
Jussey (70) .... 76 C 4
Jussy (02) .... 16 D 3
Jussy (57) .... 36 D 3
Jussy (89) .... 91 E 1
Jussy-Champagne (18) .... 105 H 2
Jussy-le-Chaudrier (18) ..... 106 A 1
Justian (32) .... 187 F 1
Justine-Herbigny (08) .... 18 B 4
Justiniac (09) .... 206 D 1
Jutigny (77) .... 52 C 4
Juvaincourt (88) .... 56 D 5
Juvancourt (10) .... 75 E 2
Juvanzé (10) .... 54 C 5
Juvardeil (49) .... 85 E 1
Juvelize (57) .... 37 G 1
Juvignac (34) .... 193 F 2
Juvigné (53) .... 66 B 1
Juvignies (60) .... 15 E 5
Juvigny (02) .... 32 D 1
Juvigny (51) .... 34 A 4
Juvigny (74) .... 124 C 4
Juvigny-en-Perthois (55) ..... 55 G 3
Juvigny-le-Tertre (50) .... 46 B 2
Juvigny-
sous-Andaine (61) .... 47 E 3
Juvigny-sur-Loison (55) ...... 19 H 5
Juvigny-sur-Orne (61) .... 47 H 2
Juvigny-sur-Seulles (14) ..... 27 E 3
Juvinas (07) .... 163 E 2
Juvincourt-
et-Damary (02) .... 17 G 5
Juvisy-sur-Orge (91) .... 51 F 2
Juvrecourt (54) .... 57 G 1
Juxue (64) .... 185 F 5
Juzanvigny (10) .... 54 C 5
Juzennecourt (52) .... 75 F 2
Juzes (31) .... 189 H 4
Juzet-de-Luchon (31) .... 205 F 4
Juzet-d'Izaut (31) .... 205 G 3
Juziers (78) .... 30 C 5

K

Kalhausen (57) .... 38 B 3
Kaltenhouse (67) .... 39 F 5
Kanfen (57) .... 20 D 3
Kappelen (68) .... 97 G 1
Kappelkinger (57) .... 38 A 4
Les Karellis (73) .... 152 D 2
Katzenthal (68) .... 78 C 2
Kauffenheim (67) .... 39 G 5
Kaysersberg Vignoble (68) .... 78 C 1
Kédange-sur-Canner (57) ...... 21 F 4
Keffenach (67) .... 39 G 4
Kembs (68) .... 79 E 5
Kembs-Loéchlé (68) .... 79 E 5
Kemplich (57) .... 21 F 4
Kerascoët (29) .... 62 A 5
Kerauzern (22) .... 42 D 3
Kerbabu (29) .... 42 A 2
Kerbach (57) .... 38 A 2
Kerbiquet (56) .... 62 B 3
Kerbors (22) .... 43 E 1
Kerbourg (44) .... 82 A 3
Kerdruc (29) .... 62 A 5
Kerfany-les-Pins (29) .... 62 A 5
Kerfot (22) .... 43 F 2
Kerfourn (56) .... 63 G 3
Kergloff (29) .... 62 B 1
Kergrist (56) .... 62 B 1
Kergrist-Moëlou (22) .... 62 D 1
Kergroës (29) .... 62 B 5
Kerien (22) .... 43 E 5
Kérity (22) .... 43 F 2
Kerlaz (29) .... 61 F 2
Kerling-lès-Sierck (57) ...... 21 F 3
Kerlouan (29) .... 41 F 2
Kermaria (22) .... 43 F 3
Kermaria-Sulard (22) .... 42 D 2
Kermoroc'h (22) .... 43 E 3
Kernascléden (56) .... 62 D 4
Kernével (29) .... 62 A 4
Kernilis (29) .... 41 F 2
Kernouës (29) .... 41 F 2
Kerpape (56) .... 80 C 1
Kerpert (22) .... 43 E 5
Kerprich-aux-Bois (57) .... 38 A 1
Kerroch (56) .... 80 C 1
Kersaint (29) .... 40 D 2
Kersaint-Plabennec (29) ...... 41 F 3
Kertzfeld (67) .... 59 E 4
Kervalet (44) .... 82 A 4
Kervignac (56) .... 80 D 1
Kervoyal (56) .... 81 H 3
Keskastel (67) .... 38 B 4
Kesseldorf (67) .... 39 H 4
Kienheim (67) .... 59 E 1
Kientzheim (68) .... 78 C 1
Kiffis (68) .... 97 F 2
Killem (59) .... 3 G 2
Kilstett (67) .... 59 G 1
Kindwiller (67) .... 39 E 5
Kingersheim (68) .... 78 D 5
Kintzheim (67) .... 58 D 5
Kirchberg (68) .... 78 B 4
Kirchheim (67) .... 58 D 2
Kirrberg (67) .... 38 B 5
Kirrwiller (67) .... 39 E 5
Kirsch-lès-Sierck (57) .... 21 F 3
Kirschnaumen (57) .... 21 F 3
Kirviller (57) .... 38 A 4
Klang (57) .... 21 F 4
Kleingœft (67) .... 58 D 1
Klingenthal (67) .... 58 D 3
Knœringue (68) .... 97 G 1
Knœrsheim (67) .... 58 D 1
Knutange (57) .... 20 D 4
Kœnigsmacker (57) .... 21 E 3
Kœstlach (68) .... 97 F 2
Kœtzingue (68) .... 97 G 1
Kœur-la-Grande (55) .... 35 H 5
Kœur-la-Petite (55) .... 35 H 5
Kogenheim (67) .... 59 E 4
Kolbsheim (67) .... 59 E 2
Krafft (67) .... 59 F 4
Krautergersheim (67) .... 59 E 3
Krautwiller (67) .... 59 E 1
Le Kremlin-Bicêtre (94) ...... 51 F 1
Kriegsheim (67) .... 59 F 1
Kruth (68) .... 78 B 3
Kunheim (68) .... 79 E 2
Kuntzig (57) .... 21 E 3
Kurtzenhouse (67) .... 59 F 1
Kuttolsheim (67) .... 59 E 2
Kutzenhausen (67) .... 39 F 4

L

L'Haÿ-les-Roses (94) ⟨SP⟩ .... 51 F 2
Laà-Mondrans (64) .... 185 H 3
Laas (32) .... 187 G 3
Laas (45) .... 71 E 2
Laàs (64) .... 185 G 4
Labalme (01) .... 123 F 5
Labarde (33) .... 141 E 4
Labaroche (68) .... 78 C 2
Labarrère (32) .... 171 G 4
Labarthe (32) .... 173 G 2
Labarthe (82) .... 173 G 2
Labarthe-Bleys (81) .... 174 C 3
Labarthe-Inard (31) .... 205 H 4
Labarthe-Rivière (31) .... 205 G 2
Labarthe-sur-Lèze (31) ...... 189 F 4

Labarthète (32) .... 186 D 2
Labassère (65) .... 204 C 2
Labastide (65) .... 205 E 2
Labastide-Beauvoir (31) ..... 189 H 3
Labastide-
Castel-Amouroux (47) .... 171 G 1
Labastide-Cézéracq (64) ..... 186 A 4
Labastide-Chalosse (40) ..... 186 A 2
Labastide-Clermont (31) ..... 188 D 5
Labastide-d'Anjou (11) ...... 190 A 5
Labastide-d'Armagnac (40) ... 171 E 4
Labastide-de-Lévis (81) ..... 174 C 4
Labastide-de-Penne (82) ..... 174 A 1
Labastide-de-Virac (07) ..... 178 C 1
Labastide-Dénat (81) .... 175 E 5
Labastide-
du-Haut-Mont (46) .... 159 G 1
Labastide-du-Temple (82) .... 173 F 3
Labastide-du-Vert (46) ...... 158 A 4
Labastide-en-Val (11) .... 208 C 2
Labastide-
Esparbairenque (11) .... 190 D 4
Labastide-Gabausse (81) ..... 174 D 3
Labastide-Marnhac (46) ...... 158 B 5
Labastide-Monréjeau (64) .... 186 A 4
Labastide-Murat (46) .... 158 C 3
Labastide-Paumès (31) .... 188 C 5
Labastide-Rouairoux (81) .... 191 F 3
Labastide-Savès (32) .... 188 C 3
Labastide-St-Georges (81) ... 190 A 1
Labastide-St-Pierre (82) .... 173 G 5
Labastide-St-Sernin (31) .... 189 F 1
Labastide-sur-Bésorgues (07) 163 E 2
Labastide-Villefranche (64) . 185 F 4
Labastidette (31) .... 189 E 4
Labathude (46) .... 159 F 2
Labatie-d'Andaure (07) ...... 149 F 5
Labatmale (64) .... 204 A 1
Labatut (09) .... 189 G 5
Labatut (40) .... 185 F 4
Labatut (64) .... 187 E 4
Labatut-Rivière (65) .... 187 E 3
Labaume (30) .... 178 C 3
Labbeville (95) .... 31 E 3
Labécède-Lauragais (11) ..... 190 B 4
Labège (31) .... 189 G 3
Labégude (07) .... 163 E 3
Labéjan (32) .... 187 H 3
Labenne (40) .... 184 D 2
Labenne-Océan (40) .... 184 C 2
Labergement-du-Navois (25) .. 111 E 2
Labergement-Foigney (21) ..... 93 H 5
Labergement-
lès-Auxonne (21) .... 109 H 1
Labergement-lès-Seurre (21) . 109 G 2
Labergement-Ste-Marie (25) .. 111 F 4
Laberlière (62) .... 16 A 4
Labescau (33) .... 155 H 5
Labesserette (15) .... 160 A 2
Labessette (63) .... 146 A 1
Labessière-Candeil (81) ..... 190 B 1
Labets-Biscay (64) .... 185 F 4
Labeuvrière (62) .... 7 H 1
Labeyrie (64) .... 186 A 3
Lablachère (07) .... 162 D 5
Laboissière-en-Santerre (80) 15 H 4
Laboissière-en-Thelle (60) ... 31 E 2
Laboissière-St-Martin (80) ... 14 C 2
Laborde (65) .... 204 D 2
Laborel (26) .... 180 B 1
Labosse (60) .... 30 C 1
Labouheyre (40) .... 169 F 2
Laboulbène (81) .... 190 C 2
Laboule (07) .... 162 D 3
Labouquerie (24) .... 157 F 2
Labourgade (82) .... 173 E 4
Labourse (62) .... 4 A 3
Laboutarie (81) .... 190 C 1
Labretonie (47) .... 156 C 4
Labrihe (32) .... 188 C 1
Labrit (40) .... 169 H 3
Labroquère (31) .... 205 F 2
Labrosse (45) .... 71 F 2
Labrousse (15) .... 160 A 1
Labroye (62) .... 7 E 3
Labruguière (81) .... 190 D 3
Labruyère (21) .... 109 G 2
Labruyère (60) .... 31 G 1
Labruyère-Dorsa (31) .... 189 F 4
Labry (54) .... 20 C 5
Laburgade (46) .... 158 C 5
Lac de Chalain (39) .... 110 C 5
Lac-des-Rouges-Truites (39) . 110 D 5
Le Lac-d'Issarlès (07) ...... 162 C 1
Lacabarède (81) .... 191 F 4
Lacadée (64) .... 186 A 3
Lacajunte (40) .... 186 B 2
Lacalm (12) .... 160 C 2
Lacam-d'Ourcet (46) .... 159 F 1
Lacanau (33) .... 140 B 5
Lacanau-de-Mios (33) .... 154 D 3
Lacanau-Océan (33) .... 140 B 4
Lacanche (21) .... 108 C 1
Lacapelle-Barrès (15) .... 160 B 1
Lacapelle-Biron (47) .... 157 G 3

A
B
C
D
E
F
G
H
I
J
K
L
M
N
O
P
Q
R
S
T
U
V
W
X
Y
Z

Localité *(Département)*   Page   Coordonnées

Lacapelle-Cabanac (46)......157 H 5
Lacapelle-del-Fraisse (15)...160 A 2
Lacapelle-Livron (82)........174 B 1
Lacapelle-Marival (46).......159 E 2
Lacapelle-Pinet (81).........175 F 3
Lacapelle-Ségalar (81).......174 C 3
Lacapelle-Viescamp (15)......159 H 1
Lacarre (64).................202 C 1
Lacarry-Arhan-
  Charritte-de-Haut (64)....202 D 1
Lacassagne (65)..............187 F 4
Lacaugne (31)................189 E 5
Lacaune (81).................191 F 1
Lacaussade (47)..............157 F 4
Lacave (09)..................206 A 2
Lacave (46)..................158 C 1
Lacaze (81)..................191 E 1
Lacelle (19).................131 E 4
Lacépède (47)................172 A 1
Lachaise (16)................127 H 5
Lachalade (55)...............35 E 3
Lachambre (57)...............37 H 3
Lachamp (48).................161 G 3
Lachamp-Raphaël (07).........162 D 2
Lachapelle (47)..............156 C 4
Lachapelle (54)..............57 H 4
Lachapelle (80)..............14 D 3
Lachapelle (82)..............172 D 4
Lachapelle-aux-Pots (60).....30 C 1
Lachapelle-Auzac (46)........158 C 1
Lachapelle-en-Blaisy (52)....75 F 1
Lachapelle-Graillouse (07)...162 C 2
Lachapelle-
  sous-Aubenas (07).........163 E 4
Lachapelle-
  sous-Chanéac (07).........149 E 5
Lachapelle-sous-Chaux (90)...78 A 5
Lachapelle-
  sous-Gerberoy (60).......14 D 5
Lachapelle-
  sous-Rougemont (90)......78 B 5
Lachapelle-St-Pierre (60)....31 E 2
Lachassagne (69).............135 H 2
Lachau (26)..................180 C 1
Lachaud (43).................147 H 4
Lachaussée (55)..............36 B 4
Lachaussée-du-Bois-d'Écu (60)15 E 5
Lachaux (63).................134 A 1
Lachelle (60)................31 H 1
Lachy (51)...................53 F 2
Lacollonge (90)..............96 D 1
Lacombe (11).................190 C 4
Lacommande (64)..............186 A 5
Lacoste (34).................192 C 2
Lacoste (84).................180 A 5
Lacougotte-Cadoul (81).......190 A 4
Lacour (82)..................173 E 1
Lacour-d'Arcenay (21)........92 A 4
Lacourt (09).................206 B 3
Lacourt-St-Pierre (82).......173 G 4
Lacq (64)....................186 A 4
Lacquy (40)..................171 E 4
Lacrabe (40).................186 A 2
Lacres (62)..................2 B 5
Lacroisille (81).............190 A 3
Lacroix-Barrez (12).........160 B 2
Lacroix-Falgarde (31)........189 F 3
Lacroix-St-Ouen (60).........31 H 1
Lacroix-sur-Meuse (55).......36 A 4
Lacropte (24)................143 F 5
Lacrost (71).................122 C 1
Lacrouzette (81).............190 D 2
Les Lacs (35)................65 H 2
Lacs (36)....................118 A 1
Ladapeyre (23)...............118 A 4
Ladaux (33)..................155 H 2
Ladern-sur-Lauquet (11).....208 B 2
Ladevèze-Rivière (32)........187 E 3
Ladevèze-Ville (32)..........187 E 3
Ladignac-le-Long (87)........129 H 5
Ladignac-sur-Rondelles (19)..145 E 3
Ladinhac (15)................160 A 2
Ladirat (46).................159 F 2
Ladiville (16)...............128 A 5
Ladoix-Serrigny (21).........109 E 1
Ladon (45)...................71 G 3
Lados (33)...................155 H 4
Ladoye-sur-Seille (39).......110 B 4
Laduz (89)...................72 D 4
Lafage (11)..................207 G 1
Lafage-sur-Sombre (19)......145 F 2
Lafare (84)..................179 G 2
Lafarge (87).................129 H 4
Lafarre (07).................149 F 4
Lafarre (43).................162 C 1
Lafat (23)...................116 F 3
Lafauche (52)................56 A 5
Laféline (03)................119 H 3
Laferté-sur-Amance (52).....76 B 4
Laferté-sur-Aube (52)........75 E 2
Lafeuillade-en-Vézie (15)....160 A 2
Laffaux (02).................32 D 1
Laffite-Toupière (31).......205 H 1
Laffrey (38).................151 H 4
Lafitole (65)................187 E 4
Lafitte (82).................173 F 4
Lafitte-sur-Lot (47).........172 A 1

Lafitte-Vigordane (31).......188 D 5
Lafosse (33).................141 F 4
Lafox (47)...................172 C 2
Lafrançaise (82).............173 F 3
Lafraye (60).................15 F 5
Lafresnoye (80)..............14 C 2
Lafrimbolle (57).............58 B 2
Lagamas (34).................192 D 2
Lagarde (09).................207 G 2
Lagarde (31).................189 H 5
Lagarde (32).................172 B 4
Lagarde (57).................57 H 2
Lagarde (65).................187 E 5
Lagarde-d'Apt (84)...........180 B 4
Lagarde-Enval (19)...........145 E 3
Lagarde-Hachan (32).........187 H 4
Lagarde-Paréol (84)..........179 F 2
Lagarde-sur-le-Né (16)......127 H 5
Lagardelle (47)..............158 A 4
Lagardelle-sur-Lèze (31)....189 F 4
Lagardère (32)...............171 H 5
Lagardiolle (81).............190 B 3
Lagarrigue (47)..............172 A 1
Lagarrigue (81)..............190 D 3
Lageon (79)..................101 F 4
Lagery (51)..................33 F 3
Lagesse (10).................74 A 3
Laghet (06)..................183 G 5
Lagleygeolle (19)............144 D 4
Laglorieuse (40).............170 D 5
Lagnes (84)..................179 G 4
Lagney (54)..................56 C 1
Lagnicourt-Marcel (62).......8 B 4
Lagnieu (01).................137 E 2
Lagny (60)...................16 B 4
Lagny-le-Sec (60)............31 H 4
Lagny-sur-Marne (77).........51 H 1
Lagor (64)...................186 A 4
Lagorce (07).................163 E 5
Lagorce (33).................141 H 4
Lagord (17)..................113 E 4
Lagos (64)...................204 A 1
Lagrâce-Dieu (31)............189 F 5
Lagrand (05).................165 H 5
Lagrange (40)................171 F 4
Lagrange (65)................205 E 1
Lagrange (90)................78 B 5
Lagrasse (11)................208 D 2
Lagraulet-du-Gers (32)......171 H 5
Lagraulet-St-Nicolas (31)....188 D 1
Lagraulière (19).............144 D 2
Lagrave (81).................174 C 5
Lagruère (47)................156 C 5
Laguenne (19)................145 E 3
Laguépie (82)................174 C 4
Laguian-Mazous (32).........187 G 4
Laguinge-Restoue (64).......203 E 1
Laguiole (12)................160 C 3
Lagupie (47).................156 B 4
Lahage (31)..................188 D 4
Laharie (40).................169 E 3
Laharmand (52)...............75 F 2
Lahas (32)...................188 C 3
Lahaymeix (55)...............35 H 5
Lahayville (55)..............36 B 5
Laheycourt (55)..............35 F 5
Lahitère (31)................206 B 1
Lahitte (32).................188 A 2
Lahitte (65).................204 D 2
Lahitte-Toupière (65).......187 E 3
Lahonce (64).................184 D 3
Lahontan (64)................185 G 3
Lahosse (40).................185 H 1
Lahourcade (64)..............186 A 4
Lahoussoye (80)..............15 G 1
Laifour (08).................10 D 5
La Laigne (17)...............113 H 4
Laigné (53)..................66 C 4
Laigné-en-Belin (72)........68 A 4
Laignelet (35)...............46 A 5
Laigneville (60).............31 G 2
Laigny (02)..................17 G 2
Laillé (35)..................65 F 3
Laillé (72)..................68 B 5
Lailly (89)..................73 E 1
Lailly-en-Val (45)...........70 B 5
Laimont (55).................55 F 1
Lain (89)....................90 D 2
Laines-aux-Bois (10).........73 H 1
Lains (39)...................123 F 2
Lainsecq (89)................90 D 2
Lainville-en-Vexin (78).....30 C 4
Laire (25)...................95 H 2
Laires (62)..................7 F 1
Lairière (11)................208 C 3
Lairoux (85).................113 E 2
Laissac-Sévérac-l'Église (12).160 C 5
Laissaud (73)................138 A 5
Laissey (25).................95 F 4
Laître-sous-Amance (54).....57 E 1
Laives (71)..................109 E 5
Laix (54)....................20 B 3
Laiz (01)....................122 C 4
Laizé (71)...................122 B 2
Laize-la-Ville (14).........27 F 4
Laizy (71)...................108 A 3
Lajo (48)....................161 G 1
Lajoux (39)..................124 A 2
Lalacelle (61)...............47 G 4
Lalande (89).................90 D 1

Lalande-de-Pomerol (33).....141 H 5
Lalande-en-Son (60).........30 C 1
Lalandelle (60)..............30 C 1
Lalandusse (47)..............156 D 3
Lalanne (32).................188 A 1
Lalanne (65).................188 A 5
Lalanne-Arqué (32)..........188 A 5
Lalanne-Trie (65)............187 G 5
Lalaye (67)..................58 C 5
Lalbenque (46)...............173 H 1
Laleu (61)...................48 B 3
Laleu (80)...................14 D 1
Lalevade-d'A. (07)..........163 E 3
Lalheue (71).................109 E 5
Lalinde (24).................157 F 1
Lalizolle (03)...............119 G 5
Lallaing (59)................8 D 2
Lalleu (35)..................65 G 4
Lalley (38)..................165 G 2
Lalobbe (08).................18 B 3
Laloeuf (54).................56 D 4
Lalongue (64)................186 D 3
Lalonquette (64).............186 C 3
Laloubère (65)...............204 C 1
Lalouret-Laffiteau (31).....205 E 2
Lalouvesc (07)...............149 F 4
Laluque (40).................169 E 5
Lama (2B)....................215 E 5
Lamadeleine-
  Val-des-Anges (90).......78 A 5
Lamagdelaine (46)............158 C 5
Lamagistère (82).............172 D 3
Lamaguère (32)...............188 A 3
Lamaids (03).................118 C 3
Lamaire (79).................101 G 4
Lamalou-les-Bains (34)......192 A 2
Lamancine (52)...............75 G 1
Lamanère (66)................212 C 5
Lamanon (13).................195 F 1
Lamarche (88)................76 B 2
Lamarche-sur-Saône (21).....93 H 5
Lamargelle (21)..............93 E 2
Lamargelle-aux-Bois (52)....93 F 1
Lamaronde (80)...............14 D 2
Lamarque (33)................141 E 4
Lamarque-Pontacq (65).......204 B 1
Lamarque-Rustaing (65)......187 G 5
Lamasquère (31)..............189 E 3
Lamastre (07)................149 F 5
Lamath (54)..................57 F 3
Lamativie (46)...............145 F 5
Lamayou (64).................187 E 4
Lamazère (32)................187 H 3
Lamazière-Basse (19)........145 G 2
Lamazière-Haute (19)........131 H 4
Lambach (57).................38 C 3
Lambader (29)................41 H 3
Lamballe (22)................44 A 3
Lambersart (59)..............4 C 3
Lambert (04).................181 G 1
Lamberville (50).............25 G 3
Lamberville (76).............13 G 3
Lambesc (13).................195 G 2
Lamblore (28)................49 E 3
Lambres (59).................8 C 3
Lambres (62).................3 F 5
Lambrey (70).................76 C 5
Lambruisse (04)..............181 H 3
Laméac (65)..................187 F 5
Lamécourt (60)...............31 G 1
Lamelouze (30)...............177 H 2
Lamenay-sur-Loire (58)......107 E 4
Lamérac (16).................141 H 1
Lametz (08)..................18 D 5
Lamillarié (81)..............174 D 5
Lammerville (76).............13 G 2
Lamnay (72)..................68 D 2
Lamongerie (19)..............130 C 5
Lamontélarié (81)............191 F 2
Lamontgie (63)...............147 F 1
Lamontjoie (47)..............172 B 3
Lamonzie-Montastruc (24)....157 E 1
Lamonzie-St-Martin (24).....156 D 1
Lamorlaye (60)...............31 F 3
Lamorville (55)..............36 A 5
Lamothe (40).................169 H 5
Lamothe (43).................147 G 2
Lamothe-Capdeville (82).....173 G 3
Lamothe-Cassel (46).........158 C 3
Lamothe-Cumont (82).........172 D 5
Lamothe-en-Blaisy (52)......75 E 1
Lamothe-Fénelon (46)........158 B 1
Lamothe-Goas (32)...........171 H 5
Lamothe-Landerron (33)......156 A 4
Lamothe-Montravel (24)......156 A 1
Lamotte-Beuvron (41)........88 D 2
Lamotte-Brebière (80).......15 G 2
Lamotte-Buleux (80).........6 D 4
Lamotte-du-Rhône (84).......179 E 1
Lamotte-Warfusée (80).......15 H 2
Lamouilly (55)...............19 G 4
Lamoura (39).................124 A 2
Lampaul (29).................40 B 3
Lampaul-Guimiliau (29)......40 A 4
Lampaul-Plouarzel (29)......40 D 3
Lampaul-Ploudalmézeau (29)..40 D 2
Lampertheim (67).............59 F 2
Lampertsloch (67)............39 F 4
Lamure-sur-Azergues (69)....121 H 5
Lanans (25)..................95 G 4
Lanarce (07).................162 C 2

Lanarvily (29)...............41 F 3
Lanas (07)...................163 E 4
Lancé (41)...................87 F 1
Lancerf (22).................43 F 2
Lancey (38)..................151 H 4
Lanches-St-Hilaire (80).....7 F 5
Lanchy (02)..................16 C 2
Lancié (69)..................122 B 4
Lancieux (22)................44 C 2
Lançôme (41).................87 G 1
Lançon (08)..................35 E 2
Lançon (65)..................205 E 4
Lançon-Provence (13)........195 F 2
Lancrans (01)................124 A 5
Landange (57)................58 A 2
Landas (59)..................4 D 5
Landaul (56).................81 E 1
Landaville (88)..............56 B 5
Landavran (35)...............65 H 2
La Lande-Chasles (49).......85 G 3
La Lande-d'Airou (50).......45 H 1
La Lande-de-Fronsac (33)....141 G 5
La Lande-de-Goult (61)......47 H 3
La Lande-de-Lougé (61)......47 G 2
La Lande-Patry (61).........47 E 1
La Lande-St-Léger (27)......28 B 2
La Lande-St-Siméon (61).....47 F 1
La Lande-sur-Drôme (14).....25 H 4
La Lande-sur-Eure (61)......49 E 3
Landéan (35).................46 A 4
Landebaëron (22).............43 E 3
Landébia (22)................44 B 3
Le Landec (22)...............44 C 4
Landécourt (54)..............57 F 3
Landéda (29).................41 E 2
Landéhen (22)................44 A 4
Landeleau (29)...............62 B 1
Landelles (28)...............49 G 4
Landelles-et-Coupigny (14)..25 G 5
Landemont (49)...............83 H 4
Landepéreuse (27)............28 D 4
Landeronde (85)..............99 F 5
Landerneau (29)..............41 G 3
Landersheim (67).............58 D 1
Landes (17)..................127 F 1
Les Landes-Genusson (85)....100 A 2
Landes-le-Gaulois (41)......87 G 1
Landes-sur-Ajon (14)........27 E 4
Landes-Vieilles-et-Neuves (76).14 B 3
Landévant (56)...............81 E 1
Landévennec (29).............41 F 5
Landevieille (85)............98 D 5
Landéyrat (15)...............146 C 3
Landifay-et-Bertaignemont (02).17 F 2
Landigou (61)................47 E 1
Le Landin (27)...............29 E 1
Landiras (33)................155 F 4
Landisacq (61)...............46 D 1
Landivisiau (29).............41 H 3
Landivy (53).................46 B 4
Landogne (63)................132 C 2
Landorthe (31)...............205 H 1
Landos (43)..................162 A 1
Landouge (87)................130 A 2
Landouzy-la-Cour (02).......17 H 2
Landouzy-la-Ville (02)......10 A 5
Landrais (17)................113 G 5
Le Landreau (44)............83 H 5
Landrecies (59)..............9 G 4
Landrecourt-Lempire (55)....35 H 4
Landremont (54)..............36 D 5
Landres (54).................20 C 4
Landres-et-St-Georges (08)..35 E 1
Landresse (25)...............95 G 4
Landrethun-le-Nord (62).....2 B 3
Landrethun-lès-Ardres (62)..2 C 3
Landrévarzec (29)............61 H 2
Landreville (10).............74 C 3
Landrichamps (08)............11 E 3
Landricourt (51).............55 E 3
Landricourt (02).............16 D 5
Landroff (57)................37 G 4
Landry (73)..................139 F 4
Landser (68).................78 D 5
Landudal (29)................61 H 2
Landudec (29)................61 F 2
Landujan (35)................44 D 5
Landunvez (29)...............40 D 3
Lanespède (65)...............204 D 1
Lanester (56)................80 D 1
Lanet (11)...................208 C 3
Laneuvelle (52)..............76 B 4
Laneuvelotte (54)............57 E 1
Laneuveville-aux-Bois (54)..57 G 2
Laneuveville-derrière-Foug (54).56 B 2
Laneuveville-
  devant-Bayon (54).........57 E 4
Laneuveville-devant-Nancy (54).57 E 2
Laneuveville-en-Saulnois (57).37 F 5
Laneuveville-lès-Lorquin (57)..58 A 2
Laneuville-à-Bayard (52)....55 F 3
Laneuville-à-Rémy (52)......55 E 4
Laneuville-au-Bois (52).....55 H 4
Laneuville-au-Pont (52).....55 E 2
Laneuville-au-Rupt (55).....56 A 2
Laneuville-sur-Meuse (55)...19 G 5
Laneuvilleroy (60)..........15 H 5
Lanfains (22)................43 G 1

Lanfroicourt (54)...........57 E 1
Langan (35).................65 E 1
Langast (22)................63 H 1
Langatte (57)...............58 A 1
Langé (36)..................104 A 2
Langeac (43)................147 G 4
Langeais (37)...............86 B 4
Langennerie (37)............86 D 3
Langensoultzbach (67).......39 F 4
Langeron (58)...............106 B 4
Langesse (45)...............71 H 5
Langey (28).................69 G 3
Langlade (30)...............178 B 5
Langley (88)................57 F 5
Langoat (22)................43 E 2
Langoëlan (56)..............63 E 3
Langogne (48)...............162 B 2
Langoiran (33)..............155 G 2
Langolen (29)...............61 H 2
Langon ⟨SP⟩ (33)............155 G 4
Langon (35).................65 E 5
Langon (41).................88 C 2
Le Langon (85)..............113 F 2
Langonnet (56)..............62 C 3
Langouet (35)...............65 E 1
Langourla (22)..............44 A 5
Langres ⟨SP⟩ (52)...........75 H 4
Langrolay-sur-Rance (22)....44 D 3
Langrune-sur-Mer (14).......27 F 1
Languédias (22).............44 C 4
Languenan (22)..............44 C 3
Langueux (22)...............43 H 5
Languevoisin-Quiquery (80)..16 B 3
Languidic (56)..............63 E 5
Languimberg (57)............58 A 1
Langy (03)..................120 B 4
Lanhélin (35)...............45 E 4
Lanhères (55)...............20 B 5
Lanhouarneau (29)...........41 G 2
Lanildut (29)...............40 D 3
Laning (57).................37 H 3
Laniscat (22)...............63 E 2
Lanleff (22)................43 F 3
Lanloup (22)................43 G 2
Lanmérin (22)...............42 D 2
Lanmeur (29)................42 B 3
Lanmodez (22)...............43 F 1
Lanne (65)..................204 C 1
Lanne-en-Barétous (64)......203 E 1
Lanne-Soubiran (32).........186 D 1
Lannéanou (29)..............42 B 4
Lannebert (22)..............43 F 3
Lannecaube (64).............186 C 3
Lannédern (29)..............62 A 1
Lannemaignan (32)...........171 E 4
Lannemezan (65).............205 E 1
Lannepax (32)...............171 H 5
Lanneplaà (64)..............185 H 3
Lanneray (28)...............69 G 3
Lannes (47).................171 H 3
Lannes (52).................75 H 4
Lanneuffret (29)............41 G 3
Lannilis (29)...............41 E 2
Lannion ⟨SP⟩ (22)...........42 D 2
Lannoy (59).................4 D 3
Lannoy-Cuillère (60)........14 C 3
Lannux (32).................186 C 2
Lano (2B)...................217 F 1
Lanobre (15)................146 A 1
Lanot (33)..................154 C 4
Lanouaille (24).............143 H 1
Lanouée (56)................63 H 4
Lanoux (09).................206 D 2
Lanquais (24)...............157 E 1
Lanques-sur-Rognon (52).....75 H 2
Lanquetot (76)..............12 D 4
Lanrelas (22)...............44 B 5
Lanrigan (35)...............45 F 4
Lanrivain (22)..............63 E 1
Lanrivoaré (29).............40 D 3
Lanrodec (22)...............43 G 3
Lans (71)...................109 F 4
Lans-en-Vercors (38)........151 F 3
Lansac (33).................141 F 4
Lansac (65).................204 D 1
Lansac (66).................208 C 5
Lansargues (34).............193 G 2
Lanslebourg-
  Mont-Cenis (73)..........153 G 2
Lanslevillard (73)..........153 G 2
Lanta (31)..................189 H 3
Lantages (10)...............74 A 3
Lantan (18).................105 H 3
Lantéfontaine (54)..........20 C 4
Lantenay (01)...............123 G 5
Lantenay (21)...............93 E 4
Lantenne-Vertière (25)......94 C 5
Lantenot (70)...............77 G 5
La Lanterne-et-les-Armonts (70)77 G 5
Lanteuil (19)...............144 D 4
Lanthenans (25).............95 H 3
Lanthes (21)................109 G 2
Lantheuil (14)..............27 E 2
Lantic (22).................43 G 3
Lantignié (69)..............122 A 5
Lantillac (56)..............63 H 4
Lantilly (21)...............92 B 2
Lanton (33).................154 B 2
Lantosque (06)..............183 F 3

Lantriac (43)...............148 C 5
Lanty (58)..................107 G 3
Lanty-sur-Aube (52).........74 D 3
Lanuéjols (30)..............176 D 3
Lanuéjols (48)..............161 H 4
Lanuéjouls (12).............159 G 5
Lanvallay (22)..............44 D 4
Lanvaudan (56)..............62 D 5
Lanvellec (22)..............42 C 3
Lanvénégen (56).............62 C 4
Lanvéoc (29)................41 E 5
Lanvézéac Caouënnec (22)....42 D 2
Lanvollon (22)..............43 F 3
Lanzac (46).................158 C 1
Laon Ⓟ (02).................17 F 4
Laons (28)..................49 G 2
Lapalisse (03)..............120 C 4
Lapalud (84)................179 E 1
Lapan (18)..................105 F 3
Lapanouse (12)..............176 B 1
Lapanouse-de-Cernon (12)....176 B 4
Laparade (47)...............156 D 5
Laparrouquial (81)..........174 C 3
Lapège (09).................207 E 4
Lapenche (82)...............174 A 2
Lapenne (09)................207 F 1
Lapenty (50)................46 B 3
Laperche (47)...............156 D 4
Laperrière-sur-Saône (21)...109 H 1
Lapeyrade (47)..............171 F 3
Lapeyre (65)................187 G 5
Lapeyrère (31)..............206 C 1
Lapeyrouse (01).............136 B 1
Lapeyrouse (63).............119 F 4
Lapeyrouse-Fossat (31)......189 G 2
Lapeyrouse-Mornay (26)......150 C 2
Lapeyrugue (15).............160 A 2
Lapleau (19)................145 G 2
Laplume (47)................172 B 3
Lapoutroie (68).............78 C 1
Lapouyade (33)..............141 G 4
Lappion (02)................17 H 4
Laprade (11)................190 D 4
Laprade (16)................142 B 2
Laprugne (03)...............134 B 1
Laps (63)...................133 G 4
Lapte (43)..................148 D 3
Lapugnoy (62)...............7 H 1
Laquenexy (57)..............37 E 3
Laqueuille (63).............132 C 4
Laragne-Montéglin (05)......180 D 1
Larajasse (69)..............135 F 4
Laramière (46)..............174 C 1
Laran (65)..................187 H 5
Larbey (40).................185 H 1
Larbont (09)................206 D 3
Larbroye (60)...............16 B 4
Larcan (31).................205 G 1
Larcat (09).................207 E 5
Larçay (37).................86 D 4
Larceveau-Arros-Cibits (64).185 F 5
Larchamp (53)...............46 B 5
Larchamp (61)...............46 D 2
Larchant (77)...............71 G 1
Larche (04).................167 G 4
Larche (19).................144 B 4
Le Larderet (39)............110 D 3
Lardier-et-Valença (05).....166 A 4
Lardiers (04)...............180 C 3
Le Lardin-St-Lazare (24)....144 A 4
Lardy (91)..................51 E 4
Larée (32)..................171 F 4
Laréole (31)................188 D 1
Largeasse (79)..............100 D 3
Largentière ⟨SP⟩ (07).......163 E 4
Largillay-Marsonnay (39)....123 G 1
Largitzen (68)..............97 E 1
Largnac (15)................146 A 2
Largny-sur-Automne (02).....32 B 2
Larians-et-Munans (70)......95 F 3
Larivière (90)..............78 B 5
Larivière-sur-Apance (52)...76 B 3
Larmor-Baden (56)...........81 F 2
Larmor-Plage (56)...........80 C 1
Larnac (près d'Alès) (30)...178 A 3
Larnac (près d'Uzès) (30)...178 C 3
Larnage (26)................149 H 4
Larnagol (46)...............158 D 5
Larnas (07).................163 G 5
Larnat (09).................207 E 4
Larnaud (39)................110 A 4
Larnod (25).................94 D 5
Laroche-près-Feyt (19)......132 B 4
Laroche-St-Cydroine (89)....73 F 4
Larochemillay (58)..........107 H 3
Larodde (63)................132 B 5
Laroin (64).................186 B 5
Larone (Col de) (2A)........219 F 1
Laronxe (54)................57 G 3
Laroque (33)................155 G 3
Laroque (34)................177 F 4
Laroque-de-Fa (11).........208 C 3
Laroque-des-Albères (66)....213 F 4
Laroque-des-Arcs (46).......158 C 5
Laroque-d'Olmes (09)........207 G 3
Laroque-Timbaut (47)........172 C 1
Laroquebrou (15)............145 G 5
Laroquevieille (15).........146 A 5
Larouillies (59)............9 H 5
Larra (31)..................189 E 1

Larrau (64) 202 D 2
Larrazet (82) 173 E 4
Larré (56) 64 A 5
Larré (61) 48 A 4
Larressingle (32) 171 H 4
Larressore (64) 184 C 4
Larret (29) 40 D 3
Larret (70) 94 B 1
Larreule (64) 186 B 3
Larreule (65) 187 E 4
Larrey (21) 74 B 4
Larribar-Sorhapuru (64) 185 F 5
Larringes (74) 125 E 2
Larrivière-Saint-Savin (40) 186 B 1
Larrivoire (39) 123 H 3
Larroque (31) 205 F 1
Larroque (65) 187 H 5
Larroque (81) 174 A 4
Larroque-Engalin (32) 172 B 4
Larroque-St-Sernin (32) 172 A 5
Larroque-sur-l'Osse (32) 171 H 4
Larroque-Toirac (46) 159 E 4
Lartigue (32) 188 B 3
Lartigue (33) 171 F 1
Laruns (64) 203 H 2
Laruscade (33) 141 G 4
Larzac (24) 157 H 2
Larzicourt (51) 54 D 3
Lasalle (30) 177 G 3
Lasbordes (11) 190 B 5
Lasbordes (31) 189 G 2
Lascabanes (46) 173 G 1
Lascaux (19) 144 B 2
Lascazères (65) 187 E 3
Lascelle (15) 146 A 5
Lasclaveries (64) 186 C 4
Lascours (13) 196 A 4
Lasfaillades (81) 191 E 3
Lasgraisses (81) 174 D 5
Laslades (65) 187 F 5
Lassales (65) 205 F 1
Lassay-les-Châteaux (53) 47 E 4
Lassay-sur-Croisne (41) 88 B 4
Lasse (49) 85 H 2
Lasse (64) 202 B 1
Lasserade (32) 187 E 2
Lasséran (32) 187 H 2
Lasserre (09) 206 B 2
Lasserre (31) 188 D 2
Lasserre (47) 172 A 3
Lasserre (64) 186 D 3
Lasserre-de-Prouille (11) 207 H 1
Lasseube (64) 186 B 5
Lasseube-Propre (32) 188 A 2
Lasseubetat (64) 203 G 1
Lassicourt (10) 54 C 4
Lassigny (60) 16 A 4
Lasson (14) 27 E 2
Lasson (89) 73 G 3
Lassouts (12) 160 C 5
Lassur (09) 207 F 5
Lassy (14) 26 D 5
Lassy (35) 65 E 3
Lassy (95) 31 G 4
Lastelle (50) 24 D 2
Lastic (15) 147 F 4
Lastic (63) 132 B 4
Lastours (11) 190 D 5
Lataule (60) 15 H 5
Le Latet (39) 110 D 3
La Latette (39) 111 E 4
Lathuile (74) 138 B 2
Lathus-St-Rémy (86) 116 B 3
Latillé (86) 101 H 5
Latilly (02) 32 D 3
Latoue (31) 205 H 1
Latouille-Lentillac (46) 159 F 1
Latour (31) 206 C 1
Latour-Bas-Elne (66) 213 F 3
Latour-de-Carol (66) 211 G 4
Latour-de-France (66) 208 D 5
Latour-en-Woëvre (55) 36 B 3
Latrape (31) 189 E 5
Latrecey (52) 75 E 3
Latresne (33) 155 F 2
Latrille (40) 186 C 2
Latronche (19) 145 G 2
Latronquière (46) 159 F 2
Lattainville (60) 30 C 2
Les Lattes (06) 182 B 5
Lattes (34) 193 F 3
Lattre-St-Quentin (62) 7 H 3
Lau-Balagnas (65) 204 B 2
Laubach (67) 39 F 5
Lauberlach (29) 41 F 4
Laubert (48) 161 H 4
Les Laubies (48) 161 G 3
Laubressel (10) 74 A 1
Laubrières (53) 66 A 3
Laucourt (80) 16 A 4
Laudrefang (57) 37 G 3
Laudun-l'Ardoise (30) 178 D 3
Laugnac (47) 172 B 1
Laujuzan (32) 171 F 5
Laulne (50) 24 D 2
Laumesfeld (57) 21 F 3
Launac (31) 189 E 1
Launac-St-André (34) 193 E 3
Launaguet (31) 189 F 2
Launay (27) 29 E 4
Launay-Villiers (53) 66 B 2
Launois-sur-Vence (08) 18 C 4
Launoy (02) 32 D 2
Launstroff (57) 21 G 3
La Laupie (26) 163 H 3
Laurabuc (11) 190 B 5
Laurac (11) 207 G 1
Laurac-en-Vivarais (07) 163 E 4
Laurade (13) 179 E 5
Lauraët (32) 171 H 4
Lauraguel (11) 208 A 2
Laure (13) 195 G 4
Laure-Minervois (11) 191 E 5
Laurède (40) 185 H 1
Laurenan (22) 64 A 1
Laurens (34) 192 B 3
Lauresses (46) 159 G 2
Lauret (34) 177 H 5
Lauret (40) 186 C 2
Laurie (15) 147 E 3
Laurière (87) 117 E 5
Lauris (84) 195 G 1
Lauroux (34) 192 B 1
Laussac (12) 160 C 1
Laussonne (43) 148 C 5
Laussou (47) 157 F 4
Lautenbach (68) 78 C 3
Lautenbachzell (68) 78 C 3
Lauterbourg (67) 39 H 3
Lauthiers (86) 116 A 1
Lautignac (31) 188 D 4
Lautrec (81) 190 C 1
Lauw (68) 78 B 5
Lauwin-Planque (59) 8 C 2
Laux-Montaux (26) 180 B 1
Lauzach (56) 81 H 2
Lauzerte (82) 173 F 2
Lauzerville (31) 189 G 3
Lauzès (46) 158 C 4
Le Lauzet-Ubaye (04) 166 D 4
Lauzières (17) 113 E 4
Lauzun (47) 156 D 3
Lava (Col de) (2A) 216 B 3
Lava (Golfe de) (2A) 216 B 5
Lavacquerie (60) 15 E 3
Lavagnac (33) 155 H 1
Laval (38) 152 A 2
Laval P (53) 66 C 2
Laval-Atger (48) 162 A 2
Laval-d'Aix (26) 165 F 2
Laval-d'Aurelle (07) 162 B 4
Laval-de-Cère (46) 145 E 5
Laval-du-Tarn (48) 176 D 1
Laval-en-Brie (77) 52 B 5
Laval-en-Laonnois (02) 17 F 5
Laval-le-Prieuré (25) 95 H 5
Laval-Morency (08) 10 C 5
Laval-Pradel (30) 178 A 2
Laval-Roquecezière (12) 191 F 1
Laval-St-Roman (30) 178 C 1
Laval-sur-Doulon (43) 147 H 2
Laval-sur-Luzège (19) 145 G 3
Laval-sur-Tourbe (51) 34 D 3
Laval-sur-Vologne (88) 77 H 1
Lavalade (24) 157 G 3
Lavaldens (38) 151 H 5
Lavalette (11) 208 A 1
Lavalette (31) 189 G 2
Lavalette (34) 192 B 2
Lavallée (55) 55 H 1
Le Lavancher (74) 139 F 1
Lavancia-Epercy (39) 123 H 3
Le Lavandou (83) 201 G 3
Lavangeot (39) 110 B 1
Lavannes (51) 34 A 2
Lavans-lès-Dole (39) 94 B 5
Lavans-lès-Saint-Claude (39) 123 H 2
Lavans-Quingey (25) 110 C 1
Lavans-sur-Valouse (39) 123 G 3
Lavans-Vuillafans (25) 111 F 1
Lavaqueresse (02) 17 F 1
Lavardac (47) 171 H 2
Lavardens (32) 187 H 1
Lavardin (41) 87 E 1
Lavardin (72) 67 H 3
Lavaré (72) 68 D 3
Lavars (38) 165 G 1
Lavasina (2B) 215 F 3
Lavastrie (15) 160 D 1
Lavatoggio (2B) 214 C 5
Lavau (10) 53 H 5
Lavau (89) 90 B 2
Lavau-sur-Loire (44) 82 D 4
Lavaudieu (43) 147 G 3
Lavaufranche (23) 118 B 3
Lavault-de-Frétoy (58) 107 H 1
Lavault-Ste-Anne (03) 118 D 3
Les Lavaults (89) 91 H 4
Lavaur (24) 157 H 3
Lavaur (81) 190 A 1
Lavaurette (82) 174 A 2
Lavausseau (86) 115 E 1
Lavaveix-les-Mines (23) 118 A 5
Lavazan (33) 155 H 5
Laveissenet (15) 146 C 4
Laveissière (15) 146 C 4
Lavelanet (09) 207 G 3
Lavelanet-de-Comminges (31) 188 D 5
Laveline-devant-Bruyères (88) 77 H 1
Laveline-du-Houx (88) 77 H 1
Lavenay (72) 68 D 5
Laventie (62) 3 H 5
Laventure (76) 14 B 3
Lavera (13) 195 F 4
Laveraët (32) 187 F 3
Lavercantière (46) 158 A 3
Laverdines (18) 106 A 2
Lavergne (46) 158 D 2
Lavergne (47) 156 D 3
Lavernat (72) 86 B 1
Lavernay (25) 94 C 5
Lavernhe (12) 176 B 1
Lavernose-Lacasse (31) 189 E 4
Lavernoy (52) 76 A 4
Laverrière (60) 14 D 3
Laversine (02) 32 C 1
Laversines (60) 31 E 1
Lavérune (34) 193 F 2
Laveyron (26) 149 H 3
Laveyrune (07) 162 B 3
Laveyssière (24) 142 D 5
Lavieu (42) 134 C 5
Laviéville (80) 15 H 1
Lavigerie (15) 146 C 4
Lavignac (87) 129 H 4
Lavignéville (55) 36 A 5
Lavigney (70) 76 C 5
Lavignolle (33) 154 D 3
Lavigny (39) 110 B 4
Lavillatte (07) 162 B 2
Laville-aux-Bois (52) 75 G 2
Lavilledieu (07) 163 F 4
Lavilleneuve (52) 76 A 3
Lavilleneuve-au-Roi (52) 75 E 2
Lavilleneuve-aux-Fresnes (52) 75 E 1
Lavilletertre (60) 30 C 3
Lavincourt (55) 55 G 2
Laviolle (07) 163 E 2
Laviron (25) 95 H 4
Lavit (82) 172 D 4
Lavoine (03) 134 A 1
Lavoncourt (70) 94 C 1
Lavours (01) 137 G 2
Lavoûte-Chilhac (43) 147 G 4
Lavoûte-sur-Loire (43) 148 B 4
Lavoux (86) 115 H 1
Lavoye (55) 35 F 4
Lawarde-Mauger-l'Hortoy (80) 15 F 3
Laxou (54) 56 D 2
Lay (42) 135 E 1
Lay-Lamidou (64) 185 H 5
Lay-St-Christophe (54) 57 E 1
Lay-St-Remy (54) 56 B 2
Laye (05) 166 B 3
Laymont (32) 188 C 4
Layrac (47) 172 C 3
Layrac-sur-Tarn (31) 173 H 5
Layrisse (65) 204 C 1
Lays-sur-le-Doubs (71) 109 H 3
Laz (29) 62 A 2
Lazenay (18) 104 D 2
Lazer (05) 166 A 5
Léalvillers (80) 7 H 5
Léaupartie (14) 27 H 3
Léaz (01) 124 A 5
Lebetain (90) 96 D 2
Lebeuville (54) 57 E 4
Lebiez (62) 7 E 1
Leboulin (32) 188 A 2
Lebreil (46) 173 F 1
Lebucquière (62) 8 B 5
Lécaude (14) 28 A 3
Lecci (2A) 219 G 2
Lecelles (59) 5 E 5
Lecey (52) 76 A 4
Lechâtelet (21) 109 G 1
Léchelle (62) 8 C 5
Léchelle (77) 52 D 3
La Léchère (73) 138 D 5
Les Lèches (24) 142 D 5
Lechiagat (29) 61 F 4
Lécluse (59) 8 C 3
Lécourt (52) 76 A 3
Lécousse (35) 46 A 5
Lecques (30) 178 A 5
Les Lecques (83) 200 C 3
Lect (39) 123 G 2
Lectoure (32) 172 B 4
Lecumberry (64) 202 C 1
Lécussan (31) 205 F 1
Lédas-et-Penthiès (81) 175 F 3
Le Lédat (47) 157 E 5
Lédenon (30) 178 D 4
Lédergues (12) 175 F 3
Lederzeele (59) 3 E 3
Ledeuix (64) 186 A 5
Lédignan (30) 178 A 4
Ledinghem (62) 2 D 5
Ledringhem (59) 3 F 3
Lée (64) 186 C 5
Leers (59) 4 D 3
Lées-Athas (64) 203 F 3
Lefaux (62) 6 C 1
Leffard (14) 27 F 5
Leffincourt (08) 34 C 1
Leffond (70) 94 A 1
Leffonds (52) 75 G 3
Leffrinckoucke (59) 3 F 1
Leforest (62) 4 C 5
Lège (31) 205 F 4
Legé (44) 99 F 3
Lège-Cap-Ferret (33) 154 B 1
Légéville-et-Bonfays (88) 77 E 1
Léglantiers (60) 15 H 5
Légna (39) 123 G 2
Légny (69) 135 G 2
Léguevin (31) 189 E 2
Léguillac-de-Cercles (24) 143 E 1
Léguillac-de-l'Auche (24) 143 E 3
Lehaucourt (02) 16 D 1
Léhon (22) 44 D 4
Leigné-les-Bois (86) 102 D 4
Leigné-sur-Usseau (86) 102 B 3
Leignecq (42) 148 C 2
Leignes-sur-Fontaine (86) 116 A 2
Leigneux (42) 134 C 3
Leimbach (68) 78 C 4
Leintrey (54) 57 H 2
Lélex (01) 124 A 3
Lelin-Lapujolle (32) 186 D 1
Lelling (57) 37 H 3
Lemainville (54) 57 E 3
Lembach (67) 39 F 3
Lemberg (57) 38 D 4
Lembeye (64) 186 D 3
Lembras (24) 157 E 1
Lemé (02) 17 G 2
Lème (64) 186 B 3
Leménil-Mitry (54) 57 E 4
Lémeré (37) 102 B 1
Lemmecourt (88) 76 B 1
Lemmes (55) 35 G 4
Lemoncourt (57) 37 F 5
Lempaut (81) 190 B 3
Lempdes (63) 133 F 3
Lempdes-sur-Allagnon (43) 147 F 2
Lempire (02) 16 C 1
Lemps (07) 149 G 4
Lemps (26) 165 F 5
Lempty (63) 133 G 3
Lempzours (24) 143 F 2
Lemud (57) 37 F 4
Lemuy (39) 110 D 3
Lénault (14) 26 D 5
Lenax (03) 120 D 3
Lencloître (86) 102 B 4
Lencouacq (40) 170 D 3
Lendresse (64) 185 H 4
Lengelsheim (57) 38 D 3
Lengronne (50) 24 D 5
Lenharrée (51) 53 H 1
Léning (57) 37 H 4
Lénizeul (52) 76 A 3
Lennon (29) 62 A 2
Lenoncourt (54) 57 E 2
Lens SP (62) 4 B 5
Lens-Lestang (26) 150 C 2
Lent (01) 123 E 5
Lent (39) 110 D 4
Lentigny (42) 134 C 1
Lentillac-du-Causse (46) 158 D 4
Lentillac-St-Blaise (46) 159 G 4
Lentillères (07) 163 E 3
Lentilles (10) 54 C 4
Lentilly (69) 135 G 3
Lentiol (38) 150 C 2
Lento (2B) 215 F 5
Léobard (46) 158 A 2
Léogeats (33) 155 G 4
Léognan (33) 155 E 2
Léojac (82) 173 H 4
Léon (40) 168 C 4
Léoncel (26) 150 D 5
Léotoing (43) 147 F 2
Léouvé (06) 182 C 3
Léouville (45) 70 D 1
Léoville (17) 141 G 1
Lépanges-sur-Vologne (88) 77 H 1
Lépaud (23) 118 C 4
Lépin-le-Lac (73) 137 H 5
Lépinas (23) 117 H 5
Lépine (62) 6 C 2
Lépron-les-Vallées (08) 18 C 3
Lepuix (90) 78 A 5
Lepuix-Neuf (90) 97 E 2
La Lèque (30) 178 C 2
Léran (09) 207 G 3
Lercoul (09) 207 E 5
Léré (18) 90 A 3
Léren (64) 185 F 3
Lérigneux (42) 134 C 5
Lerm-et-Musset (33) 171 E 1
Lerné (37) 101 H 1
Lérouville (55) 56 A 1
Lerrain (88) 77 E 2
Léry (21) 93 E 2
Léry (27) 29 G 2
Lerzy (02) 17 G 1
Lesbœufs (80) 8 B 5
Lesbois (53) 46 C 4
Lescar (64) 186 B 4
Leschaux (74) 138 B 3
Leschelle (02) 17 G 1
Lescheraines (73) 138 A 3
Leschères (39) 123 H 2
Leschères-sur-le-Blaiseron (52) 55 F 5
Lescherolles (77) 52 D 2
Lescheroux (01) 122 D 2
Lesches (77) 31 H 5
Lesches-en-Diois (26) 165 G 3
Lescoff (29) 60 D 2
Lesconil (29) 61 F 4
Lescouët-Gouarec (22) 63 E 2
Lescouët-Jugon (22) 44 B 4
Lescousse (09) 206 D 1
Lescout (81) 190 C 3
Lescun (64) 203 F 3
Lescuns (31) 188 C 5
Lescure (09) 206 C 3
Lescure-d'Albigeois (81) 174 D 4
Lescure-Jaoul (12) 174 D 2
Lescurry (65) 187 F 5
Lesdain (59) 8 D 5
Lesdins (02) 16 D 2
Lesges (02) 33 E 2
Lesgor (40) 169 F 5
Lésignac-Durand (16) 129 E 3
Lésigny (77) 51 H 2
Lésigny (86) 102 D 3
Le Leslay (22) 43 F 5
Lesme (71) 107 F 5
Lesménils (54) 36 D 5
Lesmont (10) 54 B 4
Lesneven (29) 41 F 2
Lesparre-Médoc SP (33) 140 C 2
Lesparrou (09) 207 G 3
Lespars (64) 202 B 1
Lespéron (07) 162 B 2
Lesperon (40) 169 E 4
Lespesses (62) 7 G 1
Lespielle (64) 186 D 3
Lespignan (34) 192 B 5
Lespinasse (31) 189 F 1
Lespinassière (11) 191 E 4
Lespinoy (62) 6 D 2
Lespitallet (43) 147 H 4
Lespiteau (31) 205 G 2
Lesponne (65) 204 C 2
Lespouey (65) 204 D 1
Lespourcy (64) 186 D 4
Lespugue (31) 205 G 1
Lesquerde (66) 208 C 4
Lesquielles-St-Germain (02) 17 F 1
Lesquin (59) 4 C 4
Lessac (16) 115 H 5
Lessard-en-Bresse (71) 109 G 4
Lessard-et-le-Chêne (14) 28 A 4
Lessard-le-National (71) 109 E 3
Lessay (50) 24 D 2
Lesse (57) 37 F 4
Lesseux (88) 58 B 5
Lesson (85) 114 A 2
Lessy (57) 20 D 5
Lestanville (76) 13 F 3
Lestards (19) 131 E 5
Lestelle-Bétharram (64) 204 A 1
Lestelle-de-St-Martory (31) 205 H 2
Lesterps (16) 129 F 1
Lestiac-sur-Garonne (33) 155 G 2
Lestiou (41) 88 A 1
Lestonan (29) 61 H 2
Lestrade-et-Thouels (12) 175 H 3
Lestre (50) 23 E 4
Lestrem (62) 3 H 5
Létanne (08) 19 F 4
Léthuin (28) 50 C 5
Letia (2A) 216 C 3
Létra (69) 135 F 1
Létrade (23) 132 B 2
Létricourt (54) 37 E 5
Letteguives (27) 29 H 1
Lettrée (51) 54 A 1
Lettret (05) 166 B 4
Le Letty (29) 61 G 4
Leubringhen (62) 2 B 3
Leuc (11) 208 B 1
Leucamp (15) 160 A 2
Leucate (11) 209 F 3
Leucate-Plage (11) 209 F 4
Leuchey (52) 75 G 5
Leudeville (91) 51 F 3
Leudon-en-Brie (77) 52 C 2
Leuglay (21) 75 E 5
Leugny (86) 102 D 3
Leugny (89) 90 D 1
Leuhan (29) 62 A 3
Leuilly-sous-Coucy (02) 16 D 5
Leulinghem (62) 3 E 4
Leulinghen-Bernes (62) 2 B 3
Leurville (52) 55 H 5
Leury (02) 32 D 1
Leutenheim (67) 39 G 5
Leuville-sur-Orge (91) 51 E 3
Leuvrigny (51) 33 F 4
Le Leuy (40) 169 H 5
Leuze (02) 10 A 5
La Levade (30) 177 H 2
Levainville (28) 50 B 4
Leval (59) 9 G 4
Leval (90) 78 B 5
Levallois-Perret (92) 31 F 5
Levaré (53) 46 C 4
Levécourt (52) 76 A 2
Levens (06) 183 F 4
Levergies (02) 16 D 1
Levernois (21) 109 E 2
Lèves (28) 50 A 4
Les Lèves-et-Thoumeyragues (33) 156 B 2
Levesville-la-Chenard (28) 70 C 1
Levet (18) 105 F 3
Levie (2A) 219 E 2
Levier (25) 111 E 2
Lévignac (31) 189 E 2
Lévignac-de-Guyenne (47) 156 B 3
Lévignacq (40) 168 D 3
Lévignen (60) 32 A 3
Lévigny (10) 74 D 1
Levis (89) 90 D 1
Lévis-St-Nom (78) 50 D 2
Levoncourt (55) 55 H 1
Levoncourt (68) 97 F 2
Levroux (36) 104 A 2
Lewarde (59) 8 D 3
Lexos (82) 174 C 3
Lexy (54) 20 B 2
Ley (57) 57 G 1
Leychert (09) 207 F 3
Leyme (46) 159 E 2
Leymen (68) 97 G 2
Leyment (01) 136 D 1
Leynes (71) 122 B 4
Leynhac (15) 159 H 2
Leyr (54) 57 E 1
Leyrat (23) 118 C 3
Leyrieu (38) 136 D 3
Leyritz-Moncassin (47) 171 H 1
Leyssard (01) 123 F 4
Leyvaux (15) 147 E 2
Leyviller (57) 37 H 4
Lez (31) 205 G 3
Lez-Fontaine (59) 10 A 2
Lézan (30) 178 A 4
Lézardrieux (22) 43 F 2
Lézat (39) 124 A 1
Lézat-sur-Lèze (09) 189 F 5
Lezay (79) 114 D 4
Lezennes (59) 4 C 4
Lezéville (52) 55 H 4
Lezey (57) 57 G 1
Lézignan (65) 204 B 2
Lézignan-Corbières (11) 209 E 1
Lézignan-la-Cèbe (34) 192 C 3
Lézigné (49) 85 F 1
Lézigneux (42) 134 D 5
Lézinnes (89) 73 H 5
Lezoux (63) 133 G 3
Lhéraule (60) 14 D 5
Lherm (31) 189 E 4
Lherm (46) 158 A 4
Lhéry (51) 33 F 3
Lhez (65) 204 D 1
Lhommaizé (86) 115 H 2
Lhomme (72) 86 C 1
Lhôpital (01) 123 H 5
Lhor (57) 38 A 5
Lhospitalet (46) 173 H 1
Lhoumois (79) 101 G 5
Lhuis (01) 137 F 3
Lhuître (10) 54 A 3
Lhuys (02) 33 E 2
Liac (65) 187 E 4
Liancourt (60) 31 G 2
Liancourt-Fosse (80) 16 A 3
Liancourt-St-Pierre (60) 30 C 2
Liart (08) 18 B 3
Lias (32) 188 D 3
Lias-d'Armagnac (32) 171 F 5
Liausson (34) 192 C 2
Libaros (65) 187 G 5
Libercourt (62) 4 C 5
Libermont (60) 16 B 3
Libourne SP (33) 141 H 5
Librecy (08) 18 B 3
Licey-sur-Vingeanne (21) 93 H 3
Lichans-Sunhar (64) 203 E 1
Lichères (16) 128 C 2
Lichères-près-Aigremont (89) 91 E 3
Lichères-sur-Yonne (89) 91 E 3
Lichos (64) 185 G 5
Lichtenberg (67) 38 D 4
Licourt (80) 16 B 2
Licq-Athérey (64) 203 E 2
Licques (62) 2 C 4
Licy-Clignon (02) 32 C 4
Lidrezing (57) 37 H 5
Liebenswiller (68) 97 G 2
Liebsdorf (68) 97 F 2
Liebvillers (25) 96 C 4
Liederschiedt (57) 38 D 2
Lieffrans (70) 94 D 2
Le Liège (37) 87 F 5
Liéhon (57) 37 E 4
Liencourt (62) 7 H 3
Lieoux (31) 205 G 1
Liépvre (68) 58 C 5
Liéramont (80) 16 B 1
Liercourt (80) 6 D 5
Lières (62) 7 G 1
Liergues (69) 135 G 1
Liernais (21) 92 B 5
Liernolles (03) 120 D 3
Lierval (02) 17 F 5
Lierville (60) 30 C 3
Lies (65) 204 D 2
Liesle (25) 110 C 1
Liesse-Notre-Dame (02) 17 G 4
Liessies (59) 10 A 3
Liesville-sur-Douve (50) 23 E 5
Liettres (62) 3 F 5
Lieu-St-Amand (59) 9 E 3
Lieuche (06) 182 D 3
Lieucourt (70) 94 B 4
Lieudieu (38) 150 D 1

A B C D E F G H I J K L M N O P Q R S T U V W X Y Z

Localité *(Département)*　Page　Coordonnées

A B C D E F G H I J K L M N O P Q R S T U V W X Y Z

Lieurac (09) .... 207 F 3
Lieuran-Cabrières (34) ... 192 C 2
Lieuran-lès-Béziers (34) ... 192 B 4
Lieurey (27) .... 28 C 2
Lieuron (35) .... 64 D 4
Lieury (14) .... 27 H 4
Lieusaint (50) .... 22 D 4
Lieusaint (77) .... 51 G 3
Lieutadès (15) .... 160 D 1
Lieuvillers (60) .... 15 G 5
Liévans (70) .... 95 F 1
Liévin (62) .... 4 A 5
Lièvremont (25) .... 111 G 2
Liez (02) .... 16 D 3
Liez (85) .... 113 H 2
Liézey (88) .... 78 A 2
Liffol-le-Grand (88) .... 56 A 5
Liffol-le-Petit (52) .... 56 A 5
Liffré (35) .... 65 G 1
Ligardes (32) .... 172 A 3
Ligescourt (80) .... 6 D 3
Liginiac (19) .... 145 H 1
Liglet (86) .... 116 C 2
Lignac (36) .... 116 D 2
Lignairolles (11) ...... 207 H 2
Lignan-de-Bazas (33) ... 155 G 5
Lignan-de-Bordeaux (33) ... 155 F 1
Lignan-sur-Orb (34) .... 192 B 4
Lignane (13) .... 195 H 2
Lignareix (19) .... 131 H 5
Ligné (16) .... 128 B 2
Ligné (44) .... 83 G 3
Lignères (61) .... 48 B 2
Lignereuil (62) .... 7 H 3
Lignerolles (03) .... 118 D 4
Lignerolles (21) .... 75 E 4
Lignerolles (27) .... 49 H 1
Lignerolles (36) .... 118 B 2
Lignerolles (61) .... 48 C 3
Lignéville (88) .... 76 C 1
Ligneyrac (19) .... 144 C 4
Lignières (10) .... 73 H 4
Lignières (18) .... 105 E 4
Lignières (41) .... 69 G 5
Lignières (80) .... 15 H 4
Lignières-Châtelain (80) ... 14 D 3
Lignières-de-Touraine (37) ... 86 B 4
Lignières-en-Vimeu (80) ... 14 C 1
Lignières-la-Carelle (72) ... 48 A 4
Lignières-Orgères (53) ... 47 G 3
Lignières-Sonneville (16) ... 127 F 5
Lignières-sur-Aire (55) ... 55 H 1
Lignol (56) .... 62 D 3
Lignol-le-Château (10) ... 75 E 1
Lignon (51) .... 54 C 3
Lignorelles (89) .... 73 F 5
Lignou (61) .... 47 F 2
Ligny-en-Barrois (55) ... 55 H 2
Ligny-en-Brionnais (71) ... 121 F 4
Ligny-en-Cambrésis (59) ... 9 E 5
Ligny-le-Châtel (89) .... 73 F 4
Ligny-le-Ribault (45) ... 88 C 1
Ligny-lès-Aire (62) ..... 7 G 1
Ligny-St-Flochel (62) ... 7 G 2
Ligny-sur-Canche (62) ... 7 F 3
Ligny-Thilloy (62) ...... 8 B 5
Ligré (37) .... 102 A 1
Ligron (72) .... 67 H 5
Ligsdorf (68) .... 97 F 2
Liguell (37) .... 103 E 2
Ligueux (24) .... 143 F 2
Ligueux (33) .... 156 C 2
Ligugé (86) .... 115 F 1
Lihons (80) .... 16 A 2
Lihus (60) .... 15 E 4
Les Lilas (93) .... 51 F 1
Lilhac (31) .... 188 B 5
Lille Ⓡ (59) .... 4 C 3
Lillebonne (76) .... 12 D 5
Lillemer (35) .... 45 E 3
Lillers (62) .... 7 H 1
Lilly (27) .... 30 A 1
Limalonges (79) .... 115 E 5
Limans (04) .... 180 C 3
Limanton (58) .... 107 F 2
Limas (69) .... 135 H 2
Limay (78) .... 30 B 5
Limbrassac (09) .... 207 G 3
Limbre (86) .... 102 A 5
Limé (02) .... 33 E 2
Limeil-Brévannes (94) ... 51 G 2
Limendous (64) .... 186 D 5
Limeray (37) .... 87 F 3
Limersheim (67) .... 59 E 3
Limerzel (56) .... 82 B 1
Limésy (76) .... 13 F 4
Limetz-Villez (78) ...... 30 A 4
Limeuil (24) .... 157 G 1
Limeux (18) .... 104 D 2
Limeux (80) .... 6 D 5
Limey-Remenauville (54) ... 36 C 5
Limeyrat (24) .... 143 G 3
Limoges Ⓡ (87) .... 130 A 3
Limoges-Fourches (77) ... 51 H 3
Limogne-en-Quercy (46) ... 158 D 5
Limoise (03) .... 106 B 5
Limon (58) .... 106 D 2
Limonest (69) .... 135 H 2

Limons (63) .... 133 H 1
Limont-Fontaine (59) .... 9 H 4
Limony (07) .... 149 G 2
Limours (91) .... 50 D 3
Limousis (11) .... 191 E 5
Limoux ⬖ (11) .... 208 A 2
La Limouzinière (44) .... 99 F 2
La Limouzinière (85) .... 99 G 5
Limpiville (76) .... 12 D 3
Linac (46) .... 159 G 3
Linard (23) .... 117 H 3
Linards (87) .... 130 C 4
Linars (16) .... 128 B 4
Linas (91) .... 51 E 3
Linay (08) .... 19 G 4
Linazay (86) .... 115 E 4
Lincel (04) .... 180 C 4
Linchamps (08) .... 11 E 5
Lincheux-Hallivillers (80) ... 14 D 2
Lindebeuf (76) .... 13 F 3
Le Lindois (16) .... 129 E 3
Lindre-Basse (57) .... 57 H 1
Lindre-Haute (57) .... 37 H 5
Lindry (89) .... 72 D 5
Linexert (70) .... 77 G 5
Lingé (36) .... 103 F 4
Lingeard (50) .... 46 B 1
Lingèvres (14) .... 26 D 3
Linghem (62) .... 3 F 5
Lingolsheim (67) .... 59 F 2
Lingreville (50) .... 24 D 4
Linguizzetta (2B) ...... 217 G 2
La Linière (85) .... 98 B 1
Linières-Bouton (49) ... 85 H 3
Liniers (86) .... 115 H 1
Liniez (36) .... 104 B 2
Linsdorf (68) .... 97 G 2
Linselles (59) .... 4 C 3
Linthal (68) .... 78 C 3
Linthelles (51) .... 53 G 2
Linthes (51) .... 53 G 2
Lintot (76) .... 12 D 4
Lintot-les-Bois (76) .... 13 G 2
Linxe (40) .... 168 D 4
Liny-devant-Dun (55) ... 35 G 1
Linzeux (62) .... 7 F 3
Liocourt (57) .... 37 E 5
Liomer (80) .... 14 C 2
Le Lion-d'Angers (49) ... 84 C 1
Lion-devant-Dun (55) ... 35 G 1
Lion-en-Beauce (45) .... 70 C 2
Lion-en-Sullias (45) ... 89 G 1
Lion-sur-Mer (14) .... 27 F 2
Liorac-sur-Louyre (24) ... 157 E 1
Le Lioran (15) .... 146 C 4
Liouc (30) .... 177 H 5
Lioujas (12) .... 160 B 5
Liourdres (19) .... 159 E 1
Lioux (84) .... 180 A 4
Lioux-les-Monges (23) ... 132 A 2
Liposthey (40) .... 169 F 1
Lipsheim (67) .... 59 F 3
Lirac (30) .... 179 E 3
Liré (49) .... 84 A 4
Lironcourt (88) .... 76 C 3
Lironville (54) .... 36 C 5
Liry (08) .... 34 C 2
Lisbourg (62) .... 7 F 1
Liscia (Golfe de la) (2A) ... 216 C 4
Lisieux ⬖ (14) .... 28 A 3
Lisle (24) .... 143 E 2
Lisle (41) .... 69 G 5
Lisle-en-Barrois (55) ... 35 F 5
Lisle-en-Rigault (55) ... 55 F 2
Lisle-sur-Tarn (81) .... 174 B 5
Lislet (02) .... 17 H 3
Lison (14) .... 25 G 2
Lisores (14) .... 28 A 5
Lisors (27) .... 30 A 1
Lissac (09) .... 189 G 5
Lissac (43) .... 148 A 4
Lissac-et-Mouret (46) ... 159 F 3
Lissac-sur-Couze (19) ... 144 B 4
Lissay-Lochy (18) ...... 105 F 3
Lisse (47) .... 171 H 3
Lisse-en-Champagne (51) ... 54 C 1
Lisses (91) .... 51 F 3
Lisseuil (63) .... 132 D 1
Lissey (55) .... 35 G 1
Lissieu (69) .... 135 H 2
Lissy (77) .... 51 H 3
Listrac-de-Durèze (33) ... 156 A 2
Listrac-Médoc (33) ..... 140 D 4
Lit-et-Mixe (40) .... 168 D 3
Lithaire (50) .... 24 D 1
Litteau (14) .... 25 G 3
Littenheim (67) .... 58 D 1
Litz (60) .... 31 F 1
Livaie (61) .... 47 H 4
Livarot-Pays-d'Auge (14) ... 28 A 4
Liverdun (54) .... 56 D 1
Liverdy-en-Brie (77) ... 51 H 2
Livernon (46) .... 159 E 3
Livers-Cazelles (81) ... 174 C 3
Livet (53) .... 67 E 2
Livet-en-Saosnois (72) ... 48 A 5
Livet-et-Gavet (38) .... 152 A 3
Livet-sur-Authou (27) ... 28 D 2
Livilliers (95) .... 30 D 4
Livinhac-le-Haut (12) ... 159 G 4
La Livinière (34) ...... 191 F 5

Livré-la-Touche (53) .... 66 B 4
Livré-sur-Changeon (35) ... 65 H 1
Livron (64) .... 186 D 5
Livron-sur-Drôme (26) ... 163 H 2
Livry (14) .... 25 H 3
Livry (58) .... 106 B 4
Livry-Gargan (93) ...... 31 G 5
Livry-Louvercy (51) .... 34 A 3
Livry-sur-Seine (77) ... 51 H 4
Lixhausen (67) .... 39 E 5
Lixheim (57) .... 58 B 1
Lixing-lès-Rouhling (57) ... 38 A 2
Lixing-lès-St-Avold (57) ... 37 H 3
Lixy (89) .... 72 B 1
Lizac (82) .... 173 F 3
Lizant (86) .... 115 F 5
Lizeray (36) .... 104 C 2
Lizières (23) .... 117 F 4
Lizine (25) .... 110 D 1
Lizines (77) .... 52 C 4
Lizio (56) .... 64 A 4
Lizos (65) .... 187 F 5
Lizy (02) .... 17 E 5
Lizy-sur-Ourcq (77) .... 32 B 4
La Llagonne (66) .... 211 H 4
Llauro (66) .... 212 D 3
Llo (66) .... 211 H 4
Llupia (66) .... 213 E 3
Lobsann (67) .... 39 F 4
Loc-Brévalaire (29) ..... 41 F 3
Loc-Eguiner (29) .... 41 H 3
Loc-Eguiner-St-Thégonnec (29) ... 41 H 4
Loc-Envel (22) .... 42 D 4
Locarn (22) .... 62 D 1
Loché-sur-Indrois (37) ... 103 G 1
Loches ⬖ (37) .... 103 F 1
Loches-sur-Ource (10) ... 74 C 3
Le Locheur (14) .... 27 E 3
Lonçon (64) .... 186 B 3
Lochieu (01) .... 137 G 1
Lochwiller (67) .... 58 D 1
Locmalo (56) .... 63 E 3
Locmaria (22) .... 42 D 4
Locmaria (Belle-Ile) (56) ... 81 E 5
Locmaria (Ile de Groix) (56) ... 80 C 2
Locmaria-Berrien (29) ... 42 B 5
Locmaria-Grand-Champ (56) ... 81 G 1
Locmaria-Plouzané (29) ... 40 D 4
Locmariaquer (56) ...... 81 F 3
Locmélar (29) .... 41 H 4
Locminé (56) .... 63 G 5
Locmiquélic (56) .... 80 D 1
Locoal-Mendon (56) ..... 81 E 1
Locon (62) .... 4 A 4
Loconville (60) .... 30 C 2
Locqueltas (56) .... 81 G 1
Locquémeau (22) .... 42 C 2
Locquénolé (29) .... 42 A 3
Locquignol (59) .... 9 G 4
Locquinghen (62) .... 2 B 3
Locquirec (29) .... 42 B 2
Locronan (29) .... 61 G 2
Loctudy (29) .... 61 G 4
Locunolé (29) .... 62 C 4
Loddes (03) .... 120 D 3
Lodes (31) .... 205 G 1
Lodève ⬖ (34) .... 192 B 1
Lods (25) .... 111 F 1
Lœuilley (70) .... 93 H 3
Lœuilly (80) .... 15 E 3
Loffre (59) .... 8 D 2
La Loge (42) .... 7 E 2
La Loge (84) .... 180 A 3
La Loge-aux-Chèvres (10) ... 74 B 1
La Loge des Gardes (03) ... 134 B 1
Loge-Fougereuse (85) ... 100 C 5
La Loge-Pomblin (10) ... 73 H 3
Logelheim (68) .... 79 F 2
Le Logeo (56) .... 81 G 3
Les Loges (14) .... 25 H 4
Les Loges (52) .... 76 A 5
Les Loges (72) .... 68 C 3
Les Loges-en-Josas (78) ... 51 E 2
Les Loges-Marchis (50) ... 46 B 3
Les Loges-Margueron (10) ... 73 H 4
Les Loges-Saulces (14) ... 27 F 5
Les Loges-sur-Brécey (50) ... 46 A 1
Les Logis (13) .... 196 A 2
Le Logis-du-Pin (06) ... 182 B 5
Le Logis-Neuf (01) ..... 122 D 4
Le Logis-Neuf (26) ..... 163 H 2
Lognes (77) .... 51 H 1
Logny-Bogny (08) .... 18 B 2
Logny-lès-Aubenton (02) ... 10 B 5
Logny-lès-Chaumont (08) ... 18 A 4
Logonna-Daoulas (29) ... 41 F 5
Logonna-Quimerch (29) ... 41 G 5
Logrian-Florian (30) ... 177 H 4
Logron (28) .... 69 G 2
Loguivy-de-la-Mer (22) ... 43 F 1
Loguivy-lès-Lannion (22) ... 42 C 2
Loguivy-Plougras (22) ... 42 C 4
Lohéac (35) .... 64 D 4
Lohitzun-Oyhercq (64) ... 185 F 5
Lohr (67) .... 38 C 5
Lohuec (22) .... 42 C 4
Loigné-sur-Mayenne (53) ... 66 C 4
Loigny-la-Bataille (28) ... 70 B 2
Loiré (17) .... 113 F 4
Loiré (49) .... 84 B 1
Loire-les-Marais (17) ... 126 D 1
Loiré-sur-Nie (17) ..... 127 H 1

Loire-sur-Rhône (69) ... 135 H 5
Loiron-Ruillé (53) ..... 66 B 2
Loisail (61) .... 48 C 4
Loisey-Culey (55) ...... 55 G 1
Loisia (39) .... 123 F 1
Loisieux (73) .... 137 G 4
Loisin (74) .... 124 C 3
Loison (55) .... 20 B 4
Loison-sous-Lens (62) ... 4 B 5
Loison-sur-Créquoise (62) ... 6 D 2
Loisy (54) .... 36 D 5
Loisy (71) .... 122 C 1
Loisy-en-Brie (51) ..... 53 G 5
Loisy-sur-Marne (51) ... 54 C 1
Loivre (51) .... 33 H 1
Loix (17) .... 112 C 4
Loizé (79) .... 114 D 5
Lolif (50) .... 45 H 1
Lolme (24) .... 157 G 2
Lombard (25) .... 110 C 1
Lombard (39) .... 110 A 4
Lombers (81) .... 190 C 1
Lombez (32) .... 188 C 3
Lombia (64) .... 186 D 5
Lombrès (65) .... 205 F 2
Lombreuil (45) .... 71 H 4
Lombron (72) .... 68 B 3
Lomener (56) .... 80 C 1
Lomme (59) .... 4 C 3
Lommerange (57) .... 20 D 4
Lommoye (78) .... 30 A 5
Lomné (65) .... 204 D 2
Lomont (70) .... 95 H 1
Lomont-sur-Crête (25) ... 95 G 4
Lompnas (01) .... 137 F 2
Lompnieu (01) .... 137 G 1
Lompret (59) .... 4 C 3
La Londe (76) .... 29 F 2
La Londe-les-Maures (83) ... 201 G 3
Londigny (16) .... 115 E 5
Londinières (76) .... 14 A 2
Long (80) .... 7 E 5
Longages (31) .... 189 E 4
Longaulnay (35) .... 44 D 5
Longavesnes (80) .... 16 C 1
Longchamp (21) .... 93 H 5
Longchamp (52) .... 75 H 2
Longchamp (73) .... 152 C 1
Longchamp (88) .... 77 G 1
Longchamp-sous-Châtenois (88) ... 56 C 5
Longchamps (02) .... 17 E 1
Longchamps (27) .... 30 B 1
Longchamps-sur-Aire (55) ... 35 G 5
Longchaumois (39) ...... 124 A 2
Longcochon (39) .... 111 E 4
Longeau (52) .... 75 H 5
Longeault (21) .... 93 H 5
Longeaux (55) .... 55 H 2
Longechaux (25) .... 95 G 5
Longechenal (38) .... 151 E 1
Longecourt-en-Plaine (21) ... 93 G 5
Longecourt-lès-Culêtre (21) ... 108 C 1
Longefoy (73) .... 139 E 4
Longemaison (25) .... 111 G 1
Longepierre (71) .... 109 G 3
Le Longeron (49) .... 100 A 2
Longes (69) .... 135 H 5
Longessaigne (69) ...... 135 F 3
Longevelle (70) .... 95 G 1
Longevelle-lès-Russey (25) ... 95 H 5
Longevelle-sur-Doubs (25) ... 95 H 3
Longèves (17) .... 113 F 4
Longèves (85) .... 113 G 1
La Longeville (25) ..... 111 G 2
Longeville (25) .... 111 F 1
Longeville-en-Barrois (55) ... 55 G 2
Longeville-lès-Metz (57) ... 36 D 3
Longeville-lès-St-Avold (57) ... 21 H 5
Longeville-sur-la-Laines (52) ... 54 D 4
Longeville-sur-Mer (85) ... 112 C 2
Longeville-sur-Mogne (10) ... 73 H 2
Longevilles-Mont-d'Or (25) ... 111 F 4
Longfossé (62) .... 2 C 5
La Longine (70) .... 77 G 4
Longjumeau (91) .... 51 F 2
Longlaville (54) .... 20 C 2
Longmesnil (76) .... 14 B 4
Longnes (72) .... 68 A 5
Longnes (78) .... 30 A 5
Longny-au-Perche (61) ... 48 D 4
Longpont (02) .... 32 C 2
Longpont-sur-Orge (91) ... 51 F 3
Longpré-le-Sec (10) .... 74 C 2
Longpré-les-Corps-Saints (80) ... 14 D 1
Longraye (14) .... 26 D 3
Longré (16) .... 128 A 1
Longroy (76) .... 14 B 1
Longsols (10) .... 54 A 4
Longué (49) .... 85 G 4
Longueau (80) .... 15 G 2
Longuefuye (53) .... 66 D 4
Longueil (76) .... 13 F 2
Longueil-Annel (60) .... 16 A 5
Longueil-Ste-Marie (60) ... 31 H 1
Longuenesse (62) .... 3 E 4
Longuenoë (61) .... 47 H 4
Longuerue (76) .... 13 H 5

Longues (63) .... 133 F 4
Longues-sur-Mer (14) ... 26 D 1
Longuesse (95) .... 30 C 4
Longueval (80) .... 8 B 5
Longueval-Barbonval (02) ... 33 F 1
Longueville (14) .... 23 G 5
Longueville (47) .... 156 B 5
Longueville (50) .... 24 C 5
Longueville (62) .... 2 C 4
La Longueville (59) ..... 9 H 3
Longueville-sur-Aube (10) ... 53 G 3
Longueville-sur-Scie (76) ... 13 G 2
Longuevillette (80) ..... 7 G 5
Longuyon (54) .... 20 A 3
Longvic (21) .... 93 F 4
Longvillers (14) .... 26 D 4
Longvilliers (62) .... 6 C 1
Longvilliers (78) ...... 50 D 3
Longwé (08) .... 34 D 1
Longwy (54) .... 20 B 2
Lonlay-l'Abbaye (61) ... 46 D 2
Lonlay-le-Tesson (61) ... 47 F 2
Lonnes (16) .... 128 B 1
Lonny (08) .... 18 C 2
Lonrai (61) .... 47 H 4
Lons (64) .... 186 B 5
Lons-le-Saunier Ⓟ (39) ... 110 B 5
Lonzac (17) .... 127 G 4
Le Lonzac (19) .... 144 D 1
Looberghe (59) .... 3 E 3
Loon-Plage (59) .... 3 E 2
Loos (59) .... 4 C 4
Loos-en-Gohelle (62) ... 4 A 5
Looze (39) .... 72 D 3
Lopérec (29) .... 41 H 5
Loperhet (29) .... 41 F 4
Lopigna (2A) .... 216 C 4
Loqueffret (29) .... 62 A 1
Lor (02) .... 17 H 5
Loray (25) .... 95 G 5
Lorcières (15) .... 147 F 5
Lorcy (45) .... 71 G 3
Lordat (09) .... 207 F 5
Loré (61) .... 47 E 4
Lorentzen (67) .... 38 B 4
Loreto-di-Casinca (2B) ... 215 G 5
Loreto-di-Tallano (2A) ... 219 E 2
Lorette (42) .... 135 G 5
Le Loreur (50) .... 24 D 5
Loreux (41) .... 88 C 4
Lorey (54) .... 29 H 5
Le Lorey (50) .... 25 E 3
Lorey (54) .... 57 E 3
Lorges (41) .... 70 A 5
Lorgies (62) .... 4 A 4
Lorgues (83) .... 197 F 3
Lorient ⬖ (56) .... 80 D 1
Loriges (03) .... 120 A 4
Lorignac (17) .... 141 E 1
Lorigné (79) .... 115 E 5
Loriol-du-Comtat (84) ... 179 G 3
Loriol-sur-Drôme (26) ... 163 H 2
Lorlanges (43) .... 147 F 2
Lorleau (27) .... 30 A 1
Lormaison (60) .... 31 E 2
Lormaye (28) .... 50 A 3
Lormes (58) .... 91 G 5
Lormont (33) .... 155 F 1
Lornay (74) .... 137 H 1
Loromontzey (54) .... 57 F 4
Le Loroux (35) .... 46 B 4
Le Loroux-Bottereau (44) ... 83 G 5
Lorp-Sentaraille (09) ... 206 B 2
Lorquin (57) .... 58 A 2
Lorrez-le-Bocage-Préaux (77) ... 72 A 1
Lorris (45) .... 71 G 4
Lorry-lès-Metz (57) .... 21 E 5
Lorry-Mardigny (57) .... 36 D 4
Lortet (65) .... 205 E 2
Loscouët-sur-Meu (22) ... 64 B 1
Losne (21) .... 109 H 1
Losse (40) .... 171 F 3
Lostanges (19) .... 144 D 2
Lostroff (57) .... 37 H 5
Lothey (29) .... 61 H 2
Lothiers (36) .... 104 A 5
Lottinghen (62) .... 2 C 5
Louailles (72) .... 67 F 5
Louan (77) .... 53 E 3
Louannec (22) .... 42 C 2
Louans (37) .... 102 D 1
Louargat (22) .... 42 D 4
Louâtre (02) .... 32 C 2
Loubajac (65) .... 204 B 1
Loubaresc (07) .... 162 C 3
Loubaut (09) .... 206 C 1
Loubédat (32) .... 187 E 1
Loubejac (24) .... 157 H 4
Loubens (09) .... 207 E 2
Loubens (33) .... 156 A 3
Loubens-Lauragais (31) ... 189 H 3
Loubers (81) .... 174 C 3
Loubersan (32) .... 187 H 3
Loubès-Bernac (47) ..... 156 C 2
Loubeyrat (63) .... 133 E 2
Loubieng (64) .... 185 H 3
La Loubière (12) .... 175 H 1

Loubières (09) .... 207 E 3
Loubigné (79) .... 114 D 5
Loubillé (79) .... 114 D 5
Loublande (79) .... 100 B 2
Loubressac (46) .... 159 E 1
Loucé (61) .... 47 G 2
Loucelles (14) .... 27 E 2
Louchats (33) .... 155 E 4
Louches (62) .... 2 D 3
Louchy-Montfand (03) ... 119 H 3
Loucrup (65) .... 204 C 1
Loudéac (22) .... 63 G 2
Loudenvielle (65) ...... 205 E 4
Loudervielle (65) ...... 205 E 4
Loudes (43) .... 148 A 4
Loudet (31) .... 205 F 1
Loudrefing (57) .... 38 A 5
Loudun (86) .... 101 H 2
Loué (72) .... 67 G 3
Louens (33) .... 141 E 5
Louer (40) .... 185 G 1
Louerre (49) .... 85 F 4
Louesme (21) .... 74 D 4
Louesme (89) .... 72 C 5
Louestault (37) .... 86 D 2
Loueuse (60) .... 14 C 4
Louey (65) .... 204 C 1
Lougé-sur-Maire (61) ... 47 G 2
Lougratte (47) .... 157 E 4
Lougres (25) .... 95 H 2
Louhans-Châteaurenaud ⬖ (71) ... 109 H 5
Louhossoa (64) .... 184 D 4
Louignac (19) .... 144 A 3
Louin (79) .... 101 G 4
Louisfert (44) .... 83 G 1
Louit (65) .... 187 F 5
Loulans-Verchamp (70) ... 95 E 3
Loulay (17) .... 114 A 5
Loulle (39) .... 110 D 4
La Loupe (28) .... 49 F 4
Loupeigne (02) .... 33 E 2
Loupershouse (57) ...... 38 A 3
Loupes (33) .... 155 G 1
Loupfougères (53) ...... 47 F 5
Loupia (11) .... 207 H 2
Loupiac (12) .... 159 F 4
Loupiac (15) .... 145 H 4
Loupiac (33) .... 155 G 3
Loupiac (46) .... 158 B 2
Loupiac (81) .... 174 B 5
Loupiac-de-la-Réole (33) ... 156 A 4
Loupian (34) .... 192 D 4
Louplande (72) .... 67 H 4
Loupmont (55) .... 36 B 5
Louppy-le-Château (55) ... 35 F 5
Louppy-sur-Chée (55) ... 35 F 5
Louppy-sur-Loison (55) ... 19 H 5
La Louptière-Thénard (10) ... 52 D 5
Lourches (59) .... 9 E 3
Lourde (31) .... 205 G 3
Lourdes (65) .... 204 B 2
Lourdoueix-St-Michel (36) ... 117 G 2
Lourdoueix-St-Pierre (23) ... 117 H 2
Lourenties (64) .... 186 D 5
Loures-Barousse (65) ... 205 F 2
Louresse-Rochemenier (49) ... 85 F 5
Lourmarin (84) .... 195 H 1
Lournand (71) .... 122 A 2
Lourouer-St-Laurent (36) ... 118 A 4
Le Louroux (37) .... 102 D 1
Le Louroux-Béconnais (49) ... 84 B 2
Louroux-Bourbonnais (03) ... 119 F 1
Louroux-de-Beaune (03) ... 119 F 4
Louroux-de-Bouble (03) ... 119 G 4
Lourquen (40) .... 185 H 2
Lourties-Monbrun (32) ... 187 H 4
Loury (45) .... 70 D 3
Louslitges (32) .... 187 F 2
Loussous-Débat (32) .... 187 E 2
Loutehel (35) .... 64 C 3
Loutzviller (57) .... 38 C 2
Louvagny (14) .... 27 H 5
Louvaines (49) .... 84 C 1
Louvatange (39) .... 94 B 5
Louvemont (52) .... 55 E 3
Louvemont-Côte-du-Poivre (55) ... 35 H 2
Louvencourt (80) .... 7 H 5
Louvenne (39) .... 123 F 2
Louvergny (08) .... 18 D 4
Louverné (53) .... 66 D 2
Le Louverot (39) .... 110 B 4
Louversey (27) .... 29 F 5
Louvetot (76) .... 13 E 4
Louvie-Juzon (64) ...... 203 H 2
Louvie-Soubiron (64) ... 203 H 2
La Louvière-Lauragais (11) ... 189 H 5
Louvières (14) .... 23 G 5
Louvières (52) .... 75 H 3
Louvières-en-Auge (61) ... 27 H 5
Louviers (27) .... 29 G 3
Louvigné (53) .... 66 D 3
Louvigné-de-Bais (35) ... 65 H 2
Louvigné-du-Désert (35) ... 46 A 4
Louvignies-Quesnoy (59) ... 9 F 4
Louvigny (14) .... 27 F 3
Louvigny (57) .... 57 E 5
Louvigny (64) .... 186 B 3

Louvigny (72)......48 A 5
Louvil (59)......4 D 4
Louville-la-Chenard (28)......70 C 1
Louvilliers-en-Drouais (28)......49 H 2
Louvilliers-lès-Perche (28)......49 F 3
Louvois (51)......33 H 4
Louvrechy (80)......15 G 3
Louvres (95)......31 G 4
Louvroil (59)......9 H 3
Louye (27)......49 H 1
Louzac-St-André (16)......127 G 3
Louze (52)......54 D 4
Louzes (72)......48 B 4
Louzignac (17)......127 H 2
Louzouer (45)......72 A 3
Louzy (79)......101 F 2
Lovagny (74)......138 A 1
Loyat (56)......64 B 3
La Loye (39)......110 B 2
Loye-sur-Arnon (18)......105 F 5
La Loyère (71)......109 E 3
Loyettes (01)......136 D 3
Lozanne (69)......135 G 2
Lozari (2B)......214 D 4
Lozay (17)......114 A 5
Loze (82)......174 B 1
Lozinghem (62)......7 H 1
Lozon (50)......25 E 3
Lozzi (2B)......216 D 2
Luant (36)......104 A 5
Le Luart (72)......68 C 3
Lubbon (40)......171 F 3
Lubécourt (57)......37 G 5
Lubersac (19)......144 B 1
Lubey (54)......20 C 4
Lubilhac (43)......147 F 3
Lubine (88)......58 C 5
Lublé (37)......86 A 3
Lubret-St-Luc (65)......187 G 5
Luby-Betmont (65)......187 G 5
Luc (48)......162 B 3
Luc (65)......204 D 1
Le Luc (83)......197 F 4
Luc-Armau (64)......186 D 4
Luc-en-Diois (26)......165 F 3
Luc-la-Primaube (12)......175 G 1
Luc-sur-Aude (11)......208 A 3
Luc-sur-Mer (14)......27 F 2
Luc-sur-Orbieu (11)......209 E 1
Lucarré (64)......186 D 4
Luçay-le-Libre (36)......104 C 1
Luçay-le-Mâle (36)......103 H 1
Lucbardez-et-Bargues (40)......170 D 4
Lucciana (2B)......215 G 5
Lucé (28)......50 A 4
Lucé (61)......46 D 3
Lucé-sous-Ballon (72)......68 A 1
Luceau (72)......86 B 1
Lucelle (68)......97 F 3
Lucenay (69)......135 H 2
Lucenay-le-Duc (21)......92 C 2
Lucenay-lès-Aix (58)......107 E 5
Lucenay-l'Évêque (71)......108 A 1
Lucéram (06)......183 F 4
La Lucerne-d'Outremer (50)......45 H 1
Lucey (21)......75 E 4
Lucey (54)......56 C 2
Lucey (73)......137 G 3
Lucgarier (64)......186 D 5
Luchapt (86)......116 A 4
Luchat (17)......127 E 3
Luché (17)......113 G 3
Luché-Pringé (72)......85 H 1
Luché-sur-Brioux (79)......114 C 5
Luché-Thouarsais (79)......101 F 3
Lucheux (80)......7 G 4
Luchy (60)......15 E 5
Lucinges (74)......124 D 4
Lucmau (33)......170 D 1
Luçon (85)......113 E 2
Lucq-de-Béarn (64)......185 H 5
Lucquy (08)......18 C 5
Les Lucs-sur-Boulogne (85)......99 F 3
Lucy (02)......17 E 2
Lucy (51)......33 G 5
Lucy (57)......37 F 4
Lucy (76)......14 A 3
Lucy-le-Bocage (02)......32 C 4
Lucy-le-Bois (89)......91 G 2
Lucy-sur-Cure (89)......91 F 2
Lucy-sur-Yonne (89)......91 E 3
Le Lude (72)......86 A 1
Ludes (51)......33 H 4
Ludesse (63)......133 F 5
Ludiès (09)......207 F 2
Ludon-Médoc (33)......141 E 5
Ludres (54)......57 G 2
Lüe (40)......169 F 1
Lué-en-Baugeois (49)......85 F 2
Luemschwiller (68)......97 F 1
Le Luet (28)......50 B 4
Lugagnac (46)......158 D 5
Lugaignac (33)......155 H 1
Lugan (12)......146 C 2
Lugan (81)......189 H 1
Lugarde (15)......146 C 2
Lugasson (33)......155 H 4
Le Luget (30)......179 E 2
Luglon (40)......169 G 3
Lugny (02)......17 G 3
Lugny (71)......122 B 2

Lugny-Bourbonnais (18)......105 H 3
Lugny-Champagne (18)......106 A 1
Lugny-lès-Charolles (71)......121 F 2
Lugo-di-Nazza (2B)......217 F 4
Lugon-et-l'Île-du-Carnay (33)......141 G 5
Lugos (33)......154 C 4
Lugrin (74)......125 F 2
Lugy (62)......7 F 1
Le Luhier (25)......95 H 5
Luigné (49)......85 E 4
Luigny (28)......69 F 1
Luisans (25)......111 H 1
Luisant (28)......50 A 5
Luitré (35)......46 A 5
Lullin (74)......125 E 3
Lully (74)......124 D 3
Lumbin (38)......151 H 2
Lumbres (62)......2 D 4
Lumeau (28)......70 C 2
Luméville-en-Ornois (55)......55 H 4
Lumières (84)......179 H 5
Lumigny (77)......52 A 2
Lumio (2B)......214 C 5
Lunac (12)......174 D 2
Lunan (46)......159 F 3
Lunas (24)......156 D 1
Lunas (34)......192 B 1
Lunax (31)......188 A 5
Lunay (41)......69 E 5
Luneau (03)......121 E 3
Lunegarde (46)......158 D 3
Lunel (34)......193 H 2
Lunel-Viel (34)......193 H 2
Luneray (76)......13 F 2
Lunery (18)......105 E 3
Lunéville ⬡ (54)......57 G 3
Le Luot (50)......45 H 1
Lupcourt (54)......57 E 2
Lupé (42)......149 G 1
Luperset (23)......131 H 1
Lupiac (32)......187 F 1
Luplanté (28)......69 H 1
Luppé-Violles (32)......186 D 1
Luppy (57)......37 E 4
Lupsault (16)......128 A 1
Lupstein (67)......58 D 1
Luquet (65)......186 D 5
Lurais (36)......103 E 5
Lurcy (01)......122 B 5
Lurcy-le-Bourg (58)......106 D 1
Lurcy-Lévis (03)......106 B 5
Luré (42)......134 C 2
Lure ⬡ (70)......95 G 1
Lureuil (36)......103 F 4
Luri (2B)......215 G 2
Luriecq (42)......148 C 1
Lurs (04)......180 D 4
Lury-sur-Arnon (18)......104 D 1
Lus-la-Croix-Haute (26)......165 H 2
Lusanger (44)......83 F 1
Lusans (25)......95 E 4
Luscan (31)......205 G 2
Lusignac (24)......142 C 1
Lusignan (86)......115 E 2
Lusignan-Petit (47)......172 B 1
Lusigny (03)......120 B 1
Lusigny-sur-Barse (10)......74 A 1
Lusigny-sur-Ouche (21)......108 D 1
Lussac (16)......128 D 2
Lussac (17)......127 F 5
Lussac (33)......142 A 5
Lussac-les-Châteaux (86)......116 A 2
Lussac-les-Églises (87)......116 D 3
Lussagnet (40)......186 C 1
Lussagnet-Lusson (64)......186 D 4
Lussan (30)......178 C 2
Lussan (32)......188 B 2
Lussan-Adeilhac (31)......188 C 5
Lussant (17)......126 D 1
Lussas (07)......163 F 3
Lussas-et-Nontronneau (24)......129 E 5
Lussat (23)......118 C 4
Lussat (63)......133 F 2
Lussault-sur-Loire (37)......87 E 4
Lusse (88)......58 B 5
Lusseray (79)......114 C 5
Lustar (65)......187 G 5
Luthenay-Uxeloup (58)......106 D 4
Lutilhous (65)......205 E 1
Luttange (57)......21 F 4
Luttenbach-près-Munster (68)......78 C 2
Lutter (68)......97 G 2
Lutterbach (68)......78 D 5
Lutz-en-Dunois (28)......69 H 3
Lutzelbourg (57)......58 C 1
Lutzelhouse (67)......58 C 3
Luvigny (88)......58 B 3
Lux (21)......93 G 3
Lux (31)......189 H 4
Lux (71)......109 E 4
Luxé (16)......128 B 2
Luxe-Sumberraute (64)......185 F 4
Luxémont-et-Villotte (51)......54 D 2
Luxeuil-les-Bains (70)......77 F 4
Luxey (40)......170 C 1
Luxiol (25)......95 F 3

Luyères (10)......54 A 5
Luynes (13)......195 H 3
Luynes (37)......86 C 4
Luz-Ardiden (65)......204 B 3
Luz-St-Sauveur (65)......204 B 4
Luzac (17)......126 C 2
Luzancy (77)......32 C 5
Luzarches (95)......31 F 4
Luzay (79)......101 F 3
Luzé (37)......102 B 2
Luze (70)......96 C 1
Luzech (46)......158 A 5
Luzenac (09)......207 F 5
Luzeret (36)......117 E 1
La Luzerne (50)......25 E 3
Luzillat (63)......133 G 2
Luzillé (37)......87 F 5
Luzinay (38)......136 B 4
Luzoir (02)......17 H 1
Luzy (58)......107 H 4
Luzy-St-Martin (55)......19 G 5
Luzy-sur-Marne (52)......75 G 3
Ly-Fontaine (02)......16 D 3
Lyas (07)......163 F 2
Lyaud (74)......125 E 2
Lye (36)......88 A 5
Lynck (59)......3 E 3
Lynde (59)......3 F 4
Lyoffans (70)......95 H 1
Lyon Ⓡ (69)......135 H 3
Lyons-la-Forêt (27)......30 A 1
Lys (58)......91 F 4
Lys (64)......203 H 1
Lys-Chantilly (60)......31 F 3
Lys-lez-Lannoy (59)......4 D 3
Lys-St-Georges (36)......104 C 5

M

Maast-et-Violaine (02)......32 D 2
Maâtz (52)......94 A 1
Mably (42)......121 F 5
Macau (33)......141 E 5
Macaye (64)......184 D 4
Macé (61)......48 A 3
Macey (10)......73 G 1
Macey (50)......45 G 3
Machault (08)......34 B 1
Machault (77)......52 A 4
Maché (85)......99 E 4
Machecoul-St-Même (44)......98 D 2
Mâchecourt (02)......17 G 4
Machemont (60)......16 A 5
Macheren (57)......21 H 5
Machézal (42)......135 E 2
Machiel (62)......6 D 3
Machilly (74)......124 D 3
La Machine (58)......107 E 3
Machy (10)......73 H 2
Machy (80)......6 D 3
Mackenheim (67)......79 E 1
Mackwiller (67)......38 B 4
Maclas (42)......149 G 2
Maclaunay (51)......53 E 1
Macogny (02)......32 C 3
Mâcon Ⓟ (71)......122 B 3
Maconcourt (02)......55 G 5
Maconcourt (88)......56 C 5
Maconge (21)......92 D 5
Macornay (39)......110 B 5
Mâcot-la-Plagne (73)......139 E 4
Macqueville (17)......127 H 3
Macquigny (02)......17 E 2
Madaillan (47)......172 B 1
Madecourt (88)......76 D 1
Madegney (88)......57 E 5
La Madeleine-sous-Montreuil (62)......6 C 1
La Madeleine (30)......177 H 3
La Madeleine (50)......23 F 5
La Madeleine (59)......4 C 3
La Madeleine (près de Guérande) (44)......82 A 3
La Madeleine (près de Nantes) (44)......83 G 4
La Madeleine (près de Pontchâteau) (44)......82 C 2
La Madeleine-Bouvet (61)......49 E 4
La Madeleine-de-Nonancourt (27)......49 G 1
La Madeleine-sur-Loing (77)......71 H 2
La Madeleine-Villefrouin (41)......69 H 5
Madic (15)......146 A 2
Madière (09)......206 D 2
Madières (34)......177 E 5
Madirac (33)......155 G 2
Madiran (65)......186 D 3
Madonne-et-Lamerey (88)......77 E 1
La Madrague-de-la-Ville (13)......195 H 4
Madranges (19)......145 E 1
Madré (53)......47 F 4
Madriat (63)......147 E 1
Maël-Carhaix (22)......62 D 1
Maël-Pestivien (22)......42 D 5
Maennolsheim (67)......58 D 1
Maffliers (95)......31 F 4
Maffrécourt (51)......34 D 3
Magagnosc (06)......199 E 1
Magalas (34)......192 B 3
La Magdeleine (16)......115 E 5
La Magdeleine-sur-Tarn (31)......173 H 5
Le Mage (61)......49 E 4
Magenta (51)......33 G 4

Les Mages (30)......178 A 2
Magescq (40)......168 D 5
Magland (74)......125 F 5
Magnac-Bourg (87)......130 B 4
Magnac-Laval (87)......116 D 4
Magnac-Lavalette-Villars (16)......128 C 5
Magnac-sur-Touvre (16)......128 C 4
Magnan (32)......186 D 1
Magnant (10)......74 B 2
Magnanville (78)......30 B 5
Magnas (32)......172 C 5
Magnat-l'Étrange (23)......131 H 3
Magné (79)......114 A 3
Magné (86)......115 G 3
Magnet (03)......120 B 4
Magneux (51)......33 F 2
Magneux (52)......75 G 3
Magneux-Haute-Rive (42)......134 D 4
Magneville (50)......22 D 4
Magnicourt (10)......54 B 4
Magnicourt-en-Comte (62)......7 H 2
Magnicourt-sur-Canche (62)......7 G 3
Magnien (21)......108 C 1
Magnières (54)......57 G 4
Magnieu (01)......137 G 3
Les Magnils-Reigniers (85)......113 E 1
Magnivray (70)......77 G 5
Magnoncourt (70)......77 F 4
Le Magnoray (70)......95 E 2
Magny (28)......49 G 5
Le Magny (36)......117 H 1
Magny (68)......97 E 1
Les Magny (70)......95 G 2
Le Magny (88)......77 E 3
Magny (89)......91 H 3
Magny-Châtelard (25)......95 H 5
Magny-Cours (58)......106 C 3
Magny-Danigon (70)......95 H 1
Magny-en-Bessin (14)......26 D 1
Magny-en-Vexin (95)......30 C 3
Magny-Fouchard (10)......74 C 1
Magny-Jobert (70)......95 H 1
Magny-la-Campagne (14)......27 H 4
Magny-la-Fosse (02)......16 D 1
Magny-la-Ville (21)......92 C 3
Magny-Lambert (21)......92 C 1
Magny-le-Désert (61)......47 F 3
Magny-le-Freule (14)......27 H 3
Magny-le-Hongre (77)......52 A 1
Magny-lès-Aubigny (21)......109 G 1
Magny-les-Hameaux (78)......50 D 2
Magny-lès-Jussey (70)......76 D 4
Magny-lès-Villers (21)......109 E 1
Magny-Lormes (58)......91 F 5
Magny-Montarlot (21)......93 H 5
Magny-St-Médard (21)......93 H 4
Magny-sur-Tille (21)......93 G 5
Magny-Vernois (70)......95 G 1
Magoar (22)......43 E 5
Magrie (11)......208 A 2
Magrigne (33)......141 F 4
Magrin (81)......190 A 2
Magstatt-le-Bas (68)......97 G 1
Magstatt-le-Haut (68)......97 G 1
Mahalon (29)......61 E 2
Mahéru (61)......48 C 2
Maîche (25)......96 C 4
Maidières (54)......36 D 5
Maignaut-Tauzia (32)......172 A 5
Maigné (72)......67 H 4
Maignelay-Montigny (60)......15 G 5
Mailhac (11)......191 G 5
Mailhac-sur-Benaize (87)......117 E 3
Mailhoc (81)......174 D 4
Mailholas (31)......189 E 5
Maillane (13)......179 E 5
Maillas (40)......171 E 1
Maillat (01)......123 G 5
Maillé (37)......102 C 2
Maillé (85)......113 G 3
Maillé (86)......101 H 5
Maillebois (28)......49 G 3
La Mailleraye-sur-Seine (76)......13 E 5
Mailleroncourt-Charette (70)......77 F 5
Mailleroncourt-St-Pancras (70)......77 E 4
Maillet (03)......119 E 2
Maillet (36)......117 G 1
Mailley-et-Chazelot (70)......94 D 2
Maillezais (85)......113 H 2
Mailly (71)......121 F 4
Mailly-Champagne (51)......33 H 3
Mailly-la-Ville (89)......91 F 2
Mailly-le-Camp (10)......54 A 2
Mailly-le-Château (89)......91 F 2
Mailly-Maillet (80)......7 H 5
Mailly-Raineval (80)......15 G 3
Mailly-sur-Seille (54)......37 E 3
Les Maillys (21)......109 H 1
Maimbeville (60)......31 G 1
Mainbresson (08)......18 A 3
Mainbressy (08)......18 A 3
Maincy (77)......51 H 4
Maine-de-Boixe (16)......128 B 2
Mainfonds (16)......128 A 5
Maing (59)......9 E 3
Mainneville (27)......30 B 1
Mainsat (23)......131 H 1
Maintenay (62)......6 D 2

Maintenon (28)......50 A 3
Mainterne (28)......49 G 2
Mainvillers (57)......37 G 4
Mainvilliers (28)......50 A 4
Mainvilliers (45)......71 F 1
Mainxe (16)......127 H 4
Mainzac (16)......128 D 5
Mairé (86)......102 D 3
Mairé-Levescault (79)......115 E 5
Mairieux (59)......9 H 3
Mairy (08)......19 F 4
Mairy-Mainville (54)......20 C 4
Mairy-sur-Marne (51)......34 B 5
Maisdon-sur-Sèvre (44)......99 G 1
Maisey-le-Duc (21)......74 D 5
Maisnières (80)......14 B 1
Le Maisnil (59)......4 B 4
Maisnil (62)......7 G 3
Maisnil-lès-Ruitz (62)......7 H 2
Maisod (39)......123 H 1
Maison-des-Champs (10)......74 C 1
La Maison-Dieu (58)......91 F 4
Maison-Feyne (23)......117 G 3
Maison-Jeannette (24)......143 E 5
Maison-Maugis (61)......48 D 4
Maison-Neuve (10)......74 D 1
Maison-Neuve (16)......128 D 5
Maison-Ponthieu (80)......7 E 4
Maison-Roland (80)......7 E 5
Maison-Rouge (77)......52 C 3
Maisoncelle (62)......7 F 2
Maisoncelle-et-Villers (08)......19 E 4
Maisoncelle-St-Pierre (60)......15 E 5
Maisoncelle-Tuilerie (60)......15 F 4
Maisoncelles (52)......76 A 2
Maisoncelles (72)......68 C 4
Maisoncelles-en-Brie (77)......52 B 1
Maisoncelles-en-Gâtinais (77)......71 H 2
Maisoncelles-la-Jourdan (14)......46 C 1
Maisoncelles-Pelvey (14)......26 D 4
Maisoncelles-sur-Ajon (14)......27 E 4
Maisonnais (18)......105 E 5
Maisonnais-sur-Tardoire (87)......129 F 4
Maisonnay (79)......114 D 4
Maisonneuve (15)......160 D 2
Maisonneuve (86)......101 H 5
Maisonnisses (23)......131 E 1
Maisons (11)......208 D 3
Maisons (14)......25 H 1
Maisons (28)......50 C 5
Maisons-Alfort (94)......51 F 1
Les Maisons Blanches (79)......115 E 5
Maisons-du-Bois-Lièvremont (25)......111 G 2
Maisons-en-Champagne (51)......54 C 2
Maisons-Laffitte (78)......31 E 5
Maisons-lès-Chaource (10)......74 A 3
Maisons-lès-Soulaines (10)......74 D 1
Maisonsgoutte (67)......58 C 4
Maisontiers (79)......101 F 4
Maisse (91)......51 F 5
Maissemy (02)......16 C 2
Maixe (54)......57 F 2
Maizeray (55)......36 B 3
Maizeroy (57)......37 F 3
Maizery (57)......37 E 3
Maizet (14)......27 E 4
Maizey (55)......36 A 5
Maizicourt (80)......7 F 4
Maizière (58)......90 B 5
Maizières (14)......27 G 4
Maizières (52)......55 F 4
Maizières (54)......56 D 3
Maizières (62)......7 H 3
Maizières (70)......94 D 2
Maizières-la-Grande-Paroisse (10)......53 F 4
Maizières-lès-Brienne (10)......54 C 4
Maizières-lès-Metz (57)......21 E 5
Maizières-lès-Vic (57)......57 H 1
Maizières-sur-Amance (52)......76 B 5
Maizilly (42)......121 G 4
Maizy (02)......33 F 1
Majastres (04)......181 G 4
Malabat (32)......187 F 4
La Malachère (70)......95 E 3
Malafretaz (01)......122 D 3
Mâlain (21)......93 E 4
Malaincourt (88)......76 B 1
Malaincourt-sur-Meuse (52)......76 A 2
Malakoff (92)......51 E 1
Malandry (08)......19 G 4
Malange (39)......94 B 5
Malangle (19)......145 E 3
Malans (25)......110 D 1
Malans (70)......94 B 5
Malansac (56)......56 D 5
Malarce-sur-la-Thines (07)......162 C 5
Malassis (91)......50 D 3
Malataverne (26)......163 H 1
Malaucène (84)......179 H 2
Malaucourt-sur-Seille (57)......37 F 5
Malaunay (76)......13 G 5
Malause (82)......173 E 3
Malaussanne (64)......186 B 2
Malaussène (06)......183 E 4
Malauzat (63)......133 E 2
Malavieille (48)......162 A 5

Malaville (16)......128 A 5
Malavillers (54)......20 C 3
Malay (71)......122 A 1
Malay-le-Grand (89)......72 D 2
Malay-le-Petit (89)......72 D 2
Malbo (15)......146 C 5
Malbosc (07)......178 A 1
Malbosc (30)......178 A 1
Malbouhans (70)......77 G 5
Malbouzon (48)......161 E 3
Malbrans (25)......111 E 1
Malbuisson (25)......111 F 3
Mâle (61)......68 D 1
Malegoude (09)......207 G 2
Malemort (19)......144 C 3
Malemort-du-Comtat (84)......179 H 3
La Malène (48)......176 B 1
Malesherbes (45)......71 F 1
Malestroit (56)......64 A 4
Malétable (61)......48 B 3
Maleville (12)......159 G 5
Malfalco (Anse de) (2B)......215 E 3
Malguénac (56)......63 F 3
Malherbe-sur-Ajon (14)......27 E 4
La Malhoure (22)......44 A 4
Malicornay (36)......117 G 1
Malicorne (03)......119 F 3
Malicorne (89)......72 B 5
Malicorne-sur-Sarthe (72)......67 G 5
Maligny (21)......108 C 1
Maligny (89)......73 F 4
Malijai (04)......181 E 3
Malincourt (59)......9 E 5
Malintrat (63)......133 F 3
Malissard (26)......164 C 1
Mallefougasse-Augès (04)......180 D 3
Malleloy (54)......56 D 1
Mallemoisson (04)......181 F 3
Mallemort (13)......195 G 1
Malléon (09)......207 F 2
Malleret (23)......131 H 3
Malleret-Boussac (23)......118 B 3
Mallerey (39)......110 A 5
Malleval (42)......149 G 1
Malleval-en-Vercors (38)......151 E 3
Malleville-les-Grès (76)......12 D 3
Malleville-sur-le-Bec (27)......29 E 2
Mallièvre (85)......100 B 3
Malling (57)......21 E 3
Malloué (14)......25 G 5
La Malmaison (02)......17 H 5
Malmerspach (68)......78 B 4
Malmy (51)......34 D 3
Malo-les-Bains (59)......3 F 1
Malons-et-Elze (30)......162 C 5
Malouy (27)......28 C 3
Malpart (80)......15 G 3
Malpas (25)......111 F 3
Malpas (43)......148 B 5
Malras (11)......208 A 2
Malrevers (43)......148 B 4
Malroy (57)......21 E 5
Maltat (71)......107 G 5
Maltot (14)......27 F 3
Malval (23)......117 H 3
Malvalette (43)......148 C 2
Malves-en-Minervois (11)......191 E 5
Malvezie (31)......205 G 3
Malvières (43)......148 A 2
Malviès (11)......208 A 2
Malville (44)......82 D 3
Malvillers (70)......76 C 5
Malzéville (54)......57 E 2
Le Malzieu-Forain (48)......161 G 1
Le Malzieu-Ville (48)......161 F 1
Malzy (02)......17 F 1
Mamers ⬡ (72)......48 B 5
Mametz (62)......3 F 5
Mametz (80)......16 A 1
Mamey (54)......36 C 5
Mamirolle (25)......95 E 5
Manas (26)......164 C 3
Manas-Bastanous (32)......187 G 4
Manaurie (24)......143 H 5
Mance (54)......20 C 4
La Mancelière (28)......49 F 3
La Mancellière (50)......46 A 4
La Mancellière-sur-Vire (50)......25 F 1
Mancenans (25)......95 G 3
Mancenans-Lizerne (25)......96 C 4
Mancey (71)......122 B 1
Manchecourt (45)......71 F 1
Manciet (32)......171 G 5
Mancieulles (54)......20 C 4
Mancioux (31)......206 A 1
Mancy (51)......33 G 5
Mandailles-St-Julien (15)......146 B 4
Mandagout (30)......177 F 4
Mandajors (30)......177 H 2
Mandelieu-la-Napoule (06)......199 E 2
Manderen (57)......21 F 2
Mandeville (27)......29 F 3
Mandeville-en-Bessin (14)......25 H 1
Mandray (88)......78 B 1
Mandres (27)......49 E 2
Mandres-aux-Quatre-Tours (54)......56 B 1

Localité *(Département)* Page Coordonnées

Mandres-en-Barrois (55) .... 55 H 4
Mandres-la-Côte (52) .... 75 H 3
Mandres-les-Roses (94) .... 51 G 2
Mandres-sur-Vair (88) .... 76 C 1
Mandrevillars (70) .... 96 C 1
Manduel (30) .... 178 C 5
Mane (04) .... 180 D 4
Mane (31) .... 206 A 4
Manéglise (76) .... 12 B 4
Manéhouville (76) .... 13 G 2
Manent-Montané (32) .... 188 A 5
Manerbe (14) .... 28 A 3
Mangiennes (55) .... 20 A 4
Manglieu (63) .... 133 G 5
Mangonville (54) .... 57 E 4
Manhac (12) .... 175 F 2
Manheulles (55) .... 36 A 3
Manhoué (57) .... 37 F 5
Manicamp (02) .... 16 C 4
Manigod (74) .... 138 C 2
Manin (62) .... 7 H 3
Maninghem (62) .... 7 E 1
Maninghen-Henne (62) .... 2 B 4
Maniquerville (76) .... 12 C 3
Manlay (21) .... 108 B 1
Manneville-ès-Plains (76) .... 13 E 4
Manneville-la-Goupil (76) .... 12 C 4
Manneville-la-Pipard (14) .... 28 A 2
Manneville-la-Raoult (27) .... 28 B 1
Manneville-sur-Risle (27) .... 28 C 1
Mannevillette (76) .... 12 B 4
Mano (40) .... 155 E 5
Le Manoir (14) .... 27 E 2
Le Manoir (27) .... 29 G 2
Manois (52) .... 75 H 1
Manom (57) .... 21 E 3
Manoncourt-en-Vermois (54) .. 57 C 2
Manoncourt-en-Woëvre (54) ... 56 C 1
Manonville (54) .... 56 C 1
Manonviller (54) .... 57 G 3
Manosque (04) .... 180 D 5
Manot (16) .... 129 E 2
Manou (28) .... 49 F 4
Manre (08) .... 34 C 2
Le Mans P (72) .... 68 A 3
Mansac (19) .... 144 B 3
Mansan (65) .... 187 F 4
Mansat-la-Courrière (23) .. 131 E 1
Mansempuy (32) .... 188 B 1
Mansencôme (32) .... 172 A 5
Manses (09) .... 207 F 2
Mansigné (72) .... 68 A 5
Mansle (16) .... 128 C 2
Manso (2B) .... 216 C 2
Mansonville (82) .... 172 D 4
Manspach (68) .... 97 E 1
Mant (40) .... 186 B 2
Mantallot (22) .... 43 E 2
Mantarville (28) .... 50 C 5
Mantenay-Montlin (01) .. 122 D 2
Mantes-la-Jolie <SP> (78) .. 30 B 5
Mantes-la-Ville (78) .... 30 B 5
Mantet (66) .... 212 B 4
Manteyer (05) .... 166 A 4
Manthelan (37) .... 102 D 1
Manthelon (27) .... 29 F 5
Manthes (26) .... 150 C 2
Mantilly (61) .... 46 C 3
Mantoche (70) .... 94 A 3
Mantry (39) .... 110 B 4
Manvieux (14) .... 26 D 1
Many (57) .... 37 G 4
Manzac-sur-Vern (24) .. 143 E 4
Manzat (63) .... 133 E 1
Manziat (01) .... 122 C 3
Maquens (11) .... 208 B 1
Marac (52) .... 75 G 4
Marainville-sur-Madon (88) .. 57 E 4
Marainviller (54) .... 57 G 2
Le Marais-la-Chapelle (14) .. 27 H 5
Marais-Vernier (27) .... 28 C 1
Marambat (32) .... 187 G 1
Marandeuil (21) .... 93 H 4
Marange-Silvange (57) .. 20 D 5
Marange-Zondrange (57) .. 21 G 5
Marangea (39) .... 123 G 1
Marans (17) .... 113 F 3
Marans (49) .... 84 C 1
Maransin (33) .... 141 H 4
Marant (62) .... 6 D 2
Maranville (52) .... 75 E 2
Maranwez (08) .... 18 B 3
Marast (70) .... 95 F 2
Marat (63) .... 134 A 4
Marat-la-Grande (55) .. 35 G 5
Marault (52) .... 75 F 1
Maraussan (34) .... 192 A 4
Maravat (32) .... 188 B 1
Maray (41) .... 88 C 5
Maraye-en-Othe (10) .... 73 G 2
Marbache (54) .... 56 D 1
Marbaix (59) .... 9 H 4
Marbeuf (27) .... 29 F 3
Marbéville (52) .... 75 F 1
Marboué (28) .... 69 H 2
Marboz (01) .... 123 E 2
Marby (08) .... 10 C 5
Marc-la-Tour (19) .... 145 E 3

Marçais (18) .... 105 F 5
Marçay (37) .... 102 A 1
Marçay (86) .... 115 F 2
Marcé (49) .... 85 F 2
Marcé-sur-Esves (37) .. 102 D 2
Marcei (61) .... 47 H 2
Marcelcave (80) .... 15 H 2
Marcellaz (74) .... 124 D 4
Marcellaz-Albanais (74) .. 138 A 2
Marcellois (21) .... 92 D 4
Marcellus (47) .... 156 A 4
Marcenais (33) .... 141 G 4
Marcenat (03) .... 120 A 4
Marcenat (15) .... 146 C 2
Marcenay (21) .... 74 B 4
Marcenod (42) .... 135 F 5
Marcevol (66) .... 212 C 2
Marcey-les-Grèves (50) .. 45 H 2
Marchainville (61) .... 49 E 3
Marchais (02) .... 17 G 4
Marchais-Beton (89) .. 72 B 5
Marchais-en-Brie (02) .. 53 E 1
Marchal (15) .... 146 B 1
Marchamp (01) .... 137 F 3
Marchampt (69) .... 122 A 5
Marchastel (15) .... 146 B 2
Marchastel (48) .... 161 E 3
Marchaux (25) .... 95 E 4
La Marche (58) .... 106 B 1
Marché-Allouarde (80) .. 16 A 3
Marchélepot (80) .... 16 A 2
Marchemaisons (61) .. 48 B 4
Marchémoret (77) .... 31 H 4
Marchenoir (41) .... 69 H 5
Marcheprime (33) .... 154 D 2
Marches (26) .... 150 C 5
Les Marches (73) .... 138 A 5
Marcheseuil (21) .... 108 B 1
Marchésieux (50) .... 25 E 2
Marcheville (28) .... 49 G 5
Marcheville (80) .... 6 D 4
Marchéville-en-Woëvre (55) ... 36 A 3
Marchezais (28) .... 50 A 2
Marchiennes (59) .... 4 D 5
Marciac (32) .... 187 F 3
Marcieu (38) .... 151 G 5
Marcieux (73) .... 137 G 4
Marcigny (71) .... 121 E 4
Marcigny-sous-Thil (21) .. 92 B 4
Marcilhac-sur-Célé (46) .. 158 D 4
Marcillac (33) .... 141 F 2
Marcillac-la-Croisille (19) .. 145 F 3
Marcillac-la-Croze (19) .. 144 D 5
Marcillac-Lanville (16) .. 128 B 2
Marcillac-St-Quentin (24) .. 144 A 5
Marcillac-Vallon (12) .. 160 A 5
Marcillat (63) .... 119 G 5
Marcillat-
 en-Combraille (03) .. 119 E 5
Marcillé-la-Ville (53) .. 47 E 5
Marcillé-Raoul (35) .. 45 F 4
Marcillé-Robert (35) .. 65 H 3
Marcilloles (38) .... 150 D 2
Marcilly (50) .... 46 A 2
Marcilly (58) .... 91 F 5
Marcilly (77) .... 32 A 4
Marcilly-d'Azergues (69) .. 135 H 2
Marcilly-en-Bassigny (52) .. 76 A 4
Marcilly-en-Beauce (41) .. 69 F 5
Marcilly-en-Gault (41) .. 88 C 3
Marcilly-en-Villette (45) .. 70 D 5
Marcilly-et-Dracy (21) .. 92 C 4
Marcilly-la-Campagne (27) .. 49 G 1
Marcilly-la-Gueurce (71) .. 121 G 2
Marcilly-le-Châtel (42) .. 134 C 4
Marcilly-le-Hayer (10) .. 53 F 5
Marcilly-lès-Buxy (71) .. 108 D 5
Marcilly-Ogny (21) .. 92 B 5
Marcilly-sur-Eure (27) .. 49 H 1
Marcilly-sur-Maulne (37) .. 86 A 2
Marcilly-sur-Seine (51) .. 53 F 3
Marcilly-sur-Tille (21) .. 93 G 2
Marcilly-sur-Vienne (37) .. 102 C 2
Marck (62) .... 2 C 2
Marckolsheim (67) .. 79 E 1
Marclopt (42) .... 135 E 4
Marcoing (59) .... 8 D 5
Marcolès (15) .... 159 H 2
Marcollin (38) .... 150 C 2
Marcols-les-Eaux (07) .. 163 E 1
Marçon (72) .... 86 C 1
Marconne (62) .... 7 E 2
Marconnelle (62) .... 7 E 2
Marcorignan (11) .. 209 F 1
Marcoussis (91) .... 51 E 1
Marcoux (04) .... 181 G 2
Marcoux (42) .... 134 C 4
Marcq (08) .... 35 E 1
Marcq (78) .... 50 C 1
Marcq-en-Barœul (59) .. 4 C 3
Marcq-en-Ostrevent (59) .. 8 D 4
Marcy (02) .... 17 E 2
Marcy (58) .... 90 D 4
Marcy (69) .... 135 G 2
Marcy-l'Étoile (69) .. 135 H 3
Marcy-sous-Marle (02) .. 17 G 3
Mardeuil (51) .... 33 G 4
Mardié (45) .... 70 D 4
Mardilly (61) .... 48 B 1
Mardor (52) .... 75 G 4
Mardore (69) .... 121 G 5
Mardyck (59) .... 3 E 2

Mareau-aux-Bois (45) .. 71 E 2
Mareau-aux-Prés (45) .. 70 C 5
Mareil-en-Champagne (72) .. 67 G 3
Mareil-en-France (95) .. 31 F 4
Mareil-le-Guyon (78) .. 50 C 1
Mareil-Marly (78) .. 50 D 1
Mareil-sur-Loir (72) .. 85 H 1
Mareil-sur-Mauldre (78) .. 30 C 5
Mareilles (52) .... 75 G 1
Marenla (62) .... 6 D 2
Marennes (17) .... 126 B 2
Marennes (69) .... 136 B 4
Mareschés (72) .... 68 A 1
Maresché (72) .... 68 A 1
Maresches (59) .... 9 F 3
Maresquel-Ecquemicourt (62) .. 7 E 2
Marest (62) .... 7 G 2
Marest-Dampcourt (02) .. 16 C 4
Marest-sur-Matz (60) .. 16 A 5
Marestaing (32) .... 188 D 2
Marestmontiers (80) .. 15 H 3
Maresville (62) .... 6 C 1
Les Marêts (77) .... 52 D 2
Maretz (59) .... 9 E 5
Mareugheol (63) .... 147 E 1
Mareuil (16) .... 127 H 3
Mareuil (24) .... 142 D 1
Mareuil-Caubert (80) .. 6 D 5
Mareuil-en-Brie (51) .. 33 F 5
Mareuil-en-Dôle (02) .. 33 E 2
Mareuil-la-Motte (60) .. 16 A 5
Mareuil-le-Port (51) .. 33 F 4
Mareuil-lès-Meaux (77) .. 32 A 5
Mareuil-sur-Arnon (18) .. 105 E 3
Mareuil-sur-Ay (51) .. 33 H 4
Mareuil-sur-Cher (41) .. 87 H 5
Mareuil-sur-Lay-
 Dissais (85) .. 113 E 1
Mareuil-sur-Ourcq (60) .. 32 B 3
Marey (88) .... 76 C 2
Marey-lès-Fussey (21) .. 109 E 1
Marey-sur-Tille (21) .. 93 F 2
Marfaux (51) .... 33 G 3
Marfontaine (02) .... 17 G 2
Margaux (33) .... 141 E 4
Margencel (74) .... 124 D 2
Margency (95) .... 31 F 5
Margerides (19) .... 145 H 1
Margerie-Chantagret (42) .. 134 D 5
Margerie-Hancourt (51) .. 54 C 3
Margès (26) .... 150 C 3
Margilley (70) .... 94 A 1
Margival (02) .... 32 D 1
Le Margnès (81) .. 191 F 2
Margny (08) .... 19 H 4
Margny (51) .... 33 F 5
Margny-aux-Cerises (60) .. 16 A 4
Margny-lès-Compiègne (60) .. 32 A 1
Margny-sur-Matz (60) .. 16 A 5
Margon (28) .... 49 E 5
Margon (34) .... 192 B 3
Margouët-Meymes (32) .. 187 F 1
Marguerary (50) .. 25 F 5
Marguerittes (30) .. 178 C 5
Margueron (33) .. 156 C 2
Marguestau (32) .. 171 F 5
Margut (08) .... 19 G 4
Mariac (07) .... 163 E 1
Maricourt (80) .... 16 A 1
Marie (06) .... 183 E 3
Marienau (57) .... 37 H 2
Marienthal (67) .... 39 F 5
Marieulles (57) .... 36 D 4
Marieux (80) .... 7 G 5
Marignac (17) .. 127 F 5
Marignac (31) .. 205 G 3
Marignac (82) .. 172 D 5
Marignac-en-Diois (26) .. 165 E 1
Marignac-Lasclares (31) .. 188 D 5
Marignac-Laspeyres (31) .. 206 A 1
Marignana (2A) .. 216 C 3
Marignane (13) .. 195 G 4
Marigné (49) .... 84 D 1
Marigné-Laillé (72) .. 68 B 5
Marigné-Peuton (53) .. 66 C 4
Marignier (74) .... 125 E 5
Marignieu (01) .... 137 G 2
Marigny (03) .... 119 H 1
Marigny (39) .... 110 C 5
Marigny (50) .... 25 E 3
Marigny (51) .... 53 G 2
Marigny (71) .... 108 C 5
Marigny (79) .... 114 B 4
Marigny-Brizay (86) .. 102 B 4
Marigny-Chemereau (86) .. 115 F 2
Marigny-en-Orxois (02) .. 32 C 4
Marigny-le-Cahouët (21) .. 92 C 3
Marigny-le-Châtel (10) .. 53 F 5
Marigny-le-Lozon (50) .. 25 E 3
Marigny-l'Église (58) .. 91 H 4
Marigny-lès-Reullée (21) .. 109 F 2
Marigny-les-Usages (45) .. 71 D 4
Marigny-Marmande (37) .. 102 C 2
Marigny-St-Marcel (74) .. 138 A 2
Marigny-sur-Yonne (58) .. 91 H 3
Marillac-le-Franc (16) .. 128 D 3
Le Marillais (49) .. 84 A 4
Marillet (85) .... 113 H 1
Marimbault (33) .... 155 G 5
Marimont-lès-Bénestroff (57) .. 37 H 5
Marin (74) .... 125 E 2
Marines (95) .... 30 D 3
Maringes (42) .... 135 E 4

Maringues (63) .... 133 G 2
Mariol (03) .... 133 H 1
Marions (33) .... 155 H 5
Marizy-St-Mard (02) .. 32 C 3
Marizy-Ste-Geneviève (02) .. 32 C 3
Le Markstein (68) .. 78 B 3
Marle (02) .... 17 G 3
Marlemont (08) .... 18 B 3
Marlenheim (67) .... 58 D 2
Marlens (74) .... 138 C 3
Marlers (80) .... 14 D 3
Marles-en-Brie (77) .. 52 A 2
Marles-les-Mines (62) .. 7 H 1
Marles-sur-Canche (62) .. 6 D 2
Marliac (31) .... 206 D 1
Marliens (21) .... 93 G 5
Marlieux (01) .... 122 D 5
Marlioz (74) .... 124 B 3
Marly (57) .... 36 D 3
Marly (59) .... 9 F 3
Marly-Gomont (02) .. 17 G 1
Marly-la-Ville (95) .. 31 G 4
Marly-le-Roi (78) .. 50 D 1
Marly-sous-Issy (71) .. 107 H 5
Marly-sur-Arroux (71) .. 121 F 1
Marmagne (18) .... 105 F 1
Marmagne (21) .... 92 B 2
Marmagne (71) .... 108 B 4
Marmagne (77) .. 187 F 5
Marmande <SP> (47) .. 156 B 4
Marmanhac (15) .. 146 A 5
Marmeaux (89) .... 91 H 2
Marmesse (52) .... 75 E 3
Marminiac (46) .... 158 A 3
Marmont-Pachas (47) .. 172 B 3
Marmouillé (61) .. 48 A 2
Marmoutier (67) .. 58 D 1
Marnac (24) .... 157 H 1
Marnand (69) .... 135 E 1
Marnans (38) .... 150 D 2
Marnaval (52) .... 55 F 3
Marnaves (81) .... 174 C 3
Marnay (70) .... 94 C 4
Marnay (71) .... 109 F 5
Marnay (86) .... 115 F 2
Marnay-sur-Marne (52) .. 75 G 3
Marnay-sur-Seine (10) .. 53 E 4
La Marne (44) .... 99 E 2
Marne-la-Vallée (11) .. 51 H 1
Marnefer (61) .... 28 C 5
Marnes (79) .... 101 G 3
Marnes-la-Coquette (92) .. 51 E 1
Marnézia (39) .... 123 G 1
Marnhagues-et-Latour (12) .. 176 B 5
Marnoz (39) .... 110 C 2
Marœuil (62) .... 8 A 3
Maroilles (59) .... 9 G 4
La Marolle-en-Sologne (41) .. 88 B 2
Marolles (14) .... 28 B 3
Marolles (41) .... 87 H 1
Marolles (51) .... 54 C 2
Marolles (60) .... 32 B 3
Marolles-en-Beauce (91) .. 51 E 5
Marolles-en-Brie (77) .. 52 C 1
Marolles-en-Brie (94) .. 51 G 2
Marolles-en-Hurepoix (91) .. 51 F 3
Marolles-lès-Bailly (10) .. 74 B 2
Marolles-les-Braults (72) .. 68 B 1
Marolles-les-Buis (28) .. 49 E 5
Marolles-lès-St-Calais (72) .. 69 E 4
Marolles-sous-Lignières (10) .. 73 G 4
Marolles-sur-Seine (77) .. 52 B 5
Marollette (85) .. 88 B 5
Marols (42) .... 148 C 1
Maromme (76) .... 13 G 5
Mâron (36) .... 104 C 4
Maron (54) .... 56 D 2
Maroncourt (88) .. 77 E 1
Le Martinet (30) .. 178 A 1
Le Martinet (48) .. 177 G 2
Maroué (22) .. 44 A 4
Marpain (39) .. 94 B 5
Marpaps (40) .. 185 H 2
Marpent (59) .. 10 A 1
Marpiré (35) .. 65 G 3
Marquaix (80) .. 16 C 1
Marquay (24) .. 143 H 5
Marquay (62) .. 7 G 2
Marquefave (31) .. 189 E 5
Marquéglise (60) .. 16 A 5
Marquein (31) .. 189 H 5
Marquerie (65) .. 187 F 5
Marques (76) .. 14 C 3
Marquette (59) .. 4 C 3
Marquette-en-Ostrevant (59) .. 8 D 3
Marquillies (59) .. 4 B 4
Marquion (62) .. 8 C 4
Marquise (62) .. 2 B 4
Marquivillers (80) .. 15 H 4
Marquixanes (66) .. 212 C 2
Marrault (89) .. 91 H 3
Marray (37) .. 86 D 2
La Marre (39) .. 110 B 4
Marre (55) .. 35 G 3
Mars (07) .. 149 E 5
Les Mars (23) .. 132 B 1
Mars (30) .. 177 E 4
Mars (42) .. 121 G 5
Mary (71) .. 108 C 5
Mars-la-Tour (54) .. 36 C 3
Mars-sous-Bourcq (08) .. 34 C 1
Mars-sur-Allier (58) .. 106 B 3

Marsa (11) .... 208 A 4
Marsac (16) .... 128 B 3
Marsac (23) .... 117 F 5
Marsac (44) .... 82 B 4
Marsac (65) .... 187 E 5
Marsac (82) .... 172 D 4
Marsac-en-Livradois (63) .. 148 A 1
Marsac-sur-Don (44) .. 83 F 1
Marsac-sur-l'Isle (24) .. 143 E 3
Marsainvilliers (45) .. 71 F 1
Marsais (17) .... 113 H 5
Marsais-Ste-Radégonde (85) .. 113 G 1
Marsal (57) .... 57 G 1
Marsal (81) .... 175 E 4
Marsalès (24) .... 157 G 3
Marsan (32) .... 188 B 2
Marsaneix (24) .... 143 F 4
Marsangis (51) .... 53 G 3
Marsangy (89) .... 72 C 2
Marsannay-la-Côte (21) .. 93 F 5
Marsannay-le-Bois (21) .. 93 G 3
Marsanne (26) .... 163 H 3
Marsas (33) .... 141 G 4
Marsas (65) .... 204 D 2
Marsat (63) .... 133 F 2
Marsaz (26) .... 150 B 4
Marseillan (32) .. 187 G 3
Marseillan (34) .. 192 D 4
Marseillan (65) .. 187 F 5
Marseillan-Plage (34) .. 192 D 5
Marseille R (13) .. 195 H 5
Marseille-en-Beauvaisis (60) .. 14 D 4
Marseilles-lès-Aubigny (18) .. 106 B 2
Marseillette (11) .. 208 C 1
Marsillargues (34) .. 193 H 2
Marsilly (17) .... 113 E 4
Marsilly (57) .... 37 E 3
Marsolan (32) .... 172 B 4
Marson (51) .... 34 C 5
Marson-sur-Barboure (55) .. 55 H 2
Marsonnas (01) .. 122 D 3
Marsoulas (31) .. 206 A 2
Marssac-sur-Tarn (81) .. 174 C 5
Martagny (27) .. 30 B 1
Martailly-lès-Brancion (71) .. 122 B 1
Martainneville (80) .. 14 C 1
Martainville (14) .. 27 F 5
Martainville (27) .. 28 C 2
Martainville-Épreville (76) .. 13 H 5
Martaizé (86) .. 101 H 3
Martel (46) .. 158 C 1
Marthemont (54) .. 56 D 3
Marthille (57) .. 37 G 5
Marthod (73) .. 138 C 3
Marthon (16) .. 128 D 4
Martiel (12) .. 159 E 5
Martigna (39) .. 123 H 2
Martignac (46) .. 157 H 4
Martignargues (30) .. 178 A 3
Martignas-sur-Jalle (33) .. 154 D 1
Martignat (01) .. 123 G 4
Martigné-Briand (49) .. 85 E 5
Martigné-Ferchaud (35) .. 65 H 4
Martigné-sur-Mayenne (53) .. 66 D 1
Martigny (02) .. 10 A 5
Martigny (50) .. 46 A 3
Martigny (76) .. 13 H 2
Martigny-Courpierre (02) .. 17 F 5
Martigny-le-Comte (71) .. 121 G 1
Martigny-les-Bains (88) .. 76 C 2
Martigny-les-Gerbonvaux (88) .. 56 B 4
Martigny-sur-l'Ante (14) .. 27 F 4
Martigues (13) .. 195 F 4
Martillac (33) .. 155 F 2
Martin-Église (76) .. 13 G 1
Martin-Plage (22) .. 43 H 4
Martincourt (60) .. 14 D 5
Martincourt (54) .. 36 C 5
Martincourt-sur-Meuse (55) .. 19 G 5
Martinet (85) .. 99 E 3
Martinpuich (62) .. 8 A 5
Martinvast (50) .. 22 C 3
Martinvelle (88) .. 76 D 3
Martisserre (31) .. 188 C 4
Martizay (36) .. 103 F 4
Martot (27) .. 29 F 2
Martragny (14) .. 27 E 2
La Martre (83) .. 182 A 5
Martres (33) .. 155 H 2
Les Martres-d'Artière (63) .. 133 G 3
Martres-de-Rivière (31) .. 205 G 2
Les Martres-de-Veyre (63) .. 133 F 4
Martres-sur-Morge (63) .. 133 F 2
Martres-Tolosane (31) .. 206 A 1
Martrin (12) .. 175 F 4
Martrois (21) .. 92 C 4
Les Martys (11) .. 190 D 4
Maruéjols-lès-Gardon (30) .. 178 A 4
Marval (87) .. 129 F 4
Marvaux-Vieux (08) .. 34 D 2
Marvejols (48) .. 161 F 4
Marvelise (25) .. 95 H 2
Marville (55) .. 20 A 3
Marville-les-Bois (28) .. 49 H 4
Marville-Moutiers-Brûlé (28) .. 49 H 2
Mary (71) .. 108 C 5
Mary-sur-Marne (77) .. 32 B 4
Marzan (56) .. 82 B 2
Marzens (81) .. 190 A 2

Marzy (58) .... 106 B 2
Le Mas (06) .... 182 C 4
Mas-Blanc-des-Alpilles (13) .. 179 E 5
Mas-Cabardès (11) .. 190 D 4
Le Mas-d'Agenais (47) .. 156 B 5
Le Mas-d'Artige (23) .. 131 G 3
Mas-d'Auvignon (32) .. 172 B 5
Mas-d'Azil (09) .. 206 C 2
Mas de Capette (30) .. 194 A 3
Le Mas de la Vieille-Église (30) .. 178 C 3
Le Mas-de-Londres (34) .. 193 E 1
Mas-de-Ranguy (30) .. 194 C 1
Mas-de-Tence (43) .. 149 E 4
Mas-des-Cours (11) .. 208 B 2
Mas des Dunes (34) .. 193 F 4
Mas d'Icard (34) .. 194 A 3
Mas-d'Orcières (48) .. 162 A 4
Mas-Grenier (82) .. 173 F 5
Mas Palégry (66) .. 213 F 2
Mas Psalmody (30) .. 193 H 2
Mas-St-Chély (48) .. 176 D 1
Mas-Stes-Puelles (11) .. 190 A 5
Le Mas-Vieux (34) .. 193 F 3
Masbaraud-Mérignat (23) .. 130 D 1
Mascaraàs-Haron (64) .. 186 C 3
Mascaras (32) .. 187 F 3
Mascaras (65) .. 204 D 1
Mascarville (31) .. 189 H 3
Masclat (46) .. 158 B 1
Masevaux-Niederbruck (68) .. 78 B 5
Masgot (23) .. 131 F 1
Maslacq (64) .. 185 H 3
Masléon (87) .. 130 C 3
Maslives (41) .. 88 A 2
Le Masnau-Massuguiès (81) .. 191 E 1
Masnières (59) .. 8 D 5
Masny (59) .. 8 D 3
Los Masos (66) .. 212 C 3
Masparraute (64) .. 185 F 4
Maspie-Lalonquère-
 Juillacq (64) .. 186 D 4
Masquières (47) .. 157 H 5
Massabrac (31) .. 206 C 1
Massac (11) .. 208 C 3
Massac (17) .. 127 H 2
Massaguel (81) .. 190 A 2
Massais (79) .. 101 E 2
Massals (81) .. 175 G 5
Massane (13) .. 195 F 3
Massanes (30) .. 178 A 3
Massangis (89) .. 91 H 2
Massat (09) .. 206 C 4
Massay (18) .. 104 D 1
Massbœuf (38) .. 197 F 3
Le Massegros (48) .. 176 C 1
Masseilles (33) .. 156 A 5
Massels (47) .. 172 D 1
Massérac (44) .. 82 D 1
Masseret (19) .. 130 C 5
Masseube (32) .. 188 A 4
Massiac (15) .. 147 E 3
Massieu (38) .. 151 F 1
Massieux (01) .. 135 H 2
Massiges (51) .. 34 D 3
Massignac (16) .. 129 E 3
Massignieu-de-Rives (01) .. 137 G 3
Massillan (30) .. 178 C 5
Massillargues-Attuech (30) .. 177 H 4
Massilly (71) .. 122 A 2
Massingy (21) .. 74 C 4
Massingy (74) .. 137 H 2
Massingy-lès-Semur (21) .. 92 B 3
Massingy-lès-Vitteaux (21) .. 92 C 4
Massognes (86) .. 101 H 4
Massoins (06) .. 183 E 3
Massongy (74) .. 125 E 1
Massoulès (47) .. 172 D 1
Massugas (33) .. 156 B 2
Massy (71) .. 122 A 2
Massy (76) .. 14 A 3
Massy (91) .. 51 E 2
Mastaing (59) .. 8 D 3
Matafelon-Granges (01) .. 123 G 3
Les Matelles (34) .. 193 F 1
Matemale (66) .. 211 H 3
Matha (17) .. 127 G 2
Mathaux (10) .. 54 C 5
Mathay (25) .. 96 C 3
Mathenay (39) .. 110 B 2
Les Mathes (17) .. 126 B 3
Mathieu (14) .. 27 F 2
Mathons (52) .. 55 F 4
Mathonville (76) .. 14 A 4
Matignicourt-Goncourt (51) .. 54 D 2
Matignon (22) .. 44 B 2
Matigny (80) .. 16 B 2
Matougues (51) .. 34 A 4
Matour (71) .. 121 H 3
Matra (2B) .. 217 G 2
Matringhem (62) .. 7 F 1
Mattaincourt (88) .. 57 E 5
Mattexey (54) .. 57 G 4
Matton-et-Clémency (08) .. 19 G 3
Mattstall (67) .. 39 F 4
Matzenheim (67) .. 59 E 4
Maubec (38) .. 136 D 5
Maubec (82) .. 172 D 5
Maubec (84) .. 179 H 5

Localité (Département) Page Coordonnées
253

Maubert-Fontaine (08) 10 C 5
Maubeuge (59) 9 H 3
Maubourguet (65) 187 E 3
Maubuisson (33) 140 B 4
Mauchamps (91) 51 E 4
Maucomble (76) 13 H 3
Maucor (64) 186 C 4
Maucourt (60) 16 C 4
Maucourt (80) 16 A 2
Maucourt-sur-Orne (55) 20 A 4
Maudétour-en-Vexin (95) 30 C 4
Mauguio (34) 193 G 2
Maulain (52) 76 A 3
Maulais (79) 101 G 3
Maulan (55) 55 G 2
Maulay (86) 102 A 2
Maulde (59) 5 E 5
Maule (78) 30 C 5
Mauléon (79) 100 C 3
Mauléon-Barousse (65) 205 F 3
Mauléon-d'Armagnac (32) 171 E 4
Mauléon-Licharre (64) 185 G 5
Maulers (60) 15 E 5
Maulette (78) 50 B 1
Maulévrier (49) 100 C 2
Maulévrier-Ste-Gertrude (76) 13 E 5
Maulichères (32) 186 D 1
Maumusson (44) 84 A 3
Maumusson (82) 172 D 4
Maumusson-Laguian (32) 186 D 2
Mauny (76) 29 E 1
Maupas (10) 73 H 2
Le Maupas (21) 92 B 5
Maupas (32) 171 E 5
Mauperthuis (77) 52 B 2
Maupertuis (50) 25 F 4
Maupertus-sur-Mer (50) 22 D 2
Mauprévoir (86) 115 G 4
Mauquenchy (76) 14 A 4
Mauran (31) 206 A 1
Maure (64) 186 D 4
Maure-de-Bretagne (35) 64 D 4
Maurecourt (78) 30 D 5
Mauregard (77) 31 G 4
Mauregny-en-Haye (02) 17 G 5
Maureilhan (34) 192 A 4
Maureillas-las-Illas (66) 213 E 4
Mauremont (31) 189 H 4
Maurens (24) 142 D 5
Maurens (31) 190 A 4
Maurens (32) 188 C 2
Maurens-Scopont (81) 190 A 2
Maurepas (78) 50 D 2
Maurepas (80) 16 A 1
Les Maures (50) 46 C 1
Mauressac (31) 189 F 5
Mauressargues (30) 178 A 4
Maureville (31) 189 H 3
Mauriac SP (15) 145 H 3
Mauriac (33) 156 A 2
Mauries (40) 186 C 2
Maurin (34) 193 F 3
Maurines (15) 161 E 1
Maurioun (06) 183 G 3
Maurois (59) 9 E 5
Mauron (56) 64 B 2
Mauroux (32) 172 D 5
Mauroux (46) 157 H 5
Maurrin (40) 170 D 5
Maurs (15) 159 G 3
Maurupt-le-Montois (51) 55 E 2
Maury (66) 208 C 4
Mausoléo (2B) 214 D 5
Maussac (19) 145 G 1
Maussane-les-Alpilles (13) 194 D 1
Maussans (70) 95 F 3
Mautes (23) 131 H 2
Mauvages (55) 56 A 3
Mauvaisin (31) 189 G 5
Mauves (07) 149 H 4
Mauves-sur-Huisne (61) 48 D 4
Mauves-sur-oire (44) 83 G 4
Mauvezin (31) 188 C 4
Mauvezin (32) 188 C 1
Mauvezin (65) 204 D 1
Mauvezin-d'Armagnac (40) 171 F 4
Mauvezin-de-Prat (09) 206 A 2
Mauvezin-de-Ste-Croix (09) 206 B 2
Mauvezin-sur-Gupie (47) 156 B 4
Mauvières (36) 116 C 1
Mauvilly (21) 92 D 1
Maux (58) 107 G 2
Mauzac (31) 189 E 4
Mauzac-et-St-Meyme-
de-Rozens (24) 157 F 1
Mauzé-
sur-le-Mignon (79) 113 H 4
Mauzé-Thouarsais (79) 101 F 2
Mauzens-et-Miremont (24) 143 G 5
Mauzun (63) 133 H 4
Mavaleix (24) 129 G 5
Maves (41) 87 H 1
Mavilly-Mandelot (21) 109 E 2
La Maxe (57) 21 E 5
Maxent (35) 64 D 3
Maxéville (54) 57 E 2
Maxey-sur-Meuse (88) 56 B 4
Maxey-sur-Vaise (55) 56 B 3
Maxilly-sur-Léman (74) 125 E 2
Maxilly-sur-Saône (21) 94 A 4
Maxou (46) 158 B 4
Maxstadt (57) 37 H 3
May-en-Multien (77) 32 B 4
Le May-sur-Evre (49) 100 B 1
May-sur-Orne (14) 27 F 3
Mayac (24) 143 G 2
Mayenne SP (53) 46 D 5
Mayet (72) 68 A 5
Le Mayet-
de-Montagne (03) 120 C 5
Le Mayet-d'École (03) 119 H 5
Maylis (40) 185 H 1
Maynal (39) 123 F 1
Les Mayons (83) 197 F 4
Mayot (02) 16 D 3
Mayrac (46) 158 C 1
Mayran (12) 159 H 5
La Mayrand (63) 146 D 1
Mayrègne (31) 205 F 4
Mayres (63) 148 A 1
Mayres (près de
St Romain-de-Lerps) (07) 149 G 5
Mayres (près de Thueyts) (07) 162 B 2
Mayres-Savel (38) 165 H 1
Mayreville (11) 207 G 1
Mayrinhac-Lentour (46) 159 E 2
Mayronnes (11) 208 C 2
Maysel (60) 31 F 2
Mayun (44) 82 B 3
Mazagran (08) 34 C 1
Mazamet (81) 190 D 3
Mazan (84) 179 H 3
Mazan-l'Abbaye (07) 162 C 2
Mazangé (41) 69 F 5
Mazaugues (83) 196 D 4
Mazaye (63) 132 D 3
Mazé (49) 85 F 3
Mazé-Milon (49) 85 F 3
Le Mazeau (85) 113 H 3
Mazeirat (23) 118 A 5
Le Mazel (48) 162 A 5
Mazeley (88) 77 F 1
Mazerat-Aurouze (43) 147 H 3
Mazeray (17) 127 F 2
Mazères (09) 189 H 5
Mazères (33) 155 G 4
Mazères-de-Neste (65) 205 F 2
Mazères-Lezons (64) 186 B 5
Mazères-sur-Salat (31) 206 A 1
Mazerier (03) 119 H 5
Mazerny (08) 18 D 4
Mazerolles (16) 129 E 3
Mazerolles (17) 127 F 5
Mazerolles (40) 170 D 5
Mazerolles (64) 186 B 4
Mazerolles (65) 187 G 4
Mazerolles (86) 116 A 2
Mazerolles-du-Razès (11) 207 H 1
Mazerolles-le-Salin (25) 94 C 5
Mazerulles (54) 57 F 1
Mazet-St-Voy (43) 148 D 4
Mazeuil (86) 101 H 4
Mazeyrat-d'Allier (43) 147 G 4
Mazeyrolles (24) 157 H 3
La Mazière-
aux-Bons-Hommes (23) 132 A 2
Mazières (16) 129 E 2
Mazières-de-Touraine (37) 86 B 4
Mazières-en-Gâtine (79) 114 B 1
Mazières-en-Mauges (49) 100 C 1
Mazières-Naresse (47) 157 F 3
Mazières-sur-Béronne (79) 114 C 4
Mazille (71) 122 A 2
Mazingarbe (62) 4 A 5
Mazinghem (62) 3 F 5
Mazinghien (59) 9 F 5
Mazion (33) 141 E 3
Mazirat (03) 118 D 4
Mazirot (88) 57 E 5
Le Mazis (80) 14 C 2
Mazoires (63) 146 D 1
Mazouau (65) 205 E 2
Mazuby (11) 207 H 4
Les Mazures (08) 10 D 5
Mazzola (2B) 217 F 2
Méailles (04) 182 B 3
Méallet (15) 146 A 3
Méasnes (23) 117 G 2
Meaucé (28) 49 F 4
La Meauffe (50) 25 F 3
La Méaugon (22) 43 G 4
Meaulne (03) 119 E 1
Méaulte (80) 15 H 1
Méautis (50) 25 E 2
Meaux SP (77) 32 A 5
Meaux-la-Montagne (69) 135 F 1
Meauzac (82) 173 F 3
Mecé (35) 65 H 1
Mechmont (46) 158 B 4
Mécleuves (57) 37 E 4
Mecquignies (59) 9 G 3
Mécrin (55) 56 A 1
Mécringes (51) 53 E 1
Médan (78) 30 D 5
Médavy (61) 48 A 2
La Mède (13) 195 F 4
Medeyrolles (63) 148 A 1
Médière (25) 95 H 3
Médillac (16) 142 A 3
Médis (17) 126 C 4
Médonville (88) 76 B 1
Médréac (35) 44 D 5
Le Mée (28) 69 H 4
Mée (53) 66 C 5
Le Mée-sur-Seine (77) 51 H 4
Les Mées (04) 181 E 3
Mées (40) 185 F 1
Les Mées (72) 48 A 5
Mégange (57) 21 F 5
Megève (74) 139 E 2
Mégevette (74) 125 E 4
Mégier (30) 178 D 3
Mégrit (22) 44 C 4
Méharicourt (80) 16 A 2
Méharin (64) 185 E 4
Méhers (41) 87 H 4
Méhoncourt (54) 57 F 3
Méhoudin (61) 47 F 4
Mehun-sur-Yèvre (18) 105 E 1
La Meignanne (49) 84 D 2
Meigné (49) 85 F 5
Meigné-le-Vicomte (49) 86 A 3
Meigneux (77) 52 B 4
Meigneux (80) 14 D 3
Meilhac (87) 130 A 4
Meilhan (32) 188 A 4
Meilhan (40) 169 G 5
Meilhan-sur-Garonne (47) 156 A 4
Meilhards (19) 130 D 5
Meilhaud (63) 133 F 5
Meillac (35) 45 E 4
Meillant (18) 105 G 4
Meillard (03) 119 H 3
Le Meillard (80) 7 F 4
La Meilleraie-Tillay (85) 100 B 4
Meilleray (77) 52 D 1
La Meilleray (85) 113 H 2
La Meilleraye-
de-Bretagne (44) 83 G 2
Meillerie (74) 125 F 2
Meillers (03) 119 G 2
Meillier-Fontaine (08) 11 E 5
Meillon (64) 186 C 5
Meillonnas (01) 123 F 4
Meilly-sur-Rouvres (21) 92 C 5
Meisenthal (57) 38 C 4
Meistratzheim (67) 59 E 3
Le Meix (21) 93 F 2
Le Meix-St-Epoing (51) 53 F 2
Le Meix-Tiercelin (51) 54 B 3
Méjannes-le-Clap (30) 178 B 2
Méjannes-lès-Alès (30) 178 A 3
Mela (2A) 219 E 2
Mélagues (12) 191 H 1
Mélamare (76) 12 C 5
Melay (49) 84 C 5
Melay (52) 76 C 4
Melay (71) 121 E 4
Le Mêle-sur-Sarthe (61) 48 B 4
Mélecey (70) 95 G 2
Melesse (35) 65 F 1
Melgven (29) 62 A 4
Mélicocq (60) 16 A 5
Mélicourt (27) 28 C 5
Méligny-le-Grand (55) 56 A 2
Méligny-le-Petit (55) 55 H 2
Melin (70) 76 C 5
Melincourt (70) 77 E 4
Mélisey (70) 77 G 5
Mélisey (89) 73 H 4
Meljac (12) 175 F 3
Mellac (29) 62 B 4
Mellé (35) 46 A 4
Melle (79) 114 C 4
Mellecey (71) 109 E 4
Melleran (79) 114 D 5
Melleray (72) 69 E 2
Melleray-la-Vallée (53) 47 E 4
Melleroy (45) 72 B 4
Melles (31) 205 G 4
Melleville (76) 14 A 1
Mellionnec (22) 62 D 2
Mello (60) 31 F 2
Meloisey (21) 109 E 2
Melrand (56) 63 E 4
Melsheim (67) 59 E 1
Melun P (77) 51 H 4
Melve (04) 166 B 5
Melz-sur-Seine (77) 52 D 4
Membrey (70) 94 B 2
La Membrolle-
sur-Choisille (37) 86 D 3
La Membrolle-
sur-Longuenée (49) 84 D 2
Membrolles (41) 70 A 4
Méménil (88) 77 G 1
Memmelshoffen (67) 39 F 4
Le Mémont (25) 95 H 5
Menades (89) 91 G 3
Ménarmont (88) 57 H 4
Ménars (41) 87 H 2
Menat (63) 119 F 5
Menaucourt (55) 55 H 2
Mencas (62) 7 F 1
Menchhoffen (67) 38 D 5
Mende P (48) 161 G 4
Mendionde (64) 184 D 4
Menditte (64) 203 E 1
Mendive (64) 202 C 1
Ménéac (56) 64 A 1
Ménerbes (84) 179 H 5
Ménerval (76) 14 B 5
Ménerville (78) 30 B 5
Menesble (21) 75 E 5
Méneslies (80) 6 B 5
Ménesplet (24) 142 B 5
Ménesqueville (27) 29 H 1
Ménessaire (21) 108 A 1
Ménestérol (24) 142 B 5
Menestreau (58) 90 C 4
Ménestreau-en-Villette (45) 88 D 1
Menet (15) 146 B 2
Menetou-Couture (18) 106 A 2
Menetou-Râtel (18) 89 H 4
Menetou-Salon (18) 89 G 5
Menetou-sur-Nahon (36) 88 B 5
Ménétréol-
sous-Sancerre (18) 90 A 4
Ménétréol-sur-Sauldre (18) 89 F 3
Ménétréols-sous-Vatan (36) 104 C 2
Ménetreuil (71) 122 D 1
Ménétreux-le-Pitois (21) 92 C 2
Ménétrol (63) 133 F 2
Menétru-le-Vignoble (39) 110 B 4
Menétrux-en-Joux (39) 110 C 5
Ménévillers (60) 15 H 5
Menglon (26) 165 F 3
Ménigoute (79) 114 D 1
Ménil (53) 66 D 5
Le Ménil (88) 78 A 3
Ménil-Annelles (08) 18 C 5
Ménil-aux-Bois (55) 55 H 1
Le Ménil-Bérard (61) 48 C 2
Le Ménil-Broût (61) 48 A 4
Le Ménil-Ciboult (61) 46 C 1
Le Ménil-de-Briouze (61) 47 F 2
Ménil-de-Senones (88) 58 B 4
Ménil-en-Xaintois (88) 56 D 5
Ménil-Erreux (61) 48 A 4
Ménil-Froger (61) 48 B 2
Ménil-Glaise (61) 47 G 2
Ménil-Gondouin (61) 47 F 1
Le Ménil-Guyon (61) 48 B 3
Ménil-Hermei (61) 47 F 1
Ménil-Hubert-en-Exmes (61) 48 A 1
Ménil-Hubert-sur-Orne (61) 47 F 1
Ménil-Jean (61) 47 G 2
Ménil-la-Horgne (55) 56 A 2
Ménil-la-Tour (54) 56 C 1
Ménil-Lépinois (08) 34 A 1
Le Ménil-Scelleur (61) 47 G 3
Ménil-sur-Belvitte (88) 57 H 4
Ménil-sur-Saulx (55) 55 G 3
Le Ménil-Vicomte (61) 48 B 2
Ménil-Vin (61) 47 F 1
Ménilles (27) 29 H 4
La Ménitré (49) 85 F 3
Mennecy (91) 51 F 3
Mennessis (02) 16 D 3
Mennetou-sur-Cher (41) 88 C 5
Menneval (27) 28 D 4
Menneville (02) 33 H 1
Menneville (62) 2 C 5
Mennevret (02) 17 E 1
Mennouveaux (52) 75 H 2
Ménoire (19) 145 E 4
Menomblet (85) 100 C 4
Menoncourt (90) 96 D 1
Ménonval (76) 14 A 3
Menotey (39) 94 A 5
Menou (58) 90 D 4
Menouville (95) 31 E 3
Le Menoux (36) 117 F 1
Menoux (70) 77 E 5
Mens (38) 165 H 1
Mensignac (24) 143 E 3
Menskirch (57) 21 F 4
Mentheville (76) 12 C 3
Menthon-St-Bernard (74) 138 B 2
Menthonnex-en-Bornes (74) 124 C 5
Menthonnex-
sous-Clermont (74) 137 H 1
Mentières (15) 147 E 4
Menton (06) 183 G 5
Mentque-Nortbécourt (62) 2 D 4
Menucourt (95) 30 D 4
Les Menuires (73) 152 D 1
Les Menus (61) 49 F 4
Menville (31) 189 E 2
Méobecq (36) 103 H 5
Méolans-Revel (04) 167 E 5
Méon (49) 85 H 3
Méounes-lès-Montrieux (83) 196 D 5
Mer (41) 88 A 1
Méracq (64) 186 B 3
Méral (53) 66 B 3
Méras (09) 206 C 1
Mercatel (62) 8 A 4
Mercenac (09) 206 A 2
Merceuil (21) 109 E 2
Mercey (27) 29 H 4
Mercey-le-Grand (25) 94 C 5
Mercey-sur-Saône (70) 94 B 2
Mercin-et-Vaux (02) 32 C 1
Merck-St-Liévin (62) 2 D 5
Merckeghem (59) 3 E 3
Mercœur (19) 145 F 5
Mercœur (43) 147 F 3
Mercuer (07) 163 E 3
Mercuès (46) 158 B 4
Mercurey (71) 108 D 3
Mercurol-Veaunes (26) 149 H 4
Mercury (73) 138 C 3
Mercus-Garrabet (09) 207 E 4
Mercy (03) 120 B 2
Mercy (89) 73 F 3
Mercy-le-Bas (54) 20 B 3
Mercy-le-Haut (54) 20 C 3
Merdrignac (22) 64 A 1
Méré (78) 50 C 1
Méré (89) 73 G 4
Méreau (18) 104 D 1
Méréaucourt (80) 14 D 3
Méréglise (28) 69 G 1
Mérélessart (80) 14 D 1
Mérens (32) 187 H 1
Mérens-les-Vals (09) 211 F 2
Mérenvielle (31) 188 D 2
Méreuil (05) 165 H 5
Méréville (54) 56 D 3
Méréville (91) 70 D 1
Merey (27) 29 H 5
Mérey-sous-Montrond (25) 95 E 5
Mérey-Vieilley (25) 94 D 4
Merfy (51) 33 G 2
Mergey (10) 53 H 5
Meria (2B) 215 G 1
Mériadec (56) 81 F 2
Mérial (11) 207 G 5
Méribel (73) 152 D 1
Méribel-Mottaret (73) 153 E 1
Méricourt (62) 8 B 2
Méricourt (78) 30 B 4
Méricourt-en-Vimeu (80) 14 D 2
Méricourt-l'Abbé (80) 15 H 1
Méricourt-sur-Somme (80) 15 H 1
Mériel (95) 31 E 4
Mérifons (34) 192 B 2
Mérignac (16) 128 A 4
Mérignac (17) 141 G 2
Mérignac (33) 155 E 1
Mérignas (33) 156 A 2
Mérignat (01) 123 F 5
Mérignies (59) 4 C 5
Mérigny (36) 103 E 5
Mérigon (09) 206 B 2
Mérilheu (65) 204 D 2
Mérillac (22) 44 B 5
Mérinchal (23) 132 B 2
Mérindol (84) 195 G 1
Mérindol-les-Oliviers (26) 179 H 1
Mérinville (45) 72 A 3
Le Mériot (10) 52 D 4
Méritein (64) 185 H 4
Merkwiller-Pechelbronn (67) 39 F 4
Merlas (38) 151 G 1
La Merlatière (85) 99 H 4
Merlaut (51) 54 D 1
Merle-Leignec (42) 148 C 1
Merléac (22) 63 G 1
Le Merlerault (61) 48 B 2
Merles (82) 173 E 3
Merles-sur-Loison (55) 20 A 3
Merlevenez (56) 80 D 1
Merlieux-
et-Fouquerolles (02) 17 E 5
Merlimont (62) 6 C 2
Merlimont-Plage (62) 6 B 2
Merlines (19) 132 B 4
Mernel (35) 64 D 4
Mérobert (91) 50 D 5
Méron (49) 101 G 1
Mérona (39) 123 G 1
Mérouville (28) 70 C 1
Meroux (90) 96 D 1
Merpins (16) 127 G 4
Merrey (52) 76 A 3
Merrey-sur-Arce (10) 74 B 2
Merri (61) 47 H 1
Merris (59) 3 G 4
Merry-la-Vallée (89) 72 D 5
Merry-Sec (89) 91 E 1
Merry-sur-Yonne (89) 91 F 2
Mers-les-Bains (80) 6 A 5
Mers-sur-Indre (36) 104 C 5
Merschweiller (57) 21 F 2
Mersuay (70) 77 E 5
Merten (57) 21 H 4
Mertrud (52) 55 E 4
Mertzen (68) 97 E 1
Mertzwiller (67) 39 E 5
Méru (60) 31 E 2
Merval (02) 33 F 1
Mervans (71) 109 G 4
Mervent (85) 113 H 1
Merviel (09) 207 F 3
Mervilla (31) 189 F 3
Merville (31) 189 E 1
Merville (59) 3 G 5
Merville-
Franceville-Plage (14) 27 G 2
Merviller (54) 57 H 3
Merxheim (68) 78 D 3
Méry (73) 137 H 4
Méry-Corbon (14) 27 H 3
Méry-ès-Bois (18) 89 F 4
Méry-la-Bataille (60) 15 H 5
Méry-Prémecy (51) 33 G 2
Méry-sur-Cher (18) 88 D 5
Méry-sur-Marne (77) 32 C 5
Méry-sur-Oise (95) 31 E 4
Méry-sur-Seine (10) 53 G 4
Le Merzer (22) 43 F 4
Mésandans (25) 95 F 3
Mésanger (44) 83 H 3
Mésangueville (76) 14 B 5
Mesbrecourt-Richecourt (02) 17 E 3
Meschers-sur-Gironde (17) 126 C 5
Mescoules (24) 156 D 2
Le Mesge (80) 15 E 1
Mesgrigny (10) 53 G 4
Mésigny (74) 138 A 1
Meslan (56) 62 C 4
Mesland (41) 87 G 3
Meslay (14) 27 F 5
Meslay (41) 69 F 5
Meslay-du-Maine (53) 67 E 4
Meslay-le-Grenet (28) 49 H 5
Meslay-le-Vidame (28) 70 A 1
Meslières (25) 96 D 3
Meslin (22) 44 A 4
Mesmay (25) 110 C 1
Mesmont (08) 18 B 4
Mesmont (21) 93 E 4
Mesnac (16) 127 G 3
Mesnard-la-Barotière (85) 100 A 3
Mesnay (39) 110 C 3
Les Mesneux (51) 33 G 2
La Mesnière (61) 48 C 4
Mesnières-en-Bray (76) 14 A 3
Le Mesnil (50) 22 C 5
Le Mesnil-Adelée (50) 46 B 2
Le Mesnil-Amand (50) 25 E 5
Le Mesnil-Amelot (77) 31 G 4
Le Mesnil-Amey (50) 25 F 3
Le Mesnil-Angot (50) 25 F 2
Le Mesnil-au-Grain (14) 27 E 4
Le Mesnil-au-Val (50) 22 D 3
Le Mesnil-Aubert (50) 24 D 4
Le Mesnil-Aubry (95) 31 F 4
Le Mesnil-Auzouf (14) 25 H 4
Le Mesnil-Bacley (14) 28 A 4
Le Mesnil-Benoist (14) 25 G 5
Le Mesnil-Bœufs (50) 46 A 2
Mesnil-Bruntel (80) 16 B 2
Le Mesnil-Caussois (14) 25 G 5
Mesnil-Clinchamps (14) 25 G 5
Le Mesnil-Conteville (60) 15 E 4
Mesnil-David (76) 14 B 3
Mesnil-Domqueur (80) 7 E 4
Le Mesnil-Durand (14) 28 A 4
Le Mesnil-Durdent (76) 13 E 2
Mesnil-en-Arrouaise (80) 8 B 5
Le Mesnil-en-Thelle (60) 31 F 3
Le Mesnil-en-Vallée (49) 84 B 4
Le Mesnil-Esnard (76) 29 G 1
Le Mesnil-Eudes (14) 28 A 4
Le Mesnil-Eury (50) 25 E 3
Mesnil-Follemprise (76) 13 H 3
Le Mesnil-Fuguet (27) 29 G 4
Le Mesnil-Garnier (50) 25 E 5
Le Mesnil-Germain (14) 28 A 4
Le Mesnil-Gilbert (50) 46 B 2
Le Mesnil-Guillaume (14) 28 B 3
Le Mesnil-Hardray (27) 29 F 5
Le Mesnil-Herman (50) 25 F 4
Le Mesnil-Hue (50) 25 E 5
Le Mesnil-Jourdain (27) 29 G 3
Mesnil-la-Comtesse (10) 54 A 4
Le Mesnil-le-Roi (78) 31 E 5
Mesnil-Lettre (10) 54 A 4
Le Mesnil-Lieubray (76) 14 B 5
Mesnil-Martinsart (80) 8 A 5
Le Mesnil-Mauger (14) 27 H 4
Mesnil-Mauger (76) 14 B 4
Le Mesnil-Milon (27) 30 A 4
Le Mesnil-Opac (50) 25 F 4
Le Mesnil-Ozenne (50) 46 A 2
Mesnil-Panneville (76) 13 F 4
Le Mesnil-Patry (14) 27 E 3
Mesnil-Racoin (91) 51 E 4
Le Mesnil-Rainfray (50) 46 B 2
Le Mesnil-Raoul (76) 29 H 1
Le Mesnil-Raoult (50) 25 F 4
Le Mesnil-Réaume (76) 14 A 1
Le Mesnil-Robert (14) 25 G 5
Le Mesnil-Rogues (50) 24 D 5
Mesnil-Rousset (27) 28 C 5
Le Mesnil-Rouxelin (50) 25 F 3
Mesnil-Sellières (10) 54 A 5
Le Mesnil-Simon (14) 28 A 4
Le Mesnil-Simon (28) 30 A 5
Le Mesnil-sous-Jumièges (76) 29 E 1
Le Mesnil-sous-L. (76) 12 D 5
Mesnil-sous-Vienne (27) 30 B 1
Le Mesnil-St-Denis (78) 50 D 2
Le Mesnil-St-Firmin (60) 15 G 4
Mesnil-St-Georges (80) 15 G 4
Mesnil-St-Laurent (02) 16 D 2
Mesnil-St-Loup (10) 73 F 1
Mesnil-St-Nicaise (80) 16 B 3
Mesnil-St-Père (10) 74 B 1
Le Mesnil-sur-Blangy (14) 28 B 2
Le Mesnil-sur-Bulles (60) 15 F 5
Mesnil-sur-l'Estrée (27) 49 H 2
Le Mesnil-sur-Oger (51) 33 H 5
Le Mesnil-Thébault (50) 46 A 3
Le Mesnil-Théribus (60) 30 D 2
Le Mesnil-Thomas (28) 49 G 3
Le Mesnil-Tôve (50) 46 B 2
Mesnil-Val (76) 6 A 5
Le Mesnil-Véneron (50) 25 F 2
Mesnil-Verclives (27) 30 A 2
Le Mesnil-Vigot (50) 25 E 3
Le Mesnil-Villeman (50) 25 E 5
Le Mesnil-Villement (14) 47 F 1
Le Mesnilbus (50) 25 E 3
Le Mesnillard (50) 46 B 2

A B C D E F G H I J K L M N O P Q R S T U V W X Y Z

A B C D E F G H I J K L M N O P Q R S T U V W X Y Z

Localité *(Département)* ↓	Page ↓	Coordonnées ↓

Mesnois (39).............110 B 5
Les Mesnuls (78).........50 C 2
Mespaul (29).............41 H 2
Mesplède (64)............186 A 3
Mesples (03).............118 C 2
Mespuits (91)............51 E 5
Mesquer (44).............82 A 3
Messac (17)..............141 G 2
Messac (35)..............65 E 4
Messais (86).............101 H 3
Messanges (21)...........109 E 1
Messanges (40)...........168 C 5
Messas (45)..............70 B 5
Messé (79)...............115 E 4
Messei (61)..............47 E 2
Messein (54).............56 D 2
Messeix (63).............132 B 5
Messemé (86).............102 A 2
Messery (74).............124 C 2
Messeux (16).............128 D 1
Messey-sur-Grosne (71)...109 E 5
Messia-sur-Sorne (39)....110 A 5
Messigny-et-Vantoux (21)....93 F 3
Messimy (69).............135 G 4
Messimy-sur-Saône (01)....122 B 5
Messincourt (08).........19 G 3
Messon (10)..............73 G 1
Messy (77)...............31 H 5
Mesterrieux (33).........156 A 4
Mestes (19)..............145 H 1
Mestry (14)..............25 G 2
Mesves-sur-Loire (58)....90 B 5
Mesvres (71).............108 B 3
Métabief (25)............111 G 4
Les Métairies (16).......127 H 3
Métairies-St-Quirin (57)....58 B 2
Méteren (59).............3 H 4
Méthamis (84)............179 H 3
Métigny (80).............14 D 1
Metting (57).............38 C 5
Mettray (37).............86 D 3
Metz Ⓡ (57).............21 E 5
Metz-en-Couture (62).....8 C 5
Metz-le-Comte (58).......91 F 4
Metz-Robert (10).........73 H 3
Metz-Tessy (74)..........138 A 1
Metzeral (68)............78 B 2
Metzeresche (57).........21 E 4
Metzervisse (57).........21 E 4
Metzing (57).............38 A 3
Meucon (56)..............81 G 1
Meudon (92)..............51 E 1
Meuilley (21)............109 E 1
Meulan-en-Yvelines (78)....30 C 4
Meulers (76).............13 H 2
Meulles (14).............28 B 5
Meulson (21).............92 D 1
Meunet-Planches (36).....104 D 4
Meunet-sur-Vatan (36)....104 C 2
Meung-sur-Loire (45).....70 B 5
Meurcé (72)..............68 A 1
Meurchin (62)............4 B 5
Meurcourt (70)...........77 E 5
La Meurdraquière (50)....24 D 5
Meures (52)..............75 F 1
Meurival (02)............33 F 1
Meursac (17).............126 D 4
Meursanges (21)..........109 F 2
Meursault (21)...........109 E 2
Meurville (10)...........74 D 1
Meuse (52)...............76 A 3
Meusnes (41).............88 A 5
Meussia (39).............123 H 1
Meuvaines (14)...........27 E 1
Meuvy (52)...............76 A 2
Meux (17)................141 G 1
Le Meux (60).............31 H 1
Meuzac (87)..............130 B 5
Mévoisins (28)...........50 A 3
Mévouillon (26)..........180 B 1
Meximieux (01)...........136 D 2
Mexy (54)................20 B 2
Mey (57).................21 E 5
Meyenheim (68)...........78 D 3
Meylan (38)..............151 H 3
Meylan (47)..............171 G 3
Meymac (19)..............131 G 5
Meynes (30)..............178 B 1
Meyrals (24).............157 H 1
Meyrannes (30)...........178 A 1
Meyrargues (13)..........196 A 2
Meyras (07)..............162 D 3
Meyreuil (13)............196 A 3
Meyrié (38)..............136 D 5
Meyrieu-les-Étangs (38)....136 D 5
Meyrieux-Trouet (73).....137 H 4
Meyrignac-l'Église (19)....145 E 1
Meyronne (46)............158 C 1
Meyronnes (04)...........167 G 4
Meyrueis (48)............177 E 2
Meys (69)................135 F 4
Meyssac (19).............144 D 4
Meysse (07)..............163 G 3
Meyssiez (38)............150 C 1
Meythet (74).............138 A 1
La Meyze (87)............130 A 4
Meyzieu (69).............136 C 3
Mézangers (53)...........67 E 1

Mèze (34)................192 D 4
Mézel (04)...............181 F 2
Mezel (63)...............133 F 3
Mézens (81)..............189 H 1
Mézeray (72).............67 H 5
Mézères (43).............148 C 3
Mézériat (01)............122 D 4
Mézerolles (80)..........7 F 4
Mézerville (11)..........189 H 5
Mézidon (14).............27 H 4
La Mézière (35)..........65 E 1
Mézières-au-Perche (28)....69 H 1
Mézières-en-Brenne (36)....103 G 4
Mézières-en-Drouais (28)....49 H 2
Mézières-en-Gâtinais (45)....71 G 3
Mézières-en-Santerre (80)....15 H 3
Mézières-en-Vexin (27)....30 A 3
Mézières-lez-Cléry (45)....70 C 5
Mézières-sous-Lavardin (72)....67 H 2
Mézières-sur-Couesnon (35)....45 G 5
Mézières-sur-Issoire (87)....116 B 5
Mézières-sur-Oise (02)....17 G 4
Mézières-sur-Ponthouin (72)....68 B 2
Mézières-sur-Seine (78)....30 C 5
Mézilhac (07)............163 E 2
Mézilles (89)............90 C 1
Mézin (47)...............171 H 3
Méziré (90)..............96 D 2
Mézos (40)...............168 D 3
Mézy-Moulins (02)........33 E 4
Mézy-sur-Seine (78)......30 C 5
Mezzavia (2A)............216 C 5
Mhère (58)...............91 G 5
Mialet (24)..............129 G 5
Mialet (30)..............177 H 3
Mialos (64)..............186 B 3
Miannay (80).............6 C 5
Michaugues (58)..........91 E 5
Michelbach (68)..........78 C 5
Michelbach-le-Bas (68)....97 G 1
Michelbach-le-Haut (68)....97 G 1
Michery (89).............72 C 1
Midrevaux (88)...........56 A 5
Mièges (39)..............111 E 4
Mièlan (32)..............187 G 4
Miellin (70).............77 H 4
Miermaigne (28)..........69 H 1
Miers (46)...............158 D 1
Miéry (39)...............110 B 3
Mietesheim (67)..........39 E 5
Mieussy (74).............125 E 4
Mieuxcé (61).............47 H 5
Mifaget (64).............203 H 1
Migé (89)................91 E 1
Migennes (89)............73 E 4
Miglos (09)..............207 E 5
Mignaloux-Beauvoir (86)....115 G 1
Mignavillers (70)........95 G 1
Mignères (45)............71 H 3
Mignerette (45)..........71 G 3
Migneville (54)..........57 H 3
Mignières (28)...........49 H 5
Mignovillard (39)........111 E 4
Migny (36)...............104 D 2
Migré (17)...............114 A 5
Migron (17)..............127 G 3
Mijanès (09).............207 H 5
Mijoux (01)..............124 A 2
La Milesse (72)..........68 A 1
Milhac (46)..............158 B 2
Milhac-d'Auberoche (24)....143 G 4
Milhac-de-Nontron (24)....143 F 1
Milhaguet (87)...........129 F 4
Milhars (81).............174 B 5
Milhas (31)..............205 H 3
Milhaud (30).............194 A 1
Milhavet (81)............174 B 1
Milizac (29).............41 E 3
Millac (86)..............116 A 4
Millam (59)..............3 E 3
Millançay (41)...........88 B 3
Millas (66)..............208 D 5
Millau Ⓢ (12)..........176 B 3
Millay (58)..............107 H 4
Millebosc (76)...........14 A 1
Millemont (78)...........50 B 1
Millencourt (80).........15 H 1
Millencourt-en-Ponthieu (80)....6 D 4
Millery (21).............92 B 3
Millery (54).............56 D 1
Millery (69).............135 H 4
Les Milles (13)..........195 H 3
Millevaches (19).........131 G 4
Millières (50)...........24 D 2
Millières (52)...........75 H 2
Millières (52)...........77 G 3
Millonfosse (59).........5 E 5
Milly (50)...............46 B 3
Milly-la-Forêt (91)......51 G 5
Milly-Lamartine (71).....122 A 3
Milly-sur-Bradon (55)....35 G 1
Milly-sur-Thérain (60)....14 D 5
Milon-la-Chapelle (78)....50 D 2
Mimbaste (40)............185 G 2
Mimet (13)...............196 A 4
Mimeure (21).............108 C 1
Mimizan (40).............168 D 2
Mimizan-Plage (40).......168 D 1
Minaucourt-le-Mesnil-lès-Hurlus (51)....34 D 3

Mindin (44)..............82 B 4
Minerve (34).............191 G 5
Mingot (65)..............187 F 4
Mingoval (62)............7 H 2
Miniac-Morvan (35).......45 E 3
Miniac-sous-Bécherel (35)....44 D 5
Les Minières (27)........49 F 1
Le Minihic-sur-Rance (35)....44 D 3
Minihy-Tréguier (22).....43 E 2
Minorville (54)..........56 C 1
Minot (21)...............93 E 1
Minversheim (67).........39 E 5
Minzac (24)..............142 A 5
Minzier (74).............124 B 5
Miolans (73).............138 B 4
Miolles (81).............175 G 5
Miomo (2B)...............215 G 3
Mionnay (01).............136 B 2
Mions (69)...............136 B 4
Mios (33)................154 C 3
Miossens-Lanusse (64)....186 C 3
La Miouze (63)...........132 D 3
Mirabeau (04)............181 F 3
Mirabeau (84)............196 B 1
Mirabel (07).............163 F 3
Mirabel (82).............173 H 3
Mirabel-aux-Baronnies (26)....179 G 1
Mirabel-et-Blacons (26)....164 D 2
Miradoux (32)............172 C 4
Miramar (06).............199 E 3
Miramas (13).............195 E 2
Mirambeau (17)...........141 F 1
Mirambeau (31)...........188 B 4
Miramont-d'Astarac (32)....188 B 4
Miramont-de-Comminges (31)....205 G 2
Miramont-de-Guyenne (47)....156 C 3
Miramont-de-Quercy (82)....173 E 2
Miramont-Latour (32).....188 A 1
Miramont-Sensacq (40)....186 C 2
Mirande Ⓢ (32).........187 G 3
Mirandol-Bourgnounac (81)....174 D 3
Mirannes (32)............187 G 2
Miraumont (80)...........8 A 5
Miraval-Cabardès (11)....190 D 4
Mirbel (52)..............75 F 1
Miré (49)................67 F 5
Mirebeau (86)............102 A 4
Mirebeau-sur-Bèze (21)....93 H 3
Mirebel (39).............110 C 4
Mirecourt (88)...........57 E 5
Mirefleurs (63)..........133 F 4
Miremont (31)............189 F 4
Miremont (63)............132 C 2
Mirepeisset (11).........191 H 5
Mirepeix (64)............204 A 1
Mirepoix (09)............207 G 2
Mirepoix (32)............188 A 1
Mirepoix-sur-Tarn (31)....174 A 5
Mireval (34).............193 F 3
Mireval-Lauragais (11)....190 B 5
Miribel (01).............136 B 2
Miribel (26).............150 C 3
Miribel-Lanchâtre (38)....151 G 5
Miribel-les-Échelles (38)....151 G 1
Mirmande (26)............163 H 2
Le Miroir (71)...........123 E 1
Mirvaux (80).............15 G 1
Mirville (76)............12 C 4
Miscon (26)..............165 G 3
Miserey (27).............29 H 4
Miserey-Salines (25).....94 D 4
Misérieux (01)...........135 H 1
Misery (80)..............16 B 2
Mison (04)...............180 D 1
Missé (79)...............101 F 2
Missècle (81)............190 B 1
Missègre (11)............208 B 3
Missery (21).............92 B 4
Missillac (44)...........82 C 2
Missiriac (56)...........64 B 4
Misson (40)..............185 G 2
Missy (14)...............27 E 3
Missy-aux-Bois (02)......32 C 2
Missy-lès-Pierrepont (02)....17 G 4
Missy-sur-Aisne (02).....32 D 1
Misy-sur-Yonne (77)......52 B 5
Mitry-Mory (77)..........31 H 5
Mittainville (78)........50 B 2
Mittainvilliers-Vérigny (28)....49 H 4
Mittelbergheim (67)......58 D 4
Mittelbronn (57).........58 C 1
Mittelhausbergen (67)....59 F 2
Mittelhausen (67)........59 E 1
Mittelschaeffolsheim (67)....59 E 1
Mittelwihr (68)..........58 D 3
Mittersheim (57).........38 A 5
Mittlach (68)............78 B 3
Mittois (14).............27 H 4
Mitzach (68).............78 B 4
Mixe (34)................168 D 3
Mizérieux (42)...........134 D 3
Mizoën (38)..............152 B 4
Mobecq (50)..............24 D 2
Moca-Croce (2A)..........219 E 1
Modane (73)..............153 E 2
Modène (84)..............179 G 3
Moëlan-sur-Mer (29)......62 B 5
Les Moëres (59)..........3 G 2
Mœrnach (68).............97 F 2
Moëslains (52)...........55 E 3
Mœurs-Verdey (51)........53 F 2

Mœuvres (59).............8 C 4
Moëze (17)...............126 C 1
Moffans-et-Vacheresse (70)....95 G 1
Mogeville (55)...........20 A 5
Mognard (73).............137 H 3
Mogneneins (01)..........122 B 5
Mognéville (55)..........55 F 1
Mogneville (60)..........31 G 2
Mogues (08)..............19 G 3
Mohon (56)...............64 A 2
Moidieu-Détourbe (38)....136 C 5
Moidrey (50).............45 G 3
Moigné (35)..............65 E 2
Moigny-sur-École (91)....51 G 5
Moimay (70)..............95 G 2
Moineville (54)..........20 D 5
Moings (17)..............127 G 5
Moingt (42)..............134 D 5
Moinville-la-Jeulin (28)....50 B 5
Moirans (38).............151 F 2
Moirans-en-Montagne (39)....123 H 2
Moirax (47)..............172 B 2
Moiré (69)...............135 G 2
Moiremont (51)...........35 E 3
Moirey-Flabas-Crépion (55)....35 H 1
Moiron (39)..............110 B 5
Moisdon-la-Rivière (44)....83 G 1
Moisenay (77)............51 H 3
Moislains (80)...........8 B 4
Moissac (82).............173 E 2
Moissac-Bellevue (83)....197 E 1
Moissac-Vallée-Française (48)....177 G 2
Moissannes (87)..........130 C 2
Moissat (63).............133 G 3
Moisselles (95)..........31 F 4
Moissey (39).............94 A 5
Moissieu-sur-Dolon (38)....150 C 1
Moisson (78).............30 B 4
Moissy-Cramayel (77).....51 G 3
Moissy-Moulinot (58).....91 F 4
Moisville (27)...........49 G 1
Moisy (41)...............69 H 4
Moïta (2B)...............217 G 2
Les Moitiers-d'Allonne (50)....22 B 5
Les Moitiers-en-Bauptois (50)....22 D 5
Moitron (21).............93 E 1
Moitron-sur-Sarthe (72)....67 H 1
Moivre (51)..............34 D 5
Moivrons (54)............57 E 1
Molac (56)...............64 A 5
Molagnies (76)...........14 C 5
Molain (02)..............9 F 5
Molain (39)..............110 C 3
Molamboz (39)............110 B 2
Molandier (11)...........189 H 5
Molas (31)...............188 B 4
Molay (39)...............94 B 5
Molay (70)...............94 A 4
Le Molay-Littry (14).....25 H 2
Môlay (89)...............91 H 1
La Môle (83).............197 G 5
Moléans (28).............69 H 2
Molèdes (15).............146 D 3
Molère (65)..............204 D 2
Molesme (21).............74 B 4
Molesmes (89)............91 E 2
Molezon (48).............177 F 2
Moliens (60).............14 C 4
Molières (24)............157 F 2
Molières (46)............159 E 2
Molières (82)............173 G 2
Les Molières (91)........50 D 2
Molières-Cavaillac (30)....177 F 4
Molières-Glandaz (26)....165 F 2
Molières-sur-Cèze (30)....178 A 1
Moliets-et-Maa (40)......168 C 5
Moliets-Plage (40).......168 C 5
Molinchart (02)..........17 E 5
Molines-en-Queyras (05)....167 G 2
Molinet (03).............121 E 2
Molineuf (41)............87 G 2
Molinges (39)............123 H 3
Molinons (89)............73 E 1
Molinot (21).............108 D 2
Molins-sur-Aube (10).....54 B 4
Molitg-les-Bains (66)....212 B 3
Mollans (70).............95 F 1
Mollans-sur-Ouvèze (26)....179 F 1
Mollau (68)..............78 B 4
Mollégès (13)............179 F 5
Molles (03)..............120 B 5
Les Mollettes (73).......138 A 5
Molleville (11)..........190 A 5
Molliens-au-Bois (80)....15 G 1
Molliens-Dreuil (80).....15 E 2
La Mollière (80).........6 B 4
Mollkirch (67)...........58 D 3
Mollon (01)..............136 D 1
Molompize (15)...........147 E 3
Molosmes (89)............74 B 4
Moloy (21)...............93 F 2
Molphey (21).............92 A 4
Molpré (39)..............111 E 4
Molring (57).............37 H 5
Molsheim Ⓢ (67)........58 D 3
Moltifao (2B)............215 E 5
Les Molunes (39).........124 A 3
Momas (64)...............186 B 3

Mombrier (33)............141 F 4
Momères (65).............204 C 1
Momerstroff (57).........21 G 5
Momuy (40)...............186 A 2
Momy (64)................186 D 4
Mon Idée (08)............10 C 5
Monacia-d'Aullène (2A)....219 E 4
Monacia-d'Orezza (2B)....217 G 1
Monaco (MCO).............183 G 5
Monampteuil (02).........17 F 5
Monassut-Audiracq (64)....186 D 4
Monbadon (33)............142 A 5
Monbahus (47)............156 D 4
Monbalen (47)............172 C 1
Monbardon (32)...........188 A 4
Monbazillac (24).........156 D 2
Monbéqui (82)............173 F 5
Monblanc (32)............188 C 4
Monbos (24)..............156 D 2
Monbrun (32).............188 D 2
Moncale (2B).............214 C 5
Moncassin (32)...........187 H 4
Moncaup (31).............205 G 3
Moncaup (64).............186 D 3
Moncaut (47).............172 B 2
Moncayolle-Larrory-Mendibieu (64)....185 G 5
Moncé-en-Belin (72)......68 A 4
Moncé-en-Saosnois (72)....68 B 1
Monceau-le-Neuf-et-Faucouzy (02)....17 F 3
Monceau-lès-Leups (02)....17 E 4
Monceau-St-Waast (59)....9 H 4
Monceau-sur-Oise (02)....17 F 1
Les Monceaux (14)........28 A 3
Monceaux (60)............31 G 2
Monceaux-au-Perche (61)....48 D 4
Monceaux-en-Bessin (14)....26 D 2
Monceaux-l'Abbé (60)....14 C 4
Monceaux-le-Comte (58)....91 F 4
Monceaux-sur-Dordogne (19)....145 E 4
Moncel-lès-Lunéville (54)....57 G 3
Moncel-sur-Seille (54)....57 F 1
Moncel-sur-Vair (88).....56 B 4
La Moncelle (08).........19 F 3
Moncetz-l'Abbaye (51)....54 D 2
Moncetz-Longevas (51)....34 B 5
Moncey (25)..............95 E 3
Monchaux (80)............6 C 3
Monchaux-Soreng (76).....14 B 1
Monchaux-sur-Écaillon (59)....9 E 3
Moncheaux (59)...........4 C 5
Moncheaux-lès-Frévent (62)....7 G 3
Monchecourt (59).........8 D 3
Monchel-sur-Canche (62)....7 F 3
Monchaux (57)............37 E 5
Monchiet (62)............8 A 4
Monchy-au-Bois (62)......8 A 4
Monchy-Breton (62).......7 H 2
Monchy-Cayeux (62).......7 G 2
Monchy-Humières (60).....16 A 5
Monchy-Lagache (80)......16 B 2
Monchy-le-Preux (62).....8 B 3
Monchy-St-Éloi (60)......31 G 2
Monchy-sur-Eu (76).......14 A 1
Moncla (64)..............186 C 2
Monclar (32).............188 C 4
Monclar (47).............156 D 5
Monclar-de-Quercy (82)....174 A 4
Monclar-de-Losse (32)....187 G 3
Moncley (25).............94 C 4
Moncontour (22)..........63 H 1
Moncontour (86)..........101 G 3
Moncorneil-Grazan (32)....188 A 4
Moncourt (57)............57 G 1
Moncoutant (79)..........100 D 4
Moncrabeau (47)..........172 A 3
Moncy (61)...............46 D 1
Mondavezan (31)..........188 D 5
Mondelange (57)..........21 E 4
Mondement-Montgivroux (51)....53 F 1
Mondescourt (60).........16 C 4
Mondevert (35)...........66 A 2
Mondeville (14)..........27 F 3
Mondeville (91)..........51 F 4
Mondicourt (62)..........7 H 4
Mondigny (08)............18 D 3
Mondilhan (31)...........188 A 5
Mondion (86).............102 C 3
Mondon (25)..............95 F 3
Mondonville (31).........189 E 2
Mondonville-St-Jean (28)....50 C 5
Mondorff (57)............21 E 2
Mondoubleau (41).........69 E 3
Mondouzil (31)...........189 G 2
Mondragon (84)...........179 E 1
Mondrainville (14).......27 E 3
Mondrecourt (55).........35 G 4
Mondrepuis (02)..........10 A 4
Mondreville (77).........71 H 2
Mondreville (78).........30 A 5
Monein (64)..............186 A 4
Monès (31)...............188 D 4
Monesple (09)............206 D 2
Monestier (03)...........119 H 4

Monestier (07)...........149 F 3
Monestier (24)...........156 C 2
Le Monestier (63)........134 A 5
Monestier-d'Ambel (38)....166 A 1
Monestier-de-Clermont (38)....151 G 5
Le Monestier-du-Percy (38)....165 G 1
Monestier-Merlines (19)....132 B 4
Monestier-Port-Dieu (19)....146 A 1
Monestiés (81)...........174 D 3
Monestrol (31)...........189 H 5
Monétay-sur-Allier (03)....120 A 3
Monétay-sur-Loire (03)....120 D 2
Monéteau (89)............73 E 3
Le Monétier-Allemont (05)....166 A 5
Le Monêtier-les-Bains (05)....152 D 4
Monfaucon (33)...........156 C 1
Monfaucon (65)...........187 F 3
Monferran-Plavès (32)....188 A 3
Monferran-Savès (32).....188 C 2
Monflanquin (47).........157 F 4
Monfort (32).............188 B 1
Monfréville (14).........25 G 1
Mongaillard (47).........171 H 2
Mongausy (32)............188 B 3
Mongauzy (33)............156 A 4
Monget (40)..............186 A 2
La Mongie (65)...........204 D 3
Monguilhem (32)..........171 E 5
Monheurt (47)............171 H 1
Monhoudou (72)...........68 B 1
Monieux (84).............180 A 3
Monistrol-d'Allier (43)....147 H 5
Monistrol-sur-Loire (43)....148 D 2
Monlaur-Bernet (32)......187 H 4
Monléon-Magnoac (65).....187 H 5
Monlet (43)..............148 A 3
Monlong (65).............205 F 1
Monlezun (32)............187 H 4
Monlezun-d'Armagnac (32)....171 E 5
Monmadalès (24)..........157 E 2
Monmarvès (24)...........157 E 2
Monnai (61)..............28 B 5
Monnaie (37).............86 D 3
Monneren (57)............21 F 3
La Monnerie-le-Montel (63)....134 A 2
Monnerville (91).........50 D 5
Monnes (02)..............32 C 3
Monnet-la-Ville (39).....110 C 4
Monnetay (39)............123 F 2
Monnetier-Mornex (74)....124 C 4
Monneville (60)..........30 D 3
Monnières (39)...........110 A 1
Monnières (44)...........99 G 1
Monoblet (30)............177 H 4
Monpardiac (32)..........187 F 3
Monpazier (24)...........157 G 3
Monpezat (64)............186 D 3
Monplaisant (24).........157 G 2
Monprimblanc (33)........155 G 3
Mons (17)................127 G 2
Mons (16)................128 A 2
Mons (30)................178 A 3
Mons (31)................189 G 2
Mons (34)................191 H 3
Mons (63)................133 G 1
Mons (83)................198 C 1
Mons-Boubert (80)........6 C 4
Mons-en-Barœul (59).....4 C 3
Mons-en-Chaussée (80)....16 B 2
Mons-en-Laonnois (02)....17 E 5
Mons-en-Montois (77).....52 C 4
Mons-en-Pévèle (59).....4 C 5
Monsac (24)..............157 F 2
Monsaguel (24)...........157 E 2
Monsec (24)..............143 E 1
Monségur (33)............156 B 3
Monségur (40)............186 A 2
Monségur (47)............157 G 4
Monségur (64)............187 E 4
La Monselie (15).........146 A 2
Monsempron-Libos (47)....157 G 4
Monsireigne (85).........100 B 4
Monsols (69).............121 H 4
Monsteroux-Milieu (38)....149 H 1
Monsures (80)............15 E 3
Monswiller (67)..........58 D 1
Mont (65)................205 E 4
Le Mont (70).............77 G 5
Mont (71)................107 G 5
Le Mont (88).............58 B 4
Mont-Bernanchon (62).....3 G 5
Mont-Bertrand (14).......25 G 4
Mont-Bonvillers (54).....20 C 4
Mont-Cauvaire (76).......13 G 4
Mont-d'Astarac (32)......187 H 5
Mont-Dauphin (05)........167 F 2
Mont-de-Galié (31).......205 G 3
Mont-de-Lans (38)........152 B 4
Mont-de-Laval (25).......95 H 5
Mont-de-Marrast (32).....187 G 4
Mont-de-Marsan Ⓟ (40)....170 C 4
Mont-de-Vougney (25).....96 C 4
Mont-Denis (73)..........152 D 2
Mont des Cats (59).......3 G 4
Mont-devant-Sassey (55)....35 F 1
Le Mont-Dieu (08)........19 E 4
Mont-Disse (64)..........186 D 2
Mont-Dol (35)............45 F 3
le Mont-Dore (63)........132 D 5

Mont-d'Origny (02) ....17 E 2
Mont-et-Marré (58) ....107 F 1
Mont-Laurent (08) ....18 C 5
Mont-le-Franois (70) ....94 A 2
Mont-le-Vernois (70) ....94 D 1
Mont-le-Vignoble (54) ....56 C 3
Mont-lès-Lamarche (88) ......76 C 3
Mont-lès-Neufchâteau (88) ...56 B 5
Mont-lès-Seurre (71) ....109 G 2
Mont-l'Étroit (54) ....56 B 4
Mont-l'Évêque (60) ....31 H 3
Mont-Louis (66) ....211 H 4
Mont-Notre-Dame (02) ....33 E 2
Mont-Ormel (61) ....48 A 1
Mont-près-Chambord (41) .....88 A 2
Mont-Roc (81) ....190 D 1
Mont-Saxonnex (74) ....125 E 5
Mont-sous-Vaudrey (39) .....110 B 2
Le Mont-St-Adrien (60) ......30 D 1
Mont-St-Aignan (76) ....13 G 5
Mont-St-Éloi (62) ....8 A 3
Mont-St-Jean (02) ....18 A 2
Mont-St-Jean (21) ....92 B 5
Mont-St-Jean (72) ....67 G 1
Mont-St-Léger (70) ....94 C 1
Mont-St-Martin (02) ....33 E 2
Mont-St-Martin (08) ....34 C 1
Mont-St-Martin (38) ....151 G 2
Mont-St-Martin (54) ....20 B 2
Le Mont-St-Michel (50) ......45 G 2
Mont-St-Père (02) ....33 E 4
Mont-St-Quentin (80) ....16 B 1
Mont-St-Remy (08) ....34 B 1
Mont-St-Sulpice (89) ....73 F 4
Mont-St-Vincent (71) ....108 C 5
Mont-sur-Courville (51) .....33 F 2
Mont-sur-Meurthe (54) ....57 F 3
Mont-sur-Monnet (39) ....110 C 4
Montabard (61) ....47 H 1
Montabon (72) ....86 B 1
Montabot (50) ....25 F 5
Montacher (89) ....72 B 2
Montadet (32) ....188 C 4
Montady (34) ....192 A 5
Montagagne (09) ....206 D 3
Montagna-le-Reconduit (39) .123 F 2
Montagna-le-Templier (39) ..123 F 3
Montagnac (30) ....178 A 4
Montagnac (34) ....192 D 3
Montagnac-
  d'Auberoche (24) ....143 G 3
Montagnac-la-Crempse (24) ..143 E 5
Montagnac-Montpezat (04) ..181 F 5
Montagnac-
  sur-Auvignon (47) ....172 A 2
Montagnac-sur-Lède (47) ....157 F 4
Montagnat (01) ....123 E 4
Montagne (33) ....141 H 5
Montagne (38) ....150 D 3
La Montagne (44) ....83 E 5
La Montagne (70) ....77 G 3
Montagne-Fayel (80) ....14 D 1
Montagney (70) ....94 B 4
Montagney-Servigney (25) ....95 F 2
Montagnieu (01) ....137 E 3
Montagnieu (38) ....137 E 5
Montagnol (12) ....176 B 5
Montagnole (73) ....137 H 5
Montagny (42) ....135 E 1
Montagny (69) ....135 H 4
Montagny (73) ....139 E 5
Montagny-en-Vexin (60) ......30 C 5
Montagny-lès-Beaune (21) ...109 E 2
Montagny-lès-Buxy (71) .....108 D 5
Montagny-les-Lanches (74) ..138 A 2
Montagny-lès-Seurre (21) ...109 H 2
Montagny-
  près-Louhans (71) ....109 H 5
Montagny-Ste-Félicité (60) ..31 H 3
Montagny-sur-Grosne (71) ...121 H 3
Montagoudin (33) ....156 A 3
Montagrier (24) ....142 D 2
Montagudet (82) ....173 E 2
Montagut (64) ....186 B 3
Montaignac (19) ....145 F 2
Montaignac-
  St-Hippolyte (19) ....145 F 2
Montaigu (02) ....17 G 5
Montaigu (39) ....110 B 5
Montaigu (85) ....99 H 2
Montaigu-de-Quercy (82) ....173 E 1
Montaigu-la-Brisette (50) ...23 E 3
Montaigu-le-Blin (03) ......120 B 3
Montaigu-les-Bois (50) ......25 E 5
Montaiguët-en-Forez (03) ...120 D 4
Montaigut (63) ....119 F 5
Montaigut-le-Blanc (23) ....117 G 5
Montaigut-le-Blanc (63) ....133 F 5
Montaigut-sur-Save (31) ....189 E 2
Montaillé (72) ....68 D 4
Montailleur (73) ....138 C 4
Montaillou (09) ....207 G 5
Montaimont (73) ....152 C 1
Montain (39) ....110 B 4
Montaïn (82) ....173 H 4
Montainville (28) ....70 A 1
Montainville (78) ....50 C 1
Montalba-d'Amélie (66) .....212 D 4
Montalba-le-Château (66) ...208 C 5
Montalembert (79) ....115 E 5
Montalet-le-Bois (78) ....30 C 4
Montalieu-Vercieu (38) .....137 E 2

Montalivet-les-Bains (33) ...140 B 1
Montalzat (82) ....173 H 2
Montamat (32) ....188 B 3
Montambert (58) ....107 F 4
Montamel (46) ....158 B 3
Montamisé (86) ....102 B 5
Montamy (14) ....25 H 4
Montanay (69) ....136 B 2
Montanceix (24) ....143 E 4
Montancy (25) ....96 D 3
Montandon (25) ....96 C 4
Montanel (50) ....45 H 3
Montaner (64) ....187 E 4
Montanges (01) ....123 H 4
Montangon (10) ....54 B 5
Montans (81) ....174 C 5
Montapas (58) ....107 F 1
Montarcher (42) ....148 B 1
Montardit (09) ....206 B 2
Montardon (64) ....186 C 4
Montaren-
  et-St-Médiers (30) ....178 C 3
Montargis (19) ....144 D 2
Montargis ◆ (45) ....71 H 3
Montarlot (70) ....52 A 5
Montarlot-
  lès-Champlitte (70) ....94 A 1
Montarlot-lès-Rioz (70) .....94 D 3
Montarnaud (34) ....193 E 2
Montaron (58) ....107 G 3
Montastruc (47) ....156 D 4
Montastruc (65) ....205 E 1
Montastruc (82) ....173 G 4
Montastruc-de-Salies (31) ..205 H 2
Montastruc-
  la-Conseillère (31) ......189 G 1
Montastruc-Savès (31) ......188 C 4
Le Montat (46) ....158 B 5
Montataire (60) ....31 F 2
Montauban P (82) ....173 G 4
Montauban-
  de-Bretagne (35) ....64 D 1
Montauban-de-Luchon (31) ..205 F 4
Montauban-de-Picardie (80) ..16 A 1
Montauban-
  sur-l'Ouvèze (26) ....180 B 1
Montaud (34) ....193 G 1
Montaud (38) ....151 F 2
Montaudin (53) ....46 B 5
Montaulieu (26) ....165 E 5
Montaulin (10) ....74 A 1
Montaure (27) ....29 G 2
Montauriol (11) ....190 A 5
Montauriol (47) ....157 E 3
Montauriol (66) ....212 D 3
Montauriol (81) ....175 E 3
Montauroux (83) ....198 C 1
Montaut (09) ....207 E 1
Montaut (24) ....157 E 2
Montaut (31) ....189 E 4
Montaut (32) ....187 H 4
Montaut (40) ....186 A 1
Montaut (47) ....157 E 3
Montaut (64) ....204 A 1
Montaut-les-Créneaux (32) ..188 A 1
Montautour (35) ....66 A 1
Montauville (54) ....36 D 5
Montay (59) ....9 F 5
Montayral (47) ....157 G 5
Montazeau (24) ....156 B 1
Montazels (11) ....208 A 3
Montbard ◆ (21) ....92 B 2
Montbarla (82) ....173 E 2
Montbarrey (39) ....110 B 2
Montbarrois (45) ....71 F 5
Montbartier (82) ....173 G 5
Montbavin (02) ....17 E 5
Montbazens (12) ....159 G 5
Montbazin (34) ....193 E 3
Montbazon (37) ....86 D 5
Montbel (09) ....207 G 3
Montbel (48) ....162 A 4
Montbéliard ◆ (25) ....96 C 2
Montbéliardot (25) ....95 H 5
Montbellet (71) ....122 B 2
Montbenoît (25) ....111 G 2
Montberaud (31) ....206 B 1
Montbernard (31) ....188 B 5
Montberon (31) ....189 G 1
Montbert (44) ....99 G 1
Montberthault (21) ....92 A 3
Montbeton (82) ....173 G 4
Montbeugny (03) ....120 B 1
Montbizot (72) ....68 A 2
Montblainville (55) ....35 F 2
Montblanc (34) ....192 C 4
Montboillon (70) ....94 D 3
Montboissier (28) ....69 H 1
Montbolo (66) ....212 D 4
Montbonnot-St-Martin (38) ..151 H 2
Montboucher (26) ....130 D 2
Montboucher-
  sur-Jabron (26) ....163 H 4
Montboudif (15) ....146 B 2
Montbouton (90) ....96 D 2
Montbouy (45) ....72 A 5
Montboyer (16) ....142 B 2
Montbozon (70) ....95 F 3
Montbrand (05) ....165 H 3
Montbras (55) ....56 B 3
Montbray (50) ....25 F 5
Montbré (51) ....33 H 3

Montbrehain (02) ....16 D 1
Montbrison (26) ....164 C 5
Montbrison ◆ (42) ....134 D 4
Montbron (16) ....129 E 4
Montbronn (57) ....38 C 4
Montbrun (46) ....159 E 4
Montbrun-Bocage (31) ....206 C 2
Montbrun-
  des-Corbières (11) ....208 D 1
Montbrun-Lauragais (31) ....189 G 4
Montbrun-les-Bains (26) ....180 A 2
Montcabrier (46) ....157 H 4
Montcabrier (81) ....189 H 2
Montcalm (30) ....194 A 2
Montcaret (24) ....156 B 1
Montcarra (38) ....137 E 4
Montcavrel (62) ....6 D 1
Montceau (38) ....137 E 4
Montceau-et-Écharnant (21) .108 D 2
Montceau-les-Mines (71) ....108 B 5
Montceaux (01) ....122 B 5
Montceaux-lès-Meaux (77) ....32 B 5
Montceaux-lès-Provins (77) ..52 D 2
Montceaux-lès-Vaudes (10) ...74 A 2
Montceaux-l'Étoile (71) ....121 E 3
Montceaux-Ragny (71) ....109 E 5
Montcel (63) ....133 E 1
Le Montcel (73) ....138 A 3
Montcenis (71) ....108 B 4
Montcet (01) ....122 D 4
Montcey (70) ....95 E 1
Montchaboud (38) ....151 H 4
Montchal (42) ....135 E 3
Montchâlons (02) ....17 F 5
Montchamp (14) ....25 H 5
Montchamp (15) ....147 E 4
Montchanin (71) ....108 C 4
Montcharvot (52) ....76 B 4
Montchaton (50) ....24 D 4
Montchaude (16) ....141 H 1
Montchauvet (14) ....25 H 5
Montchauvet (78) ....50 B 5
Montchauvrot (39) ....110 B 4
Montchavin (73) ....139 E 4
Montchenot (51) ....33 H 3
Montchenu (26) ....150 C 3
Montcheutin (08) ....34 D 2
Montchevrel (61) ....48 B 3
Montchevrier (36) ....117 G 2
Montclar (04) ....166 D 5
Montclar (11) ....208 A 1
Montclar (12) ....175 H 4
Montclar-
  de-Commingues (31) ....206 A 1
Montclar-Lauragais (31) ....189 H 4
Montclar-sur-Gervanne (26) .164 D 2
Montcléra (46) ....158 A 3
Montclus (05) ....165 H 5
Montclus (30) ....178 C 1
Montcombroux-
  les-Mines (03) ....120 C 3
Montcony (71) ....109 H 5
Montcorbon (45) ....72 B 4
Montcornet (02) ....17 H 3
Montcornet (08) ....10 D 5
Montcourt (70) ....76 D 4
Montcourt-Fromonville (77) ..71 H 1
Montcoy (71) ....109 F 4
Montcresson (45) ....72 A 4
Montcuit (50) ....25 E 3
Montcul (50) ....136 C 3
Montcuq-en-
  Quercy-Blanc (46) ....173 F 1
Montcusel (39) ....123 G 3
Montcy-Notre-Dame (08) ......18 D 2
Montdardier (30) ....177 F 4
Montdauphin (77) ....52 D 1
Montdidier (57) ....37 H 4
Montdidier ◆ (80) ....15 H 4
Montdoré (70) ....76 D 4
Montdoumerc (46) ....173 H 1
Montdragon (81) ....190 C 1
Montdurausse (81) ....174 A 4
Monte (2B) ....215 G 5
Monte-Carlo (MCO) ....183 G 5
Monte Cecu (2B) ....217 E 2
Monte d'Oro (2A) ....217 E 3
Monteaux (41) ....87 F 3
Montebourg (50) ....23 E 4
Montech (82) ....173 F 4
Montécheroux (25) ....96 C 3
Montegrosso (2B) ....214 C 5
Montégut (32) ....188 A 2
Montégut (40) ....171 E 5
Montégut (65) ....205 F 2
Montégut-Arros (32) ....187 F 4
Montégut-Bourjac (31) ......188 C 5
Montégut-
  en-Couserans (09) ....206 B 3
Montégut-Lauragais (31) ....190 A 3
Montégut-Plantaurel (09) ...206 D 2
Montégut-Savès (32) ....188 C 4
Monteignet-
  sur-l'Andelot (03) ....120 A 5
Le Monteil (15) ....146 A 2
Le Monteil (43) ....148 B 4
Le Monteil-au-Vicomte (23) .131 F 2
Monteils (12) ....174 C 1
Monteils (30) ....178 C 1
Monteils (82) ....173 H 2

Monteils (Près de Alès) (30) ...178 A 3
Monteils
  (Près de Barjac) (30) .....178 C 1
Montel-de-Gelat (63) ....132 B 2
Montéléger (26) ....164 C 1
Montélier (26) ....150 C 5
Montélimar (26) ....163 G 4
Le Montellier (01) ....136 C 1
Montels (09) ....206 D 3
Montels (34) ....192 A 5
Montels (81) ....174 C 4
Montemaggiore (2B) ....214 C 5
Montembœuf (16) ....129 E 3
Montenach (57) ....21 F 3
Montenay (53) ....46 C 5
Montendre (17) ....141 G 2
Montendry (73) ....138 B 5
Montenescourt (62) ....7 H 3
Monteneuf (56) ....64 C 4
Montenils (77) ....53 E 1
Montenoison (58) ....91 E 5
Montenois (25) ....95 H 2
Montenoy (54) ....57 E 1
Montépilloy (60) ....31 H 3
Monteplain (39) ....94 B 5
Montépreux (51) ....53 H 2
Monterblanc (56) ....81 H 1
Montereau (45) ....71 G 5
Montereau-
  Fault-Yonne (77) ....52 B 5
Montereau-sur-le-Jard (77) ..51 H 3
Monterfil (35) ....64 D 2
Montérolier (76) ....14 A 4
Monterrein (56) ....64 B 4
Montertelot (56) ....64 A 4
Montescot (66) ....213 F 3
Montescourt-Lizerolles (02) .16 D 3
Montespan (31) ....205 H 2
Montesquieu (34) ....192 B 3
Montesquieu (47) ....172 A 2
Montesquieu (82) ....173 E 2
Montesquieu-Avantès (09) ...206 B 2
Montesquieu-
  des-Albères (66) ....213 E 4
Montesquieu-Guittaut (31) ..188 B 5
Montesquieu-Lauragais (31) .189 G 4
Montesquieu-
  Volvestre (31) ....206 C 1
Montesquiou (32) ....187 G 2
Montessaux (70) ....77 G 5
Montesson (52) ....76 B 5
Montesson (78) ....31 E 5
Montestruc-sur-Gers (32) ...188 A 1
Montestrucq (64) ....185 H 3
Le Montet (03) ....119 G 2
Montet-et-Bouxal (46) ......159 F 2
Monteton (47) ....156 C 3
Monteux (84) ....179 G 3
Montévrain (77) ....51 H 1
Monteynard (38) ....151 G 5
Montézic (12) ....160 B 3
Montfa (09) ....206 C 2
Montfa (81) ....190 C 2
Montfalcon (38) ....150 D 2
Montfarville (50) ....23 E 2
Montfaucon (02) ....32 D 5
Montfaucon (25) ....95 E 5
Montfaucon (30) ....179 E 3
Montfaucon (46) ....158 C 4
Montfaucon (49) ....100 A 1
Montfaucon (73) ....113 H 3
Montfaucon-
  d'Argonne (55) ....35 F 2
Montfaucon-
  en-Velay (43) ....148 D 3
Montfavet (84) ....179 F 4
Montfermeil (93) ....31 G 5
Montfermier (82) ....173 H 2
Montfermy (63) ....132 D 2
Montferrand (11) ....190 A 4
Montferrand (63) ....133 F 3
Montferrand-
  du-Périgord (24) ....157 G 2
Montferrand-la-Fare (26) ...165 F 5
Montferrand-
  le-Château (25) ....94 D 5
Montferrat (38) ....137 F 5
Montferrat (83) ....197 G 2
Montferrer (66) ....212 C 4
Montferrier (09) ....207 F 4
Montferrier-sur-Lez (34) ...193 F 2
Montfey (10) ....73 G 3
Montfiquet (14) ....25 G 3
Montfleur (39) ....123 F 3
Montflours (53) ....66 C 2
Montflovin (25) ....111 G 2
Montfort (04) ....181 E 3
Montfort (24) ....158 A 1
Montfort (25) ....110 D 1
Montfort (49) ....85 F 5
Montfort (64) ....185 G 4
Montfort-
  en-Chalosse (40) ....185 G 1
Montfort-l'Amaury (78) ......50 C 2
Montfort-le-Gesnois (72) ....68 B 3
Montfort-sur-Argens (83) ...197 E 3
Montfort-sur-Boulzane (11) .208 B 5
Montfort-sur-Meu (35) ....64 D 1
Montfort-sur-Risle (27) .....28 D 2
Montfranc (12) ....175 G 5
Montfrin (30) ....178 D 5
Montfroc (26) ....180 C 2

Montfuron (04) ....180 C 5
Montgaillard (09) ....207 E 3
Montgaillard (11) ....208 D 3
Montgaillard (40) ....186 B 1
Montgaillard (65) ....204 C 1
Montgaillard (81) ....174 A 5
Montgaillard (82) ....172 D 4
Montgaillard-de-Salies (31) .206 A 2
Montgaillard-Lauragais (31) .189 H 4
Montgaillard-sur-Save (31) .188 B 5
Montgardin (05) ....166 C 3
Montgardon (50) ....24 C 1
Montgaroult (61) ....47 G 2
Montgauch (09) ....206 A 3
Montgaudry (61) ....48 B 5
Montgazin (31) ....189 E 5
Montgé-en-Goële (77) ....31 H 4
Montgeard (31) ....189 H 5
Montgellafrey (73) ....152 C 1
Montgenèvre (05) ....153 F 5
Montgenost (51) ....53 E 3
Montgérain (60) ....15 H 5
Montgermont (35) ....65 F 1
Montgeron (91) ....51 G 2
Montgeroult (95) ....30 D 4
Montgesoye (25) ....111 E 1
Montgesty (46) ....158 A 4
Montgey (81) ....190 A 3
Montgibaud (19) ....130 B 5
Montgilbert (73) ....138 C 5
Montgirod (73) ....139 E 5
Montgiscard (31) ....189 G 4
Montgivray (36) ....118 A 1
Montgobert (02) ....32 C 2
Montgon (08) ....18 D 5
Montgothier (50) ....46 A 2
Montgradail (11) ....207 H 2
Montgras (31) ....188 D 4
Montgreleix (15) ....146 C 2
Montgrésin (60) ....31 G 3
Montgru-St-Hilaire (02) .....32 D 3
Montguers (26) ....180 B 1
Montgueux (10) ....73 H 1
Montguillon (49) ....66 C 5
Montguyon (17) ....141 H 3
Les Monthairons (55) ....35 H 4
Montharville (28) ....69 H 2
Monthault (35) ....46 A 3
Monthaut (11) ....207 H 2
Monthelie (21) ....109 E 2
Monthelon (51) ....33 G 4
Monthelon (71) ....108 A 2
Monthenault (02) ....17 F 5
Montheries (52) ....75 E 2
Montherlant (60) ....30 D 2
Monthermé (08) ....11 E 5
Monthiers (02) ....32 D 4
Monthieux (01) ....136 B 1
Monthion (73) ....138 C 4
Monthodon (37) ....87 E 1
Monthoiron (86) ....102 C 5
Monthois (08) ....34 D 2
Montholier (39) ....110 B 3
Monthou-sur-Bièvre (41) .....87 H 3
Monthou-sur-Cher (41) ....87 H 4
Monthuchon (50) ....24 D 3
Monthurel (02) ....33 E 4
Monthureux-le-Sec (88) ......76 D 1
Monthureux-
  sur-Saône (88) ....76 D 3
Monti (06) ....183 G 4
Monticello (2B) ....214 D 4
Montier-en-Der (52) ....54 D 4
Montier-en-l'Isle (10) ......74 D 1
Montiéramey (10) ....74 B 1
Montierchaume (36) ....104 B 3
Montiers (60) ....15 H 5
Montiers-sur-Saulx (55) .....55 G 3
Monties (32) ....188 A 4
Montignac (33) ....155 H 2
Montignac (65) ....204 C 1
Montignac (près de
  Montpon-Menestérol) (24) .142 B 4
Montignac (près de
  Sarlat-la-Canéda) (24) ...144 A 4
Montignac-Charente (16) ....128 B 3
Montignac-de-Lauzun (47) ...156 D 4
Montignac-le-Coq (16) ......142 C 2
Montignac-Toupinerie (47) ..156 C 4
Montignargues (30) ....178 B 4
Montigné (16) ....128 A 2
Montigné (79) ....114 C 4
Montigné-le-Brillant (53) ...66 C 3
Montigné-lès-Rairies (49) ...85 G 2
Montigné-sur-Moine (49) ....100 A 1
Montigny (14) ....27 E 4
Montigny (18) ....89 H 5
Montigny (45) ....71 E 2
Montigny (50) ....46 A 2
Montigny (54) ....57 H 3
Montigny (72) ....48 A 4
Montigny (76) ....13 G 5
Montigny (79) ....100 D 4
Montigny-
  aux-Amognes (58) ....106 D 2
Montigny-devant-Sassey (55) .19 G 5
Montigny-en-Arrouaise (02) ..17 E 1
Montigny-en-Cambrésis (59) ...9 E 5
Montigny-en-Gohelle (62) .....8 B 5
Montigny-en-Morvan (58) ....107 G 1
Montigny-en-Ostrevent (59) ...8 D 2

Montigny-la-Resle (89) ......73 F 5
Montigny-l'Allier (02) ......32 B 4
Montigny-
  le-Bretonneux (78) ....50 D 2
Montigny-le-Chartif (28) ....69 G 1
Montigny-le-Franc (02) ......17 H 3
Montigny-le-Gannelon (28) ...69 G 3
Montigny-le-Guesdier (77) ...52 C 5
Montigny-Lencoup (77) ....52 B 4
Montigny-Lengrain (02) ......32 B 2
Montigny-lès-Arsures (39) ..110 C 2
Montigny-lès-Cherlieu (70) ..76 C 5
Montigny-lès-Condé (02) .....33 E 5
Montigny-lès-Cormeilles (95) .31 E 5
Montigny-lès-Jongleurs (80) ..7 F 4
Montigny-lès-Metz (57) ......36 D 3
Montigny-les-Monts (10) .....73 H 2
Montigny-
  lès-Vaucouleurs (55) .....56 A 3
Montigny-lès-Vesoul (70) ....94 D 1
Montigny-Montfort (21) ......92 B 2
Montigny-Mornay-Villeneuve-
  sur-Vingeanne (21) ....94 A 2
Montigny-St-Barthélemy (21) .92 B 3
Montigny-sur-Armançon (21) ..92 B 3
Montigny-sur-Aube (21) ......75 G 4
Montigny-sur-Avre (28) ......49 F 2
Montigny-sur-Canne (58) ....107 F 3
Montigny-sur-Chiers (54) ....20 B 2
Montigny-sur-Crécy (02) .....17 F 3
Montigny-sur-l'Ain (39) ....110 C 4
Montigny-sur-l'Hallue (80) ..15 G 1
Montigny-sur-Loing (77) .....51 H 5
Montigny-sur-Meuse (08) .....11 E 3
Montigny-sur-Vence (08) .....18 D 4
Montigny-sur-Vesle (51) .....33 F 2
Montilliers (49) ....85 E 5
Montillot (89) ....91 F 3
Montilly (03) ....119 H 1
Montilly-sur-Noireau (61) ...47 E 1
Montils (17) ....127 F 4
Les Montils (41) ....87 H 3
Les Montils (77) ....52 A 4
Montipouret (36) ....104 C 5
Montirat (11) ....208 B 1
Montirat (81) ....174 D 2
Montireau (28) ....49 F 5
Montiron (32) ....188 B 2
Montivernage (25) ....95 G 4
Montivilliers (76) ....12 B 5
Montjardin (11) ....207 H 3
Montjaux (12) ....176 A 3
Montjavoult (60) ....30 C 3
Montjay (05) ....165 G 5
Montjay (71) ....109 H 4
Montjean (16) ....115 E 5
Montjean (53) ....66 B 3
Montjean-sur-Loire (49) .....84 B 3
Montjézieu (48) ....161 F 5
Montjoi (11) ....208 C 3
Montjoi (82) ....172 D 2
Montjoie (63) ....119 F 5
Montjoie-en-Couserans (09) .206 B 3
Montjoie-le-Château (25) ....96 D 3
Montjoie-St-Martin (50) .....45 H 3
Montjoire (31) ....189 G 1
Montjouvent (39) ....123 G 1
Montjoux (26) ....164 D 4
Montjoyer (26) ....163 H 4
Montjustin (04) ....180 C 5
Montjustin-et-Velotte (70) ..95 F 3
Montlandon (28) ....49 F 5
Montlandon (52) ....76 A 4
Montlaur (11) ....208 C 2
Montlaur (12) ....176 A 5
Montlaur (31) ....189 G 3
Montlaur-en-Diois (26) .....165 F 3
Montlauzun (46) ....173 F 1
Montlay-en-Auxois (21) ......92 B 4
Montlebon (25) ....111 H 1
Montlegun (11) ....208 B 1
Montlevicq (36) ....118 A 1
Montlevon (02) ....33 E 5
Montlhéry (91) ....51 E 3
Montliard (45) ....71 F 3
Montlieu-la-Garde (17) .....141 H 3
Montlignon (95) ....31 F 4
Montliot-et-Courcelles (21) .74 C 4
Montlivault (41) ....87 H 2
Montlobre (34) ....193 E 2
Montlognon (60) ....31 H 3
Montloué (02) ....17 H 3
Montlouet (28) ....50 A 1
Montlouis (18) ....105 E 4
Montlouis-sur-Loire (37) ....87 E 4
Montluçon ◆ (03) ....118 C 3
Montluel (01) ....136 C 2
Montmachoux (77) ....72 B 1
Montmacq (60) ....16 B 5
Montmagny (95) ....31 F 5
Montmahoux (25) ....110 D 1
Montmain (21) ....109 G 2
Montmain (76) ....29 G 1
Montmalin (39) ....110 C 2
Montmançon (21) ....93 H 4
Montmarault (03) ....119 G 3

A B C D E F G H I J K L M N O P Q R S T U V W X Y Z

Localité *(Département)*   Page   Coordonnées

Montmarlon (39) ...110 D 3
Montmarquet (80) ...14 C 2
Montmartin (60) ...15 H 5
Montmartin-en-Graignes (50) ...25 F 2
Montmartin-le-Haut (10) ...74 C 1
Montmartin-sur-Mer (50) ...24 D 4
Montmaur (05) ...166 A 3
Montmaur (11) ...190 A 4
Montmaur-en-Diois (26) ...165 F 2
Montmaurin (31) ...205 G 1
Montmédy (55) ...19 H 5
Montmeillant (08) ...18 B 3
Montmelard (71) ...121 H 3
Montmelas-St-Sorlin (69) ...135 G 1
Montmélian (73) ...138 A 5
Montmerle-sur-Saône (01) ...122 B 5
Montmerrei (61) ...47 H 3
Montmeyan (83) ...196 D 1
Montmeyran (26) ...164 C 1
Montmin (74) ...138 B 2
Montmirail (51) ...53 E 1
Montmirail (72) ...69 E 2
Montmiral (26) ...150 D 3
Montmirat (30) ...178 A 5
Montmirey-la-Ville (39) ...94 A 5
Montmirey-le-Château (39) ...94 A 5
Montmoreau-St-Cybard (16) ...142 B 1
Montmorency (95) ...31 F 5
Montmorency-Beaufort (10) ...54 C 4
Montmorillon (86) ...116 B 2
Montmorin (05) ...165 G 4
Montmorin (63) ...133 G 4
Montmorot (39) ...110 A 5
Montmort (51) ...33 G 5
Montmort (71) ...108 A 4
Montmotier (88) ...77 E 3
Montmoyen (21) ...93 E 1
Montmurat (15) ...159 G 3
Montner (66) ...208 D 5
Montoillot (21) ...92 D 5
Montoir-de-Bretagne (44) ...82 C 4
Montoire-sur-le-Loir (41) ...87 E 1
Montois-la-Montagne (57) ...20 D 5
Montoison (26) ...164 C 1
Montoldre (03) ...120 B 3
Montolieu (11) ...190 C 5
Montolivet (77) ...52 D 1
Montonvillers (80) ...15 F 1
Montord (03) ...119 H 3
Montory (64) ...203 E 1
Montot (21) ...109 H 1
Montot (70) ...94 B 2
Montot-sur-Rognon (52) ...75 H 1
Montouliers (34) ...191 H 5
Montoulieu (09) ...207 E 3
Montoulieu (34) ...177 G 4
Montoulieu-St-Bernard (31) ...205 H 1
Montournais (85) ...100 C 4
Montours (35) ...45 H 4
Montourtier (53) ...67 E 1
Montoussé (65) ...205 E 2
Montoussin (31) ...188 C 5
Montoy-Flanville (57) ...21 F 5
Montpascal (73) ...152 C 1
Montpellier Ⓡ (34) ...193 F 2
Montpellier-de-Médillan (17) ...127 E 4
Montpellier-la-Paillade (34) ...193 F 2
Montpensier (63) ...133 F 1
Montperreux (25) ...111 F 3
Montpeyroux (12) ...160 C 3
Montpeyroux (24) ...142 B 5
Montpeyroux (34) ...192 D 1
Montpeyroux (63) ...133 F 4
Montpezat (04) ...181 F 5
Montpezat (30) ...178 A 5
Montpézat (32) ...188 C 4
Montpezat-d'Agenais (47) ...172 B 1
Montpezat-de-Quercy (82) ...173 H 2
Montpezat-sous-Bauzon (07) ...162 D 2
Montpinchon (50) ...25 E 4
Montpinier (81) ...190 C 2
Montpitol (31) ...189 H 1
Montplonne (55) ...55 G 2
Montpollin (49) ...85 G 2
Montpon-Ménestérol (24) ...142 B 5
Montpont-en-Bresse (71) ...122 D 1
Montpothier (10) ...53 E 3
Montpouillan (47) ...156 B 4
Montrabé (31) ...189 G 2
Montrabot (50) ...25 C 3
Montracol (01) ...122 D 4
Montravers (79) ...100 C 3
Montréal (07) ...163 E 4
Montréal (11) ...207 H 1
Montréal (32) ...171 H 4
Montréal (89) ...91 H 2
Montréal-la-Cluse (01) ...123 G 4
Montréal-les-Sources (26) ...165 E 5
Montrécourt (59) ...9 E 4
Montredon (11) ...208 B 1
Montredon (13) ...195 H 5
Montredon (46) ...159 G 3
Montredon-des-Corbières (11) ...209 F 1

Montredon-Labessonnié (81) ...190 D 1
Montregard (43) ...149 E 3
Montréjeau (31) ...205 F 2
Montrelais (44) ...84 B 3
Montrelet (80) ...7 F 5
Montrem (24) ...143 E 4
Montrésor (37) ...103 G 1
Montret (71) ...109 G 5
Montreuil (28) ...49 H 1
Montreuil (53) ...47 E 5
Montreuil ⟨SP⟩ (62) ...6 D 2
Montreuil (85) ...113 G 2
Montreuil (93) ...51 F 1
Montreuil-au-Houlme (61) ...47 F 2
Montreuil-aux-Lions (02) ...32 C 4
Montreuil-Bellay (49) ...101 G 1
Montreuil-Bonnin (86) ...115 E 1
Montreuil-des-Landes (35) ...66 A 1
Montreuil-en-Auge (14) ...27 H 3
Montreuil-en-Caux (76) ...13 G 3
Montreuil-en-Touraine (37) ...87 E 3
Montreuil-Juigné (49) ...84 D 2
Montreuil-la-Cambe (61) ...27 H 5
Montreuil-l'Argillé (27) ...28 C 5
Montreuil-le-Chétif (72) ...67 H 1
Montreuil-le-Gast (35) ...65 F 1
Montreuil-le-Henri (72) ...68 C 4
Montreuil-sous-Pérouse (35) ...65 H 2
Montreuil-sur-Barse (10) ...74 B 1
Montreuil-sur-Blaise (52) ...55 E 4
Montreuil-sur-Brêche (60) ...15 F 5
Montreuil-sur-Epte (95) ...30 B 3
Montreuil-sur-Ille (35) ...45 F 5
Montreuil-sur-Loir (49) ...85 E 2
Montreuil-sur-Lozon (50) ...25 D 4
Montreuil-sur-Maine (49) ...84 D 1
Montreuil-sur-Thérain (60) ...31 E 1
Montreuil-sur-Thonnance (52) ...55 G 4
Montreuillon (58) ...107 G 1
Montreux (54) ...58 A 3
Montreux-Château (90) ...96 D 1
Montreux-Jeune (68) ...96 D 1
Montreux-Vieux (68) ...96 D 1
Montrevault-sur-Èvre (49) ...84 A 5
Montrevel (38) ...137 E 5
Montrevel (39) ...123 F 2
Montrevel-en-Bresse (01) ...122 D 3
Montrichard-Val-de-Cher (41) ...87 G 4
Montricher-Albanne (73) ...152 D 2
Montricoux (82) ...174 A 3
Montrieux-en-Sologne (41) ...88 B 2
Montrigaud (26) ...150 D 3
Montriond (74) ...125 F 4
Montrodat (48) ...161 F 4
Montrol-Sénard (87) ...129 G 1
Montrollet (16) ...129 G 1
Montromant (69) ...135 F 4
Montrond (05) ...165 H 3
Montrond (39) ...110 C 4
Montrond-le-Château (25) ...94 D 5
Montrond-les-Bains (42) ...135 E 4
Montrosier (81) ...174 B 3
Montrottier (69) ...135 F 3
Montroty (76) ...30 B 1
Montrouge (92) ...51 F 1
Montrouveau (41) ...86 D 3
Montroy (17) ...113 F 4
Montrozier (12) ...160 C 5
Montry (77) ...52 A 1
Monts (37) ...86 C 5
Monts (60) ...30 D 3
Monts-de-Vaux (39) ...110 C 3
Les Monts d'Olmes (09) ...207 F 4
Monts-en-Bessin (14) ...27 E 4
Monts-en-Ternois (62) ...7 G 3
Monts-sur-Guesnes (86) ...102 A 3
Montsalès (12) ...159 F 4
Montsalier (04) ...180 C 3
Montsalvy (15) ...160 A 3
Montsaon (52) ...75 F 2
Montsapey (73) ...138 C 5
Montsauche-les-Settons (58) ...91 H 5
Montsaugeon (52) ...93 H 1
Montsaunès (31) ...206 A 2
Montsec (55) ...36 B 5
Montsecret (61) ...46 D 1
Montségur (09) ...207 F 4
Montségur-sur-Lauzon (26) ...163 H 5
Montselgues (07) ...162 C 4
Montséret (11) ...209 E 2
Montsérié (65) ...205 E 2
Montseron (09) ...206 C 3
Montseugny (70) ...94 A 4
Montseveroux (38) ...150 A 3
Montsoreau (49) ...85 H 5
Montsoué (40) ...186 B 1
Montsoult (95) ...31 F 4
Montsûrs (53) ...67 E 2
Montsurvent (50) ...24 D 3
Montsuzain (10) ...52 D 4
Montureux-et-Prantigny (70) ...94 B 2
Montureux-lès-Baulay (70) ...76 D 5
Montursin (70) ...96 D 3
Montusclat (43) ...148 C 5
Montussaint (25) ...95 F 3

Montussan (33) ...155 F 1
Montvalen (81) ...174 A 5
Montvalent (46) ...158 C 1
Montvalezan (73) ...139 F 4
Montvendre (26) ...164 C 1
Montverdun (42) ...134 D 4
Montvernier (73) ...152 C 1
Montvert (15) ...145 G 5
Montviette (14) ...28 A 4
Montville (76) ...13 G 5
Montviron (50) ...45 H 1
Montzéville (55) ...35 G 3
Monviel (47) ...157 E 4
Monze (11) ...208 C 1
Moon-sur-Elle (50) ...25 G 2
Moosch (68) ...78 B 4
Mooslargue (68) ...97 F 2
Moraches (58) ...91 E 5
Moragne (17) ...126 D 1
Morains (51) ...53 G 1
Morainville (28) ...50 C 5
Morainville-Jouveaux (27) ...28 C 2
Morainvilliers (78) ...30 D 5
Moran (28) ...135 H 2
Morancé (69) ...135 H 2
Morancez (28) ...50 A 5
Morancourt (52) ...55 F 4
Morand (37) ...87 F 2
Morangis (51) ...33 G 5
Morangis (91) ...51 F 2
Morannes-sur-Sarthe (49) ...67 E 5
Moranville (55) ...20 A 5
Moras (38) ...136 D 4
Moras-en-Valloire (26) ...150 C 2
Morbecque (59) ...3 G 5
Morbier (39) ...124 B 1
Morcenx (40) ...169 F 3
Morchain (80) ...16 B 2
Morchies (62) ...8 B 4
Morcourt (02) ...16 D 2
Morcourt (80) ...15 H 2
Mordelles (35) ...65 E 2
Mordreuc (22) ...44 D 3
Moréac (56) ...63 G 5
Morée (41) ...69 G 4
Moreilles (85) ...113 F 2
Morello (Col de) (2B) ...217 F 3
Morelmaison (88) ...56 C 5
Morembert (10) ...54 B 4
Morestel (38) ...137 F 4
Moret-sur-Loing-et-Orvanne (77) ...52 A 5
Morêtel-de-Mailles (38) ...152 A 1
Morette (38) ...151 F 2
Moreuil (80) ...15 G 3
Morey (70) ...94 B 1
Morey (71) ...108 D 4
Morey-St-Denis (21) ...93 F 5
Morez (39) ...124 B 1
Morfontaine (54) ...20 C 3
Morganx (40) ...186 A 2
Morgat (29) ...41 E 5
Morgemoulin (55) ...20 A 5
Morgny (27) ...30 A 1
Morgny-en-Thiérache (02) ...17 H 3
Morgny-la-Pommeraye (76) ...13 H 5
Morhange (57) ...37 G 5
Moriani-Plage (2B) ...217 H 1
Moriat (63) ...147 F 1
Moricq (85) ...112 D 2
Morienne (76) ...14 C 3
Morienval (60) ...32 A 2
Morières-lès-A. (84) ...179 F 4
Moriers (28) ...69 H 1
Morieux (22) ...43 H 4
Moriez (04) ...181 H 3
Morigny (50) ...25 F 5
Morigny-Champigny (91) ...51 E 4
Morillon (74) ...125 F 5
Morionvilliers (52) ...55 H 5
Morisel (80) ...15 G 3
Moriville (88) ...57 F 5
Moriviller (54) ...57 F 4
Morizécourt (88) ...76 C 2
Morizès (33) ...155 H 3
Morlaàs (64) ...186 C 4
Morlac (18) ...105 F 5
Morlaincourt (55) ...55 H 2
Morlaix ⟨SP⟩ (29) ...42 A 3
Morlancourt (80) ...15 H 1
Morlanne (64) ...186 A 3
Morlet (71) ...108 C 2
Morley (55) ...55 G 3
Mortterreau (28) ...69 G 1
Morlhon-le-Haut (12) ...174 D 1
Morlincourt (60) ...16 B 4
Mormaison (85) ...99 G 3
Mormant (77) ...52 A 3
Mormant-sur-Vernisson (45) ...71 H 4
Mormès (32) ...171 E 5
Mormoiron (84) ...179 H 3
Mornac (16) ...128 C 4
Mornac-sur-Seudre (17) ...126 C 3
Mornand-en-Forez (42) ...134 D 4
Mornans (26) ...164 D 3
Mornant (69) ...135 G 4
Mornas (84) ...179 E 2
Mornay (21) ...94 A 2
Mornay (71) ...121 G 1
Mornay-Berry (18) ...106 A 2

Mornay-sur-Allier (18) ...106 B 4
Moroges (71) ...108 D 4
Morogues (18) ...89 G 5
Morre (25) ...95 E 5
Morsain (02) ...16 C 5
Morsains (51) ...53 E 1
Morsalines (50) ...23 E 3
Morsan (27) ...28 D 3
Morsang-sur-Orge (91) ...51 F 3
Morsang-sur-Seine (91) ...51 G 3
Morsbach (57) ...37 H 2
Morsbronn-les-Bains (67) ...39 F 4
Morschwiller (67) ...39 E 5
Morschwiller-le-Bas (68) ...78 D 5
Morsiglia (2B) ...215 F 1
Mortagne (88) ...57 H 5
Mortagne-au-Perche ⟨SP⟩ (61) ...48 C 4
Mortagne-du-Nord (59) ...5 E 5
Mortagne-sur-Gironde (17) ...126 D 5
Mortagne-sur-Sèvre (85) ...100 B 2
Mortain-Bocage (50) ...46 B 2
Mortcerf (77) ...52 A 1
La Morte (38) ...151 H 4
Morteau (25) ...111 H 1
Morteaux-Coulibœuf (14) ...27 H 5
Mortefontaine (02) ...32 B 2
Mortefontaine (60) ...31 G 4
Mortefontaine-en-Thelle (60) ...31 E 2
Mortemart (87) ...129 G 1
Mortemer (60) ...15 H 4
Mortemer (76) ...14 B 3
Mortery (77) ...52 C 3
Morthemer (86) ...115 H 2
Morthomiers (18) ...105 F 2
Le Mortier (19) ...145 E 3
Mortiers (02) ...17 F 3
Mortiers (17) ...141 G 1
Morton (86) ...101 H 1
Mortrée (61) ...47 H 3
Mortroux (23) ...117 H 3
Mortzwiller (68) ...78 B 5
Morval (62) ...8 B 5
Morvillars (90) ...96 D 2
Morville (50) ...22 D 4
Morville (88) ...76 C 1
Morville-en-Beauce (45) ...71 E 1
Morville-lès-Vic (57) ...57 G 1
Morville-sur-Andelle (76) ...14 A 5
Morville-sur-Nied (57) ...37 F 4
Morville-sur-Seille (54) ...36 D 5
Morvillers (80) ...14 D 4
Morvillers-St-Saturnin (80) ...14 C 3
Morvilliers (10) ...54 C 5
Morvilliers (28) ...49 F 3
Mory (62) ...8 B 4
Mory (77) ...31 H 5
Mory-Montcrux (60) ...15 G 4
Morzine (74) ...125 F 4
Mosles (14) ...25 H 1
Moslins (51) ...33 G 5
Mosnac (16) ...128 A 4
Mosnac (17) ...127 F 5
Mosnay (36) ...117 F 1
Mosnes (37) ...87 F 3
Mosset (66) ...212 B 2
Mosson (21) ...74 D 4
Mostuéjouls (12) ...176 C 2
Motey-Besuche (70) ...94 B 4
Motey-sur-Saône (70) ...94 B 2
La Mothe-Achard (85) ...99 E 5
La Mothe-St-Héray (79) ...114 D 3
Mothern (67) ...39 H 4
Motreff (29) ...62 C 2
La Motte (22) ...63 H 2
La Motte (83) ...197 H 2
La Motte-au-Bois (59) ...3 G 5
La Motte-Chalancon (26) ...165 F 4
La Motte-d'Aigues (84) ...180 B 5
La Motte-d'Aveillans (38) ...151 H 5
La Motte-de-Galaure (26) ...149 H 3
La Motte-du-Caire (04) ...166 B 5
La Motte-en-Bauges (73) ...138 B 3
La Motte-en-Champsaur (05) ...166 B 2
La Motte-Fanjas (26) ...150 D 4
La Motte-Feuilly (36) ...118 A 1
La Motte-Fouquet (61) ...47 F 3
La Motte-Servolex (73) ...137 H 4
La Motte-St-Jean (71) ...121 E 2
La Motte-St-Martin (38) ...151 G 5
La Motte-Ternant (21) ...92 B 4
La Motte-Tilly (10) ...52 D 4
Mottereau (28) ...69 G 1
Motteville (76) ...13 F 4
Mottier (38) ...151 E 1
Motz (73) ...137 H 1

Mouen (14) ...27 E 3
Mouettes (27) ...29 H 5
Mouffy (89) ...91 E 1
Mouflaines (27) ...30 A 2
Mouflers (80) ...7 E 5
Mouflières (80) ...14 C 1
Mougau-Bian (29) ...41 H 4
Mougins (06) ...199 E 1
Mougon (79) ...114 C 3
Mouguerre (64) ...184 D 3
Mouhers (36) ...117 G 1
Mouhet (36) ...117 E 3
Mouhous (64) ...186 C 3
Mouillac (33) ...141 G 5
Mouillac (82) ...174 A 1
La Mouille (39) ...124 A 1
Mouilleron (52) ...93 G 1
Mouilleron-le-Captif (85) ...99 G 4
Mouilleron-St-Germain (85) ...100 B 5
Mouilly (55) ...36 A 4
Moulainville (55) ...20 A 5
Moulares (81) ...175 E 3
Moulay (53) ...66 D 1
Moulayrès (81) ...190 B 1
Moulédous (65) ...187 F 5
Moulès (13) ...194 D 2
Moulès-et-Baucels (34) ...177 G 4
Mouleydier (24) ...157 E 1
Moulézan (30) ...178 A 4
Moulhard (28) ...69 F 1
Moulicent (61) ...49 E 3
Moulidars (16) ...128 A 4
Mouliets-et-Villemartin (33) ...156 A 1
Mouliherne (49) ...85 H 3
Moulin-Mage (81) ...191 G 1
Moulin-Neuf (09) ...207 G 2
Moulin-Neuf (24) ...142 A 5
Moulin-sous-Touvent (60) ...16 C 5
Moulin-Vieux (06) ...198 D 1
La Mouline (12) ...175 G 1
Moulineaux (76) ...29 F 1
Moulines (14) ...27 F 4
Moulines (50) ...46 B 3
Moulinet (06) ...199 F 1
Le Moulinet (47) ...157 E 4
Le Moulinet-sur-Solin (45) ...71 H 5
Moulins (02) ...33 F 1
Moulins (35) ...65 H 3
Moulins (79) ...100 C 2
Moulins (83) ...200 D 3
Les Moulins (Près de Courségoules) (06) ...183 E 5
Les Moulins (Près de Falicon) (06) ...183 F 5
Moulins-en-Tonnerrois (89) ...91 H 1
Moulins-Englibert (58) ...107 G 2
Moulins-la-Marche (61) ...48 C 3
Moulins-le-Carbonnel (72) ...47 H 5
Moulins-lès-Metz (57) ...36 D 3
Moulins-St-Hubert (55) ...19 G 4
Moulins-sur-Céphons (36) ...104 A 2
Moulins-sur-Orne (61) ...47 H 1
Moulins-sur-Ouanne (89) ...90 D 1
Moulins-sur-Yèvre (18) ...105 G 2
Moulis (09) ...206 B 3
Moulis-en-Médoc (33) ...140 D 4
Moulismes (86) ...116 A 3
Moulle (62) ...3 E 4
Le Moulleau (33) ...154 B 3
Moulon (33) ...155 H 1
Moulon (45) ...71 G 4
Moulotte (55) ...36 B 3
Moult (14) ...27 G 3
Moumoulous (65) ...187 F 4
Moumour (64) ...185 H 5
Mounes-Prohencoux (12) ...191 G 1
Mourède (32) ...171 H 5
Mourens (33) ...156 A 2
Mourenx (64) ...186 A 4
Mouret (12) ...160 A 4
Moureuille (63) ...119 F 5
Mourèze (34) ...192 C 2
Mourière (70) ...77 H 5
Mouriès (13) ...195 E 1
Mouriez (62) ...7 E 3
Le Mourillon (83) ...201 E 4
Mourjou (15) ...159 H 3
Mourmelon-le-Grand (51) ...34 B 3
Mourmelon-le-Petit (51) ...34 A 3
Mournans-Charbonny (39) ...110 D 4
Mouron (08) ...34 D 2
Mouron-sur-Yonne (58) ...91 F 5
Mouroux (77) ...52 B 1
Mours (95) ...31 E 3
Mours-St-Eusèbe (26) ...150 C 4
Mourvilles-Basses (31) ...189 H 3
Mourvilles-Hautes (31) ...190 A 4
Mouscardès (40) ...185 G 2
Moussac (30) ...178 A 4
Moussac (86) ...116 A 4
Moussages (15) ...146 A 3
Moussan (11) ...209 F 1
Moussé (35) ...65 H 4
Mousseaux-lès-Bray (77) ...52 C 5

Mousseaux-Neuville (27) ...29 H 5
Mousseaux-sur-Seine (78) ...30 B 4
Moussey (10) ...73 H 1
Moussey (57) ...57 H 2
Moussey (88) ...58 B 4
Les Moussières (39) ...124 A 3
Mousson (54) ...36 D 5
Moussonvilliers (61) ...49 E 3
Moussoulens (11) ...190 C 5
Moussy (51) ...33 G 4
Moussy (58) ...91 E 5
Moussy (95) ...30 C 5
Moussy-le-Neuf (77) ...31 G 4
Moussy-le-Vieux (77) ...31 H 4
Moussy-Verneuil (02) ...33 E 1
Moustajon (31) ...205 F 4
Mousterlin (29) ...61 H 4
Moustéru (22) ...43 E 4
Moustey (40) ...154 D 5
Le Moustier (24) ...143 H 5
Moustier (47) ...156 C 3
Moustier-Ventadour (19) ...145 G 1
Moustiers-Ste-Marie (04) ...181 G 5
Le Moustoir (22) ...62 C 1
Moustoir-Ac (56) ...63 G 5
Moustoir-Remungol (56) ...63 F 4
La Moutade (63) ...133 F 1
Moutardon (16) ...128 C 1
Le Moutaret (38) ...152 A 1
Le Moutchic (33) ...140 B 4
Mouterhouse (57) ...38 D 4
Mouterre-Silly (86) ...101 H 2
Mouterre-sur-Blourde (86) ...116 A 4
Mouthe (25) ...111 F 4
Le Moutherot (25) ...94 C 5
Mouthier-en-Bresse (71) ...110 A 3
Mouthier-Haute-Pierre (25) ...111 F 1
Mouthiers-sur-Boëme (16) ...128 B 5
Mouthoumet (11) ...208 C 3
Moutier-d'Ahun (23) ...118 A 5
Moutier-Malcard (23) ...117 H 3
Moutier-Rozeille (23) ...131 G 2
Moutiers (28) ...70 C 1
Moutiers (35) ...66 A 3
Moutiers (54) ...20 D 5
Moûtiers (73) ...138 D 5
Moûtiers-au-Perche (61) ...49 E 4
Les Moutiers-en-Auge (14) ...27 H 5
Les Moutiers-en-Cinglais (14) ...27 F 4
Les Moutiers-en-Puisaye (89) ...90 C 2
Les Moutiers-en-Retz (44) ...98 C 1
Les Moutiers-Hubert (14) ...28 B 5
Les Moutiers-Mauxfaits (85) ...112 D 1
Moutiers-sous-Argenton (79) ...101 E 2
Moutiers-sous-Chantemerle (79) ...100 D 5
Moutiers-St-Jean (21) ...92 A 2
Moutiers-sur-le-Lay (85) ...113 E 1
Mouton (16) ...128 C 2
Moutonne (39) ...123 G 1
La Moutonne (83) ...201 E 3
Moutonneau (16) ...128 C 2
Moutoux (39) ...110 D 4
Moutrot (54) ...56 C 3
Mouvaux (59) ...4 C 3
Moux (11) ...208 D 1
Moux-en-Morvan (58) ...108 A 1
Mouxy (73) ...137 H 3
Mouy (60) ...31 F 2
Mouy-sur-Seine (77) ...52 C 5
Mouzay (37) ...103 E 1
Mouzay (55) ...19 G 5
Mouzeil (44) ...83 H 3
Mouzens (24) ...157 H 1
Mouzens (81) ...190 A 3
Mouzeuil-St-Martin (85) ...113 F 2
Mouzieys-Panens (81) ...174 C 3
Mouzieys-Teulet (81) ...175 E 5
Mouzillon (44) ...99 H 1
Mouzon (08) ...19 F 4
Mouzon (16) ...129 E 3
Moval (90) ...96 D 1
Moÿ-de-l'Aisne (02) ...16 D 3
Moyaux (14) ...28 B 3
Moydans (05) ...165 F 5
Moye (74) ...137 H 2
Moyemont (88) ...57 G 5
Moyen (54) ...57 G 3
Moyencourt (80) ...16 B 3
Moyencourt-lès-Poix (80) ...15 E 2
Moyenmoutier (88) ...58 A 4
Moyenneville (60) ...15 H 5
Moyenneville (62) ...8 A 4
Moyenneville (80) ...6 C 5
Moyenvic (57) ...57 G 1
Moyon Villages (50) ...25 F 4
Moyrazès (12) ...175 F 1
Moyvillers (60) ...31 H 1
Mozac (63) ...133 F 2
Mozé-sur-Louet (49) ...84 D 4
Muchedent (76) ...13 H 3
Mudaison (34) ...193 G 2
Muel (35) ...64 C 2
Muespach (68) ...97 G 1
Muespach-le-Haut (68) ...97 G 1
Mugron (40) ...185 H 1
Muhlbach-sur-Bruche (67) ...58 C 3
Muhlbach-sur-Munster (68) ...78 B 2

Muides-sur-Loire (41).....88 A 1
Muidorge (60).....15 E 5
Muids (27).....29 H 3
Muille-Villette (80).....16 C 3
Muirancourt (60).....16 B 4
Muizon (51).....33 G 2
Les Mujouls (06).....182 C 4
La Mulatière (69).....135 H 3
Mulcent (78).....50 B 1
Mulcey (57).....57 G 1
Mulhausen (67).....39 E 5
Mulhouse ⟨SP⟩ (68).....78 D 5
Mulsanne (72).....68 A 4
Mulsans (41).....87 H 1
Mun (65).....187 G 5
Munchhausen (67).....39 H 4
Munchhouse (68).....79 E 4
Muncq-Nieurlet (62).....2 D 3
Mundolsheim (67).....59 F 2
Muneville-le-Bingard (50).....24 D 3
Muneville-sur-Mer (50).....24 D 5
Le Mung (17).....127 E 2
Munster (57).....38 A 5
Munster (68).....78 C 2
Muntzenheim (68).....79 E 2
Munwiller (68).....78 D 3
Mur-de-Barrez (12).....160 B 1
Mûr-de-Bretagne (22).....63 F 2
Mur-de-Sologne (41).....88 A 4
Muracciole (2B).....217 E 3
Murasson (12).....191 G 1
Murat (03).....119 F 3
Murat (15).....146 C 4
Murat-le-Quaire (63).....132 C 5
Murat-sur-Vèbre (81).....191 G 2
Murato (2B).....215 F 4
La Muraz (74).....124 C 4
Murbach (68).....78 C 3
La Mure (38).....151 H 5
La Mure-Argens (04).....182 A 3
Mureaumont (60).....14 C 4
Les Mureaux (78).....30 C 5
Mureils (26).....149 H 3
Mûres (74).....138 A 2
Muret ⟨SP⟩ (31).....189 E 4
Le Muret (40).....154 D 5
Muret-et-Crouttes (02).....32 D 2
Muret-le-Château (12).....160 B 4
La Murette (38).....151 F 1
Murianette (38).....151 H 3
Murinais (38).....151 E 3
Murles (34).....193 E 2
Murlin (58).....90 C 5
Muro (2B).....214 C 5
Murol (63).....133 E 5
Murols (12).....160 B 2
Muron (17).....113 G 5
Murs (36).....103 G 3
Murs (84).....179 H 4
Mûrs-Erigné (49).....84 D 3
Murs-et-Gélignieux (01).....137 G 4
Murtin-et-Bogny (08).....18 C 2
Murvaux (55).....35 G 1
Murviel-lès-Béziers (34).....192 A 4
Murviel-lès-Montpellier (34).....193 E 2
Murville (54).....20 C 4
Murzo (2A).....216 C 3
Mus (30).....193 H 1
Muscourt (02).....33 F 1
Musculdy (64).....202 D 1
Musièges (74).....124 A 5
Musigny (21).....108 C 1
La Musse (28).....50 A 2
Musseau (52).....93 G 1
Mussey (55).....55 F 1
Mussey-sur-Marne (52).....55 G 5
Mussidan (24).....142 D 5
Mussig (67).....59 E 5
Mussy-la-Fosse (21).....92 C 2
Mussy-sous-Dun (71).....121 G 4
Mussy-sur-Seine (10).....74 C 3
Mutigney (39).....94 A 4
Mutigny (51).....33 H 4
Mutrécy (14).....27 F 4
Muttersholtz (67).....59 E 5
Mutzenhouse (67).....59 E 1
Mutzig (67).....58 D 3
Le Muy (83).....197 H 3
Muzeray (55).....20 B 4
Muzillac (56).....82 A 1
Muzy (27).....49 H 1
Myans (73).....138 A 5
Myennes (58).....90 A 3
Myon (25).....110 D 2

N

Nabas (64).....185 G 4
Nabinaud (16).....142 C 2
Nabirat (24).....158 A 2
Nabringhen (62).....2 C 4
Nachamps (17).....127 F 1
Nadaillac (24).....144 B 5
Nadaillac-de-Rouge (46).....158 B 3
Nadaillat (63).....133 E 4
Nadillac (46).....158 C 4
Naftel (50).....46 A 3
Nagel-Séez-Mesnil (27).....29 F 5
Nages (81).....191 G 2
Nages-et-Solorgues (30).....193 H 1
Nahuja (66).....211 H 5

Nailhac (24).....143 A 3
Naillat (23).....117 F 4
Nailloux (31).....189 G 5
Nailly (89).....72 C 1
Naintré (86).....102 B 4
Nainville-les-Roches (91).....51 G 4
Naisey-les-Granges (25).....95 F 5
Naives-en-Blois (55).....56 A 2
Naives-Rosières (55).....55 G 1
Naix-aux-Forges (55).....55 H 2
Naizin (56).....63 G 4
Najac (12).....174 C 2
Nalliers (85).....113 F 2
Nalliers (86).....116 B 1
Nalzen (09).....207 F 3
Nambsheim (68).....79 E 3
Nampcel (60).....16 C 5
Nampcelles-la-Cour (02).....17 H 3
Nampont-St-Martin (80).....6 C 2
Namps-au-Mont (80).....15 E 2
Namps-au-Val (80).....15 E 2
Nampteuil-sous-Muret (02).....32 D 2
Nampty (80).....15 F 2
Nancras (17).....126 D 3
Nancray (25).....95 E 5
Nancray-sur-Rimarde (45).....71 F 3
Nances (73).....137 H 4
Nanclars (16).....128 C 2
Nançois-le-Grand (55).....55 H 2
Nançois-sur-Ornain (55).....55 G 2
Nancy Ⓟ (54).....57 E 2
Nancy-sur-Cluses (74).....125 E 5
Nandax (42).....121 F 5
Nandy (77).....51 G 3
Nangeville (45).....71 H 1
Nangis (77).....52 B 3
Nangy (74).....124 C 4
Nannay (58).....90 C 5
Nans (25).....95 G 2
Les Nans (39).....110 D 4
Nans-les-Pins (83).....196 C 4
Nans-sous-Ste-Anne (25).....110 D 2
Nant (12).....176 D 4
Nant-le-Grand (55).....55 G 2
Nant-le-Petit (55).....55 G 2
Nanteau-sur-Essonne (77).....71 F 1
Nanteau-sur-Lunain (77).....72 A 1
Nanterre Ⓟ (92).....51 E 1
Nantes Ⓡ (44).....83 F 5
Nantes-en-Ratier (38).....151 H 5
Nanteuil (79).....114 C 2
Nanteuil-Auriac-de-Bourzac (24)142 C 1
Nanteuil-en-Vallée (16).....128 C 1
Nanteuil-la-Forêt (51).....33 G 3
Nanteuil-la-Fosse (02).....32 D 1
Nanteuil-la-Haudouin (60).....32 A 3
Nanteuil-lès-Meaux (77).....32 A 5
Nanteuil-Notre-Dame (02).....32 D 3
Nanteuil-sur-Aisne (08).....18 B 5
Nanteuil-sur-Marne (77).....32 C 5
Nantey (39).....123 F 2
Nantheuil (24).....143 G 1
Nanthiat (24).....143 H 1
Nantiat (87).....130 A 1
Nantillé (17).....127 F 2
Nantillois (55).....35 F 2
Nantilly (70).....94 B 3
Nantoin (38).....150 D 1
Nantois (55).....55 H 2
Nanton (71).....109 E 5
Nantouard (70).....94 B 3
Nantouillet (77).....31 H 5
Nantoux (21).....109 E 2
Nantua ⟨SP⟩ (01).....123 G 4
Naours (80).....7 G 5
Napollon (13).....196 A 4
La Napoule (06).....199 E 2
Napt (01).....123 F 4
Narbéfontaine (57).....21 G 5
Narbief (25).....95 H 5
Narbonne ⟨SP⟩ (11).....209 F 1
Narbonne-Plage (11).....209 G 1
Narcastet (64).....186 C 5
Narcy (52).....55 F 3
Narcy (58).....90 B 5
Nargis (45).....71 H 2
Narnhac (15).....160 C 1
Narp (64).....185 G 4
Narrosse (40).....185 F 1
La Nartelle (83).....197 H 4
Nasbinals (48).....161 E 3
Nassandres (27).....28 D 3
Nassiet (40).....185 H 2
Nassigny (03).....118 D 2
Nastringues (24).....156 B 1
Nattages (01).....137 G 3
Natzwiller (67).....58 C 4
Naucelle (12).....175 F 2
Naucelles (15).....145 A 5
Les Naudins (18).....89 G 4
Naujac-sur-Mer (33).....140 C 2
Naujan-et-Postiac (33).....155 H 2
Nauroy (02).....16 D 1
Naussac (12).....159 F 4
Naussac-Fontanes (48).....162 B 2
Naussannes (24).....157 F 2

Nauvay (72).....68 B 1
Nauviale (12).....160 A 4
Naux (08).....11 E 5
Nauzan (17).....126 C 4
Navacelles (30).....178 B 2
Navailles-Angos (64).....186 C 4
Navarrenx (64).....185 H 4
Naveil (41).....69 F 5
Navenne (70).....95 E 1
Naves (03).....119 H 5
Naves (07).....162 C 5
Naves (19).....144 D 2
Naves (59).....8 D 4
Navès (73).....138 D 4
Navès (81).....190 C 3
Nâves-Parmelan (74).....138 B 1
Navilly (71).....109 G 3
Nay (50).....25 E 2
Nay (64).....204 A 1
Nayemont-les-Fosses (88).....58 B 5
Le Nayrac (12).....160 B 3
Nazelles-Négron (37).....87 E 3
Néac (33).....156 A 3
Néant-sur-Yvel (56).....64 B 2
Neau (53).....67 E 2
Neaufles-Auvergny (27).....48 D 1
Neaufles-St-Martin (27).....30 B 2
Neauphe-sous-Essai (61).....48 A 3
Neauphe-sur-Dive (61).....47 H 1
Neauphle-le-Château (78).....50 C 1
Neauphle-le-Vieux (78).....50 C 1
Neauphlette (78).....30 A 5
Neaux (42).....134 D 1
Nébian (34).....192 C 2
Nébias (11).....207 H 4
Nébing (57).....37 H 5
Nébouzat (63).....132 D 4
Nécy (61).....47 G 1
Nedde (87).....131 E 4
Nédon (62).....7 G 1
Nédonchel (62).....7 G 1
Neewiller-près-Lauterbourg (67).....39 H 4
Neffes (05).....166 B 4
Neffiès (34).....192 C 3
Néfiach (66).....208 D 5
Négra (31).....189 H 4
Nègrepelisse (82).....173 H 3
Négreville (50).....22 D 4
Négrondes (24).....143 G 2
Néhou (50).....22 D 4
Nelling (57).....38 A 4
Nemours (77).....71 H 1
Nempont-St-Firmin (62).....6 C 2
Nénigan (31).....188 A 4
Néons-sur-Creuse (36).....103 E 4
Néoules (83).....196 D 4
Néoux (23).....131 H 2
Nepvant (55).....19 G 4
Nérac ⟨SP⟩ (47).....172 A 2
Nerbis (40).....185 H 1
Nercillac (16).....127 H 3
Néré (17).....127 H 1
Néret (36).....118 B 1
Nérigean (33).....155 G 1
Nérignac (86).....116 A 3
Néris-les-Bains (03).....119 E 4
Nermier (39).....123 G 1
Nernier (74).....124 C 2
Néron (28).....50 A 3
Néronde (42).....135 E 2
Néronde-sur-Dore (63).....133 H 3
Nérondes (18).....106 A 2
Ners (30).....178 A 3
Nersac (16).....128 B 4
Nervezain (70).....94 C 1
Nerville-la-Forêt (95).....31 F 4
Néry (60).....31 H 2
Neschers (63).....133 F 5
Nescus (09).....206 D 3
Nesle (80).....16 B 3
Nesle-et-Massoult (21).....74 B 5
Nesle-la-Reposte (51).....53 E 3
Nesle-le-Repons (51).....33 F 4
Nesle-l'Hôpital (80).....14 C 1
Nesle-Normandeuse (76).....14 C 1
Nesles (62).....2 B 5
Nesles-la-Montagne (02).....32 D 4
Nesles-la-Vallée (95).....31 E 3
Neslette (80).....14 B 1
Nesmy (85).....99 G 5
Nespouls (19).....144 C 5
Nessa (2B).....214 D 5
Nestier (65).....205 F 2
Nettancourt (55).....35 E 5
Neublans-Abergement (39).....109 H 3
Neubois (67).....58 D 5
Le Neubourg (27).....29 E 5
Neuchâtel-Urtière (25).....96 C 3
Neuf-Berquin (59).....3 H 5
Neuf-Brisach (68).....79 E 2
Neuf-Église (63).....119 F 5
Neuf-Marché (76).....30 B 1
Neuf-Mesnil (59).....9 H 3
Neufbosc (76).....14 A 4

Le Neufbourg (50).....46 B 2
Neufchâteau ⟨SP⟩ (88).....56 B 5
Neufchâtel-en-Bray (76).....14 A 3
Neufchâtel-Hardelot (62).....2 B 5
Neufchâtel-sur-Aisne (02).....33 H 1
Neufchef (57).....20 D 4
Neufchelles (60).....32 B 3
Neuffons (33).....156 A 3
Neuffontaines (58).....91 F 4
Neufgrange (57).....38 B 3
Neuflieux (02).....16 C 4
Neuflize (08).....34 A 1
Neufmaison (08).....35 G 5
Neufmaisons (54).....58 A 4
Neufmanil (08).....19 E 2
Neufmesnil (50).....22 D 5
Neufmoulin (80).....6 D 5
Neufmoulins (57).....58 A 2
Neufmoutiers-en-Brie (77).....52 A 2
Le Neufour (55).....35 E 3
Neufvillage (57).....37 H 4
Neufvy-sur-Aronde (60).....15 H 5
Neuhaeusel (67).....39 H 5
Neuil (37).....102 C 1
Neuilh (65).....204 C 2
Neuillac (17).....127 G 5
Neuillay-les-Bois (36).....104 A 4
Neuillé (49).....85 G 4
Neuillé-le-Lierre (37).....87 E 3
Neuillé-Pont-Pierre (37).....86 C 2
Neuilly (27).....29 H 5
Neuilly (58).....91 E 5
Neuilly (89).....72 D 4
Neuilly-en-Donjon (03).....120 D 3
Neuilly-en-Dun (18).....106 A 4
Neuilly-en-Sancerre (18).....89 H 5
Neuilly-en-Thelle (60).....31 F 3
Neuilly-en-Vexin (95).....30 D 3
Neuilly-la-Forêt (14).....25 F 4
Neuilly-le-Bisson (61).....48 A 4
Neuilly-le-Brignon (37).....102 D 2
Neuilly-le-Dien (80).....7 E 4
Neuilly-le-Réal (03).....120 B 2
Neuilly-le-Vendin (53).....47 F 4
Neuilly-lès-Dijon (21).....93 G 4
Neuilly-l'Évêque (52).....75 H 4
Neuilly-l'Hôpital (80).....6 D 4
Neuilly-Plaisance (93).....51 G 1
Neuilly-sous-Clermont (60).....31 F 1
Neuilly-St-Front (02).....32 C 3
Neuilly-sur-Eure (61).....49 E 4
Neuilly-sur-Marne (93).....51 G 1
Neuilly-sur-Seine (92).....51 E 1
Neuilly-sur-Suize (52).....75 G 3
Neulette (62).....7 F 2
Neulise (42).....134 D 2
Neulles (17).....127 G 5
Neulliac (56).....63 F 3
Neung-sur-Beuvron (41).....88 C 3
Neunhoffen (67).....39 E 3
Neunkirchen-lès-Bouzonville (57).....21 G 3
Neure (03).....106 B 4
Neurey-en-Vaux (70).....77 E 5
Neurey-lès-la-Demie (70).....95 E 2
Neussargues-Moissac (15).....146 D 4
Neuve-Chapelle (62).....3 H 5
La Neuve-Grange (27).....30 A 1
La Neuve-Lyre (27).....28 D 5
Neuve-Maison (02).....10 A 5
Neuvecelle (74).....125 E 2
Neuvéglise (15).....160 D 1
La Neuvelle-lès-Champlitte (70).....94 A 2
Neuvelle-lès-Cromary (70).....95 E 3
La Neuvelle-lès-la-Charité (70).....94 D 2
La Neuville-lès-Scey (70).....94 D 1
La Neuvelle-lès-Voisey (52).....76 C 4
Neuves-Maisons (54).....56 D 2
La Neuveville-devant-Lépanges (88).....77 H 1
La Neuveville-sous-Châtenois (88).....56 C 5
La Neuveville-sous-Montfort (88).....76 D 1
Neuvic (19).....145 H 2
Neuvic (24).....142 D 4
Neuvic-Entier (87).....130 C 4
Neuvicq (17).....141 H 3
Neuvicq-le-Château (17).....127 H 3
Neuvillalais (72).....67 H 2
Neuville (03).....119 F 2
Neuville (19).....145 E 4
La Neuville (59).....4 C 5
La Neuville (80).....15 G 1
La Neuville-à-Maire (08).....19 E 4
La Neuville-au-Bois (80).....14 D 4
Neuville-au-Cornet (62).....7 G 3
Neuville-au-Plain (50).....23 E 4
La Neuville-au-Pont (51).....35 E 3
La Neuville-aux-Bois (45).....70 D 3
La Neuville-aux-Bois (51).....33 G 4
La Neuville-aux-Joûtes (08).....10 B 5
La Neuville-aux-Larris (51).....33 G 3
La Neuville-aux-Tourneurs (08).....10 B 5
Neuville-Bosc (60).....30 D 3
La Neuville-Bosmont (02).....17 G 3
Neuville-Bourjonval (62).....8 C 5

La Neuville-Chant-d'Oisel (76).....29 G 1
Neuville-Coppegueule (80).....14 C 2
La Neuville-d'Aumont (60).....31 E 2
La Neuville-Day (08).....18 D 5
Neuville-de-Poitou (86).....102 A 5
La Neuville-du-Bosc (27).....29 E 3
Neuville-en-Avesnois (59).....9 F 4
La Neuville-en-Beaumont (50).....22 C 5
Neuville-en-Beine (16).....16 C 4
Neuville-en-Ferrain (59).....4 D 2
La Neuville-en-Hez (60).....31 F 1
La Neuville-en-Tourne-à-Fuy (08).....34 B 1
Neuville-en-Verdunois (55).....35 G 5
Neuville-Ferrières (76).....14 A 3
La Neuville-Garnier (60).....30 D 2
La Neuville-Housset (02).....17 F 2
La Neuville-lès-Bray (80).....16 A 1
Neuville-lès-Dames (01).....122 C 4
Neuville-lès-Decize (58).....106 D 4
Neuville-lès-Dieppe (76).....13 G 1
La Neuville-lès-Dorengt (02).....17 F 1
Neuville-lès-Lœuilly (80).....15 F 3
La Neuville-lès-This (08).....18 C 3
La Neuville-lès-Vaucouleurs (55).....56 B 3
La Neuville-lès-Wasigny (08).....18 B 4
Neuville-lez-Beaulieu (08).....10 B 5
La Neuville-près-Sées (61).....48 A 3
La Neuville-Sire-Bernard (80).....15 G 3
Neuville-St-Amand (02).....16 D 2
La Neuville-St-Pierre (60).....15 F 5
La Neuville-St-Rémy (59).....8 D 4
La Neuville-St-Vaast (62).....8 A 3
La Neuville-sur-Ailette (02).....17 F 5
La Neuville-sur-Ain (01).....123 G 3
La Neuville-sur-Authou (27).....28 D 3
La Neuville-sur-Brenne (37).....87 E 2
La Neuville-sur-Escaut (59).....9 E 3
La Neuville-sur-Essonne (45).....71 F 2
La Neuville-sur-Margival (02).....17 E 5
La Neuville-sur-Oise (95).....30 D 4
La Neuville-sur-Ornain (55).....55 F 1
La Neuville-sur-Oudeuil (60).....14 D 4
La Neuville-sur-Ressons (60).....16 A 5
La Neuville-sur-Saône (69).....135 H 2
La Neuville-sur-Sarthe (72).....68 A 3
Neuville-sur-Seine (10).....74 B 3
La Neuville-sur-Touques (61).....48 B 1
La Neuville-sur-Vanne (10).....73 G 1
Neuville-Vault (60).....14 D 5
Neuville-Vitasse (62).....8 B 3
Neuviller-la-Roche (67).....58 C 4
Neuviller-lès-Badonviller (54).....58 A 3
Neuviller-sur-Moselle (54).....57 E 3
Neuvillers-sur-Fave (88).....58 B 5
Neuvillette (02).....17 E 2
Neuvillette (80).....7 G 4
Neuvillette-en-Charnie (72).....67 G 2
Neuvilley (39).....110 B 3
Neuvilly (59).....9 F 4
Neuvilly-en-Argonne (55).....35 F 3
Neuvireuil (62).....8 B 3
Neuvizy (08).....18 C 4
Neuvy (03).....120 A 1
Neuvy (41).....88 A 2
Neuvy (51).....53 E 2
Neuvy-au-Houlme (61).....47 G 1
Neuvy-Bouin (79).....101 E 5
Neuvy-Deux-Clochers (18).....89 H 5
Neuvy-en-Beauce (28).....70 C 1
Neuvy-en-Champagne (72).....67 H 2
Neuvy-en-Dunois (28).....70 A 2
Neuvy-en-Mauges (49).....84 C 5
Neuvy-en-Sullias (45).....71 E 5
Neuvy-Grandchamp (71).....121 E 1
Neuvy-le-Barrois (18).....106 B 3
Neuvy-le-Roi (37).....86 C 2
Neuvy-Pailloux (36).....104 C 3
Neuvy-Sautour (89).....73 G 3
Neuvy-St-Sépulchre (36).....117 H 1
Neuvy-sur-Barangeon (18).....89 E 4
Neuvy-sur-Loire (58).....90 A 3
Neuwiller (68).....97 G 2
Neuwiller-lès-Saverne (67).....38 D 5
Neuzy (71).....121 E 2
Névache (05).....153 E 4
Nevers Ⓟ (58).....106 C 2
Névez (29).....62 A 5
Névian (11).....209 E 1
Néville (76).....13 E 2
Néville-sur-Mer (50).....23 E 2
Nevoy (45).....89 G 1
Nevy-lès-Dole (39).....110 A 2
Nevy-sur-Seille (39).....110 B 4
Nexon (87).....130 A 4
Ney (39).....110 D 4
Neydens (74).....124 B 4
Neyrac-les-Bains (07).....162 D 3
Les Neyrolles (01).....123 G 4
Neyron (69).....136 B 2
Nézel (78).....30 C 5
Nézignan-l'Évêque (34).....192 C 4
Niafles (53).....66 B 4
Niaux (09).....207 E 4
Nibas (80).....6 C 5
Nibelle (45).....71 F 3
Nibles (04).....181 E 1
Nice Ⓟ (06).....183 F 5
Nicey (21).....74 B 4
Nicey-sur-Aire (55).....35 H 5

Nicole (47).....172 A 1
Nicorps (50).....24 C 4
Niderhoff (57).....58 B 2
Niderviller (57).....58 B 1
Niederbronn-les-Bains (67).....39 E 4
Niederbruck (68).....78 B 4
Niederentzen (68).....78 D 3
Niederhaslach (67).....58 D 3
Niederhausbergen (67).....59 F 2
Niederhergheim (68).....78 D 3
Niederlauterbach (67).....39 H 4
Niedermodern (67).....39 E 5
Niedermorschwihr (68).....78 C 2
Niedernai (67).....59 E 3
Niederrœdern (67).....39 H 4
Niederschaeffolsheim (67).....39 F 5
Niedersoultzbach (67).....38 D 5
Niedersteinbach (67).....39 E 3
Niederstinzel (57).....38 B 5
Niedervisse (57).....21 G 5
Nielles-lès-Ardres (62).....2 D 3
Nielles-lès-Bléquin (62).....2 D 5
Nielles-lès-Calais (62).....2 C 3
Nieppe (59).....3 H 4
Le Nieppe (59).....8 D 4
Niergnies (59).....8 D 4
Nieudan (15).....145 G 5
Nieuil (16).....129 E 2
Nieuil-l'Espoir (86).....115 G 2
Nieul (87).....130 A 2
Nieul-le-Dolent (85).....99 F 5
Nieul-le-Virouil (17).....141 F 1
Nieul-lès-Saintes (17).....127 E 3
Nieul-sur-l'Autise (85).....113 H 2
Nieul-sur-Mer (17).....113 E 4
Nieulle-sur-Seudre (17).....126 C 3
Nieurlet (59).....3 E 4
Niévroz (01).....136 C 2
Niffer (68).....79 E 5
Niherne (36).....104 A 4
Nijon (52).....76 B 1
Nilvange (57).....20 D 4
Nîmes Ⓟ (30).....178 C 5
Ninville (52).....75 H 2
Niolon (13).....195 G 4
Niort Ⓟ (79).....114 A 3
Niort-de-Sault (11).....207 H 4
Niort-la-Fontaine (53).....47 E 4
Nivelle (59).....5 E 5
Nivillac (56).....82 B 2
Nivillers (60).....15 E 5
Nivolas-Vermelle (38).....137 E 5
Nivollet-Montgriffon (01).....137 E 1
Nixéville-Blercourt (55).....35 G 3
Le Nizan (33).....155 G 4
Nizan-Gesse (31).....205 F 1
Nizas (32).....188 C 3
Nizas (34).....192 C 3
Nizerolles (03).....120 C 5
Nizon (29).....62 A 5
Nizy-le-Comte (02).....17 H 4
Noailhac (12).....159 H 4
Noailhac (19).....144 C 4
Noailhac (81).....190 D 3
Noaillac (33).....156 A 4
Noaillan (33).....155 G 4
Noailles (19).....144 C 4
Noailles (60).....31 E 2
Noailles (81).....174 C 4
Noailly (42).....121 E 5
Noalhac (48).....161 E 2
Noards (27).....28 C 3
Nocario (2B).....217 F 1
Nocé (61).....48 D 5
Noceta (2B).....217 F 3
Nochize (71).....121 F 2
La Nocle-Maulaix (58).....107 G 4
Nod-sur-Seine (21).....74 C 5
Nods (25).....111 F 1
Noé (31).....189 E 5
Noé (89).....72 D 2
La Noë-Blanche (35).....65 E 5
Noé-les-Mallets (10).....74 C 4
La Noë-Poulain (27).....28 C 2
Noël-Cerneux (25).....111 H 1
Nœllet (49).....84 A 1
Nœrs (54).....20 A 3
Les Noës (42).....134 B 1
Les Noës-près-Troyes (10).....73 H 1
Nœux-lès-Auxi (62).....7 F 4
Nœux-les-Mines (62).....4 A 5
Nogaret (31).....190 A 3
Nogaret (48).....177 G 2
Nogaro (32).....187 E 1
Nogent (52).....75 H 3
Nogent-en-Othe (10).....73 G 2
Nogent-l'Abbesse (51).....33 H 2
Nogent-l'Artaud (02).....32 D 5
Nogent-le-Bernard (72).....68 C 1
Nogent-le-Phaye (28).....50 A 4
Nogent-le-Roi (28).....50 A 3
Nogent-le-Rotrou ⟨SP⟩ (28).....49 E 5

A B C D E F G H I J K L M N O P Q R S T U V W X Y Z

Localité *(Département)*   Page   Coordonnées

Nogent-le-Sec (27)............29 F 5
Nogent-lès-Montbard (21)...92 B 2
Nogent-sur-Aube (10)........54 B 4
Nogent-sur-Eure (28)........49 H 5
Nogent-sur-Loir (72).........86 B 1
Nogent-sur-Marne ◆ (94)...51 G 1
Nogent-sur-Oise (60)........31 G 2
Nogent-sur-Seine ◆ (10)...53 E 4
Nogent-sur-Vernisson (45)...71 H 5
Nogentel (02)...............32 D 4
Nogna (39).................110 B 5
Noguères (64)..............186 A 4
Nohan (08).................11 E 5
Nohanent (63)..............133 E 3
Nohant-en-Goût (18).......105 G 1
Nohant-en-Graçay (18).....104 C 1
Nohant-Vic (36)............118 A 1
Nohèdes (66)...............212 A 3
Nohic (82).................173 H 5
Noidan (21)................92 B 4
Noidans-le-Ferroux (70)....94 D 2
Noidans-lès-Vesoul (70)....95 E 1
Noidant-Chatenoy (52)......75 H 5
Noidant-le-Rocheux (52)....75 G 5
Noilhan (32)...............188 C 3
Nointel (60)................31 G 1
Nointel (95)................31 F 3
Nointot (76)................12 D 4
Noircourt (02)..............18 A 4
Noirefontaine (25).........96 C 3
Noirémont (60).............15 F 5
Noirétable (42)............134 B 3
Noirlieu (51)...............34 D 5
Noirlieu (79)..............101 E 3
Noirmoutier-en-l'Île (85)....98 B 1
Noiron (21)................94 B 3
Noiron-sous-Gevrey (21)....93 G 5
Noiron-sur-Bèze (21).......93 H 3
Noiron-sur-Seine (21)......74 C 4
Noironte (25)..............94 C 4
Noirpalu (50)..............45 H 1
Noirterre (79).............101 E 3
Noirval (08)...............19 E 5
Noiseau (94)...............51 G 1
Noisiel (77)...............51 H 1
Noisseville (57)...........21 E 5
Noisy-le-Grand (93)........51 G 1
Noisy-le-Roi (78)..........50 D 1
Noisy-le-Sec (93)..........51 G 1
Noisy-Rudignon (77).......52 A 5
Noisy-sur-École (77).......51 G 5
Noisy-sur-Oise (95)........31 F 3
Noizay (37)................87 E 3
Noizé (79)................101 G 3
Nojals-et-Clotte (24)......157 F 2
Nojeon-en-Vexin (27)......30 A 2
Nolay (21)................108 D 2
Nolay (58)................106 D 1
Nolléval (76)..............14 A 5
Nollieux (42)..............134 C 3
Nomain (59)................4 D 5
Nomdieu (47)..............172 A 3
Nomécourt (52)............55 F 4
Nomeny (54)...............37 F 5
Nomexy (88)...............57 F 5
Nommay (25)...............96 C 2
Nompatelize (88)..........58 A 5
Nonac (16)...............142 B 1
Nonancourt (27)...........49 G 2
Nonant (14)...............26 D 2
Nonant-le-Pin (61)........48 A 2
Nonards (19)..............145 E 5
Nonaville (16)...........128 A 5
Noncourt (88).............56 B 5
Noncourt-sur-le-Rongeant (52)...55 G 4
Nondkeil (57).............20 D 3
Nonette-Orsonnette (63)...147 F 1
Nonglard (74)............138 A 1
Nonhigny (54).............58 A 3
Nonières (07)............149 F 5
Les Nonières (26)........165 G 2
Nonsard-Lamarche (55)....36 B 5
Nontron ◆ (24)..........129 F 5
Nonville (77)............72 A 1
Nonville (88)............76 D 2
Nonvilliers-Grandhoux (28)...49 G 5
Nonza (2B)..............215 F 3
Nonzeville (88)..........57 H 5
Noordpeene (59)...........3 F 4
Nordausques (62)..........2 D 4
Nordheim (67)............59 E 2
Nordhouse (67)...........59 F 3
Noreuil (62)..............8 B 4
Norges-la-Ville (21).....93 G 3
La Norma (73)...........153 E 2
Normandel (61)...........48 D 3
Normanville (27)..........29 G 4
Normanville (76).........15 H 2
Normée (51)..............53 H 1
Normier (21).............92 C 4
Norolles (14)............28 B 3
Noron-la-Poterie (14)....25 H 2
Noron-l'Abbaye (14)......27 G 5
Noroy (60)...............31 G 1
Noroy-le-Bourg (70)......95 F 1
Noroy-lès-Jussey (70)....76 C 5
Noroy-sur-Ourcq (02).....32 C 3

Norrent-Fontes (62)........3 F 5
Norrey-en-Auge (14)......27 H 5
Norrois (51)..............54 C 2
Norroy (88)...............76 C 1
Norroy-le-Sec (54)........20 C 4
Norroy-le-Veneur (57).....20 D 5
Norroy-lès-Pont-à-Mousson (54)....36 D 5
La Norville (91)..........51 E 4
Nossage-et-Bénévent (05)...180 C 1
Nossoncourt (88)..........57 H 4
Nostang (56)..............81 E 1
Noth (08)................117 F 4
Nothalten (67)............58 D 4
Notre-Dame-d'Aliermont (76)...13 H 2
Notre-Dame-d'Allençon (49)...85 E 4
Notre-Dame-de-Bellecombe (73)...138 D 2
Notre-Dame-de-Bliquetuit (76)...13 E 5
Notre-Dame-de-Boisset (42)...134 D 1
Notre-Dame-de-Bon-Secours (07)...162 D 5
Notre-Dame-de-Bondeville (76)...13 G 5
Notre-Dame-de-Briançon (73)...138 D 5
Notre-Dame-de-Cenilly (50)...25 E 4
Notre-Dame-de-Commiers (38)...151 G 4
Notre-Dame-de-Courson (14)...28 B 4
Notre-Dame-de-Fresnay (14)...27 H 5
Notre-Dame-de-Grace (44)...82 D 2
Notre-Dame-de-Gravenchon (76)...12 D 5
Notre-Dame-de-la-Cour (22)...43 G 4
Notre-Dame-de-la-Rouvière (30)...177 F 3
Notre Dame de la Serra (Belvédère de) (2B)...214 B 5
Notre-Dame-de-l'Isle (27)...30 A 3
Notre-Dame-de-Livaye (14)...27 H 3
Notre-Dame-de-Livoye (50)...46 A 1
Notre-Dame-de-Londres (34)...177 G 5
Notre-Dame-de-Mésage (38)...151 H 4
Notre-Dame-de-Monts (85)...98 B 3
Notre-Dame-de-Riez (85)...98 D 4
Notre-Dame-de-Sanilhac (24)...143 F 4
Notre-Dame-de-Valfrancesque (48)...177 G 2
Notre-Dame-de-Vaulx (38)...151 H 5
Notre-Dame-d'Elle (50)...25 G 3
Notre-Dame-d'Épine (27)...28 D 3
Notre-Dame-des-Landes (44)...83 E 3
Notre-Dame-des-Millières (73)...138 C 4
Notre-Dame-d'Estrées (14)...27 H 3
Notre-Dame-d'Oé (37)...86 D 3
Notre-Dame-d'Or (86)...101 H 4
Notre-Dame-du-Bec (76)...12 B 4
Notre-Dame-du-Cruet (73)...152 C 1
Notre-Dame-du-Hamel (27)...28 C 5
Notre-Dame-du-Parc (76)...13 G 3
Notre-Dame-du-Pé (72)...85 F 1
Notre-Dame-du-Pré (73)...139 E 5
Notre-Dame-du-Rocher (61)...47 F 1
Notre-Dame-du-Touchet (50)...46 B 3
Notre-Dame-Limite (13)...195 H 4
La Nouaille (23)...131 F 2
Nouaillé-Maupertuis (86)...115 G 1
Nouainville (50)...22 C 3
Nouan-le-Fuzelier (41)...88 D 3
Nouan-sur-Loire (41)...88 A 1
Nouans (72)...68 A 1
Nouans-les-Fontaines (37)...103 H 1
Nouart (08)...19 F 5
Nouâtre (37)...102 C 2
La Nouaye (35)...64 D 1
Nougaroulet (32)...188 B 1
Nouhant (23)...118 C 4
Nouic (87)...116 B 5
Nouilhan (65)...187 E 4
Les Nouillers (17)...127 E 1
Nouillonpont (55)...20 B 3
Nouilly (57)...21 E 5
Noulens (32)...171 G 5
Nourard-le-Franc (60)...15 G 5
Nourray (41)...87 F 1
Nousse (40)...185 H 1
Nousseviller-lès-Bitche (57)...38 C 3
Nousseviller-St-Nabor (57)...38 A 3
Nousty (64)...186 C 5
Nouvel-Avricourt (57)...57 H 2
Nouvelle-Église (62)...2 D 2
Nouvion (80)...6 D 4
Le Nouvion-en-Thiérache (02)...9 G 5
Nouvion-et-Catillon (02)...17 E 3
Nouvion-le-Comte (02)...17 E 3

Nouvion-le-Vineux (02)...17 F 5
Nouvion-sur-Meuse (08)...19 E 3
Nouvoitou (35)...65 G 2
Nouvron-Vingré (02)...32 C 1
Nouzerines (23)...118 A 3
Nouzerolles (23)...117 G 3
Nouziers (23)...117 H 2
Nouzilly (37)...86 D 2
Nouzonville (08)...18 D 2
Novacelles (63)...147 H 1
Novalaise (73)...137 G 4
Novale (2B)...217 G 2
Novéant-sur-Moselle (57)...36 D 4
Novel (74)...125 F 2
Novella (2B)...215 E 4
Noves (13)...179 F 5
Noviant-aux-Prés (54)...36 C 5
Novillard (90)...96 D 1
Novillars (25)...95 E 4
Novillers (60)...31 E 2
Novion-Porcien (08)...18 C 4
Novy-Chevrières (08)...18 C 5
Noyal (22)...44 A 4
Noyal-Châtillon-sur-Seiche (35)...65 F 2
Noyal-Muzillac (56)...82 A 1
Noyal-Pontivy (56)...63 G 3
Noyal-sous-Bazouges (35)...45 F 4
Noyal-sur-Brutz (44)...65 H 5
Noyal-sur-Vilaine (35)...65 G 2
Noyales (02)...17 E 2
Noyalo (56)...81 H 2
Noyant (49)...85 H 3
Noyant-d'Allier (03)...119 H 2
Noyant-de-Touraine (37)...102 C 1
Noyant-et-Aconin (02)...32 D 2
Noyant-la-Gravoyère (49)...84 B 1
Noyant-la-Plaine (49)...85 E 5
Noyarey (38)...151 G 2
Noyelle-Vion (62)...7 H 3
Noyelles-en-Chaussée (80)...7 E 4
Noyelles-Godault (62)...4 C 5
Noyelles-Humières (62)...7 F 2
Noyelles-lès-Seclin (59)...4 C 4
Noyelles-lès-Vermelles (62)...4 A 5
Noyelles-sous-Bellonne (62)...8 C 3
Noyelles-sous-Lens (62)...4 B 5
Noyelles-sur-Escaut (59)...8 D 4
Noyelles-sur-Mer (80)...6 C 4
Noyelles-sur-Sambre (59)...9 G 4
Noyelles-sur-Selle (59)...9 E 3
Noyellette (62)...7 H 3
Noyen-sur-Sarthe (72)...67 G 4
Noyen-sur-Seine (77)...52 D 4
Le Noyer (05)...166 B 2
Le Noyer (18)...89 H 4
Le Noyer (73)...138 A 3
Le Noyer-en-Ouche (27)...29 E 4
Noyers (27)...30 B 2
Noyers (45)...71 G 4
Noyers (52)...76 A 2
Noyers (89)...91 H 1
Noyers-Auzécourt (55)...35 E 3
Noyers-Missy (14)...27 E 3
Noyers-Pont-Maugis (08)...19 E 3
Noyers-St-Martin (60)...15 F 5
Noyers-sur-Cher (41)...87 H 5
Noyers-sur-Jabron (04)...180 D 2
Noyon (60)...16 B 4
Nozay (10)...53 H 4
Nozay (44)...83 F 2
Nozay (91)...51 E 3
Nozeroy (39)...111 E 4
Nozières (07)...149 F 5
Nozières (18)...105 F 5
Nuaillé (49)...100 C 1
Nuaillé-d'Aunis (17)...113 G 4
Nuaillé-sur-Boutonne (17)...127 G 1
Nuars (58)...91 F 4
Nubécourt (55)...35 G 4
Nuces (12)...160 A 5
Nucourt (95)...30 C 3
Nueil-les-Aubiers (79)...100 D 2
Nueil-sous-Faye (86)...102 A 2
Nueil-sur-Layon (49)...101 E 1
Nuelles (69)...135 G 2
Nuillé-le-Jalais (72)...68 C 3
Nuillé-sur-Ouette (53)...67 E 3
Nuillé-sur-Vicoin (53)...66 C 3
Nuisement-sur-Coole (51)...34 A 5
Nuits (89)...92 A 1
Nuits-St-Georges (21)...109 F 1
Nullemont (76)...14 B 3
Nully (52)...55 E 5
Nuncq-Hautecôte (62)...7 G 3
Nuret-le-Ferron (36)...103 H 5
Nurieux-Volognat (01)...123 G 4
Nurlu (80)...16 B 1
Nuzéjouls (46)...158 B 4
Nuzéjoux (19)...146 A 1
Nve-Église (67)...58 D 5
Nyer (66)...212 A 4
Nyoiseau (49)...84 B 1
Nyons ◆ (26)...164 D 5

O

Oberhoffen (59)...59 F 4

Oberentzen (68)...78 D 3
Obergailbach (57)...38 C 3
Oberhaslach (67)...58 C 3
Oberhausbergen (67)...59 F 2
Oberhergheim (68)...78 D 3
Oberhoffen-lès-Wissembourg (67)...39 G 3
Oberhoffen-sur-Moder (67)...39 G 5
Oberlarg (68)...97 F 2
Oberlauterbach (67)...39 H 4
Obermodern-Zutzendorf (67)...39 E 5
Obermorschwihr (68)...78 D 2
Obermorschwiller (68)...97 F 1
Obernai (67)...58 D 3
Oberrœdern (67)...39 G 4
Obersaasheim (68)...79 E 2
Oberschaeffolsheim (67)...59 E 2
Obersoultzbach (67)...38 D 5
Obersteigen (67)...58 C 2
Obersteinbach (67)...39 E 3
Oberstinzel (57)...58 B 1
Obervisse (57)...21 G 5
Obies (59)...9 G 3
Objat (19)...144 B 3
Oblinghem (62)...7 H 1
Obrechies (59)...10 A 2
Obreck (57)...37 G 5
Obsonville (77)...71 G 1
Obterre (36)...103 F 3
Obtrée (21)...74 C 4
Ocana (2A)...216 D 5
Occagnes (61)...47 H 1
Occey (21)...93 H 2
Occhiatana (2B)...214 D 5
Occoches (80)...7 F 4
Occonville (28)...50 B 4
Ochancourt (80)...6 C 5
Oches (08)...19 E 5
Ochey (54)...56 C 3
Ochiaz (01)...123 H 5
Ochtezeele (59)...3 F 3
Ocquerre (77)...32 B 4
Ocqueville (76)...13 E 2
Octeville-l'Avenel (50)...23 E 4
Octeville-sur-Mer (76)...12 A 4
Octon (34)...192 B 2
Odars (31)...189 G 3
Odeillo (66)...211 H 4
Odenas (69)...122 A 5
Oderen (68)...78 B 3
Odet (29)...61 H 2
Odival (52)...75 H 3
Odomez (59)...5 F 5
Odos (65)...204 C 1
Odratzheim (67)...58 D 2
Oëlleville (88)...56 D 5
Oermingen (67)...38 B 4
Œting (57)...38 A 2
Œuf-en-Ternois (62)...7 F 2
Œuilly (02)...33 F 1
Œuilly (51)...33 F 4
Oëy (55)...55 H 2
Oeyregave (40)...185 F 2
Oeyreluy (40)...185 F 1
Offekerque (62)...2 D 2
Offémont (60)...32 B 1
Offemont (90)...96 C 1
Offendorf (67)...59 G 1
Offignies (80)...14 D 2
Offin (62)...7 E 2
Offlanges (39)...94 A 5
Offoy (60)...15 E 3
Offoy (80)...16 B 3
Offranville (76)...13 G 2
Offrethun (62)...2 B 4
Offroicourt (88)...56 D 5
Offwiller (67)...39 E 4
Ogenne-Camptort (64)...185 H 5
Oger (51)...33 H 5
Ogeu-les-Bains (64)...203 G 1
Ogévillier (54)...57 H 3
Ogliastro (2B)...215 F 2
Ognes (02)...16 C 4
Ognes (51)...53 G 2
Ognes (60)...32 A 4
Ognéville (54)...56 D 4
Ognolles (60)...16 B 3
Ognon (60)...31 H 2
Ogy (57)...37 E 3
Ohain (59)...10 A 4
Oherville (76)...13 E 3
Ohis (02)...10 A 5
Ohlungen (67)...39 F 5
Ohnenheim (67)...79 E 1
L'Oie (85)...100 A 4
Oigney (70)...76 C 5
Oignies (62)...4 C 5
Oigny (21)...93 H 3
Oigny (41)...69 E 3
Oigny-en-Valois (02)...32 C 3
Oingt (69)...135 G 1
Oinville-sous-Auneau (28)...50 B 4
Oinville-St-Liphard (28)...70 C 1
Oinville-sur-Montcient (78)...30 C 4
Oiron (79)...101 G 2
Oiry (51)...33 H 4
Oiselay-et-Grachaux (70)...94 D 3
Oisemont (80)...14 C 1
Oisilly (21)...93 H 3
Oisly (41)...87 H 4
Oison (45)...70 D 2
Oisseau (53)...46 D 5

Oisseau-le-Petit (72)...47 H 5
Oissel (76)...29 G 1
Oissery (77)...32 A 4
Oisy (58)...91 E 3
Oisy (02)...9 G 5
Oisy (59)...9 E 2
Oisy-le-Verger (62)...8 C 3
Oizé (72)...67 H 5
Oizon (18)...89 G 3
Olargues (34)...191 H 3
Olby (63)...132 D 3
Olcani (2B)...215 F 2
Oléac-Debat (65)...187 F 5
Oléac-Dessus (65)...204 D 1
Olemps (12)...175 G 1
Olendon (14)...27 G 5
Oletta (2B)...215 F 4
Olette (66)...212 A 3
Olhain (62)...7 H 2
Les Olives (13)...200 A 2
Olivese (2A)...219 E 1
Olivet (45)...70 C 5
Olivet (53)...66 B 2
Olizy (51)...33 F 3
Olizy-Primat (08)...34 D 1
Olizy-sur-Chiers (55)...19 G 4
Ollainville (88)...76 C 1
Ollainville (91)...51 E 3
Ollans (25)...95 F 3
Ollé (28)...49 H 5
Olley (54)...20 B 5
Ollezy (02)...16 C 3
Les Ollières (74)...138 B 1
Ollières (83)...196 C 3
Les Ollières-sur-Eyrieux (07)...163 G 2
Olliergues (63)...134 A 4
Ollioules (83)...200 D 3
Olloix (63)...133 E 4
Les Olmes (69)...135 F 2
Olmet (63)...134 A 4
Olmet-et-Villecun (34)...192 B 1
Olmeta-di-Capocorso (2B)...215 F 3
Olmeta-di-Tuda (2B)...215 F 4
Olmeto (2A)...218 D 2
Olmi-Cappella (2B)...214 D 5
Olmiccia (2A)...219 E 2
Olmo (2B)...215 G 5
Olonne-sur-Mer (85)...112 A 1
Olonzac (34)...191 G 5
Oloron-Ste-Marie ◆ (64)...203 F 1
Ols-et-Rinhodes (12)...159 F 5
Oltingue (68)...97 G 2
Olwisheim (67)...59 E 1
Omblèze (26)...165 E 1
Omécourt (60)...14 D 4
Omelmont (54)...56 D 3
Les Omergues (04)...180 C 2
Omerville (95)...30 B 3
Omessa (2B)...217 E 1
Omet (33)...155 G 3
Omex (65)...204 B 2
Omey (51)...54 C 1
Omicourt (08)...19 E 4
Omiécourt (80)...16 A 2
Omissy (02)...16 D 2
Omméel (61)...48 A 1
Ommeray (57)...57 H 1
Ommoy (61)...47 H 1
Omont (08)...18 D 4
Omonville (76)...13 G 2
Omonville-la-Petite (50)...22 B 2
Omonville-la-Rogue (50)...22 B 2
Omps (15)...159 H 1
Oms (66)...212 D 4
Onans (25)...95 H 2
Onard (40)...169 F 5
Onay (70)...94 B 3
Oncieu (01)...137 E 1
Oncourt (88)...57 F 1
Oncy-sur-École (91)...51 G 5
Ondefontaine (14)...26 D 4
Ondes (31)...189 E 1
Ondres (40)...184 C 2
Ondreville-sur-Essonne (45)...71 F 2
Onesse-Laharie (40)...169 E 3
Onet-le-Château (12)...175 G 1
Oneux (80)...7 E 4
Ongles (04)...180 C 2
Onglières (39)...110 D 4
Onival (80)...6 B 5
Onjon (10)...54 A 5
Onlay (58)...107 G 2
Onnaing (59)...9 F 2
Onnion (74)...125 E 4
Onoz (39)...123 G 2
Ons-en-Bray (60)...30 C 1
Ontex (73)...137 H 3
Onville (54)...36 C 4
Onvillers (80)...15 H 4
Onzain (41)...87 G 3
Oô (31)...205 F 4
Oost-Cappel (59)...3 G 2
Opio (06)...199 E 1
Opme (63)...133 E 4
Opoul-Périllos (66)...209 E 4
Oppède (84)...179 H 5
Oppède-le-Vieux (84)...179 H 5
Oppedette (04)...180 C 4
Oppenans (70)...95 F 1

Oppy (62)...8 B 3
Optevoz (38)...137 E 3
Oraàs (64)...185 F 3
Oradour (15)...160 D 1
Oradour (16)...128 A 2
Oradour-Fanais (16)...116 A 5
Oradour-St-Genest (87)...116 C 4
Oradour-sur-Glane (87)...129 H 2
Oradour-sur-Vayres (87)...129 G 3
Orain (21)...94 A 2
Orainville (02)...33 H 1
Oraison (04)...181 E 4
Orange (84)...179 E 2
Orbagna (39)...123 F 1
Orbais-l'Abbaye (51)...33 F 5
Orban (81)...174 D 5
Orbé (79)...101 G 2
Orbec (14)...28 B 4
Orbeil (63)...133 G 5
Orbessan (32)...188 A 3
Orbey (68)...78 C 1
Orbigny (37)...87 G 5
Orbigny-au-Mont (52)...76 A 4
Orbigny-au-Val (52)...75 H 4
Orbois (14)...26 D 3
L'Orbrie (85)...113 H 1
Orçay (41)...88 D 5
Orcemont (78)...50 C 3
Orcenais (18)...105 F 5
Orcet (63)...133 F 4
Orcevaux (52)...75 H 5
Orchaise (41)...87 G 2
Orchamps (39)...110 B 1
Orchamps-Vennes (25)...95 G 5
Orches (86)...102 A 2
Orchies (59)...4 D 5
Orcier (74)...125 E 3
Orcières (05)...166 D 2
Orcières-Merlette (05)...166 D 2
Orcinas (26)...164 D 4
Orcines (63)...133 E 3
Orcival (63)...132 D 4
Orconte (51)...54 D 2
Ordan-Larroque (32)...187 H 1
Ordiarp (64)...202 D 1
Ordizan (65)...204 C 2
Ordonnac (33)...140 D 2
Ordonnaz (01)...137 F 2
Ore (31)...205 G 3
Orègue (64)...185 E 4
Oreilla (66)...212 A 3
Orelle (73)...152 D 2
Oresmaux (80)...15 F 3
Organ (65)...187 H 5
Orgeans (25)...96 C 4
Orgedeuil (16)...128 D 4
Orgeix (09)...207 G 5
Orgelet (39)...123 G 1
Orgères (35)...65 F 3
Orgères (61)...48 B 1
Orgères-en-Beauce (28)...70 B 2
Orgères-la-Roche (53)...47 G 3
Orgerus (78)...50 B 1
Orgeux (21)...93 G 4
Orgeval (02)...17 F 5
Orgeval (73)...30 D 5
Orgibet (09)...206 A 3
Orglandes (50)...22 D 4
Orgnac-l'Aven (07)...178 C 1
Orgnac-sur-Vézère (19)...144 B 2
Orgon (13)...179 G 5
Orgueil (82)...173 H 5
Oricourt (70)...95 F 1
Orieux (65)...187 G 5
Orignac (65)...204 D 1
Origne (33)...155 F 4
Origné (53)...66 C 3
Orignolles (17)...141 H 3
Origny (21)...92 D 3
Origny-en-Thiérache (02)...10 A 5
Origny-le-Butin (61)...48 C 5
Origny-le-Roux (61)...48 B 5
Origny-le-Sec (10)...53 F 4
Origny-Ste-Benoîte (02)...17 E 2
Orin (64)...185 H 5
Orincles (65)...204 C 1
Oriocourt (57)...37 F 5
Oriol-en-Royans (26)...151 E 5
Oris-en-Rattier (38)...151 H 5
Orist (40)...185 E 2
Orival (16)...142 B 2
Orival (76)...29 F 2
Orival (80)...14 D 2
Orléans (R) (45)...70 C 4
Orléat (63)...133 H 2
Orleix (65)...187 F 5
Orliac (24)...157 H 2
Orliac-de-Bar (19)...145 E 2
Orliaguet (24)...158 B 1
Orliénas (69)...135 H 4
Orlu (09)...207 G 5
Orlu (28)...50 C 5
Orly (94)...51 F 2
Orly-sur-Morin (77)...32 C 5
Ormancey (52)...75 G 4
Ormeaux (77)...52 B 2

Localité (Département) Page Coordonnées
259

Ormenans (70) 95 E 3
Ormersviller (57) 38 C 2
Ormes (10) 53 H 3
Ormes (27) 29 F 4
Ormes (45) 70 C 4
Ormes (51) 33 G 2
Ormes (71) 109 F 5
Les Ormes (86) 102 C 2
Les Ormes (89) 72 C 5
Ormes-et-Ville (54) 57 E 4
Les Ormes-sur-Voulzie (77) 52 C 4
Ormesson (77) 71 H 1
Ormesson-sur-Marne (94) 51 G 1
Ormoiche (70) 77 F 5
Ormoy (28) 50 A 3
Ormoy (70) 76 D 4
Ormoy (89) 73 E 4
Ormoy (91) 51 G 3
Ormoy-la-Rivière (91) 51 E 5
Ormoy-le-Davien (60) 32 B 3
Ormoy-lès-Sexfontaines (52) 75 F 1
Ormoy-sur-Aube (52) 75 E 3
Ormoy-Villers (60) 32 A 3
Ornacieux (38) 150 D 1
Ornaisons (11) 209 E 1
Ornans (25) 111 E 1
Ornes (55) 20 A 4
Ornex (01) 124 B 3
Ornézan (32) 188 A 3
Orniac (46) 158 D 4
Ornolac-Ussat-les-Bains (09) 207 E 4
Ornon (38) 152 A 4
Orny (57) 37 E 4
Oroër (60) 15 E 5
Oroix (65) 187 E 5
Oron (57) 37 F 5
Orouet (85) 98 C 4
Oroux (79) 101 G 5
Orphin (78) 50 C 3
Orpierre (05) 180 C 1
Orquevaux (52) 55 H 5
Les Orres (05) 167 E 4
Orret (21) 92 D 2
Orriule (64) 185 G 4
Orrouer (28) 49 H 5
Orrouy (60) 32 A 2
Orry-la-Ville (60) 31 G 3
Ors (59) 9 F 5
Orsan (30) 179 E 2
Orsanco (64) 185 F 5
Orsans (11) 207 G 1
Orsans (25) 95 G 4
Orsay (91) 51 E 2
Orschwihr (68) 78 C 3
Orschwiller (67) 58 D 5
Orsennes (36) 117 G 2
Orsinval (59) 9 F 3
Orsonnette (63) 147 F 1
Orsonville (78) 50 C 4
Ortaffa (66) 213 F 3
Ortale (2B) 217 G 2
Orthevielle (40) 185 E 2
Orthez (64) 185 H 3
Orthoux-Sérignac-Quilhan (30) 177 H 5
Ortillon (10) 54 A 4
Ortiporio (2B) 215 F 5
Orto (2A) 216 D 3
Ortoncourt (88) 57 G 4
Orus (09) 206 D 5
Orval (18) 105 G 5
Orval-sur-Sienne (50) 24 D 4
Orvault (44) 83 F 4
Orvaux (27) 29 F 5
Orve (25) 95 H 4
Orveau (91) 51 F 4
Orveau-Bellesauve (45) 71 F 1
Orville (21) 93 G 2
Orville (36) 104 C 1
Orville (45) 71 G 1
Orville (61) 28 B 5
Orville (62) 7 G 4
Orvillers-Sorel (60) 15 H 4
Orvilliers (78) 50 B 1
Orvilliers-St-Julien (10) 53 G 4
Orx (40) 184 D 2
Orzilhac (43) 148 B 5
Os-Marsillon (64) 186 A 4
Osani (2A) 216 B 2
Osches (55) 35 G 4
Osenbach (68) 78 C 3
Oslon (71) 109 F 4
Osly-Courtil (02) 32 C 1
Osmanville (14) 23 F 5
Osmery (18) 105 H 3
Osmets (65) 187 G 5
Osmoy (18) 105 G 2
Osmoy (78) 50 B 1
Osmoy-St-Valery (76) 13 H 2
Osne-le-Val (52) 55 G 4
Osnes (08) 19 G 3
Osny (95) 30 D 4
L'Ospédale (2A) 219 F 3
Ossages (40) 185 G 2
Ossas-Suhare (64) 203 E 1
Osse (25) 95 E 4
Ossé (35) 65 G 2
Osse-en-Aspe (64) 203 F 2
Osséja (66) 211 G 5
Osselle-Routelle (25) 110 C 1
Ossen (65) 204 B 2
Ossenx (64) 185 G 4
Osserain-Rivareyte (64) 185 G 4
Ossès (64) 184 D 5
Ossey-les-Trois-Maisons (10) 53 F 4
Ossonville (28) 50 B 5
Ossun (65) 204 B 1
Ossun-ez-Angles (65) 204 C 2
Ostabat-Asme (64) 185 F 5
Ostel (02) 33 E 1
Ostheim (68) 78 D 1
Osthoffen (67) 59 E 2
Osthouse (67) 59 E 4
Ostreville (62) 7 G 2
Ostricourt (59) 4 C 5
Ostwald (67) 59 F 3
Ota (2A) 216 B 3
Othe (54) 19 H 5
Othis (77) 31 H 4
Ottange (57) 20 D 3
Ottersthal (67) 58 C 1
Otterswiller (67) 58 D 1
Ottmarsheim (68) 79 E 4
Ottonville (57) 21 G 4
Ottrott (67) 58 D 3
Ottwiller (67) 38 C 5
Ouagne (58) 91 E 4
Ouainville (76) 12 D 2
Ouanne (89) 90 D 1
Ouarville (28) 50 B 5
Les Oubeaux (14) 25 F 2
Ouchamps (41) 87 H 3
Ouches (42) 134 C 1
Oucques (41) 69 H 5
Oudalle (76) 12 B 5
Oudan (58) 90 D 4
Oudeuil (60) 15 E 5
Oudezeele (59) 3 G 3
Oudincourt (52) 75 F 1
Oudon (44) 83 H 4
Oudrenne (57) 21 F 3
Oudry (71) 121 F 1
Oueilloux (65) 204 D 1
Ouerray (28) 49 H 5
Ouerre (28) 50 A 2
Ouessant (29) 40 B 3
Ouézy (14) 27 E 1
Ouffières (14) 27 E 4
Ouge (70) 76 B 5
Ouges (21) 93 G 5
Ougney (39) 94 B 5
Ougney-Douvot (25) 95 F 4
Ougny (58) 107 F 2
Ouhans (25) 111 F 2
Ouides (43) 162 A 1
Ouillon (64) 186 C 5
Ouilly-du-Houley (14) 28 B 3
Ouilly-le-Tesson (14) 27 G 4
Ouilly-le-Vicomte (14) 28 A 3
Ouistreham (14) 27 G 2
Oulches (36) 116 D 1
Oulches-la-Vallée-Foulon (02) 33 F 1
Oulchy-la-Ville (02) 32 D 3
Oulchy-le-Château (02) 32 D 3
Oulins (28) 50 A 1
Oulles (38) 152 A 4
Oullins (69) 135 H 3
Oulmes (85) 113 H 2
Oulon (58) 90 D 5
Ounans (39) 110 B 2
Oupia (34) 191 G 5
Our (39) 110 B 1
Ourcel-Maison (60) 15 E 4
Ourches (26) 164 C 1
Ourches-sur-Meuse (55) 56 B 2
Ourde (65) 205 F 3
Ourdis-Cotdoussan (65) 204 C 2
Ourdon (65) 204 B 2
Ourouër (58) 106 D 2
Ourouer-les-Bourdelins (18) 106 A 3
Ouroux (69) 122 A 4
Ouroux-en-Morvan (58) 107 H 1
Ouroux-sous-le-Bois-Ste-Marie (71) 121 G 3
Ouroux-sur-Saône (71) 109 F 4
Oursbelille (65) 187 E 5
Les Oursinières (83) 201 E 4
Ourton (62) 7 H 2
Ourville-en-Caux (76) 12 D 3
Ousse (64) 186 C 5
Ousse-Suzan (40) 169 G 4
Oussières (39) 110 B 3
Ousson-sur-Loire (45) 90 A 2
Oussoy-en-Gâtinais (45) 71 H 4
Oust (09) 206 B 4
Oust-Marest (80) 6 B 5
Ousté (65) 204 B 2
Outarville (45) 70 D 2
Outines (51) 54 D 3
Outreau (62) 2 A 4
Outrebois (80) 7 F 4
Outremécourt (52) 76 B 1
Outrepont (51) 54 D 1
Outriaz (01) 123 G 5
Outtersteene (59) 3 H 4
Ouvans (25) 95 G 4
Ouve-Wirquin (62) 2 D 5
Ouveillan (11) 191 H 5
Ouville (50) 25 E 4
Ouville-la-Bien-Tournée (14) 27 H 4
Ouville-la-Rivière (76) 13 F 2
Ouville-l'Abbaye (76) 13 F 3
Ouvrouer-les-Champs (45) 71 E 5
Ouzilly (86) 102 B 4
Ouzilly-Vignolles (86) 101 H 3
Ouzouer-des-Champs (45) 71 H 4
Ouzouer-le-Doyen (41) 69 H 4
Ouzouer-le-Marché (41) 70 A 4
Ouzouer-sous-Bellegarde (45) 71 G 3
Ouzouer-sur-Loire (45) 71 G 5
Ouzouer-sur-Trézée (45) 90 A 1
Ouzous (65) 204 B 2
Ovanches (70) 94 D 1
Ovillers-la-Boisselle (80) 8 A 5
Oxelaëre (59) 3 F 4
Oyé (71) 121 F 3
Oye-et-Pallet (25) 111 F 3
Oye-Plage (62) 2 D 2
Oyes (51) 53 F 1
Oyeu (38) 151 F 1
Oyonnax (01) 123 G 3
Oyré (86) 102 C 3
Oyrières (70) 94 A 2
Oysonville (28) 50 D 5
Oytier-St-Oblas (38) 136 C 5
Oz (38) 152 A 3
Ozan (01) 122 C 2
Oze (05) 165 H 4
Ozenay (71) 122 B 1
Ozenx (64) 185 H 3
Ozerailles (54) 20 C 5
Ozeville (50) 23 E 4
Ozières (52) 76 A 1
Ozillac (17) 141 G 1
Ozoir-la-Ferrière (77) 51 H 2
Ozoir-le-Breuil (28) 70 A 3
Ozolles (71) 121 G 3
Ozon (07) 149 H 3
Ozon (65) 204 D 1
Ozouer-le-Voulgis (77) 51 H 3
Ozourt (40) 185 G 1

P

Paars (02) 33 E 2
Pabu (22) 43 E 4
La Pacaudière (42) 120 D 4
Pacé (35) 65 E 1
Pacé (61) 47 H 4
Pact (38) 150 C 2
Pacy-sur-Armançon (89) 73 H 5
Pacy-sur-Eure (27) 29 H 4
Padern (11) 208 D 4
Padiès (81) 175 F 3
Padirac (46) 158 D 1
Padoux (88) 57 G 5
Pageas (87) 129 H 4
Pagney (39) 94 B 5
Pagney-derrière-Barine (54) 56 C 2
Pagnoz (39) 110 C 2
Pagny-la-Blanche-Côte (55) 56 B 3
Pagny-la-Ville (21) 109 G 1
Pagny-le-Château (21) 109 G 2
Pagny-lès-Goin (57) 37 E 4
Pagny-sur-Meuse (55) 56 B 2
Pagny-sur-Moselle (54) 36 D 4
Pagolle (64) 185 F 5
Pailhac (65) 205 E 3
Pailharès (07) 149 F 4
Pailherols (15) 146 B 5
Pailhès (09) 206 D 2
Pailhès (34) 192 B 4
Paillart (60) 15 F 4
Paillé (17) 127 G 1
Paillencourt (59) 8 D 3
Paillères (48) 162 B 5
Paillet (33) 155 G 3
La Paillette (26) 164 D 4
Pailloles (47) 157 E 5
Le Pailly (52) 75 H 5
Pailly (89) 52 D 5
Paimbœuf (44) 82 C 4
Paimpol (22) 43 F 2
Paimpont (35) 64 C 2
Painblanc (21) 108 D 1
Pair-et-Grandrupt (88) 58 B 5
Pairis (68) 78 C 2
Paissy (02) 33 F 1
Paisy-Cosdon (10) 73 F 1
Paizay-le-Chapt (79) 114 C 5
Paizay-le-Sec (86) 116 A 1
Paizay-le-Tort (79) 114 C 4
Paizay-Naudouin-Embourie (16) 128 A 1
Pajay (38) 150 D 1
Paladru (38) 137 F 5
Palagaccio (2B) 215 G 3
Palairac (11) 208 D 3
Le Palais (56) 81 E 4
Le Palais-sur-Vienne (87) 130 B 2
Palaiseau SP (91) 51 E 2
Palaiseul (52) 75 H 5
Palaja (11) 208 B 1
Palaminy (31) 206 A 1
Palante (70) 95 H 1
Palantine (25) 110 D 1
Palasca (2B) 214 D 4
Palau-de-Cerdagne (66) 211 G 5
Palau-del-Vidre (66) 213 F 3
Palavas-les-Flots (34) 193 F 3
Palazinges (19) 144 D 4
Palesne (60) 32 A 2
Paley (77) 71 G 1
Paleyrac (24) 157 G 1
Palhers (48) 161 F 4
Palinges (71) 121 F 1
Palis (10) 73 F 1
Palise (25) 95 E 3
Palisse (19) 145 G 1
Palladuc (63) 134 A 2
Pallanne (32) 187 F 3
Palleau (71) 109 F 2
Pallegney (88) 57 F 5
Le Pallet (44) 99 G 1
Palleville (81) 190 B 3
La Pallice (17) 113 E 4
Pallier (23) 131 F 3
La Pallu (53) 47 F 4
Palluau (85) 99 F 3
Palluau-sur-Indre (36) 103 H 3
Palluaud (16) 142 C 2
Pallud (73) 138 C 3
Palluel (62) 8 C 3
Palmas d'Aveyron (12) 160 C 5
La Palme (11) 209 F 3
La Palmyre (17) 126 B 3
Palneca (2A) 217 F 5
Palogneux (42) 134 C 3
Palombaggia (Plage de) (2A) 219 G 3
Palot (09) 207 F 3
La Palud-sur-Verdon (04) 181 G 5
Paluds-de-Noves (13) 179 F 5
Paluel (76) 12 D 2
Palus (30) 178 D 3
Le Palus-Plage (22) 43 G 3
Pamfou (77) 52 A 4
Pamiers SP (09) 207 E 2
Pampelonne (81) 175 E 3
Pamplie (79) 114 B 1
Pamproux (79) 114 D 2
Panassac (32) 187 H 4
Panazol (87) 130 B 2
Pancé (35) 65 F 4
Pancheraccia (2B) 217 G 3
Pancy-Courtecon (02) 17 F 5
Pandrignes (19) 145 E 3
Pange (57) 37 E 3
Panges (21) 93 E 4
Panilleuse (27) 30 A 3
Panissoulé (30) 178 D 2
Panissage (38) 137 F 5
Panissières (42) 135 E 3
Panjas (32) 171 F 5
Panlatte (27) 49 G 1
Pannecé (44) 83 H 2
Pannecières (45) 71 E 1
Pannes (45) 71 H 3
Pannes (54) 36 B 5
Pannessières (39) 110 B 5
Panon (72) 48 B 5
Panossas (38) 136 D 4
La Panouse (48) 161 H 2
Pansey (52) 55 G 4
Pantin (93) 31 F 5
Panzoult (37) 102 B 1
Papleux (02) 9 H 5
La Pâquelais (44) 83 E 4
Paquier (21) 108 D 1
Paradou (13) 194 D 1
Paramé (35) 44 D 2
Parassy (18) 89 G 5
Parata (2B) 217 G 1
Parata (Pointe de la) (2A) 218 B 1
Paray-Douaville (78) 50 C 4
Paray-le-Frésil (03) 107 F 5
Paray-le-Monial (71) 121 F 2
Paray-sous-Briailles (03) 120 A 3
Paray-Vieille-Poste (91) 51 F 2
Paraza (11) 191 G 5
Parbayse (64) 186 A 4
Parc-d'Anxtot (76) 12 C 4
Parçay-les-Pins (49) 86 A 3
Parçay-Meslay (37) 86 D 3
Parçay-sur-Vienne (37) 102 C 1
Parcé (35) 66 A 1
Parcé-sur-Sarthe (72) 67 G 5
Parcey (39) 110 A 2
Parcieux (01) 135 H 2
Parcoul-Chenaud (24) 142 A 3
Le Parcq (62) 7 F 2
Parcy-et-Tigny (02) 32 D 2
Pardailhan (34) 191 G 4
Pardaillan (47) 156 C 3
Pardies (64) 186 A 4
Pardies-Piétat (64) 203 H 1
Pardines (63) 133 F 5
Paréac (65) 204 C 1
Pareid (55) 36 B 3
Parempuyre (33) 141 E 5
Parennes (72) 67 G 2
Parent (63) 133 F 4
Parentignat (63) 133 G 5
Parentis-en-Born (40) 154 B 5
Parenty (62) 2 C 5
Parey-sous-Montfort (88) 76 C 1
Parey-St-Césaire (54) 56 D 3
Parfondeval (02) 18 A 3
Parfondeval (61) 48 C 4
Parfondru (02) 17 F 5
Parfondrupt (55) 20 B 5
Parfouru-sur-Odon (14) 27 E 3
Pargnan (02) 33 F 1
Pargny (80) 16 B 2
Pargny-Filain (02) 17 E 5
Pargny-la-Dhuys (02) 33 E 5
Pargny-les-Bois (02) 17 F 3
Pargny-lès-Reims (51) 33 G 2
Pargny-Resson (08) 18 B 5
Pargny-sous-Mureau (88) 56 A 5
Pargny-sur-Saulx (51) 55 E 1
Pargues (10) 74 A 3
Parignargues (30) 178 B 5
Parigné (35) 46 A 4
Parigné-le-Pôlin (72) 67 H 5
Parigné-l'Évêque (72) 68 B 4
Parigné-sur-Braye (53) 46 D 5
Parigny (42) 134 D 1
Parigny (50) 46 B 3
Parigny-la-Rose (58) 91 E 4
Parigny-les-Vaux (58) 106 C 1
Paris (75) 51 F 1
Paris-l'Hôpital (71) 108 D 3
Parisot (81) 190 A 1
Parisot (82) 174 B 1
Parlan (15) 159 G 1
Parleboscq (40) 171 G 4
Parly (89) 72 D 5
Parmain (95) 31 E 4
Parmilieu (38) 137 E 2
Parnac (36) 117 E 2
Parnac (46) 158 A 4
Parnans (26) 150 D 4
Parnay (18) 105 G 4
Parnay (49) 85 H 5
Parné-sur-Roc (53) 66 D 3
Parnes (60) 30 B 3
Parnot (52) 76 B 3
Les Paroches (55) 36 A 5
Parois (55) 35 F 3
Paron (89) 72 C 2
Paroy (25) 110 D 1
Paroy (77) 52 C 4
Paroy-en-Othe (89) 73 E 3
Paroy-sur-Saulx (52) 55 G 4
Paroy-sur-Tholon (89) 72 D 4
Parpeçay (36) 88 B 5
Parpeville (02) 17 E 3
Parranquet (47) 157 F 3
Parrot (63) 146 D 2
Parroy (54) 57 G 2
Pars-lès-Chavanges (10) 54 C 4
Pars-lès-Romilly (10) 53 F 4
Parsac (33) 156 A 1
Parsac-Rimondeix (23) 118 B 4
Parthenay SP (79) 101 F 5
Parthenay-de-Bretagne (35) 65 E 1
Parthenay-le-Vieux (79) 101 F 5
Partinello (2A) 216 B 2
Parux (54) 58 A 3
Parves-et-Nattages (01) 137 G 3
Parville (27) 29 G 4
Parvillers-le-Quesnoy (80) 16 A 3
Parzac (16) 128 D 2
Les Pas (50) 45 G 3
Le Pas (53) 46 D 4
Pas-de-Jeu (79) 101 G 2
Pas-des-Lanciers (13) 195 G 4
Pas-en-Artois (62) 7 H 4
Le Pas-St-l'Homer (61) 49 F 4
Pasilly (89) 91 H 1
Paslières (63) 133 H 2
Pasly (02) 32 C 1
Pasques (21) 93 E 4
Le Pasquier (39) 110 D 4
Passa (66) 213 E 3
Le Passage (38) 137 F 5
Le Passage (47) 172 B 2
Passais (61) 46 C 3
Passavant (25) 95 F 4
Passavant-en-Argonne (51) 35 F 4
Passavant-la-Rochère (70) 76 D 3
Passavant-sur-Layon (49) 101 E 1
Passay (44) 99 F 1
Passel (60) 16 B 5
Passenans (39) 110 B 4
Les Passerons (13) 194 C 2
Passins (38) 137 E 4
Passirac (16) 142 A 2
Passonfontaine (25) 111 G 1
Passy (71) 121 H 1
Passy (74) 139 E 1
Passy (89) 72 D 2
Passy-en-Valois (02) 32 C 3
Passy-Grigny (51) 33 F 3
Passy-sur-Marne (02) 33 E 4
Passy-sur-Seine (77) 52 D 5
Pastricciola (2A) 216 D 3
Patay (45) 70 B 3
Patornay (39) 110 C 5
Patrimonio (2B) 215 F 3
Le Paty (28) 50 B 3
Pau P (64) 186 B 5
Paucourt (45) 72 A 3
Paudy (36) 104 C 2
Paugnat (63) 133 E 2
Pauilhac (32) 172 B 5
Pauillac (33) 140 D 3
Paule (22) 62 C 1
Paulhac (15) 146 D 5
Paulhac (31) 189 G 1
Paulhac (43) 147 F 2
Paulhac-en-Margeride (48) 147 G 5
Paulhaguet (43) 147 G 3
Paulhan (34) 192 C 3
Paulhe (12) 176 B 2
Paulhenc (15) 160 C 1
Paulhiac (47) 157 F 4
Pauligne (11) 208 A 2
Paulin (24) 144 B 5
Paulinet (81) 175 F 5
Paulmy (37) 103 E 2
Paulnay (36) 103 G 4
Paulx (44) 99 E 2
Paunat (24) 157 G 1
Paussac-et-St-Vivien (24) 143 E 2
Pautaines-Augeville (52) 55 H 5
Pauvres (08) 34 B 1
Pavant (02) 32 C 5
Pavezin (42) 149 G 1
Pavie (32) 188 A 2
Le Pavillon-Ste-Julie (10) 53 G 5
Les Pavillons-sous-Bois (93) 31 G 5
Pavilly (76) 13 F 4
Payns (10) 53 H 5
Payra-sur-l'Hers (11) 190 A 5
Payrac (46) 158 B 2
Payré (86) 115 F 3
Payré-sur-Vendée (85) 113 H 1
Payrignac (46) 158 B 2
Payrin-Augmontel (81) 190 D 3
Payros-Cazautets (40) 186 B 2
Payroux (86) 115 G 4
Payssous (31) 205 G 2
Payzac (07) 162 D 5
Payzac (24) 144 A 1
Pazac (30) 178 D 5
Pazayac (24) 144 B 4
Paziols (11) 208 D 4
Pazy (58) 91 F 5
Le Péage-de-Roussillon (38) 149 H 1
Péas (51) 53 F 2
Peaugres (07) 149 G 2
Péaule (56) 82 A 1
Péault (85) 113 E 1
Pébées (32) 188 D 4
Pébrac (43) 147 G 5
Pech (09) 207 E 5
Pech-Luna (11) 207 G 1
Péchabou (31) 189 G 3
Pécharic-et-le-Py (11) 207 F 1
Péchaudier (81) 190 B 3
Pechbonnieu (31) 189 F 1
Pechbusque (31) 189 F 3
Le Pêchereau (36) 117 F 1
Pécorade (40) 186 B 2
Le Pecq (78) 30 D 5
Pecquencourt (59) 8 D 2
Pecqueuse (91) 50 D 3
Pécy (77) 52 B 3
Pédernec (22) 43 E 3
Pégairolles-de-Buèges (34) 177 F 5
Pégairolles-de-l'Escalette (34) 192 B 1
Pégomas (06) 199 E 2
Le Pègue (26) 164 D 5
Péguilhan (31) 188 A 5
Peigney (52) 75 H 4
Peillac (56) 64 B 5
Peille (06) 183 G 5
Peillon (06) 183 G 5
Peillonnex (74) 124 D 4
Peintre (39) 94 A 5
Les Peintures (33) 142 A 4
Peipin (04) 181 E 2
Peïra-Cava (06) 183 F 3
Peisey-Nancroix (73) 139 F 4
Pel-et-Der (10) 54 B 5
Pelacoy (46) 158 B 4
Pélasque (06) 183 F 3
Pélissanne (13) 195 F 2
Pellafol (38) 166 A 1
Pelleautier (05) 166 B 4
Pellefigue (32) 188 B 3
Pellegrue (33) 156 B 2
Pelleport (31) 188 D 1
Pellerey (21) 93 E 3
Le Pellerin (44) 83 E 5
La Pellerine (49) 85 H 3
La Pellerine (53) 46 B 5
Pellevoisin (36) 103 H 2
Pellouailles-les-Vignes (49) 85 E 2
Pelonne (26) 165 F 5
Pelouse (48) 161 H 4
Pelousey (25) 94 D 4
Peltre (57) 37 E 3
Pélussin (42) 149 G 1
Pelves (62) 8 B 3
Pelvoux (05) 152 D 5
Pen Bé (44) 82 A 3
Pen-Guen (22) 44 C 2
Penchard (77) 32 A 5
Pencran (29) 41 G 4
Pendé (80) 6 C 4
Pénestin (56) 82 A 2
Penguily (22) 44 A 4
Penhoat (22) 43 F 2
Penhors (29) 61 E 3
Penin (62) 7 H 3
Le Pénity (22) 42 C 5
Penly (76) 13 H 1
Penmarch (29) 61 F 4
Pennautier (11) 208 B 1
La Penne (06) 182 D 4
Penne (81) 174 B 3
Penne-d'Agenais (47) 157 F 5
La Penne-sur-Huveaune (13) 196 A 5
La Penne-sur-l'Ouvèze (26) 179 H 1

A B C D E F G H I J K L M N O P Q R S T U V W X Y Z

Localité *(Département)*   Page   Coordonnées

Pennedepie (14) ....28 A 1
Pennes-le-Sec (26) .....165 E 3
Les Pennes-Mirabeau (13) .....195 H 4
Pennesières (70) ....95 E 2
Penol (38) ....150 D 1
Le Penon (40) ....184 D 1
Pensol (87) ....129 G 4
Penta-Acquatella (2B) ....215 F 5
Penta-di-Casinca (2B) ...215 G 5
Penthièvre (56) ....81 E 3
Pentrez-Plage (29) .....61 F 1
Penvénan (22) ....43 E 1
Penvins (56) ....81 G 3
Péone (06) ....182 C 2
Pépieux (11) ....191 F 5
Pérassay (36) ....118 B 2
Peray (72) ....68 B 1
Perceneige (89) ....52 D 5
Percey (89) ....73 G 4
Percey-le-Grand (70) ..93 H 2
Percey-le-Pautel (52) ..75 H 5
Percey-sous-Montormentier (52) ....93 H 1
Le Perchay (95) ....30 C 4
La Perche (18) ....105 G 5
Perchède (32) ....186 D 1
Le Percy (38) ....165 G 1
Percy-en-Auge (14) ....27 H 4
Percy-en-Normandie (50) ...25 F 5
Perdreauville (78) .....30 B 5
Péré (17) ....113 G 5
Péré (85) ....204 D 1
Péreille (09) ....207 F 3
Perelli (2B) ....217 G 2
Perello (56) ....80 C 1
Pérenchies (59) ....4 B 3
Péret (34) ....192 C 3
Péret-Bel-Air (19) ....145 F 1
Péreuil (16) ....128 A 5
Péreyres (07) ....162 D 2
Pergain-Taillac (32) ...172 B 3
Peri (2A) ....216 D 5
Le Périer (38) ....152 A 5
Périers (50) ....24 D 2
Périers-en-Auge (14) ...27 H 2
Périers-sur-le-Dan (14) ...27 F 2
Pérignac (16) ....142 B 1
Pérignac (17) ....127 F 4
Pérignat-lès-Sarliève (63) ...133 F 3
Pérignat-sur-Allier (63) ...133 F 3
Périgné (79) ....114 C 4
Périgneux (42) ....148 C 1
Périgny (03) ....120 B 4
Périgny (14) ....27 E 5
Périgny (17) ....113 F 4
Périgny (41) ....87 G 1
Périgny (86) ....151 H 5
Périgny (94) ....51 G 2
Périgny-la-Rose (10) ...53 F 3
Périgueux P (24) .....143 F 3
Périssac (33) ....141 G 5
Perles (02) ....33 F 2
Perles-et-Castelet (09) ...207 F 5
Pern (46) ....173 H 1
Pernand-Vergelesses (21) ...109 E 1
Pernant (02) ....32 C 1
Pernay (37) ....86 C 3
La Pernelle (50) ......23 E 3
Pernes (62) ....7 G 1
Pernes-lès-Boulogne (62) ...2 B 4
Pernes-les-Fontaines (84) ..179 G 4
Pernois (80) ....7 F 5
Pero (Plage de) (2A) ...216 B 4
Pero-Casevecchie (2B) ...217 G 1
Pérols (34) ....193 G 3
Pérols-sur-Vézère (19) ...131 F 5
Péron (01) ....124 A 4
Péronnas (01) ....123 E 4
Péronne (71) ....122 B 2
Péronne SP (80) ....16 B 1
Péronne-en-Mélantois (59) ...4 D 4
Péronville (28) ....70 A 3
Pérouges (01) ....136 D 2
La Pérouille (36) .....104 A 5
Pérouse (90) ....96 D 1
Péroy-les-Gombries (60) ...32 A 3
Perpezac-le-Blanc (19) ...144 B 3
Perpezac-le-Noir (19) ...144 C 2
Perpezat (63) ....132 D 4
Perpignan P (66) .....209 E 5
Les Perques (50) ......22 C 4
Perquie (40) ....171 E 5
Perrancey-les-Vieux-Moulins (52) ...75 H 4
Le Perray-en-Yvelines (78) ...50 C 2
Perrecy-les-Forges (71) ...121 F 1
Le Perréon (69) ......122 A 5
Perret (22) ....63 E 2
Perreuil (71) ....108 D 4
Perreuse (89) ....90 C 2
Perreux (42) ....134 D 1
Perreux (89) ....72 C 5
Le Perreux-sur-Marne (94) ...51 G 1
Perrex (01) ....122 C 4
Perrier (63) ....133 F 5
Le Perrier (30) ......193 H 3
Le Perrier (85) ....98 C 3
La Perrière (61) ......48 C 5

La Perrière (73) .....139 E 5
Perrières (14) ....27 G 5
Perriers-en-Beauficel (50) ...46 B 1
Perriers-la-Campagne (27) ...29 E 3
Perriers-sur-Andelle (27) ...29 H 1
Perrignier (74) ......124 D 3
Perrigny (39) ....110 B 5
Perrigny (71) ....109 F 4
Perrigny (89) ....73 E 5
Perrigny-lès-Dijon (21) ...93 F 5
Perrigny-sur-Armançon (89) ...92 A 1
Perrigny-sur-l'Ognon (21) ...94 A 4
Perrigny-sur-Loire (71) ...120 D 1
Perrogney (52) ....75 G 5
Le Perron (50) ....25 G 4
Perros-Guirec (22) ....42 D 1
Perrou (61) ....47 E 3
Perrouse (70) ....94 D 4
Perroy (58) ....90 C 4
Perruel (27) ....29 H 1
Perrusse (52) ....76 A 2
Perrusson (37) ....103 F 1
Pers (15) ....159 G 1
Pers (79) ....115 E 4
Pers-en-Gâtinais (45) ...72 A 2
Pers-Jussy (74) ......124 C 4
Persac (86) ....116 A 3
Persan (95) ....31 E 3
Persquen (56) ....63 E 3
Perthes (08) ....18 B 5
Perthes (52) ....55 E 2
Perthes (77) ....51 G 4
Perthes-lès-Brienne (10) ...54 C 4
Pertheville-Ners (14) ...27 G 5
Le Perthus (66) ......213 E 4
Perthuy (51) ....53 E 1
Le Pertre (35) ....66 B 3
Le Pertuis (43) ......148 C 4
Pertuis (84) ....196 A 1
Le Pertuiset (42) ....148 D 1
La Péruse (16) ....129 E 2
Pervenchères (61) .....48 B 4
Perville (82) ....172 D 2
Pescadoires (46) .....157 H 4
Peschadoires (63) ....133 H 3
Le Pescher (19) ......144 D 4
Péseux (25) ....95 H 4
Peseux (39) ....109 H 2
Peslières (63) ....147 G 1
Pesmes (70) ....94 A 4
Pessac (33) ....155 E 1
Pessac-sur-Dordogne (33) ...156 B 1
Pessan (32) ....188 A 2
Pessans (25) ....110 C 1
Pessat-Villeneuve (63) ...133 F 2
La Pesse (39) ....124 A 3
Pessines (17) ....127 E 3
Pessoulens (32) ......172 D 5
Petersbach (67) ....38 C 5
Petichet (38) ....151 H 5
Le Petit-Abergement (01) ...123 H 5
Petit-Appeville (76) ...13 G 1
Petit-Auverné (44) ....83 H 1
Petit-Bersac (24) ....142 C 2
Le Petit-Bornand-les-Glières (74) ...124 D 5
Le Petit-Celland (50) ...46 A 2
Petit-Couronne (76) ...29 F 1
Petit-Croix (90) ......96 D 1
Petit-Failly (54) .....20 A 3
Petit-Fayt (59) ....9 G 5
Petit-Fort-Philippe (59) ...2 D 2
Le Petit-Fougeray (35) ...65 F 3
Petit-Landau (68) .....79 E 5
Le Petit-Mars (44) ....83 G 3
Le Petit-Mercey (39) ...94 C 5
Petit-Mesnil (10) .....54 C 5
Petit-Noir (39) ......109 H 2
Petit Palais (84) ....179 G 5
Petit-Palais-et-Cornemps (33) ...142 A 5
Petit-Piquey (33) ....154 A 2
Le Petit-Pressigny (37) ...103 E 3
Petit-Quevilly (76) ...29 F 1
Petit-Réderching (57) ...38 C 3
Petit-Tenquin (57) ....37 H 4
Petit-Val (27) ....30 A 4
Petit-Verly (02) ......17 E 1
La Petite-Boissière (79) ...100 C 3
La Petite-Chaux (25) ...111 E 4
La Petite-Fosse (88) ...58 B 5
La Petite Galade (13) ...195 H 2
La Petite-Marche (03) ...118 D 4
La Petite-Pierre (67) ...38 C 5
La Petite-Raon (88) ...58 B 4
Petite-Rosselle (57) ...37 H 2
La Petite-Verrière (71) ...108 A 2
Petitefontaine (90) ...78 B 5
Petitmagny (90) ....78 A 5
Petitmont (54) ....58 A 3
Les Petits-Robins (26) ...163 H 1
Petiville (14) ....27 G 2
Petiville (76) ....12 D 5
Petosse (85) ....113 G 1
Petreto-Bicchisano (2A) ...218 D 2
Pettoncourt (57) ......57 F 1
Pettonville (54) ......57 H 3
Peujard (33) ....141 F 4

Peumerit (29) ....61 F 3
Peumerit-Quintin (22) ...42 D 5
Peuplingues (62) ....2 B 3
Peuton (53) ....66 C 4
Peuvillers (55) ....35 H 1
Peux-et-Couffouleux (12) ...191 H 1
Pévange (57) ....37 G 5
Pévy (51) ....33 G 2
Pexiora (11) ....190 B 5
Pexonne (54) ....58 A 3
Pey (40) ....185 E 2
Peymeinade (06) ......198 D 1
Peynier (13) ....196 B 3
Peypin (13) ....196 A 4
Peypin-d'Aigues (84) ...180 B 5
Peyratte (79) ....101 G 5
Peyraube (65) ....204 D 1
Peyraud (07) ....149 G 2
Peyre (12) ....162 C 4
Peyre (40) ....186 A 2
Peyre-Auselère (09) ...206 C 4
Peyrecave (32) ....172 D 4
Peyrefitte-du-Razès (11) ...207 H 2
Peyrefitte-sur-l'Hers (11) ...190 A 5
Peyregoux (81) ....190 C 1
Peyrehorade (40) .....185 F 2
Peyrelade (87) ....129 H 1
Peyreleau (12) ....176 C 2
Peyrelevade (19) .....131 F 4
Peyremale (30) ....178 A 1
Peyrens (11) ....190 B 4
Peyresq (04) ....182 A 2
Peyrestortes (66) ....209 E 5
Peyret-St-André (65) ...187 H 5
Peyriac-de-Mer (11) ...209 E 4
Peyriac-Minervois (11) ...191 F 5
Peyriat (01) ....123 G 4
Peyrière (47) ....156 C 4
Peyrieu (01) ....137 G 4
Peyrignac (24) ....144 A 4
Peyriguère (65) ......187 F 5
Peyrilhac (87) ....129 H 1
Peyrillac-et-Millac (24) ...158 B 3
Peyrins (26) ....150 C 4
Peyrissac (19) ....144 D 1
Peyrissas (31) ....188 C 5
Peyrole (81) ....190 A 1
Peyrolles (11) ....208 B 3
Peyrolles (30) ....177 G 3
Peyrolles-en-Provence (13) ...196 A 2
Peyroules (04) ....182 B 5
Peyrouse (65) ....204 B 2
Peyrouzet (31) ....205 H 1
Peyruis (04) ....181 E 3
Peyrun (65) ....187 H 4
Peyrus (26) ....150 C 5
Peyrusse (15) ....146 D 3
Peyrusse-Grande (32) ...187 E 2
Peyrusse-le-Roc (12) ...159 G 4
Peyrusse-Massas (32) ...187 H 1
Peyrusse-Vieille (32) ...187 F 2
Peyrusses (43) ....147 G 4
Peyssies (31) ....189 E 5
Peyzac-le-Moustier (24) ...143 H 5
Peyzieux-sur-Saône (01) ...122 B 5
Pézarches (77) ....52 B 2
Pezé-le-Robert (72) ...67 H 1
Pézenas (34) ....192 C 4
Pézènes-les-Mines (34) ...192 B 2
Pezens (11) ....190 D 5
Pézilla-de-Conflent (66) ...208 C 5
Pézilla-la-Rivière (66) ...209 E 5
Pezou (41) ....69 G 5
Pezuls (24) ....157 F 1
Pézy (28) ....70 A 1
Pfaffenheim (68) ......78 D 3
Pfaffenhoffen (67) ....39 E 5
Pfalzweyer (67) ....38 D 5
Pfastatt (68) ....78 D 5
Pfetterhouse (68) .....78 B 5
Pfettisheim (67) ......59 E 1
Pfulgriesheim (67) ....59 E 2
Phaffans (90) ....96 D 1
Phalempin (59) ....4 C 4
Phalsbourg (57) ....58 C 1
Philippsbourg (57) ....39 E 4
Philondenx (40) ......186 B 2
Phlin (54) ....37 H 5
Pia (66) ....209 F 5
Piacé (72) ....68 A 1
Le Pian-Médoc (33) ...141 E 5
Le Pian-sur-Garonne (33) ...155 H 3
Piana (2A) ....216 B 3
Pianello (2B) ....217 G 2
Pianottoli-Caldarello (2A) ...219 E 4
Pioan (06) ....183 G 4
Les Piards (39) ......123 H 1
La Piarre (05) ....165 G 4
Piau-Engaly (65) .....204 C 4
Piazzali (2B) ....217 G 2
Piazzole (2B) ....217 G 1
Piblange (57) ....21 F 4

Pibrac (31) ....189 E 2
Picarreau (39) ....110 C 4
Picarrou (31) ....189 G 5
Picauville (50) ....23 E 5
Pichanges (21) ....93 G 3
Picherande (63) ......146 C 1
Picquigny (80) ....15 E 1
Pie-d'Orezza (2B) ....217 G 1
Piedicorte-di-Gaggio (2B) ...217 F 2
Piedicroce (2B) ......217 G 1
Piedigriggio (2B) ....217 E 1
Piedipartino (2B) ....217 G 1
Piégon (26) ....179 G 1
Piégros-la-Clastre (26) ...164 C 2
Piégut (04) ....166 B 4
Piégut-Pluviers (24) ...129 F 4
Piencourt (27) ....28 B 3
Piène-Haute (06) .....183 G 4
Piennes (54) ....20 C 4
Piennes-Onvillers (80) ...15 H 4
Piépape (52) ....93 H 1
Pierlas (06) ....182 D 3
La Pierre (38) ....152 A 2
Pierre-Bénite (69) ...135 H 4
Pierre-Buffière (87) ...130 B 4
Pierre-Châtel (38) ...151 H 5
Pierre-de-Bresse (71) ...109 H 3
Pierre-la-Treiche (54) ...56 C 2
Pierre-Levée (77) .....32 B 5
Pierre-Morains (51) ...53 H 1
Pierre-Percée (54) ....58 A 3
Pierre-Perthuis (89) ...91 G 3
Pierrebrune (30) .....178 C 1
Pierreclos (71) ......122 A 3
Pierrecourt (70) ......94 A 1
Pierrecourt (76) ......14 B 2
Pierrefaites (52) .....76 B 5
Pierrefeu (06) ....183 E 4
Pierrefeu-du-Var (83) ...197 E 5
Pierrefiche (12) .....160 D 5
Pierrefiche (48) .....162 A 3
Pierrefiques (76) .....12 B 3
Pierrefitte (19) .....144 D 1
Pierrefitte (79) .....101 F 3
Pierrefitte (88) ......77 E 1
Pierrefitte-en-Auge (14) ...28 A 2
Pierrefitte-en-Beauvaisis (60) ...14 D 5
Pierrefitte-en-Cinglais (14) ...27 F 4
Pierrefitte-ès-Bois (45) ...89 H 3
Pierrefitte-Nestalas (65) ...204 B 3
Pierrefitte-sur-Aire (55) ...35 H 5
Pierrefitte-sur-Loire (03) ...120 D 2
Pierrefitte-sur-Sauldre (41) ...89 E 3
Pierrefitte-sur-Seine (93) ...31 F 5
Pierrefonds (60) ......32 B 1
Pierrefontaine-lès-Blamont (25) ...96 C 3
Pierrefontaine-les-Varans (25) ...95 G 5
Pierrefontaines (52) ...75 G 5
Pierrefort (15) ......160 C 1
Pierregot (80) ....15 G 1
Pierrelatte (26) .....163 G 5
Pierrelaye (95) ....31 E 4
Pierrelongue (26) ....179 H 1
Pierremande (02) ......16 D 4
Pierremont (62) ....7 F 2
Pierrepont (02) ....17 G 4
Pierrepont (14) ....27 F 5
Pierrepont (54) ....20 B 3
Pierrepont-sur-Avre (80) ...15 H 3
Pierrepont-sur-l'Arentèle (88) ...57 H 5
Pierrerue (04) ....180 D 4
Pierrerue (34) ....191 H 4
Pierres (14) ....25 H 5
Pierres (28) ....50 A 3
Pierres Pouquelées (50) ...22 B 2
Pierreval (76) ....13 H 5
Pierrevert (04) ......180 D 5
Pierreville (50) ......22 B 4
Pierreville (54) ......56 D 3
Pierrevillers (57) ....20 D 5
Pierric (44) ....83 E 1
Pierroton (33) ....154 D 2
Pierry (51) ....33 G 4
Pietra-di-Verde (2B) ...217 G 2
Pietracorbara (2B) ...215 G 2
Pietralba (2B) ....215 E 5
Pietranera (2B) ......215 G 3
Pietraserena (2B) ....217 G 2
Pietricaggio (2B) ....217 G 2
Pietrosella (2A) .....218 C 1
Pietroso (2B) ....217 F 3
Piets-Plasence-Moustrou (64) ...186 B 3
Pieusse (11) ....208 A 2
Les Pieux (50) ....22 B 4
Piève (2B) ....215 F 4
Piffonds (89) ....72 C 3
Pigerolles (23) ......131 F 3
Pigna (2B) ....214 C 4
Pignan (34) ....193 E 2
Pignans (83) ....197 F 4
Pignicourt (02) ....33 H 1
Pignols (63) ....133 G 4
Pigny (18) ....105 G 3
Pihem (62) ....3 F 2
Pihen-lès-Guines (62) ...2 B 3
Pila-Canale (2A) .....218 D 1
Pilat-Plage (33) .....154 A 3

Pillac (16) ....142 B 2
Pillemoine (39) ......110 D 4
Les Pilles (26) ......164 D 5
Pillon (55) ....20 A 3
Pimbo (40) ....186 B 2
Pimelles (89) ....74 A 5
Pimorin (39) ....123 F 1
Pimprez (60) ....16 B 5
Le Pin (03) ....120 D 2
Le Pin (14) ....28 B 3
Le Pin (17) ....141 E 2
Le Pin (30) ....178 D 3
Le Pin (38) ....151 F 1
Le Pin (39) ....110 B 4
Le Pin (44) ....84 A 2
Le Pin (70) ....94 C 4
Le Pin (77) ....31 H 5
Le Pin (79) ....100 D 3
Le Pin (82) ....173 E 3
Le Pin-au-Haras (61) ...48 A 2
Le Pin-en-Mauges (49) ...84 B 5
Le Pin-la-Garenne (61) ...48 C 4
Le Pin-Murelet (31) ...188 C 4
Pin-Balma (31) ....189 G 2
Pinas (65) ....205 E 2
Pinay (42) ....134 D 2
Pincé (72) ....67 F 5
Pindères (47) ....171 G 1
Pindray (86) ....116 A 2
Les Pineaux (85) ......99 H 5
Pinel-Hauterive (47) ...157 E 5
Pinet (34) ....192 D 4
Pineuilh (33) ....156 C 1
Piney (10) ....54 B 5
Pino (2B) ....215 F 1
Pinols (43) ....147 G 4
Pinon (02) ....17 E 5
Les Pins (76) ....128 D 3
Pins-Justaret (31) ...189 F 3
Pinsac (46) ....158 C 1
Pinsaguel (31) ....189 F 3
Pinsot (38) ....152 B 1
Pintac (65) ....187 E 5
Pinterville (27) ......29 G 3
Pinthières (28) ....50 A 2
Piobetta (2B) ....217 G 1
Pioch-Badet (13) .....194 B 3
Pioggiola (2B) ....214 D 5
Piolenc (84) ....179 E 2
Pionnat (23) ....118 A 5
Pionsat (63) ....119 E 5
Pioussay (79) ....114 D 5
Pipriac (35) ....64 D 4
Piquecos (82) ....173 G 3
Pirajoux (01) ....123 E 2
Piré-sur-Seiche (35) ...65 G 3
Pirey (25) ....94 D 4
Piriac-sur-Mer (44) ...81 H 4
Pirmil (72) ....67 G 4
Pirou (50) ....24 C 2
Pirou-Plage (50) ......24 C 2
Pis (32) ....188 B 1
Pisany (17) ....126 D 3
Piscop (95) ....31 F 4
Piseux (27) ....49 F 1
Pisieu (38) ....150 C 1
Pisseleu (60) ....15 E 5
Pisseleux (02) ....32 B 2
Pisseloup (52) ....76 B 4
La Pisseure (70) ......77 E 4
Pissos (40) ....169 G 1
Pissotte (85) ....113 G 1
Pissy (80) ....15 E 2
Pissy-Pôville (76) ....13 G 5
Pisy (89) ....92 A 2
Pite-Forêt (59) ....9 E 2
Pite-Synthe (59) ....3 F 2
Pitgam (59) ....3 F 2
Pithiviers SP (45) ....71 E 2
Pithiviers-le-Vieil (45) ...71 E 2
Pithon (02) ....16 C 3
Pîtres (27) ....29 G 2
Pittefaux (62) ....2 B 4
Pizay (01) ....136 C 2
Pizay (69) ....122 B 5
Pizieux (72) ....48 B 5
Le Pizou (24) ....142 B 5
Le Pla (09) ....207 H 5
Plabennec (29) ....41 F 3
Placé (53) ....66 C 1
Les Places (27) ....28 C 3
Placey (25) ....94 C 4
Plachy-Buyon (80) .....15 F 2
Placy (14) ....27 F 4
Placy-Montaigu (50) ...25 G 4
Le Plagnal (07) ......162 B 3
Plagne (01) ....123 H 4
Plagne (31) ....206 A 1
La Plagne (73) ....139 E 5
Les Plagnes (74) .....125 F 3
Plagnole (31) ....188 D 4
Plaigne (11) ....207 F 1
Plailly (60) ....31 G 4
Plaimbois-du-Miroir (25) ...95 H 5
Plaimbois-Vennes (25) ...95 H 5
Plaimpied-Givaudins (18) ...105 G 4
La Plaine (49) ....100 D 1
Plaine (67) ....58 B 4
Plaine-de-Walsch (57) ...58 B 1

Plaine-Haute (22) .....43 G 5
Plaine-Joux (74) .....139 E 1
La Plaine-sur-Mer (44) ...82 B 5
Plainemont (70) ....77 E 4
Plaines-St-Lange (10) ...74 C 3
Plainfaing (88) ....78 B 1
Plainoiseau (39) .....110 B 4
Les Plains-et-Grands-Essarts (25) ...96 D 4
Plaintel (22) ....43 G 5
Plainval (60) ....15 G 5
Plainville (27) ....28 C 4
Plainville (60) ....15 G 4
Plaisance (12) ....175 G 4
Plaisance (24) ....157 E 2
Plaisance (32) ....187 E 2
Plaisance (34) ....191 H 2
Plaisance (86) ....116 B 3
Plaisance-du-Touch (31) ...189 E 3
Plaisia (39) ....123 G 1
Plaisians (26) ....180 A 1
Plaisir (78) ....50 D 1
Plaissan (34) ....192 D 3
Plaizac (16) ....128 A 3
Le Plan (06) ....199 E 1
Le Plan (31) ....196 A 3
Le Plan (31) ....206 B 1
Plan (38) ....151 E 2
Plan-d'Aups-Ste-Baume (83) ...196 B 4
Plan-de-Baix (26) ....164 D 1
Plan-de-Cuques (13) ...196 A 4
Le Plan-de-la-Tour (83) ...197 H 4
Plan-d'Orgon (13) ....179 G 5
Le Plan-du-Castellet (83) ...200 C 3
Plan-du-Var (06) .....183 E 4
Planaise (73) ....138 A 5
Planay (21) ....92 B 1
Planay (73) ....139 E 5
La Planche (44) ....99 G 2
Plancher-Bas (70) .....77 H 5
Plancher-les-Mines (70) ...77 H 5
Plancherine (73) .....138 C 3
Les Planches (27) .....29 G 3
Les Planches (61) .....48 B 2
Les Planches-en-Montagne (39) ...110 D 5
Les Planches-près-Arbois (39) ...110 C 3
Planchez (58) ....107 H 1
Plancoët (22) ....44 C 3
Plancy-l'Abbaye (10) ...53 E 4
La Planée (25) ....111 F 3
Planès (66) ....211 H 4
Le Planay (74) ....139 E 5
Planèzes (66) ....208 D 5
Planfoy (42) ....149 E 1
Le Planois (71) ......109 H 4
Le Planquay (27) ......28 C 4
Planques (62) ....7 E 2
Planquery (14) ....25 H 3
Planrupt (52) ....54 D 4
Les Plans (30) ....178 B 2
Les Plans (34) ....192 B 1
Le Plantay (01) ......136 C 1
Les Plantiers (30) ...177 F 3
Le Plantis (61) ....48 B 3
Planty (10) ....73 F 1
Planzolles (07) ......162 D 4
Plappeville (57) ......21 E 5
Plasne (39) ....110 B 4
Plasnes (27) ....28 D 3
Plassac (17) ....127 F 5
Plassac (33) ....141 E 4
Plassac-Rouffiac (16) ...128 B 5
Plassay (17) ....127 E 2
Le Plat (69) ....121 H 4
Plateau-d'Assy (74) ...139 E 1
Plats (07) ....149 H 5
Plaudren (56) ....81 H 1
Plauzat (63) ....133 F 4
Plavilla (11) ....207 G 1
Plazac (24) ....143 H 5
Pleaux (15) ....145 G 4
Plébouille (22) ....44 B 2
Pléchâtel (35) ....65 E 4
Plédéliac (22) ....44 B 4
Plédran (22) ....43 H 5
Pléguien (22) ....43 G 3
Pléhédel (22) ....43 F 3
Pleine-Fougères (35) ...45 G 3
Pleine-Selve (02) .....17 E 2
Pleine-Selve (33) ....141 F 2
Pleine-Sève (76) ......13 E 2
Plélan-le-Grand (35) ...64 C 3
Plélan-le-Petit (22) ...44 C 4
Plélauff (22) ....63 E 2
Plélo (22) ....43 G 4
Plémet (22) ....63 H 2
Plémy (22) ....63 H 1
Plénée-Jugon (22) .....44 B 4
Pléneuf-Val-André (22) ...44 A 2
Plénise (39) ....111 E 3
Plénisette (39) ......110 D 4
Plerguer (35) ....45 E 3
Plérin (22) ....43 H 4
Plerneuf (22) ....43 G 4
Plescop (56) ....81 G 2
Plesder (35) ....44 D 4
Plésidy (22) ....43 E 5
Pleslin-Trigavou (22) ...44 D 3
Plesnois (57) ....20 D 5

Plesnoy (52) ...76 A 4
Plessala (22) ...63 H 1
Plessé (44) ...82 D 2
Plessier-de-Roye (60) ...16 A 4
Le Plessier-Huleu (02) ...32 D 2
Le Plessier-Rozainvillers (80) ...15 H 3
Le Plessier-sur-Bulles (60) ...15 F 5
Le Plessier-sur-St-Just (60) ...15 G 5
Le Plessis-aux-Bois (60) ...32 B 3
Le Plessis-aux-Bois (77) ...31 H 4
Plessis-Barbuise (10) ...53 E 3
Le Plessis-Belleville (60) ...31 H 4
Le Plessis-Bouchard (95) ...31 E 5
Le Plessis-Brion (60) ...16 B 5
Le Plessis-Dorin (41) ...69 E 3
Plessis-du-Mée (89) ...52 D 5
Le Plessis-Feu-Aussoux (77) ...52 B 2
Le Plessis-Gassot (95) ...31 F 4
Plessis-Gatebled (10) ...52 D 5
Le Plessis-Grammoire (49) ...85 E 3
Le Plessis-Grimoult (14) ...27 E 5
Le Plessis-Grohan (27) ...29 G 5
Le Plessis-Hébert (27) ...29 H 5
Le Plessis-Lastelle (50) ...24 D 2
Le Plessis-l'Échelle (41) ...69 H 5
Le Plessis-l'Évêque (77) ...31 H 4
Le Plessis-Luzarches (95) ...31 G 4
Le Plessis-Macé (49) ...84 D 2
Le Plessis-Pâté (91) ...51 F 3
Le Plessis-Patte-d'Oie (60) ...16 C 3
Le Plessis-Placy (77) ...32 B 4
Le Plessis-Robinson (92) ...51 E 1
Plessis-St-Benoist (91) ...50 D 4
Plessis-St-Jean (89) ...52 D 5
Le Plessis-Ste-Opportune (27) ...29 E 4
Le Plessis-Trévise (94) ...51 G 1
Plessix-Balisson (22) ...44 C 3
Plestan (22) ...44 A 4
Plestin-les-Grèves (22) ...42 C 3
Pleubian (22) ...43 F 1
Pleucadeuc (56) ...64 A 5
Pleudaniel (22) ...43 F 2
Pleudihen-sur-Rance (22) ...44 D 3
Pleugriffet (56) ...63 H 4
Pleugueneuc (35) ...45 E 4
Pleumartin (86) ...102 D 4
Pleumeleuc (35) ...64 D 1
Pleumeur-Bodou (22) ...42 C 2
Pleumeur-Gautier (22) ...43 E 2
Pleure (39) ...110 A 4
Pleurs (51) ...53 G 2
Pleurtuit (35) ...44 D 3
Pleuven (29) ...61 H 3
Pleuvezain (88) ...56 C 5
Pleuville (16) ...115 G 5
Pléven (22) ...44 B 3
Plévenon (22) ...44 B 2
Plévin (22) ...62 C 2
Pleyben (29) ...61 H 1
Pleyber-Christ (29) ...42 A 4
Pliboux (79) ...115 H 4
Plichancourt (51) ...54 D 2
Plieux (32) ...172 C 4
Plivot (51) ...33 H 4
Ploaré (29) ...61 F 2
Plobannalec-Lesconil (29) ...61 F 4
Plobsheim (67) ...59 F 3
Ploemel (56) ...81 E 2
Ploemeur (56) ...80 C 1
Ploërdut (56) ...62 D 3
Ploeren (56) ...81 F 2
Ploërmel (56) ...64 A 3
Ploeuc-L'Hermitage (22) ...63 H 1
Ploéven (29) ...61 G 1
Ploëzal (22) ...43 E 2
Plogastel-St-Germain (29) ...61 F 3
Plogoff (29) ...60 D 2
Plogonnec (29) ...61 G 2
Ploisy (02) ...32 C 2
Plomb (50) ...45 H 1
Plombières-les-Bains (88) ...77 G 3
Plombières-lès-Dijon (21) ...93 F 4
Plomelin (29) ...61 G 3
Plomeur (29) ...61 F 4
Plomion (02) ...17 H 2
Plomodiern (29) ...61 G 1
Plonéis (29) ...61 G 2
Plonéour-Lanvern (29) ...61 F 3
Plonévez-du-Faou (29) ...62 A 1
Plonévez-Porzay (29) ...61 G 1
Plorec-sur-Arguenon (22) ...44 B 3
Plottes (71) ...122 B 1
Plou (18) ...105 E 2
Plouagat (22) ...43 F 4
Plouaret (22) ...42 C 3
Plouarzel (29) ...40 D 3
Plouasne (22) ...44 D 5
Plouay (56) ...62 D 4
Ploubalay (22) ...44 C 3
Ploubazlanec (22) ...43 F 2
Ploubezre (22) ...42 D 2
Ploudalmézeau (29) ...40 D 2
Ploudaniel (29) ...41 F 3
Ploudiry (29) ...41 G 4
Plouéc-du-Trieux (22) ...43 E 3
Plouédern (29) ...41 G 3
Plouégat-Guérand (29) ...42 B 3
Plouégat-Moysan (29) ...42 C 3
Plouénan (29) ...41 H 2
Plouër-sur-Rance (22) ...44 D 3
Plouescat (29) ...41 G 2

Plouézec (22) ...43 F 2
Plouezoc'h (29) ...42 A 3
Ploufragan (22) ...43 G 5
Plougar (29) ...41 G 3
Plougasnou (29) ...42 B 2
Plougastel-Daoulas (29) ...41 F 4
Plougonvelin (29) ...40 D 4
Plougonven (29) ...42 B 4
Plougonver (22) ...42 D 4
Plougoulm (29) ...41 H 2
Plougoumelen (56) ...81 F 2
Plougourvest (29) ...41 H 3
Plougras (22) ...42 C 4
Plougrescant (22) ...43 E 1
Plouguenast (22) ...63 H 1
Plouguerneau (29) ...41 E 2
Plouguernével (22) ...63 E 2
Plouguiel (22) ...43 E 2
Plouguin (29) ...41 E 3
Plouha (22) ...43 G 3
Plouharnel (56) ...81 E 2
Plouhinec (29) ...61 E 2
Plouhinec (56) ...80 D 1
Plouider (29) ...41 G 2
Plouigneau (29) ...42 B 3
Plouisy (22) ...43 E 4
Ploujean (29) ...42 A 3
Ploulec'h (22) ...42 C 2
Ploumagoar (22) ...43 E 4
Ploumanac'h (22) ...42 D 1
Ploumilliau (22) ...42 C 3
Ploumoguer (29) ...40 D 4
Plounéour-Ménez (29) ...42 A 4
Plounéour-Trez (29) ...41 F 2
Plounérin (22) ...42 C 4
Plounéventer (29) ...41 G 3
Plounévez-Lochrist (29) ...41 G 2
Plounévez-Moëdec (22) ...42 D 4
Plounévez-Quintin (22) ...63 E 1
Plounévézel (29) ...62 B 1
Plounez (22) ...43 F 2
Plourac'h (22) ...42 C 5
Plouray (56) ...62 D 2
Plourhan (22) ...43 G 3
Plourin (29) ...40 D 3
Plourin-lès-Morlaix (29) ...42 A 4
Plourivo (22) ...43 F 2
Plouvain (62) ...8 C 3
Plouvara (22) ...43 G 4
Plouvien (29) ...41 F 3
Plouvorn (29) ...41 H 2
Plouyé (29) ...62 B 1
Plouzané (29) ...40 D 4
Plouzélambre (22) ...42 C 3
Plouzévédé (29) ...41 H 2
Plovan (29) ...61 F 3
Ployart-et-Vaurseine (02) ...17 G 5
Le Ployron (60) ...15 H 4
Plozévet (29) ...61 E 3
Pludual (22) ...43 F 3
Pluduno (22) ...44 C 3
Plufur (22) ...42 C 3
Pluguffan (29) ...61 G 3
Pluherlin (56) ...64 A 5
Plumaudan (22) ...44 C 4
Plumaugat (22) ...44 C 5
Plumelec (56) ...63 H 5
Pluméliau (56) ...63 F 4
Plumelin (56) ...63 F 5
Plumergat (56) ...81 F 1
Plumetot (14) ...27 F 2
Plumieux (22) ...63 H 3
Plumont (39) ...110 B 1
Pluneret (56) ...81 F 2
Plurien (22) ...44 B 2
Plusquellec (22) ...42 C 5
Plussulien (22) ...63 F 1
Pluvault (21) ...93 H 5
Pluvet (21) ...93 H 5
Pluvigner (56) ...81 F 1
Pluzunet (22) ...42 D 3
Pocancy (51) ...34 A 3
Pocé-les-Bois (35) ...65 H 2
Pocé-sur-Cisse (37) ...87 F 3
Podensac (33) ...155 G 3
Le Poët (05) ...180 D 1
Le Poët-Célard (26) ...164 D 3
Le Poët-en-Percip (26) ...180 A 1
Le Poët-Laval (26) ...164 C 4
Le Poët-Sigillat (26) ...165 E 5
Pœuilly (80) ...16 C 2
Poey-de-Lescar (64) ...186 B 4
Poey-d'Oloron (64) ...185 H 5
Poëzat (03) ...119 H 5
Poggio-di-Nazza (2B) ...217 F 4
Poggio-di-Venaco (2B) ...217 E 2
Poggio-d'Oletta (2B) ...215 F 4
Poggio-Marinaccio (2B) ...217 F 1
Poggio-Mezzana (2B) ...217 G 1
Poggiolo (2A) ...216 D 3
Pogny (51) ...54 B 2
Poids-de-Fiole (39) ...110 B 5
Poigny (77) ...54 C 2
Poigny-la-Forêt (78) ...50 B 2
Poil (58) ...107 H 3
Poilcourt-Sydney (08) ...33 H 1
Poilhes (34) ...192 A 5
Poillé-sur-Vègre (72) ...67 F 4
Poilley (35) ...45 H 4
Poilley (50) ...45 H 2
Poilly (51) ...33 G 3
Poilly-lez-Gien (45) ...89 G 1

Poilly-sur-Serein (89) ...73 G 5
Poilly-sur-Tholon (89) ...72 D 5
Poinçon-lès-Larrey (21) ...74 C 4
Le Poinçonnet (36) ...104 B 4
Poincy (77) ...32 A 5
Poinsenot (52) ...93 F 1
Poinson-lès-Fayl (52) ...76 B 5
Poinson-lès-Grancey (52) ...93 F 1
Poinson-lès-Nogent (52) ...75 H 3
La Pointe (49) ...84 D 3
La Pointe-de-Contes (06) ...183 F 5
Pointel (61) ...47 F 2
Pointis-de-Rivière (31) ...205 F 2
Pointis-Inard (31) ...205 H 2
Pointre (39) ...94 A 5
Pointvillers (25) ...110 D 1
Poinville (28) ...70 C 2
Le Poiré-sur-Velluire (85) ...113 G 2
Le Poiré-sur-Vie (85) ...99 F 4
Poiroux (85) ...112 C 1
Poisat (38) ...151 H 3
Poiseul (52) ...76 A 4
Poiseul-la-Grange (21) ...93 E 2
Poiseul-la-Ville-et-Laperrière (21) ...92 D 2
Poiseul-lès-Saulx (21) ...93 F 2
Poiseux (58) ...106 C 1
Poisieux (18) ...104 D 2
Le Poislay (41) ...69 F 3
Poisson (71) ...121 F 3
Poissons (52) ...55 G 4
Poissy (78) ...50 A 4
Poisvilliers (28) ...50 A 4
Poisy (74) ...138 A 1
La Poitevinière (49) ...84 B 5
Poitiers Ⓡ (86) ...115 G 1
Poivres (10) ...54 A 2
Poix (51) ...34 C 5
Poix-de-Picardie (80) ...14 D 3
Poix-du-Nord (59) ...9 F 4
Poix-Terron (08) ...18 D 4
Le Poizat (01) ...123 H 4
Le Poizat-Lalleyriat (01) ...123 H 4
Polaincourt-et-Clairefontaine (70) ...76 D 4
Polastron (31) ...188 C 5
Polastron (32) ...188 B 3
Poleymieux (69) ...135 H 2
Poliénas (38) ...151 F 2
Polignac (17) ...141 G 2
Polignac (43) ...148 B 4
Poligné (35) ...65 F 4
Poligny (05) ...166 B 2
Poligny (10) ...74 B 2
Poligny (39) ...110 C 3
Poligny (77) ...71 H 1
Polincove (62) ...2 D 3
Polisot (10) ...74 B 3
Polisy (10) ...74 B 3
Pollestres (66) ...213 E 3
Polliat (01) ...122 D 4
Pollieu (01) ...137 G 2
Pollionnay (69) ...135 G 2
Polminhac (15) ...146 B 5
Polveroso (2B) ...217 G 1
Pomacle (51) ...33 H 1
La Pomarède (11) ...190 B 4
Pomarède (46) ...158 A 4
Pomaret (48) ...162 B 5
Pomarez (40) ...185 G 2
Pomas (11) ...208 A 2
Pomayrols (12) ...160 D 5
Pomerol (33) ...141 H 5
Pomérols (34) ...192 D 4
Pomeys (69) ...135 F 4
Pommard (21) ...109 E 2
Pommera (62) ...7 G 4
La Pommeraie-sur-Sèvre (85) ...100 C 3
La Pommeraye (14) ...27 F 5
La Pommeraye (49) ...84 B 4
Pommeret (22) ...43 H 5
Pommereuil (59) ...9 F 5
Pommereux (76) ...14 B 4
Pommeréval (76) ...13 H 4
Pommerieux (53) ...66 B 5
Pommérieux (57) ...36 D 4
Pommerit-Jaudy (22) ...43 E 2
Pommerit-le-Vicomte (22) ...43 F 3
Pommerol (26) ...165 F 4
Pommeuse (77) ...52 B 1
Pommevic (82) ...172 D 3
Pommier (62) ...7 H 4
Pommier-de-Beaurepaire (38) ...150 C 1
Pommiers (02) ...32 C 1
Pommiers (30) ...177 F 1
Pommiers (36) ...117 G 1
Pommiers (42) ...134 D 3
Pommiers (69) ...135 G 1
Pommiers-la-Placette (38) ...151 G 2
Pommiers-Moulons (17) ...141 G 2
Pomoy (70) ...95 F 1
Pompaire (79) ...101 F 5
Pompéjac (33) ...155 G 5
Pompertuzat (31) ...189 G 3
Pompey (54) ...56 D 1
Pompiac (32) ...188 C 3
Le Pompidou (48) ...177 F 2
Pompierre (88) ...76 B 1
Pompierre-sur-Doubs (25) ...95 G 3
Pompiey (47) ...171 H 2

Pompignac (33) ...155 F 1
Pompignan (30) ...177 G 5
Pompignan (82) ...173 G 5
Pompogne (47) ...171 G 1
Pomponne (77) ...51 H 1
Pomport (24) ...156 D 2
Pomps (64) ...186 A 3
Pomy (11) ...207 H 2
Poncé-sur-le-Loir (72) ...68 D 5
Poncey-lès-Athée (21) ...93 H 5
Poncey-sur-l'Ignon (21) ...93 E 3
Le Ponchel (62) ...7 E 3
Ponches-Estruval (80) ...6 D 3
Ponchon (60) ...31 E 1
Poncin (01) ...123 F 5
Poncins (42) ...134 D 3
Pondaurat (33) ...155 H 4
Le Pondy (18) ...105 H 4
Ponet-et-St-Auban (26) ...165 E 2
Ponlat-Taillebourg (31) ...205 F 2
Pons (17) ...127 F 4
Ponsampère (32) ...187 G 4
Ponsan-Soubiran (32) ...187 H 4
Ponsas (26) ...149 H 3
Ponson-Debat-Pouts (64) ...187 E 5
Ponson-Dessus (64) ...186 D 5
Ponsonnas (38) ...151 H 5
Pont (21) ...93 H 5
Le Pont (86) ...116 A 2
Pont-à-Bucy (02) ...17 E 3
Pont-à-la-Planche (87) ...129 G 2
Pont-à-Marcq (59) ...4 C 4
Pont-à-Mousson (54) ...36 D 5
Pont-à-Vendin (62) ...4 B 5
Pont-Arcy (02) ...33 E 4
Pont-Audemer (27) ...28 C 1
Pont-Augan (56) ...63 E 5
Pont-Authou (27) ...28 D 2
Pont-Aven (29) ...62 A 5
Pont-Bellanger (14) ...25 G 5
Le Pont-Chrétien-Chabenet (36) ...117 F 1
Pont-Croix (29) ...61 E 2
Pont-Crouzet (81) ...190 B 4
Pont-d'Ain (01) ...123 E 5
Le Pont-d'Avène (30) ...178 A 2
Pont-de-Barret (26) ...164 C 3
Le Pont-de-Beauvoisin (38) ...137 G 5
Le Pont-de-Beauvoisin (73) ...137 G 5
Pont-de-Braye (72) ...68 D 5
Pont-de-Buis-lès-Quimerch (29) ...41 H 5
Pont-de-Chéruy (38) ...136 D 3
Le Pont-de-Claix (38) ...151 G 3
Pont-de-Crau (13) ...194 C 2
Pont-de-Dore (63) ...133 H 2
Pont de Griffrus (79) ...101 E 2
Pont de Januq (34) ...177 G 5
Pont-de-la-Chaux (39) ...110 D 5
Pont-de-la-Maye (33) ...155 F 1
Pont-de-Labeaume (07) ...162 D 3
Pont de Lanau (15) ...160 D 1
Pont-de-l'Arche (27) ...29 G 2
Pont-de-Larn (81) ...191 E 3
Pont-de-l'Isère (26) ...149 H 5
Pont-de-Menat (63) ...119 G 5
Pont-de-Metz (80) ...15 F 2
Le Pont-de-Montvert (48) ...177 G 1
Pont-de-Noblat (87) ...130 C 3
Le Pont-de-Planches (70) ...94 C 3
Pont-de-Poitte (39) ...110 C 5
Le Pont-de-Rhaud (13) ...195 F 2
Pont-de-Roide (25) ...96 C 3
Pont-de-Ruan (37) ...86 C 5
Pont-de-Salars (12) ...175 H 1
Pont-de-Vaux (01) ...122 C 2
Pont-de-Veyle (01) ...122 C 4
Pont-d'Héry (39) ...110 D 3
Pont-d'Ouilly (14) ...27 F 5
Pont-du-Bois (70) ...77 E 3
Pont-du-Casse (47) ...172 C 2
Pont-du-Château (63) ...133 F 3
Pont-du-Châtel (29) ...41 G 2
Pont-du-Fossé (05) ...166 C 2
Pont-du-Navoy (39) ...110 C 4
Pont-en-Royans (38) ...151 E 4
Pont-et-Massène (21) ...92 B 3
Pont-Évêque (38) ...136 B 5
Pont-Farcy (14) ...25 F 5
Pont-Hébert (50) ...25 F 3
Pont-James (44) ...99 F 2
Pont-la-Ville (52) ...75 E 2
Pont-l'Abbé (29) ...61 F 4
Pont-l'Abbé (50) ...22 D 4
Pont-l'Abbé-d'Arnoult (17) ...126 D 2
Pont-lès-Bonfays (88) ...77 E 1
Pont-les-Moulins (25) ...95 F 4
Pont-l'Évêque (14) ...28 A 2
Pont-l'Évêque (60) ...16 B 5
Pont-Lorois (56) ...80 D 2
Pont-Maugis (08) ...19 F 3
Pont-Melvez (22) ...42 D 4
Pont-Noyelles (80) ...15 G 1
Pont-Péan (35) ...65 F 3
Pont-Réan (35) ...65 E 3
Pont-Remy (80) ...6 D 5
Pont-Salomon (43) ...148 D 2
Pont-Scorff (56) ...62 D 5
Pont-St-Esprit (30) ...178 D 1
Pont-St-Mamet (24) ...143 E 5

Pont-St-Mard (02) ...16 D 5
Pont-St-Martin (44) ...99 F 1
Pont St-Nicolas (30) ...178 C 4
Pont-St-Pierre (27) ...29 H 2
Pont-St-Vincent (54) ...56 D 3
Pont-Ste-Marie (10) ...53 H 5
Pont-Ste-Maxence (60) ...31 G 2
Pont-sur-l'Ognon (70) ...95 F 2
Pont-sur-Madon (88) ...57 E 5
Pont-sur-Meuse (55) ...56 A 1
Pont-sur-Sambre (59) ...9 H 4
Pont-sur-Seine (10) ...53 E 4
Pont-sur-Vanne (89) ...72 D 2
Pont-sur-Yonne (89) ...72 C 1
Pont-Trambouze (69) ...121 G 5
Pont-Varin (52) ...55 E 4
Pontacq (64) ...204 B 1
Pontaillac (17) ...126 C 4
Pontailler-sur-Saône (21) ...94 A 4
Pontaix (26) ...165 E 2
Pontamafrey-Montpascal (73) ...152 C 2
Pontarion (23) ...131 E 1
Pontarlier ⓈⓅ (25) ...111 G 3
Pontarmé (60) ...31 G 3
Pontaubault (50) ...45 H 2
Pontaubert (89) ...91 G 3
Pontault-Combault (77) ...51 G 1
Pontaumur (63) ...132 C 2
Pontavert (02) ...33 G 1
Pontcarré (77) ...51 H 1
Pontcey (70) ...94 D 1
Pontchardon (61) ...28 B 5
Pontcharra (38) ...152 A 1
Pontcharra-sur-Turdine (69) ...135 F 2
Pontcharraud (23) ...131 H 2
Pont-Château (44) ...82 C 3
Pontcirq (46) ...158 A 4
Ponte-Leccia (2B) ...217 E 1
Ponte Nuovo (2B) ...215 F 5
Pontécoulant (14) ...27 E 5
Ponteilla (66) ...213 E 3
Ponteils-et-Brésis (30) ...162 C 5
Pontempeyrat (43) ...148 B 2
Pontenx-les-Forges (40) ...169 E 1
Le Pontet (33) ...141 H 5
Le Pontet (73) ...138 B 5
Le Pontet (84) ...179 F 4
Les Pontets (25) ...111 E 4
Pontevès (83) ...196 D 2
Ponteyraud (24) ...142 C 2
Pontfaverger-Moronvilliers (51) ...34 A 2
Pontgibaud (63) ...132 D 3
Pontgouin (28) ...49 G 4
Ponthévrard (78) ...50 C 4
Ponthion (51) ...54 D 1
Ponthoile (80) ...6 C 4
Le Ponthou (29) ...42 B 4
Ponthoux (39) ...123 H 2
Pontiacq-Viellepinte (64) ...186 D 4
Pontigné (49) ...85 G 2
Pontigny (89) ...73 G 4
Pontis (04) ...166 D 4
Pontivy ⓈⓅ (56) ...63 F 3
Pontlevoy (41) ...87 G 4
Pontlieue (72) ...68 A 3
Pontmain (53) ...46 B 4
Pontoise Ⓟ (95) ...30 D 4
Pontoise-lès-Noyon (60) ...16 C 5
Pontonx-sur-l'Adour (40) ...169 F 5
Pontorson (50) ...45 G 3
Pontours (24) ...157 F 1
Pontoux (71) ...109 G 3
Pontoy (57) ...37 E 4
Pontpierre (57) ...37 G 3
Pontpoint (60) ...31 H 2
Pontrieux (22) ...43 E 3
Pontru (02) ...16 C 1
Pontruet (02) ...16 D 1
Ponts (50) ...45 H 2
Les Ponts-de-Cé (49) ...85 E 3
Ponts-et-Marais (76) ...6 B 5
Pontvallain (72) ...68 A 5
Popian (34) ...192 D 2
Popolasca (2B) ...217 E 1
Porcaro (56) ...64 C 3
La Porcelette (13) ...194 D 3
Porcelette (57) ...21 H 5
Porchères (33) ...142 A 4
Porcheresse (16) ...142 A 1
La Porcherie (87) ...130 C 5
Porcheux (60) ...30 C 2
Porcheville (78) ...30 C 5
Porcieu-Amblagnieu (38) ...137 E 2
Pordic (22) ...43 G 4
Le Porge (33) ...154 B 1
Pornic (44) ...82 C 5
Pornichet (44) ...82 A 4
Porquéricourt (60) ...16 B 4
Porquerolles (83) ...201 F 4
Porri (2B) ...215 G 5
Pors-Even (22) ...43 F 2
Pors-Hir (22) ...43 E 1
Porsmilin (29) ...40 D 4
Porspoder (29) ...40 D 3
Port (01) ...123 G 4
Le Port (09) ...206 C 4
Port-à-Binson (51) ...33 F 4
Port-Bail (50) ...22 C 5
Port-Barcarès (66) ...209 F 4

Port-Blanc (22) ...43 E 1
Port-Blanc (56) ...81 F 2
Le Port-Boulet (37) ...86 A 5
Port-Bourgenay (85) ...112 B 2
Port-Brillet (53) ...66 B 2
Port-Camargue (30) ...193 H 3
Port-Cros (83) ...201 H 4
Port-d'Agrès (12) ...159 H 3
Port-d'Atelier (70) ...76 D 5
Port-de-Bouc (13) ...195 E 4
Port-de-Carhaix (29) ...62 B 1
Port-de-Génissac (33) ...155 H 1
Port-de-la-Meule (85) ...98 A 4
Port-de-Lanne (40) ...185 E 2
Port-de-Miramar (83) ...201 G 3
Port-de-Piles (86) ...102 C 2
Port de Salles (86) ...115 H 4
Port-d'Envaux (17) ...127 E 2
Port-des-Barques (17) ...126 C 1
Port du Corniguel (29) ...61 G 3
Port-en-Bessin (14) ...23 H 5
Port-Grimaud (83) ...197 H 5
Port-Haliguen (56) ...81 E 3
Port-Jérôme (76) ...12 D 5
Port-Joinville (85) ...98 A 4
Port-la-Forêt (29) ...61 H 3
Port-la-Nouvelle (11) ...209 F 2
Port-Launay (29) ...61 H 1
Port-Lazo (22) ...43 G 2
Port-le-Grand (80) ...6 C 4
Port-Lesney (39) ...110 C 2
Port-Leucate (11) ...209 F 4
Port-Louis (56) ...80 D 2
Port-Maguide (40) ...154 A 4
Port-Manech (29) ...62 A 5
Le Port-Marly (78) ...51 E 1
Le Port-Moguer (22) ...43 G 3
Port-Mort (27) ...29 H 3
Port-Navalo (56) ...81 F 3
Port-Racine (50) ...22 B 2
Port-St-Louis-du-Rhône (13) ...194 D 4
Port-St-Père (44) ...83 E 5
Port-Ste-Foy-et-Ponchapt (24) ...156 B 1
Port-Ste-Marie (47) ...172 A 1
Port-sur-Saône (70) ...94 D 1
Port-sur-Seille (54) ...36 D 5
Port-Tudy (56) ...80 C 2
Port-Vendres (66) ...213 G 4
Port-Villez (78) ...30 A 4
La Porta (2B) ...217 F 1
Porta (66) ...211 F 4
Porte-Joie (27) ...29 H 2
Porté-Puymorens (66) ...211 F 3
Le Portel (62) ...2 A 4
Portel-des-Corbières (11) ...209 F 2
Portes (27) ...29 F 4
Portes (30) ...177 H 1
Les Portes-en-Ré (17) ...112 C 3
Portes-en-Valdaine (26) ...163 H 4
Portes-lès-Valence (26) ...163 H 1
Portet (64) ...186 D 2
Portet-d'Aspet (31) ...205 H 3
Portet-de-Luchon (31) ...205 F 4
Portet-sur-G. (31) ...189 F 3
Portets (33) ...155 F 3
Porticcio (2A) ...218 C 1
Porticciolo (Marine de) (2B) ...215 G 2
Portieux (88) ...57 F 5
Portiragnes (34) ...192 C 5
Portiragnes-Plage (34) ...192 C 5
Portivy (56) ...81 E 3
Porto (2A) ...216 B 3
Porto-Pollo (2A) ...218 C 3
Porto-Vecchio (2A) ...219 G 3
Ports (37) ...102 C 2
Portsall (29) ...40 D 2
Posanges (21) ...92 C 3
Poses (27) ...29 G 2
Possesse (51) ...34 D 5
La Possonnière (49) ...84 C 4
La Postolle (89) ...72 D 1
Postroff (57) ...38 B 5
Potangis (51) ...53 F 3
Poteau-du-Gay (19) ...145 G 3
Potelières (30) ...178 B 2
Potelle (59) ...9 G 3
La Poterie (22) ...44 A 3
La Poterie-au-Perche (61) ...48 D 3
La Poterie-Cap-d'Antifer (76) ...12 B 3
La Poterie-Mathieu (27) ...28 C 2
Pothières (21) ...74 C 4
Potigny (14) ...27 G 5
Potte (80) ...16 B 2
Pouan-les-Vallées (10) ...53 H 3
Pouançay (86) ...101 G 1
Pouancé (49) ...66 A 5
Poubeau (31) ...205 F 4
Poucharramet (31) ...188 D 4
Poudenas (47) ...171 H 1
Poudenx (40) ...186 A 2
Poudis (81) ...190 B 3
Poueyferré (65) ...204 B 1
La Pouëze (49) ...84 C 2
Pouffonds (79) ...114 D 4
La Pouge (23) ...131 F 1

A
B
C
D
E
F
G
H
I
J
K
L
M
N
O
P
Q
R
S
T
U
V
W
X
Y
Z

Localité *(Département)*   Page   Coordonnées

Le Pouget (34) ....192 D 2
Pougnadoresse (30) ....178 C 3
Pougné (16) ....128 C 1
Pougne-Hérisson (79) ......101 E 5
Pougny (01) ....124 A 4
Pougny (58) ....90 B 4
Pougues-les-Eaux (58) .....106 C 2
Pougy (10) ....54 B 4
Pouillac (17) ....141 H 2
Pouillat (01) ....123 F 3
Pouillé (41) ....87 H 4
Pouillé (85) ....113 G 1
Pouillé (86) ....115 H 1
Pouillé-les-Côteaux (44) ..84 A 3
Pouillenay (21) ....92 C 3
Pouilley-Français (25) ....94 C 5
Pouilley-les-Vignes (25) ..94 D 4
Pouillon (40) ....185 F 2
Pouillon (51) ....33 G 2
Pouilloux (71) ....121 G 1
Pouilly (57) ....37 E 4
Pouilly (60) ....30 D 2
Pouilly-en-Auxois (21) ....92 C 5
Pouilly-en-Bassigny (52) ..76 B 3
Pouilly-le-Monial (69) ....135 G 1
Pouilly-lès-Feurs (42) ....135 E 3
Pouilly-les-Nonains (42) ..134 C 1
Pouilly-sous-Charlieu (42) 121 F 5
Pouilly-sur-Loire (58) ....90 B 5
Pouilly-sur-Meuse (55) ....19 G 4
Pouilly-sur-Saône (21) ....109 G 2
Pouilly-sur-Serre (02) ....17 F 3
Pouilly-sur-Vingeanne (21) 94 A 2
Le Poujol-sur-Orb (34) ....192 A 3
Poujols (34) ....192 B 1
Poul-Fétan (56) ....63 E 5
Poulaines (36) ....104 B 1
Poulainville (80) ....15 F 1
Poulan-Pouzols (81) ....174 D 5
Poulangy (52) ....75 G 3
Poulay (53) ....47 E 5
Pouldavid (29) ....61 F 2
Pouldergat (29) ....61 F 2
Pouldouran (22) ....43 E 2
Pouldreuzic (29) ....61 F 3
Le Pouldu (29) ....80 B 1
Poule-les-Écharmeaux (69) .121 H 5
Les Poulières (88) ....77 H 1
Pouligney-Lusans (25) .....95 E 4
Pouligny-Notre-Dame (36) ..118 A 2
Pouligny-St-Martin (36) ...118 A 2
Pouligny-St-Pierre (36) ...103 F 5
Le Pouliguen (44) ....82 A 4
Poullan-sur-Mer (29) ......61 E 2
Poullaouen (29) ....42 B 5
Poulligny (16) ....142 A 1
Poulx (34) ....178 C 4
Poumarous (65) ....204 D 1
Poupas (82) ....172 D 4
Poupry (28) ....70 C 3
Pouques-Lormes (58) ....91 G 4
Pourcharesses (48) ....162 B 5
Pourchères (07) ....163 F 2
Pourcieux (83) ....196 C 3
Pourcy (51) ....33 G 3
Pourlans (71) ....109 H 2
Pournoy-la-Chétive (57) ...36 D 4
Pournoy-la-Grasse (57) ....37 E 4
Pourrain (89) ....90 D 1
Pourrières (83) ....196 B 3
Poursac (16) ....128 C 1
Poursay-Garnaud (17) ......127 G 1
Poursiugues-Boucoue (64) ..186 B 3
Pouru-aux-Bois (08) ....19 F 3
Pouru-St-Remy (08) ....19 F 3
Pourville-sur-Mer (76) ....13 G 1
Le Pous (34) ....177 G 5
Poussan (34) ....193 E 3
Poussanges (23) ....131 G 3
Poussay (88) ....56 D 5
Pousseaux (89) ....91 E 3
Poussignac (47) ....171 G 1
Poussy-la-Campagne (14) ...27 G 4
Pousthomy (12) ....175 D 4
Le Pout (33) ....155 G 2
Pouvrai (61) ....68 C 1
Pouxeux (88) ....77 G 2
Pouy (65) ....187 H 5
Pouy-de-Touges (31) ....188 D 5
Pouy-Loubrin (32) ....188 A 3
Pouy-Roquelaure (32) ......172 B 3
Pouy-sur-Vannes (10) ......73 E 1
Pouyalet (32) ....140 D 3
Pouyastruc (65) ....187 F 5
Pouydesseaux (40) ....170 D 4
Pouydraguin (32) ....187 E 2
Pouylebon (32) ....187 G 3
Pouzac (65) ....204 C 2
Pouzauges (85) ....100 B 4
Pouzauges-le-Vieux (85) ...100 B 4
Pouzay (37) ....102 C 1
Pouze (31) ....189 G 4
Pouzilhac (30) ....178 D 3
Le Pouzin (07) ....163 G 2
Pouzioux (86) ....116 A 1
Pouzol (63) ....119 G 5
Pouzolles (34) ....192 B 3

Pouzols (34) ....192 D 2
Pouzols-Minervois (11) ....191 G 5
Pouzy-Mésangy (03) ....106 B 5
Poyanne (40) ....185 H 1
Poyans (70) ....94 A 3
Poyartin (40) ....185 G 1
Poyols (26) ....165 F 3
Pozières (80) ....8 A 5
Pra-d'Airand (06) ....182 C 2
Pra Loup (04) ....167 E 5
Le Pradal (34) ....192 A 2
Pradals (30) ....177 E 3
Les Pradeaux (63) ....133 G 5
Le Pradel (30) ....178 A 2
Pradelle (26) ....165 E 3
Pradelles (43) ....162 B 2
Pradelles (59) ....3 G 4
Pradelles-Cabardès (11) ...191 E 4
Pradelles-en-Val (11) .....208 C 1
Pradère-les-Bourguets (31) 188 D 2
Prades (07) ....163 E 3
Prades (09) ....207 G 5
Prades (43) ....147 H 5
Les Prades (15) ....146 C 3
Prades (48) ....177 E 1
Prades S (66) ....212 B 3
Prades (81) ....190 B 2
Prades-d'Aubrac (12) ......160 D 4
Prades-le-Lez (34) ....193 F 1
Prades-sur-Vernazobre (34) 191 H 4
Le Pradet (83) ....201 E 4
Pradettes (09) ....207 E 3
Pradières (09) ....207 E 3
Pradiers (15) ....146 D 3
Pradinas (12) ....175 E 2
Pradines (19) ....131 E 5
Pradines (42) ....134 D 1
Pradines (46) ....158 B 5
Pradons (07) ....163 E 4
Prads-Haute-Bléone (04) ...181 H 1
Prahecq (79) ....114 B 4
Prailles (79) ....114 C 3
Pralognan-la-Vanoise (73) .153 E 1
Prâlon (21) ....93 E 4
Pralong (42) ....134 C 4
Pramousquier (83) ....201 H 3
Pramouton (05) ....167 E 4
Prangey (52) ....75 H 5
Pranles (07) ....163 F 2
Pranzac (16) ....128 D 4
Prapic (05) ....166 D 2
Prapoutel-
  les-Sept-Laux (38) ......152 A 2
Praslay (52) ....75 G 5
Praslin (52) ....74 A 3
Prasville (28) ....70 B 3
Prat (22) ....43 E 3
Prat-Bonrepaux (09) ....206 A 2
Prat de Bouc (15) ....146 C 4
Prat-Peyrot (48) ....177 E 3
Prato-di-Giovellina (2B) ..217 E 1
Prats-de-Carlux (24) ......158 A 1
Prats-de-Mollo-
  la-Preste (66) ....212 C 5
Prats-de-Sournia (66) .....208 C 5
Prats-du-Périgord (24) ....157 H 3
Pratviel (81) ....190 A 2
Pratz (39) ....123 H 2
Pratz (52) ....75 E 1
Prauthoy (52) ....93 H 1
Pray (41) ....87 G 1
Praye (54) ....56 D 4
Prayols (09) ....207 E 3
Prayssac (46) ....158 A 4
Prayssas (47) ....172 B 1
Les Praz-de-Chamonix (74) .139 F 1
Le Praz-de-Lys (74) ....125 E 4
Praz-sur-Arly (74) ....138 D 2
Le Pré-d'Auge (14) ....28 A 3
Pré-en-Pail-
  Saint-Samson (53) ....47 G 4
Le Pré-Saint-Gervais (93) .51 F 1
Pré-St-Évroult (28) ....70 A 2
Pré-St-Martin (28) ....70 A 1
Préaux (07) ....149 G 3
Préaux (36) ....103 H 2
Préaux (53) ....67 E 4
Préaux (76) ....13 H 5
Préaux (77) ....72 A 1
Préaux-Bocage (14) ....33 G 4
Préaux-du-Perche (61) .....48 D 5
Préaux-St-Sébastien (14) ..28 B 5
Prébois (38) ....165 H 1
Précey (50) ....45 H 3
Préchac (32) ....188 A 1
Préchac (33) ....155 G 5
Préchac (65) ....204 B 3
Préchac-sur-Adour (32) ....187 E 2
Préchacq-Josbaig (64) .....185 E 2
Préchacq-les-Bains (40) ...185 G 1
Préchacq-Navarrenx (64) ...185 H 5
Préciamont (60) ....32 B 3
Précieux (42) ....134 D 5
Précigné (72) ....67 F 5
Précilhon (64) ....203 D 1
Précorbin (50) ....25 G 3
Précy (18) ....106 A 1
Précy-le-Sec (89) ....91 G 2
Précy-Notre-Dame (10) .....54 B 5
Précy-sous-Thil (21) ......92 B 4

Précy-St-Martin (10) ......54 B 5
Précy-sur-Marne (77) ......31 H 5
Précy-sur-Oise (60) ....31 F 3
Précy-sur-Vrin (89) ....72 C 4
Prédefin (62) ....7 F 1
Préfailles (44) ....82 B 5
Préfontaines (45) ....71 H 2
Prégilbert (89) ....91 F 1
Préguillac (17) ....127 E 4
Préhy (89) ....73 F 5
Preignac (33) ....155 G 3
Preignan (32) ....188 A 1
Preigney (70) ....76 C 3
Preixan (11) ....208 A 1
Prélenfrey (38) ....151 G 4
Prelles (05) ....167 G 1
Prémanon (39) ....124 B 1
Premeaux-Prissey (21) .....109 F 1
Prémery (58) ....106 D 1
Prémesques (59) ....4 B 3
Prémeyzel (01) ....137 G 3
Prémian (34) ....191 G 3
Premières (21) ....93 H 5
Prémierfait (10) ....53 H 4
Prémilhat (03) ....118 D 3
Prémillieu (01) ....137 F 2
Prémont (02) ....16 D 1
Prémontré (02) ....17 E 5
Prendeignes (46) ....159 F 3
Préneron (32) ....187 G 1
La Prénessaye (22) ....63 H 2
Prenois (21) ....93 H 4
Prénouvellon (41) ....70 A 4
Prénovel (39) ....123 H 1
Prény (54) ....36 C 3
Préporché (58) ....107 G 3
Prépotin (61) ....48 C 3
Les Prés (26) ....165 G 4
Les Prés-Vuillins (25) ....111 G 1
Présailles (43) ....162 C 1
Préseau (59) ....9 F 3
Présentevillers (25) ......96 C 2
Préserville (31) ....189 G 3
Présilly (39) ....123 G 1
Présilly (74) ....124 B 5
Presle (70) ....95 F 2
Presle (73) ....138 B 5
Presles (14) ....25 H 5
Presles (38) ....151 E 4
Presles (95) ....31 F 4
Presles-en-Brie (77) ......51 H 2
Presles-et-Boves (02) .....33 E 1
Presles-et-Thierry (02) ...17 F 5
Presly (18) ....89 F 4
Presnoy (45) ....71 G 4
Pressac (86) ....115 H 5
Pressagny-le-Val (27) .....30 A 3
Pressagny-l'Orgueilleux (27) 30 A 3
Pressiat (01) ....123 F 3
Pressignac (16) ....129 F 3
Pressignac-Vicq (24) ......157 F 1
Pressigny (52) ....76 B 5
Pressigny (79) ....101 G 4
Pressigny-les-Pins (45) ...71 H 4
Pressins (38) ....137 G 5
Pressy (62) ....7 G 1
Pressy-sous-Dondin (71) ...121 H 2
La Preste (66) ....212 B 5
La Prétière (25) ....95 H 3
Pretin (39) ....110 C 2
Prétot-Ste-Suzanne (50) ...22 D 5
Prétot-Vicquemare (76) ....13 F 3
Prétreville (14) ....28 A 5
Préty (71) ....122 C 1
Pretz-en-Argonne (55) .....35 F 5
Preuilly (18) ....105 E 1
Preuilly-la-Ville (36) ....103 E 5
Preuilly-sur-Claise (37) ..103 E 3
Preures (62) ....6 D 1
Preuschdorf (67) ....39 F 4
Preuseville (76) ....14 B 2
Preutin-Higny (54) ....20 C 3
Preux-au-Bois (59) ....9 F 4
Preux-au-Sart (59) ....9 G 3
Préval (72) ....68 D 1
Prévelles (72) ....68 C 2
Prévenchères (48) ....162 B 4
Préveranges (18) ....118 B 2
Prévessin-Moëns (01) ......124 B 3
La Prévière (49) ....66 A 5
Prévillers (60) ....14 D 4
Prévinquières (12) ....175 E 1
Prévocourt (57) ....37 F 5
Prey (27) ....29 G 5
Prey (88) ....95 H 1
Preyssac-d'Excideuil (24) .143 H 2
Prez (08) ....18 B 2
Prez-sous-Lafauche (52) ...56 A 5
Prez-sur-Marne (52) ....55 F 3
Priaires (79) ....113 H 5
Priay (01) ....136 D 1
Priez (02) ....32 C 3
Prignac (17) ....127 G 2
Prignac-en-Médoc (33) .....140 D 2
Prignac-et-Marcamps (33) ..141 F 4
Prigonrieux (24) ....156 D 1
Primarette (38) ....150 C 1
Primat (08) ....34 D 1
La Primaube (12) ....175 G 1
Primel-Trégastel (29) .....42 A 2
Primelin (29) ....60 D 2
Primelles (18) ....105 E 3

Prin-Deyrançon (79) ....113 H 4
Prinçay (86) ....102 A 3
Princé (35) ....66 A 1
Pringé (72) ....85 H 1
Pringy (51) ....54 C 1
Pringy (74) ....138 A 1
Pringy (77) ....51 G 4
Prinquiau (44) ....82 C 3
Prinsuéjols (48) ....161 E 3
Printzheim (67) ....38 D 5
Prisces (02) ....17 G 3
Prisches (59) ....9 G 5
Prissac (36) ....116 D 2
Prissé (71) ....122 B 3
Prissé-la-Charrière (79) ..114 A 4
Privas P (07) ....163 F 2
Privezac (12) ....159 G 5
Prix-lès-Mézières (08) ....18 D 3
Prizy (71) ....121 F 3
La Proiselière-et-Langle (70) 77 G 4
Proissans (24) ....158 A 1
Proisy (02) ....17 G 1
Proix (02) ....17 F 1
Projan (32) ....186 C 2
Les Promelles (80) ....178 A 3
Promilhanes (46) ....159 E 5
Prompsat (63) ....133 E 2
Prondines (63) ....132 C 3
Pronleroy (60) ....15 H 5
Pronville (62) ....8 C 4
Propiac (26) ....179 H 1
Propières (69) ....121 H 4
Propriano (2A) ....218 D 3
Prosnes (51) ....34 A 3
Prouais (28) ....50 A 2
Prouilly (51) ....33 G 2
Proulieu (01) ....137 G 2
Proupiary (31) ....205 H 1
Proussy (14) ....53 E 5
Prouvais (02) ....17 H 5
Prouville (80) ....7 F 4
Prouvy (59) ....9 E 3
Prouzel (80) ....15 F 2
Provemont (27) ....30 B 2
Provenchère (25) ....95 H 4
Provenchère (70) ....77 G 5
Provenchères-lès-Darney (88) 76 D 2
Provenchères-et-Colroy (88) 58 B 5
Provenchères-sur-Marne (52) 55 F 5
Provenchères-sur-Meuse (52) 76 A 3
Provency (89) ....91 H 2
Proverville (10) ....74 D 1
Proveysieux (38) ....151 G 2
Proville (59) ....8 D 4
Provin (59) ....4 B 5
Provins S (77) ....52 D 3
Proviseux-et-Plesnoy (02) .17 H 5
Proyart (80) ....15 H 2
Prudemanche (28) ....49 G 2
Prudhomat (46) ....159 E 1
Prugnanes (66) ....208 B 4
Prugny (10) ....73 G 1
Pruillé (49) ....84 D 2
Pruillé-le-Chétif (72) ....67 H 3
Pruillé-l'Éguillé (72) ....68 B 5
Pruines (12) ....160 A 4
Prunay (51) ....34 A 3
Prunay-Belleville (10) ....53 F 5
Prunay-Cassereau (41) .....87 E 1
Prunay-en-Yvelines (78) ...50 C 4
Prunay-le-Gillon (28) .....50 B 5
Prunay-le-Temple (78) .....50 B 1
Prunay-sur-Essonne (91) ...51 F 5
Prunelli-di-Casacconi (2B) 215 G 5
Prunelli-di-Fiumorbo (2B) .217 G 4
Prunet (07) ....166 A 2
Prunet (15) ....160 A 2
Prunet (31) ....189 H 3
Prunet-et-Belpuig (66) ....212 D 3
Prunète (2B) ....217 H 2
Prunières (05) ....166 D 3
Prunières (38) ....151 H 5
Prunières (48) ....161 H 1
Pruniers (36) ....104 D 4
Pruniers (49) ....84 D 3
Pruniers-en-Sologne (41) ..88 B 4
Pruno (2B) ....217 G 1
Prunoy (89) ....72 C 4
Prusly-sur-Ource (21) .....74 D 4
Prusy (10) ....73 H 4
Pruzilly (71) ....122 A 4
Puberg (67) ....38 C 4
Publier (74) ....125 E 2
Publy (39) ....110 B 5
Puceul (44) ....83 F 2
Le Puch (09) ....207 H 5
Puch-d'Agenais (47) ....171 H 1
Puchay (27) ....30 A 1
Puchevillers (80) ....7 H 5
Le Puech (34) ....192 B 2
Puéchabon (34) ....192 D 1
Puéchoursi (81) ....190 A 3
Puechredon (30) ....178 A 4
Puellemontier (52) ....54 D 4
Puessans (25) ....95 F 3
Puget (84) ....195 G 1
Puget-Rostang (06) ....182 C 3
Puget-sur-Argens (83) .....197 H 3
Puget-Théniers (06) ....182 C 3
Puget-Ville (83) ....197 E 5

Pugey (25) ....94 D 5
Pugieu (01) ....137 G 2
Puginier (11) ....190 A 4
Pugnac (33) ....141 F 4
Pugny (79) ....100 D 4
Pugny-Chatenod (73) ....137 H 3
Puichéric (11) ....208 D 1
Le Puid (88) ....58 B 4
Puihardy (79) ....114 A 1
Puilacher (34) ....192 D 3
Puilaurens (11) ....208 B 4
Puilboreau (17) ....113 E 4
Puilly-et-Charbeaux (08) ..19 G 4
Puimichel (04) ....181 E 4
Puimisson (34) ....192 B 4
Puimoisson (04) ....181 F 4
La Puisaye (28) ....49 F 3
Puiseaux (45) ....71 G 2
Puiselet-le-Marais (91) ...51 E 5
Puisenval (76) ....14 A 2
Le Puiset (28) ....70 C 2
Le Puiset-Doré (49) ....84 A 5
Puiseux (08) ....18 C 4
Puiseux (28) ....49 H 3
Puiseux-en-Bray (60) ......30 C 1
Puiseux-en-France (95) ....31 G 4
Puiseux-en-Retz (02) ......32 B 2
Puiseux-le-Hauberger (60) .31 B 3
Puiseux-Pontoise (95) .....30 D 4
Puisieulx (51) ....33 H 3
Puisieux (62) ....8 A 5
Puisieux (77) ....32 A 4
Puisieux-et-Clanlieu (02) .17 F 2
Puissalicon (34) ....192 B 4
Puisseguin (33) ....142 A 5
Puisserguier (34) ....192 A 4
Puits (21) ....92 C 1
Le Puits-de-Rians (83) ....196 B 2
Le Puits-des-Mèzes (52) ...75 G 4
Puits-et-Nuisement (10) ...74 C 1
Puits-la-Vallée (60) ......15 F 4
Puivert (11) ....207 H 3
Pujaudran (32) ....188 D 2
Pujaut (30) ....179 E 4
Pujo (65) ....187 E 4
Pujo-le-Plan (40) ....170 D 5
Les Pujols (09) ....207 F 2
Pujols (33) ....156 A 1
Pujols (47) ....157 E 5
Pujols-sur-Ciron (33) .....155 G 4
Le Puley (71) ....108 D 5
Puligny-Montrachet (21) ...109 E 3
Pullay (27) ....49 E 2
Pulligny (54) ....56 B 3
Pulney (54) ....56 D 4
Pulnoy (54) ....57 E 2
Pulvérières (63) ....132 D 2
Pulversheim (68) ....78 D 4
Punchy (80) ....16 A 3
Punerot (88) ....56 B 4
Puntous (65) ....187 H 5
Pupillin (39) ....110 C 3
Pure (08) ....19 G 3
Purgerot (70) ....76 D 5
Pusey (70) ....95 F 1
Pusignan (69) ....136 C 3
Pussay (91) ....50 D 5
Pussigny (37) ....102 C 2
Pusy-et-Épenoux (70) ......95 E 1
Putanges-le-Lac (61) ......47 G 1
Puteaux (92) ....51 E 1
Putot-en-Auge (14) ....27 H 2
Putot-en-Bessin (14) ......27 E 2
Puttelange-aux-Lacs (57) ..38 A 3
Puttelange-lès-Thionville (57) 21 E 2
Puttigny (57) ....37 G 5
Puxe (54) ....20 C 5
Puxieux (54) ....36 C 3
Le Puy (25) ....95 E 4
Le Puy (33) ....156 B 3
Puy-d'Arnac (19) ....145 E 5
Puy-de-Serre (85) ....113 H 1
Puy-du-Lac (17) ....127 H 1
Le Puy-en-Velay P (43) ....148 B 4
Puy-Guillaume (63) ....133 H 1
Puy-l'Évêque (46) ....158 A 4
Puy-Malsignat (23) ....131 G 1
Le Puy-Notre-Dame (49) ....101 H 1
Puy-Sanières (05) ....166 D 3
Puy-St-André (05) ....153 E 5
Le Puy-St-Bonnet (49) .....100 B 2
Puy-St-Eusèbe (05) ....166 D 3
Puy-St-Gulmier (63) ....132 C 3
Puy-St-Martin (26) ....164 C 3
Puy-St-Pierre (05) ....153 E 5
Puy-St-Vincent (05) ....167 F 1
Le Puy-Ste-Réparade (13) ..195 H 1
Puybarban (33) ....156 C 2
Puybegon (81) ....190 A 1
Puybelliard (85) ....100 A 4
Puybrun (46) ....159 E 1
Puycalvel (81) ....190 B 2
Puycasquier (32) ....188 B 1
Puycelsi (81) ....190 A 3
Puycornet (82) ....173 G 2
Puydaniel (31) ....?
Puydarrieux (65) ....187 G 5
Puydrouard (17) ....113 G 5
La Puye (86) ....102 D 5
Puygaillard-de-Lomagne (82) 172 D 4
Puygaillard-de-Quercy (82) 174 A 4

Puygiron (26) ....163 H 4
Puygouzon (81) ....174 D 5
Puygros (73) ....138 A 4
Puyguilhem (24) ....156 C 2
Puyjourdes (46) ....159 E 5
Puylagarde (82) ....174 B 1
Puylaroque (82) ....174 A 2
Puylaurens (81) ....190 B 3
Puylaurent (48) ....162 B 4
Puymangou (24) ....142 A 3
Puymaurin (31) ....188 B 4
Puyméras (84) ....179 G 1
Puymiclan (47) ....156 C 4
Puymirol (47) ....172 C 2
Puymoyen (16) ....128 B 4
Puynormand (33) ....142 A 5
Puyol-Cazalet (40) ....186 B 2
Puyoô (64) ....185 G 3
Puyravault (17) ....113 G 5
Puyravault (85) ....113 F 2
Puyréaux (16) ....128 C 2
Puyréaux (16) ....128 C 2
Puyrenier (24) ....142 D 1
Puyricard (13) ....195 H 2
Puyrolland (17) ....113 H 5
Puys (76) ....13 G 1
Puységur (32) ....188 A 1
Puysségur (31) ....188 D 1
Puysserampion (47) ....156 C 3
Puyvalador (66) ....211 H 3
Puyvert (84) ....195 H 1
Puzeaux (80) ....16 A 2
Puzieux (57) ....37 F 5
Puzieux (88) ....56 D 5
Py (66) ....212 B 4
Pyla-sur-Mer (33) ....154 A 3
La Pyle (27) ....29 E 3
Pyrénées 2000 (66) ....211 H 4
Pys (80) ....8 A 5

Q

Quaëdypre (59) ....3 F 2
Quaix-en-Chartreuse (38) ..151 G 2
Quantilly (18) ....89 G 5
Quarante (34) ....191 H 5
Quarouble (59) ....9 F 2
Quarré-les-Tombes (89) ....91 H 4
La Quarte (70) ....76 B 5
Le Quartier (63) ....119 E 5
Quasquara (2A) ....219 E 1
Quatre-Champs (08) ....19 E 5
Les Quatre Chemins (15) ...145 H 5
Les Quatre-Chemins (85) ...113 E 2
Les Quatre Croix (45) .....72 B 3
Quatre-Routes-d'Albussac (19) 144 D 4
Les Quatre-Routes-du-Lot (46) 144 D 5
Les Quatre-Termes (13) ....195 H 5
Les Quatre Vents (34) .....193 F 3
Quatremare (27) ....29 G 3
Quatzenheim (67) ....59 E 2
Quéant (62) ....8 C 4
Queaux (86) ....115 H 3
Québrac (35) ....45 E 5
Quédillac (35) ....44 C 5
Queige (73) ....138 D 3
Quelaines-St-Gault (53) ...66 C 4
Les Quelles (67) ....58 C 4
Quelmes (62) ....2 D 4
Quelneuc (56) ....64 C 4
Quelven (56) ....63 F 3
Quéménéven (29) ....61 G 2
Quemigny-Poisot (21) ......93 E 5
Quemigny-sur-Seine (21) ...92 D 1
Quemper-Guézennec (22) ....43 F 3
Quemperven (22) ....42 D 2
Quend (80) ....6 C 3
Quend-Plage-les-Pins (80) .6 B 3
Quenne (89) ....73 F 5
Quenoche (70) ....95 F 5
Quenza (2A) ....219 E 2
Quercamps (62) ....2 D 4
Querciolo (2B) ....215 G 5
Quercitello (2B) ....217 F 1
Quérénaing (59) ....9 F 3
Quérigut (09) ....207 H 5
Quernes (62) ....3 F 5
Le Quéroy (16) ....128 C 3
Querqueville (50) ....22 C 2
Querré (49) ....84 D 1
Querrien (29) ....62 C 4
Querrieu (80) ....15 G 1
Quers (70) ....77 G 5
Quesmy (60) ....16 C 4
Le Quesne (80) ....14 C 2
Le Quesnel (80) ....15 H 3
Le Quesnel-Aubry (60) .....15 F 5
Le Quesnoy (59) ....9 F 3
Le Quesnoy-en-Artois (62) .7 E 3
Quesnoy-le-Montant (80) ...6 C 5
Quesnoy-sur-Airaines (80) .14 D 1
Quesnoy-sur-Deûle (59) ....4 C 3
Quesques (62) ....2 D 5
Quessigny (27) ....29 H 5
Quessoy (22) ....43 H 5
Quessy (02) ....16 D 4
Questembert (56) ....82 A 1
Questrecques (62) ....2 B 5
Quet-en-Beaumont (38) .....166 A 1
Quetigny (21) ....93 G 4
Quettehou (50) ....23 E 3

Quettetot (50) ......22 C 4
Quetteville (14) ......28 B 1
Quettreville-sur-Sienne (50) ..24 D 4
Queudes (51) ......53 F 3
La Queue d'Haye (27) ......30 A 3
La Queue-en-Brie (94) ......51 G 1
La Queue-les-Yvelines (78) ....50 B 1
Queuille (63) ......132 D 1
Quevauvillers (80) ......15 E 2
Quéven (56) ......62 C 5
Quévert (22) ......44 D 4
Quevillon (76) ......29 F 1
Quevilloncourt (54) ......56 D 4
Quéréville-la-Poterie (76)...29 G 1
Queyrac (33) ......140 C 1
Queyrières (05) ......167 E 1
Queyrières (43) ......148 C 4
Queyssac (24) ......156 D 1
Queyssac-les-Vignes (19) ....144 D 5
Quézac (15) ......159 G 2
Quézac (48) ......177 E 1
Quiberon (56) ......81 E 3
Quiberville (76) ......13 F 1
Quiberville-Plage (76) ......13 F 1
Quibou (50) ......25 F 3
Quié (09) ......207 E 4
Quiers (77) ......52 B 3
Quiers-sur-Bézonde (45) ...71 F 3
Quiéry-la-Motte (62) ......8 C 2
Quierzy (02) ......16 C 4
Quiestède (62) ......3 E 5
Quiévelon (59) ......10 A 2
Quiévrechain (59) ......9 G 2
Quiévrecourt (76) ......14 A 3
Quiévy (59) ......9 E 4
Quilen (62) ......7 E 1
Quillan (11) ......208 A 4
Quillebeuf-sur-Seine (27) ...12 D 5
Le Quillio (22) ......63 G 2
Quilly (08) ......34 C 1
Quilly (44) ......82 D 2
Quily (56) ......64 A 3
Quimerch (29) ......41 G 5
Quimiac (44) ......82 A 3
Quimper P (29) ......61 G 3
Quimperlé (29) ......62 B 5
Quincampoix (76) ......13 H 5
Quincampoix-Fleuzy (60) ...14 C 3
Quinçay (86) ......115 F 1
Quincé (49) ......85 E 4
Quincerot (21) ......92 A 2
Quincerot (89) ......74 A 4
Quincey (10) ......53 E 4
Quincey (21) ......109 F 1
Quincey (70) ......95 E 1
Quincié-en-Beaujolais (69)..122 A 5
Quincieu (38) ......151 E 2
Quincieux (69) ......135 H 2
Quincy (18) ......105 E 1
Quincy-Basse (02) ......16 D 5
Quincy-Landzécourt (55) ...19 H 5
Quincy-le-Vicomte (21) ......92 A 2
Quincy-sous-le-Mont (02) ...33 E 2
Quincy-sous-Sénart (91) ....51 G 2
Quincy-Voisins (77) ......32 A 5
Quinéville (50) ......23 E 4
Quingey (25) ......110 C 1
Quinquempoix (60) ......15 G 5
Quins (12) ......175 F 2
Quinsac (24) ......143 F 1
Quinsac (33) ......155 F 2
Quinsac (87) ......144 A 1
Quinson (04) ......196 D 1
Quinssaines (03) ......118 D 3
Quint-Fonsegrives (31)..189 G 2
Quintal (74) ......138 A 2
La Quinte (72) ......67 H 3
Quintenas (07) ......149 G 3
Quintenic (22) ......44 B 3
Quintigny (39) ......110 A 4
Quintillan (11) ......208 D 3
Quintin (22) ......43 G 5
Le Quiou (22) ......44 D 5
Quirbajou (11) ......208 A 4
Quiry-le-Sec (80) ......15 G 4
Quissac (30) ......177 H 5
Quissac (46) ......158 D 3
Quistinic (56) ......63 E 5
Quittebeuf (27) ......29 F 4
Quitteur (70) ......94 B 2
Quivières (80) ......16 B 2
Quœux-Haut-Maînil (62)...7 F 3

R
Rabastens (81) ......174 A 5
Rabastens-de-Bigorre (65) ..187 F 4
Rabat-les-Trois-Seigneurs (09)... 207 E 4
La Rabatelière (85) ......99 H 3
Rablay-sur-Layon (49) ....84 D 4
Rabodanges (61) ......47 F 1
Le Rabot (41) ......88 D 1
Rabou (05) ......166 B 3
Rabouillet (66) ......208 B 5
Racécourt (88) ......77 E 1
Rachecourt-sur-Marne (52) ...55 F 3
Rachecourt-Suzémont (52) ..55 E 4
Râches (59) ......4 C 5
Racines (10) ......73 G 3
La Racineuse (71) ......109 G 3
Racou-Plage (66) ......213 G 3

Racquinghem (62) ......3 F 5
Racrange (57) ......37 G 5
Raddon-et-Chapendu (70)...77 G 4
Radenac (56) ......63 H 4
Radepont (27) ......29 H 1
Radinghem (62) ......7 F 1
Radinghem-en-Weppes (59)...4 B 4
Radon (61) ......48 A 4
Radonvilliers (10) ......54 C 5
Raedersdorf (68) ......97 G 2
Raedersheim (68) ......78 D 3
Raffetot (76) ......12 D 4
Raffiny (63) ......148 B 1
Rageade (15) ......147 F 4
Raguenès-Plage (29)...62 A 5
Rahart (41) ......69 F 4
Rahay (72) ......69 E 4
Rahling (57) ......38 C 4
Rahon (25) ......95 H 4
Rahon (39) ......110 A 2
Rai (61) ......48 C 2
Raids (50) ......25 E 2
Raillencourt-Ste-Olle (59) ....8 D 4
Railleu (66) ......212 A 3
Raillicourt (08) ......18 C 4
Raillimont (02) ......18 A 3
Raimbeaucourt (59) ......4 C 5
Rainans (39) ......110 A 1
Raincheval (80) ......7 G 5
Raincourt (70) ......76 C 4
Le Raincy SP (93) ......31 G 5
Rainfreville (76) ......13 F 2
Rainneville (80) ......15 F 1
Rainsars (59) ......9 H 5
Rainville (88) ......56 C 5
Rainvillers (60) ......30 D 1
Les Rairies (49) ......85 G 1
Raismes (59) ......9 E 2
Raissac (09) ......207 F 3
Raissac-d'Aude (11) ......209 E 1
Raissac-sur-Lampy (11) ....190 C 5
Raix (16) ......128 B 1
Raizeux (78) ......50 B 3
Ramasse (01) ......123 F 4
Ramatuelle (83) ......197 H 5
Rambaud (05) ......166 B 3
Rambervillers (88) ......57 H 5
Rambluzin-et-Benoite-Vaux (55) ....35 H 4
Rambouillet SP (78) ......50 C 3
Rambucourt (55) ......36 B 5
Ramburelles (80) ......14 C 1
Rambures (80) ......14 C 1
Ramecourt (62) ......7 G 2
Ramecourt (88) ......56 D 5
Ramerupt (10) ......54 A 4
Ramicourt (02) ......16 D 1
Ramillies (59) ......8 D 4
Rammersmatt (68) ......78 B 4
Ramonchamp (88) ......77 H 4
Ramonville-St-Agne (31)...189 F 3
Ramoulu (45) ......71 F 1
Ramous (65) ......185 G 3
Ramousies (59) ......10 A 3
Ramouzens (32) ......171 H 5
Rampan (50) ......25 F 3
Rampieux (24) ......157 F 2
Rampillon (77) ......52 B 4
Rampont (55) ......35 G 3
Rampoux (46) ......158 A 3
Le Ranc (30) ......177 H 3
Rancé (01) ......136 B 1
Rancenay (25) ......94 D 5
Rancennes (08) ......11 E 3
Rances (10) ......54 C 4
Ranchal (69) ......121 H 5
Ranchot (39) ......94 C 5
Ranchy (14) ......25 H 2
Rancogne (16) ......128 D 4
Rançon (70) ......13 E 5
Rançonnières (52) ......76 A 4
Rancourt (80) ......16 B 1
Rancourt (88) ......76 D 1
Rancourt-sur-Ornain (55)...55 E 1
Rancy (71) ......122 D 1
Randan (63) ......133 G 2
Randanne (63) ......133 E 4
Randens (73) ......138 C 5
Randevillers (25) ......95 G 4
Randonnai (61) ......48 D 3
Rânes (61) ......47 G 2
Rang (25) ......95 H 3
Rang-du-Fliers (62) ......6 C 2
Rangecourt (52) ......76 A 3
Rangen (67) ......58 D 2
Ranguevaux (57) ......20 D 4
Rannée (35) ......65 H 4
Ranrupt (67) ......58 C 4
Rans (39) ......110 C 1
Ransart (62) ......8 A 4
Ranspach (68) ......78 B 4
Ranspach-le-Bas (68) ......97 G 1
Ranspach-le-Haut (68) ......97 G 1
Rantechaux (25) ......111 G 1
Rantigny (60) ......31 F 2
Ranton (86) ......101 G 2
Rantzwiller (68) ......97 H 1
Ranville (14) ......27 G 2
Ranville-Breuillaud (16) ....128 A 2
Ranzevelle (70) ......76 D 4

Ranzières (55) ......35 H 4
Raon-aux-Bois (88) ......77 G 2
Raon-lès-Leau (54) ......58 B 3
Raon-l'Étape (88) ......58 A 4
Raon-sur-Plaine (88) ......58 B 3
Rapaggio (2B) ......217 G 1
Rapale (2B) ......215 F 4
Rapey (88) ......57 E 5
Raphèle-les-Arles (13) ...194 D 2
Rapilly (14) ......47 F 1
Rapsécourt (51) ......34 D 4
Raray (60) ......31 H 2
Rarécourt (55) ......35 F 4
Rasiguères (66) ......208 D 5
Raslay (86) ......101 H 1
Rasteau (84) ......179 G 1
Le Rat (19) ......131 F 3
Ratenelle (71) ......122 C 1
Ratières (26) ......150 B 3
Ratte (71) ......109 H 5
Ratzwiller (67) ......38 C 4
Raucoules (43) ......148 D 3
Raucourt (54) ......37 E 5
Raucourt-au-Bois (59) ......9 F 4
Raucourt-et-Flaba (08) ......19 F 4
Raulecourt (55) ......56 B 1
Raulhac (15) ......160 B 1
Rauret (43) ......162 A 2
Rauville-la-Bigot (50) ......22 C 4
Rauville-la-Place (50) ......22 D 5
Rauwiller (67) ......38 B 5
Rauzan (33) ......155 H 2
Raveau (58) ......106 B 1
Ravel (63) ......133 G 3
Ravel-et-Ferriers (26) ....165 G 3
Ravenel (60) ......15 G 5
Ravenoville (50) ......23 E 4
Raves (88) ......58 B 5
Ravières (89) ......92 A 1
Ravigny (53) ......47 H 4
Raville (28) ......50 A 2
Raville (57) ......37 G 2
Raville-sur-Sânon (54) ......57 G 2
Ravilloles (39) ......123 H 2
La Ravoire (73) ......138 A 5
Ray-sur-Saône (70) ......94 C 2
Raye-sur-Authie (62) ......7 E 3
Rayet (47) ......157 F 3
Raymond (18) ......105 H 3
Raynans (25) ......95 H 2
Le Rayol (83) ......201 H 4
Rayol-Canadel-sur-Mer (83).. 201 H 4
Rayssac (81) ......175 F 5
Razac-de-Saussignac (24)...156 C 2
Razac-d'Eymet (24) ......156 D 3
Razac-sur-l'Isle (24) ......143 E 3
Raze (70) ......94 D 2
Razecueillé (31) ......205 H 3
Razengues (32) ......188 C 2
Razès (87) ......130 B 1
Razimet (47) ......171 H 1
Razines (37) ......102 B 2
Réal (66) ......211 H 3
Réalcamp (76) ......14 B 2
Réallon (05) ......166 D 3
Réalmont (81) ......190 C 1
Réalville (82) ......173 H 4
Réans (32) ......171 G 5
Réau (77) ......51 H 3
Réaumont (38) ......151 F 2
Réaumur (85) ......100 C 4
Réaup (47) ......171 H 3
Réauville (26) ......163 H 5
Réaux-sur-Trèfle (17) ....127 G 5
Rebais (77) ......52 C 1
Rebecques (62) ......3 E 5
Rébénacq (64) ......203 H 1
Rebergues (62) ......2 C 4
Rebets (76) ......14 A 5
Rebeuville (88) ......56 B 5
Rebigue (31) ......189 G 3
Rebouc (65) ......205 E 3
Rebourguil (12) ......175 H 5
Rebourseaux (89) ......73 F 4
Reboursin (36) ......104 C 1
Rebréchien (45) ......70 D 4
Rebreuve-Ranchicourt (62) ..7 H 2
Rebreuve-sur-Canche (62) ...7 G 3
Rebreuviette (62) ......7 G 3
Recanoz (39) ......110 A 4
Recey-sur-Ource (21) ......75 E 5
Réchésy (90) ......97 E 2
Réchicourt (55) ......20 B 4
Réchicourt-la-Petite (54)...57 G 1
Réchicourt-le-Château (57)...58 A 2
Récicourt (55) ......35 F 3
Réclainville (28) ......50 B 5
Reclesne (71) ......108 B 2
Reclinghem (62) ......7 F 1
Réclonville (54) ......57 H 1
Recloses (77) ......51 H 5
Recologne (25) ......94 C 4
Recologne (70) ......94 C 2
Recologne-lès-Rioz (70)...94 D 3
Recoubeau-Jansac (26)...165 F 3
Recoules-d'Aubrac (48)...160 D 3
Recoules-de-Fumas (48)...161 F 3
Recoules-Prévinquières (12)..176 B 1
Récourt (52) ......76 A 3
Récourt (62) ......8 C 3

Récourt-le-Creux (55) ......35 H 4
Recouvrance (90) ......96 D 1
Le Recoux (48) ......176 C 1
Recques-sur-Course (62) ......6 D 1
Recques-sur-Hem (62) ......2 D 3
Recquignies (59) ......10 A 1
Le Reculey (14) ......25 H 5
Reculfoz (25) ......111 E 4
Recurt (65) ......205 E 1
Recy (51) ......34 A 5
Rédange (57) ......20 C 2
Rédené (29) ......62 C 5
Redessan (30) ......178 C 5
Réding (57) ......58 B 1
Le Redon (33) ......195 H 5
Redon (35) ......82 C 1
La Redorte (11) ......191 F 5
Redortiers (04) ......180 B 3
Réez-Fosse-Martin (60) ......32 A 4
Reffannes (79) ......114 C 1
Reffroy (55) ......55 H 2
Reffuveille (50) ......46 A 2
Réfranche (25) ......110 D 1
Régades (31) ......205 G 2
Régat (09) ......207 G 3
La Réglisserie (30) ......178 B 4
Regnauville (62) ......7 E 3
Regnévelle (88) ......76 D 3
Regnéville-sur-Mer (50)...24 C 4
Regnéville-sur-Meuse (55)..35 G 2
Regney (88) ......57 F 5
Régnié-Durette (69) ......122 A 5
Regnière-Écluse (80) ......6 D 3
Regniowez (08) ......10 C 5
Regny (02) ......17 E 2
Régny (42) ......134 D 1
La Regrippière (44) ......83 H 5
Réguiny (56) ......63 G 4
Réguisheim (68) ......78 D 3
Régusse (83) ......197 E 1
Rehaincourt (88) ......57 G 5
Rehainviller (54) ......57 F 3
Rehaupal (88) ......77 H 2
Reherrey (54) ......57 H 3
Réhon (54) ......20 B 2
Reichsfeld (67) ......58 D 4
Reichshoffen (67) ......39 E 4
Reichstett (67) ......59 F 2
Reignac (16) ......141 H 1
Reignac (33) ......141 F 3
Reignac-sur-Indre (37) ...87 E 5
Reignat (63) ......133 G 3
Reigneville-Bocage (50)...22 D 5
Reignier-Esery (74) ......124 C 2
Reigny (18) ......118 C 1
Reilhac (15) ......146 A 5
Reilhac (43) ......147 G 4
Reilhac (46) ......158 D 3
Reilhaguet (46) ......158 C 2
Reilhanette (26) ......180 A 2
Reillanne (04) ......180 C 4
Reillon (54) ......57 H 2
Reilly (60) ......30 C 2
Reims (51) ......33 H 2
Reims-la-Brûlée (51) ......54 D 2
Reinhardsmunster (67) ......58 C 1
Reiningue (68) ......78 C 5
Reipertswiller (67) ......38 D 4
Reithouse (39) ......123 G 1
Réjaumont (32) ......172 B 5
Réjaumont (65) ......205 E 1
Rejet-de-Beaulieu (59)...9 F 5
Relanges (88) ......76 D 2
Relans (39) ......110 A 4
Le Relecq-Kerhuon (29)...41 F 4
Le Relecq (29) ......42 A 4
Relevant (01) ......122 C 5
Rely (62) ......7 G 1
Remaisnil (80) ......7 F 4
Rémalard-en-Perche (61) ...49 E 5
Remaucourt (02) ......16 D 2
Remaucourt (08) ......18 A 4
La Remaudière (44) ......83 H 5
Remaugies (80) ......15 H 4
Remauville (77) ......72 A 2
Rembercourt-Sommaisne (55)..35 G 4
Rembercourt-sur-Mad (54)..36 C 4
Rémécourt (60) ......31 G 1
Rémelfang (57) ......21 G 4
Rémeling (57) ......21 G 3
Remennecourt (55) ......55 E 1
Remenoville (54) ......57 F 4
Rémérangles (60) ......31 F 1
Réméréville (54) ......57 F 2
Rémering (57) ......21 H 4
Rémering-lès-Puttelange (57)..38 A 3
Remicourt (51) ......35 E 5
Remicourt (88) ......56 D 5
Remies (02) ......17 E 3
La Remigeasse (17) ......126 A 1
Remigny (02) ......16 D 3
Remigny (71) ......108 D 3
Rémilly (57) ......37 F 4
Rémilly (58) ......107 G 4
Remilly-Aillicourt (08) ......19 F 4
Remilly-en-Montagne (21)...92 D 4
Remilly-les-Pothées (08)...18 C 2

Remilly-sur-Lozon (50) ......25 E 2
Remilly-sur-Tille (21) ......93 G 4
Remilly-Wirquin (62) ......3 E 5
Réminiac (56) ......64 B 4
Remiremont (88) ......77 G 3
Remoiville (55) ......19 H 5
Remollon (05) ......166 C 4
Remomeix (88) ......58 B 5
Remoncourt (54) ......57 H 2
Remoncourt (88) ......76 D 1
Rémondans-Vaivre (25) ......95 H 3
Remonot (25) ......111 G 1
Rémonville (08) ......35 F 1
Remoray-Boujeons (25)...111 F 4
Remoulins (30) ......178 D 4
Removille (88) ......56 C 5
Rempnat (87) ......131 E 4
La Remuée (76) ......12 C 5
Remungol (56) ......63 F 4
Rémuzat (26) ......165 F 5
Remy (60) ......31 H 1
Rémy (62) ......8 B 3
Renac (35) ......64 D 5
Renage (38) ......151 F 2
Renaison (42) ......134 C 1
La Renaissance (17) ......126 C 1
Renansart (02) ......17 E 3
Renaucourt (70) ......94 C 1
La Renaudie (63) ......134 A 3
La Renaudière (49) ......100 A 1
Renauvoid (88) ......77 F 2
Renay (41) ......69 G 5
Renazé (53) ......66 A 5
Rencurel (38) ......151 F 4
René (72) ......68 A 1
Renescure (59) ......3 F 4
Renève (21) ......93 H 3
Réning (57) ......37 H 4
Rennemoulin (78) ......50 D 1
Rennepont (52) ......75 E 2
Rennes R (35) ......65 F 2
Rennes-en-Grenouilles (53)..47 E 4
Rennes-le-Château (11) ...208 A 3
Rennes-les-Bains (11) ...208 B 3
Rennes-sur-Loue (25) ......110 C 2
Renneval (02) ......17 H 3
Renneville (08) ......18 A 4
Renneville (27) ......29 H 1
Renneville (31) ......189 H 4
Renno (2A) ......216 C 3
Le Renouard (61) ......28 A 5
Rentières (63) ......147 E 1
Renty (62) ......2 D 5
Renung (40) ......186 C 1
Renwez (08) ......10 D 5
La Réole (33) ......156 A 3
La Réorthe (85) ......100 A 5
Réotier (05) ......167 E 2
Repaix (54) ......57 H 2
La Répara-Auriples (26)...164 C 3
Réparsac (16) ......127 H 3
Repel (88) ......56 D 5
Repentigny (14) ......27 H 3
Replonges (01) ......122 C 3
Le Reposoir (74) ......125 E 5
Les Repôts (39) ......110 A 5
Reppe (90) ......96 D 1
Requeil (72) ......68 A 5
Réquista (12) ......175 G 4
Résenlieu (61) ......48 B 1
La Résie-St-Martin (70)...94 B 4
Résigny (02) ......18 A 3
Resson (55) ......55 G 1
Ressons-l'Abbaye (60) ......30 D 2
Ressons-le-Long (02) ......32 C 1
Ressons-sur-Matz (60) ......16 A 5
Les Ressuintes (28) ......49 E 5
Restigné (37) ......86 A 5
Restinclières (34) ......193 G 1
Restonica (Gorges de la) (2B) .217 E 2
Le Retail (79) ......114 B 1
Rétaud (17) ......127 E 4
Reterre (23) ......118 C 2
Rethel (08) ......18 B 5
Retheuil (02) ......32 B 2
Rethondes (60) ......32 A 1
Rethonvillers (80) ......16 A 3
Réthoville (50) ......23 E 2
Retiers (35) ......65 H 4
Retjons (40) ......170 D 3
Retonfey (57) ......21 F 5
Rétonval (76) ......14 B 2
Retournac (43) ......148 C 3
Retourneloup (51) ......53 E 2
Retschwiller (67) ......39 G 4
Rettel (57) ......21 F 3
Rety (62) ......2 B 4
Retzwiller (68) ......97 E 1
Reugney (25) ......111 E 2
Reugny (03) ......119 E 2
Reugny (37) ......87 E 3
Reuil (51) ......33 F 4
Reuil-en-Brie (77) ......32 C 5
Reuil-sur-Brêche (60) ......15 F 5
Reuilly (27) ......29 G 4
Reuilly (36) ......104 D 2
Reuilly-Sauvigny (02) ......33 E 4
Reulle-Vergy (21) ......93 E 5
Reumont (59) ......9 E 5
La Réunion (47) ......171 G 1

Reutenbourg (67) ......58 D 1
Reuves (51) ......53 G 5
Reuville (76) ......13 F 3
Reux (14) ......28 A 2
Réveillon (51) ......52 B 2
Réveillon (61) ......48 C 4
Revel (31) ......190 B 4
Revel (38) ......151 H 3
Revel-Tourdan (38) ......150 C 1
Revelles (80) ......15 E 2
Revémont (54) ......20 B 3
Revens (30) ......176 D 3
Reventin-Vaugris (38) ......149 H 1
Revercourt (28) ......49 F 2
Revest-des-Brousses (04)...180 C 4
Revest-du-Bion (04) ......180 B 3
Le Revest-les-Eaux (83)...201 E 3
Revest-les-Roches (06)...183 E 4
Revest-St-Martin (04) ......180 D 3
La Revêtizon (79) ......114 A 4
Reviers (14) ......27 E 2
Revigny (39) ......110 B 5
Revigny-sur-Ornain (55)...55 E 1
Réville (50) ......23 E 3
Réville-aux-Bois (55) ......35 H 1
Révillon (02) ......33 F 1
Revin (08) ......10 D 4
Revonnas (01) ......123 E 4
Rexingen (67) ......38 B 5
Rexpoëde (59) ......3 G 2
Le Rey (30) ......177 F 4
Reyersviller (57) ......38 D 3
Reygade (19) ......145 E 5
Reynel (52) ......55 H 5
Reynès (66) ......212 D 4
Reynier (04) ......181 F 1
Reyniès (82) ......173 G 5
Reyrevignes (46) ......159 E 3
Reyrieux (01) ......135 H 1
Les Reys-de-Saulce (26)...163 H 2
Reyssouze (01) ......122 C 2
Reyvroz (74) ......125 E 3
Rezay (18) ......105 E 5
Rezé (44) ......83 F 5
Rézentières (15) ......147 E 4
Rezonville (57) ......36 C 3
Rezza (2A) ......216 D 4
Rhèges (10) ......53 H 3
Le Rheu (35) ......65 E 2
Le Rhien (70) ......77 H 5
Rhinau (67) ......59 F 4
Rhodes (57) ......58 A 1
Rhodon (41) ......87 G 1
Rhuis (60) ......31 H 2
Ri (61) ......47 G 1
Ria-Sirach (66) ......212 B 3
Riaillé (44) ......83 H 2
Le Rialet (81) ......191 E 3
Rians (11) ......105 H 1
Rians (83) ......196 B 2
Riantec (56) ......80 D 1
Riaucourt (52) ......75 G 2
Riaville (55) ......36 A 3
Ribagnac (24) ......156 D 2
Ribarrouy (64) ......186 C 3
Ribaute (11) ......208 D 2
Ribaute-les-Tavernes (30)..178 A 3
Le Ribay (53) ......47 F 5
Ribeaucourt (55) ......55 H 3
Ribeaucourt (80) ......7 F 5
Ribeauvillé (68) ......78 D 1
Ribeauville (près d'Aubenton) (02)..18 A 2
Ribeauville (près de Bohain-en-Vermandois) (02)..9 F 5
Ribécourt-Dreslincourt (60)..16 B 5
Ribécourt-la-Tour (59) ......8 C 5
Ribemont (02) ......17 E 2
Ribemont-sur-Ancre (80)...15 H 1
Ribennes (48) ......161 G 3
Ribérac (24) ......142 C 3
Ribes (07) ......162 D 4
La Ribeyre (63) ......162 D 5
Ribeyret (05) ......165 G 5
Ribiers (05) ......180 D 1
Riblaire (79) ......101 F 3
Ribouisse (11) ......207 G 1
Riboux (83) ......196 B 5
La Ricamarie (42) ......149 E 1
Ricarville (76) ......12 D 4
Ricarville-du-Val (76) ......13 H 2
Ricaud (11) ......190 A 5
Ricaud (65) ......204 D 1
Les Riceys (10) ......74 B 3
La Richardais (35) ......44 D 2
Richardménil (54) ......57 E 3
Richarville (91) ......50 D 4
La Riche (37) ......86 D 4
Richebourg (52) ......75 F 3
Richebourg (62) ......4 A 4
Richebourg (78) ......50 B 1
Richecourt (55) ......36 B 5
Richelieu (37) ......102 B 2
Richeling (57) ......38 A 3
Richemont (16) ......127 G 3
Richemont (57) ......21 E 4
Richemont (76) ......14 B 2

A
B
C
D
E
F
G
H
I
J
K
L
M
N
O
P
Q
R
S
T
U
V
W
X
Y
Z

Localité *(Département)*   Page   Coordonnées

A B C D E F G H I J K L M N O P Q R S T U V W X Y Z

Richerenches (84) ... 164 C5
Richeval (57) ... 58 A2
Richeville (27) ... 30 A2
Richtolsheim (67) ... 59 E5
Richwiller (68) ... 78 D4
Ricourt (32) ... 187 F3
Ricquebourg (60) ... 16 A5
Riec-sur-Belon (29) ... 62 B5
Riedheim (67) ... 38 D5
Riedisheim (68) ... 78 D5
Riedseltz (67) ... 39 G3
Riedwihr (68) ... 78 D1
Riel-les-Eaux (21) ... 74 D3
Riencourt (80) ... 15 E1
Riencourt-lès-Bapaume (62) ... 8 B5
Riencourt-lès-Cagnicourt (62) ... 8 B4
Riervescemont (90) ... 78 A5
Riespach (68) ... 97 F2
Rieucazé (31) ... 205 G2
Rieucros (09) ... 207 F2
Rieulay (59) ... 8 D2
Rieumajou (31) ... 189 H4
Rieumes (31) ... 188 D4
Rieupeyroux (12) ... 175 E1
Rieussec (34) ... 191 G4
Rieutort-de-Randon (48) ... 161 G3
Rieux (31) ... 189 E5
Rieux (51) ... 53 E1
Rieux (56) ... 82 C1
Rieux (60) ... 31 G2
Rieux (76) ... 14 B1
Rieux-de-Pelleport (09) ... 207 E1
Rieux-en-Cambrésis (59) ... 9 E4
Rieux-en-Val (11) ... 208 C2
Rieux-Minervois (11) ... 191 F5
Riez (04) ... 181 F5
Rigarda (66) ... 212 C3
Rigaud (06) ... 182 D3
Rigaudou (81) ... 190 D3
Rignac (12) ... 159 H5
Rignac (46) ... 158 D2
Rignat (01) ... 123 F5
Rigné (79) ... 101 F3
Rigney (25) ... 95 E3
Rignieu-le-desert (01) ... 136 D2
Rignieux-le-Franc (01) ... 136 D1
Rignosot (25) ... 95 E3
Rignovelle (70) ... 77 G5
Rigny (70) ... 94 B3
Rigny-la-Nonneuse (10) ... 53 F3
Rigny-la-Salle (55) ... 56 B2
Rigny-le-Ferron (10) ... 73 F1
Rigny-St-Martin (55) ... 56 B3
Rigny-sur-Arroux (71) ... 121 E1
Rigny-Ussé (37) ... 86 A5
Riguepeu (32) ... 187 G2
Rilhac-Lastours (87) ... 129 H4
Rilhac-Rancon (87) ... 130 B2
Rilhac-Treignac (19) ... 130 D5
Rilhac-Xaintrie (19) ... 145 G4
Rillans (25) ... 95 F3
Rillé (37) ... 86 A3
Rillieux-la-Pape (69) ... 136 B2
Rilly-la-Montagne (51) ... 33 H3
Rilly-sur-Aisne (08) ... 18 D5
Rilly-sur-Loire (41) ... 87 G3
Rilly-sur-Vienne (37) ... 102 C2
Rimaucourt (52) ... 75 H1
Rimbach-près-Guebwiller (68) ... 78 C3
Rimbach-près-Masevaux (68) ... 78 B4
Rimbachzell (68) ... 78 C3
Rimbez-et-Baudiets (40) ... 171 G3
Rimboval (62) ... 7 E1
Rimeize (48) ... 161 F2
Rimling (57) ... 38 C3
Rimogne (08) ... 10 D5
Rimon-et-Savel (26) ... 165 E3
Rimondeix (23) ... 118 A4
Rimons (33) ... 156 A3
Rimont (09) ... 206 C3
Rimou (35) ... 45 G4
Rimplas (06) ... 183 E2
Rimsdorf (67) ... 38 B4
Ringeldorf (67) ... 39 E5
Ringendorf (67) ... 39 E5
Rinxent (62) ... 2 B4
Riocaud (33) ... 156 B2
Riolas (31) ... 188 C5
Riols (34) ... 191 G3
Le Riols (81) ... 174 C2
Riom <SP> (63) ... 133 F2
Riom-ès-Montagnes (15) ... 146 B2
Rioms (26) ... 180 B1
Rion-des-Landes (40) ... 169 F4
Rions (33) ... 155 G3
Riorges (42) ... 134 C1
Riotord (43) ... 149 E3
Rioupéroux (38) ... 151 H4
Rioux (17) ... 127 E4
Rioux-Martin (16) ... 142 A3
Rioz (70) ... 95 E3
Riquewihr (68) ... 78 D1
Ris (63) ... 133 H1
Ris (65) ... 205 E4
Ris-Orangis (91) ... 51 F3
Riscle (32) ... 186 D2
Risoul (05) ... 167 F2

Risoul 1850 (05) ... 167 F3
Ristolas (05) ... 167 H1
Rittershoffen (67) ... 39 G4
Ritzing (57) ... 21 F3
Riunoguès (66) ... 213 E4
Riupeyrous (64) ... 186 C4
Riva-Bella (14) ... 27 G2
Rivalet (63) ... 133 E5
Rivarennes (36) ... 103 H5
Rivarennes (37) ... 86 B5
Rivas (42) ... 135 E5
Rive-de-Gier (42) ... 135 G5
Rivecourt (60) ... 31 H1
Rivedoux-Plage (17) ... 112 D4
Rivehaute (64) ... 185 G4
Rivel (11) ... 207 H3
Riventosa (2B) ... 217 E2
Rivèrenert (09) ... 206 B3
Riverie (69) ... 135 G4
Rivery (80) ... 15 F2
Les Rives (34) ... 176 D5
Rives (38) ... 151 F1
Rives (47) ... 157 F3
Rivesaltes (66) ... 209 E5
La Rivière (33) ... 141 G5
La Rivière (37) ... 102 A1
La Rivière (38) ... 151 F2
La Rivière (48) ... 177 G1
Rivière (62) ... 8 A4
La Rivière-de-Corps (10) ... 73 H1
La Rivière-de-Mansac (19) ... 144 B4
La Rivière-Drugeon (25) ... 111 F3
La Rivière-Enverse (74) ... 125 F5
Rivière-les-Fosses (52) ... 93 G1
Rivière-Saas-et-Gourby (40) ... 185 E1
La Rivière-St-Sauveur (14) ... 28 B1
La Rivière-sur-Tarn (12) ... 176 C2
La Rivière-Thibouville (27) ... 28 D3
Rivières (16) ... 128 D3
Rivières (30) ... 178 B2
Rivières (81) ... 174 C5
Les Rivières-Henruel (51) ... 54 C2
Rivières-le-Bois (52) ... 76 A5
Riville (76) ... 12 D3
Rivolet (69) ... 135 G1
Rix (39) ... 111 E4
Rix (58) ... 91 E3
Rixheim (68) ... 78 D5
La Rixouse (39) ... 124 A1
Rizaucourt (52) ... 75 E1
Roaillan (33) ... 155 G4
Roaix (84) ... 179 G1
Roanne <SP> (42) ... 134 D1
Roannes-St-Mary (15) ... 159 H1
Robécourt (88) ... 76 B2
Robecq (62) ... 3 G5
Robersart (59) ... 9 F4
Robert-Espagne (55) ... 55 F2
Robert-Magny (52) ... 55 E4
Robertot (76) ... 13 E3
Roberval (60) ... 31 H2
Robiac-Rochessadoule (30) ... 178 A1
Robion (84) ... 179 H5
Le Roc (46) ... 158 B1
Le Roc-St-André (56) ... 64 A4
Rocamadour (46) ... 158 C2
Rocbaron (83) ... 197 E4
Rocé (41) ... 69 G5
Roche (19) ... 144 C2
La Roche (38) ... 136 D4
Roche (41) ... 69 H5
Roche (42) ... 134 C4
La Roche-Bernard (56) ... 82 B2
La Roche-Blanche (44) ... 84 A3
La Roche-Blanche (63) ... 133 F4
La Roche-Canillac (19) ... 145 F3
La Roche-Chalais (24) ... 142 A3
Roche-Charles-
  la-Mayrand (63) ... 146 D1
La Roche-Clermault (37) ... 102 A1
Roche-d'Agoux (63) ... 132 C1
La Roche-de-Glun (26) ... 149 H5
La Roche-Derrien (22) ... 43 E2
La Roche-des-Arnauds (05) ... 166 A3
Roche-en-Régnier (43) ... 148 B3
La Roche-en-Brenil (21) ... 92 A4
Roche-et-Raucourt (70) ... 94 B1
La Roche-Guyon (95) ... 30 B4
La Roche-Jaune (22) ... 43 E1
La Roche-la-Molière (42) ... 149 E1
La Roche-l'Abeille (87) ... 130 A5
Roche-le-Peyroux (19) ... 145 H1
Roche-lès-Clerval (25) ... 95 G3
Roche-lez-Beaupré (25) ... 95 E4
La Roche-Mabile (61) ... 47 H4
La Roche-Maurice (29) ... 41 G3
La Roche-Noire (63) ... 133 F4
La Roche-Posay (86) ... 103 E4
La Roche-Rigault (86) ... 102 A2
Roche-St-Secret-Béconne (26) ... 164 C4
La Roche-sur-Foron (74) ... 124 D5
La Roche-sur-Grane (26) ... 164 C3
La Roche-sur-le-Buis (26) ... 180 A1
Roche-sur-Linotte-
  et-Sorans-les-Cordiers (70) ... 95 E2
La Roche-sur-Yon P (85) ... 99 G5
La Roche-Vanneau (21) ... 92 C3
La Roche-Vineuse (71) ... 122 B3
Rochebaudin (26) ... 164 C3

La Rochebeaucourt-
  et-Argentine (24) ... 142 D1
Rochebrune (05) ... 166 C4
Rochebrune (26) ... 165 E5
Rochechinard (26) ... 150 D4
Rochechouart <SP> (87) ... 129 G3
Rochecolombe (07) ... 163 E4
Rochecorbon (37) ... 86 D3
Rochefort <SP> (17) ... 126 C1
Rochefort (21) ... 74 D5
Rochefort (73) ... 137 G4
Rochefort-du-Gard (30) ... 179 E4
Rochefort-en-Terre (56) ... 64 B5
Rochefort-en-Valdaine (26) ... 163 H4
Rochefort-en-Yvelines (78) ... 50 D3
Rochefort-Montagne (63) ... 132 D4
Rochefort-Samson (26) ... 150 D5
Rochefort-sur-la-Côte (52) ... 75 G1
Rochefort-sur-Loire (49) ... 84 D4
Rochefort-sur-Nenon (39) ... 110 B1
La Rochefoucauld (16) ... 128 D3
Rochefourchat (26) ... 165 E3
Rochegiron (04) ... 180 C3
Rochegude (26) ... 179 F1
Rochegude (30) ... 178 B2
Rochejean (25) ... 111 F4
La Rochelle P (17) ... 113 E4
La Rochelle (70) ... 76 B5
La Rochelle-Normande (50) ... 45 H1
Rochemaure (07) ... 163 G3
La Rochénard (79) ... 114 A4
Rochepaule (07) ... 149 E4
La Rochepot (21) ... 108 D2
Rocher (07) ... 162 D4
Le Rochereau (86) ... 101 H5
Les Roches (23) ... 118 A4
Les Roches (06) ... 135 G3
Les Roches-de-Condrieu (38) ... 149 G1
Roches-lès-Blamont (25) ... 96 C3
Les Roches (16) ... 128 D3
Les Roches-l'Évêque (41) ... 69 E5
Roches-Prémarie-Andillé (86) ... 115 G2
Roches-sur-Marne (52) ... 55 F3
Roches-sur-Rognon (52) ... 55 G5
Rocheservière (85) ... 99 F2
Rochessadoule (30) ... 178 A1
Rochesauve (07) ... 163 G3
Rochesson (88) ... 78 A4
Rochetaillée (38) ... 152 A3
Rochetaillée (25) ... 75 G4
Rochetaillée-sur-Saône (69) ... 135 H2
Rochetaillée-sur-Saône (69) ... 136 B2
Rochetoirin (38) ... 137 E4
Rochetrejoux (85) ... 100 A4
La Rochette (04) ... 182 C4
La Rochette (05) ... 166 C3
La Rochette (07) ... 163 G1
La Rochette (16) ... 128 C3
La Rochette (23) ... 131 G1
La Rochette (73) ... 138 B5
La Rochette (77) ... 51 H4
La Rochette-du-Buis (26) ... 180 A1
Rocheville (50) ... 22 C4
Rochonvillers (57) ... 20 D3
Rochy-Condé (60) ... 31 E1
Rocles (03) ... 119 G2
Rocles (07) ... 162 D4
Rocles (48) ... 162 A2
Roclincourt (62) ... 8 A3
Rocourt (88) ... 76 B2
Rocourt-St-Martin (02) ... 32 D3
Rocquancourt (14) ... 27 F3
La Rocque (14) ... 26 D5
Rocquefort (76) ... 13 E4
Rocquemont (60) ... 32 A2
Rocquemont (76) ... 13 H4
Rocquencourt (60) ... 15 G4
Rocquencourt (78) ... 51 E1
Rocques (14) ... 28 B3
Rocquigny (02) ... 9 H5
Rocquigny (08) ... 18 A3
Rocquigny (62) ... 8 C5
Rocroi (08) ... 10 C5
Rodalbe (57) ... 37 H5
Rodelinghem (62) ... 2 C3
Rodelle (12) ... 160 B4
Rodemack (57) ... 21 E2
Roderen (68) ... 78 B4
Rodern (68) ... 58 D5
Rodès (66) ... 212 C2
Rodez P (12) ... 175 G1
Rodilhan (30) ... 178 C5
La Roë (53) ... 66 A4
Roëllecourt (62) ... 7 G2
Rœschwoog (67) ... 39 H5
Rœulx (62) ... 8 B3
Rœux (62) ... 8 B3
Roézé-sur-Sarthe (72) ... 67 H4
Roffey (89) ... 73 G4
Roffiac (15) ... 146 D4
Rogalle (09) ... 206 B4
Rogécourt (02) ... 17 E4
Rogerville (76) ... 12 C5
Rogéville (54) ... 56 C1
Roggenhouse (68) ... 79 E3
Rogliano (2B) ... 215 F1
Rogna (39) ... 123 H3
Rognac (13) ... 195 G3
Rognaix (73) ... 138 D4
Rognes (13) ... 195 H1
Rognon (25) ... 95 F3
Rognonas (13) ... 179 E4

Rogny (02) ... 17 G3
Rogny-les-Sept-Écluses (89) ... 90 A1
Rogues (30) ... 177 E5
Rogy (80) ... 15 F3
Rohaire (28) ... 49 E2
Rohan (56) ... 63 G3
Rohr (67) ... 59 E1
Rohrbach-lès-Bitche (57) ... 38 C3
Rohrwiller (67) ... 59 G1
Roiffé (86) ... 101 H1
Roiffieux (07) ... 149 G3
Roiglise (80) ... 16 A3
Roilly (21) ... 92 B3
Roinville (28) ... 50 B4
Roinville (91) ... 50 D4
Roinvilliers (91) ... 51 E3
Roisel (80) ... 16 C1
Les Roises (55) ... 56 B4
Roisey (42) ... 149 G1
Roissard (38) ... 165 G1
Roissy-en-Brie (77) ... 51 H1
Roissy-en-France (95) ... 31 G5
Roiville (61) ... 28 A5
Roizy (08) ... 34 A1
Rolampont (52) ... 75 H4
Rolbing (57) ... 38 D2
Rollainville (88) ... 56 B5
Rollancourt (62) ... 7 F2
Rolland (33) ... 142 A4
Rolleboise (78) ... 30 B4
Rolleville (76) ... 12 B4
Rollot (80) ... 15 H4
Rom (79) ... 115 E3
Romagnat (63) ... 133 F3
Romagne (08) ... 18 B3
Romagne (33) ... 155 H2
Romagne (49) ... 45 H5
La Romagne (49) ... 100 A1
Romagne (86) ... 115 F4
Romagne-sous-les-Côtes (55) ... 20 A4
Romagne-
  sous-Montfaucon (55) ... 35 F1
Romagnieu (38) ... 137 G4
Romagny (68) ... 97 E1
Romagny Fontenay (50) ... 46 B2
Romagny-
  sous-Rougemont (90) ... 78 B5
Romain (25) ... 95 F3
Romain (39) ... 94 B5
Romain (51) ... 33 F2
Romain (54) ... 57 F3
Romain-aux-Bois (88) ... 76 B2
Romain-sur-Meuse (52) ... 76 A1
Romainville (93) ... 51 F1
Roman (27) ... 49 F1
Romanèche (01) ... 123 F4
Romanèche-Thorins (71) ... 122 B4
Romange (39) ... 94 B5
Romans (01) ... 122 D5
Romans (79) ... 114 C3
Romans-sur-Isère (26) ... 150 C4
Romanswiller (67) ... 58 D2
Romazières (17) ... 127 H1
Romazy (35) ... 45 G5
Rombach-le-Franc (68) ... 58 C5
Rombas (57) ... 20 D4
Rombies-et-Marchipont (59) ... 9 F2
Rombly (62) ... 3 F5
Romegoux (17) ... 126 D2
Romelfing (57) ... 38 B5
Romenay (71) ... 122 D1
Romeny-sur-Marne (02) ... 32 D5
Romeries (59) ... 9 F4
Romery (02) ... 17 F2
Romery (51) ... 33 G4
Romescamps (60) ... 14 C3
Romestaing (47) ... 156 A5
Romette (05) ... 166 B3
Romeyer (26) ... 165 F2
La Romieu (32) ... 172 B4
Romigny (51) ... 33 F3
Romiguières (34) ... 176 C5
Romillé (35) ... 65 G1
Romilly (41) ... 69 F4
Romilly-la-Puthenaye (27) ... 29 E4
Romilly-sur-Aigre (28) ... 69 H4
Romilly-sur-Andelle (27) ... 29 H2
Romilly-sur-Seine (10) ... 53 F4
Romme (74) ... 125 E5
Romont (88) ... 57 G5
Romorantin-
  Lanthenay <SP> (41) ... 88 B4
Rompon (07) ... 163 G2
Rônai (61) ... 47 G1
Ronce-les-Bains (17) ... 126 B2
Roncenay (10) ... 73 H2
Le Roncenay-Authenay (27) ... 49 F1
Roncey (50) ... 25 E4
Ronchamp (70) ... 77 H5
Ronchaux (25) ... 110 D1
Roncherolles-en-Bray (76) ... 14 A4
Roncherolles-sur-le-Vivier (76) ... 13 H5
Ronchin (59) ... 4 C4
Ronchois (76) ... 14 B3
Roncourt (57) ... 20 D5
Roncq (59) ... 4 C2
Ronde (13) ... 195 H1
Rond-d'Orléans (02) ... 16 D4
La Ronde (17) ... 113 G3
La Ronde (79) ... 100 D4

La Ronde-Haye (50) ... 24 D3
Le Rondeau (38) ... 137 E4
Rondefontaine (25) ... 111 F4
Ronel (81) ... 175 E5
Ronfeugerai (61) ... 47 E1
Rongères (03) ... 120 B3
Ronnet (03) ... 119 E4
Ronno (69) ... 135 F1
Ronquerolles (60) ... 31 F1
Ronquerolles (95) ... 31 E3
Ronsenac (16) ... 142 C1
Ronssoy (80) ... 16 C1
Rontalon (69) ... 135 G4
Ronthon (50) ... 45 G1
Rontignon (64) ... 186 C5
Ronvaux (55) ... 36 A3
Ronzières (63) ... 133 F5
Roôcourt-la-Côte (52) ... 75 G1
Roost-Warendin (59) ... 4 C5
Roppe (90) ... 96 D1
Roppenheim (67) ... 39 H5
Roppentzwiller (68) ... 97 F2
Roppeviller (57) ... 38 D3
La Roque-Alric (84) ... 179 G2
La Roque-Baignard (14) ... 28 A3
La Roque-Bouillac (12) ... 159 G4
Roque d'acier (13) ... 179 E5
La Roque-d'Anthéron (13) ... 195 G1
La Roque-Esclapon (83) ... 197 H1
La Roque-Gageac (24) ... 158 A1
La Roque-Ste-Marguerite (12) ... 176 C3
La Roque-sur-Cèze (30) ... 178 D2
La Roque-sur-Pernes (84) ... 179 G4
Roquebillière (06) ... 183 F3
Roquebrune (32) ... 172 A3
Roquebrune- (06) ... 183 G5
Roquebrune (32) ... 187 G1
Roquebrune (33) ... 156 A3
Roquebrune-sur-Argens (83) ... 197 H3
La Roquebrussanne (83) ... 196 D4
Roquecor (82) ... 173 E1
Roquecourbe (81) ... 190 D2
Roquecourbe-Minervois (11) ... 208 D1
Roquedur (30) ... 177 F4
Roquefère (11) ... 190 D4
Roquefeuil (11) ... 207 H4
Roquefixade (09) ... 207 F3
Roquefort (13) ... 196 B5
Roquefort (32) ... 188 A1
Roquefort (40) ... 170 D3
Roquefort (47) ... 172 B2
Roquefort-de-Sault (11) ... 208 A5
Roquefort-
  des-Corbières (11) ... 209 F1
Roquefort-la-Bédoule (13) ... 196 A5
Roquefort-les-Cascades (09) ... 207 F3
Roquefort-les-Pins (06) ... 199 E1
Roquefort-sur-G. (31) ... 206 A1
Roquefort-sur-Soulzon (12) ... 176 B4
Roquelaure (32) ... 188 A1
Roquelaure-St-Aubin (32) ... 188 C2
Roquemaure (30) ... 179 E3
Roquemaure (81) ... 174 A5
Roquepine (32) ... 172 A4
Roqueredonde (34) ... 192 B1
Roques (31) ... 189 F3
Roques (32) ... 171 H5
Roquesérière (31) ... 189 H1
Roquessels (34) ... 192 B3
Roquesteron (06) ... 182 D4
Roquesteron-Grasse (06) ... 182 D4
Roquetaillade (11) ... 208 A3
Roquetoire (59) ... 3 F5
La Roquette (12) ... 175 G1
La Roquette (27) ... 29 H2
La Roquette-sur-Siagne (06) ... 199 E2
La Roquette-sur-Var (06) ... 183 E4
Roquettes (31) ... 189 F3
Roquevaire (13) ... 196 A4
Roquevidal (81) ... 190 A2
Roquiague (64) ... 203 E1
La Roquille (33) ... 156 C2
Rorbach-lès-Dieuze (57) ... 37 H5
Rorschwihr (68) ... 78 D1
Rorthais (79) ... 100 C3
Les Rosaires (22) ... 43 H4
Rosans (05) ... 165 F5
Rosay (28) ... 50 A2
Rosay (39) ... 123 F1
Rosay (76) ... 13 H4
Rosay (78) ... 30 B5
Rosay-sur-Lieure (27) ... 30 A1
Rosazia (2A) ... 216 C4
Rosbruck (57) ... 37 H2
Roscanvel (29) ... 41 E5
Roscoff (29) ... 41 H1
La Rose (38) ... 105 F1
Rosel (14) ... 27 E2
Roselay (71) ... 108 B5
Rosenau (68) ... 97 G1
Rosendaël (59) ... 3 F1
Rosenwiller (67) ... 58 D3
Roset-Fluans (25) ... 94 C5
Rosey (70) ... 94 D2
Rosey (71) ... 108 D4
Rosheim (67) ... 58 D3
La Rosière (14) ... 26 D1
La Rosière (70) ... 77 H4
La Rosière 1850 (73) ... 139 F4
Rosières (07) ... 162 D4
Rosières (18) ... 105 E3

Rosières (43) ... 148 B4
Rosières (60) ... 31 H3
Rosières (81) ... 174 D5
Rosières-aux-Salines (54) ... 57 F3
Rosières-devant-Bar (55) ... 55 G1
Rosières-en-Blois (55) ... 56 A3
Rosières-en-Haye (54) ... 56 D1
Rosières-en-Santerre (80) ... 15 H2
Rosières-près-Troyes (10) ... 73 H1
Rosières-sur-Barbèche (25) ... 95 H4
Rosières-sur-Mance (70) ... 76 C4
Les Rosiers (30) ... 178 A2
Rosiers-de-Juillac (19) ... 144 A2
Rosiers-d'Égletons (19) ... 145 F2
Les Rosiers-sur-Loire (49) ... 85 F4
Rosis (34) ... 191 H2
Rosnay (36) ... 103 G5
Rosnay (51) ... 33 G2
Rosnay (85) ... 112 D1
Rosnay-l'Hôpital (10) ... 54 C4
Rosnes (55) ... 35 G5
Rosnoën (29) ... 41 G5
Rosny-sous-Bois (93) ... 51 G1
Rosny-sur-Seine (78) ... 30 B5
Rosoy (60) ... 31 G2
Rosoy (89) ... 72 D2
Rosoy-en-Multien (60) ... 32 B4
Rosoy-sur-Amance (52) ... 76 A5
Rospez (22) ... 42 D2
Rospigliani (2B) ... 217 F3
Rosporden (29) ... 62 A4
Rosselange (57) ... 20 D4
Rossfeld (67) ... 59 E4
Rossillon (01) ... 137 F2
Rostassac (46) ... 158 A4
Rosteig (67) ... 38 C4
Rostrenen (22) ... 62 D2
Rosult (59) ... 5 E5
Rosureux (25) ... 95 H5
Rotalier (39) ... 123 F1
Rotangy (60) ... 15 E4
Rothau (67) ... 58 C3
Rothbach (67) ... 38 D4
Rothéneuf (35) ... 44 D2
Rotherens (73) ... 138 B5
La Rothière (10) ... 54 C5
Rothois (60) ... 14 D4
Rothonay (39) ... 123 G1
Le Rotoir (91) ... 50 D4
Les Rotours (61) ... 47 G1
Rots (14) ... 27 E2
Rott (67) ... 39 G3
Rottelsheim (67) ... 59 F1
Rottier (26) ... 165 F4
Rou-Marson (49) ... 85 G5
Rouairoux (81) ... 191 F3
Rouans (44) ... 82 D5
La Rouaudière (53) ... 66 A4
Roubaix (59) ... 4 D3
Roubia (11) ... 191 G5
Le Roubian (13) ... 179 E5
Roubion (06) ... 182 D2
Roucamps (14) ... 26 D4
Roucourt (59) ... 8 D3
Roucy (02) ... 33 G1
Roudouallec (56) ... 62 B3
Rouécourt (52) ... 55 F5
Rouède (31) ... 205 H2
Rouelle (61) ... 46 D3
Rouelles (52) ... 75 F5
Rouelles (76) ... 12 B5
Rouen R (76) ... 29 G1
Rouessé-Fontaine (72) ... 48 A5
Rouessé-Vassé (72) ... 67 G2
Rouet (34) ... 177 G5
Rouez (72) ... 67 G2
Rouffach (68) ... 78 D3
Rouffange (39) ... 94 B5
Rouffiac (15) ... 145 G5
Rouffiac (16) ... 142 B2
Rouffiac (17) ... 127 F4
Rouffiac (81) ... 174 D5
Rouffiac-d'Aude (11) ... 208 A2
Rouffiac-des-Corbières (11) ... 208 C4
Rouffiac-Tolosan (31) ... 189 G1
Rouffignac (17) ... 141 F2
Rouffignac (24) ... 143 G4
Rouffignac-de-Sigoulès (24) ... 156 D2
Rouffigny (50) ... 46 A1
Rouffilhac (46) ... 158 B2
Rouffillac (24) ... 158 B1
Rouffy (51) ... 33 H5
Rougé (44) ... 65 G5
La Rouge (61) ... 68 D1
Rougé-Perriers (27) ... 29 E3
Rougefay (62) ... 7 F3
Rougegoutte (90) ... 78 A5
Rougemont (21) ... 92 A1
Rougemont (25) ... 95 F2
Rougemont-
  le-Château (90) ... 78 B5
Rougemontiers (27) ... 28 D1
Rougemontot (25) ... 95 F3
Rougeou (41) ... 88 A4
Rougeries (02) ... 17 G2
Les Rouges-Eaux (88) ... 59 G4
Le Rouget-Pers (15) ... 159 G1
Rougeux (52) ... 76 A5
Rougiers (83) ... 196 C4
Rougnac (16) ... 128 D5
Rougnat (23) ... 132 B1

Localité (Département) Page Coordonnées

265

Rougon *(04)* 181 **H 5**
Rouhe *(25)* 110 **D 1**
Rouhling *(57)* 38 **A 3**
Rouillac *(16)* 128 **A 3**
Rouillac *(22)* 44 **B 5**
Rouillas-Bas *(63)* 133 **E 4**
Rouillé *(86)* 115 **E 2**
Rouillon *(72)* 68 **A 3**
Rouilly *(77)* 52 **C 3**
Rouilly-Sacey *(10)* 54 **A 5**
Rouilly-St-Loup *(10)* 74 **A 1**
Roujan *(34)* 192 **B 3**
Roulans *(25)* 95 **F 4**
Le Roulier *(88)* 77 **G 1**
Roullée *(72)* 48 **B 4**
Roullens *(11)* 208 **A 1**
Roullet-St-Estèphe *(16)* 128 **B 5**
Roullours *(14)* 46 **C 1**
Roumagne *(47)* 156 **C 3**
Roumare *(76)* 13 **F 5**
Roumazières *(16)* 129 **E 2**
Roumazières-Loubert *(16)* 129 **E 2**
Roumégoux *(15)* 159 **G 1**
Roumégoux *(81)* 190 **D 1**
Roumengoux *(09)* 207 **G 2**
Roumens *(31)* 190 **A 4**
Roumoules *(04)* 181 **F 5**
Rountzenheim *(67)* 39 **G 5**
Roupeldange *(57)* 21 **G 5**
Rouperroux *(61)* 47 **H 3**
Rouperroux-le-Coquet *(72)* 68 **B 1**
Roupy *(02)* 16 **C 2**
La Rouquette *(12)* 174 **C 1**
Roure *(06)* 182 **D 2**
Le Rouret *(06)* 199 **E 1**
Rousies *(59)* 9 **H 3**
Roussac *(87)* 116 **D 5**
Roussas *(26)* 163 **H 5**
Roussay *(49)* 100 **A 1**
Roussayrolles *(81)* 174 **B 3**
Rousseloy *(60)* 31 **F 2**
Roussennac *(12)* 159 **G 5**
Roussent *(62)* 6 **D 2**
Les Rousses *(39)* 124 **B 1**
Rousses *(48)* 177 **F 2**
Rousset *(05)* 166 **C 4**
Rousset *(13)* 196 **A 3**
Le Rousset *(71)* 121 **H 1**
Le Rousset-Marizy *(71)* 121 **H 1**
Rousset-les-Vignes *(26)* 164 **D 5**
La Roussière *(27)* 28 **D 5**
Roussieux *(26)* 180 **B 1**
Roussillon *(38)* 149 **H 1**
Roussillon *(84)* 180 **A 4**
Roussillon-en-Morvan *(71)* 108 **A 2**
Roussines *(16)* 129 **E 3**
Roussines *(36)* 117 **E 2**
Rousson *(30)* 178 **A 2**
Rousson *(89)* 72 **C 3**
Roussy-le-Village *(57)* 21 **E 2**
Routelle *(25)* 94 **C 5**
Routes *(76)* 13 **E 3**
Routier *(11)* 207 **H 2**
Routot *(27)* 28 **D 1**
Rouvenac *(11)* 207 **H 3**
Rouves *(54)* 37 **E 5**
La Rouvière *(30)* 178 **B 4**
Les Rouvières *(83)* 196 **D 1**
Rouvignies *(59)* 9 **E 3**
Rouville *(60)* 32 **A 3**
Rouville *(76)* 12 **D 4**
Rouvillers *(60)* 31 **G 1**
Rouvray *(21)* 92 **A 3**
Rouvray *(27)* 29 **H 4**
Rouvray *(89)* 73 **F 4**
Rouvray-Catillon *(76)* 14 **A 4**
Rouvray-St-Denis *(28)* 70 **D 1**
Rouvray-St-Florentin *(28)* 70 **A 1**
Rouvray-Ste-Croix *(45)* 70 **B 3**
Rouvre *(79)* 114 **B 2**
Rouvrel *(80)* 15 **G 3**
Rouvres *(14)* 27 **G 4**
Rouvres *(28)* 50 **A 1**
Rouvres *(77)* 31 **H 4**
Rouvres-en-Multien *(60)* 32 **B 4**
Rouvres-en-Plaine *(21)* 93 **G 5**
Rouvres-en-Woëvre *(55)* 20 **B 5**
Rouvres-en-Xaintois *(88)* 56 **D 5**
Rouvres-la-Chétive *(88)* 56 **B 5**
Rouvres-les-Bois *(36)* 104 **B 2**
Rouvres-les-Vignes *(10)* 75 **E 1**
Rouvres-sous-Meilly *(21)* 92 **D 5**
Rouvres-St-Jean *(45)* 71 **E 1**
Rouvres-sur-Aube *(52)* 75 **F 4**
Rouvrois-sur-Meuse *(55)* 36 **A 5**
Rouvrois-sur-Othain *(55)* 20 **B 3**
Rouvroy *(02)* 16 **D 2**
Rouvroy *(62)* 8 **B 2**
Rouvroy-en-Santerre *(80)* 16 **A 3**
Rouvroy-les-Merles *(60)* 15 **G 4**
Rouvroy-Ripont *(51)* 34 **D 2**
Rouvroy-sur-Audry *(08)* 18 **C 2**
Rouvroy-sur-Marne *(52)* 55 **G 5**
Rouvroy-sur-Serre *(02)* 18 **A 3**
Le Roux *(07)* 162 **D 2**
Rouxeville *(50)* 25 **G 3**
La Rouxière *(44)* 84 **A 3**
Rouxmesnil-Bouteilles *(76)* 13 **G 1**
Rouy *(58)* 107 **E 2**
Rouy-le-Grand *(80)* 16 **B 3**
Rouy-le-Petit *(80)* 16 **B 3**
Rouze *(09)* 207 **H 5**
Rouzède *(16)* 129 **E 4**
Rouziers *(15)* 159 **G 2**
Rouziers-de-Touraine *(37)* 86 **D 3**
Le Rove *(13)* 195 **G 4**
Roville-aux-Chênes *(88)* 57 **G 4**
Roville-devant-Bayon *(54)* 57 **E 4**
Rovon *(38)* 151 **F 3**
Roy-Boissy *(60)* 14 **D 4**
Roya *(06)* 182 **C 1**
Royan *(17)* 126 **C 4**
Royas *(38)* 136 **C 5**
Royat *(63)* 133 **E 3**
Royaucourt *(60)* 15 **H 4**
Royaucourt-et-Chailvet *(02)* 17 **E 5**
Royaumeix *(54)* 56 **C 1**
Royaumont *(Abbaye de) (95)* 31 **F 3**
Roybon *(38)* 150 **D 2**
Roye *(70)* 95 **G 1**
Roye *(80)* 16 **A 3**
Roye-sur-Matz *(60)* 16 **A 4**
Royer *(71)* 122 **B 1**
Royère-de-Vassivière *(23)* 131 **E 3**
Royères *(87)* 130 **B 2**
Roynac *(26)* 164 **C 3**
Royon *(62)* 7 **E 1**
Royville *(76)* 13 **F 3**
Roz-Landrieux *(35)* 45 **E 3**
Roz-sur-Couesnon *(35)* 45 **G 3**
Rozay-en-Brie *(77)* 52 **B 2**
Le Rozel *(50)* 22 **B 4**
Rozelieures *(54)* 57 **F 4**
Rozérieulles *(57)* 36 **D 3**
Rozerotte *(88)* 76 **D 1**
Rozès *(32)* 172 **A 5**
Rozet-St-Albin *(02)* 32 **D 3**
Le Rozier *(48)* 176 **C 2**
Rozier-Côtes-d'Aurec *(42)* 148 **C 2**
Rozier-en-Donzy *(42)* 135 **E 3**
Rozières *(52)* 55 **E 4**
Rozières-en-Beauce *(45)* 70 **C 4**
Rozières-sur-Crise *(02)* 32 **D 2**
Rozières-sur-Mouzon *(88)* 76 **B 2**
Roziers-St-Georges *(87)* 130 **C 3**
Rozoy-Bellevalle *(02)* 32 **D 5**
Rozoy-le-Vieil *(45)* 72 **A 2**
Rozoy-sur-Serre *(02)* 18 **A 3**
Ruages *(58)* 91 **F 4**
Ruan *(45)* 70 **C 2**
Ruan-sur-Egvonne *(41)* 69 **G 3**
Ruaudin *(72)* 68 **A 4**
Ruaux *(88)* 77 **F 3**
Rubécourt-et-Lamécourt *(08)* 19 **F 3**
Rubelles *(77)* 51 **H 3**
Rubempré *(80)* 15 **G 1**
Rubercy *(14)* 25 **H 2**
Rubescourt *(80)* 15 **H 4**
Rubigny *(08)* 18 **A 3**
Rubrouck *(59)* 3 **F 3**
Ruca *(22)* 44 **B 3**
Ruch *(33)* 156 **A 2**
Rucqueville *(14)* 27 **E 2**
Rudeau-Ladosse *(24)* 143 **E 1**
Rudelle *(46)* 159 **E 2**
Rue *(80)* 6 **C 3**
La Rue-St-Pierre *(60)* 31 **F 2**
La Rue-St-Pierre *(76)* 13 **H 4**
Ruederbach *(68)* 97 **F 1**
Rueil-la-Gadelière *(28)* 49 **F 2**
Rueil-Malmaison *(92)* 51 **E 1**
Ruelisheim *(68)* 78 **D 4**
Ruelle-sur-Touvre *(16)* 128 **C 4**
Les Ruelles *(78)* 50 **B 2**
Les Rues-des-Vignes *(59)* 8 **D 5**
Ruesnes *(59)* 9 **F 3**
Rueyres *(46)* 159 **E 2**
Ruffec *(16)* 128 **C 1**
Ruffec *(36)* 103 **G 5**
Ruffey-le-Château *(25)* 94 **C 4**
Ruffey-lès-Beaune *(21)* 109 **F 2**
Ruffey-lès-Echirey *(21)* 93 **G 4**
Ruffey-sur-Seille *(39)* 110 **A 4**
Ruffiac *(47)* 156 **A 5**
Ruffiac *(56)* 64 **B 4**
Ruffieu *(01)* 137 **G 1**
Ruffieux *(73)* 137 **H 2**
Ruffigné *(44)* 65 **G 5**
Ruffosses *(50)* 22 **D 3**
Rugles *(27)* 48 **D 1**
Rugney *(88)* 57 **E 5**
Rugny *(89)* 74 **A 4**
Ruhans *(70)* 95 **E 3**
Ruillé-en-Champagne *(72)* 67 **G 3**
Ruillé-Froid-Fonds *(53)* 66 **D 4**
Ruillé-le-Gravelais *(53)* 66 **B 2**
Ruillé-sur-Loir *(72)* 68 **D 5**
Ruisseauville *(62)* 7 **F 1**
Ruitz *(62)* 7 **H 2**
Rulhe *(12)* 159 **H 4**
Rullac-St-Cirq *(12)* 175 **F 3**
Rully *(14)* 46 **D 1**
Rully *(60)* 31 **H 2**
Rully *(71)* 109 **E 3**
Rumaisnil *(80)* 15 **E 2**
Rumaucourt *(62)* 8 **C 4**
Rumegies *(59)* 5 **E 5**
Rumengol *(29)* 41 **G 5**
Rumersheim-le-Haut *(68)* 79 **E 4**
Rumesnil *(14)* 27 **H 3**
Rumigny *(08)* 18 **B 2**
Rumigny *(80)* 15 **F 2**
Rumilly *(62)* 7 **E 1**
Rumilly *(74)* 137 **H 2**
Rumilly-en-Cambrésis *(59)* 8 **D 5**
Rumilly-lès-Vaudes *(10)* 74 **A 2**
Ruminghem *(62)* 3 **E 3**
Rumont *(55)* 55 **G 1**
Rumont *(77)* 71 **G 1**
Runan *(22)* 43 **E 3**
Rungis *(94)* 51 **F 2**
Ruoms *(07)* 163 **E 5**
Rupéreux *(77)* 52 **D 3**
Ruppes *(88)* 56 **B 4**
Rupt *(52)* 55 **G 4**
Rupt-aux-Nonains *(55)* 55 **F 2**
Rupt-devant-St-Mihiel *(55)* 35 **H 5**
Rupt-en-Woëvre *(55)* 35 **H 4**
Rupt-sur-Moselle *(88)* 77 **H 3**
Rupt-sur-Othain *(55)* 20 **A 3**
Rupt-sur-Saône *(70)* 94 **D 1**
Rurange-lès-Thionville *(57)* 21 **E 4**
Rurey *(25)* 110 **D 1**
Rusio *(2B)* 217 **F 1**
Russ *(67)* 58 **C 3**
Russange *(57)* 20 **C 2**
Le Russey *(25)* 96 **C 5**
Russy *(14)* 23 **H 5**
Russy-Bémont *(60)* 32 **B 2**
Rustenhart *(68)* 79 **E 3**
Rustiques *(11)* 208 **C 1**
Rustrel *(84)* 180 **B 4**
Rustroff *(57)* 21 **F 3**
Rutali *(2B)* 215 **F 4**
Ruvigny *(10)* 74 **A 1**
Ruy *(38)* 137 **E 4**
Ruyaulcourt *(62)* 8 **C 5**
Ruynes-en-Margeride *(15)* 147 **F 5**
Ry *(76)* 14 **A 5**
Rye *(39)* 110 **A 3**
Ryes *(14)* 27 **E 1**

S

S-Pierre-d'Albigny *(73)* 138 **B 4**
Saâcy-sur-Marne *(77)* 32 **C 5**
Saales *(67)* 58 **B 4**
Saâne-St-Just *(76)* 13 **F 3**
Saasenheim *(67)* 59 **E 5**
Sabadel-Latronquière *(46)* 159 **F 2**
Sabadel-Lauzès *(46)* 158 **C 4**
Sabaillan *(32)* 188 **B 4**
Sabalos *(65)* 187 **F 5**
Sabarat *(09)* 206 **D 2**
Sabarros *(65)* 187 **H 5**
Sabazan *(32)* 187 **E 1**
Sablé-sur-Sarthe *(72)* 67 **F 5**
Le Sableau *(85)* 113 **F 2**
Sables *(72)* 68 **B 2**
Les Sables-d'Olonne SP *(85)* 112 **A 1**
Sables-d'Or-les-Pins *(22)* 44 **B 2**
Sablet *(84)* 179 **G 2**
Sablières *(07)* 162 **C 4**
Sablonceaux *(17)* 126 **D 3**
Sablonnières *(38)* 137 **E 3**
Sablonnières *(77)* 52 **D 1**
Sablons *(33)* 141 **H 4**
Sablons *(38)* 149 **G 2**
Sablons-sur-Huisne *(61)* 49 **E 5**
Sabonnères *(31)* 188 **D 3**
La Sabotterie *(08)* 18 **D 4**
Sabran *(30)* 178 **D 2**
Sabres *(40)* 169 **G 2**
Saccourvielle *(31)* 205 **F 4**
Sacé *(53)* 66 **D 1**
Sacey *(50)* 45 **G 3**
Saché *(37)* 86 **C 5**
Sachin *(62)* 7 **G 1**
Sachy *(08)* 19 **G 3**
Sacierges-St-Martin *(36)* 117 **E 2**
Saclas *(91)* 51 **E 5**
Saclay *(91)* 51 **E 2**
Saconin-et-Breuil *(02)* 32 **C 1**
Sacoué *(65)* 205 **F 3**
Le Sacq *(27)* 29 **F 5**
Sacquenay *(21)* 93 **H 2**
Sacquenville *(27)* 29 **F 4**
Sacy *(51)* 33 **G 3**
Sacy *(89)* 91 **G 1**
Sacy-le-Grand *(60)* 31 **G 1**
Sacy-le-Petit *(60)* 31 **H 1**
Sadeillan *(32)* 187 **G 4**
Sadillac *(24)* 156 **D 2**
Sadirac *(33)* 155 **G 2**
Sadournin *(65)* 187 **G 5**
Sadroc *(19)* 144 **C 2**
Saessolsheim *(67)* 58 **D 1**
Saffais *(54)* 57 **E 3**
Saffloz *(39)* 110 **C 5**
Saffré *(44)* 83 **F 2**
Saffres *(21)* 92 **C 4**
Sagelat *(24)* 157 **H 2**
Sagnat *(23)* 117 **F 3**
La Sagne *(06)* 182 **B 4**
Sagnes-et-Goudoulet *(07)* 162 **D 2**
Sagone *(2A)* 216 **B 4**
Sagonne *(18)* 106 **A 4**
Sagriès *(30)* 178 **C 4**
Sagy *(71)* 109 **H 5**
Sagy *(95)* 30 **D 4**
Sahorre *(66)* 212 **B 4**
Sahune *(26)* 165 **E 5**
Sahurs *(76)* 29 **F 1**
Sai *(61)* 47 **H 2**
Saignes *(15)* 146 **A 2**
Saignes *(46)* 159 **E 2**
Saigneville *(80)* 6 **C 4**
Saignon *(84)* 180 **B 5**
Saiguède *(31)* 188 **D 3**
Sail-les-Bains *(42)* 120 **D 4**
Sail-sous-Couzan *(42)* 134 **C 3**
Sailhan *(65)* 205 **E 4**
Saillac *(19)* 144 **D 5**
Saillac *(46)* 174 **B 1**
Saillagouse *(66)* 211 **H 4**
Saillans *(26)* 164 **D 2**
Saillans *(33)* 141 **G 5**
Le Saillant *(19)* 144 **B 2**
Saillant *(63)* 148 **B 1**
Saillat-sur-Vienne *(87)* 129 **G 2**
Saillé *(44)* 82 **A 4**
Saillenard *(71)* 109 **H 5**
Sailly *(08)* 19 **G 4**
Sailly *(52)* 55 **G 4**
Sailly *(71)* 122 **A 1**
Sailly *(78)* 30 **C 4**
Sailly-Achâtel *(57)* 37 **E 4**
Sailly-au-Bois *(62)* 7 **H 5**
Sailly-en-Ostrevent *(62)* 8 **C 3**
Sailly-Flibeaucourt *(80)* 6 **D 4**
Sailly-Labourse *(62)* 4 **A 5**
Sailly-Laurette *(80)* 15 **H 1**
Sailly-le-Sec *(80)* 15 **H 1**
Sailly-lez-Cambrai *(59)* 8 **D 4**
Sailly-lez-Lannoy *(59)* 4 **D 3**
Sailly-Saillisel *(80)* 8 **B 5**
Sailly-sur-la-Lys *(62)* 3 **H 5**
Sain-Bel *(69)* 135 **G 3**
Saincaize-Meauce *(58)* 106 **B 3**
Sainghin-en-Mélantois *(59)* 4 **D 4**
Sainghin-en-Weppes *(59)* 4 **B 4**
Sainneville *(76)* 12 **B 4**
Sainpuits *(89)* 90 **C 3**
Sains *(35)* 45 **G 3**
Sains-du-Nord *(59)* 9 **H 5**
Sains-en-Amiénois *(80)* 15 **F 2**
Sains-en-Gohelle *(62)* 4 **A 5**
Sains-lès-Fressin *(62)* 7 **E 2**
Sains-lès-Marquion *(62)* 8 **C 4**
Sains-lès-Pernes *(62)* 7 **G 1**
Sains-Morainvillers *(60)* 15 **G 4**
Sains-Richaumont *(02)* 17 **F 2**
Le Saint *(56)* 62 **C 3**
St-Aaron *(22)* 44 **A 3**
St-Abit *(64)* 204 **A 1**
St-Abraham *(56)* 64 **A 4**
St-Acheul *(80)* 7 **F 4**
St-Adjutory *(16)* 128 **D 3**
St-Adrien *(22)* 43 **E 4**
St-Affrique *(12)* 176 **A 4**
St-Affrique-les-Montagnes *(81)* 190 **C 3**
St-Agathon *(22)* 43 **F 4**
St-Agil *(41)* 69 **E 3**
St-Agnan *(02)* 33 **E 4**
St-Agnan *(58)* 92 **A 4**
St-Agnan *(71)* 120 **D 2**
St-Agnan *(81)* 189 **H 2**
St-Agnan *(89)* 72 **B 1**
St-Agnan-de-Cernières *(27)* 28 **C 5**
St-Agnan-en-Vercors *(26)* 151 **F 5**
St-Agnan-le-Malherbe *(14)* 27 **E 4**
St-Agnan-sur-Erre *(61)* 48 **D 5**
St-Agnan-sur-Sarthe *(61)* 48 **C 3**
St-Agnant *(17)* 126 **C 2**
St-Agnant-de-Versillat *(23)* 117 **F 4**
St-Agnant-près-Crocq *(23)* 131 **H 3**
St-Agnant-sous-les-Côtes *(55)* 56 **A 1**
St-Agne *(24)* 157 **E 1**
St-Agnet *(40)* 186 **C 2**
St-Agnin-sur-Bion *(38)* 136 **D 5**
St-Agoulin *(63)* 133 **F 1**
St-Agrève *(07)* 149 **E 5**
St-Aignan *(08)* 19 **E 4**
St-Aignan *(33)* 141 **G 5**
St-Aignan *(41)* 87 **H 5**
St-Aignan *(56)* 63 **F 2**
St-Aignan *(72)* 68 **B 1**
St-Aignan *(82)* 173 **E 4**
St-Aignan-de-Couptrain *(53)* 47 **F 4**
St-Aignan-de-Cramesnil *(14)* 27 **G 4**
St-Aignan-des-Gués *(45)* 71 **F 5**
St-Aignan-des-Noyers *(18)* 106 **A 4**
St-Aignan-Grandlieu *(44)* 99 **F 1**
St-Aignan-le-Jaillard *(45)* 89 **G 1**
St-Aignan-sur-Roë *(53)* 66 **A 4**
St-Aignan-sur-Ry *(76)* 14 **A 5**
St-Aigny *(36)* 103 **F 5**
St-Aigulin *(17)* 142 **A 3**
St-Ail *(54)* 20 **D 5**
St-Albain *(71)* 122 **C 2**
St-Alban *(01)* 123 **F 5**
St-Alban *(22)* 44 **A 3**
St-Alban *(31)* 189 **F 2**
St-Alban-Auriolles *(07)* 163 **E 5**
St-Alban-d'Ay *(07)* 149 **G 3**
St-Alban-de-Montbel *(73)* 137 **H 5**
St-Alban-de-Roche *(38)* 136 **D 4**
St-Alban-des-Villards *(73)* 152 **C 2**
St-Alban-d'Hurtières *(73)* 138 **C 5**
St-Alban-du-Rhône *(38)* 149 **G 1**
St-Alban-en-Montagne *(07)* 162 **B 3**
St-Alban-les-Eaux *(42)* 134 **C 1**
St-Alban-Leysse *(73)* 138 **A 4**
St-Alban-sur-Limagnole *(48)* 161 **G 2**
St-Albin-de-Vaulserre *(38)* 137 **G 5**
St-Alby *(81)* 190 **D 3**
St-Alexandre *(30)* 178 **D 2**
St-Algis *(02)* 17 **G 1**
St-Allouestre *(56)* 63 **G 5**
St-Alpinien *(23)* 131 **G 1**
St-Alyre-d'Arlanc *(63)* 147 **H 2**
St-Alyre-ès-Montagne *(63)* 146 **D 2**
St-Amadou *(09)* 207 **F 2**
St-Amancet *(81)* 190 **C 4**
St-Amand *(23)* 131 **G 1**
St-Amand *(50)* 25 **G 4**
St-Amand *(62)* 7 **H 4**
St-Amand-de-Belvès *(24)* 157 **H 2**
St-Amand-de-Coly *(24)* 144 **A 4**
St-Amand-de-Vergt *(24)* 143 **F 5**
St-Amand-des-Hautes-Terres *(27)* 29 **F 2**
St-Amand-en-Puisaye *(58)* 90 **B 3**
St-Amand-Jartoudeix *(23)* 130 **D 2**
St-Amand-le-Petit *(87)* 130 **D 3**
St-Amand-les-Eaux *(59)* 5 **E 5**
St-Amand-Longpré *(41)* 87 **F 1**
St-Amand-Magnazeix *(87)* 117 **E 5**
St-Amand-Montrond SP *(18)* 105 **G 5**
St-Amand-sur-Fion *(51)* 54 **C 1**
St-Amand-sur-Ornain *(55)* 55 **H 3**
St-Amand-sur-Sèvre *(79)* 100 **C 3**
St-Amandin *(15)* 146 **B 2**
St-Amans *(09)* 207 **E 1**
St-Amans *(11)* 207 **G 1**
St-Amans *(48)* 161 **G 3**
St-Amans-de-Pellagal *(82)* 173 **F 2**
St-Amans-des-Cots *(12)* 160 **B 3**
St-Amans-du-Pech *(82)* 172 **D 1**
St-Amans-Soult *(81)* 191 **E 3**
St-Amans-Valtoret *(81)* 191 **E 3**
St-Amant-de-Boixe *(16)* 128 **B 3**
St-Amant-de-Bonnieure *(16)* 128 **C 2**
St-Amant-de-Montmoreau *(16)* 142 **B 1**
St-Amant-de-Nouère *(16)* 128 **A 3**
St-Amant-Roche-Savine *(63)* 134 **A 5**
St-Amant-Tallende *(63)* 133 **F 4**
St-Amarin *(68)* 78 **B 4**
St-Ambreuil *(71)* 109 **E 5**
St-Ambroix *(18)* 105 **E 3**
St-Ambroix *(30)* 178 **A 1**
St-Amé *(88)* 77 **H 2**
St-Amour *(39)* 123 **E 2**
St-Amour-Bellevue *(71)* 122 **B 4**
St-Anastaise *(63)* 146 **D 1**
St-Andelain *(58)* 90 **B 5**
St-Andéol *(26)* 165 **E 1**
St-Andéol *(38)* 151 **F 5**
St-Andéol-de-Berg *(07)* 163 **F 4**
St-Andéol-de-Clerguemort *(48)* 177 **H 1**
St-Andéol-de-Fourchades *(07)* 162 **D 1**
St-Andéol-de-Vals *(07)* 163 **E 3**
St-Andéol-le-Château *(69)* 135 **H 5**
St-Andeux *(21)* 92 **A 4**
St-Andiol *(13)* 179 **F 5**
St-André *(16)* 127 **G 3**
St-André *(31)* 188 **B 5**
St-André *(32)* 188 **B 3**
St-André *(59)* 4 **C 3**
St-André *(66)* 213 **F 3**
St-André *(73)* 153 **E 2**
St-André *(81)* 175 **F 4**
St-André-Capcèze *(48)* 162 **B 5**
St-André-d'Allas *(24)* 158 **A 1**
St-André-d'Apchon *(42)* 134 **C 1**
St-André-de-Bâgé *(01)* 122 **C 3**
St-André-de-Boëge *(74)* 124 **D 4**
St-André-de-Bohon *(50)* 25 **E 2**
St-André-de-Briouze *(61)* 47 **F 2**
St-André-de-Buèges *(34)* 177 **F 5**
St-André-de-Chalencon *(43)* 148 **B 2**
St-André-de-Corcy *(01)* 136 **B 1**
St-André-de-Cruzières *(07)* 178 **B 1**
St-André-de-Cubzac *(33)* 141 **F 5**
St-André-de-Double *(24)* 142 **C 4**
St-André-de-la-Marche *(49)* 100 **B 1**
St-André-de-la-Roche *(06)* 183 **F 5**
St-André-de-Lancize *(48)* 177 **G 1**
St-André-de-l'Épine *(50)* 25 **G 3**
St-André-de-l'Eure *(27)* 29 **H 5**
St-André-de-Lidon *(17)* 127 **E 4**
St-André-de-Majencoules *(30)* 177 **F 4**
St-André-de-Messei *(61)* 47 **E 2**
St-André-de-Najac *(12)* 174 **D 2**
St-André-de-Roquelongue *(11)* 209 **E 2**
St-André-de-Roquepertuis *(30)* 178 **C 2**
St-André-de-Rosans *(05)* 165 **G 5**
St-André-de-Sangonis *(34)* 192 **D 2**
St-André-de-Seignanx *(40)* 184 **D 2**
St-André-de-Valborgne *(30)* 177 **F 2**
St-André-de-Vézines *(12)* 176 **C 2**
St-André-d'Embrun *(05)* 167 **E 3**
St-André-des-Eaux *(22)* 44 **D 4**
St-André-des-Eaux *(44)* 82 **B 4**
St-André-d'Hébertot *(14)* 28 **B 2**
St-André-d'Huiriat *(01)* 122 **C 4**
St-André-d'Olérargues *(30)* 178 **C 2**
St-André-d'Ornay *(85)* 99 **G 5**
St-André-du-Bois *(33)* 155 **H 3**
St-André-en-Barrois *(55)* 35 **G 4**
St-André-en-Bresse *(71)* 109 **G 5**
St-André-en-Morvan *(58)* 91 **G 4**
St-André-en-Royans *(38)* 151 **E 4**
St-André-en-Terre-Plaine *(89)* 91 **H 3**
St-André-en-Vivarais *(07)* 149 **E 4**
St-André-et-Appelles *(33)* 156 **B 1**
St-André-Farivillers *(60)* 15 **F 4**
St-André-Goule-d'Oie *(85)* 99 **H 3**
St-André-la-Côte *(69)* 135 **G 4**
St-André-Lachamp *(07)* 162 **D 4**
St-André-le-Bouchoux *(01)* 122 **D 5**
St-André-le-Coq *(63)* 133 **G 1**
St-André-le-Désert *(71)* 121 **H 2**
St-André-le-Gaz *(38)* 137 **F 5**
St-André-le-Puy *(42)* 135 **E 4**
St-André-les-Alpes *(04)* 181 **H 3**
St-André-les-Vergers *(10)* 73 **H 1**
St-André-sur-Cailly *(76)* 13 **H 5**
St-André-sur-Orne *(14)* 27 **F 3**
St-André-sur-Sèvre *(79)* 100 **C 4**
St-André-sur-Vieux-Jonc *(01)* 122 **D 4**
St-André-Treize-Voies *(85)* 99 **G 2**
St-Androny *(33)* 141 **E 3**
St-Ange-et-Torçay *(28)* 49 **G 3**
St-Ange-le-Viel *(77)* 72 **A 1**
St-Angeau *(16)* 128 **C 2**
St-Angel *(03)* 119 **E 3**
St-Angel *(19)* 145 **G 1**
St-Angel *(63)* 133 **E 1**
St-Anthème *(63)* 134 **C 5**
St-Anthot *(21)* 92 **D 4**
St-Antoine *(05)* 152 **D 5**
St-Antoine *(13)* 195 **H 4**
St-Antoine *(15)* 159 **H 2**
St-Antoine *(25)* 111 **F 4**
St-Antoine *(29)* 42 **A 3**
St-Antoine *(32)* 172 **D 3**
St-Antoine *(33)* 141 **G 5**
St-Antoine-Cumond *(24)* 142 **B 3**
St-Antoine-d'Auberoche *(24)* 143 **G 4**
St-Antoine-de-Breuilh *(24)* 156 **B 1**
St-Antoine-de-Ficalba *(47)* 172 **C 1**
St-Antoine-du-Queyret *(33)* 156 **A 2**
St-Antoine-du-Rocher *(37)* 86 **D 3**
St-Antoine-la-Forêt *(76)* 12 **C 5**
St-Antoine-l'Abbaye *(38)* 150 **D 3**
St-Antoine-sur-l'Isle *(33)* 142 **A 5**
St-Antonin *(06)* 182 **D 4**
St-Antonin *(32)* 188 **B 1**
St-Antonin-de-Lacalm *(81)* 190 **D 1**
St-Antonin-de-Sommaire *(27)* 48 **D 1**
St-Antonin-du-Var *(83)* 197 **F 2**
St-Antonin-Noble-Val *(82)* 174 **B 2**
St-Antonin-sur-Bayon *(13)* 196 **A 3**
St-Aoustrille *(36)* 104 **C 3**
St-Août *(36)* 104 **D 5**
St-Apollinaire *(05)* 166 **D 3**
St-Apollinaire *(21)* 93 **G 4**
St-Apollinaire-de-Rias *(07)* 149 **F 5**
St-Appolinaire *(69)* 135 **F 1**
St-Appolinard *(38)* 150 **D 3**
St-Appolinard *(42)* 149 **G 2**
St-Aquilin *(24)* 142 **D 3**
St-Aquilin-d'Augerons *(27)* 28 **C 5**
St-Aquilin-de-Corbion *(61)* 48 **C 3**
St-Aquilin-de-Pacy *(27)* 29 **H 4**
St-Araille *(31)* 188 **C 4**
St-Arailles *(32)* 187 **G 2**
St-Arcons-d'Allier *(43)* 147 **H 4**
St-Arcons-de-Barges *(43)* 162 **B 1**
St-Arey *(38)* 165 **H 1**
St-Armel *(35)* 65 **F 3**
St-Armel *(56)* 81 **G 3**
St-Armou *(64)* 186 **C 4**
St-Arnac *(66)* 208 **C 5**
St-Arnoult *(14)* 28 **A 1**
St-Arnoult *(41)* 87 **E 1**
St-Arnoult *(60)* 14 **C 4**
St-Arnoult *(76)* 13 **E 5**
St-Arnoult-des-Bois *(28)* 49 **H 4**
St-Arnoult-en-Yvelines *(78)* 50 **C 3**
St-Arroman *(32)* 187 **H 4**
St-Arroman *(65)* 205 **E 2**
St-Arroumex *(82)* 173 **E 4**
St-Astier *(24)* 143 **E 4**
St-Astier *(47)* 156 **C 2**
St-Auban *(04)* 181 **E 3**
St-Auban *(06)* 182 **B 4**
St-Auban-d'Oze *(05)* 166 **A 4**
St-Auban-sur-l'Ouvèze *(26)* 180 **A 1**
St-Aubert *(59)* 9 **E 4**
St-Aubert-sur-Orne *(61)* 47 **F 1**
St-Aubin *(02)* 16 **C 5**
St-Aubin *(10)* 53 **E 4**
St-Aubin *(21)* 108 **D 2**
St-Aubin *(27)* 29 **G 4**
St-Aubin *(36)* 104 **D 4**
St-Aubin *(39)* 109 **H 2**
St-Aubin *(40)* 185 **H 1**
St-Aubin *(47)* 157 **G 5**
St-Aubin *(59)* 9 **H 4**
St-Aubin *(62)* 6 **C 2**
St-Aubin *(91)* 51 **E 2**
St-Aubin-Celloville *(76)* 29 **G 1**
St-Aubin-Château-Neuf *(89)* 72 **D 5**

A B C D E F G H I J K L M N O P Q R S T U V W X Y Z

Localité *(Département)*   Page   Coordonnées

A B C D E F G H I J K L M N O P Q R S T U V W X Y Z

St-Aubin-d'Appenai (61).....48 B 3
St-Aubin-d'Arquenay (14).....27 G 2
St-Aubin-d'Aubigné (35).....45 F 5
St-Aubin-de-Baubigné (79).. 100 C 2
St-Aubin-de-Blaye (33).....141 F 2
St-Aubin-de-Bonneval (61)....28 B 5
St-Aubin-de-Branne (33).....155 H 1
St-Aubin-de-Cadelech (24) .. 156 D 3
St-Aubin-de-Courteraie (61)..48 C 3
St-Aubin-de-Crétot (76).....12 D 4
St-Aubin-de-Lanquais (24)....157 E 2
St-Aubin-de-Locquenay (72)..67 H 1
St-Aubin-de-Luigné (49).....84 D 4
St-Aubin-de-Médoc (33).....141 E 5
St-Aubin-de-Nabirat (24) .. 158 A 2
St-Aubin-de-Scellon (27).....28 C 3
St-Aubin-de-Terregatte (50)...45 H 3
St-Aubin-d'Écrosville (27).....29 F 3
St-Aubin-des-Bois (14).....46 A 1
St-Aubin-des-Bois (28).....49 H 4
St-Aubin-des-Châteaux (44)...65 G 5
St-Aubin-des-Chaumes (58)...91 F 4
St-Aubin-des-Coudrais (72)...68 C 2
St-Aubin-des-Grois (61).....48 D 5
St-Aubin-des-Hayes (27).....28 D 4
St-Aubin-des-Landes (35).....65 H 2
St-Aubin-des-Ormeaux (85).. 100 A 2
St-Aubin-des-Préaux (50).....45 G 1
St-Aubin-du-Cormier (35).....65 H 1
St-Aubin-du-Désert (53).....47 G 5
St-Aubin-du-Pavail (35).....65 G 2
St-Aubin-du-Perron (50).....25 E 3
St-Aubin-du-Plain (79).....101 E 3
St-Aubin-du-Thenney (27).....28 C 4
St-Aubin-en-Bray (60).....30 C 1
St-Aubin-en-Charollais (71)..121 F 2
St-Aubin-Épinay (76).....29 G 1
St-Aubin-Fosse-Louvain (53)..46 C 4
St-Aubin-la-Plaine (85).....113 F 1
St-Aubin-le-Cauf (76).....13 H 2
St-Aubin-le-Cloud (79).....101 E 5
St-Aubin-le-Dépeint (37).....86 B 1
St-Aubin-le-Guichard (27).....28 D 4
St-Aubin-le-Monial (03).....119 G 1
St-Aubin-le-Vertueux (27).....28 D 4
St-Aubin-lès-Elbeuf (76).....29 F 1
St-Aubin-les-Forges (58).....106 C 1
St-Aubin-Montenoy (80).....14 D 2
St-Aubin-Rivière (80).....14 C 2
St-Aubin-Routot (76).....12 C 5
St-Aubin-sous-Erquery (60)...31 G 1
St-Aubin-sur-Aire (55).....55 H 2
St-Aubin-sur-Gaillon (27).....29 H 3
St-Aubin-sur-Loire (71).....120 C 1
St-Aubin-sur-Mer (14).....27 F 1
St-Aubin-sur-Mer (76).....13 F 2
St-Aubin-sur-Quillebeuf (27)..12 D 5
St-Aubin-sur-Scie (76).....13 G 2
St-Aubin-sur-Yonne (89).....72 D 3
St-Augustin (03) .....106 B 4
St-Augustin (17) .....126 B 3
St-Augustin (19) .....145 E 1
St-Augustin (77).....52 B 1
St-Augustin-des-Bois (49)....84 C 3
St-Aulaire (19) .....144 B 3
St-Aulais-la-Chapelle (16)....142 A 1
St-Aulaye-Puymangou (24)..142 B 3
St-Aunès (34) .....193 G 2
St-Aunix-Lengros (32).....187 E 2
St-Aupre (38) .....151 G 1
St-Austremoine (43).....147 G 4
St-Auvent (87) .....129 G 3
St-Avaugourd-
  des-Landes (85).....112 C 1
St-Avé (56).....81 G 2
St-Aventin (31) .....205 F 4
St-Avertin (37) .....86 D 4
St-Avit (16).....142 B 3
St-Avit (26) .....150 B 3
St-Avit (40) .....170 C 4
St-Avit (41).....69 E 3
St-Avit (47).....156 B 4
St-Avit (63) .....132 B 2
St-Avit (81).....190 C 3
St-Avit-de-Soulège (33).....156 B 1
St-Avit-de-Tardes (23).....131 H 2
St-Avit-de-Vialard (24) .....143 G 5
St-Avit-Frandat (47).....172 C 4
St-Avit-le-Pauvre (23).....131 F 1
St-Avit-les-Guespières (28)...69 G 1
St-Avit-Rivière (24).....157 G 2
St-Avit-Sénieur (24).....157 F 2
St-Avit-St-Nazaire (33) .....156 C 1
St-Avold (57).....21 H 5
St-Avre (73).....152 C 1
St-Ay (45).....70 B 5
St-Aybert (59).....5 F 5
St-Aygulf (83).....198 C 4
St-Babel (63).....133 G 5
St-Baldoph (73).....138 A 5
St-Bandry (02).....32 C 1
St-Baraing (39).....110 A 2
St-Barbant (87).....116 B 5
St-Bard (23).....131 H 2
St-Bardoux (26).....150 C 4
St-Barnabé (13).....195 H 5
St-Barnabé (22).....63 H 3
St-Barthélemy (38).....150 C 2

St-Barthélemy (40).....184 D 3
St-Barthélemy (50).....46 B 2
St-Barthélemy (56).....63 F 4
St-Barthélemy (70).....77 H 5
St-Barthélemy (77).....52 D 1
St-Barthélemy-
  d'Agenais (47).....156 C 4
St-Barthélemy-d'Anjou (49)...85 E 3
St-Barthélemy-
  de-Bellegarde (24).....142 C 4
St-Barthélemy-
  de-Bussière (24).....129 F 4
St-Barthélemy-
  de-Séchilienne (38).....151 H 4
St-Barthélemy-de-Vals (26)...149 H 3
St-Barthélemy-Grozon (07)..149 G 5
St-Barthélemy-le-Meil (07)..163 F 1
St-Barthélemy-le-Plain (07)..149 G 4
St-Barthélemy-Lestra (42)..135 E 3
St-Basile (07).....149 F 5
St-Baslemont (88).....76 D 2
St-Baudel (18).....105 E 4
St-Baudelle (53).....66 D 1
St-Baudille-de-la-Tour (38)..137 E 3
St-Baudille-et-Pipet (38).....165 H 1
St-Bauld (37).....103 E 1
St-Baussant (54).....36 B 5
St-Bauzeil (09).....207 E 2
St-Bauzély (30).....178 B 4
St-Bauzile (07).....163 G 3
St-Bauzile (48).....161 G 5
St-Bauzille-
  de-Montmel (34).....193 G 1
St-Bauzille-de-Putois (34)..177 G 5
St-Bazile (87).....129 G 3
St-Bazile-de-la-Roche (19)..145 F 4
St-Bazile-de-Meyssac (19)..144 D 5
St-Béat (31).....205 G 3
St-Beaulize (12).....176 B 5
St-Beauzeil (82).....172 D 1
St-Beauzély (12).....176 A 2
St-Beauzire (43).....147 F 3
St-Beauzire (63).....133 F 2
St-Bénézet (30).....194 B 1
St-Bénézet (30).....178 A 4
St-Bénigne (01).....122 C 2
St-Benin (59).....9 F 5
St-Benin-d'Azy (58).....106 D 2
St-Benin-des-Bois (58).....106 D 1
St-Benoist-sur-Mer (85).....112 C 2
St-Benoist-sur-Vanne (10)...73 F 1
St-Benoît (04).....182 B 3
St-Benoît (11).....207 H 3
St-Benoît (28).....69 F 2
St-Benoît (38).....136 B 5
St-Benoît (86).....115 F 1
St-Benoît-de-Carmaux (81)..174 D 3
St-Benoît-des-Ombres (27)...28 D 2
St-Benoît-des-Ondes (35).....45 E 4
St-Benoît-d'Hébertot (14)....28 B 2
St-Benoît-du-Sault (36).....117 E 2
St-Benoît-en-Diois (26) .....165 E 3
St-Benoît-en-Woëvre (55).....36 B 4
St-Benoît-la-Chipotte (88)...57 H 4
St-Benoît-la-Forêt (37).....86 B 5
St-Benoît-sur-Loire (45).....71 F 5
St-Benoît-sur-Seine (10).....53 H 5
St-Bérain (43).....147 H 5
St-Berain-
  sous-Sanvignes (71).....108 B 5
St-Bérain-sur-Dheune (71)..108 D 4
St-Bernard (01).....135 H 1
St-Bernard (21).....109 F 1
St-Bernard (38).....151 H 2
St-Bernard (57).....21 F 4
Saint-Bernard (68).....78 C 5
St-Béron (73).....137 G 5
St-Berthevin (53).....66 C 2
St-Berthevin-la-Tannière (53)..46 B 4
St-Bertrand-
  de-Comminges (31) .....205 F 2
St-Biez-en-Belin (72).....68 A 5
St-Bihy (22).....43 F 5
St-Blaise (06).....183 F 4
St-Blaise (74).....124 B 5
St-Blaise-du-Buis (38).....151 F 1
St-Blaise-la-Roche (67).....58 C 4
St-Blancard (32).....188 A 5
St-Blimont (80).....6 B 5
St-Blin (52).....75 H 1
St-Boès (64).....185 H 3
St-Bohaire (41).....87 G 1
St-Boil (71).....108 D 5
St-Boingt (54).....57 F 4
St-Bois (01).....137 G 3
St-Bomer (28).....69 E 2
St-Bômer-les-Forges (61).....46 D 2
St-Bon (51).....53 E 2
St-Bon-Tarentaise (73).....139 E 5
St-Bonnet (16).....128 A 5
St-Bonnet -le-Bourg (63).....147 H 1
St-Bonnet-Avalouze (19)..145 E 3
St-Bonnet-Briance (87).....130 C 4
St-Bonnet-de-Bellac (87)..116 B 5
St-Bonnet-de-Chavagne (38)..150 D 4
St-Bonnet-de-Chirac (48)..161 F 4
St-Bonnet-de-Condat (15)...146 C 2
St-Bonnet-de-Cray (71).....121 F 4
St-Bonnet-de-Four (03).....119 F 3
St-Bonnet-de-Joux (71).....121 H 2

St-Bonnet-
  de-Montauroux (48).....162 A 2
St-Bonnet-de-Mure (69).....136 C 4
St-Bonnet-de-Rochefort (03)..119 H 5
St-Bonnet-
  de-Salendrinque (30).....177 G 3
St-Bonnet-de-Salers (15).....153 E 5
St-Bonnet-de-Valclérieux (26) 150 D 3
St-Bonnet-
  de-Vieille-Vigne (71).....121 G 1
St-Bonnet-des-Bruyères (69)..121 H 4
St-Bonnet-des-Quarts (42)...120 D 5
St-Bonnet-du-Gard (30).....178 D 4
St-Bonnet-Elvert (19).....145 E 4
St-Bonnet-en-Bresse (71).....109 G 3
St-Bonnet-
  en-Champsaur (05).....166 B 2
St-Bonnet-la-Rivière (19)..144 B 2
St-Bonnet-le-Chastel (63)..147 H 1
St-Bonnet-le-Château (42)..148 C 1
St-Bonnet-le-Courreau (42)..134 C 4
St-Bonnet-le-Froid (43).....149 E 4
St-Bonnet-le-Troncy (69)..121 H 5
St-Bonnet-l'Enfantier (19)..144 C 2
St-Bonnet-lès-Allier (63)..133 G 3
St-Bonnet-les-Oules (42)..135 E 5
St-Bonnet-
  les-Tours-de-Merle (19)..145 F 4
St-Bonnet-près-Bort (19)..132 A 5
St-Bonnet-près-Orcival (63)..132 D 4
St-Bonnet-près-Riom (63)..133 F 2
St-Bonnet-sur-Gironde (17)..141 E 1
St-Bonnet-Tronçais (03)..105 H 5
St-Bonnot (58).....90 D 5
St-Bouize (18).....90 A 5
St-Brancher (89).....91 H 3
St-Branchs (37).....86 D 5
St-Brandan (22).....43 G 5
St-Brès (06).....182 C 2
St-Brès (30).....178 A 1
St-Brès (32).....188 B 1
St-Brès (34).....193 G 2
St-Bresson (30).....177 F 4
St-Bresson (70).....77 G 4
St-Bressou (46).....159 F 3
St-Brevin-les-Pins (44).....82 B 4
St-Brevin-l'Océan (44).....82 B 4
St-Briac-sur-Mer (35).....44 C 2
St-Brice (16).....127 H 4
St-Brice (33).....155 H 2
St-Brice (53).....67 E 4
St-Brice (61).....46 D 3
St-Brice (77).....52 D 3
St-Brice-Courcelles (51).....33 H 2
St-Brice-de-Landelles (50)...46 A 3
St-Brice-en-Coglès (35).....45 H 4
St-Brice-sous-Forêt (95).....31 F 5
St-Brice-sur-Rânes (61).....47 G 2
St-Brice-sur-Vienne (87).....129 G 2
St-Brieuc (22).....43 H 4
St-Brieuc-de-Mauron (56)...64 B 2
St-Brieuc-des-Iffs (35).....45 E 5
St-Bris-des-Bois (17).....127 F 3
St-Bris-le-Vineux (89).....91 F 1
St-Brisson (58).....91 A 5
St-Brisson-sur-Loire (45).....89 H 2
St-Broing (70).....94 B 3
St-Broing-les-Moines (21)...93 E 1
St-Broingt-le-Bois (52).....75 H 5
St-Broingt-les-Fosses (52)...93 H 1
St-Broladre (35).....45 F 3
St-Bueil (38).....137 G 5
St-Cado (56).....81 E 1
St-Calais (72).....68 D 4
St-Calais-du-Désert (53).....47 F 4
St-Calez-en-Saosnois (72)...48 B 5
St-Canadet (13).....195 H 2
St-Cannat (13).....195 G 2
St-Capraise (03).....119 E 1
St-Capraise (18).....105 F 3
St-Capraise (31).....189 F 1
St-Capraise (33).....188 B 2
St-Capraise (45).....157 G 3
St-Capraise-de-Blaye (33)..141 F 2
St-Capraise-de-Bordeaux (33)..155 F 2
St-Capraise-de-Lerm (47)..172 C 2
St-Capraise-de-Lalinde (24)..157 E 1
St-Capraise-d'Eymet (24)..156 D 2
St-Caradec (22).....63 G 2
St-Caradec-Trégomel (56)...62 D 3
St-Carné (22).....44 D 4
St-Carreuc (22).....43 H 5
St-Cassien (38).....157 G 3
St-Cassien (38).....151 F 1
St-Cassien (86).....101 H 3
Saint-Cassin (73).....137 H 5
St-Cast-le-Guildo (22).....44 C 2
St-Castin (64).....186 C 4
St-Célerin (72).....68 B 2
St-Céneré (52).....75 G 4
St-Céneri-le-Gérei (61).....47 H 5
St-Céols (18).....89 H 5
St-Céré (46).....159 E 1
St-Cergues (74).....124 D 3
St-Cernin (15).....146 A 4
St-Cernin (46).....159 H 5
St-Cernin-de-Labarde (24)..157 E 2
St-Cernin-de-Larche (19)..144 B 4
St-Cernin-de-l'Herm (24)..157 H 4
St-Cernin-de-Reilhac (24)..143 G 5
St-Césaire (17).....127 F 3

St-Césaire (30).....178 B 5
St-Césaire-
  de-Gauzignan (30).....178 B 3
St-Cézaire-sur-Siagne (06)..198 D 1
St-Cézert (31).....189 E 1
St-Chabrais (23).....118 B 5
St-Chaffrey (05).....153 E 5
St-Chamant (15).....146 A 4
St-Chamant (19).....145 E 4
St-Chamarand (46).....158 B 3
St-Chamas (13).....195 F 3
St-Chamassy (24).....157 G 1
St-Chamond (42).....149 F 1
St-Champ (01).....137 G 3
St-Charles (54).....20 C 2
St-Charles-de-Percy (14).....25 H 5
St-Charles-la-Forêt (53).....66 D 4
St-Chartier (36).....104 D 5
St-Chartres (86).....101 G 3
St-Chef (37).....137 E 4
St-Chels (46).....159 E 4
St-Chély-d'Apcher (48).....161 F 2
St-Chély-d'Aubrac (12).....160 D 4
St-Chéron (51).....54 C 3
St-Chéron (91).....51 E 3
St-Chéron-des-Champs (28)..50 A 3
St-Chinian (34).....191 H 4
St-Christ-Briost (80).....16 B 2
St-Christau (64).....203 G 1
St-Christaud (31).....206 B 1
St-Christaud (32).....187 G 3
St-Christo-en-Jarez (42).....135 F 5
St-Christol (07).....163 E 1
St-Christol (34).....193 G 1
St-Christol (84).....180 B 3
St-Christol-de-Rodières (30)..178 C 1
St-Christol-lès-Alès (30).....178 A 3
St-Christoly-de-Blaye (33)..141 F 3
St-Christoly-Médoc (33).....140 D 1
St-Christophe (03).....120 B 5
St-Christophe (16).....129 G 1
St-Christophe (17).....113 F 4
St-Christophe (23).....117 H 5
St-Christophe (28).....69 H 2
St-Christophe (69).....121 H 4
St-Christophe (81).....174 D 2
St-Christophe (86).....102 B 3
St-Christophe-à-Berry (02)...32 B 1
St-Christophe-d'Allier (43)..162 A 1
St-Christophe-
  de-Chaulieu (61).....46 C 1
St-Christophe-de-Double (33)..142 A 4
St-Christophe-de-Valains (35)..45 G 5
St-Christophe-
  des-Bardes (33).....155 H 1
St-Christophe-des-Bois (35)...65 H 1
St-Christophe-
  Dodinicourt (10).....54 C 4
St-Christophe-du-Bois (49) .. 100 B 2
St-Christophe-du-Foc (50)...22 C 3
St-Christophe-du-Jambet (72)..67 H 1
St-Christophe-
  du-Ligneron (85).....99 E 3
St-Christophe-du-Luat (53)...67 E 2
St-Christophe-
  en-Bazelle (36).....104 B 1
St-Christophe-
  en-Boucherie (36).....105 E 5
St-Christophe-en-Bresse (71) 109 F 4
St-Christophe-
  en-Brionnais (71).....121 F 3
St-Christophe-
  en-Champagne (72).....67 G 3
St-Christophe-et-le-Laris (26) 150 C 3
St-Christophe-
  la-Couperie (49).....83 H 5
St-Christophe-la-Grotte (73)..151 H 1
St-Christophe-
  le-Chaudry (18).....118 C 1
St-Christophe-le-Jajolet (61)..47 H 2
St-Christophe-
  les-Gorges (15).....145 H 4
St-Christophe-sur-Avre (27)...49 E 2
St-Christophe-sur-Condé (27)..28 D 2
St-Christophe-
  sur-Dolaison (43).....148 A 5
St-Christophe-
  sur-Guiers (38).....151 H 1
St-Christophe-
  sur-le-Nais (37).....86 C 2
St-Christophe-sur-Roc (79)..114 B 2
St-Christophe-Vallon (12)..159 H 5
St-Cibard (33).....142 A 5
St-Cierge-la-Serre (07).....163 G 3
St-Cierge-
  sous-le-Cheylard (07)..149 E 5
St-Ciergues (52).....75 G 4
St-Ciers-Champagne (17)..141 G 1
St-Ciers-d'Abzac (33).....141 G 4
St-Ciers-de-Canesse (33)..141 E 4
St-Ciers-sur-Bonnieure (16)..128 C 2
St-Ciers-sur-Gironde (33)..141 E 2
St-Cirgue (81).....175 F 4
St-Cirgues (43).....147 G 4
St-Cirgues (46).....159 G 2
St-Cirgues-de-Jordanne (15)..146 B 5
St-Cirgues-de-Malbert (15)..145 H 4
St-Cirgues-de-Prades (07) ... 162 D 3

St-Cirgues-
  en-Montagne (07).....162 C 2
St-Cirgues-la-Loutre (19)..145 G 4
St-Cirgues-sur-Couze (63)..133 F 2
St-Cirice (82).....172 D 3
St-Cirq (24).....157 G 1
St-Cirq (82).....174 A 3
St-Cirq-Lapopie (46).....158 D 5
St-Cirq-Madelon (46).....158 A 2
St-Cirq-Souillaguet (46)..158 B 3
St-Civran (36).....117 E 2
St-Clair (04).....181 G 5
St-Clair (46).....158 B 3
St-Clair (82).....173 E 2
St-Clair (86).....101 H 3
St-Clair-d'Arcey (27).....28 D 4
St-Clair-de-Halouze (61).....46 D 2
St-Clair-de-la-Tour (38).....137 F 5
St-Clair-du-Rhône (38).....149 G 1
St-Clair-sur-Epte (95).....30 B 3
St-Clair-sur-Galaure (38)..150 D 2
St-Clair-sur-l'Elle (50).....25 G 2
St-Clair-sur-les-Monts (76)...13 E 4
St-Clar (32).....172 C 5
St-Clar-de-Rivière (31).....189 E 4
St-Claud (16).....128 D 2
St-Claude (39).....124 A 2
St-Claude-de-Diray (41).....87 H 2
St-Clément (02).....17 H 3
St-Clément (03).....120 C 5
St-Clément (07).....148 D 5
St-Clément (15).....146 B 5
St-Clément (19).....144 D 2
St-Clément (30).....177 H 5
Saint-Clément (50).....46 C 4
St-Clément (54).....57 G 3
St-Clément (89).....72 D 1
St-Clément-à-Arnes (08).....34 A 2
St-Clément-de-la-Place (49)...84 C 2
St-Clément-de-Régnat (63)..133 G 1
St-Clément-de-Rivière (34) .. 193 F 2
St-Clément-de-Valorgue (63) 134 C 5
St-Clément-de-Vers (69).....121 H 4
St-Clément-
  des-Baleines (17).....112 C 3
St-Clément-les-Levées (85)..85 G 4
St-Clément-les-Places (69)..135 F 3
St-Clément-sur-Durance (05) 167 E 2
St-Clément-
  sur-Valsonne (69).....135 F 2
St-Clémentin (79).....100 D 2
St-Clet (22).....43 E 3
St-Cloud (92).....51 E 1
St-Cloud-en-Dunois (28).....70 A 3
St-Colomb-de-Lauzun (47) .. 156 D 3
St-Colomban (44).....99 F 2
St-Colomban-
  des-Villards (73).....152 B 2
St-Côme (33).....155 H 5
St-Côme-de-Fresné (14).....27 E 1
St-Côme-d'Olt (12).....160 C 4
St-Côme-du-Mont (50).....23 E 4
St-Côme-et-Maruéjols (30)..178 B 5
St-Congard (56).....64 B 5
St-Connan (22).....43 F 5
St-Connec (22).....63 F 2
St-Constant-
  Fournoulès (15).....159 G 3
St-Contest (14).....27 F 2
St-Corneille (72).....68 B 3
St-Cornier-des-Landes (61)..46 D 2
St-Cosme (68).....78 B 5
St-Cosme-en-Vairais (72).....68 C 1
St-Couat-d'Aude (11).....208 D 1
St-Couat-du-Razès (11).....207 H 3
St-Coulitz (29).....61 H 1
St-Coulomb (35).....45 E 2
St-Coutant (16).....128 D 1
St-Coutant (79).....114 D 4
St-Coutant-le-Grand (17)..127 E 1
St-Créac (32).....172 D 4
St-Créac (65).....204 B 2
St-Crépin (05).....167 E 2
St-Crépin (17).....127 E 1
St-Crépin (12).....191 F 1
St-Crépin-
  aux-Bois (60).....32 B 1
St-Crépin-d'Auberoche (24)..143 G 4
St-Crépin-de-Richemont (24) 143 E 1
St-Crépin-et-Carlucet (24)..144 A 5
St-Crépin-Ibouvillers (60)...30 D 2
St-Crespin (76).....13 G 3
St-Crespin-sur-Moine (49)...99 H 1
St-Cricq (32).....188 C 1
St-Cricq-Chalosse (40).....185 H 2
St-Cricq-du-Gave (40).....185 F 3
St-Cricq-Villeneuve (40).....170 D 4
St-Cybard (15).....142 B 1
St-Cybardeaux (16).....128 A 3
St-Cybranet (24).....158 A 2
St-Cyprien (19).....144 B 3
St-Cyprien (24).....157 H 1
St-Cyprien (42).....135 E 5
St-Cyprien (46).....159 G 2
St-Cyprien (66).....213 F 3
St-Cyprien-Plage (66).....213 F 3
St-Cyprien-sur-Dourdou (12)..159 H 4
St-Cyr (07).....149 G 3

St-Cyr (69).....135 H 3
St-Cyr (71).....109 F 5
St-Cyr (86).....102 B 5
St-Cyr (87).....129 G 3
St-Cyr-de-Favières (42).....134 D 1
St-Cyr-de-Salerne (27).....28 D 3
St-Cyr-de-Valorges (42).....135 E 2
St-Cyr-des-Gâts (85).....113 G 1
St-Cyr-du-Bailleul (50).....46 C 3
St-Cyr-du-Doret (17).....113 G 3
St-Cyr-du-Gault (41).....87 F 2
St-Cyr-du-Ronceray (14) .....28 B 4
St-Cyr-en-Arthies (95).....30 B 4
St-Cyr-en-Bourg (49).....85 G 5
St-Cyr-en-Pail (53).....47 G 4
St-Cyr-en-Retz (44).....98 D 1
St-Cyr-en-Talmondais (85)..112 D 2
St-Cyr-en-Val (45).....70 D 5
St-Cyr-la-Campagne (27).....29 F 2
St-Cyr-la-Lande (79).....101 G 2
St-Cyr-la-Rivière (91).....51 E 5
St-Cyr-la-Roche (19).....144 B 3
St-Cyr-la-Rosière (61).....48 D 5
St-Cyr-le-Chatoux (69).....135 G 1
St-Cyr-le-Gravelais (53).....66 B 3
St-Cyr-l'École (78).....50 D 1
St-Cyr-les-Champagnes (24) 144 A 4
St-Cyr-les-Colons (89).....91 F 1
St-Cyr-les-Vignes (42).....135 E 4
St-Cyr-Montmalin (39).....110 C 2
St-Cyr-sous-Dourdan (91)....50 D 3
St-Cyr-sur-le-Rhône (69)..136 B 5
St-Cyr-sur-Loire (37).....86 D 4
St-Cyr-sur-Menthon (01) .... 122 C 3
St-Cyr-sur-Mer (83).....200 C 3
St-Cyr-sur-Morin (77).....32 C 5
St-Cyran-du-Jambot (36).....103 E 3
St-Dalmas-de-Tende (06) .....183 H 2
St-Dalmas-le-Selvage (06)...167 G 5
St-Daunès (47).....173 F 1
St-Degan (56).....81 F 1
St-Denis (11).....190 C 5
St-Denis (30).....178 B 2
St-Denis (93).....31 F 5
St-Denis-Catus (46).....158 B 4
St-Denis-d'Aclon (76).....13 F 2
St-Denis-d'Anjou (53).....67 E 5
St-Denis-d'Augerons (27)....28 C 5
St-Denis-d'Authou (28).....49 F 5
St-Denis-de-Cabanne (42)..121 F 4
St-Denis-de-Gastines (53)...46 C 5
St-Denis-de-Jouhet (36).....117 H 1
St-Denis-de-l'Hôtel (45).....71 E 5
St-Denis-de-Mailloc (14).....28 B 4
St-Denis-de-Méré (14).....27 E 5
St-Denis-de-Palin (18).....105 G 3
St-Denis-de-Pile (33).....141 H 5
St-Denis-de-Vaux (71).....108 D 4
St-Denis-de-Villenette (61)...47 E 4
St-Denis-
  des-Coudrais (72).....68 C 2
St-Denis-des-Monts (27).....29 E 2
St-Denis-des-Murs (87).....130 C 3
St-Denis-des-Puits (28).....49 G 5
St-Denis-d'Oléron (17).....112 D 5
St-Denis-d'Orques (72).....67 F 3
St-Denis-du-Béhélan (27)....49 F 1
St-Denis-du-Maine (53).....67 E 3
St-Denis-du-Payré (85).....112 D 2
St-Denis-du-Pin (17).....127 F 1
St-Denis-
  en-Bugey (01).....137 E 1
St-Denis-en-Margeride (48)..161 G 2
St-Denis-en-Val (45).....70 D 4
St-Denis-la-Chevasse (85)....99 G 3
St-Denis-le-Ferment (27).....30 B 2
St-Denis-le-Gast (50).....25 E 5
St-Denis-le-Thiboult (76).....14 A 5
St-Denis-le-Vêtu (50).....24 D 4
St-Denis-lès-Bourg (01).....123 E 4
St-Denis-lès-M. (46).....144 D 5
St-Denis-lès-Ponts (28).....69 H 3
St-Denis-lès-Rebais (77).....52 C 1
St-Denis-lès-Sens (89).....72 C 1
St-Denis-Maisoncelles (14)...25 H 4
St-Denis-sur-Coise (42).....135 F 4
St-Denis-sur-Huisne (61).....48 C 4
St-Denis-sur-Loire (41).....87 H 2
St-Denis-sur-Ouanne (89)....72 C 5
St-Denis-sur-Sarthon (61)....47 H 4
St-Denis-sur-Scie (76).....13 G 3
St-Deniscourt (60).....14 D 4
St-Denœux (62).....6 D 1
St-Denoual (22).....44 B 3
St-Derrien (29).....41 G 3
St-Désert (71).....108 D 4
St-Désir (14).....28 A 3
St-Désirat (07).....149 G 2
St-Désiré (03).....118 C 2
St-Dézery (30).....178 B 4
St-Dézéry (30).....131 H 5
St-Didier (21).....92 A 4
St-Didier (35).....65 H 2
St-Didier (39).....110 A 4
St-Didier (58).....91 F 4
St-Didier (69).....135 H 3
St-Didier (84).....179 G 3
St-Didier-d'Allier (43).....148 A 5
St-Didier-d'Aussiat (01).....122 D 3
St-Didier-de-Bizonnes (38)..137 E 5
St-Didier-de-Formans (01)..135 H 1
St-Didier-de-la-Tour (38)..137 F 5
St-Didier-des-Bois (27).....29 F 2

Localité (Département) Page Coordonnées
267
A B C D E F G H I J K L M N O P Q R S T U V W X Y Z

St-Didier-en-Bresse (71) ... 109 G 3
St-Didier-en-Brionnais (71) ... 121 F 3
St-Didier-en-Donjon (03) ... 120 D 3
St-Didier-en-Velay (43) ... 148 D 2
St-Didier-la-Forêt (03) ... 120 A 4
St-Didier-sous-Aubenas (07) ... 163 E 3
St-Didier-sous-Écouves (61) ... 47 H 3
St-Didier-sous-Riverie (69) ... 135 G 4
St-Didier-sur-Arroux (71) ... 108 A 4
St-Didier-sur-Beaujeu (69) ... 122 A 5
St-Didier-sur-Chalaronne (01) ... 122 B 4
St-Didier-sur-Doulon (43) ... 147 H 2
St-Didier-sur-Rochefort (42) ... 134 B 3
St-Dié-des-Vosges SP (88) ... 58 A 5
St-Dier-d'Auvergne (63) ... 133 H 4
St-Diéry (63) ... 133 E 5
St-Dionisy (30) ... 178 B 5
St-Disdier (05) ... 166 A 2
St-Divy (29) ... 41 F 3
St-Dizant-du-Bois (17) ... 141 F 1
St-Dizant-du-Gua (17) ... 141 E 1
St-Dizier SP (52) ... 55 E 2
St-Dizier-en-Diois (26) ... 165 F 4
St-Dizier-la-Tour (23) ... 118 B 5
St-Dizier-Les-Domaines (23) ... 118 A 3
St-Dizier-l'Évêque (90) ... 96 D 2
St-Dizier-Leyrenne (23) ... 130 D 1
St-Dolay (56) ... 82 C 2
St-Domet (23) ... 131 H 1
St-Domineuc (35) ... 45 E 4
St-Donan (22) ... 43 G 5
St-Donat (63) ... 146 B 1
St-Donat-sur-l'Herbasse (26) ... 150 C 4
St-Dos (64) ... 185 F 3
St-Doulchard (18) ... 105 F 1
St-Drézéry (34) ... 193 G 1
St-Dyé-sur-Loire (41) ... 88 A 1
St-Eble (43) ... 147 H 4
St-Ébremond-de-Bonfossé (50) ... 25 F 3
St-Edmond (71) ... 121 F 4
St-Égrève (38) ... 151 G 2
St-Élier (27) ... 29 F 5
St-Éliph (28) ... 49 F 4
St-Élix (32) ... 188 B 3
St-Élix-le-Château (31) ... 188 D 5
St-Élix-Séglan (31) ... 205 H 1
St-Élix-Theux (32) ... 187 H 4
St-Ellier-du-Maine (53) ... 46 B 4
St-Ellier-les-Bois (61) ... 47 G 4
St-Éloi (01) ... 136 C 1
St-Éloi (22) ... 42 D 3
St-Éloi (23) ... 117 H 5
St-Éloi (58) ... 106 C 2
St-Éloi-de-Fourques (27) ... 29 E 2
St-Eloy (29) ... 41 G 4
St-Éloy-d'Allier (03) ... 118 C 2
St-Éloy-de-Gy (18) ... 105 F 1
St-Éloy-la-Glacière (63) ... 134 A 5
St-Éloy-les-Mines (63) ... 119 F 5
St-Éloy-les-Tuileries (19) ... 144 A 1
St-Éman (28) ... 49 G 5
St-Émiland (71) ... 108 C 3
St-Émilien-de-Blain (44) ... 83 E 3
St-Émilion (33) ... 155 H 1
St-Ennemond (03) ... 107 E 5
St-Épain (37) ... 102 C 1
St-Epvre (57) ... 37 F 4
St-Erblon (35) ... 65 F 3
St-Erblon (53) ... 66 A 5
St-Erme-Outre-et-Ramecourt (02) ... 17 G 5
St-Escobille (91) ... 50 D 5
St-Esprit-des-Bois (22) ... 44 B 4
St-Esteben (64) ... 185 E 4
St-Estèphe (16) ... 128 A 5
St-Estèphe (24) ... 129 F 5
St-Estèphe (33) ... 140 D 2
St-Estève (13) ... 195 F 3
St-Estève (66) ... 209 E 5
St-Estève-Janson (13) ... 195 H 1
St-Étienne P (42) ... 149 E 1
St-Étienne-à-Arnes (08) ... 34 B 2
St-Étienne-au-Mont (62) ... 2 B 5
St-Étienne-au-Temple (51) ... 34 B 4
St-Étienne-aux-Clos (19) ... 132 B 5
St-Étienne-Cantalès (15) ... 145 G 5
St-Étienne-d'Albagnan (34) ... 191 G 3
St-Étienne-d'Alensac (30) ... 178 A 3
St-Étienne-de-Baïgorry (64) ... 202 B 1
St-Étienne-de-Boulogne (07) ... 163 F 2
St-Étienne-de-Brillouet (85) ... 113 F 1
St-Étienne-de-Carlat (15) ... 160 A 1
St-Étienne-de-Chigny (37) ... 86 E 4
St-Étienne-de-Chomeil (15) ... 146 B 2
St-Étienne-de-Crossey (38) ... 151 G 1
St-Étienne-de-Cuines (73) ... 152 C 1
St-Étienne-de-Fontbellon (07) ... 163 E 3
St-Étienne-de-Fougères (47) ... 157 E 5
St-Étienne-de-Fursac (23) ... 117 F 5
St-Étienne-de-Gourgas (34) ... 192 C 1
St-Étienne-de-Lisse (33) ... 156 A 1
Saint-Étienne-de-l'Olm (30) ... 178 A 3
St-Étienne-de-Lugdarès (07) ... 162 B 3
St-Étienne-de-Maurs (15) ... 159 G 2
St-Étienne-de-Mer-Morte (44) ... 99 E 2
St-Étienne-de-Montluc (44) ... 83 E 4
St-Étienne-de-Puycorbier (24) ... 142 C 4
St-Étienne-de-Serre (07) ... 163 F 2
St-Étienne-de-St-Geoirs (38) ... 151 E 2
St-Étienne-de-Tinée (06) ... 182 C 1
St-Étienne-de-Tulmont (82) ... 173 H 3
St-Étienne-de-Valoux (07) ... 149 G 3
St-Étienne-de-Vicq (03) ... 120 B 4
St-Étienne-de-Villeréal (47) ... 157 F 3
St-Étienne-des-Champs (63) ... 132 B 3
St-Étienne-des-Guérets (41) ... 87 F 2
St-Étienne-des-Sorts (30) ... 179 E 2
St-Étienne-d'Escattes (30) ... 178 A 5
St-Étienne-d'Orthe (40) ... 185 E 2
St-Étienne-du-Bois (01) ... 123 E 3
St-Étienne-du-Bois (85) ... 99 F 3
St-Étienne-du-Grès (13) ... 194 D 1
St-Étienne-du-Gué-de-l'Isle (22) ... 63 H 3
St-Étienne-du-Rouvray (76) ... 29 G 1
St-Étienne-du-Valdonnez (48) ... 161 H 5
St-Étienne-du-Vauvray (27) ... 29 G 2
St-Étienne-du-Vigan (43) ... 162 B 2
St-Étienne-en-Bresse (71) ... 109 G 5
St-Étienne-en-Coglès (35) ... 45 H 4
St-Étienne-en-Dévoluy (05) ... 166 A 2
St-Étienne-Estréchoux (34) ... 192 A 2
St-Étienne-la-Cigogne (79) ... 114 A 5
St-Étienne-la-Geneste (19) ... 145 H 1
St-Étienne-la-Thillaye (14) ... 28 A 2
St-Étienne-la-Varenne (69) ... 122 A 5
St-Étienne-l'Allier (27) ... 28 C 2
St-Étienne-Lardeyrol (43) ... 148 C 4
St-Étienne-le-Laus (05) ... 166 C 4
St-Étienne-le-Molard (42) ... 134 D 3
St-Étienne-les-Orgues (04) ... 180 D 3
St-Étienne-lès-Remiremont (88) ... 77 H 2
St-Étienne-Roilaye (60) ... 32 B 1
St-Étienne-sous-Bailleul (27) ... 29 H 3
St-Étienne-sous-Barbuise (10) ... 53 H 4
St-Étienne-sur-Blesle (43) ... 147 E 2
St-Étienne-sur-Chalaronne (01) ... 122 C 5
St-Étienne-sur-Oullières (69) ... 122 A 5
St-Étienne-sur-Reyssouze (01) ... 122 C 2
St-Étienne-sur-Suippe (51) ... 33 H 1
St-Étienne-sur-Usson (63) ... 133 H 5
St-Étienne-Vallée-Française (48) ... 177 G 2
St-Eugène (02) ... 33 E 4
St-Eugène (17) ... 127 H 5
St-Eugène (71) ... 108 A 4
St-Eulien (51) ... 55 E 2
Saint-Euphraise-et-Clairizet (51) ... 33 G 3
St-Euphrône (21) ... 92 B 3
St-Eusèbe (71) ... 108 C 5
St-Eusèbe (74) ... 138 A 1
St-Eusèbe-en-Champsaur (05) ... 166 B 2
St-Eustache (74) ... 138 B 2
Saint Eustache (Col de) (2A) ... 219 E 2
St-Eustache-la-Forêt (76) ... 12 C 5
St-Eutrope (16) ... 142 B 1
St-Eutrope-de-Born (47) ... 157 E 4
St-Évarzec (29) ... 61 H 3
St-Evroult-de-Montfort (61) ... 48 B 1
St-Evroult-Notre-Dame-du-Bois (61) ... 48 C 1
St-Exupéry (33) ... 155 H 3
St-Exupéry-les-Roches (19) ... 131 H 5
St-Fargeau (89) ... 90 B 2
St-Fargeau-Ponthierry (77) ... 51 G 3
St-Fargeol (03) ... 119 E 5
St-Faust (64) ... 186 B 5
St-Félicien (07) ... 149 G 4
St-Féliu-d'Amont (66) ... 208 D 5
St-Féliu-d'Avall (66) ... 212 D 2
St-Félix (03) ... 120 B 4
St-Félix (16) ... 142 A 1
St-Félix (17) ... 113 H 5
St-Félix (46) ... 159 G 3
St-Félix (60) ... 31 F 1
St-Félix (74) ... 138 A 2
St-Félix-de-Bourdeilles (24) ... 143 E 1
St-Félix-de-Foncaude (33) ... 155 H 3
St-Félix-de-l'Héras (34) ... 176 D 5
St-Félix-de-Lodez (34) ... 192 C 2
St-Félix-de-Lunel (12) ... 160 A 4
St-Félix-de-Pallières (30) ... 177 H 4
St-Félix-de-Reillac-et-Mortemart (24) ... 143 G 5
St-Félix-de-Rieutord (09) ... 207 E 2
St-Félix-de-Sorgues (12) ... 176 B 5
St-Félix-de-Tournegat (09) ... 207 F 2
St-Félix-de-Villadeix (24) ... 157 F 1
St-Félix-Lauragais (31) ... 190 A 4
St-Fergeux (08) ... 18 A 4
Saint-Ferjeux (70) ... 95 G 2
St-Ferme (33) ... 156 A 2
St-Ferréol (74) ... 138 C 3
St-Ferréol (près de Boulogne-sur-Gesse) (31) ... 188 B 5
St-Ferréol (près de Revel) (31) ... 190 B 4
St-Ferréol-d'Auroure (43) ... 148 D 2
St-Ferréol-des-Côtes (63) ... 134 A 5
St-Ferréol-Trente-Pas (26) ... 165 E 5
St-Ferriol (11) ... 208 A 4
St-Fiacre (22) ... 43 F 5
St-Fiacre (56) ... 62 C 3
St-Fiacre (77) ... 32 A 5
St-Fiacre-sur-Maine (44) ... 83 G 5
St-Fiel (23) ... 117 H 4
St-Firmin (05) ... 166 B 1
St-Firmin (54) ... 56 D 4
St-Firmin (58) ... 106 D 2
St-Firmin (71) ... 108 C 4
St-Firmin (80) ... 6 C 3
St-Firmin-des-Bois (45) ... 72 A 4
St-Firmin-des-Prés (41) ... 69 G 5
St-Firmin-sur-Loire (45) ... 89 H 2
St-Flavy (10) ... 53 F 5
Saint-Florent (2B) ... 215 F 4
St-Florent (45) ... 89 G 1
St-Florent-des-Bois (85) ... 99 G 5
St-Florent-le-Vieil (49) ... 84 A 4
St-Florent-sur-Auzonnet (30) ... 178 A 2
St-Florent-sur-Cher (18) ... 105 E 2
St-Florentin (36) ... 104 C 2
St-Florentin (89) ... 73 F 3
St-Floret (63) ... 133 F 5
St-Floris (62) ... 3 G 5
St-Flour SP (15) ... 147 E 5
St-Flour (63) ... 133 H 4
St-Flour-de-Mercoire (48) ... 162 A 3
St-Flovier (37) ... 103 F 2
St-Floxel (50) ... 23 E 4
St-Folquin (62) ... 2 D 2
St-Fons (69) ... 136 B 3
St-Forgeot (71) ... 108 B 2
St-Forget (78) ... 50 D 2
St-Forgeux (69) ... 135 F 2
St-Forgeux-Lespinasse (42) ... 121 E 5
St-Fort (53) ... 66 D 5
St-Fort-sur-Gironde (17) ... 127 E 5
St-Fort-sur-le-Né (16) ... 127 G 5
St-Fortunat-sur-Eyrieux (07) ... 163 G 1
St-Fraigne (16) ... 128 A 1
St-Fraimbault (61) ... 46 D 4
St-Fraimbault-de-Prières (53) ... 46 D 5
St-Frajou (31) ... 188 B 5
St-Franc (73) ... 137 G 5
St-Franchy (58) ... 107 E 1
St-François-de-Sales (73) ... 138 A 3
St-François-Lacroix (57) ... 21 F 3
St-François-Longchamp (73) ... 152 C 1
St-Frégant (29) ... 41 F 2
St-Fréjoux (19) ... 131 H 5
St-Frézal-d'Albuges (48) ... 162 A 4
St-Frézal-de-Ventalon (48) ... 177 G 1
St-Frichoux (11) ... 191 E 5
St-Frion (23) ... 131 G 2
St-Fromond (50) ... 25 F 2
St-Front (16) ... 128 C 2
St-Front (43) ... 148 C 5
St-Front-d'Alemps (24) ... 143 F 2
St-Front-de-Pradoux (24) ... 142 D 4
St-Front-la-Rivière (24) ... 143 F 1
St-Front-sur-Lémance (47) ... 157 G 4
St-Front-sur-Nizonne (24) ... 143 E 1
St-Froult (17) ... 126 C 1
St-Fulgent (85) ... 99 H 3
St-Fulgent-des-Ormes (61) ... 48 C 5
St-Fuscien (80) ... 15 F 2
St-Gabriel-Brécy (14) ... 27 E 2
St-Gal (48) ... 161 G 3
St-Gal-sur-Sioule (63) ... 119 G 5
St-Galmier (42) ... 135 E 5
St-Gand (70) ... 94 C 2
St-Ganton (35) ... 64 D 5
St-Gatien-des-Bois (14) ... 28 A 1
St-Gaudens SP (31) ... 205 G 2
St-Gaudent (86) ... 115 F 5
St-Gaudéric (11) ... 207 G 2
St-Gault (53) ... 66 C 4
St-Gaultier (36) ... 103 H 5
St-Gauzens (81) ... 190 A 1
St-Gayrand (47) ... 156 D 5
St-Gein (40) ... 170 D 5
St-Gelais (79) ... 114 B 2
St-Gelven (22) ... 63 E 2
St-Gély-du-Fesc (34) ... 193 F 1
St-Génard (79) ... 114 C 4
St-Gence (87) ... 130 A 2
St-Généroux (79) ... 101 G 3
St-Genès-Champanelle (63) ... 133 E 3
St-Genès-Champespe (63) ... 146 B 1
St-Genès-de-Blaye (33) ... 141 E 3
St-Genès-de-Castillon (33) ... 156 A 1
St-Genès-de-Fronsac (33) ... 141 G 4
St-Genès-de-Lombaud (33) ... 155 G 2
St-Genès-du-Retz (63) ... 133 F 1
St-Genès-la-Tourette (63) ... 133 H 5
St-Genest (03) ... 118 D 4
St-Genest (51) ... 53 E 3
St-Genest (88) ... 57 G 5
St-Genest-d'Ambière (86) ... 102 B 4
St-Genest-de-Beauzon (07) ... 162 D 5
St-Genest-de-Contest (81) ... 190 C 1
St-Genest-Lachamp (07) ... 163 E 1
St-Genest-Lerpt (42) ... 149 E 1
St-Genest-Malifaux (42) ... 149 E 2
St-Genest-sur-Roselle (87) ... 130 B 4
St-Geneys-près-St-Paulien (43) ... 148 A 3
St-Gengoulph (02) ... 32 C 3
St-Gengoux-de-Scissé (71) ... 122 B 2
St-Gengoux-le-National (71) ... 108 D 5
St-Geniès (24) ... 144 A 5
St-Geniès-Bellevue (31) ... 189 G 2
St-Geniès-de-Comolas (30) ... 179 E 3
St-Geniès-de-Fontedit (34) ... 192 B 4
St-Geniès-de-Malgoirès (30) ... 178 B 4
St-Geniès-de-Varensal (34) ... 191 H 2
St-Geniès-des-Mourgues (34) ... 193 G 1
St-Geniez (04) ... 181 E 1
St-Geniez-d'Olt-et-d'Aubrac (12) ... 160 D 5
St-Geniez-ô-Merle (19) ... 145 F 4
St-Genis (05) ... 165 H 5
St-Genis-de-Saintonge (17) ... 127 F 5
St-Génis-des-Fontaines (66) ... 213 F 3
St-Genis-d'Hiersac (16) ... 128 B 3
St-Genis-du-Bois (33) ... 155 H 2
St-Genis-l'Argentière (69) ... 135 F 4
St-Genis-Laval (69) ... 135 H 4
St-Genis-les-Ollières (69) ... 135 H 3
St-Genis-Pouilly (01) ... 124 B 3
St-Genis-sur-Menthon (01) ... 122 C 3
St-Genix-sur-Guiers (73) ... 137 G 4
St-Genou (36) ... 103 H 3
St-Genouph (37) ... 86 C 4
St-Gens (84) ... 179 H 4
St-Geoire-en-Valdaine (38) ... 151 G 1
St-Geoirs (38) ... 151 E 2
St-Georges (15) ... 147 E 5
St-Georges (16) ... 128 C 1
St-Georges (32) ... 151 E 2
St-Georges (33) ... 141 H 5
St-Georges (47) ... 157 G 5
St-Georges (57) ... 58 A 2
St-Georges (62) ... 7 E 2
St-Georges (82) ... 174 A 2
St-Georges-Antignac (17) ... 127 F 5
St-Georges-Armont (25) ... 95 G 3
St-Georges-Blancaneix (24) ... 156 C 1
St-Georges-Buttavent (53) ... 46 D 5
St-Georges-d'Annebecq (61) ... 47 F 3
St-Georges-d'Aunay (14) ... 26 D 4
St-Georges-d'Aurac (43) ... 147 H 4
St-Georges-de-Baroille (42) ... 134 D 2
St-Georges-de-Bohon (50) ... 25 E 2
St-Georges-de-Chesné (35) ... 45 H 5
St-Georges-de-Commiers (38) ... 151 G 4
St-Georges-de-Didonne (17) ... 126 C 4
St-Georges-de-Gréhaigne (35) ... 45 G 3
St-Georges-de-la-Couée (72) ... 68 C 5
St-Georges-de-la-Rivière (50) ... 22 C 5
St-Georges-de-Lévéjac (48) ... 176 C 1
St-Georges-de-Livoye (50) ... 46 A 1
St-Georges-de-Longuepierre (17) ... 114 B 5
St-Georges-de-Luzençon (12) ... 176 B 3
St-Georges-de-Mons (63) ... 132 D 2
St-Georges-de-Montaigu (85) ... 99 H 2
St-Georges-de-Montclard (24) ... 143 E 5
St-Georges-de-Noisné (79) ... 114 C 1
St-Georges-de-Pointindoux (85) ... 99 F 5
St-Georges-de-Poisieux (18) ... 105 G 5
St-Georges-de-Reintembault (35) ... 46 A 3
St-Georges-de-Reneins (69) ... 122 B 5
St-Georges-de-Rex (79) ... 113 H 3
St-Georges-de-Rouelley (50) ... 46 C 3
St-Georges-d'Elle (50) ... 25 G 3
St-Georges-des-Agoûts (17) ... 141 E 1
St-Georges-des-Coteaux (17) ... 127 E 3
St-Georges-des-Gardes (49) ... 100 C 1
St-Georges-des-Groseillers (61) ... 47 E 1
St-Georges-des-Sept-Voies (49) ... 85 F 4
St-Georges-d'Espéranche (38) ... 136 C 5
St-Georges-d'Hurtières (73) ... 138 C 5
St-Georges-d'Oléron (17) ... 126 A 1
St-Georges-d'Orques (34) ... 193 E 2
St-Georges-du-Bois (17) ... 113 H 4
St-Georges-du-Bois (49) ... 85 F 3
St-Georges-du-Bois (72) ... 67 H 3
St-Georges-du-Mesnil (27) ... 28 C 3
St-Georges-du-Rosay (72) ... 68 C 2
St-Georges-du-Vièvre (27) ... 28 D 2
St-Georges-en-Auge (14) ... 27 H 4
St-Georges-en-Couzan (42) ... 134 C 4
St-Georges-Haute-Ville (42) ... 134 D 5
St-Georges-la-Pouge (23) ... 131 F 1
St-Georges-Lagricol (43) ... 148 B 2
St-Georges-le-Fléchard (53) ... 67 E 3
St-Georges-le-Gaultier (72) ... 67 G 1
St-Georges-lès-Baillargeaux (86) ... 102 B 5
St-Georges-les-Bains (07) ... 163 H 1
St-Georges-les-Landes (87) ... 117 E 3
St-Georges-Montcocq (50) ... 25 F 3
St-Georges-Motel (27) ... 49 H 1
St-Georges-Nigremont (23) ... 131 H 3
St-Georges-sur-Allier (63) ... 133 F 4
St-Georges-sur-Arnon (36) ... 104 D 2
St-Georges-sur-Baulche (89) ... 73 E 5
St-Georges-sur-Cher (41) ... 87 G 4
St-Georges-sur-Erve (53) ... 67 F 2
St-Georges-sur-Eure (28) ... 49 H 5
St-Georges-sur-Fontaine (76) ... 13 H 5
St-Georges-sur-la-Prée (18) ... 88 C 5
St-Georges-sur-l'Aa (59) ... 3 E 2
St-Georges-sur-Layon (49) ... 85 E 5
St-Georges-sur-Loire (49) ... 84 C 3
St-Georges-sur-Moulon (18) ... 105 F 1
St-Georges-sur-Renon (01) ... 122 D 5
St-Geours-d'Auribat (40) ... 185 G 1
St-Geours-de-Maremne (40) ... 185 E 1
St-Gérand (56) ... 63 G 3
St-Gérand-de-Vaux (03) ... 120 A 3
St-Gérand-le-Puy (03) ... 120 B 4
St-Géraud (47) ... 156 B 3
St-Géraud-de-Corps (24) ... 142 C 5
St-Géréon (44) ... 83 H 4
St-Germain (07) ... 163 F 4
St-Germain (10) ... 73 H 1
St-Germain (54) ... 57 F 4
St-Germain (70) ... 77 G 5
St-Germain (86) ... 116 B 1
St-Germain-au-Mt-d'Or (69) ... 135 H 2
St-Germain-Beaupré (23) ... 117 F 3
St-Germain-Chassenay (58) ... 106 D 4
St-Germain-d'Anxure (53) ... 66 D 1
St-Germain-d'Arcé (72) ... 86 A 2
St-Germain-d'Aunay (61) ... 28 B 5
St-Germain-de-Belvès (24) ... 157 H 2
St-Germain-de-Calberte (48) ... 177 G 2
St-Germain-de-Clairefeuille (61) ... 48 A 2
St-Germain-de-Confolens (16) ... 129 F 1
St-Germain-de-Coulamer (53) ... 67 G 1
St-Germain-de-Fresney (27) ... 29 H 5
St-Germain-de-Grave (33) ... 155 H 3
St-Germain-de-Joux (01) ... 123 H 4
St-Germain-de-la-Coudre (61) ... 68 D 1
Saint-Germain-de-la-Grange (78) ... 50 C 1
St-Germain-de-la-Rivière (33) ... 141 G 5
St-Germain-de-Livet (14) ... 28 A 4
St-Germain-de-Longue-Chaume (79) ... 101 E 4
St-Germain-de-Lusignan (17) ... 141 F 1
St-Germain-de-Marencennes (17) ... 113 G 5
St-Germain-de-Martigny (61) ... 48 C 3
St-Germain-de-Modéon (21) ... 92 A 4
St-Germain-de-Montbron (16) ... 128 D 4
St-Germain-de-Montgommery (14) ... 28 A 5
Saint-Germain-de-Pasquier (27) ... 29 F 2
St-Germain-de-Prinçay (85) ... 100 A 4
St-Germain-de-Salles (03) ... 119 H 4
St-Germain-de-Tallevende-la-Lande-Vaumont (14) ... 46 C 1
St-Germain-de-Tournebut (50) ... 23 E 3
St-Germain-de-Varreville (50) ... 23 E 4
St-Germain-de-Vibrac (17) ... 141 G 1
St-Germain-d'Ectot (14) ... 25 H 3
St-Germain-d'Elle (50) ... 25 G 3
St-Germain-des-Angles (27) ... 29 G 4
St-Germain-des-Bois (18) ... 105 G 3
St-Germain-des-Bois (58) ... 91 E 4
St-Germain-des-Champs (89) ... 91 H 4
St-Germain-des-Essourts (76) ... 13 H 5
St-Germain-des-Fossés (03) ... 120 B 4
St-Germain-des-Grois (61) ... 49 E 5
St-Germain-des-Prés (24) ... 143 H 2
St-Germain-des-Prés (45) ... 72 A 4
St-Germain-des-Prés (49) ... 84 C 3
St-Germain-des-Prés (81) ... 190 B 3
St-Germain-des-Vaux (50) ... 22 B 2
St-Germain-d'Esteuil (33) ... 140 D 2
St-Germain-d'Étables (76) ... 13 H 2
St-Germain-du-Bel-Air (46) ... 158 B 3
St-Germain-du-Bois (71) ... 109 H 4
St-Germain-du-Corbéis (61) ... 47 H 4
St-Germain-du-Crioult (14) ... 26 D 5
St-Germain-du-Pert (14) ... 23 G 5
St-Germain-du-Pinel (35) ... 66 A 3
St-Germain-du-Plain (71) ... 109 F 5
St-Germain-du-Puch (33) ... 155 G 1
St-Germain-du-Puy (18) ... 105 G 1
St-Germain-du-Salembre (24) ... 142 D 4
St-Germain-du-Seudre (17) ... 127 E 5
St-Germain-du-Teil (48) ... 161 E 5
St-Germain-du-Val (72) ... 85 G 1
St-Germain-en-Brionnais (71) ... 121 G 3
St-Germain-en-Coglès (35) ... 45 H 4
St-Germain-en-Laye SP (78) ... 30 D 5
St-Germain-en-Montagne (39) ... 110 D 4
St-Germain-et-Mons (24) ... 157 E 1
St-Germain-la-Blanche-Herbe (14) ... 27 F 3
St-Germain-la-Campagne (27) ... 28 B 4
St-Germain-la-Chambotte (73) ... 137 H 3
St-Germain-la-Montagne (42) ... 121 H 4
St-Germain-la-Poterie (60) ... 30 D 1
St-Germain-la-Ville (51) ... 34 B 5
St-Germain-l'Aiguiller (85) ... 100 B 5
St-Germain-Langot (14) ... 27 F 5
St-Germain-Laprade (43) ... 148 B 5
St-Germain-Laval (42) ... 134 C 3
St-Germain-Laval (77) ... 52 B 5
St-Germain-Lavolps (19) ... 131 G 5
St-Germain-Laxis (77) ... 51 H 3
St-Germain-le-Châtelet (90) ... 78 B 5
St-Germain-le-Fouilloux (53) ... 66 C 2
St-Germain-le-Gaillard (28) ... 49 G 5
St-Germain-le-Gaillard (50) ... 22 B 4
St-Germain-le-Guillaume (53) ... 66 C 1
St-Germain-le-Rocheux (21) ... 74 D 5
St-Germain-le-Vasson (14) ... 27 F 4
St-Germain-le-Vieux (61) ... 48 B 3
St-Germain-Lembron (63) ... 147 F 1
St-Germain-lès-Arlay (39) ... 110 B 4
St-Germain-lès-Arpajon (91) ... 51 E 3
St-Germain-les-Belles (87) ... 130 C 4
St-Germain-lès-Buxy (71) ... 109 E 5
St-Germain-lès-Corbeil (91) ... 51 G 3
St-Germain-les-Paroisses (01) ... 137 F 3
St-Germain-lès-Senailly (21) ... 92 B 2
St-Germain-les-Vergnes (19) ... 144 D 3
St-Germain-Lespinasse (42) ... 121 E 5
St-Germain-l'Herm (63) ... 147 H 1
St-Germain-près-Herment (63) ... 132 B 4
St-Germain-sous-Cailly (76) ... 13 H 4
St-Germain-sous-Doue (77) ... 52 C 1
St-Germain-sur-Avre (27) ... 49 H 2
St-Germain-sur-Ay (50) ... 24 C 2
St-Germain-sur-Ay-Plage (50) ... 24 C 2
St-Germain-sur-Bresle (80) ... 14 C 2
St-Germain-sur-Eaulne (76) ... 14 B 3
St-Germain-sur-École (77) ... 51 G 4
St-Germain-sur-Ille (35) ... 65 F 1
St-Germain-sur-Nuelles (69) ... 135 G 2
St-Germain-sur-Meuse (55) ... 56 B 2
St-Germain-sur-Moine (49) ... 100 A 1
St-Germain-sur-Morin (77) ... 52 A 1
St-Germain-sur-Renon (01) ... 122 D 5
St-Germain-sur-Rhône (74) ... 123 H 5
St-Germain-sur-Sarthe (72) ... 67 H 1
St-Germain-sur-Sèves (50) ... 25 E 2
St-Germain-sur-Vienne (37) ... 85 H 5
St-Germain-Village (27) ... 28 C 1
St-Germainmont (08) ... 18 A 5
St-Germé (32) ... 186 D 1
St-Germer-de-Fly (60) ... 30 C 1
St-Germier (31) ... 189 H 4
St-Germier (32) ... 188 C 2
St-Germier (79) ... 114 D 2
St-Germier (81) ... 190 C 2
St-Géron (43) ... 147 F 2
St-Gérons (15) ... 145 G 5
St-Gervais (16) ... 128 D 1
St-Gervais (30) ... 178 D 2
St-Gervais (33) ... 141 F 5
St-Gervais (38) ... 151 F 3
St-Gervais (85) ... 98 C 2
St-Gervais (95) ... 30 C 3
St-Gervais-d'Auvergne (63) ... 132 D 1
St-Gervais-de-Vic (72) ... 68 D 4
St-Gervais-des-Sablons (61) ... 28 A 5
St-Gervais-du-Perron (61) ... 48 A 3
St-Gervais-en-Belin (72) ... 68 A 4
St-Gervais-en-Vallière (71) ... 109 F 3
St-Gervais-la-Forêt (41) ... 87 H 2
St-Gervais-les-Bains (74) ... 139 E 1
St-Gervais-les-Trois-Clochers (86) ... 102 B 3
St-Gervais-sous-Meymont (63) ... 134 A 4
St-Gervais-sur-Couches (71) ... 108 D 3
St-Gervais-sur-Mare (34) ... 192 A 2
St-Gervais-sur-Roubion (26) ... 163 H 3
St-Gervasy (30) ... 178 C 5
St-Gervazy (63) ... 147 F 1
St-Géry (24) ... 142 C 5
St-Géry (46) ... 158 C 5
St-Geyrac (24) ... 143 G 4
St-Gibrien (51) ... 34 A 5
St-Gildas (22) ... 43 F 5
St-Gildas-de-Rhuys (56) ... 81 G 3
St-Gildas-des-Bois (44) ... 82 C 2
St-Gilles (30) ... 194 B 2
St-Gilles (35) ... 65 E 1
St-Gilles (36) ... 117 E 2
St-Gilles (50) ... 25 G 3
St-Gilles (51) ... 33 F 2
St-Gilles (71) ... 108 D 3
St-Gilles-Croix-de-Vie (85) ... 98 D 4
St-Gilles-de-Crétot (76) ... 13 E 4
St-Gilles-de-la-Neuville (76) ... 12 C 4
St-Gilles-des-Marais (61) ... 46 D 3

Localité *(Département)* — Page — Coordonnées

St-Gilles-du-Mené (22)....44 A 5
St-Gilles-les-Bois (22)....43 F 3
St-Gilles-les-Forêts (87)....130 D 4
St-Gilles-Pligeaux (22)....43 F 3
St-Gilles-Vieux-Marché (22)....63 F 2
St-Gineis-en-Coiron (07)....163 F 3
St-Gingolph (74)....125 F 2
St-Girod (73)....138 A 3
St-Girons (09)....206 B 3
St-Girons-d'Aiguevives (33)....141 F 3
St-Girons-en-Béarn (64)....185 G 2
St-Girons-Plage (40)....168 C 4
St-Gladie-Arrive-Munein (64)....185 G 4
Saint-Glen (22)....44 A 4
St-Goazec (29)....62 A 2
St-Gobain (02)....16 D 4
St-Gobert (02)....17 G 2
St-Goin (64)....185 H 5
St-Gondon (45)....89 G 1
St-Gondran (35)....45 E 5
St-Gonlay (35)....64 C 2
St-Gonnery (56)....63 G 3
St-Gor (40)....171 E 3
St-Gorgon (56)....82 B 1
St-Gorgon (88)....57 H 5
St-Gorgon-Main (25)....111 F 3
St-Gouéno (22)....44 A 5
St-Gourgon (41)....87 F 1
St-Gourson (16)....128 C 1
St-Goussaud (23)....130 C 1
St-Gouvry (56)....63 G 3
St-Grat (56)....183 F 2
St-Gratien (80)....15 G 1
St-Gratien (95)....31 F 5
St-Gratien-Savigny (58)....107 F 3
St-Gravé (56)....64 B 5
St-Grégoire (35)....65 F 1
St-Grégoire (81)....175 E 4
St-Grégoire-d'Ardennes (17)....127 F 5
St-Grégoire-du-Vièvre (27)....28 D 2
St-Griède (32)....186 D 1
St-Groux (16)....128 B 2
St-Guen (22)....63 F 2
St-Guénolé (29)....61 F 4
St-Guilhem-le-Désert (34)....192 D 1
St-Guillaume (38)....151 G 5
St-Guinoux (35)....45 E 3
St-Guiraud (34)....192 C 2
St-Guyomard (56)....64 A 4
St-Haon (43)....162 A 1
St-Haon-le-Châtel (42)....121 E 5
St-Haon-le-Vieux (42)....121 E 5
St-Héand (42)....135 F 5
St-Hélen (22)....44 D 4
St-Hélier (21)....92 D 4
St-Hellier (76)....13 H 3
St-Henri (46)....158 B 4
St-Herblain (44)....83 F 5
St-Herblon (44)....84 A 3
St-Herbot (29)....62 A 1
St-Hérent (63)....147 E 1
St-Hernin (29)....62 B 2
St-Hervé (22)....63 G 1
St-Hilaire (03)....119 G 2
St-Hilaire (11)....208 B 2
St-Hilaire (16)....141 H 1
St-Hilaire (25)....95 F 4
St-Hilaire (31)....189 E 4
St-Hilaire (38)....151 H 2
St-Hilaire (43)....147 G 2
St-Hilaire (63)....119 E 5
St-Hilaire (91)....50 D 5
St-Hilaire-au-Temple (51)....34 B 4
St-Hilaire-Bonneval (87)....130 B 4
St-Hilaire-Cottes (62)....7 G 1
St-Hilaire-Cusson-la-Valmitte (42)....148 C 2
St-Hilaire-de-Beauvoir (34)....193 G 1
St-Hilaire-de-Brens (38)....136 D 4
St-Hilaire-de-Brethmas (30)....178 A 3
St-Hilaire-de-Briouze (61)....47 F 2
St-Hilaire-de-Chaléons (44)....98 D 1
St-Hilaire-de-Clisson (44)....99 H 1
St-Hilaire-de-Court (18)....88 D 5
St-Hilaire-de-Gondilly (18)....106 A 2
St-Hilaire-de-la-Côte (38)....151 E 1
St-Hilaire-de-la-Noaille (33)....156 A 3
St-Hilaire-de-Lavit (48)....177 G 1
St-Hilaire-de-Loulay (85)....99 G 2
St-Hilaire-de-Villefranche (17)....127 F 2
St-Hilaire-de-Voust (85)....113 H 1
St-Hilaire-des-Landes (35)....45 H 5
St-Hilaire-des-Loges (85)....113 H 2
St-Hilaire-d'Estissac (24)....142 D 5
St-Hilaire-d'Ozilhan (30)....178 D 4
St-Hilaire-du-Bois (17)....141 F 1
St-Hilaire-du-Bois (33)....156 A 3
St-Hilaire-du-Bois (49)....100 D 1
St-Hilaire-du-Bois (85)....100 B 5
St-Hilaire-du-Harcouët (50)....46 A 3
St-Hilaire-du-Maine (53)....66 B 1
St-Hilaire-du-Rosier (38)....150 D 4
St-Hilaire-en-Lignières (18)....105 E 5

St-Hilaire-en-Morvan (58)....107 G 1
St-Hilaire-en-Woëvre (55)....36 B 3
St-Hilaire-Foissac (19)....145 G 2
St-Hilaire-Fontaine (58)....107 F 4
St-Hilaire-la-Croix (63)....133 E 1
St-Hilaire-la-Forêt (85)....112 C 2
St-Hilaire-la-Gérard (61)....47 H 3
St-Hilaire-la-Gravelle (41)....69 G 4
St-Hilaire-la-Palud (79)....113 H 3
St-Hilaire-la-Plaine (23)....118 A 5
St-Hilaire-La-Treille (87)....116 D 4
St-Hilaire-le-Château (23)....131 E 1
St-Hilaire-le-Châtel (61)....48 C 3
St-Hilaire-le-Grand (51)....34 B 3
St-Hilaire-le-Lierru (72)....68 C 2
St-Hilaire-le-Petit (51)....34 B 2
St-Hilaire-le-Vouhis (85)....100 A 5
St-Hilaire-les-Andrésis (45)....72 B 3
St-Hilaire-les-Courbes (19)....131 E 5
St-Hilaire-les-Monges (63)....132 C 3
St-Hilaire-les-Places (87)....130 A 4
St-Hilaire-lez-Cambrai (59)....9 E 4
St-Hilaire-Luc (19)....145 G 2
St-Hilaire-Petitville (50)....25 E 1
St-Hilaire-Peyroux (19)....144 D 3
St-Hilaire-sous-Charlieu (42)....121 F 5
St-Hilaire-sous-Romilly (10)....53 F 4
St-Hilaire-sur-Benaize (36)....116 C 1
St-Hilaire-sur-Erre (61)....68 D 1
St-Hilaire-sur-Helpe (59)....9 H 4
St-Hilaire-sur-Puiseaux (45)....71 H 4
St-Hilaire-sur-Risle (61)....48 C 2
St-Hilaire-sur-Yerre (28)....69 G 3
St-Hilaire-Taurieux (19)....145 E 4
St-Hilarion (78)....50 B 3
St-Hilliers (77)....52 C 3
St-Hippolyte (12)....160 B 3
St-Hippolyte (13)....194 D 2
St-Hippolyte (15)....146 B 3
St-Hippolyte (17)....126 D 1
St-Hippolyte (25)....96 C 4
St-Hippolyte (33)....155 H 1
St-Hippolyte (37)....103 F 2
St-Hippolyte (68)....58 D 5
St-Hippolyte-de-Caton (30)....178 B 3
St-Hippolyte-de-Montaigu (30)....178 C 3
St-Hippolyte-du-Fort (30)....177 G 4
St-Hippolyte-le-Graveyron (84)....179 G 2
St-Honoré (38)....151 H 5
St-Honoré (76)....13 H 3
St-Honoré-les-Bains (58)....107 G 3
St-Hostien (43)....148 C 4
St-Hubert (57)....21 F 4
St-Hubert (78)....50 C 2
St-Hugues-de-Chartreuse (38)....151 H 2
St-Huruge (71)....122 A 1
St-Hymer (14)....28 A 2
St-Hymetière (39)....123 G 3
St-Igeaux (22)....63 E 1
St-Igest (12)....159 F 5
St-Ignan (31)....205 G 1
St-Ignat (63)....133 G 2
St-Igne (82)....174 C 2
St-Igneuc (22)....44 B 4
St-Igny-de-Roche (71)....121 G 4
St-Igny-de-Vers (69)....121 H 4
St-Ilan (22)....43 H 4
St-Illide (15)....145 H 4
St-Illiers-la-Ville (78)....30 A 5
St-Illiers-le-Bois (78)....30 A 5
St-Ilpize (43)....147 G 3
St-Imoges (51)....33 H 3
St-Inglevert (62)....2 B 3
St-Ismier (38)....151 H 2
St-Izaire (12)....175 H 4
St-Jacques (04)....181 H 3
St-Jacques (06)....198 D 1
St-Jacques-d'Aliermont (76)....13 H 2
St-Jacques-d'Ambur (63)....132 D 2
St-Jacques-d'Atticieux (07)....149 G 2
St-Jacques-de-la-Lande (35)....65 F 2
St-Jacques-de-Néhou (50)....22 C 4
St-Jacques-des-Arrêts (69)....122 A 4
St-Jacques-des-Blats (15)....146 B 4
St-Jacques-des-Guérets (41)....69 E 5
St-Jacques-en-Valgodemard (47)....172 B 2
St-Jacques-sur-Darnétal (76)....29 G 1
St-Jacut-de-la-Mer (22)....44 C 2
St-Jacut-du-Mené (22)....44 A 5
St-Jacut-les-Pins (56)....64 B 5
St-Jal (19)....144 D 1
St-James (50)....45 H 5
St-Jammes (64)....186 C 4
St-Jans-Cappel (59)....3 H 4
St-Jean (06)....199 E 2
St-Jean (31)....189 G 2
St-Jean-aux-Amognes (58)....106 D 2
St-Jean-aux-Bois (08)....18 B 3
St-Jean-aux-Bois (60)....32 A 1
St-Jean-Balanant (41)....41 F 3
St-Jean-Bonnefonds (42)....149 E 1
St-Jean-Brévelay (56)....63 G 5

St-Jean-Cap-Ferrat (06)....199 G 1
St-Jean-Chambre (07)....163 F 1
St-Jean-d'Angély (17)....127 F 1
St-Jean-d'Abbetot (76)....12 C 5
St-Jean-d'Aigues-Vives (09)....207 G 3
St-Jean-d'Alcapiès (12)....176 B 4
St-Jean-d'Alcas (12)....176 B 4
St-Jean-d'Angle (17)....126 C 2
St-Jean-d'Ardières (69)....122 B 5
St-Jean-d'Arves (73)....152 C 3
St-Jean-d'Arvey (73)....138 A 4
St-Jean-d'Assé (72)....68 A 2
St-Jean-d'Ataux (24)....142 D 4
St-Jean-d'Aubrigoux (43)....148 A 2
St-Jean-d'Aulps (74)....125 F 3
St-Jean-d'Avelanne (38)....137 G 5
St-Jean-de-Barrou (11)....209 E 3
St-Jean-de-Bassel (57)....38 A 5
St-Jean-de-Beauregard (91)....51 E 3
St-Jean-de-Belleville (73)....152 D 1
St-Jean-de-Beugné (85)....113 F 1
St-Jean-de-Blaignac (33)....155 H 1
St-Jean-de-Bœuf (21)....93 E 5
St-Jean-de-Boiseau (44)....83 E 5
St-Jean-de-Bonneval (10)....73 H 2
St-Jean-de-Bournay (38)....136 C 5
St-Jean-de-Braye (45)....70 D 4
St-Jean-de-Buèges (34)....177 F 5
St-Jean-de-Ceyrargues (30)....178 B 3
St-Jean-de-Chevelu (73)....137 H 3
St-Jean-de-Côle (24)....143 G 1
St-Jean-de-Cornies (34)....193 G 1
St-Jean-de-Couz (73)....137 H 5
St-Jean-de-Crieulon (30)....177 H 4
St-Jean-de-Cuculles (34)....193 F 1
St-Jean-de-Daye (50)....25 E 2
St-Jean-de-Duras (47)....156 C 3
St-Jean-de-Folleville (76)....12 D 5
St-Jean-de-Fos (34)....192 D 1
St-Jean-de-Gonville (01)....124 A 4
St-Jean-de-la-Blaquière (34)....192 C 1
St-Jean-de-la-Croix (49)....84 D 3
St-Jean-de-la-Forêt (61)....48 D 5
St-Jean-de-la-Haize (50)....45 H 4
St-Jean-de-la-Léqueraye (27)....28 C 2
St-Jean-de-la-Motte (72)....67 H 5
St-Jean-de-la-Neuville (76)....12 C 4
St-Jean-de-la-Porte (73)....138 B 4
St-Jean-de-la-Rivière (50)....22 C 5
St-Jean-de-la-Ruelle (45)....70 C 4
St-Jean-de-Laur (46)....159 E 5
St-Jean-de-Lier (40)....169 F 5
St-Jean-de-Linières (49)....84 D 3
St-Jean-de-Liversay (17)....113 G 3
St-Jean-de-Livet (14)....28 B 4
St-Jean-de-Losne (21)....109 H 1
St-Jean-de-Luz (64)....184 B 4
St-Jean-de-Marcel (81)....175 E 3
St-Jean-de-Marsacq (40)....185 E 2
St-Jean-de-Maruéjols-et-Avéjan (30)....178 B 1
St-Jean-de-Maurienne (73)....152 C 2
St-Jean-de-Minervois (34)....191 G 4
St-Jean-de-Moirans (38)....151 F 2
St-Jean-de-Monts (85)....98 C 3
St-Jean-de-Muzols (07)....149 H 4
St-Jean-de-Nay (43)....148 A 4
St-Jean-de-Niost (01)....136 D 2
St-Jean-de-Paracol (11)....207 H 3
St-Jean-de-Pourcharesse (07)....162 C 4
St-Jean-de-Rebervilliers (28)....49 G 3
St-Jean-de-Rives (81)....189 H 1
St-Jean-de-Sauves (86)....101 H 3
St-Jean-de-Savigny (50)....25 G 2
St-Jean-de-Serres (30)....178 A 4
St-Jean-de-Sixt (74)....138 C 1
St-Jean-de-Soudain (38)....137 E 5
St-Jean-de-Tholome (74)....124 D 4
St-Jean-de-Thouars (79)....101 F 2
St-Jean-de-Thurac (47)....172 C 2
St-Jean-de-Thurigneux (01)....136 B 1
St-Jean-de-Touslas (69)....135 G 5
St-Jean-de-Trézy (71)....108 D 4
St-Jean-de-Valériscle (30)....178 A 2
St-Jean-de-Vals (81)....190 D 3
St-Jean-de-Vaulx (38)....151 H 4
St-Jean-de-Vaux (71)....108 D 4
St-Jean-de-Védas (34)....193 F 2
St-Jean-de-Verges (09)....207 E 3
St-Jean-Delnous (12)....175 F 3
St-Jean-des-Baisants (50)....25 G 3
St-Jean-des-Bois (61)....46 C 2
St-Jean-des-Champs (50)....45 G 1
St-Jean-des-Échelles (72)....68 D 2
St-Jean-des-Essartiers (14)....25 H 4
St-Jean-des-Mauvrets (49)....85 E 3
St-Jean-des-Ollières (63)....133 H 4
St-Jean-des-Vignes (69)....135 G 2
St-Jean-d'Estissac (24)....142 D 5
St-Jean-d'Étreux (39)....123 F 2
St-Jean-devant-Possesse (51)....34 D 5
St-Jean-d'Eyraud (24)....142 D 5
St-Jean-d'Hérans (38)....165 H 1
St-Jean-d'Heurs (63)....133 H 3
St-Jean-d'Illac (33)....154 D 1
St-Jean-d'Ormont (88)....58 B 5
St-Jean-du-Bleynard (48)....162 A 4
St-Jean-du-Bois (72)....67 H 4
St-Jean-du-Bouzet (82)....172 D 4
St-Jean-du-Bruel (12)....176 D 4

St-Jean-du-Cardonnay (76)....13 G 5
St-Jean-du-Castillonnais (09)....205 H 3
St-Jean-du-Corail (50)....46 C 3
St-Jean-du-Corail-des-Bois (50)....46 A 1
St-Jean-du-Doigt (29)....42 B 2
St-Jean-du-Falga (09)....207 E 2
St-Jean-du-Gard (30)....177 G 3
St-Jean-du-Pin (30)....178 A 3
St-Jean-du-Thenney (27)....28 C 4
St-Jean-en-Royans (26)....151 E 4
St-Jean-en-Val (63)....133 G 5
St-Jean-Froidmentel (41)....69 G 4
St-Jean-Kerdaniel (22)....43 F 4
St-Jean-Kourtzerode (57)....58 C 1
St-Jean-la-Bussière (69)....135 E 1
St-Jean-la-Fouillouse (48)....162 A 3
St-Jean-la-Poterie (56)....82 C 1
St-Jean-la-Rivière (06)....183 F 4
St-Jean-la-Vêtre (42)....134 B 3
St-Jean-Lachalm (43)....148 A 5
St-Jean-Lagineste (46)....159 E 2
St-Jean-Lasseille (66)....213 E 3
St-Jean-le-Blanc (14)....26 D 5
St-Jean-le-Blanc (45)....70 C 4
St-Jean-le-Centenier (07)....163 F 3
St-Jean-le-Comtal (32)....187 G 3
St-Jean-le-Thomas (50)....45 G 1
St-Jean-le-Vieux (01)....123 F 5
St-Jean-le-Vieux (38)....151 H 3
St-Jean-le-Vieux (64)....202 C 1
St-Jean-lès-Buzy (55)....20 B 5
St-Jean-les-Deux-Jumeaux (77)....32 B 5
St-Jean-lès-Longuyon (54)....20 A 3
St-Jean-Lespinasse (46)....159 E 1
St-Jean-Lherm (31)....189 G 1
St-Jean-Ligoure (87)....130 B 4
St-Jean-Mirabel (46)....159 G 3
St-Jean-Pied-de-Port (64)....202 B 1
St-Jean-Pierre-Fixte (28)....69 E 1
St-Jean-Pla-de-Corts (66)....213 E 4
Saint-Jean-Poudge (64)....186 D 3
St-Jean-Poutge (32)....187 G 1
St-Jean-Rohrbach (57)....38 A 4
St-Jean-Roure (07)....149 E 5
St-Jean-Saverne (67)....58 D 1
St-Jean-Soleymieux (42)....134 C 5
St-Jean-St-Germain (37)....103 F 1
St-Jean-St-Gervais (63)....147 G 1
St-Jean-St-Nicolas (05)....166 C 2
St-Jean-sur-Couesnon (35)....45 H 5
St-Jean-sur-Erve (53)....67 F 3
St-Jean-sur-Mayenne (53)....66 C 2
St-Jean-sur-Moivre (51)....34 C 5
St-Jean-sur-Reyssouze (01)....122 D 2
St-Jean-sur-Tourbe (51)....34 D 3
St-Jean-sur-Veyle (01)....122 C 4
St-Jean-sur-Vilaine (35)....65 H 2
St-Jean-Trolimon (29)....61 F 4
St-Jeannet (04)....181 F 4
St-Jeannet (06)....183 E 5
St-Jeanvrin (18)....118 B 1
St-Jeoire (74)....124 D 4
St-Jeoire-Prieuré (73)....138 A 5
St-Jérôme (13)....195 H 4
St-Jeure-d'Andaure (07)....149 E 4
St-Jeure-d'Ay (07)....149 G 3
St-Jeures (43)....148 D 4
St-Joachim (44)....82 B 3
St-Jodard (42)....134 D 2
St-Joire (55)....55 H 3
St-Jores (50)....22 D 5
St-Jorioz (74)....138 B 2
St-Jory (31)....189 F 1
St-Jory-de-Chalais (24)....129 G 5
St-Jory-las-Bloux (24)....143 G 3
St-Joseph (42)....135 G 5
St-Joseph (50)....22 D 3
St-Joseph-de-Rivière (38)....151 G 1
St-Joseph-des-Bancs (07)....163 E 2
St-Josse (62)....6 C 1
St-Jouan-de-l'Isle (22)....44 C 5
St-Jouan-des-Guérets (35)....44 D 2
St-Jouin (14)....27 H 2
St-Jouin-Bruneval (76)....12 B 4
St-Jouin-de-Blavou (61)....48 C 4
St-Jouin-de-Marnes (79)....101 G 3
St-Jouin-de-Milly (79)....100 D 5
St-Jouvent (87)....130 A 1
St-Juan (25)....95 F 4
St-Judoce (22)....44 D 4
St-Juéry (12)....175 H 5
St-Juéry (48)....161 E 1
St-Juéry (81)....193 H 2
St-Juire-Champgillon (85)....113 F 1
St-Julia (31)....190 A 3
St-Julia-de-Bec (11)....208 A 4
St-Julien (21)....93 G 3
St-Julien (22)....43 G 5
St-Julien (31)....191 H 3
St-Julien (39)....123 F 2
St-Julien (69)....81 E 3
St-Julien (69)....135 G 1
St-Julien (70)....94 B 1
St-Julien (88)....76 C 3
St-Julien-aux-Bois (19)....145 G 4
St-Julien-Beychevelle (33)....141 E 3
St-Julien-Boutières (07)....149 E 5
St-Julien-Chapteuil (43)....148 C 5
St-Julien-d'Empare (12)....159 F 4

St-Julien-d'Ance (43)....148 B 2
St-Julien-d'Armagnac (40)....171 F 4
St-Julien-d'Arpaon (48)....177 F 1
St-Julien-d'Asse (04)....181 F 4
St-Julien-de-Bourdeilles (24)....143 E 2
St-Julien-de-Briola (11)....207 G 1
St-Julien-de-Cassagnas (30)....178 A 2
St-Julien-de-Chédon (41)....87 G 4
St-Julien-de-Civry (71)....121 G 3
St-Julien-de-Concelles (44)....83 G 4
St-Julien-de-Coppel (63)....133 G 4
St-Julien-de-Crempse (24)....143 E 5
St-Julien-de-Gras-Capou (09)....207 G 2
St-Julien-de-Jonzy (71)....121 F 4
St-Julien-de-Jordanne (15)....146 B 4
St-Julien-de-la-Liègue (27)....29 H 3
St-Julien-de-la-Nef (30)....177 F 4
St-Julien-de-Lampon (24)....158 B 1
St-Julien-de-l'Escap (17)....127 F 1
St-Julien-de-l'Herms (38)....150 C 1
St-Julien-de-Mailloc (14)....28 B 4
St-Julien-de-Peyrolas (30)....178 D 1
St-Julien-de-Piganiol (12)....159 H 3
St-Julien-de-Raz (38)....151 G 1
St-Julien-de-Toursac (15)....159 G 2
St-Julien-de-Vouvantes (44)....83 H 1
St-Julien-des-Chazes (43)....147 H 4
St-Julien-des-Landes (85)....99 E 5
St-Julien-des-Points (48)....177 H 1
St-Julien-d'Eymet (24)....156 D 2
St-Julien-d'Oddes (42)....134 C 2
St-Julien-du-Gua (07)....163 E 2
St-Julien-du-Pinet (43)....148 C 4
St-Julien-du-Puy (81)....190 B 1
St-Julien-du-Sault (89)....72 D 3
St-Julien-du-Serre (07)....163 E 3
St-Julien-du-Terroux (53)....47 F 4
St-Julien-du-Tournel (48)....162 A 4
St-Julien-du-Verdon (04)....182 A 4
St-Julien-en-Beauchêne (05)....165 H 3
St-Julien-en-Born (40)....168 D 3
St-Julien-en-Champsaur (05)....166 B 2
St-Julien-en-Genevois (74)....124 B 4
St-Julien-en-Quint (26)....165 E 1
St-Julien-en-St-Alban (07)....163 G 2
St-Julien-en-Vercors (26)....151 F 4
St-Julien-Gaulène (81)....175 F 4
St-Julien-la-Geneste (63)....132 C 1
St-Julien-la-Genête (23)....118 D 5
St-Julien-la-Vêtre (34)....134 B 3
St-Julien-Labrousse (07)....163 F 1
St-Julien-l'Ars (86)....115 H 1
St-Julien-le-Châtel (23)....118 B 5
St-Julien-le-Faucon (14)....28 A 4
St-Julien-le-Montagnier (83)....196 C 1
St-Julien-le-Pèlerin (19)....145 F 5
St-Julien-le-Petit (87)....130 D 3
St-Julien-le-Roux (07)....163 G 1
St-Julien-le-Vendômois (19)....144 B 1
St-Julien-lès-Gorze (54)....36 C 4
St-Julien-lès-Martigues (13)....195 F 4
St-Julien-lès-Metz (57)....21 E 5
St-Julien-lès-Montbéliard (25)....95 H 2
St-Julien-les-Rosiers (30)....178 A 2
St-Julien-lès-Russey (25)....96 C 5
St-Julien-les-Villas (10)....73 H 1
St-Julien-Maumont (19)....144 D 5
St-Julien-Molhesabate (43)....149 E 3
St-Julien-Molin-Molette (42)....149 F 2
St-Julien-Mont-Denis (73)....152 D 2
St-Julien-près-Bort (19)....145 H 1
St-Julien-Puy-Lavèze (63)....132 C 4
St-Julien-sous-les-Côtes (55)....56 A 1
St-Julien-sur-Bibost (69)....135 F 3
St-Julien-sur-Calonne (14)....28 B 2
St-Julien-sur-Cher (41)....88 B 5
St-Julien-sur-Dheune (71)....108 C 4
St-Julien-sur-Garonne (31)....188 D 5
St-Julien-sur-Reyssouze (01)....122 D 2
St-Julien-sur-Sarthe (61)....48 B 4
St-Julien-sur-Veyle (01)....122 C 4
St-Julien-Vocance (07)....149 F 3
St-Junien (87)....129 G 2
St-Junien-la-Bregère (23)....130 D 2
St-Junien-les-Combes (87)....116 C 5
St-Jure (57)....37 E 4
St-Jurs (04)....181 G 4
St-Just (01)....123 E 4
St-Just (15)....161 F 1
St-Just (18)....105 G 2
St-Just (24)....142 D 2
St-Just (27)....30 A 4
St-Just (34)....193 H 2
St-Just (35)....64 D 5
St-Just (63)....148 A 1
St-Just-Chaleyssin (38)....136 C 5
St-Just-d'Ardèche (07)....178 D 1
St-Just-d'Avray (69)....135 F 1
St-Just-de-Claix (38)....151 E 4
St-Just-en-Bas (42)....134 B 3
St-Just-en-Brie (77)....52 B 3
St-Just-en-Chaussée (60)....15 G 5
St-Just-en-Chevalet (42)....134 B 2
St-Just-et-le-Bézu (11)....208 A 4
St-Just-et-Vacquières (30)....178 B 3
St-Just-Ibarre (64)....202 D 1
St-Just-la-Pendue (42)....135 E 2
St-Just-le-Martel (87)....130 B 2
St-Just-Luzac (17)....126 C 2

St-Just-Malmont (43)....148 D 2
St-Just-près-Brioude (43)....147 F 3
St-Just-Sauvage (51)....53 F 3
St-Just-St-Rambert (42)....135 E 5
St-Just-sur-Dive (49)....85 G 5
St-Just-sur-Viaur (12)....175 F 3
St-Justin (32)....187 F 3
St-Justin (40)....171 E 4
St-Juvat (22)....44 D 5
St-Juvin (08)....35 E 1
St-Lactencin (36)....104 A 3
St-Lager (69)....122 A 5
St-Lager-Bressac (07)....163 G 2
St-Lamain (39)....110 B 4
St-Lambert (14)....27 E 5
St-Lambert (78)....50 D 2
St-Lambert-des-Levées (49)....85 G 4
St-Lambert-du-Lattay (49)....84 D 4
St-Lambert-et-Mont-de-Jeux (08)....18 D 5
St-Lambert-la-Potherie (49)....84 D 3
St-Lambert-sur-Dive (61)....47 H 1
St-Langis-lès-Mortagne (61)....48 C 4
St-Lanne (65)....186 D 2
St-Laon (86)....101 H 2
St-Lary (09)....205 H 3
St-Lary (32)....187 H 1
St-Lary-Boujean (31)....205 G 1
St-Lary-Soulan (65)....204 D 4
St-Lattier (38)....150 D 4
St-Launeuc (22)....44 B 5
St-Laure (63)....133 G 2
St-Laurent (08)....18 D 3
St-Laurent (18)....89 E 5
St-Laurent (22)....43 E 3
St-Laurent (23)....117 H 5
St-Laurent (31)....188 B 5
St-Laurent (47)....172 A 1
St-Laurent (74)....124 D 5
St-Laurent-Blangy (62)....8 B 3
St-Laurent-Bretagne (64)....186 D 4
St-Laurent-Chabreuges (43)....147 F 2
St-Laurent-d'Agny (69)....135 H 4
St-Laurent-d'Aigouze (30)....193 H 2
St-Laurent-d'Andenay (71)....108 C 4
St-Laurent-d'Arce (33)....141 F 4
St-Laurent-de-Belzagot (16)....142 B 1
St-Laurent-de-Brèvedent (76)....12 B 5
St-Laurent-de-Carnols (30)....178 D 2
St-Laurent-de-Cerdans (66)....212 D 5
St-Laurent-de-Céris (16)....128 D 2
St-Laurent-de-Chamousset (69)....135 F 3
St-Laurent-de-Cognac (16)....127 G 3
St-Laurent-de-Condel (14)....27 F 4
St-Laurent-de-Cuves (50)....46 A 1
St-Laurent-de-Gosse (40)....185 E 2
St-Laurent-de-Jourdes (86)....115 H 4
St-Laurent-de-la-Barrière (17)....113 H 5
St-Laurent-de-la-Cabrerisse (11)....208 D 2
St-Laurent-de-la-Mer (22)....43 H 4
St-Laurent-de-la-Plaine (49)....84 C 4
St-Laurent-de-la-Prée (17)....126 C 1
St-Laurent-de-la-Salanque (66)....209 F 5
St-Laurent-de-la-Salle (85)....113 G 1
St-Laurent-de-Lévézou (12)....176 A 2
St-Laurent-de-Lin (37)....86 A 3
St-Laurent-de-Mure (69)....136 C 4
St-Laurent-de-Muret (48)....161 F 4
St-Laurent-de-Neste (65)....205 F 2
St-Laurent-de-Terregatte (50)....45 H 3
St-Laurent-de-Trèves (48)....177 F 1
St-Laurent-de-Vaux (69)....135 G 3
St-Laurent-de-Veyrès (48)....161 E 2
St-Laurent-des-Arbres (30)....179 G 3
St-Laurent-des-Autels (49)....83 H 4
St-Laurent-des-Bâtons (24)....143 F 5
St-Laurent-des-Bois (27)....49 H 1
St-Laurent-des-Bois (41)....69 H 5
St-Laurent-des-Combes (16)....142 A 2
St-Laurent-des-Combes (33)....155 H 1
St-Laurent-des-Hommes (24)....142 C 4
St-Laurent-des-Mortiers (53)....66 D 5
St-Laurent-des-Vignes (24)....156 D 1
St-Laurent-d'Oingt (69)....135 G 2
St-Laurent-d'Olt (12)....161 E 4
St-Laurent-d'Onay (26)....150 C 3
St-Laurent-du-Bois (33)....155 H 1
St-Laurent-du-Cros (05)....166 B 3
St-Laurent-du-Mont (14)....27 H 3
St-Laurent-du-Mottay (49)....84 B 4
St-Laurent-du-Pape (07)....163 G 1
St-Laurent-du-Plan (33)....155 H 1
St-Laurent-du-Pont (38)....151 G 1
St-Laurent-du-Tencement (27)....28 C 5
St-Laurent-du-Var (06)....199 F 1
St-Laurent-du-Verdon (04)....196 D 1
St-Laurent-en-Beaumont (38)....165 H 1
St-Laurent-en-Brionnais (71)....121 G 4
St-Laurent-en-Caux (76)....13 H 4
St-Laurent-en-Gâtines (37)....86 D 2
St-Laurent-en-Grandvaux (39)....124 A 1
St-Laurent-en-Royans (26)....151 E 4
St-Laurent-la-Conche (42)....135 E 4
St-Laurent-la-Gâtine (28)....50 A 2
St-Laurent-la-Roche (39)....110 A 5
St-Laurent-la-Vallée (24)....157 H 2
St-Laurent-la-Vernède (30)....178 C 3

Localité *(Département)* ↓   Page ↓   Coordonnées ↓

St-Laurent-l'Abbaye *(58)* ......90 B 4
St-Laurent-le-Minier *(30)* ......177 F 4
St-Laurent-les-Bains *(07)* .....162 B 3
St-Laurent-les-Églises *(87)* ...130 C 2
St-Laurent-les-Tours *(46)* .....159 E 1
St-Laurent-Lolmie *(46)* ......173 F 1
St-Laurent-Médoc *(33)* ....140 D 3
St-Laurent-Nouan *(41)* ....88 A 1
St-Laurent-Rochefort *(42)* ....134 C 3
St-Laurent-sous-Coiron *(07)* ..163 F 3
St-Laurent-sur-Gorre *(87)* ....129 G 3
St-Laurent-sur-Manoire *(24)* ..143 F 4
St-Laurent-sur-Mer *(14)* ....23 H 5
St-Laurent-sur-Othain *(55)* .....20 A 3
St-Laurent-sur-Oust *(56)* ....64 B 4
St-Laurent-sur-Saône *(01)* ....122 B 3
St-Laurs *(79)* ....114 A 1
St-Léger *(06)* ....182 C 3
St-Léger *(16)* ....142 B 1
St-Léger *(17)* ....127 F 4
St-Léger *(47)* ....171 H 1
St-Léger *(50)* ....45 G 1
St-Léger *(53)* ....67 E 2
St-Léger *(62)* ....8 B 4
St-Léger *(73)* ....138 C 5
St-Léger *(77)* ....52 C 1
St-Léger-aux-Bois *(60)* ....16 B 5
St-Léger-aux-Bois *(76)* ....14 B 2
St-Léger-Bridereix *(23)* ....117 F 4
St-Léger-de-Balson *(33)* ......155 F 5
St-Léger-de-Fougeret *(58)* ....107 G 2
St-Léger-
  de-la-Martinière *(79)* .....114 D 4
St-Léger-
  de-Montbrillais *(86)* ......101 G 1
St-Léger-de-Montbrun *(79)* ...101 G 2
St-Léger-de-Peyre *(48)* ....161 F 4
St-Léger-de-Rôtes *(27)* ....28 D 3
St-Léger-de-Vignague *(33)* ...156 A 2
St-Léger-des-Aubées *(28)* ......50 B 5
St-Léger-des-Bois *(49)* ....84 C 3
St-Léger-des-Prés *(35)* ....45 F 4
St-Léger-des-Vignes *(58)* .....107 E 4
St-Léger-du-Bg-Denis *(76)* .....29 G 1
St-Léger-du-Bois *(71)* ....108 C 2
St-Léger-du-Gennetey *(27)* ....29 E 2
St-Léger-du-Malzieu *(48)* .....161 F 1
St-Léger-du-Ventoux *(84)* .....179 H 2
St-Léger-Dubosq *(14)* ....27 H 2
St-Léger-en-Bray *(60)* ....30 D 1
St-Léger-en-Yvelines *(78)* .....50 B 2
St-Léger-la-Montagne *(87)* ....130 B 1
St-Léger-le-Guérétois *(23)* ...117 H 5
St-Léger-le-Petit *(18)* ....106 B 1
St-Léger-lès-Authie *(80)* ....7 H 5
St-Léger-lès-Domart *(80)* ....7 F 5
St-Léger-lès-Mélèzes *(05)* ....166 C 3
St-Léger-lès-Paray *(71)* ......121 F 2
St-Léger-les-Vignes *(44)* ......83 E 5
St-Léger-Magnazeix *(87)* .....116 D 4
St-Léger-près-Troyes *(10)* .....73 H 1
St-Léger-
  sous-Beuvray *(71)* ....108 A 3
St-Léger-sous-Brienne *(10)* ....54 C 1
St-Léger-sous-Cholet *(49)*. ...100 B 1
St-Léger-
  sous-la-Bussière *(71)* .....122 A 3
St-Léger-sous-Margerie *(10)* ..54 C 4
St-Léger-sur-Bresle *(80)* ......14 C 2
St-Léger-sur-Dheune *(71)* ....108 D 3
St-Léger-sur-Roanne *(42)* ....134 C 1
St-Léger-sur-Sarthe *(61)* ......48 B 4
St-Léger-sur-Vouzance *(03)* ..121 E 2
St-Léger-Triey *(21)* ....93 H 4
St-Léger-Vauban *(89)* ....91 H 4
St-Léomer *(86)* ....116 B 2
St-Léon *(03)* ....120 C 2
St-Léon *(31)* ....189 G 4
St-Léon *(33)* ....155 G 2
St-Léon *(47)* ....171 H 1
St-Léon-d'Issigeac *(24)* ......157 F 2
St-Léon-sur-l'Isle *(24)* ......142 D 4
St-Léon-sur-Vézère *(24)* ......143 H 5
St-Léonard *(32)* ....172 C 5
St-Léonard *(51)* ....33 H 2
St-Léonard *(62)* ....2 B 5
St-Léonard *(76)* ....12 C 3
St-Léonard *(88)* ....78 A 1
St-Léonard-
  de-Noblat *(87)* ....130 C 3
St-Léonard-des-Bois *(72)* ......47 H 5
St-Léonard-des-Parcs *(61)* .....48 B 3
St-Léonard-en-Beauce *(41)* .....69 H 5
St-Léons *(12)* ....176 B 2
St-Léopardin-d'Augy *(03)* .....106 C 5
St-Léry *(56)* ....64 B 2
St-Leu-d'Esserent *(60)* ....31 F 3
St-Leu-la-Forêt *(95)* ....31 E 4
St-Lézer *(65)* ....187 E 4
St-Lézin *(49)* ....84 C 5
St-Lieux-Lafenasse *(81)* ......190 C 1
St-Lieux-lès-Lavaur *(81)* .....189 H 1
St-Liguaire *(79)* ....114 A 3
St-Lin *(79)* ....114 C 1
St-Lions *(04)* ....181 H 4
St-Lizier *(09)* ....206 B 3
St-Lizier-du-Planté *(32)* .....188 C 4
St-Lô Ⓟ *(50)* ....25 E 4
St-Lô-d'Ourville *(50)* ....22 C 5
St-Lon-les-Mines *(40)* ....185 F 2
St-Longis *(72)* ....48 B 5
St-Lormel *(22)* ....44 C 3

St-Lothain *(39)* ....110 B 3
St-Loube *(32)* ....188 C 4
St-Loubert *(33)* ....155 H 4
St-Loubès *(33)* ....141 F 5
St-Loubouer *(40)* ....186 B 1
St-Louet-sur-Seulles *(14)* .....26 D 3
St-Louet-sur-Vire *(50)* ....25 G 4
St-Louis *(57)* ....58 C 1
St-Louis *(68)* ....97 H 1
St-Louis-
  de-Montferrand *(33)* ......141 F 5
St-Louis-en-l'Isle *(24)* ......142 D 4
St-Louis-et-Parahou *(11)* .....208 B 4
St-Louis-lès-Bitche *(57)* ......38 C 4
St-Loup *(03)* ....120 A 3
St-Loup *(17)* ....127 F 1
St-Loup *(23)* ....118 B 5
St-Loup *(39)* ....109 H 2
St-Loup *(50)* ....45 H 2
St-Loup *(51)* ....53 G 2
St-Loup *(58)* ....90 B 3
St-Loup *(69)* ....135 F 2
St-Loup *(82)* ....172 D 3
St-Loup-Cammas *(31)* ....189 G 2
St-Loup-de-Buffigny *(10)* ......18 A 5
St-Loup-de-Fribois *(14)* ....27 H 3
St-Loup-de-Gonois *(45)* ....72 A 3
St-Loup-de-Naud *(77)* ....52 C 4
St-Loup-de-Varennes *(71)* .....109 E 4
St-Loup-des-Chaumes *(18)* ....105 F 4
St-Loup-des-Vignes *(45)* ....71 F 3
St-Loup-d'Ordon *(89)* ....72 C 3
St-Loup-du-Dorat *(53)* ....67 E 4
St-Loup-du-Gast *(53)* ....46 D 5
St-Loup-
  en-Champagne *(08)* ....18 A 5
St-Loup-Géanges *(71)* ....109 F 2
St-Loup-Hors *(14)* ....26 D 2
St-Loup-Lamairé *(79)* ....101 G 4
St-Loup-Nantouard *(70)* ....94 B 3
St-Loup-sur-Aujon *(52)* ....75 F 4
St-Loup-sur-Cher *(41)* ....88 C 5
St-Loup-sur-Semouse *(70)* ......77 F 4
St-Loup-Terrier *(08)* ....18 D 4
St-Loyer-des-Champs *(61)* ......47 H 2
St-Lubin-de-Cravant *(28)* ......49 F 2
St-Lubin-de-la-Haye *(28)* ......50 A 1
St-Lubin-des-Joncherets *(28)* ..49 G 2
St-Lubin-en-Vergonnois *(41)* ...87 G 2
St-Luc *(27)* ....29 G 5
St-Lucien *(28)* ....50 B 3
St-Lucien *(76)* ....14 A 5
St-Lumier-
  en-Champagne *(51)* ....54 C 1
St-Lumier-la-Populeuse *(51)* ...54 D 2
St-Lumine-de-Clisson *(44)* .....99 G 1
St-Lumine-de-Coutais *(44)* .....99 E 1
St-Lunaire *(35)* ....44 D 2
St-Luperce *(28)* ....49 H 4
St-Lupicin *(39)* ....123 H 2
St-Lupien *(10)* ....53 F 5
St-Lyé *(10)* ....53 H 5
St-Lyé-la-Forêt *(45)* ....70 D 3
St-Lyphard *(44)* ....82 B 3
St-Lys *(31)* ....189 E 3
St-Macaire *(33)* ....155 H 4
St-Macaire-du-Bois *(49)* ....101 F 1
St-Macaire-en-Mauges *(49)* ...100 B 1
St-Maclou *(27)* ....28 C 1
St-Maclou-de-Folleville *(76)* ..13 G 3
St-Maclou-la-Brière *(76)* ......12 C 4
St-Macoux *(86)* ....115 F 5
St-Maden *(22)* ....44 D 5
St-Magne *(33)* ....155 E 4
St-Magne-de-Castillon *(33)*. ..156 A 1
St-Maigner *(63)* ....119 E 5
St-Maigrin *(17)* ....141 H 1
St-Maime *(04)* ....180 D 4
St-Maime-de-Péreyrol *(24)* ....143 E 5
St-Maixant *(23)* ....131 G 1
St-Maixant *(33)* ....155 G 3
St-Maixent *(72)* ....68 D 2
St-Maixent-de-Beugné *(79)* ....114 A 1
St-Maixent-l'École *(79)* ......114 C 2
St-Maixent-sur-Vie *(85)* ....98 D 4
St-Maixme-Hauterive *(28)* ......49 G 3
St-Malo *(35)* ⚓ ....44 D 2
St-Malo-de-Beignon *(56)* ....64 C 3
St-Malo-de-Guersac *(44)*. ......82 B 3
St-Malo-de-la-Lande *(50)* ......24 D 3
St-Malo-de-Phily *(35)* ....65 E 4
St-Malo-
  des-Trois-Fontaines *(56)* ...64 A 2
St-Malô-du-Bois *(85)* ....100 B 2
St-Malon-sur-Mel *(35)* ....64 C 2
St-Mamert *(38)* ....122 A 4
St-Mamert-du-Gard *(30)* ....178 A 5
St-Mamet *(15)* ....161 E 1
St-Mamet *(31)* ....205 F 5
St-Mamet-la-Salvetat *(15)* ....159 H 1
St-Mammès *(77)* ....52 A 5
St-Mandé *(94)* ....51 F 1
St-Mandé-sur-Brédoire *(17)* ...127 H 1
St-Mandrier-sur-Mer *(83)* .....201 E 4
St-Manvieu-Bocage *(14)* ....46 B 1
St-Manvieu-Norrey *(14)* ....27 E 3
St-Marc *(15)* ....161 E 1
St-Marc *(44)* ....82 B 4
St-Marc-à-Frongier *(23)* ......131 G 2
St-Marc-à-Loubaud *(23)* ....131 F 2
St-Marc-du-Cor *(41)* ....69 F 4

St-Marc-Jaumegarde *(13)* .....196 A 2
St-Marc-la-Lande *(79)* ....114 B 1
St-Marc-le-Blanc *(35)* ....45 H 5
St-Marc-sur-Couesnon *(35)* .....45 H 5
St-Marc-sur-Seine *(21)* ....92 D 1
St-Marcan *(35)* ....45 F 3
St-Marceau *(08)* ....18 D 3
St-Marceau *(72)* ....68 A 2
St-Marcel *(08)* ....18 C 3
St-Marcel *(13)* ....196 A 5
St-Marcel *(27)* ....30 A 4
St-Marcel *(36)* ....117 F 1
St-Marcel *(54)* ....36 C 3
St-Marcel *(56)* ....64 A 4
St-Marcel *(70)* ....76 C 4
St-Marcel *(71)* ....109 F 4
St-Marcel *(73)* ....138 D 5
St-Marcel *(81)* ....174 C 3
St-Marcel-Bel-Accueil *(38)* ...136 D 4
St-Marcel-d'Ardèche *(07)* .....178 D 1
St-Marcel-de-Careiret *(30)* ...178 C 2
St-Marcel-de-Félines *(42)* ....134 D 2
St-Marcel-du-Périgord *(24)* ...157 F 1
St-Marcel-d'Urfé *(42)* ....134 B 2
St-Marcel-en-Dombes *(01)* ....136 B 1
St-Marcel-en-Marcillat *(03)* ..118 D 5
St-Marcel-en-Murat *(03)* ......119 G 3
St-Marcel-l'Éclairé *(69)* .....135 F 2
St-Marcel-lès-Annonay *(07)* ...149 F 2
St-Marcel-lès-Sauzet *(26)* ....163 H 3
St-Marcel-lès-Valence *(26)* ...150 B 5
St-Marcel-Paulel *(31)* ....189 G 2
St-Marcel-sur-Aude *(11)* ......209 F 1
St-Marcelin-de-Cray *(71)* .....121 H 1
St-Marcellin *(38)* ....151 E 3
St-Marcellin-en-Forez *(42)* ...134 D 5
St-Marcellin-lès-Vaison *(84)* .179 G 1
St-Marcet *(31)* ....205 G 1
St-Marcory *(24)* ....157 G 2
St-Marcouf *(14)* ....25 G 2
St-Marcouf *(50)* ....23 E 4
St-Mard *(02)* ....33 E 1
St-Mard *(17)* ....113 H 5
St-Mard *(54)* ....57 E 3
St-Mard *(77)* ....31 H 4
St-Mard *(80)* ....16 A 3
St-Mard-de-Réno *(61)* ....48 D 4
St-Mard-de-Vaux *(71)* ....108 D 4
St-Mard-lès-Rouffy *(51)* ....33 H 5
St-Mard-sur-Auve *(51)* ....34 D 4
St-Mard-sur-le-Mont *(51)* ......35 E 5
St-Mards *(76)* ....13 G 3
St-Mards-de-Blacarville *(27)* ..28 C 1
St-Mards-de-Fresne *(27)* ....28 C 4
St-Mards-en-Othe *(10)* ....73 G 2
St-Marien *(23)* ....118 B 2
St-Mariens *(33)* ....141 G 4
St-Mars-de-Coutais *(44)* ....99 E 1
St-Mars-de-Locquenay *(72)* .....68 C 4
St-Mars-des-Prés *(85)* ....100 A 5
St-Mars-d'Égrenne *(61)* ....46 D 3
St-Mars-du-Désert *(44)* ....83 G 4
St-Mars-du-Désert *(53)* ....67 G 1
St-Mars-en-Brie *(77)* ....52 D 2
St-Mars-la-Brière *(72)* ....68 B 3
St-Mars-la-Jaille *(44)* ....84 A 2
St-Mars-la-Réorthe *(85)* ......100 B 3
St-Mars-sous-Ballon *(72)* ......68 A 2
St-Mars-sur-Colmont *(53)* ......46 D 5
St-Mars-sur-la-Futaie *(53)* ....46 B 4
St-Marsal *(66)* ....212 D 4
St-Marsault *(79)* ....100 C 4
St-Martial *(07)* ....162 D 1
St-Martial *(12)* ....175 E 2
St-Martial *(15)* ....161 E 1
St-Martial *(16)* ....142 B 1
St-Martial *(17)* ....114 A 5
St-Martial *(30)* ....177 G 3
St-Martial *(33)* ....155 H 3
St-Martial-d'Albarède *(24)* ...143 H 2
St-Martial-d'Artenset *(24)* ...142 B 5
St-Martial-de-Gimel *(19)* .....145 E 3
St-Martial-
  de-Mirambeau *(17)* ....141 F 1
St-Martial-de-Nabirat *(24)* ...158 A 2
St-Martial-de-Valette *(24)* ...129 E 5
St-Martial-de-Vitaterne *(17)* .141 G 1
St-Martial-Entraygues *(19)* ...145 F 4
St-Martial-le-Mont *(23)* ......131 G 1
St-Martial-le-Vieux *(23)* .....131 H 4
St-Martial-sur-Isop *(87)* .....116 B 5
St-Martial-Viveyrol *(24)* .....142 C 2
St-Martin *(32)* ....187 G 3
St-Martin *(50)* ....24 C 5
St-Martin *(54)* ....57 H 3
St-Martin *(56)* ....80 A 1
St-Martin *(65)* ....204 C 1
St-Martin *(66)* ....208 C 5
St-Martin *(67)* ....58 C 4
St-Martin-
  lez-Tatinghem *(76)* ....14 B 2
St-Martin-au-Laërt *(62)* ....3 E 4
St-Martin-aux-Arbres *(76)* .....13 F 4
St-Martin-aux-Bois *(60)* ....15 H 5
St-Martin-aux-Buneaux *(76)* ...12 D 2
St-Martin-aux-Champs *(51)* .....54 C 1
St-Martin-aux-Chartrains *(14)* .28 A 2
St-Martin-Belle-Roche *(71)* ...122 B 2
St-Martin-Bellevue *(74)* ......138 B 1
St-Martin-Boulogne *(62)* ....2 B 4

St-Martin-Cantalès *(15)* ......145 H 4
St-Martin-Chau *(23)* ....131 E 2
St-Martin-Choquel *(62)* ....2 C 5
St-Martin-d'Oydes *(09)* ....206 D 1
St-Martin-d'Abbat *(45)* ....71 E 5
St-Martin-d'Ablois *(51)* ....33 G 4
St-Martin-d'Août *(26)* ....150 C 3
St-Martin-d'Arberoue *(64)* ....185 E 4
St-Martin-d'Arc *(73)* ....152 D 2
St-Martin-d'Arcé *(49)* ....85 G 2
St-Martin-d'Ardèche *(07)* .....178 D 1
St-Martin-d'Armagnac *(32)* ....186 D 1
St-Martin-d'Arrossa *(64)* .....184 D 5
St-Martin-d'Ary *(17)* ....141 H 3
St-Martin-d'Aubigny *(50)* ......25 E 3
St-Martin-d'Audouville *(50)* ...23 E 4
St-Martin-d'Auxigny *(18)* ......89 F 5
St-Martin-d'Auxy *(71)* ....108 C 5
St-Martin-d'Oney *(40)* ....169 H 4
St-Martin-d'Ordon *(89)* ....72 C 3
St-Martin-de-Bavel *(01)* ......137 G 2
St-Martin-de-Beauville *(47)* ..172 D 2
St-Martin-de-Belleville *(73)* .152 D 1
St-Martin-
  de-Bernegoue *(79)* ....114 B 4
St-Martin-de-Bienfaite-
  La Cressonnière *(14)* ....28 B 4
St-Martin-de-Blagny *(14)* ......25 G 2
St-Martin-de-Bonfossé *(50)* ....25 F 4
St-Martin-
  de-Boscherville *(76)* ....29 F 1
St-Martin-
  de-Bossenay *(10)* ....53 F 4
St-Martin-de-Boubaux *(48)* ...177 H 2
St-Martin-
  de-Bréthencourt *(78)* ....50 C 4
St-Martin-de-Brômes *(04)* .....181 E 5
St-Martin-de-Caralp *(09)* .....207 E 3
St-Martin-de-Castillon *(84)*. .180 B 5
St-Martin-de-Cenilly *(50)* .....25 E 4
St-Martin-de-Clelles *(38)* ....165 G 1
St-Martin-de-Commune *(71)* ...108 C 3
St-Martin-de-Connée *(53)* ......67 G 1
St-Martin-de-Coux *(17)* ....142 A 3
St-Martin-de-Crau *(13)* ....194 D 2
St-Martin-de-Curton *(47)* .....171 G 1
St-Martin-de-Fontenay *(14)* ....27 F 3
St-Martin-de-Fraigneau *(85)* ..113 H 2
St-Martin-de-Fresnay *(14)* .....27 H 5
St-Martin-
  de-Fressengeas *(24)* ....143 G 1
St-Martin-de-Fugères *(43)* ....162 B 1
St-Martin-de-Goyne *(32)* ......172 B 4
St-Martin-de-Gurson *(24)* .....142 B 5
St-Martin-de-Hinx *(40)* ....185 E 2
St-Martin-de-Juillers *(17)* ...127 G 1
St-Martin-de-Jussac *(87)* .....129 G 2
St-Martin-
  de-la-Brasque *(84)* ....180 B 5
St-Martin-de-la-Cluze *(38)* ...151 G 5
St-Martin-de-la-Coudre *(17)* ..113 H 5
St-Martin-de-la-Lieue *(14)* ....28 A 3
St-Martin-de-la-Mer *(21)* ......92 A 5
St-Martin-de-la-Place *(49)* ....85 G 4
St-Martin-de-la-Porte *(73)* ...152 D 2
St-Martin-de-Lamps *(36)* ......104 A 2
St-Martin-de-Landelles *(50)* ...46 A 3
St-Martin-de-Lansuscle *(48)* ..177 G 2
St-Martin-de-l'Arçon *(34)* ....191 H 3
St-Martin-de-Laye *(33)* ....141 H 4
St-Martin-de-Lenne *(12)* ......160 D 5
St-Martin-de-Lerm *(33)* ....156 A 3
St-Martin-de-Lixy *(71)* ....121 G 4
St-Martin-de-Londres *(34)* ....193 E 1
St-Martin-de-Mâcon *(79)* ......101 G 2
St-Martin-de-Mailloc *(14)* .....28 B 4
St-Martin-de-Mieux *(14)* ....27 G 5
St-Martin-de-Nigelles *(28)* .....50 B 3
St-Martin-de-Pallières *(83)* ..196 C 2
St-Martin-
  de-Queyrières *(05)* ....167 E 1
St-Martin-de-Ré *(17)* ....112 D 4
St-Martin-de-Ribérac *(24)* ....142 D 3
St-Martin-de-Salency *(11)* ....121 H 1
St-Martin-de-Sallen *(14)* ......27 E 5
St-Martin-de-Sanzay *(79)* .....101 F 1
St-Martin-de-Seignanx *(40)* ...184 D 2
St-Martin-de-Sescas *(33)* .....155 H 3
St-Martin-de-Sossenac *(30)* ...177 H 4
St-Martin-de-
  St-Maixent *(79)* ....114 C 2
St-Martin-de-Tallevende *(14)*. .46 C 1
St-Martin-
  de-Valamas *(07)* ....149 E 5
St-Martin-
  de-Valgalgues *(30)* ....178 A 2
St-Martin-de-Varreville *(50)* ..23 E 4
St-Martin-de-Vaulserre *(38)* ..137 G 5
St-Martin-de-Vers *(46)* ....158 C 4
St-Martin-de-Villeréal *(47)* ..157 F 3
St-Martin-de-Villereglan *(11)*.208 A 2
St-Martin-d'Écublei *(61)* ......48 D 1
St-Martin-d'Entraunes *(06)* ...182 B 2
St-Martin-des-Besaces *(14)* ....25 H 4
St-Martin-des-Bois *(41)* ....87 E 1
St-Martin-des-Champs *(18)* ...106 A 1
St-Martin-des-Champs *(29)* .....42 A 3
St-Martin-des-Champs *(50)* .....45 H 2
St-Martin-des-Champs *(77)* .....52 D 1
St-Martin-des-Champs *(78)* .....50 B 1
St-Martin-des-Champs *(89)* .....90 B 1
St-Martin-des-Combes *(24)* ...143 E 5
St-Martin-des-Combes *(34)* ...192 B 2

St-Martin-des-Entrées *(14)* ....26 D 2
St-Martin-des-Fontaines *(85)*. .113 G 1
St-Martin-des-Lais *(03)* ......107 F 5
St-Martin-des-Landes *(61)* .....47 G 3
St-Martin-des-Monts *(72)* ......68 C 2
St-Martin-des-Noyers *(85)* .....99 H 4
St-Martin-des-Olmes *(63)* .....134 B 5
St-Martin-des-Pézerit *(61)* ....48 C 3
St-Martin-des-Plains *(63)* ....147 F 1
St-Martin-des-Prés *(22)* ....63 F 1
St-Martin-des-Puits *(11)* .....208 C 2
St-Martin-des-Tilleuls *(85)* ..100 A 2
St-Martin-du-Bec *(76)* ....12 B 4
St-Martin-du-Bois *(33)* ....141 H 4
St-Martin-du-Bois *(49)* ....84 C 1
St-Martin-du-Boschet *(77)* .....52 D 2
St-Martin-du-Clocher *(16)* ....115 E 5
St-Martin-du-Fault *(87)* ......130 A 2
St-Martin-du-Fouilloux *(49)* ...84 C 3
St-Martin-du-Fouilloux *(79)* ..114 D 1
St-Martin-du-Frêne *(01)* ......123 G 4
St-Martin-du-Lac *(71)* ....121 E 4
St-Martin-du-Limet *(53)* ....66 B 5
St-Martin-du-Manoir *(76)* ......12 B 5
St-Martin-
  du-Mesnil-Oury *(14)* ....28 A 4
St-Martin-du-Mont *(01)* ....123 E 5
St-Martin-du-Mont *(21)* ....93 E 3
St-Martin-du-Mont *(71)* ....109 H 5
St-Martin-du-Puy *(33)* ....156 A 3
St-Martin-du-Puy *(58)* ....91 G 4
St-Martin-du-Tartre *(71)* .....108 D 5
St-Martin-du-Tertre *(89)* ......72 C 1
St-Martin-du-Tertre *(95)* ......31 F 4
St-Martin-du-Tilleul *(27)* .....28 C 3
St-Martin-du-Touch *(31)* ......189 F 2
St-Martin-du-Var *(06)* ....183 E 4
St-Martin-
  du-Vieux-Bellême *(61)* ......48 C 5
St-Martin-du-Vivier *(76)* ......13 H 5
St-Martin-d'Uriage *(38)* ......151 H 2
St-Martin-en-Bière *(77)* ....51 G 5
St-Martin-en-Bresse *(71)* .....109 G 4
St-Martin-
  en-Campagne *(76)* ....13 H 1
St-Martin-en-Gâtinois *(71)* ...109 F 3
St-Martin-en-Haut *(69)* ....135 G 4
St-Martin-en-Vercors *(26)* ....151 F 4
St-Martin-Gimois *(32)* ....188 B 3
St-Martin-la-Campagne *(27)* ....29 F 4
St-Martin-la-Garenne *(78)* .....30 B 4
St-Martin-la-Méanne *(19)* .....145 F 3
St-Martin-la-Patrouille *(71)* .121 H 1
St-Martin-la-Place *(49)* ....85 G 4
St-Martin-la-Sauveté *(42)* ....134 C 2
St-Martin-Labouval *(46)* ......158 D 5
St-Martin-Lacaussade *(33)* ....141 E 3
St-Martin-Laguépie *(81)* ......174 C 3
St-Martin-l'Aiguillon *(61)* .....47 G 3
St-Martin-Lalande *(11)* ....190 B 5
St-Martin-l'Ars *(86)* ....115 H 4
St-Martin-Lars-
  en-Ste-Hermine *(85)* ....100 A 5
St-Martin-l'Astier *(24)* ......142 C 4
St-Martin-le-Beau *(37)* ....87 E 4
St-Martin-le-Bouillant *(50)* ...46 A 1
St-Martin-le-Châtel *(01)* .....122 D 4
St-Martin-le-Colonel *(26)* ....150 D 5
St-Martin-le-Gaillard *(76)* ....14 A 1
St-Martin-le-Gréard *(50)* ......22 C 3
St-Martin-le-Hébert *(50)* ......22 C 4
St-Martin-le-Mault *(87)* ......116 D 4
St-Martin-le-Nœud *(60)* ....30 D 1
St-Martin-le-Pin *(24)* ....129 E 5
St-Martin-le-Redon *(46)* ......157 H 4
St-Martin-le-Vieil *(11)* ......190 C 5
St-Martin-le-Vieux *(87)* ......129 H 3
St-Martin-le-Vinoux *(38)* .....151 G 3
St-Martin-les-Eaux *(04)* ......180 C 4
St-Martin-lès-Langres *(52)* ....75 H 4
St-Martin-lès-Melle *(79)* .....114 C 4
St-Martin-lès-Seyne *(04)* .....166 C 5
St-Martin-Lestra *(42)* ....135 E 3
St-Martin-Longueau *(60)* ....31 G 1
St-Martin-Lys *(11)* ....208 A 4
St-Martin-Osmonville *(76)* .....13 H 4
St-Martin-Petit *(47)* ....156 B 4
St-Martin-Rivière *(02)* ....9 F 5
St-Martin-Sepert *(19)* ....144 C 1
St-Martin-
  sous-Montaigu *(71)* ....108 D 4
St-Martin-
  sous-Vigouroux *(15)* ....160 C 1
St-Martin-Ste-Firmin *(27)* .....28 C 2
St-Martin-Ste-Catherine *(23)*. 130 C 1
St-Martin-sur-Armançon *(89)* ...73 H 4
St-Martin-sur-Arve *(74)* ......139 E 1
St-Martin-sur-Cojeul *(62)* ......8 B 4
St-Martin-sur-Écaillon *(59)* .....9 F 3

St-Martin-sur-la-Renne *(52)* ...75 F 2
St-Martin-sur-le-Pré *(51)* .....34 B 5
St-Martin-sur-Nohain *(58)* .....90 B 4
St-Martin-sur-Ocre *(45)* ....89 H 1
St-Martin-sur-Ocre *(89)* ....72 D 5
St-Martin-sur-Oreuse *(89)* .....72 D 1
St-Martin-sur-Ouanne *(89)* .....72 D 5
St-Martin-sur-Oust *(56)* ....64 B 5
St-Martin-Terressus *(87)* .....130 B 2
St-Martin-Valmeroux *(15)* .....146 A 4
St-Martin-Vésubie *(06)* ....183 F 2
St-Martinien *(03)* ....118 D 3
St-Martory *(31)* ....206 A 1
St-Mary *(16)* ....128 D 2
St-Mary-le-Plain *(15)* ....147 E 3
St-Masmes *(51)* ....34 A 2
St-Mathieu *(87)* ....129 F 4
St-Mathieu-de-Tréviers *(34)*. .193 F 1
St-Mathurin *(85)* ....99 E 5
St-Mathurin-Léobazel *(19)* ....145 F 5
St-Mathurin-sur-Loire *(49)* ....85 F 3
St-Matré *(46)* ....157 H 5
St-Maudan *(22)* ....63 G 3
St-Maudez *(22)* ....44 C 4
St-Maugan *(35)* ....64 C 1
St-Maulvis *(80)* ....14 C 1
St-Maur *(18)* ....118 C 1
St-Maur *(32)* ....187 G 3
St-Maur *(36)* ....104 B 4
St-Maur *(39)* ....110 B 5
St-Maur *(60)* ....14 D 4
St-Maur-des-Bois *(50)* ....46 A 1
St-Maur-des-Fossés *(94)* ....51 G 1
St-Maur-sur-le-Loir *(28)* ......69 H 2
St-Maurice *(26)* ....150 D 4
St-Maurice *(52)* ....75 H 4
St-Maurice *(58)* ....107 E 1
St-Maurice *(63)* ....133 F 4
St-Maurice *(67)* ....58 D 5
St-Maurice *(94)* ....51 G 1
St-Maurice-aux-Forges *(54)* ....58 A 3
St-Maurice-
  aux-Riches-Hommes *(89)* .....53 E 5
St-Maurice-Colombier *(25)* .....95 H 3
St-Maurice-Crillat *(39)* ......123 H 1
St-Maurice-d'Ardèche *(07)* ....163 E 4
St-Maurice-de-Beynost *(01)*. ..136 B 2
St-Maurice-
  de-Cazevieille *(30)* ....178 B 3
St-Maurice-
  de-Gourdans *(01)* ....136 D 2
St-Maurice-de-Lestapel *(47)* ..157 E 4
St-Maurice-de-Lignon *(43)* ....148 C 3
St-Maurice-de-Rémens *(01)* ....136 D 1
St-Maurice-
  de-Rotherens *(73)* ....137 G 4
St-Maurice-de-Satonnay *(71)* .122 B 2
St-Maurice-
  de-Tavernole *(17)* ....127 G 5
St-Maurice-de-Ventalon *(48)*. 177 G 1
St-Maurice-des-Champs *(71)* ...108 D 5
St-Maurice-des-Lions *(16)* ....129 F 1
St-Maurice-des-Noues *(85)* ....100 C 5
St-Maurice-d'Ételan *(76)* ......12 D 5
St-Maurice-d'Ibie *(07)* ....163 F 4
St-Maurice-du-Désert *(61)* .....47 F 3
St-Maurice-
  en-Chalencon *(07)* ....163 F 1
St-Maurice-en-Cotentin *(50)* ...22 C 5
St-Maurice-en-Gourgois *(42)* ..148 D 1
St-Maurice-en-Quercy *(46)* ....159 F 2
St-Maurice-en-Rivière *(71)* ...109 F 3
St-Maurice-en-Trièves *(38)* ...165 G 2
St-Maurice-Etusson *(79)* .....100 D 2
St-Maurice-
  en-Valgodemard *(05)*. ......166 B 1
St-Maurice-la-Clouère *(86)* ...115 G 3
St-Maurice-
  la-Souterraine *(23)* ....117 E 4
St-Maurice-le-Girard *(85)* ....100 C 5
St-Maurice-le-Vieil *(89)* ......72 D 5
St-Maurice-les-Brousses *(87)*. 130 A 4
St-Maurice-
  lès-Charencey *(61)* ....49 E 3
St-Maurice-
  lès-Châteauneuf *(71)* ......121 G 4
St-Maurice-lès-Couches *(71)* ..108 D 3
St-Maurice-l'Exil *(38)* ....149 G 1
St-Maurice-
  Montcouronne *(91)* ....51 E 4
St-Maurice-Navacelles *(34)* ...177 E 5
St-Maurice-près-Crocq *(23)* ...131 H 2
St-Maurice-près-Pionsat *(63)*.132 B 1
St-Maurice-
  sous-les-Côtes *(55)* ....36 B 4
St-Maurice-St-Germain *(28)* ...49 F 4
St-Maurice-sur-Adour *(40)* ....170 C 5
St-Maurice-sur-Aveyron *(45)*. ..72 A 5
St-Maurice-sur-Dargoire *(69)* .135 G 5
St-Maurice-sur-Eygues *(26)* ...179 G 1
St-Maurice-sur-Fessard *(45)* ...71 H 3
St-Maurice-sur-Huisne *(61)* ....48 D 4
St-Maurice-
  sur-Mortagne *(88)* ....57 G 4
St-Maurice-sur-Moselle *(88)*. ..78 A 4
St-Maurice-
  sur-Vingeanne *(21)* ....93 H 2
St-Maurice-Thizouaille *(89)* ...72 D 5

A
B
C
D
E
F
G
H
I
J
K
L
M
N
O
P
Q
R
S
T
U
V
W
X
Y
Z

Localité *(Département)*   Page   Coordonnées

St-Maurin (47)........172 D 2
St-Max (54)........57 E 2
St-Maxent (80)........14 C 1
St-Maximin (30)........178 C 4
St-Maximin (38)........152 A 1
St-Maximin (60)........31 G 3
St-Maximin-la-Ste-Baume (83)........196 C 3
St-Maxire (79)........114 A 2
St-May (26)........165 E 5
St-Mayeux (22)........63 F 2
St-Méard (87)........130 C 4
St-Méard-de-Drône (24)........142 D 3
St-Méard-de-Gurçon (24)........156 B 1
St-Médard (16)........127 H 5
St-Médard (17)........141 G 1
St-Médard (31)........205 H 1
St-Médard (32)........187 H 3
St-Médard (36)........103 G 2
St-Médard (40)........170 C 4
St-Médard (46)........158 A 4
St-Médard (57)........57 G 1
St-Médard (64)........186 A 3
St-Médard (79)........114 C 4
St-Médard-d'Aunis (17)........113 F 4
St-Médard-de-Guizières (33)..142 A 5
St-Médard-de-Mussidan (24)..142 C 4
St-Médard-de-Presque (46)...159 E 1
St-Médard-d'Excideuil (24)...143 H 2
St-Médard-d'Eyrans (33)......155 F 2
St-Médard-en-Forez (42)......135 E 5
St-Médard-en-Jalles (33)......155 E 1
St-Médard-la-Rochette (23)...131 G 1
St-Médard-Nicourby (46)......159 F 2
St-Médard-sur-Ille (35)......45 F 5
St-Méen (22)........41 G 3
St-Méen-le-Grand (35)......64 C 1
St-Melaine (35)........65 H 2
St-Melaine-sur-Aubance (49)...85 E 4
St-Mélany (07)........162 C 4
St-Méloir-des-Bois (22)......44 C 4
St-Méloir-des-Ondes (35).....45 E 2
St-Même-le-Tenu (44)......99 E 1
St-Même-les-Carrières (16)...127 H 4
St-Memmie (51)........34 B 5
St-Menge (88)........56 C 5
St-Menges (88)........19 E 3
St-Menoux (03)........191 H 1
St-Merd-de-Lapleau (19)......145 F 3
St-Merd-la-Breuille (23)......132 A 3
St-Merd-les-Oussines (19)....131 F 4
St-Méry (77)........52 A 3
St-Meslin-du-Bosc (27)......29 E 3
St-Mesmes (77)........31 H 5
St-Mesmin (10)........53 G 4
St-Mesmin (21)........92 D 4
St-Mesmin (24)........144 A 2
St-Mesmin (85)........100 C 4
St-Mexant (19)........144 D 2
St-M'Hervé (35)........66 A 1
St-M'Hervon (35)........64 D 1
St-Micaud (71)........108 C 5
St-Michel (02)........10 A 5
St-Michel (09)........206 D 1
St-Michel (16)........128 B 4
St-Michel (31)........206 B 1
St-Michel (32)........187 H 4
St-Michel (34)........176 D 5
St-Michel (45)........71 F 3
St-Michel (52)........93 H 1
St-Michel (64)........202 B 1
St-Michel (82)........172 D 3
St-Michel-Chef-Chef (44)....82 C 5
St-Michel-d'Aurance (07)....163 F 1
St-Michel-de-Bannières (46)..144 D 5
St-Michel-de-Boulogne (07)..163 E 2
St-Michel-de-Castelnau (33)..171 F 1
St-Michel-de-Chabrillanoux (07)..163 F 1
St-Michel-de-Chaillol (05)...166 C 2
St-Michel-de-Chavaignes (72)..68 C 3
St-Michel-de-Dèze (48)......177 H 2
St-Michel-de-Double (24)....142 C 4
St-Michel-de-Feins (53)......66 D 5
St-Michel-de-Fronsac (33)....141 G 5
St-Michel-de-la-Pierre (50)...24 D 3
St-Michel-de-la-Roë (53)....66 A 4
St-Michel-de-Lanès (11)......189 H 5
St-Michel-de-Lapujade (33)...156 B 3
St-Michel-de-Livet (14)......28 A 4
St-Michel-de-Llotes (66)......212 D 3
St-Michel-de-Maurienne (73)..152 D 2
St-Michel-de-Montaigne (24)..156 A 1
St-Michel-de-Montjoie (50)...46 B 1
St-Michel-de-Plélan (22).....44 C 3
St-Michel-de-Rieufret (33)....155 F 3
St-Michel-de-Rivière (24)....142 A 4
St-Michel-de-St-Geoirs (38)..151 E 2
St-Michel-de-Vax (81)......174 B 3
St-Michel-de-Veisse (23)....131 F 2
St-Michel-de-Villadeix (24)...143 F 5
St-Michel-de-Volangis (18)...105 G 1
St-Michel-des-Andaines (61)..47 F 3

St-Michel-des-Loups (50).....45 G 1
St-Michel-d'Euzet (30)......178 D 2
St-Michel-d'Halescourt (76)..14 B 4
St-Michel-en-Beaumont (38)..166 A 1
St-Michel-en-Brenne (36)....103 G 4
St-Michel-en-Grève (22)....42 C 2
St-Michel-en-l'Herm (85)....113 E 2
St-Michel-Escalus (40)......168 D 4
St-Michel-et-Chanveaux (49)..84 A 1
St-Michel-Labadié (81)......175 F 4
St-Michel-le-Cloucq (85)....113 H 1
St-Michel-l'Écluse-et-Léparon (24)......142 B 4
St-Michel-les-Portes (38)....165 G 1
St-Michel-l'Observatoire (04)..180 C 4
St-Michel-Loubéjou (46)....159 E 1
St-Michel-Mont-Mercure (85)..100 B 3
St-Michel-sous-Bois (62)....7 E 1
St-Michel-sur-Loire (37)....86 B 4
St-Michel-sur-Meurthe (88)...58 A 5
St-Michel-sur-Orge (91).....51 F 3
St-Michel-sur-Rhône (42)....149 G 1
St-Michel-sur-Savasse (26)...150 C 3
St-Michel-sur-Ternoise (62)..7 G 2
St-Michel-Tubœuf (61).....48 D 2
St-Mihiel (55)........36 A 5
St-Mitre-les-Remparts (13)...195 F 3
St-Molf (44)........82 A 3
St-Momelin (59)........3 E 4
St-Mont (32)........186 D 2
St-Montan (07)........163 G 5
St-Moré (89)........91 G 2
St-Moreil (23)........130 D 2
St-Morel (08)........34 D 1
St-Morillon (33)........155 F 3
St-Mury-Monteymond (38)...152 A 2
St-Myon (63)........133 F 1
St-Nabor (67)........58 D 3
St-Nabord (88)........70 C 2
St-Nabord-sur-Aube (10)....54 A 4
St-Nauphary (82)........173 H 4
St-Nazaire (30)........178 D 2
St-Nazaire ⑤Ⓟ (44)......82 B 4
St-Nazaire (47)........156 D 3
St-Nazaire (66)........213 F 2
St-Nazaire-d'Aude (11)......209 E 1
St-Nazaire-de-Ladarez (34)..192 A 3
St-Nazaire-de-Pézan (34)....193 H 2
St-Nazaire-de-Valentane (82)..173 E 2
Saint-Nazaire-des-Gardies (30)......177 H 4
St-Nazaire-en-Royans (26)...150 D 4
St-Nazaire-le-Désert (26)....165 E 3
St-Nazaire-les-Eymes (38)...151 H 2
St-Nazaire-sur-Charente (17)..126 C 1
St-Nectaire (63)........133 E 5
St-Nexans (24)........157 E 2
St-Nic (29)........61 F 1
St-Nicodème (22)........62 D 1
St-Nicolas (62)........8 A 3
St-Nicolas-aux-Bois (02)....17 E 4
St-Nicolas-Courbefy (87)....129 H 5
St-Nicolas-d'Aliermont (76)...13 H 2
St-Nicolas-d'Attez (27)......49 F 1
St-Nicolas-de-Bliquetuit (76)..13 E 5
St-Nicolas-de-Bourgueil (37)..85 H 5
St-Nicolas-de-la-Balerme (47)..172 C 3
St-Nicolas-de-la-Grave (82)..173 E 3
St-Nicolas-de-la-Haie (76)...12 D 5
St-Nicolas-de-la-Taille (76)..12 D 5
St-Nicolas-de-Macherin (38)..151 F 1
St-Nicolas-de-Pierrepont (50)..22 C 5
St-Nicolas-de-Port (54)....57 E 2
St-Nicolas-de-Redon (44)....82 C 1
St-Nicolas-de-Sommaire (61)..48 D 1
St-Nicolas-de-Véroce (74)...139 E 2
St-Nicolas-des-Biefs (03)....134 B 1
St-Nicolas-des-Bois (50).....46 A 1
St-Nicolas-des-Bois (61).....47 H 4
St-Nicolas-des-Eaux (56)....63 F 4
St-Nicolas-des-Laitiers (61)..48 C 1
St-Nicolas-des-Motets (37)...87 F 2
St-Nicolas-du-Bosc (27).....29 E 3
St-Nicolas-du-Pélem (22)....63 E 1
St-Nicolas-du-Tertre (56)....64 B 4
St-Nicolas-en-Forêt (57)....20 D 4
St-Nicolas-la-Chapelle (10)...53 E 4
St-Nicolas-la-Chapelle (73)..138 D 2
St-Nicolas-lès-Cîteaux (21)...109 F 1
St-Nizier-d'Azergues (69)...121 H 5
St-Nizier-de-Fornas (42)....148 C 1
St-Nizier-du-Moucherotte (38)..151 G 3
St-Nizier-le-Bouchoux (01)...122 D 2
St-Nizier-le-Désert (01).....122 D 5
St-Nizier-sous-Charlieu (42)..121 F 5
St-Nizier-sur-Arroux (71)...81 H 2
St-Nolff (56)........81 A 4
St-Nom-la-Bretèche (78)....50 D 1
St-Offenge (73)........138 A 3
St-Omer (14)........27 E 5
St-Omer (44)........82 D 2
St-Omer ⑤Ⓟ (62)........3 E 4
St-Omer-Capelle (62)......2 D 1
St-Omer-en-Chaussée (60)...14 A 5
St-Ondras (38)........137 F 5
St-Onen-la-Chapelle (35)....64 C 1
St-Oradour-de-Chirouze (23)..131 H 3

St-Oradour-près-Crocq (23)..131 H 2
St-Orens (32)........188 C 1
St-Orens-de-Gameville (31)..189 G 3
St-Orens-Pouy-Petit (32)....172 A 5
St-Ost (32)........187 H 4
St-Ouen (41)........69 F 5
St-Ouen (80)........7 F 5
St-Ouen (93)........31 H 5
St-Ouen-d'Aunis (17)......113 F 4
St-Ouen-de-la-Cour (61)....48 C 5
St-Ouen-de-Mimbré (72)....67 H 1
St-Ouen-de-Pontcheuil (27)..29 F 2
St-Ouen-de-Sécherouvre (61)..48 C 3
St-Ouen-de-Thouberville (27)..29 E 1
St-Ouen-des-Alleux (35).....45 G 5
St-Ouen-des-Besaces (14)....25 H 4
St-Ouen-des-Champs (27)....28 C 1
St-Ouën-des-Toits (53)......66 B 2
St-Ouën-des-Vallons (53)....67 E 2
St-Ouen-Domprot (51)......54 B 3
St-Ouen-du-Breuil (76)......13 G 4
St-Ouen-du-Mesnil-Oger (14)..27 G 3
St-Ouen-du-Tilleul (27)......29 F 2
St-Ouen-en-Belin (72)......68 A 5
St-Ouen-en-Brie (77)......52 A 3
St-Ouen-en-Champagne (72)..67 G 4
St-Ouen-la-Rouërie (35)....45 G 4
St-Ouen-la-Thène (17)......127 H 2
St-Ouen-l'Aumône (95)......31 E 4
St-Ouen-le-Brisoult (61).....47 F 4
St-Ouen-le-Houx (14)......28 A 5
St-Ouen-le-Mauger (76)....13 F 3
St-Ouen-le-Pin (14)......28 A 3
St-Ouen-lès-Parey (88)......76 B 1
St-Ouen-les-Vignes (37)....87 F 3
St-Ouen-Marchefroy (28)....50 A 1
St-Ouen-sous-Bailly (76)....13 H 1
St-Ouen-sur-Gartempe (87)..116 C 5
St-Ouen-sur-Iton (61)......48 D 2
St-Ouen-sur-Loire (58)....106 D 3
St-Ouen-sur-Maine (61)....47 G 2
St-Ouen-sur-Morin (77)....32 C 5
St-Oulph (10)........53 G 4
St-Ours (63)........132 D 2
St-Ours (73)........138 A 3
St-Outrille (18)........104 C 1
St-Ovin (50)........46 A 2
St-Oyen (73)........138 D 5
St-Pabu (29)........41 E 2
St-Paër (27)........30 B 2
St-Paër (76)........13 F 5
St-Pair (14)........27 G 3
St-Pair-du-Mont (14)......27 H 3
St-Pair-sur-Mer (50)......45 G 1
St-Pal-de-Chalencon (43)...148 B 2
St-Pal-de-Mons (43)......148 D 3
St-Pal-de-Senouire (43)....147 H 3
St-Palais (03)........118 C 2
St-Palais (18)........89 F 5
St-Palais (33)........141 F 2
St-Palais (64)........185 F 4
St-Palais-de-Négrignac (17)..141 H 2
St-Palais-de-Phiolin (17)....127 F 5
St-Palais-du-Né (16)......127 H 5
St-Palais-sur-Mer (17)......126 C 4
St-Pancrace (06)........183 F 5
St-Pancrace (24)........143 E 1
Saint-Pancrace (2B)......216 D 2
St-Pancrace (73)........152 C 2
St-Pancrasse (38)........151 H 2
St-Pancré (54)........20 B 2
St-Pandelon (40)........185 F 1
St-Pantaléon (46)........159 G 3
St-Pantaléon (84)........179 H 5
St-Pantaléon-de-Lapleau (19)..145 G 2
St-Pantaléon-de-Larche (19)..144 B 4
St-Pantaléon-les-Vignes (26)..164 D 5
St-Pantaly-d'Ans (24)......143 H 3
St-Pantaly-d'Excideuil (24)...143 H 2
St-Papoul (11)........190 B 5
St-Pardon (33)........141 G 5
St-Pardon-de-Conques (33)...155 H 4
St-Pardoult (17)........127 G 1
St-Pardoux (17)........133 E 1
St-Pardoux (79)........114 B 1
St-Pardoux (87)........130 A 1
St-Pardoux-Corbier (19)....144 B 1
St-Pardoux-d'Arnet (23)....131 H 2
St-Pardoux-de-Drône (24)...142 D 3
St-Pardoux-et-Vielvic (24)...157 G 2
St-Pardoux-Isaac (47)......156 C 3
St-Pardoux-la-Croisille (19)..145 F 3
St-Pardoux-la-Rivière (24)...129 F 5
St-Pardoux-le-Neuf (19)....131 H 5
St-Pardoux-le-Neuf (23)....131 H 2
St-Pardoux-le-Vieux (19)....131 H 5
St-Pardoux-les-Cards (23)...118 A 5
St-Pardoux-l'Ortigier (19)...144 C 2
St-Pardoux-Morterolles (23)..131 E 2
St-Pargoire (34)........192 D 3
St-Parize-en-Viry (58)......106 D 4
St-Parize-le-Châtel (58)....106 C 4
St-Parres-aux-Tertres (10)...73 H 1
St-Parres-lès-Vaudes (10)...74 A 2
St-Parthem (12)........159 H 3
St-Pastour (47)........157 E 4
St-Pastous (65)........204 B 2
St-Paterne (72)........48 A 5
St-Paterne-Racan (37)......86 C 2
St-Pathus (77)........32 A 4
St-Patrice (37)........86 A 5

St-Patrice-de-Claids (50)....24 D 2
St-Patrice-du-Désert (61)....47 F 3
St-Paul (19)........145 E 3
St-Paul (33)........141 E 3
St-Paul (60)........30 D 1
St-Paul (61)........46 D 1
St-Paul (65)........205 F 2
St-Paul (73)........137 G 4
St-Paul (87)........130 B 3
St-Paul (88)........56 C 5
St-Paul-aux-Bois (02)......16 C 5
St-Paul-Cap-de-Joux (81)...190 B 2
St-Paul-de-Baïse (32)......187 G 1
St-Paul-de-Fenouillet (66)...208 C 4
St-Paul-de-Fourques (27)....29 E 2
St-Paul-de-Jarrat (09)......207 E 3
St-Paul-de-Loubressac (46)..173 H 1
St-Paul-de-Salers (15)......146 A 4
St-Paul-de-Serre (24)......143 E 4
St-Paul-de-Tartas (43)......162 B 2
St-Paul-de-Varax (01)......122 D 5
St-Paul-de-Varces (38)......151 E 4
St-Paul-de-Vence (06)......199 F 1
St-Paul-de-Vern (46)......159 E 1
St-Paul-de-Vézelin (42)....134 D 2
St-Paul-des-Landes (15)....145 H 5
St-Paul-d'Espis (82)......173 E 2
St-Paul-d'Izeaux (38)......151 E 2
St-Paul-d'Oueil (31)......205 F 4
St-Paul-du-Bois (49)......100 D 1
St-Paul-du-Vernay (14)....25 H 3
St-Paul-d'Uzore (42)......134 D 4
St-Paul-en-Born (40)......168 D 1
St-Paul-en-Chablais (74)....125 E 2
St-Paul-en-Cornillon (42)...148 D 1
St-Paul-en-Forêt (83)......197 H 2
St-Paul-en-Gâtine (79)....100 D 5
St-Paul-en-Jarez (42)......135 G 5
St-Paul-en-Pareds (85)....100 A 3
St-Paul-et-Valmalle (34)....193 E 2
St-Paul-Flaugnac (46)......173 G 1
St-Paul-la-Coste (30)......177 H 2
St-Paul-la-Roche (24)......143 H 1
St-Paul-le-Froid (48)......161 H 2
St-Paul-le-Gaultier (72)....47 G 5
St-Paul-le-Jeune (07)......178 A 1
St-Paul-lès-Dax (40)......185 F 1
St-Paul-les-Fonts (30)......178 D 3
St-Paul-lès-Monestier (38)..151 G 5
St-Paul-lès-Romans (26)....150 D 4
St-Paul-Lizonne (24)......142 C 2
St-Paul-Mont-Penit (85)....99 E 3
St-Paul-sur-Isère (73)......138 D 4
St-Paul-sur-Risle (27)......28 C 1
St-Paul-sur-Save (31)......189 E 1
St-Paul-sur-Ubaye (04)....167 F 3
St-Paul-Trois-Châteaux (26)..163 H 5
St-Paulet (11)........190 A 4
St-Paulet-de-Caisson (30)...178 D 1
St-Paulien (43)........148 A 4
St-Pavace (72)........68 A 3
St-Pé-d'Ardet (31)......205 G 3
St-Pé-de-Bigorre (65)......204 A 2
St-Pé-de-Léren (64)......185 F 3
St-Pé-Delbosc (31)......188 A 5
St-Pé-St-Simon (47)......171 G 4
St-Pée-d'En-Bas (64)......203 F 1
St-Pée-d'En-Haut (64)....203 F 1
St-Pée-sur-Nivelle (64)....184 C 4
St-Pellerin (28)........69 G 3
St-Pellerin (50)........25 F 1
St-Péran (35)........64 D 2
St-Péravy-Épreux (45)....70 D 1
St-Péravy-la-Colombe (45)..70 B 3
St-Péray (07)........149 H 5
St-Perdon (40)........169 H 5
St-Perdoux (24)........157 E 2
St-Perdoux (46)........159 F 3
St-Père (35)........45 E 3
St-Père (58)........90 B 4
St-Père (89)........91 G 3
St-Père-en-Retz (44)......82 C 5
St-Père-sur-Loire (45)....71 F 5
St-Péreuse (58)........107 G 2
St-Pern (35)........44 D 5
St-Perreux (56)........82 C 1
St-Péver (22)........43 F 4
St-Pey-d'Armens (33)......156 H 1
St-Pey-de-Castets (33)....156 A 1
St-Phal (10)........73 H 2
St-Philbert-de-Bouaine (85)..99 F 2
St-Philbert-de-Grand-Lieu (44)..99 F 1
St-Philbert-des-Champs (14)..28 B 3
St-Philbert-du-Peuple (49)...85 G 4
St-Philbert-du-Pont-Charrault (85)..100 A 5
St-Philbert-en-Mauges (49)..84 A 5
St-Philbert-sur-Boissey (27)..29 E 2
St-Philbert-sur-Orne (61)...47 F 1
St-Philbert-sur-Risle (27)...28 D 2
St-Philibert (21)........93 F 5
St-Philibert (56)........81 F 2
St-Philibert-d'Entremont (38)..151 H 1
St-Philippe-d'Aiguille (33)...156 A 1
St-Philippe-du-Seignal (33)..156 C 1
St-Piat (28)........50 A 4
St-Pierre (04)........182 D 4
St-Pierre (15)........145 H 2

St-Pierre (31)........189 H 2
St-Pierre (39)........124 A 1
St-Pierre (67)........58 D 4
St-Pierre (84)........179 E 1
St-Pierre-à-Arnes (08)......34 B 2
St-Pierre-à-Champ (79)....101 E 1
St-Pierre-à-Gouy (80)......15 E 1
St-Pierre-Aigle (02)......32 C 2
St-Pierre-Avez (05)......180 D 1
St-Pierre-Azif (14)......27 H 2
St-Pierre-Bellevue (23)....131 E 2
St-Pierre-Bénouville (76)...13 F 3
St-Pierre-Bois (67)......58 D 5
St-Pierre-Brouck (59)......3 E 3
St-Pierre-Canivet (14)....27 G 5
St-Pierre-Chérignat (23)...130 C 1
St-Pierre-Colamine (15)....133 E 5
St-Pierre-d'Allevard (38)...152 A 1
St-Pierre-d'Alvey (73)......137 G 4
St-Pierre-d'Amilly (17)....113 H 4
St-Pierre-d'Argençon (05)..165 H 4
St-Pierre-d'Arthéglise (50)..22 C 4
St-Pierre-d'Aubézies (32)...187 F 2
St-Pierre-d'Aurillac (33)...155 H 4
St-Pierre-d'Autils (27)....30 A 3
St-Pierre-de-Bailleul (27)...29 H 3
St-Pierre-de-Bat (33)......155 H 3
St-Pierre-de-Belleville (73)..138 C 5
St-Pierre-de-Bœuf (42)....149 G 1
St-Pierre-de-Bressieux (38)..150 D 2
St-Pierre-de-Buzet (47)....171 H 1
St-Pierre-de-Caubel (47)....157 E 5
St-Pierre-de-Cernières (27)..28 C 5
St-Pierre-de-Chandieu (69)..136 C 4
St-Pierre-de-Chartreuse (38)..151 H 1
St-Pierre-de-Chérennes (38)..151 E 4
St-Pierre-de-Chevillé (72)...86 B 1
St-Pierre-de-Chignac (24)...143 G 4
St-Pierre-de-Clairac (47)....172 C 2
St-Pierre-de-Côle (24)......143 F 2
St-Pierre-de-Colombier (07)..162 D 2
St-Pierre-de-Cormeilles (27)..28 B 2
St-Pierre-de-Coutances (50)..24 D 4
St-Pierre-de-Curtille (73)...137 H 3
St-Pierre-de-Frugie (24)....129 H 5
St-Pierre-de-Fursac (23)...117 F 5
St-Pierre-de-Genebroz (73)..151 G 1
St-Pierre-de-Jards (36)....104 D 1
St-Pierre-de-Juillers (17)...127 G 1
St-Pierre-de-la-Fage (34)...192 C 1
St-Pierre-de-Lages (31)....189 G 3
St-Pierre-de-Lamps (36)....104 A 2
St-Pierre-de-l'Isle (17)....127 G 1
St-Pierre-de-Maillé (86)....103 E 5
St-Pierre-de-Mailloc (14)...28 B 4
St-Pierre-de-Manneville (76)..29 F 1
St-Pierre-de-Méaroz (38)...165 H 1
St-Pierre-de-Mésage (38)...151 H 4
St-Pierre-de-Mézoargues (13)..178 D 5
St-Pierre-de-Mons (33)....155 H 4
St-Pierre-de-Nogaret (48)...161 E 5
St-Pierre-de-Plesguen (35)..45 E 4
St-Pierre-de-Rivière (09)...207 E 3
St-Pierre-de-Salerne (27)...28 D 3
St-Pierre-de-Semilly (50)...25 G 3
St-Pierre-de-Soucy (73)....138 B 5
St-Pierre-de-Trivisy (81)...191 E 1
St-Pierre-de-Vacquière (30)..178 B 5
St-Pierre-de-Varengeville (76)..13 F 5
St-Pierre-de-Varennes (71)..108 C 3
St-Pierre-de-Vassols (84)...179 H 3
St-Pierre-dels-Forcats (66)..211 H 4
St-Pierre-d'Entremont (61)..46 D 1
St-Pierre-d'Entremont (73)..151 H 1
St-Pierre-des-Bois (72)....67 G 4
St-Pierre-des-Champs (11)..208 D 2
St-Pierre-des-Corps (37)....86 D 4
St-Pierre-des-Échaubrognes (79)..100 C 2
St-Pierre-des-Fleurs (27)...29 F 2
St-Pierre-des-Ifs (14)......28 A 3
St-Pierre-des-Ifs (27)......28 D 2
St-Pierre-des-Jonquières (76)..14 A 2
St-Pierre-des-Landes (53)...66 B 1
St-Pierre-des-Loges (61)....48 C 2
St-Pierre-des-Nids (53)....47 G 5
St-Pierre-des-Ormes (72)...68 B 1
St-Pierre-des-Tripiers (48)..176 D 2
St-Pierre-d'Exideuil (86)...115 F 5
St-Pierre-d'Eyraud (24)....156 C 1
St-Pierre-d'Irube (64)......184 C 3
St-Pierre-d'Oléron (17)....126 A 1
St-Pierre-du-Bosguérard (27)..29 E 2
St-Pierre-du-Bû (14)......27 G 5
St-Pierre-du-Champ (43)....148 B 3
St-Pierre-du-Chemin (85)...100 C 5
St-Pierre-du-Fresne (14)...25 H 4
St-Pierre-du-Jonquet (14)...27 G 3
St-Pierre-du-Lorouër (72)...68 C 5
St-Pierre-du-Mesnil (27)...28 C 5
St-Pierre-du-Mont (14)....23 G 5
St-Pierre-du-Mont (40)....169 H 5
St-Pierre-du-Mont (58)....91 E 4
St-Pierre-du-Palais (17)....141 H 3
St-Pierre-du-Perray (91)....51 G 3
St-Pierre-du-Regard (61)...47 E 1
St-Pierre-du-Val (27)......28 B 1
St-Pierre-du-Vauvray (27)..29 G 2
St-Pierre-Église (50)......23 E 2

St-Pierre-en-Faucigny (74)..124 D 5
St-Pierre-en-Port (76)......12 D 2
St-Pierre-en-Val (76)......6 B 5
St-Pierre-en-Vaux (21)....108 C 2
St-Pierre-es-Champs (60)...30 B 1
St-Pierre-Eynac (43)......148 C 4
St-Pierre-la-Bourlhonne (63)..134 B 4
St-Pierre-la-Bruyère (61)...49 E 5
St-Pierre-la-Cour (53)....66 B 2
St-Pierre-la-Garenne (27)...29 H 3
St-Pierre-la-Mer (11)......209 G 1
St-Pierre-la-Noaille (42)....121 F 4
St-Pierre-la-Palud (69)....135 G 3
St-Pierre-la-Rivière (61)....48 A 1
St-Pierre-la-Roche (07)....163 G 3
St-Pierre-la-Vieille (14)....27 E 5
St-Pierre-Lafeuille (46)....158 B 4
St-Pierre-Langers (50)......45 G 1
St-Pierre-Laval (03)......120 D 4
St-Pierre-Lavis (76)......12 D 4
St-Pierre-le-Bost (23)......118 B 3
St-Pierre-le-Chastel (63)...132 D 3
St-Pierre-le-Déchausselat (07)..162 C 5
St-Pierre-le-Moûtier (58)...106 C 4
St-Pierre-le-Vieux (48)....161 F 1
St-Pierre-le-Vieux (71)....121 H 3
St-Pierre-le-Vieux (76)....13 F 2
St-Pierre-le-Vieux (85)....113 H 2
St-Pierre-le-Viger (76)....13 F 2
St-Pierre-les-A. (13)......196 A 4
St-Pierre-lès-Bitry (60)....32 B 1
St-Pierre-lès-Bois (18)....105 F 5
St-Pierre-lès-Elbeuf (76)...29 F 1
St-Pierre-lès-Étieux (18)...105 H 5
St-Pierre-lès-Franqueville (17)..17 G 2
St-Pierre-lès-Nemours (77)..71 H 1
St-Pierre-Montlimart (49)...84 A 4
St-Pierre-Quiberon (56)....81 E 3
St-Pierre-Roche (63)......132 D 4
St-Pierre-sur-Dives (14)....27 H 4
St-Pierre-sur-Doux (07)....149 E 4
St-Pierre-sur-Dropt (47)...156 B 3
St-Pierre-sur-Erve (53)....67 F 3
St-Pierre-sur-Orthe (53)....67 G 1
St-Pierre-sur-Vence (08)...18 D 3
St-Pierre-Tarentaine (14)...25 H 4
St-Pierre-Toirac (46)......159 F 4
St-Pierremont (02)........17 G 3
St-Pierremont (08)........19 F 5
St-Pierremont (88)........57 G 4
St-Pierreville (07)........163 F 1
St-Pierrevillers (55)......20 B 3
St-Plancard (31)........205 F 4
St-Planchers (50)........45 G 1
St-Plantaire (36)........117 G 2
St-Point (71)........122 A 3
St-Point-Lac (25)........111 F 3
St-Pois (50)........46 B 1
St-Poix (53)........66 B 3
St-Pol-de-Léon (29)......41 H 2
St-Pol-sur-Mer (59)......3 F 2
St-Pol-sur-Ternoise (62)...7 G 2
St-Polgues (42)........134 C 2
St-Polycarpe (11)........208 A 2
St-Pompain (79)........114 A 2
St-Pompont (24)........157 H 2
St-Poncy (15)........147 E 3
St-Pons (04)........167 F 5
St-Pons (07)........163 F 3
St-Pons-de-Mauchiens (34)..192 D 3
St-Pons-de-Thomières (34)..191 G 3
St-Pons-la-Calm (30)......178 D 3
St-Pont (03)........120 A 5
St-Porchaire (17)........126 D 2
St-Porchaire (79)........101 E 3
St-Porquier (82)........173 F 4
St-Pôtan (22)........44 B 3
St-Pouange (10)........73 H 1
St-Pourçain-sur-Besbre (03)..120 C 2
St-Pourçain-sur-Sioule (03)..120 A 3
St-Prancher (88)........56 C 5
St-Préjet-Armandon (43)...147 H 3
St-Préjet-d'Allier (43)....161 H 2
St-Prest (28)........50 A 4
St-Preuil (16)........127 H 4
St-Priest (07)........163 F 2
St-Priest (23)........118 C 5
St-Priest (69)........136 B 4
St-Priest-Bramefant (63)...133 H 1
St-Priest-d'Andelot (03)...119 H 5
St-Priest-de-Gimel (19)....145 E 2
St-Priest-des-Champs (63)..132 C 1
St-Priest-en-Jarez (42)....149 E 1
St-Priest-en-Murat (03)...119 F 3
St-Priest-la-Feuille (23)....117 F 4
St-Priest-la-Marche (18)...118 B 2
St-Priest-la-Plaine (23)....117 F 4
St-Priest-la-Prugne (42)...134 B 1
St-Priest-la-Roche (42)....134 D 2
St-Priest-la-Vêtre (42)....134 B 3
St-Priest-les-Fougères (24)..129 H 5
St-Priest-Ligoure (87)....130 A 4
St-Priest-Palus (23)......130 D 2
St-Priest-Taurion (87)....130 B 2
St-Prim (38)........149 G 1
St-Privat (07)........163 E 3
St-Privat (19)........145 G 4

St-Privat (34)............192 C 1
St-Privat-d'Allier (43).........147 A 5
St-Privat-de-Champclos (30)..178 C 1
St-Privat-de-Vallongue (48)...177 G 1
St-Privat-des-Prés (24).......142 C 3
St-Privat-des-Vieux (30).....178 A 2
St-Privat-du-Dragon (43)......147 G 3
St-Privat-du-Fau (48)........161 F 1
St-Privat-la-Montagne (57).....20 D 5
St-Privé (71)............108 D 5
St-Privé (89)...........90 B 1
St-Prix (03)............120 C 4
St-Prix (07)............149 F 5
St-Prix (71)............107 H 3
St-Prix (95)............31 E 4
St-Prix-lès-Arnay (21)....108 C 1
St-Projet (15)...........159 H 3
St-Projet (46)...........158 C 2
St-Projet (82)...........174 B 1
St-Projet-de-Salers (15)......146 A 4
St-Projet-St-Constant (16).....128 D 3
St-Prouant (85)..........100 B 4
St-Pryvé-St-Mesmin (45).....70 C 4
St-Puy (32)............172 A 5
St-Python (59)...........9 E 4
St-Quantin-de-Rançanne (17)........127 F 5
St-Quay-Perros (22)..........42 D 2
St-Quay-Portrieux (22).......43 G 3
St-Quentin (02)......16 D 2
St-Quentin-au-Bosc (76).......13 H 1
St-Quentin-de-Baron (33).....155 G 1
St-Quentin-de-Blavou (61)......48 B 4
St-Quentin-de-Caplong (33)..156 B 2
St-Quentin-de-Chalais (16)....142 B 2
St-Quentin-des-Isles (27)......28 D 4
St-Quentin-des-Prés (60)......14 C 5
St-Quentin-du-Dropt (47)......157 E 3
St-Quentin-en-Mauges (49)...84 B 4
St-Quentin-en-Tourmont (80)........6 C 3
St-Quentin-en-Yvelines (78)...50 D 2
St-Quentin-Fallavier (38)...136 C 4
St-Quentin-la-Chabanne (23)..........131 G 2
St-Quentin-la-Motte-Croix-au-Bailly (80)......6 B 5
St-Quentin-la-Poterie (30)...178 C 3
St-Quentin-la-Tour (09)......207 G 2
St-Quentin-le-Petit (08)......17 H 4
St-Quentin-le-Verger (51)......53 F 3
St-Quentin-les-Anges (53)....66 B 5
St-Quentin-lès-Beaurepaire (49).......85 G 1
St-Quentin-les-Chardonnets (61).......46 D 1
St-Quentin-les-Marais (51)....54 C 1
St-Quentin-sur-Allan (02)....32 C 3
St-Quentin-sur-Charente (16)....129 F 2
St-Quentin-sur-Coole (51)....54 B 1
St-Quentin-sur-Indrois (37)...87 F 5
St-Quentin-sur-Isère (38)....151 F 2
St-Quentin-sur-le-Homme (50)......45 H 2
St-Quentin-sur-Nohain (58)...90 B 4
St-Quentin-sur-Sauxillanges (63)...133 G 5
St-Quintin-sur-Sioule (63)...119 G 5
St-Quirc (09).............189 G 5
St-Quirin (57)............58 B 2
St-Rabier (24)...........143 A 3
St-Racho (71)...........121 G 4
St-Rambert-d'Albon (26)....149 H 2
St-Rambert-en-Bugey (01)......137 G 4
St-Raoul (64)...........64 C 3
St-Raphaël (24).........143 H 2
St-Raphaël (83).........198 D 3
St-Régis-du-Coin (42)......149 E 2
St-Règle (37)...........87 F 4
St-Remèze (07).........163 F 5
St-Remimont (54).......57 E 3
St-Remimont (88).......76 C 1
St-Rémy (01).........122 D 4
St-Rémy (12)..........159 F 5
St-Rémy (14)..........27 E 5
St-Rémy (19).........131 H 4
St-Rémy (21)..........92 B 1
St-Rémy (24).........142 B 5
St-Rémy (27)..........30 B 3
St-Remy (70)..........76 D 4
St-Rémy (71)........109 E 4
St-Rémy (79)........114 A 3
St-Rémy (88)........58 A 5
St-Rémy-au-Bois (62)......6 D 2
St-Rémy-aux-Bois (54)......57 F 4
St-Rémy-Blanzy (02)......32 D 2
St-Rémy-Boscrocourt (76)......14 A 1
St-Rémy-Chaussée (59)......9 H 4
St-Rémy-de-Blot (63)......119 G 5
St-Rémy-de-Chargnat (63)....133 G 5
St-Rémy-de-Chaudes-Aigues (15)...160 D 2
St-Rémy-de-Maurienne (73)...152 C 1
St-Rémy-de-Provence (13)....179 F 5
St-Rémy-de-Salers (15)......146 A 4
St-Rémy-de-Sillé (72).....67 G 2
St-Rémy-des-Landes (50)......22 C 5
St-Rémy-des-Monts (72)......68 B 1
St-Remy-du-Nord (59)......9 H 4

St-Rémy-du-Plain (35)......45 G 5
St-Rémy-du-Val (72)........48 A 5
St-Remy-en-Bouzemont-St-Genest-et-Isson (51)....54 D 3
St-Rémy-en-l'Eau (60)......15 G 5
St-Rémy-en-Mauges (49)......84 A 4
St-Rémy-en-Montmorillon (86)...116 B 3
St-Rémy-en-Rollat (03)......120 A 4
St-Rémy-la-Calonne (55)......36 A 4
St-Rémy-la-Vanne (77)......52 C 1
St-Rémy-la-Varenne (49)......85 F 3
St-Rémy-le-Petit (08)......34 A 1
St-Rémy-lès-Chevreuse (78)...50 D 2
St-Rémy-l'Honoré (78).....50 C 2
St-Remy-sous-Barbuise (10)...53 H 4
St-Remy-sous-Broyes (51)....53 F 2
St-Rémy-sur-Avre (28)......49 G 2
St-Rémy-sur-Bussy (51)....54 C 4
St-Rémy-sur-Creuse (86)...102 D 3
St-Rémy-sur-Durolle (63)...134 A 3
St-Renan (29).........41 E 3
St-René (22).........43 H 5
St-Restitut (26)........179 E 1
St-Révérend (85)........98 D 4
St-Révérien (58).......91 E 5
St-Rieul (22)..........44 B 4
St-Rigomer-des-Bois (72).....48 A 5
St-Rimay (41).........69 E 5
St-Riquier (80).........7 E 4
St-Riquier-en-Rivière (76)....14 B 2
St-Riquier-ès-Plains (76)....13 E 2
St-Rirand (42)........120 D 5
St-Rivalain (56).........63 E 4
St-Rivoal (29)........41 H 5
St-Robert (19)........144 A 3
St-Robert (47)........172 D 2
St-Roch (37)........86 C 3
St-Roch-sur-Égrenne (61)....46 D 3
St-Rogatien (17)........113 F 4
St-Romain (16)........142 B 2
St-Romain (21)........108 D 2
St-Romain (63)........148 B 1
St-Romain (69)........135 H 2
St-Romain (86)........115 G 4
St-Romain-d'Ay (07)......149 G 3
St-Romain-de-Benet (17)...126 D 3
St-Romain-de-Colbosc (76).....12 C 5
St-Romain-de-Jalionas (38)...136 D 3
St-Romain-de-Lerps (07)....149 H 5
St-Romain-de-Monpazier (24)...157 G 2
St-Romain-de-Popey (69)...135 F 2
St-Romain-de-Surieu (38)...149 H 1
St-Romain-de-Vignague (33)...156 A 3
St-Romain-d'Urfé (42)......134 B 2
St-Romain-en-Gal (69)......136 B 5
St-Romain-en-Gier (69)......135 H 5
St-Romain-en-Jarez (42)...135 G 5
St-Romain-en-Viennois (84)...179 G 1
St-Romain-et-St-Clément (24)...143 G 1
St-Romain-la-Motte (42)...121 E 5
St-Romain-la-Virvée (33)...141 G 5
St-Romain-Lachalm (43)...149 E 2
St-Romain-le-Noble (47)...172 C 2
St-Romain-le-Preux (89)....72 C 4
St-Romain-le-Puy (42)....134 D 5
St-Romain-les-Atheux (42)...149 E 2
St-Romain-sous-Gourdon (71)...108 C 5
St-Romain-sous-Versigny (71)...108 A 5
St-Romain-sur-Cher (41)......87 H 4
St-Romain-sur-Gironde (17)...141 E 1
St-Roman (26)........165 F 2
St-Roman-de-Bellet (06)...183 F 5
St-Roman-de-Codières (30)...177 G 4
St-Roman-de-Malegarde (84)...179 F 1
St-Roman-de-Tousque (48)...177 G 2
St-Romans (38)........151 E 4
St-Romans-des-Champs (79)...114 B 4
St-Romans-lès-Melle (79)...114 C 4
St-Rome (31).........189 H 4
St-Rome-de-Cernon (12)...176 B 4
St-Rome-de-Dolan (48)...176 C 1
St-Rome-de-Tarn (12)...176 A 3
St-Romphaire (50)........25 F 4
St-Rustice (31)........189 F 1
St-Saëns (76)..........13 H 4
St-Saire (14).........14 A 3
St-Salvadou (12)........174 D 1
St-Salvadour (19)......144 D 1
St-Salvi-de-Carcavès (81)...191 F 1
St-Salvy (46).........173 H 1
St-Salvy-de-la-Balme (81)...190 D 2
St-Samson (14)........27 G 3
St-Samson (53).........47 G 4
St-Samson (56).........63 G 3
St-Samson-de-Bonfossé (50)...25 F 4
St-Samson-de-la-Roque (27)...28 C 1
St-Samson-la-Poterie (60)....14 C 4
St-Samson-sur-Rance (22)......44 D 3
St-Sandoux (63)........133 F 4
St-Santin (12)........159 G 3
St-Santin-Cantalès (15)...145 H 5
St-Santin-de-Maurs (15)...159 G 3
St-Sardos (47)........172 B 1
St-Sardos (82)........173 F 5

St-Sardos-de-Laurenque (47)...157 G 4
St-Satur (18).........90 A 4
St-Saturnin (15)........146 C 3
St-Saturnin (16)........128 B 4
St-Saturnin (18)........118 B 2
St-Saturnin (48)........161 E 5
St-Saturnin (51)........53 G 3
St-Saturnin (63)........133 F 4
St-Saturnin (72)........68 A 3
St-Saturnin-de-Lenne (12)...160 D 5
St-Saturnin-de-Lucian (34)...192 C 1
St-Saturnin-du-Bois (17)...113 H 5
St-Saturnin-du-Limet (53)...66 C 5
St-Saturnin-lès-Apt (84)...180 A 4
St-Saturnin-lès-Avignon (84)...179 F 4
St-Saturnin-sur-Loire (49)...85 E 3
St-Saud-Lacoussière (24)...129 F 5
St-Sauflieu (80).........15 F 3
St-Saulge (58)........107 E 1
St-Saulve (59)........9 F 2
St-Saury (15).........159 G 1
St-Sauvant (17)........127 F 3
St-Sauvant (86)........115 H 4
St-Sauves-d'Auvergne (63)...132 C 5
St-Sauveur (21)........94 A 4
St-Sauveur (24)........129 F 5
St-Sauveur (29)........41 G 3
St-Sauveur (31)........189 F 1
St-Sauveur (33)........140 D 3
St-Sauveur (38)........151 E 3
St-Sauveur (54)........58 A 3
St-Sauveur (60)........31 H 2
St-Sauveur (70)........77 F 5
St-Sauveur (79)........101 E 4
St-Sauveur (80)........15 F 1
St-Sauveur (85)........98 A 4
St-Sauveur-Camprieu (30)...177 E 3
St-Sauveur-d'Aunis (17)...113 G 4
St-Sauveur-de-Bergerac (24)...157 E 1
St-Sauveur-de-Carrouges (61)...47 G 3
St-Sauveur-de-Chaulieu (50)...46 C 1
St-Sauveur-de-Cruzières (07)...178 B 1
St-Sauveur-de-Flée (49)...66 C 5
St-Sauveur-de-Ginestoux (48)...161 H 3
St-Sauveur-de-Landemont (49)...83 H 4
St-Sauveur-de-Meilhan (47)...156 A 4
St-Sauveur-de-Montagut (07)...163 F 1
St-Sauveur-de-Peyre (48)...161 F 3
St-Sauveur-de-Pierrepont (50)...22 C 5
St-Sauveur-de-Puynormand (33)...142 A 5
St-Sauveur-d'Émalleville (76)...12 C 4
St-Sauveur-des-Landes (35)...45 H 5
St-Sauveur-en-Diois (26)...164 D 2
St-Sauveur-en-Puisaye (89)...90 C 2
St-Sauveur-en-Rue (42)...149 F 2
St-Sauveur-Gouvernet (26)...165 F 5
St-Sauveur-la-Pommeraye (50)...24 D 5
St-Sauveur-la-Sagne (63)...147 H 1
St-Sauveur-la-Vallée (46)...158 C 3
St-Sauveur-Lalande (24)...142 C 5
St-Sauveur-le-Vicomte (50)...22 D 5
St-Sauveur-Lendelin (50)...24 D 3
St-Sauveur-les-Bains (65)...204 B 4
St-Sauveur-lès-Bray (77)...52 C 4
St-Sauveur-Levasville (28)...49 H 3
St-Sauveur-sur-École (77)...51 G 4
St-Sauveur-sur-Tinée (06)...183 E 2
St-Sauvier (03)........118 C 3
St-Sauvy (32)........188 B 1
St-Savin (33).........141 F 3
St-Savin (38).........137 E 4
Saint-Savin (65)......204 B 3
St-Savinien (17)........127 E 2
St-Saviol (86).........115 F 5
St-Savournin (13)......196 A 4
St-Sébastien (23)........117 F 3
St-Sébastien (38)......165 H 1
St-Sébastien-d'Aigrefeuille (30)...177 H 3
St-Sébastien-de-Morsent (27)...29 G 4
St-Sébastien-de-Raids (50)...25 E 4
St-Sébastien-sur-Loire (44)...83 F 5
St-Secondin (86)........115 G 3
St-Ségal (29)..........41 H 5
St-Séglin (35).........64 D 4
St-Seine (58)........107 G 5
St-Seine-en-Bâche (21)...109 H 1
St-Seine-l'Abbaye (21)...93 E 3
St-Seine-sur-Vingeanne (21)...94 A 2
St-Selve (33)........155 F 3
St-Senier-de-Beuvron (50)...45 H 3
St-Senier-sous-Avranches (50)...45 H 2
St-Senoch (37)........103 F 2
St-Senoux (35)........65 E 4
St-Sériès (34).........193 H 1
St-Sernin (07)........163 E 4
St-Sernin (11)........207 F 1

St-Sernin (47)........156 C 2
St-Sernin-du-Bois (71)...108 D 3
St-Sernin-du-Plain (71)...108 D 3
St-Sernin-lès-Lavaur (81)...190 B 3
St-Sernin-sur-Rance (12)...175 G 5
St-Sérotin (89).........72 C 1
St-Servais (22)........42 D 5
St-Servais (29)........41 G 3
St-Servan-sur-Mer (35)...44 D 2
St-Servant (56)........64 A 3
St-Setiers (19)........131 G 4
St-Seurin-de-Bourg (33)...141 F 4
St-Seurin-de-Cadourne (33)...140 D 2
St-Seurin-de-Cursac (33)...141 E 3
St-Seurin-de-Palenne (17)...127 F 4
St-Seurin-de-Prats (24)...156 B 1
St-Seurin-d'Uzet (17)...126 D 5
St-Seurin-sur-l'Isle (33)...142 A 5
St-Sève (33).........156 A 3
St-Sever (40).........186 A 1
St-Sever-Calvados (14)...46 B 1
St-Sever-de-Rustan (65)...187 F 4
St-Sever-de-Saintonge (17)...127 F 3
St-Sever-du-Moustier (12)...191 F 1
St-Séverin (16)........142 C 2
St-Séverin-d'Estissac (24)...142 D 4
St-Séverin-sur-Boutonne (17)...114 B 5
St-Siffret (30).........178 C 3
St-Sigismond (45).......70 B 4
St-Sigismond (49)........84 B 3
St-Sigismond (74).......125 E 5
St-Sigismond (85)......113 H 3
St-Sigismond-de-Clermont (17)...141 F 1
St-Silvain-Bas-le-Roc (23)...118 B 3
St-Silvain-Bellegarde (23)...131 H 1
St-Silvain-Montaigut (23)...117 G 5
St-Silvain-sous-Toulx (23)...118 B 4
St-Siméon (27)........28 C 2
St-Siméon (61)........46 D 4
St-Siméon (77)........52 C 1
St-Siméon-de-Bressieux (38)...150 D 2
St-Simeux (16)........128 A 4
St-Simon (02)........16 C 3
St-Simon (15)........146 A 5
St-Simon (16)........128 A 4
St-Simon (31)........189 F 3
St-Simon (46)........159 E 3
St-Simon-de-Bordes (17)...141 F 1
St-Simon-de-Pellouaille (17)...127 E 4
St-Sixt (74).........124 D 5
St-Sixte (42)........134 C 3
St-Sixte (47)........172 C 3
St-Solen (22)........44 D 4
St-Solve (19)........144 B 2
St-Sorlin (69)........135 G 4
St-Sorlin-d'Arves (73)...152 B 2
St-Sorlin-de-Conac (17)...141 E 1
St-Sorlin-de-Morestel (38)...137 F 4
St-Sorlin-de-Vienne (38)...149 H 1
St-Sorlin-en-Bugey (01)...137 E 2
St-Sorlin-en-Valloire (26)...150 B 2
St-Sornin (03)........119 G 2
St-Sornin (16)........128 D 4
St-Sornin (17)........126 C 3
St-Sornin (85)........112 D 1
St-Sornin-la-Marche (87)...116 B 4
St-Sornin-Lavolps (19)...144 B 2
St-Sornin-Leulac (87)...116 D 4
St-Soulan (32)........188 B 3
St-Souplet (59)........9 F 5
St-Souplet-sur-Py (51)...34 B 2
St-Soupplets (77)......32 A 4
St-Sozy (46)........158 C 1
St-Stail (88).........58 B 4
St-Suliac (35)........44 D 3
St-Sulpice (01)........122 D 3
St-Sulpice (46)........159 E 4
St-Sulpice (49)........85 E 3
St-Sulpice (53)........66 D 4
St-Sulpice (58)........106 D 2
St-Sulpice (60)........31 E 1
St-Sulpice (63)........132 C 4
St-Sulpice (70)........95 G 2
St-Sulpice (73)........137 H 4
St-Sulpice-d'Arnoult (17)...126 D 2
St-Sulpice-de-Cognac (16)...127 G 3
St-Sulpice-de-Faleyrens (33)...155 H 1
St-Sulpice-de-Favières (91)...51 E 4
St-Sulpice-de-Grimbouville (27)...28 C 1
St-Sulpice-de-Guilleragues (33)...156 A 3
St-Sulpice-de-Mareuil (24)...143 E 1
St-Sulpice-de-Pommeray (41)...87 G 2
St-Sulpice-de-Pommiers (33)...155 H 3
St-Sulpice-de-Roumagnac (24)...142 D 3
St-Sulpice-de-Royan (17)...126 C 4
St-Sulpice-des-Landes (35)...65 F 5
St-Sulpice-des-Landes (44)...83 H 2
St-Sulpice-des-Rivoires (38)...137 F 5
St-Sulpice-d'Excideuil (24)...143 H 1
St-Sulpice-en-Pareds (85)...100 B 5
St-Sulpice-et-Cameyrac (33)...141 G 5
St-Sulpice-la-Forêt (35)...65 F 1

St-Sulpice-la-Pointe (81)...189 H 1
St-Sulpice-Laurière (87)...130 C 1
St-Sulpice-le-Dunois (23)...117 G 3
St-Sulpice-le-Guérétois (23)...117 H 4
St-Sulpice-le-Verdon (85)...99 G 3
St-Sulpice-les-Bois (19)...131 G 5
St-Sulpice-les-Champs (23)...131 F 1
St-Sulpice-les-Feuilles (87)...117 E 3
St-Sulpice-sur-Lèze (31)...189 E 5
St-Sulpice-sur-Risle (61)...48 D 1
St-Supplet (54)........20 B 3
St-Sylvain (14)........27 G 4
St-Sylvain (19)........145 G 3
St-Sylvain (76)........13 G 3
St-Sylvain-d'Anjou (49)...85 E 2
St-Sylvestre (07)......149 G 5
St-Sylvestre (74)......138 A 2
St-Sylvestre (87)......130 B 1
St-Sylvestre-Cappel (59)...3 G 4
St-Sylvestre-de-Cormeilles (27)...28 C 2
St-Sylvestre-Pragoulin (63)...133 G 1
St-Sylvestre-sur-Lot (47)...157 F 5
St-Symphorien (18)...105 F 4
St-Symphorien (27)...28 C 2
St-Symphorien (33)...155 F 5
St-Symphorien (35)...45 E 5
St-Symphorien (72)...67 G 3
St-Symphorien (79)...114 A 3
St-Symphorien-d'Ancelles (71)...122 B 4
St-Symphorien-de-Lay (42)...134 D 1
St-Symphorien-de-Mahun (07)...149 F 3
St-Symphorien-de-Marmagne (71)...108 B 4
St-Symphorien-de-Thénières (12)...160 B 2
St-Symphorien-des-Bois (71)...121 G 3
St-Symphorien-des-Bruyères (61)...48 C 1
St-Symphorien-des-Monts (50)...46 B 3
St-Symphorien-d'Ozon (69)...136 B 4
St-Symphorien-le-Valois (50)...24 D 1
St-Symphorien-les-Buttes (50)...25 G 4
St-Symphorien-sous-Chomérac (07)...163 G 2
St-Symphorien-sur-Coise (69)...135 F 4
St-Symphorien-sur-Couze (87)...130 A 1
St-Symphorien-sur-Saône (21)...109 H 1
St-Thégonnec-Loc-Eguiner (29)...42 A 4
St-Thélo (22)........63 G 2
St-Théodorit (30)......178 A 4
St-Théoffrey (38)......151 H 5
St-Thibaud-de-Couz (73)...137 H 5
St-Thibault (10)........74 A 1
St-Thibault (21)........92 C 4
St-Thibault (60)........14 D 3
St-Thibault-des-Vignes (77)...51 H 1
St-Thibéry (34)........192 C 4
St-Thiébaud (39)......110 C 2
St-Thiébault (52)......76 A 1
St-Thierry (51)........33 G 2
St-Thois (29)........62 A 2
St-Thomas (02)........17 G 5
St-Thomas (31)........188 D 3
St-Thomas-de-Conac (17)...141 E 1
St-Thomas-de-Courceriers (53)...67 F 1
St-Thomas-en-Argonne (51)...35 E 3
St-Thomas-en-Royans (26)...151 E 4
St-Thomas-la-Garde (42)...134 D 5
St-Thomé (07)........163 G 4
St-Thonan (29)........41 F 3
St-Thual (35)........44 D 5
St-Thurial (35)........64 D 2
St-Thuriau (56)........63 F 4
St-Thurien (27)........28 C 1
St-Thurien (29)........62 B 4
St-Thurin (42)........134 B 3
St-Tricat (62)........2 C 3
St-Trimoël (22)........44 A 4
St-Trinit (84)........180 B 3
St-Trivier-de-Courtes (01)...122 D 2
St-Trivier-sur-Moignans (01)...122 C 5
St-Trojan (33)........141 F 4
St-Trojan-les-Bains (17)...126 B 2
St-Tropez (83)........197 H 5
St-Tugdual (56)........62 D 3
St-Tugen (29)........60 D 2
St-Turquoit (26)......179 F 1
St-Ulphace (72)........69 E 2
St-Ulrich (68)........97 E 1
St-Uniac (35)........64 D 1
St-Urbain (29)........41 G 4
St-Urbain (85)........98 C 3
Saint-Urbain-sur-Marne (52)...55 G 5
St-Urcisse (47)........172 D 2
St-Urcisse (81)........174 A 4
St-Urcize (15)........160 D 3
St-Ursin (50)........45 H 1

St-Usage (10)........74 C 2
St-Usage (21)........109 H 1
St-Usuge (71)........109 H 5
St-Utin (51)........54 C 3
St-Uze (26)........149 H 3
St-Vaast-de-Longmont (60)...31 H 2
St-Vaast-d'Équiqueville (76)...13 H 2
St-Vaast-Dieppedalle (76)...13 E 3
St-Vaast-du-Val (76)...13 G 3
St-Vaast-en-Auge (14)...27 E 4
St-Vaast-en-Cambrésis (59)...9 E 4
St-Vaast-en-Chaussée (80)...15 F 1
St-Vaast-la-Hougue (50)...23 E 3
St-Vaast-lès-Mello (60)...31 F 2
St-Vaast-sur-Seulles (14)...26 D 3
St-Vaize (17)........127 E 2
St-Valbert (70)........77 F 4
St-Valentin (36)........104 C 3
St-Valérien (85)........113 G 1
St-Valérien (89)........72 B 2
St-Valery (60)........14 C 3
St-Valery-en-Caux (76)...13 E 2
St-Valery-sur-Somme (80)...6 C 4
St-Vallerin (71)........108 D 5
St-Vallier (16)........142 A 2
St-Vallier (26)........149 H 3
St-Vallier (71)........108 B 5
St-Vallier (88)........57 F 5
St-Vallier-de-Thiey (06)...198 D 1
St-Vallier-sur-Marne (52)...75 H 4
St-Varent (79)........101 F 3
St-Vaury (23)........117 G 4
St-Venant (62)........3 G 5
St-Vénérand (43)........162 A 1
St-Vérain (58)........90 B 3
St-Véran (05)........167 G 2
St-Véran (12)........176 C 3
St-Vérand (38)........151 E 3
St-Vérand (69)........135 F 2
St-Vérand (71)........122 B 4
St-Vert (43)........147 H 2
St-Viance (19)........144 B 3
St-Viâtre (41)........88 C 3
St-Viaud (44)........82 C 4
St-Victeur (72)........47 H 5
St-Victor (03)........118 D 3
St-Victor (07)........149 G 4
St-Victor (15)........145 H 5
St-Victor (24)........142 D 2
St-Victor-de-Buthon (28)...49 F 5
St-Victor-de-Cessieu (38)...137 E 5
St-Victor-de-Chrétienville (27)...28 C 4
St-Victor-de-Malcap (30)...178 B 2
St-Victor-de-Morestel (38)...137 F 3
St-Victor-de-Réno (61)...48 D 4
St-Victor-d'Épine (27)...28 D 3
St-Victor-des-Oules (30)...178 C 3
St-Victor-en-Marche (23)...117 H 5
St-Victor-et-Melvieu (12)...176 A 3
St-Victor-la-Coste (30)...178 D 3
St-Victor-la-Rivière (63)...133 E 5
St-Victor-l'Abbaye (76)...13 G 4
St-Victor-Malescours (43)...148 D 2
St-Victor-Montvianeix (63)...134 A 2
St-Victor-Rouzaud (09)...207 G 2
St-Victor-sur-Arlanc (43)...148 A 2
St-Victor-sur-Avre (27)...49 E 2
St-Victor-sur-Loire (42)...148 D 1
St-Victor-sur-Ouche (21)...93 E 5
St-Victor-sur-Rhins (42)...135 E 2
St-Victoret (13)........195 G 4
St-Victour (19)........145 H 1
St-Victurnien (87)......129 H 2
St-Vidal (43)........148 A 4
St-Vigor (27)........29 H 4
St-Vigor-des-Mézerets (14)...26 D 5
St-Vigor-des-Monts (50)...25 F 5
St-Vigor-d'Ymonville (76)...12 C 5
St-Vigor-le-Grand (14)...26 D 2
St-Vincent (31)........189 H 4
St-Vincent (43)........148 B 4
St-Vincent (63)........133 F 5
St-Vincent (64)........204 A 1
St-Vincent (82)........173 H 2
St-Vincent-Bragny (71)...121 F 1
St-Vincent-Cramesnil (76)...12 C 5
St-Vincent-de-Barbeyrargues (34)...193 F 1
St-Vincent-de-Barrès (07)...163 G 3
St-Vincent-de-Boisset (42)...134 D 1
St-Vincent-de-Connezac (24)...142 D 3
St-Vincent-de-Cosse (24)...157 F 3
St-Vincent-de-Durfort (07)...163 G 1
St-Vincent-de-Lamontjoie (47)...172 B 3
St-Vincent-de-Mercuze (38)...152 A 1
St-Vincent-de-Paul (33)...141 F 5
St-Vincent-de-Paul (40)...185 F 1
St-Vincent-de-Pertignas (33)...155 H 2
St-Vincent-de-Reins (69)...121 H 5
St-Vincent-de-Salers (15)...146 A 3
St-Vincent-de-Tyrosse (40)...184 D 1
St-Vincent-des-Bois (27)...29 H 4
St-Vincent-des-Landes (44)...83 G 1
St-Vincent-des-Prés (71)...122 A 2
St-Vincent-des-Prés (72)...68 D 2
St-Vincent-d'Olargues (34)...191 H 3

Localité *(Département)*   Page   Coordonnées

St-Vincent-du-Boulay (27) .....28 C 3
St-Vincent-du-Lorouër (72) ...68 C 5
St-Vincent-du-Pendit (46).... 159 E 1
St-Vincent-en-Bresse (71) .... 109 G 5
St-Vincent-Jalmoutiers (24) ..142 B 3
St-Vincent-la-Châtre (79) ....114 D 4
St-Vincent-
  la-Commanderie (26)..... 150 D 5
St-Vincent-le-Paluel (24) .... 158 A 1
St-Vincent-les-Forts (04) .... 166 D 4
St-Vincent-Lespinasse (82)...173 E 3
St-Vincent-Puymaufrais (85) . 100 A 5
St-Vincent-Rive-d'Olt (46)... 158 A 5
St-Vincent-Sterlanges (85) ... 100 A 4
St-Vincent-sur-Graon (85)....112 D 1
St-Vincent-sur-Jabron (04) .. 180 C 2
St-Vincent-sur-Jard (85) ..... 112 C 2
St-Vincent-sur-l'Isle (24) .... 143 G 3
St-Vincent-sur-Oust (56).....64 C 5
St-Vinnemer (89) ....73 H 5
St-Vit (25)................94 C 5
St-Vital (73).............. 138 C 4
St-Vite (47)..............157 G 5
St-Vitte (18)............. 118 D 1
St-Vitte-sur-Briance (87) ....130 C 4
St-Vivien (17) ....113 F 5
St-Vivien (24) ....156 B 1
St-Vivien-de-Blaye (33) ..... 141 F 4
St-Vivien-de-Médoc (33)..... 140 C 1
St-Vivien-de-Monségur (33). 156 B 3
St-Voir (03)..............120 B 2
St-Vougay (29)............41 H 2
St-Vrain (51).............54 D 2
St-Vrain (91).............51 F 4
St-Vran (22)..............44 A 5
St-Vulbas (01) ....136 D 2
St-Waast (59) ....9 G 3
St-Wandrille-Rançon (76) ...13 E 5
St-Witz (95)..............31 G 4
St-Xandre (17) ....113 E 4
St-Yaguen (40)............169 G 4
St-Yan (71)..............121 E 2
St-Ybard (19) ....144 C 1
St-Ybars (09) ....206 D 1
St-Ylie (39)..............110 A 1
Saint-Yon (91)............51 E 3
St-Yorre (03) ....120 B 5
St-Yrieix-la-Montagne (23) ..131 F 2
St-Yrieix-la-Perche (87)..... 130 A 5
St-Yrieix-le-Déjalat (19) .... 145 F 1
St-Yrieix-les-Bois (23) ......117 H 5
St-Yrieix-sous-Aixe (87) .....129 H 2
St-Yrieix-sur-Charente (16) ..128 B 4
St-Ythaire (71) ....122 A 1
St-Yves (56)..............63 E 4
St-Yvi (29)...............61 H 3
St-Yvoine (63)............133 F 5
St-Yzan-de-Soudiac (33) ....141 G 3
St-Yzans-de-Médoc (33) ....140 D 2
St-Zacharie (83).......... 196 B 4
Ste-Adresse (76) ....12 A 5
Ste-Agathe (63)...........134 A 3
Ste-Agathe-d'Aliermont (76)..14 A 2
Ste-Agathe-en-Donzy (42)...135 E 2
Ste-Agathe-
  la-Bouteresse (42).......134 D 3
Ste-Agnès (38)............183 G 5
Ste-Agnès (38)............152 A 2
Ste-Agnès (38)............110 A 5
Ste-Alauzie (46)...........173 G 1
Ste-Alvère-
  Saint-Laurent (24) ......143 F 5
Ste-Anastasie (15)......... 146 D 3
Ste-Anastasie (30)......... 178 B 4
Ste-Anastasie-sur-Issole (83). 197 E 4
Ste-Anne (25)............110 D 2
Ste-Anne (32)............188 C 1
Ste-Anne (41).............69 F 5
Ste-Anne-d'Auray (56)......81 F 1
Ste-Anne-du-Castellet (83).. 196 C 5
Ste-Anne-du-Portzic (29)....41 E 4
Ste-Anne-la Condamine (04)..167 F 4
Ste-Anne-St-Priest (87) .....130 D 4
Ste-Anne-sur-Brivet (44).....82 D 2
Ste-Anne-sur-Gervonde (38). 136 D 5
Ste-Anne-sur-Vilaine (35) ....65 E 5
Ste-Aulde (77)............32 C 5
Ste-Aurence-Cazaux (32)....187 H 4
Ste-Austreberthe (62)........7 E 2
Ste-Austreberthe (76)........13 F 4
Ste-Barbe (57)............21 F 5
Ste-Barbe (88)............57 H 4
Ste-Barbe-sur-Gaillon (27)....29 H 3
Ste-Bazeille (47)...........156 B 4
Ste-Beuve-en-Rivière (76)....14 B 3
Ste-Blandine (38)..........137 E 5
Ste-Blandine (79)..........114 C 4
Ste-Brigitte (56)...........63 E 2
Ste-Camelle (11)...........190 A 5
Ste-Catherine (62) ....8 A 3
Ste-Catherine (63)..........147 G 1
Ste-Catherine (69)..........135 G 4
Ste-Catherine-de-Fierbois (37)102 D 1
Ste-Cécile (36)............104 B 1
Ste-Cécile (50)............46 A 1
Ste-Cécile (71)............122 A 2
Ste-Cécile (85)............100 A 4

Ste-Cécile-d'Andorge (30) ...177 H 1
Ste-Cécile-du-Cayrou (81) ...174 B 4
Ste-Cécile-les-Vignes (84)....179 F 1
Ste-Céronne-
  lès-Mortagne (61).......48 C 3
Ste-Cérotte (72)...........68 D 4
Ste-Christie (32)...........188 A 1
Ste-Christie-d'Armagnac (32) 187 E 1
Ste-Christine (49)...........84 B 4
Ste-Christine (63)..........132 D 1
Ste-Christine (85)..........113 H 3
Ste-Claire (06)............183 F 4
Ste-Colombe (05)..........180 C 1
Ste-Colombe (16)..........128 C 2
Ste-Colombe (17)..........141 H 2
Ste-Colombe (25)..........111 F 3
Ste-Colombe (33)..........156 A 1
Ste-Colombe (35)...........65 G 4
Ste-Colombe (40)..........186 A 1
Ste-Colombe (46)..........159 F 2
Ste-Colombe (50)...........22 D 4
Ste-Colombe (69)..........136 B 5
Ste-Colombe (76)...........13 E 2
Ste-Colombe (77)...........52 C 4
Ste-Colombe (84)..........179 H 2
Ste-Colombe (89)...........91 H 2
Ste-Colombe-de-Duras (47) . 156 B 3
Ste-Colombe-
  de-la-Commanderie (66)...212 D 3
Ste-Colombe-
  de-Montauroux (48)......162 A 2
Ste-Colombe-de-Peyre (48)..161 F 3
Ste-Colombe-
  de-Villeneuve (47).......172 C 1
Ste-Colombe-des-Bois (58)...90 C 4
Ste-Colombe-en-Auxois (21)..92 C 3
Ste-Colombe-en-Bruilhois (47)172 B 2
Ste-Colombe-
  la-Commanderie (27)......29 F 3
Ste-Colombe-près-Vernon (27) 29 H 4
Ste-Colombe-sur-Gand (42) .135 E 2
Ste-Colombe-sur-Guette (11) 208 A 5
Ste-Colombe-sur-l'Hers (11).. 207 G 3
Ste-Colombe-sur-Loing (89)...90 C 2
Ste-Colombe-sur-Seine (21)...74 C 4
Ste-Colome (64)...........203 H 1
Ste-Consorce (69)..........135 H 3
Ste-Croix (01).............136 C 2
Ste-Croix (02).............17 G 5
Ste-Croix (04).............196 B 1
Ste-Croix (12).............159 F 5
Ste-Croix (26).............165 E 2
Ste-Croix (46).............173 F 1
Ste-Croix (71).............123 E 1
Ste-Croix (81).............174 D 4
Ste-Croix-à-Lauze (04) .....180 C 4
Ste-Croix-aux-Mines (68) ....58 C 5
Ste-Croix-de-Caderle (30)...177 G 3
Ste-Croix-de-Mareuil (24)...142 D 1
Ste-Croix-
  de-Quintillargues (34)....193 F 1
Ste-Croix-du-Mont (33).....155 G 3
Ste-Croix-du-Verdon (04)....181 F 5
Ste-Croix-en-Jarez (42)......149 G 1
Ste-Croix-en-Plaine (68) .....78 D 2
Ste-Croix-Grand'Tonne (14)...27 E 2
Ste-Croix-Hague (50)........22 B 2
Ste-Croix-sur-Aizier (27).....28 D 1
Ste-Croix-sur-Buchy (76).....14 A 4
Ste-Croix-sur-Mer (14)......27 E 1
Ste-Croix-sur-Orne (61)......47 F 1
Ste-Croix-
  Vallée-Française (48).....177 G 2
Ste-Croix-Volvestre (09)..... 206 B 2
Ste-Dode (32).............187 G 4
Ste-Eanne (79)............114 D 2
Ste-Engrâce (64)...........203 E 2
Ste-Enimie (48)............176 D 1
Ste-Eugénie-
  de-Villeneuve (43).......147 H 4
Ste-Eugienne (50)..........45 H 1
Ste-Eulalie (07)...........162 D 2
Ste-Eulalie (11)...........208 A 1
Ste-Eulalie (15)...........145 H 4
Ste-Eulalie (33)...........141 F 5
Ste-Eulalie (48)...........161 G 2
Ste-Eulalie-d'Ans (24)......143 H 3
Ste-Eulalie-de-Cernon (12)...176 C 4
Ste-Eulalie-d'Eymet (24)....156 C 2
Ste-Eulalie-d'Olt (12)......160 D 5
Ste-Eulalie-en-Born (40)....168 D 1
Ste-Eulalie-en-Royans (26)...151 E 4
Ste-Euphémie (01).........135 H 1
Ste-Euphémie-
  sur-Ouvèze (26)........180 A 1
Ste-Eusoye (60)...........15 F 4
Ste-Fauste (36)...........104 C 3
Ste-Féréole (19)..........144 C 3
Ste-Feyre (23)............117 H 5
Ste-Feyre-la-Montagne (23)..131 G 2
Ste-Flaive-des-Loups (85)....99 F 5
Ste-Florence (33)..........156 A 1
Ste-Florence (85)..........99 H 4
Ste-Florine (43)...........147 H 1
Ste-Foi (09).............207 G 2
Ste-Fortunade (19)........144 D 3
Ste-Foy (40).............170 D 4
Ste-Foy (69).............135 H 3
Ste-Foy (71).............121 F 4
Ste-Foy (76).............13 G 2
Ste-Foy (85).............112 B 1

Ste-Foy-d'Aigrefeuille (31) ..189 G 3
Ste-Foy-de-Belvès (24)......157 H 2
Ste-Foy-de-Longas (24)......157 F 1
Ste-Foy-
  de-Montgommery (14).....28 A 5
Ste-Foy-de-Peyrolières (31) ..188 D 3
Ste-Foy-la-Grande (33) .....156 C 1
Ste-Foy-la-Longue (33).....155 H 3
Ste-Foy-l'Argentière (69).....135 F 4
Ste-Foy-St-Sulpice (42)......134 D 3
Ste-Foy-Tarentaise (73)......139 F 4
Ste-Gauburge-
  Ste-Colombe (61).........48 C 2
Ste-Gemme (17)...........126 D 3
Ste-Gemme (32)...........188 B 1
Ste-Gemme (33)...........156 B 3
Ste-Gemme (36)...........103 H 4
Ste-Gemme (51)............33 F 3
Ste-Gemme (79)...........101 F 3
Ste-Gemme (81)...........175 E 3
Ste-Gemme-
  en-Sancerrois (18).......90 A 4
Ste-Gemme-la-Plaine (85) ...113 E 1
Ste-Gemme-Martaillac (47) .156 B 5
Ste-Gemme-Moronval (28)...49 H 2
Ste-Gemmes (46)..........69 G 5
Ste-Gemmes-d'Andigné (49)..84 B 1
Ste-Gemmes-le-Robert (53)...67 F 1
Ste-Gemmes-sur-Loire (49)...84 D 3
Ste-Geneviève (02).........17 H 3
Ste-Geneviève (50).........23 E 2
Ste-Geneviève (54).........36 D 5
Ste-Geneviève (60).........31 E 2
Ste-Geneviève (76).........14 A 4
Ste-Geneviève-des-Bois (45)..72 A 5
Ste-Geneviève-des-Bois (91)..51 F 3
Ste-Geneviève-lès-Gasny (27).30 A 4
Ste-Geneviève-
  sur-Argence (12).........160 C 2
Ste-Hélène (33)...........140 D 5
Ste-Hélène (48)...........161 H 4
Ste-Hélène (56)............80 D 1
Ste-Hélène (71)...........108 D 4
Ste-Hélène (88)............57 H 5
Ste-Hélène-Bondeville (76)...12 C 3
Ste-Hélène-du-Lac (73)......138 A 5
Ste-Hélène-sur-Isère (73) ....138 C 4
Ste-Hermine (85)..........113 F 1
Ste-Honorine-de-Ducy (14)...25 H 3
Ste-Honorine-des-Pertes (14)..23 H 5
Ste-Honorine-du-Fay (14).....27 E 4
Ste-Honorine-
  la-Chardonne (61).......47 E 1
Ste-Honorine-la-Guillaume (61)47 F 1
Ste-Innocence (24) ....156 D 2
Ste-Jalle (26).............165 E 5
Ste-Jamme-sur-Sarthe (72)...68 A 2
Ste-Julie (01).............136 D 2
Ste-Juliette (82)...........173 F 1
Ste-Juliette-sur-Viaur (12)...175 G 2
Ste-Léocadie (66)..........211 H 4
Ste-Lheurine (17)..........127 G 5
Ste-Livière (52)............55 E 3
Ste-Livrade (31)...........188 D 2
Ste-Livrade-sur-Lot (47).....157 E 5
Ste-Lizaigne (36)..........104 D 2
Ste-Luce (01).............166 A 1
Ste-Luce-sur-Loire (44) ......83 G 4
Sainte-Lucie-
  de-Porto-Vecchio (2A).....219 G 2
Sainte-Lucie-de-Tallano (2A). 219 E 2
Ste-Lunaise (18)...........105 F 3
Ste-Magnance (89)..........91 H 3
Ste-Marguerite (13)........195 H 5
Ste-Marguerite (43)........147 H 3
Ste-Marguerite (67).........58 D 4
Ste-Marguerite (84)........179 H 2
Ste-Marguerite (88).........58 B 5
Ste-Marguerite-
  de-Carrouges (61).......47 G 3
Ste-Marguerite-de-l'Autel (27).28 A 5
Ste-Marguerite-de-Viette (14) .28 A 4
Ste-Marguerite-d'Elle (14)....25 G 2
Ste-Marguerite-des-Loges (14) 28 A 4
Ste-Marguerite-en-Ouche (27).28 D 4
Ste-Marguerite-Lafigère (07) 162 C 4
Ste-Marguerite-
  sur-Duclair (76).........13 F 5
Ste-Marguerite-
  sur-Fauville (76).........12 D 3
Ste-Marguerite-sur-Mer (76)..13 F 1
Ste-Marie (05)............165 F 4
Ste-Marie (08)............34 C 1
Ste-Marie (15)............160 C 1
Ste-Marie (25)............95 H 2
Ste-Marie (32)............188 C 2
Ste-Marie (35)............64 D 5
Ste-Marie (44)............82 C 5
Ste-Marie (58)............107 E 1
Sainte-Marie (65).........205 F 3
Sainte-Marie (66).........209 F 5
Ste-Marie-à-Py (51)........34 C 2
Ste-Marie-au-Bosc (76)......12 B 3
Ste-Marie-aux-Chênes (57)...20 D 5
Ste-Marie-aux-Mines (68)....58 C 5
Ste-Marie-Cappel (59)........3 G 4
Ste-Marie-d'Alloix (38)......152 A 1
Ste-Marie-d'Alvey (73)......137 G 4
Ste-Marie-d'Attez (27)......49 F 1
Ste-Marie-de-Campan (65)...204 D 3
Ste-Marie-de-Chignac (24)...143 F 4

Ste-Marie-de-Cuines (73)....152 C 1
Ste-Marie-de-Gosse (40).....185 E 2
Ste-Marie-de-Ré (17).........112 D 4
Ste-Marie-de-Vars (05)......167 F 3
Ste-Marie-de-Vatimesnil (27)..30 A 2
Ste-Marie-de-Vaux (87).....129 H 2
Ste-Marie-des-Chaizes (43)...147 H 4
Ste-Marie-des-Champs (76)...13 E 4
Ste-Marie-du-Bois (46)......46 C 3
Ste-Marie-du-Bois (53)......47 E 4
Ste-Marie-
  du-Lac-Nuisement (51).....54 D 3
Ste-Marie-du-Mont (38).....152 A 1
Ste-Marie-du-Mont (50)......23 F 5
Ste-Marie-en-Chanois (70)....77 G 4
Ste-Marie-en-Chaux (70).....77 F 5
Ste-Marie-Kerque (62)........2 D 3
Ste-Marie-la-Blanche (21)....109 E 2
Ste-Marie-la-Robert (61).....47 G 3
Ste-Marie-Lapanouze (19) ...145 H 1
Ste-Marie-Laumont (14) .....25 G 5
Ste-Marie-Outre-l'Eau (14)...25 G 5
Ste-Marie-sur-Ouche (21)....93 E 4
Ste-Marthe (27)............29 E 5
Ste-Marthe (47)...........156 B 5
Ste-Maure (10)............53 H 5
Ste-Maure-de-Peyriac (47)...171 G 4
Ste-Maure-
  de-Touraine (37).........102 C 1
Ste-Maxime (83)...........197 H 4
Ste-Même (17)............127 G 2
Ste-Menehould ⬛ (51).....35 E 3
Ste-Mère (32).............172 C 4
Ste-Mère-Église (50)........23 E 5
Ste-Mesme (78)............50 D 4
Ste-Mondane (24).........158 B 1
Ste-Montaine (18)..........89 F 3
Ste-Nathalène (24)........158 A 1
Ste-Néomaye (79).........114 C 3
Ste-Olive (01).............136 B 1
Ste-Opportune (61).........47 F 2
Ste-Opportune-du-Bosc (27)..29 E 3
Ste-Opportune-la-Mare (27)..28 C 1
Ste-Orse (24).............143 H 3
Ste-Osmane (72)...........68 C 4
Ste-Ouenne (79)..........114 B 2
Ste-Pallaye (89)...........91 F 1
Ste-Paule (69)............135 G 1
Ste-Pazanne (44)..........99 E 1
Ste-Pexine (85)...........113 E 1
Ste-Pezenne (79)..........114 A 3
Ste-Pience (50)............45 H 1
Ste-Pôle (54).............57 H 3
Ste-Preuve (02)............17 H 4
Ste-Radegonde (12)........175 G 1
Ste-Radegonde (17)........126 D 2
Ste-Radegonde (24)........157 E 3
Ste-Radegonde (32)........172 B 5
Ste-Radegonde (33)........156 A 1
Ste-Radegonde (71)........107 H 5
Ste-Radegonde (79)........101 F 2
Ste-Radegonde (86)........102 D 5
Ste-Radégonde-
  des-Noyers (85).........113 F 2
Ste-Ramée (17)...........141 E 1
Ste-Reine (70)............94 C 2
Ste-Reine (73)............138 B 4
Ste-Reine-de-Bretagne (44)...82 B 3
Sainte-Restitude (2B)......214 C 5
Ste-Ruffine (57)...........36 D 3
Ste-Sabine (21)...........92 D 5
Ste-Sabine (24)...........157 F 3
Ste-Sabine-sur-Longève (72)..67 H 2
Ste-Savine (10)...........53 G 5
Ste-Scolasse-sur-Sarthe (61)..48 B 3
Ste-Sève (29).............42 A 3
Ste-Sévère (16)...........127 H 3
Ste-Sévère-sur-Indre (36)....118 A 2
Ste-Sigolène (43)..........148 D 3
Ste-Solange (18)..........105 G 1
Ste-Soline (79)...........115 E 4
Ste-Souline (16)..........142 A 1
Ste-Soulle (17)...........113 F 4
Ste-Suzanne (09).........206 D 1
Ste-Suzanne (25)..........96 C 2
Ste-Suzanne-
  et-Chammes (53).........67 F 2
Ste-Suzanne (64).........185 H 3
Ste-Suzanne-sur-Vitre (50)...25 F 4
Ste-Terre (33)............155 H 1
Ste-Thecle (06)...........183 F 5
Ste-Thérence (03).........118 D 4
Ste-Thorette (18).........105 E 2
Ste-Tréphine (22).........63 E 1
Ste-Trie (24).............144 A 2
Ste-Tulle (04)............180 D 5
Ste-Valière (11)..........191 G 5
Ste-Vaubourg (08).........18 D 5
Ste-Verge (79)...........101 F 2
Ste-Vertu (89)............91 G 1
Sainteny (50).............25 E 2
Saintes ⬛ (17)...........127 E 3
Stes-Maries-de-la-Mer (13)...194 B 4
Saintines (60)............31 H 2
Saintry-sur-Seine (91)......51 G 3
Saints (77)..............52 B 2
Saints-en-Puisaye (89)......90 C 2
Sts-Geosmes (52)..........75 H 5
Sainville (28)............50 C 5
Saires (86)..............102 A 3
Saires-la-Verrerie (61)......47 E 2

Les Saisies (73).............138 D 3
Saissac (11) ....190 C 5
Saisseval (80).............15 E 2
Saisy (71)................108 C 2
Saivres (79)..............114 C 2
Le Saix (05)..............165 H 4
Saïx (81)................190 C 3
Saix (86)................101 H 1
Saizenay (39).............110 D 2
Saizerais (54).............56 D 1
Saizy (58)................91 F 4
Sajas (31)................188 C 4
Salagnac (24).............144 A 2
Salagnon (38)............137 E 4
Salaise-sur-Sanne (38) .....149 H 2
Salans (39)...............94 C 5
Salasc (34)..............192 B 2
Salau (09)...............206 B 5
Salaunes (33)............140 D 5
Salavas (07) ....163 E 5
Salavre (01)..............123 E 3
Salazac (30).............178 D 1
Salbris (41)..............88 D 3
Les Salces (48)...........161 E 4
Saléchan (65)............205 G 3
Saleich (31)..............206 A 2
Saleignes (17)...........127 H 1
Saleilles (66)............213 F 2
Les Salelles (84).........161 F 5
Les Salelles
  (près de Les Vans) (07) ..162 C 5
Les Salelles (près de
  Vallon-Pont-d'Arc) (07)...163 F 4
Salency (60)..............16 C 4
Salenthal (67)............58 D 2
Saléon (05)..............165 H 5
Salérans (05).............180 C 1
Salerm (31)..............188 B 5
Salernes (83).............197 E 2
Salers (15)..............146 A 4
Sales (74)...............137 H 2
Salesches (59).............9 F 4
La Salette-Fallavaux (38)....166 A 1
Salettes (26)............164 C 4
Salettes (43)............162 B 1
Saleux (80)..............15 F 2
Salgues (12).............160 C 4
Salice (2A)..............216 D 4
Saliceto (2B) ....217 F 1
Saliers (13)..............194 B 2
Salies-de-Béarn (64)......185 G 3
Salies-du-Salat (31)......206 A 2
Salignac (04).............181 E 2
Salignac (33)............141 G 5
Salignac-de-Mirambeau (17)..141 F 2
Salignac-Eyvigues (24)......144 B 5
Salignac-sur-Charente (17)..127 G 4
Saligney (39).............94 B 5
Saligny (85)..............99 G 3
Saligny (89)..............72 D 1
Saligny-le-Vif (18)........105 H 2
Saligny-sur-Roudon (03)....120 D 2
Saligos (65).............204 B 3
Salindres (30)............178 A 2
Salinelles (30)...........178 A 5
Salins (15)..............145 H 3
Salins (77)...............52 B 5
Les Salins (83)...........198 C 5
Les Salins-d'Hyères (83)....201 F 3
Salins-les-Bains (39) ......110 D 2
Salins-Fontaine (73).......138 D 5
Salives (21).............93 E 2
Sallagriffon (06).........182 C 4
Sallanches (74)..........139 E 1
Sallaumines (62)..........4 B 5
La Salle (13)............195 H 3
La Salle (71)............122 B 2
La Salle-de-Vihiers (49)...100 D 1
La Salle-en-Beaumont (38)..166 A 1
La Salle-et-
  Chapelle-Aubry (49)......84 B 5
La Salle-les-Alpes (05)....153 E 5
La Salle-Prunet (48)......177 F 1
Sallebœuf (33)...........155 G 1
Sallebruneau (33).........155 H 2
Sallèdes (63)............133 G 4
Sallèles-Cabardès (11).....191 E 5
Sallèles-d'Aude (11).......191 H 5
Sallen (14)..............25 H 3
Sallenelle (80)............6 B 4
Sallenelles (14)..........27 G 2
Sallenôves (74)..........138 A 1
Sallertaine (85)..........98 D 3
Les Salles (33)...........154 C 4
Les Salles (42)...........134 B 2
Salles (47)..............157 G 4
Salles (65)..............204 B 2
Salles (79)..............114 D 2
Salles (81)..............174 D 3
Salles-Adour (65).........204 C 1
Salles-Arbuissonnas-
  en-Beaujolais (69).......135 G 1
Salles-Courbatiès (12).....159 F 5
Salles-Curan (12).........175 H 2
Salles-d'Angles (16)......127 G 4
Salles-d'Armagnac (32)....171 F 5
Salles-d'Aude (11)........209 G 1
Salles-de-Barbezieux (16)..141 H 1
Salles-de-Belvès (24).....157 G 2

Salles-de-Villefagnan (16)...128 B 1
Les Salles-du-Gardon (30)...177 H 2
Salles-en-Toulon (86).......115 H 2
Salles-et-Pratviel (31)......205 F 4
Salles-la-Source (12).......160 A 5
Salles-Lavalette (16)........142 C 1
Salles-Lavauguyon (87)......129 F 3
Salles-lès-Aulnay (17)......127 G 1
Salles-Mongiscard (64)......185 G 3
Salles-sous-Bois (26).......164 C 5
Salles-sur-Garonne (31)....189 E 5
Salles-sur-l'Hers (11).......189 H 5
Salles-sur-Mer (17)........113 F 5
Les Salles-sur-Verdon (83)..181 G 5
Sallespisse (64)...........185 H 3
Salmagne (55).............55 H 1
Salmaise (21).............92 D 3
Salmbach (67).............39 H 4
Salmiech (12)............175 G 2
Salomé (59)...............4 B 4
Salon (10)...............53 H 3
Salon (24)...............143 F 5
Salon-de-Provence (13) ....195 F 2
Salon-la-Tour (19)........130 C 5
Salonnes (57).............57 F 1
Salornay-sur-Guye (71) ....122 A 1
Salouël (80)..............15 F 2
Salperwick (62)............3 E 4
Salsein (09).............206 A 3
Salses-le-Château (66).....209 F 4
Salsigne (11)............190 D 5
Salt-en-Donzy (42)........135 E 3
Les Salvages (81).........190 D 2
Salvagnac (81)...........174 A 5
Salvagnac-Cajarc (12).....159 E 5
Salvagnac-St-Loup (12)....159 F 4
La Salvetat-Belmontet (82)..173 H 4
La Salvetat-Lauragais (31)..190 A 3
La Salvetat-Peyralès (12)...175 E 2
La Salvetat-St-Gilles (31) ..189 E 3
La Salvetat-sur-Agout (34)..191 F 2
Salvezines (11)...........208 B 5
Salvi (Col de) (2B).........214 C 5
Salviac (46).............158 A 3
Salvinet (42)............135 E 3
Salza (11)...............208 C 3
Salzuit (43).............147 G 3
Samadet (40)............186 B 2
Saman (31)..............188 A 5
Samaran (32)............187 H 4
Samatan (32)............188 C 3
Samazan (47)............156 B 5
Sambin (41)..............87 H 3
Sambourg (89)............73 H 5
Le Sambuc (13)...........194 D 3
Saméon (59)..............5 E 5
Samer (62)...............2 B 5
Samerey (21)............109 H 1
Sames (64)..............185 E 3
Sammarçolles (86)........101 H 2
Sammeron (77)............32 B 5
Samoëns (74)............125 F 5
Samognat (01)...........123 G 3
Samogneux (55)..........35 G 2
Samois-sur-Seine (77).....51 H 4
Samonac (33)............141 F 4
Samoreau (77)...........51 H 4
Samouillan (31)..........188 C 5
Samoussy (02)............17 G 4
Sampans (39)............110 A 1
Sampigny (55)............56 A 1
Sampigny-lès-Maranges (71) 108 D 3
Sampolo (2A)............217 E 5
Sampzon (07)............163 E 5
Samson (25)..............110 C 1
Samsons-Lion (64)........186 D 4
Samuran (31)............205 F 3
San Cervone (Col de) (2B)..217 F 2
San Damiano (2B)........217 G 1
San-Gavino-
  d'Ampugnani (2B)........217 G 1
San-Gavino-di-Carbini (2A)..219 F 2
San-Gavino-di-Fiumorbo (2B) 217 F 5
San-Gavino-di-Tenda (2B) ..215 F 4
San-Giovanni-di-Moriani (2B)217 G 1
San-Giuliano (2B).........217 G 2
San-Lorenzo (2B).........217 F 1
San-Martino-di-Lota (2B)...215 G 3
San Michele
  de Murato (Église) (2B)...215 F 4
San-Nicolao (2B).........217 G 1
San-Pellegrino (2B).......215 H 5
San Stefano (Col de) (2B)...215 F 4
Sana (31)...............206 A 1
Sanary-sur-Mer (83).......200 D 3
Sancé (71)..............122 B 3
Sancergues (18)..........106 A 1
Sancerre (18)............90 A 4
Sancey (25)..............95 H 4
Sancey-le-Long (25).......95 H 4
Sancheville (28)..........70 A 2
Sanchey (88).............77 F 1
Sancoins (18)............106 A 4
Sancourt (27).............30 B 1
Sancourt (59).............8 D 4
Sancourt (80)............16 B 3
Sancy (54)..............20 C 4
Sancy (77)..............52 B 1
Sancy-les-Cheminots (02)...32 D 1
Sancy-lès-Provins (77).....52 D 2
Sand (67)...............59 E 4
Sandarville (28)..........49 H 5

Sandaucourt *(88)* ....76 C 1
Sandillon *(45)* ....70 D 5
Sandouville *(76)* ....12 C 5
Sandrancourt *(78)* ....30 B 4
Sandrans *(01)* ....122 C 5
Sangatte *(62)* ....2 B 2
Sanghen *(62)* ....2 C 4
Sanguinaires *(Îles) (2A)* ...218 B 1
Sanguinet *(40)* ....154 B 4
Sanilhac *(07)* ....162 D 4
Sanilhac-Sagriès *(30)* ...178 C 4
Sanissac *(30)* ....177 F 4
Sannat *(23)* ....118 C 5
Sannerville *(14)* ....27 G 3
Sannes *(84)* ....196 A 1
Sannois *(95)* ....31 G 5
Sanous *(65)* ....187 E 4
Sanry-lès-Vigy *(57)* ....21 E 5
Sanry-sur-Nied *(57)* ....37 E 3
Sans-Vallois *(88)* ....76 D 1
Sansa *(66)* ....212 A 3
Sansac-de-Marmiesse *(15)* ...159 H 1
Sansac-Veinazès *(15)* ...160 A 2
Sansais *(79)* ....114 A 3
Sansan *(32)* ....188 A 3
Sanssac-l'Église *(43)* ...148 A 4
Sanssat *(03)* ....120 B 4
Santa-Lucia-di-Mercurio *(2B)* .217 F 2
Santa-Lucia-di-Moriani *(2B)* ..217 G 1
Santa-Maria-di-Lota *(2B)* ...215 G 3
Santa-Maria-Figaniella *(2A)* ..219 E 2
Santa-Maria-Poggio *(2B)* ...217 F 1
Santa-Maria-Poggio *(2B)* ...217 G 1
Santa-Maria-Siché *(2A)* ...218 D 1
Santa-Reparata-
di-Balagna *(2B)* ....214 C 4
Santa-Reparata-
di-Moriani *(2B)* ....217 G 1
Sant'Andréa-di-Bozio *(2B)* ....217 F 2
Sant'Andréa-di-Cotone *(2B)* ...217 G 2
Sant'Andréa-d'Orcino *(2A)* ...216 C 4
Santans *(39)* ....110 B 4
Sant'Antonino *(2B)* ....214 C 5
Santeau *(45)* ....71 E 4
Santec *(29)* ....41 H 1
Santenay *(21)* ....108 D 3
Santenay *(41)* ....87 F 2
Santenoge *(52)* ....75 F 5
Santeny *(94)* ....51 G 2
Santes *(59)* ....4 B 4
Santeuil *(28)* ....50 B 5
Santeuil *(95)* ....30 D 3
Santigny *(89)* ....92 A 2
Santilly *(28)* ....70 C 2
Santilly *(71)* ....108 D 5
Santo-Pietro-di-Tenda *(2B)* ..215 F 4
Santo-Pietro-di-Venaco *(2B)* .217 E 2
Santoche *(25)* ....95 G 3
Santosse *(21)* ....108 D 2
Santranges *(18)* ....89 H 3
Sanvensa *(12)* ....174 D 1
Sanvic *(76)* ....12 A 5
Sanvignes-les-Mines *(71)* ...108 B 5
Sanxay *(86)* ....114 D 2
Sanzay *(79)* ....101 E 2
Sanzey *(54)* ....56 C 1
Saon *(14)* ....25 H 4
Saône *(25)* ....95 E 5
Saonnet *(14)* ....25 H 2
Saorge *(06)* ....183 H 4
Saosnes *(72)* ....48 B 5
Saou *(26)* ....164 D 3
Le Sap-André *(61)* ....48 B 1
Le Sap-en-Auge *(61)* ....28 B 5
Le Sapey *(38)* ....151 H 4
Sapignicourt *(51)* ....55 E 2
Sapignies *(62)* ....8 B 4
Sapogne-et-Feuchères *(08)* ..19 E 3
Sapogne-sur-Marche *(08)* .....19 H 4
Sapois *(39)* ....110 A 4
Sapois *(88)* ....77 H 3
Saponay *(02)* ....33 E 3
Saponcourt *(70)* ....76 D 4
Le Sappey *(74)* ....124 C 5
Le Sappey-
en-Chartreuse *(38)* ....151 H 2
Saramon *(32)* ....188 B 3
Saran *(45)* ....70 C 4
Saraz *(25)* ....110 D 2
Sarbazan *(40)* ....170 D 3
Sarcé *(72)* ....86 A 1
Sarceaux *(61)* ....47 H 2
Sarcelles *(95)* ....31 F 5
Sarcenas *(38)* ....151 G 2
Sarcey *(52)* ....75 H 3
Sarcey *(69)* ....135 G 2
Sarcicourt *(52)* ....75 F 2
Sarcos *(32)* ....188 A 4
Sarcus *(60)* ....14 D 3
Sarcy *(51)* ....33 G 3
Sardan *(30)* ....178 A 5
Sardent *(23)* ....131 E 1
Sardieu *(38)* ....150 D 1
Sardon *(63)* ....133 F 1
Sardy-lès-Épiry *(58)* ....91 F 5
Sare *(64)* ....184 B 4
Sargé-lès-le-Mans *(72)* ....68 A 3
Sargé-sur-Braye *(41)* ....69 E 4
Sari-d'Orcino *(2A)* ....216 C 4
Sari-Solenzara *(2A)* ....219 G 1
Sariac-Magnoac *(65)* ....187 H 5
Sarlabous *(65)* ....204 D 2

Sarlande *(24)* ....143 H 1
Sarlat-la-Canéda *(24)* ....158 A 1
Sarliac-sur-l'Isle *(24)* ....143 G 3
Sarniguet *(65)* ....187 E 5
Sarnois *(60)* ....14 D 4
Saron-sur-Aube *(51)* ....53 F 3
Sarp *(65)* ....205 F 2
Sarpoil *(63)* ....147 F 1
Sarpourenx *(64)* ....185 H 3
Sarragachies *(32)* ....187 E 1
Sarrageois *(25)* ....111 G 4
Sarraguzan *(32)* ....187 G 4
Les Sarraix *(63)* ....134 A 2
Sarralbe *(57)* ....38 A 4
Sarraltroff *(57)* ....58 B 1
Sarran *(19)* ....146 B 2
Sarrance *(64)* ....145 E 1
Sarrancolin *(65)* ....205 E 3
Sarrant *(32)* ....188 C 1
Sarras *(07)* ....149 H 3
Sarrazac *(24)* ....143 H 1
Sarrazac *(46)* ....144 C 5
Sarraziet *(40)* ....186 B 1
Sarre-Union *(67)* ....38 B 4
Sarrebourg *(57)* ....58 B 1
Sarreguemines *(57)* ....38 B 3
Sarreinsming *(57)* ....38 B 3
Sarremezan *(31)* ....205 G 1
Sarrewerden *(67)* ....38 B 4
Sarrey *(52)* ....75 H 3
Sarriac-Bigorre *(65)* ....187 F 4
Sarrians *(84)* ....179 G 3
Sarrigné *(49)* ....85 E 3
Sarrogna *(39)* ....123 G 2
Sarrola-Carcopino *(2A)* ....216 C 5
Sarron *(40)* ....186 C 2
Sarron *(60)* ....31 H 2
Sarrouilles *(65)* ....187 F 5
Sarroux *(19)* ....146 A 1
Sarry *(51)* ....34 B 5
Sarry *(71)* ....121 F 3
Sarry *(89)* ....91 H 1
Le Sars *(62)* ....8 A 5
Sars-et-Rosières *(59)* ....5 E 5
Sars-le-Bois *(62)* ....7 G 3
Sars-Poteries *(59)* ....10 A 2
Le Sart *(59)* ....9 G 5
Sartène *(2A)* ....218 D 3
Sartes *(88)* ....76 B 1
Sartilly-Baie-Bocage *(50)* ...45 G 1
Sarton *(62)* ....7 G 5
Sartrouville *(78)* ....31 E 5
Sarzay *(36)* ....117 H 1
Sarzeau *(56)* ....81 G 3
Sasnières *(41)* ....87 E 1
Sassangy *(71)* ....108 D 5
Sassay *(41)* ....87 H 4
Sassegnies *(59)* ....9 G 4
Sassenage *(38)* ....151 G 3
Sassenay *(71)* ....109 F 4
Sassetot-le-Malgardé *(76)* ...13 F 3
Sassetot-le-Mauconduit *(76)* .12 D 2
Sasseville *(76)* ....13 E 2
Sassey *(27)* ....29 G 4
Sassey-sur-Meuse *(55)* ....35 G 1
Sassierges-St-Germain *(36)* ...104 C 4
Sassis *(65)* ....204 B 4
Sassy *(14)* ....27 G 4
Sathonay-Camp *(69)* ....136 B 2
Sathonay-Village *(69)* ....136 B 2
Satillieu *(07)* ....149 F 3
Satolas-et-Bonce *(38)* ....136 C 4
Saturargues *(34)* ....193 H 1
Saubens *(31)* ....189 F 3
Saubion *(40)* ....184 D 1
Saubole *(64)* ....186 D 5
Saubrigues *(40)* ....184 D 2
Saubusse *(40)* ....185 E 1
Saucats *(33)* ....155 E 3
Saucède *(64)* ....185 H 5
La Saucelle *(28)* ....49 F 3
Sauchay *(76)* ....13 H 1
Sauchy-Cauchy *(62)* ....8 C 4
Sauchy-Lestrée *(62)* ....8 C 4
Sauclières *(12)* ....176 D 4
Saucourt-sur-Rognon *(52)* ...55 G 5
Saudemont *(62)* ....8 C 3
Saudoy *(51)* ....53 F 2
Saudron *(52)* ....55 H 4
Saudrupt *(55)* ....55 F 2
Saugeot *(39)* ....110 C 5
Saugnac-et-Cambran *(40)* ...185 F 1
Saugnacq-et-Muret *(40)* ...154 D 5
Saugnieu *(69)* ....136 C 3
Saugon *(33)* ....141 F 3
Saugues *(43)* ....147 H 5
Sauguis-St-Étienne *(64)* ...203 E 1
Saugy *(18)* ....105 E 3
Saujac *(12)* ....159 E 4
Saujon *(30)* ....194 C 1
Saujon *(17)* ....126 D 4
La Saulce *(05)* ....166 B 5
Saulce-sur-Rhône *(26)* ...163 H 4
Saulces-Champenoises *(08)* ...18 C 5
Saulces-Monclin *(08)* ....18 C 4
Saulcet *(03)* ....120 A 3
Saulchery *(02)* ....32 D 5
Le Saulchoy *(60)* ....15 E 4
Saulchoy *(62)* ....6 D 3
Saulchoy-sous-Poix *(80)* ...14 D 3

Saulcy *(10)* ....75 E 1
Le Saulcy *(88)* ....58 B 4
Saulcy-sur-Meurthe *(88)* ...58 A 5
Saules *(25)* ....111 E 1
Saules *(71)* ....108 D 5
Saulgé *(86)* ....116 B 3
Saulgé-l'Hôpital *(49)* ....85 E 4
Saulges *(53)* ....67 E 3
Saulgond *(16)* ....129 F 1
Sauliac-sur-Célé *(46)* ...158 D 4
Saulieu *(21)* ....92 A 5
Saulles *(52)* ....94 A 1
Saulmory-et-Villefranche *(55)* ..19 G 5
Saulnay *(36)* ....103 H 3
Saulnes *(54)* ....20 C 2
Saulnières *(28)* ....49 H 3
Saulnières *(35)* ....65 F 4
Saulnot *(70)* ....95 H 2
Saulny *(57)* ....20 D 5
Saulon-la-Chapelle *(21)* ...93 G 5
Saulon-la-Rue *(21)* ....93 F 5
La Saulsotte *(10)* ....53 E 4
Sault *(84)* ....180 A 3
Sault-Brénaz *(01)* ....137 E 2
Sault-de-Navailles *(64)* ...185 H 2
Sault-lès-Rethel *(08)* ....18 B 5
Sault-St-Remy *(08)* ....33 H 1
Saultain *(59)* ....9 F 3
Saulty *(62)* ....7 H 4
Saulx *(70)* ....95 F 1
Saulx-en-Barrois *(55)* ....55 H 2
Saulx-le-Duc *(21)* ....93 F 2
Saulx-lès-Champlon *(55)* ...36 A 4
Saulx-les-Chartreux *(91)* ...51 E 2
Saulx-Marchais *(78)* ....50 C 1
Saulxerotte *(54)* ....56 C 4
Saulxures *(52)* ....76 A 3
Saulxures *(67)* ....96 D 2
Saulxures-lès-Bulgnéville *(88)* .76 C 1
Saulxures-lès-Nancy *(54)* ...57 E 2
Saulxures-lès-Vannes *(54)* ...56 B 3
Saulxures-
sur-Moselotte *(88)* ....77 H 3
Saulzais-le-Potier *(18)* ...118 D 1
Saulzet *(03)* ....119 H 5
Saulzet-le-Chaud *(63)* ...133 E 4
Saulzet-le-Froid *(63)* ....132 D 4
Saulzoir *(59)* ....9 E 3
Saumane *(04)* ....180 C 3
Saumane *(30)* ....177 E 1
Saumane-de-Vaucluse *(84)* ...179 G 4
Sauméjan *(47)* ....171 F 2
Saumeray *(28)* ....69 H 1
Saumont *(47)* ....172 A 3
Saumont-la-Poterie *(76)* ...14 B 4
Saumos *(33)* ....140 C 5
Saumur *(49)* ....85 G 5
Saunay *(37)* ....87 F 2
La Saunière *(23)* ....117 H 5
Saunières *(71)* ....109 G 3
Sauqueuse-St-Lucien *(60)* ...15 E 5
Sauqueville *(76)* ....13 G 2
Saurais *(79)* ....101 G 5
Saurat *(09)* ....206 D 4
Sauret-Besserve *(63)* ....132 D 1
Saurier *(63)* ....133 E 5
Sausheim *(68)* ....78 D 4
Saussan *(34)* ....193 E 3
Saussay *(28)* ....49 H 1
Saussay *(76)* ....13 F 4
Saussay-la-Campagne *(27)* ...30 A 2
La Saussaye *(27)* ....29 F 2
Saussemesnil *(50)* ....22 D 3
Saussenac *(81)* ....175 E 4
Saussens *(31)* ....189 H 2
Sausses *(04)* ....182 C 3
Les Saussois *(86)* ....182 C 4
Sausset-les-Pins *(13)* ...195 H 4
Sausseuzemare-en-Caux *(76)* ..12 C 3
Saussey *(21)* ....108 D 1
Saussey *(50)* ....24 D 4
Saussignac *(24)* ....156 C 2
Saussines *(34)* ....193 G 1
Saussy *(21)* ....93 F 3
Sautel *(09)* ....207 F 3
Sauternes *(33)* ....155 G 4
Sauteyrargues *(34)* ....177 H 5
Sauto *(66)* ....212 A 4
Sautron *(44)* ....83 E 4
Sauvage *(51)* ....53 F 3
Sauvage-Magny *(52)* ....54 D 5
La Sauvagère *(61)* ....47 F 3
Les Sauvages *(69)* ....135 F 2
Sauvagnac *(16)* ....129 F 2
Sauvagnas *(47)* ....130 B 1
Sauvagnat *(63)* ....132 C 2
Sauvagnat-Ste-Marthe *(63)* ...133 F 5
Sauvagney *(25)* ....94 D 4
Sauvagnon *(64)* ....186 B 4
Sauvagny *(03)* ....119 F 2
Sauvain *(42)* ....134 C 4
Sauveterre *(15)* ....146 A 2
Sauvat *(15)* ....146 A 2
Sauve *(30)* ....177 H 4
La Sauve *(33)* ....155 G 2
Sauvelade *(64)* ....185 H 4
Sauverny *(01)* ....124 D 3
Sauvessanges *(63)* ....148 B 1
Les Sauvestres *(84)* ....179 H 4
La Sauvetat *(32)* ....172 B 5
La Sauvetat *(43)* ....162 B 4

La Sauvetat *(63)* ....133 F 4
La Sauvetat-de-Savères *(47)* ...172 D 2
La Sauvetat-du-Dropt *(47)* ...156 C 3
La Sauvetat-sur-Lède *(47)* ...157 F 5
Sauveterre *(30)* ....179 E 3
Sauveterre *(32)* ....188 B 4
Sauveterre *(48)* ....161 G 5
Sauveterre *(65)* ....187 F 3
Sauveterre *(81)* ....191 E 3
Sauveterre *(82)* ....173 G 1
Sauveterre-de-Béarn *(64)* ...185 G 4
Sauveterre-
de-Comminges *(31)* ....205 G 2
Sauveterre-
de-Guyenne *(33)* ....156 A 2
Sauveterre-de-Rouergue *(12)* .175 D 2
Sauveterre-la-Lémance *(47)* ..157 H 4
Sauveterre-St-Denis *(47)* ...172 C 2
Sauviac *(32)* ....187 H 4
Sauviac *(33)* ....155 H 5
Sauvian *(34)* ....192 B 5
Sauviat *(63)* ....133 H 4
Sauviat-sur-Vige *(87)* ....130 C 2
Sauvigney-lès-Gray *(70)* ...94 B 3
Sauvigney-lès-Pesmes *(70)* ...94 A 4
Sauvigny *(55)* ....56 B 4
Sauvigny-le-Bois *(89)* ....91 H 2
Sauvigny-les-Bois *(58)* ...106 D 3
Sauville *(08)* ....19 E 4
Sauville *(88)* ....76 B 2
Sauvillers-Mongival *(80)* ...15 G 3
Sauvimont *(32)* ....188 C 4
Sauvoy *(55)* ....56 A 2
Saux *(46)* ....157 H 5
Saux-et-Pomarède *(31)* ...205 G 1
Sauxillanges *(63)* ....133 G 5
Le Sauze *(04)* ....167 F 5
Sauze *(06)* ....182 C 2
Sauze-du-Lac *(05)* ....166 D 4
Sauzé-Vaussais *(79)* ....115 E 3
Sauzelle *(17)* ....126 A 1
Sauzelles *(36)* ....103 F 5
Sauzet *(26)* ....163 H 3
Sauzet *(30)* ....178 B 4
Sauzet *(46)* ....158 A 5
La Sauzière-St-Jean *(81)* ...174 A 4
Sauzon *(56)* ....80 D 4
Savarthès *(31)* ....205 H 2
Savas *(07)* ....149 G 2
Savas-Mépin *(38)* ....136 C 5
Savasse *(26)* ....163 H 3
Savenay *(44)* ....82 D 3
Savennes *(23)* ....117 H 5
Savennes *(63)* ....132 B 5
Savennières *(49)* ....84 D 4
Saverdun *(09)* ....207 E 1
Savères *(31)* ....188 D 4
Saverne *(67)* ....58 D 1
Saveuse *(80)* ....15 F 2
Savianges *(71)* ....108 D 5
Savières *(10)* ....53 H 5
Savigna *(39)* ....123 G 2
Savignac *(12)* ....174 C 1
Savignac *(33)* ....155 H 4
Savignac-de-Duras *(47)* ...156 B 2
Savignac-de-l'Isle *(33)* ...141 H 3
Savignac-de-Miremont *(24)* ...143 G 5
Savignac-de-Nontron *(24)* ...129 F 5
Savignac-Lédrier *(24)* ....144 A 2
Savignac-les-Églises *(24)* ...143 G 2
Savignac-les-Ormeaux *(09)* ...207 F 5
Savignac-Mona *(32)* ....188 C 3
Savignac-sur-Leyze *(47)* ...157 F 4
Savignargues *(30)* ....178 A 4
Savigné *(86)* ....115 F 5
Savigné-l'Évêque *(72)* ....68 B 3
Savigné-sous-le-Lude *(72)* ...85 H 2
Savigné-sur-Lathan *(37)* ...86 B 3
Savigneux *(01)* ....135 H 1
Savigneux *(42)* ....134 D 4
Savignies *(60)* ....14 D 5
Savigny *(50)* ....25 E 4
Savigny *(52)* ....76 B 5
Savigny *(69)* ....135 G 3
Savigny *(74)* ....124 A 5
Savigny *(88)* ....57 E 5
Savigny-en-Revermont *(71)* ...110 A 5
Savigny-en-Sancerre *(18)* ...90 A 3
Savigny-en-Septaine *(18)* ...105 G 2
Savigny-en-Terre-Plaine *(89)* ..91 H 3
Savigny-en-Véron *(37)* ....85 H 5
Savigny-le-Sec *(21)* ....93 F 3
Savigny-le-Temple *(77)* ...51 G 3
Savigny-le-Vieux *(50)* ...46 B 3
Savigny-lès-Beaune *(21)* ...109 E 1
Savigny-Lévescault *(86)* ...115 G 1
Savigny-Poil-Fol *(58)* ....107 G 4
Savigny-sous-Faye *(86)* ...102 A 3
Savigny-sous-Mâlain *(21)* ...93 E 4
Savigny-sur-Aisne *(08)* ....34 D 1
Savigny-sur-Ardres *(08)* ...33 F 2
Savigny-sur-Braye *(41)* ....69 E 4
Savigny-sur-Clairis *(89)* ...72 B 3
Savigny-sur-Grosne *(71)* ...122 A 1
Savigny-sur-Orge *(91)* ....51 F 2
Savigny-sur-Seille *(71)* ...109 G 3
Savilly *(21)* ....108 B 1
Savines-le-Lac *(05)* ....166 D 4
Savins *(77)* ....52 C 4

Savoillan *(84)* ....180 A 2
Savoisy *(21)* ....92 B 1
Savolles *(21)* ....93 H 4
Savonnières *(37)* ....86 C 4
Savonnières-devant-Bar *(55)* ...55 G 1
Savonnières-en-Perthois *(55)* .55 F 3
Savonnières-en-Woëvre *(55)* ...36 A 5
Savouges *(21)* ....93 F 5
Savournon *(05)* ....165 H 5
Savoyeux *(70)* ....94 B 2
Savy *(02)* ....16 C 2
Savy-Berlette *(62)* ....7 H 3
Saxel *(74)* ....124 D 3
Saxi-Bourdon *(58)* ....107 E 2
Saxon-Sion *(54)* ....56 D 4
Sayat *(63)* ....133 E 3
Sazeray *(36)* ....118 A 2
Sazeret *(03)* ....119 G 3
Sazilly *(37)* ....102 B 1
Sazos *(65)* ....204 B 3
Scaër *(29)* ....62 B 3
Les Scaffarels *(04)* ....182 B 3
Scata *(2B)* ....217 G 1
Sceau-St-Angel *(24)* ....143 F 1
Sceautres *(07)* ....163 G 3
Sceaux *(89)* ....91 H 2
Sceaux *(92)* ....51 F 1
Sceaux-d'Anjou *(49)* ....84 D 1
Sceaux-du-Gâtinais *(45)* ...71 G 2
Sceaux-sur-Huisne *(72)* ...68 C 2
Scey-Maisières *(25)* ....111 E 1
Scey-sur-Saône-
et-St-Albin *(70)* ....94 D 1
Schaeffersheim *(67)* ....97 E 2
Schaffhouse-près-Seltz *(67)* ...39 H 4
Schaffhouse-sur-Zorn *(67)* ...59 E 1
Schalbach *(57)* ....58 B 5
Schalkendorf *(67)* ....39 E 5
Scharrachbergheim-
Irmstett *(67)* ....59 D 2
Scheibenhard *(67)* ....39 H 3
Scherlenheim *(67)* ....59 E 1
Scherwiller *(67)* ....97 E 4
Schillersdorf *(67)* ....38 D 5
Schiltigheim *(67)* ....59 F 2
Schirmeck *(67)* ....58 C 4
Schirrhein *(67)* ....39 G 5
Schirrhoffen *(67)* ....39 G 5
Schleithal *(67)* ....39 G 3
Schlierbach *(68)* ....78 D 5
Schmittviller *(57)* ....38 B 4
Schneckenbusch *(57)* ....58 B 1
Schnersheim *(67)* ....59 E 2
Schœnau *(67)* ....59 F 5
Schœnbourg *(67)* ....38 C 5
Schœneck *(57)* ....38 A 2
Schœnenbourg *(67)* ....39 G 4
Schopperten *(67)* ....38 B 4
Schorbach *(57)* ....38 D 3
Schweighouse-
sur-Moder *(67)* ....39 F 5
Schweighouse-Thann *(68)* ...78 C 5
Schwenheim *(67)* ....58 D 1
Schwerdorff *(57)* ....21 G 3
Schweyen *(57)* ....38 C 2
Schwindratzheim *(67)* ....59 E 1
Schwoben *(68)* ....97 F 1
Schwobsheim *(67)* ....59 E 5
Sciecq *(79)* ....114 A 3
Scientrier *(74)* ....124 D 4
Scieurac-et-Flourès *(32)* ...187 F 3
Sciez *(74)* ....124 D 3
Scillé *(79)* ....100 D 5
Scionzier *(74)* ....125 E 5
Sclos *(06)* ....183 F 4
Scolca *(2B)* ....215 F 5
Scorbé-Clairvaux *(86)* ....102 B 4
Scoury *(36)* ....103 G 5
Scrignac *(29)* ....42 B 5
Scrupt *(51)* ....54 D 2
Scy-Chazelles *(57)* ....36 D 3
Scye *(70)* ....94 D 1
Séailles *(32)* ....187 F 1
La Séauve-sur-Semène *(43)* ...148 B 3
Sébazac-Concourès *(12)* ...160 B 5
Sébécourt *(27)* ....29 E 5
Sébeville *(50)* ....23 E 5
Seboncourt *(02)* ....17 E 1
Sebourg *(59)* ....9 F 3
Sébrazac *(12)* ....160 B 4
Séby *(64)* ....186 B 3
Sec-Bois *(59)* ....3 G 4
Secenans *(70)* ....95 H 2
Séchault *(08)* ....34 D 2
Séché *(08)* ....10 D 5
Séchierie *(38)* ....151 H 4
Le Séchier *(05)* ....166 B 1
Séchilienne *(38)* ....151 H 4
Séchin *(25)* ....95 F 4
Seclin *(59)* ....4 C 4
Secondigné-sur-Belle *(79)* ...114 B 4
Secondigny *(79)* ....101 E 5
Secourt *(57)* ....37 E 4
Secqueville-en-Bessin *(14)* ...27 E 2
Sedan *(08)* ....19 F 3
Sédeilhac *(31)* ....205 F 1
Séderon *(26)* ....180 B 2
Sedze-Maubecq *(64)* ....186 D 4
Sedzère *(64)* ....186 D 4
Seebach *(67)* ....39 G 4
Sées *(61)* ....48 A 3

Séez *(73)* ....139 F 4
Le Ségala *(11)* ....190 A 5
Ségalas *(47)* ....156 D 4
Ségalas *(65)* ....187 F 4
La Ségalassière *(15)* ....159 G 1
Séglien *(56)* ....63 E 3
Ségny *(01)* ....124 B 3
Segonzac *(16)* ....127 H 4
Segonzac *(19)* ....144 A 2
Segonzac *(24)* ....142 D 5
Ségos *(32)* ....186 C 2
Ségoufielle *(32)* ....188 D 2
Segré *(49)* ....84 B 1
Ségreville *(31)* ....189 H 3
Ségrie *(72)* ....67 H 1
Ségrie-Fontaine *(61)* ....47 F 1
Segrois *(21)* ....109 E 1
Ségry *(36)* ....104 D 3
La Séguinière *(49)* ....100 B 1
Ségur *(12)* ....176 A 1
Le Ségur *(81)* ....174 D 3
Ségur-le-Château *(19)* ....144 A 1
Ségur-les-Villas *(15)* ....146 C 3
Ségura *(09)* ....207 F 2
Séguret *(84)* ....179 G 2
Ségus *(65)* ....204 B 2
Seich *(65)* ....205 F 2
Seichamps *(54)* ....57 E 1
Seichebrières *(45)* ....71 E 4
Seicheprey *(54)* ....36 B 5
Seiches-sur-le-Loir *(49)* ...85 F 2
Seignalens *(11)* ....207 G 2
Seigné *(17)* ....127 H 1
Seignelay *(89)* ....73 E 4
Seigneulles *(55)* ....55 G 1
Seignosse *(40)* ....184 D 1
Seigny *(21)* ....92 C 2
Seigy *(41)* ....87 H 5
Seilh *(31)* ....189 F 1
Seilhac *(19)* ....144 D 2
Seilhan *(31)* ....205 F 2
Seillac *(41)* ....87 G 2
Seillans *(83)* ....197 H 1
Seillonnaz *(01)* ....137 F 2
Seillons-Source-
d'Argens *(83)* ....196 C 3
Seine-Port *(77)* ....51 G 3
Seingbouse *(57)* ....37 H 3
Seissan *(32)* ....188 A 3
Seix *(09)* ....206 B 4
Le Sel-de-Bretagne *(35)* ...65 F 4
Selaincourt *(54)* ....56 C 3
Selens *(02)* ....16 C 5
Sélestat *(67)* ....58 D 5
Séligné *(79)* ....114 B 5
Séligney *(39)* ....110 A 2
Selincourt *(80)* ....14 D 2
La Selle *(70)* ....77 H 5
La Selle-Craonnaise *(53)* ...66 B 4
La Selle-en-Coglès *(35)* ...45 H 4
La Selle-en-Hermoy *(45)* ...72 A 3
La Selle-en-Luitré *(35)* ...46 A 5
La Selle-Guerchaise *(35)* ...66 A 3
La Selle-la-Forge *(61)* ....47 E 2
La Selle-sur-le-Bied *(45)* ...72 A 3
Selles *(27)* ....28 C 2
Selles *(51)* ....34 A 2
Selles *(62)* ....2 C 4
Selles *(70)* ....76 D 3
Selles-St-Denis *(41)* ....88 C 4
Selles-sur-Cher *(41)* ....88 A 5
Selles-sur-Nahon *(36)* ...103 H 2
Sellières *(39)* ....110 B 3
Selommes *(41)* ....69 G 5
Seloncourt *(25)* ....96 C 2
Selongey *(21)* ....93 G 2
Selonnet *(04)* ....166 D 5
Seltz *(67)* ....39 H 4
La Selve *(02)* ....17 H 4
La Selve *(12)* ....175 D 2
Sémalens *(81)* ....190 C 2
Semallé *(61)* ....48 A 4
Semarey *(21)* ....92 D 5
Sembadel *(43)* ....148 A 2
Sembadel-Gare *(43)* ....148 A 2
Sembas *(47)* ....172 C 1
Semblançay *(37)* ....86 C 3
Sembleçay *(36)* ....88 B 5
Semboès *(65)* ....187 F 3
Sembouès *(32)* ....187 F 3
Séméac *(65)* ....187 F 5
Séméacq-Blachon *(64)* ...186 D 3
Semécourt *(57)* ....21 E 5
Sémelay *(58)* ....107 G 3
Semens *(33)* ....155 H 3
Sementron *(89)* ....90 D 1
Séméries *(59)* ....9 H 4
Semerville *(41)* ....69 H 4
Sémézies-Cachan *(32)* ...188 B 3
Semide *(08)* ....34 C 1
Semillac *(17)* ....141 F 1
Semilly *(52)* ....75 H 1
Semmadon *(70)* ....76 C 5
Semoine *(10)* ....53 H 2
Semond *(21)* ....92 C 1
Semondans *(25)* ....95 H 2

Localité *(Département)*   Page Coordonnées

Semons (38) ..... 150 D 1
Semousies (59) ..... 9 H 4
Semoussac (17) ..... 141 E 1
Semoutiers (52) ..... 75 F 3
Semoy (45) ..... 70 D 4
Sempesserre (32) ..... 172 C 4
Sempigny (60) ..... 16 B 5
Sempy (62) ..... 6 D 1
Semur-en-Auxois (21) ..... 92 B 3
Semur-en-Brionnais (71) ..... 121 F 4
Semur-en-Vallon (72) ..... 68 D 3
Semussac (17) ..... 126 D 4
Semuy (08) ..... 18 D 5
Le Sen (40) ..... 170 C 2
Sénac (65) ..... 187 F 4
Senaide (88) ..... 76 C 3
Sénaillac-Latronquière (46) ..... 159 F 2
Sénaillac-Lauzès (46) ..... 158 D 3
Senailly (21) ..... 92 B 2
Senainville (28) ..... 50 B 4
Sénamont (28) ..... 49 H 4
Senan (89) ..... 72 D 4
Senantes (28) ..... 50 A 3
Senantes (60) ..... 14 C 5
Senard (55) ..... 35 F 4
Sénarens (31) ..... 188 C 5
Senargent-Mignafans (70) ..... 95 G 2
Senarpont (80) ..... 14 C 2
Sénart (11) ..... 51 G 3
Sénas (13) ..... 195 F 1
Senaud (39) ..... 123 F 2
Senaux (81) ..... 191 F 1
Sencenac-Puy-de-Fourches (24) ..... 143 E 2
Senconac (09) ..... 207 F 4
Sendets (33) ..... 155 H 5
Sendets (64) ..... 186 C 5
Séné (56) ..... 81 G 2
Sénéchas (30) ..... 177 H 1
Sénèque (Tour de) (2B) ..... 215 F 2
Sénergues (12) ..... 160 A 3
Senesse-de-Senabugue (09) ..... 207 F 2
Sénestis (47) ..... 156 B 5
Séneujols (43) ..... 148 A 5
Senez (04) ..... 181 H 4
Sénezergues (15) ..... 159 H 3
Sengouagnet (31) ..... 205 H 3
Séniergues (46) ..... 158 C 3
Senillé (86) ..... 102 C 4
Senillé-Saint-Sauveur (86) ..... 102 C 4
Seninghem (62) ..... 2 D 4
Senlecques (62) ..... 2 C 5
Senlis [SP] (60) ..... 31 G 3
Senlis (62) ..... 7 F 1
Senlis-le-Sec (80) ..... 7 H 5
Senlisse (78) ..... 50 D 2
Sennecey (18) ..... 105 F 3
Sennecé-lès-Mâcon (71) ..... 122 B 3
Sennecey-le-Grand (71) ..... 109 E 5
Sennecey-lès-Dijon (21) ..... 93 G 4
Sennely (41) ..... 89 E 1
Sennevières (37) ..... 103 F 1
Senneville-sur-Fécamp (76) ..... 12 C 3
Sennevoy-le-Bas (89) ..... 74 B 5
Sennevoy-le-Haut (89) ..... 74 B 5
Senon (55) ..... 20 B 4
Senonches (28) ..... 49 F 3
Senoncourt (70) ..... 76 D 4
Senoncourt-les-Maujouy (55) ..... 35 G 4
Senones (88) ..... 58 A 4
Senonges (88) ..... 76 D 2
Senonnes (53) ..... 66 A 5
Senonville (55) ..... 36 A 5
Senots (60) ..... 30 D 2
Senouillac (81) ..... 174 C 4
Sénoville (50) ..... 22 B 4
Senozan (71) ..... 122 B 2
Sens [SP] (89) ..... 72 D 2
Sens-Beaujeu (18) ..... 89 H 4
Sens-de-Bretagne (35) ..... 45 G 5
Sens-sur-Seille (71) ..... 109 H 4
Sentein (09) ..... 206 A 4
Sentelie (80) ..... 15 E 3
Sentenac-de-Sérou (09) ..... 206 D 2
Sentenac-d'Oust (09) ..... 206 B 4
Sentheim (68) ..... 78 B 5
Sentilly (61) ..... 47 G 1
La Sentinelle (59) ..... 9 E 2
Sentous (65) ..... 187 G 5
Senuc (08) ..... 34 D 2
Senven-Léhart (22) ..... 43 F 5
La Séoube (65) ..... 204 D 3
Sépeaux-Saint-Romain (89) ..... 72 C 4
Sepmeries (59) ..... 9 F 3
Sepmes (37) ..... 102 D 2
Seppois-le-Bas (68) ..... 97 E 2
Seppois-le-Haut (68) ..... 97 E 2
Sept-Forges (61) ..... 47 E 4
Sept-Frères (14) ..... 25 F 5
Sept-Meules (76) ..... 14 A 1
Sept-Saulx (51) ..... 34 A 3
Sept-Sorts (77) ..... 32 B 5
Sept-Vents (14) ..... 25 H 3
Septème (38) ..... 136 C 5
Septèmes-les-Vallons (13) ..... 195 H 4
Septeuil (78) ..... 30 B 5
Septfonds (82) ..... 174 A 2
Septfonds (89) ..... 90 B 1

Septfontaines (25) ..... 111 E 2
Septmoncel (39) ..... 124 A 2
Septmonts (02) ..... 32 D 2
Septsarges (55) ..... 35 F 2
Septvaux (02) ..... 16 D 4
Sepvigny (55) ..... 56 B 3
Sepvret (79) ..... 114 D 3
Sepx (31) ..... 205 H 1
Sequedin (59) ..... 4 C 4
Sequehart (02) ..... 16 D 1
Le Sequestre (81) ..... 174 D 5
Serain (02) ..... 9 E 5
Seraincourt (08) ..... 18 A 4
Seraincourt (95) ..... 30 C 4
Sérandon (19) ..... 145 H 2
Séranon (06) ..... 182 B 5
Serans (60) ..... 30 C 3
Serans (61) ..... 47 G 2
Seranville (54) ..... 57 G 4
Seranvillers-Forenville (59) ..... 8 D 5
Seraucourt-le-Grand (02) ..... 16 C 3
Seraumont (88) ..... 56 A 4
Serazereux (28) ..... 49 H 3
Serbannes (03) ..... 120 A 5
Serbonnes (89) ..... 72 C 1
Serches (02) ..... 32 D 1
Sercœur (88) ..... 57 G 5
Sercus (59) ..... 3 F 4
Sercy (71) ..... 122 A 1
Serdinya (66) ..... 212 B 3
Sère (32) ..... 188 A 4
Sère-en-Lavedan (65) ..... 204 B 2
Sère-Lanso (65) ..... 204 B 2
Sère-Rustaing (65) ..... 187 G 5
Sérécourt (88) ..... 76 C 2
Séreilhac (87) ..... 129 H 3
Séremange-Erzange (57) ..... 20 D 4
Sérempuy (32) ..... 188 B 1
Sérénac (81) ..... 175 E 4
Sérent (56) ..... 64 A 4
Sérésville (28) ..... 50 A 4
Sérévillers (60) ..... 15 G 4
Serez (27) ..... 29 H 5
Sérézin-de-la-Tour (38) ..... 137 E 5
Sérézin-du-Rhône (69) ..... 135 H 4
Sergeac (24) ..... 143 H 5
Sergenaux (39) ..... 110 A 3
Sergenon (39) ..... 110 A 3
Sergines (89) ..... 52 C 5
Sergy (01) ..... 124 B 3
Sergy (02) ..... 33 E 3
Séricourt (62) ..... 7 G 3
Sériers (15) ..... 146 D 5
Sérifontaine (60) ..... 30 C 1
Sérignac (46) ..... 157 H 5
Sérignac (82) ..... 173 E 4
Sérignac-Péboudou (47) ..... 157 E 3
Sérignac-sur-Garonne (47) ..... 172 B 2
Sérignan (34) ..... 192 B 5
Sérignan-du-Comtat (84) ..... 179 F 2
Sérignan-Plage (34) ..... 192 C 5
Sérigné (85) ..... 113 G 1
Sérigny (61) ..... 48 C 5
Sérigny (86) ..... 102 B 3
Sérilhac (19) ..... 144 D 4
Seringes-et-Nesles (02) ..... 33 E 3
Séris (41) ..... 70 A 5
Serley (71) ..... 109 H 4
Sermages (58) ..... 107 G 2
Sermaise (49) ..... 85 F 2
Sermaise (91) ..... 50 D 4
Sermaises (45) ..... 71 E 1
Sermaize (60) ..... 16 B 4
Sermaize-les-Bains (51) ..... 55 E 1
Sermamagny (90) ..... 78 A 5
Sermange (39) ..... 94 B 5
Sermano (2B) ..... 217 F 2
Sermentizon (63) ..... 133 H 3
Sermentot (14) ..... 26 D 3
Sermérieu (38) ..... 137 E 4
Sermersheim (67) ..... 59 E 4
Sermesse (71) ..... 109 G 3
Sermiers (51) ..... 33 H 3
Sermizelles (89) ..... 91 G 2
Sermoise (02) ..... 32 D 1
Sermoise-sur-Loire (58) ..... 106 C 3
Sermoyer (01) ..... 122 C 1
Sermur (23) ..... 132 A 1
Sernhac (30) ..... 178 D 4
Serocourt (88) ..... 76 C 2
Séron (65) ..... 186 D 5
Serpaize (38) ..... 136 B 5
La Serpent (11) ..... 208 A 3
Serques (62) ..... 3 E 4
Serqueux (52) ..... 76 B 3
Serqueux (76) ..... 14 B 4
Serquigny (27) ..... 28 D 3
Serra-di-Ferro (2A) ..... 218 C 2
Serra-di-Fiumorbo (2B) ..... 217 G 5
Serra di Pigno (2B) ..... 215 G 3
Serra-di-Scopamène (2A) ..... 219 E 2
Serralongue (66) ..... 212 C 5
Serraval (74) ..... 138 C 2
La Serre (12) ..... 175 G 5
La Serre (19) ..... 145 H 1
La Serre-Bussière-Vieille (23) ..... 131 H 1
La Serre-de-Cazaux (39) ..... 109 H 3
Serre-les-Moulières (39) ..... 94 B 5
Serre-les-Sapins (25) ..... 94 D 5
Serre-Nerpol (38) ..... 151 E 2
Serres (05) ..... 165 H 5
Serres (11) ..... 208 B 3

Serres (54) ..... 57 F 2
Serres (84) ..... 179 G 3
Serres-Castet (64) ..... 186 B 4
Serres-et-Montguyard (24) ..... 156 D 3
Serres-Gaston (40) ..... 186 B 2
Serres-Morlaàs (64) ..... 186 C 5
Serres-Ste-Marie (64) ..... 186 A 4
Serres-sur-Arget (09) ..... 206 D 3
Serreslous-et-Arribans (40) ..... 186 A 1
Serriera (2A) ..... 216 B 2
Serrières (07) ..... 149 G 2
Serrières (71) ..... 122 A 3
Serrières-de-Briord (01) ..... 137 E 2
Serrières-en-Chautagne (73) ..... 137 H 2
Serrières-sur-Ain (01) ..... 123 F 4
Serrigny (89) ..... 73 G 5
Serrigny-en-Bresse (71) ..... 109 G 4
Serris (77) ..... 51 H 1
Serrouville (54) ..... 20 C 3
Serruelles (18) ..... 105 F 3
Sers (16) ..... 128 C 5
Sers (65) ..... 204 C 3
Servais (02) ..... 16 D 4
Serval (02) ..... 33 F 1
Servance (70) ..... 77 H 4
Servanches (24) ..... 142 B 4
Servant (63) ..... 119 F 5
Servas (01) ..... 122 D 5
Servas (30) ..... 178 A 2
Servaville-Salmonville (76) ..... 13 H 5
Servel (22) ..... 42 C 2
Serverette (48) ..... 161 G 3
Serves-sur-Rhône (26) ..... 149 H 4
Servian (34) ..... 192 B 4
Servières (48) ..... 161 G 4
Servières-le-Château (19) ..... 145 F 4
Serviers-et-Labaume (30) ..... 178 C 3
Servignat (01) ..... 122 D 2
Servigney (70) ..... 95 F 3
Servigny (50) ..... 24 D 3
Servigny-lès-Raville (57) ..... 37 F 3
Servigny-lès-Ste-Barbe (57) ..... 21 E 5
Serville (28) ..... 50 A 2
Servilly (03) ..... 120 C 4
Servin (25) ..... 95 G 4
Servins (62) ..... 4 A 5
Servon (50) ..... 45 H 3
Servon (77) ..... 51 G 2
Servon-Melzicourt (51) ..... 35 E 2
Servon-sur-Vilaine (35) ..... 65 G 2
Servoz (74) ..... 139 E 1
Sery (08) ..... 18 B 4
Séry (89) ..... 91 F 2
Séry-lès-Mézières (02) ..... 17 E 3
Séry-Magneval (60) ..... 32 A 2
Sessenheim (67) ..... 39 G 5
Sète (34) ..... 193 E 4
Setques (62) ..... 3 E 4
Les Settons (58) ..... 91 H 5
Seugy (95) ..... 31 F 3
Seuil (08) ..... 18 C 5
Seuillet (03) ..... 120 B 4
Seuilly (37) ..... 102 A 1
Seur (41) ..... 87 H 3
Le Seure (17) ..... 127 G 3
Seurre (21) ..... 109 G 2
Seux (80) ..... 15 E 2
Seuzey (55) ..... 36 A 4
Sevelinges (42) ..... 121 G 5
Sevenans (90) ..... 96 C 1
Sévérac (44) ..... 82 C 2
Sévérac-d'Aveyron (12) ..... 176 B 1
Sévérac-l'Église (12) ..... 176 A 1
Seveux (70) ..... 94 B 2
Sevi (Col de) (2A) ..... 216 C 3
Sévignac (22) ..... 44 B 5
Sévignacq (64) ..... 186 C 4
Sévignacq-Meyracq (64) ..... 203 H 1
Sévigny (61) ..... 47 H 1
Sévigny-la-Forêt (08) ..... 10 C 5
Sévigny-Waleppe (08) ..... 17 H 4
Sévis (76) ..... 13 H 3
Sevran (93) ..... 31 G 5
Sèvres (92) ..... 51 E 1
Sèvres-Anxaumont (86) ..... 115 G 1
Sevrey (71) ..... 109 E 4
Sévrier (74) ..... 138 B 2
Sévry (18) ..... 106 A 1
Sewen (68) ..... 78 A 4
Sexcles (19) ..... 145 F 5
Sexey-aux-Forges (54) ..... 56 D 2
Sexey-les-Bois (54) ..... 56 D 2
Sexfontaines (52) ..... 75 F 1
Seychalles (63) ..... 133 G 3
Seyches (47) ..... 156 C 4
Seyne (04) ..... 166 D 5
La Seyne-sur-Mer (83) ..... 200 D 4
Seynes (30) ..... 178 B 3
Seynod (74) ..... 138 A 2
Seyre (31) ..... 189 H 4
Seyresse (40) ..... 185 F 1
Seyssel (01) ..... 137 H 1
Seyssel (74) ..... 137 H 1
Seysses (31) ..... 189 E 3
Seysses-Savès (32) ..... 188 D 3
Seyssinet-Pariset (38) ..... 151 G 3
Seyssins (38) ..... 151 G 3

Seyssuel (38) ..... 136 B 5
Seythenex (74) ..... 138 C 3
Seytroux (74) ..... 125 E 3
Sézanne (51) ..... 53 F 2
Sézéria (39) ..... 123 G 1
Siarrouy (65) ..... 187 E 5
Siaugues-Ste-Marie (43) ..... 147 H 4
Sibiril (29) ..... 41 H 2
Sibiville (62) ..... 7 G 3
La Sicaudais (44) ..... 82 D 5
Siccieu-St-Julien-et-Carisieu (38) ..... 137 E 3
Sichamps (58) ..... 106 D 1
Sickert (68) ..... 78 B 5
Sideville (50) ..... 22 C 3
Sidiailles (18) ..... 118 C 2
Siecq (17) ..... 127 H 2
Siegen (67) ..... 39 G 4
Sierck-les-Bains (57) ..... 21 F 3
Sierentz (68) ..... 79 E 5
Siersthal (57) ..... 38 C 3
Sierville (76) ..... 13 G 4
Siest (40) ..... 185 F 1
Sieurac (81) ..... 190 C 1
Sieuras (09) ..... 206 C 1
Siévoz (38) ..... 151 H 5
Siewiller (67) ..... 38 C 5
Sigale (06) ..... 182 D 4
Sigalens (33) ..... 156 A 5
Sigean (11) ..... 209 F 2
Sigloy (45) ..... 71 E 5
Signac (31) ..... 205 G 3
Signes (83) ..... 196 C 5
Signéville (52) ..... 75 G 1
Signy-l'Abbaye (08) ..... 18 B 3
Signy-le-Petit (08) ..... 10 B 5
Signy-Montlibert (08) ..... 19 H 4
Signy-Signets (77) ..... 32 B 5
Sigogne (16) ..... 127 H 3
Sigolsheim (68) ..... 78 D 1
Sigonce (04) ..... 180 D 3
Sigottier (05) ..... 165 H 4
Sigoulès (24) ..... 156 D 2
Sigournais (85) ..... 100 A 4
Sigoyer (04) ..... 166 A 5
Sigoyer (05) ..... 166 A 4
Siguer (09) ..... 207 E 5
Sigy (77) ..... 52 C 4
Sigy-en-Bray (76) ..... 14 A 5
Sigy-le-Châtel (71) ..... 122 A 1
Silfiac (56) ..... 63 E 2
Silhac (07) ..... 163 F 1
Sillans (38) ..... 151 E 2
Sillans-la-Cascade (83) ..... 197 E 2
Sillars (86) ..... 116 A 2
Sillas (33) ..... 156 A 5
Sillé-le-Guillaume (72) ..... 67 G 2
Sillé-le-Philippe (72) ..... 68 B 2
Sillegny (57) ..... 36 D 4
Sillery (51) ..... 33 H 3
Silley-Amancey (25) ..... 111 E 1
Silley-Bléfond (25) ..... 95 F 4
Sillingy (74) ..... 138 A 1
Silly-en-Gouffern (61) ..... 47 H 2
Silly-en-Saulnois (57) ..... 37 E 4
Silly-la-Poterie (02) ..... 32 C 3
Silly-le-Long (60) ..... 32 A 4
Silly-sur-Nied (57) ..... 21 F 5
Silly-Tillard (60) ..... 31 E 2
Silmont (55) ..... 55 G 2
Siltzheim (67) ..... 38 B 3
Silvareccio (2B) ..... 215 G 5
Silvarouvres (52) ..... 75 E 3
Simacourbe (64) ..... 186 D 4
Simandre (71) ..... 109 F 5
Simandre-sur-Suran (01) ..... 123 F 4
Simandres (69) ..... 136 B 4
Simard (71) ..... 109 G 4
Simencourt (62) ..... 8 A 3
Simeyrols (24) ..... 158 B 1
Simiane-Collongue (13) ..... 195 H 4
Simiane-la-Rotonde (04) ..... 180 B 4
Simon-la-Vineuse (85) ..... 113 F 1
Simorre (32) ..... 188 B 4
Simplé (53) ..... 66 C 4
Sin-le-Noble (59) ..... 8 C 2
Sinard (38) ..... 151 G 5
Sinceny (02) ..... 16 D 4
Sincey-lès-Rouvray (21) ..... 92 A 3
Sindères (40) ..... 169 E 3
Singles (63) ..... 132 B 5
Singleyrac (24) ..... 156 D 2
Singly (08) ..... 18 D 4
Singrist (67) ..... 58 D 2
Sinsat (09) ..... 207 E 4
Sinzos (65) ..... 204 D 1
Sion (32) ..... 187 E 1
Sion (54) ..... 56 D 4
Sion-les-Mines (44) ..... 65 F 5
Sion-sur-l'Océan (85) ..... 98 C 4
Sioniac (19) ..... 145 E 5
Sionne (88) ..... 56 B 5
Sionviller (54) ..... 57 G 2
Siorac-de-Ribérac (24) ..... 142 C 3
Siorac-en-Périgord (24) ..... 157 G 1
Siouville-Hague (50) ..... 22 B 3
Sirac (32) ..... 188 C 1
Siracourt (62) ..... 7 G 3
Siradan (65) ..... 205 F 3
Siran (15) ..... 145 G 5

Siran (34) ..... 191 F 5
Sireix (65) ..... 204 A 3
Sireuil (16) ..... 128 A 4
Sireuil (24) ..... 143 H 5
Sirod (39) ..... 110 D 4
Sironne (05) ..... 165 G 5
Siros (64) ..... 186 B 4
Sisco (2B) ..... 215 G 2
Sissonne (02) ..... 17 G 4
Sissy (02) ..... 17 E 2
Sistels (82) ..... 172 C 3
Sisteron (04) ..... 181 E 2
Siverges (84) ..... 180 A 5
Sivignon (71) ..... 121 H 2
Sivry (54) ..... 37 E 5
Sivry-Ante (51) ..... 35 E 4
Sivry-Courtry (77) ..... 51 H 4
Sivry-la-Perche (55) ..... 35 G 3
Sivry-lès-Buzancy (08) ..... 35 E 1
Sivry-sur-Meuse (55) ..... 35 G 1
Six-Fours-les-Plages (83) ..... 200 D 4
Sixt-Fer-à-Cheval (74) ..... 125 F 5
Sixt-sur-Aff (35) ..... 64 C 5
Sizun (29) ..... 41 H 4
Smarves (86) ..... 115 G 1
Smermesnil (76) ..... 14 A 2
Soccia (2A) ..... 216 D 3
Sochaux (25) ..... 96 C 2
Socoa (64) ..... 184 B 4
Socourt (88) ..... 57 E 4
La Sône (38) ..... 150 D 4
Songeons (60) ..... 14 D 5
Songeson (39) ..... 110 C 5
Songieu (01) ..... 137 G 1
Songy (51) ..... 54 C 1
Sonnac (12) ..... 159 G 4
Sonnac (17) ..... 127 H 2
Sonnac-sur-l'Hers (11) ..... 207 H 3
Sonnay (38) ..... 149 H 2
Sonnaz (73) ..... 137 H 2
Sonneville (16) ..... 128 A 3
Sons-et-Ronchères (02) ..... 17 F 3
Sonthonnax-la-Montagne (01) ..... 123 G 4
Sonzay (37) ..... 86 C 2
Soorts-Hossegor (40) ..... 184 D 1
Soppe-le-Bas (68) ..... 78 C 5
Soppe-le-Haut (68) ..... 78 B 5
Sor (09) ..... 206 A 3
Sorans-lès-Breurey (70) ..... 94 D 3
Sorba (Col de) (2B) ..... 217 F 3
Sorbais (02) ..... 17 G 1
Sorbets (32) ..... 187 E 1
Sorbets (40) ..... 186 C 2
Sorbey (55) ..... 20 A 3
Sorbey (57) ..... 37 E 4
Sorbier (03) ..... 120 C 3
Sorbiers (05) ..... 165 G 5
Sorbiers (42) ..... 135 F 5
Sorbo-Ocagnano (2B) ..... 215 G 5
Sorbollano (2A) ..... 219 E 2
Sorbon (08) ..... 18 B 5
Sorbs (34) ..... 176 D 5
Sorcy-Bauthémont (08) ..... 18 C 5
Sorcy-St-Martin (55) ..... 56 A 2
Sorde-l'Abbaye (40) ..... 185 F 3
Sore (40) ..... 169 H 1
Soréac (65) ..... 187 F 5
Sorède (66) ..... 213 F 4
Sorel (80) ..... 8 C 5
Sorel-en-Vimeu (80) ..... 14 D 1
Sorel-Moussel (28) ..... 49 H 1
Sorendal (08) ..... 11 E 5
Sorèze (81) ..... 190 B 4
Sorgeat (09) ..... 207 G 5
Sorges-et-Ligueux-en-Périgord (24) ..... 143 G 2
Sorgues (84) ..... 179 F 3
Sorigny (37) ..... 86 D 5
Les Sorinières (44) ..... 83 F 5
Sorio (2B) ..... 215 F 4
Sormery (89) ..... 73 F 3
Sormonne (08) ..... 18 C 2
Sornac (19) ..... 131 G 4
Sornay (70) ..... 94 B 4
Sornay (71) ..... 109 G 5
Sornéville (54) ..... 57 F 1
Sorquainville (76) ..... 12 D 3
Sorrus (62) ..... 6 C 2
Sort-en-Chalosse (40) ..... 185 G 1
Sortosville (50) ..... 22 D 4
Sortosville-en-Beaumont (50) ..... 22 C 4
Sos (47) ..... 171 G 3
Sospel (06) ..... 183 G 4
Sossais (86) ..... 102 B 3
Sost (65) ..... 205 F 3
Sotta (2A) ..... 219 F 4
Sottevast (50) ..... 22 C 3
Sotteville (50) ..... 22 C 3
Sotteville-lès-Rouen (76) ..... 29 G 1
Sotteville-sous-le-Val (76) ..... 29 G 2
Sotteville-sur-Mer (76) ..... 13 F 2
Soturac (46) ..... 157 H 4
Sotzeling (57) ..... 37 G 5
Souain-Perthes-lès-Hurlus (51) ..... 34 C 1
Soual (81) ..... 190 C 3
Souancé-au-Perche (28) ..... 69 E 1
Souanyas (66) ..... 212 A 3
Souastre (62) ..... 7 H 4
Soubès (34) ..... 192 C 1
Soubise (17) ..... 126 C 1
Soublecause (65) ..... 187 E 3
Soubran (17) ..... 141 F 2

A B C D E F G H I J K L M N O P Q R S T U V W X Y Z

A
B
C
D
E
F
G
H
I
J
K
L
M
N
O
P
Q
R
S
T
U
V
W
X
Y
Z

Soubrebost (23) ....131 E 1
Soucé (46) ....46 D 4
Soucelles (49) ....85 E 2
La Souche (07) ....162 D 3
Souché (79) ....114 B 3
Souchez (62) ....8 A 2
Soucht (57) ....38 C 4
Soucia (39) ....123 H 1
Soucieu-en-Jarrest (69) ....135 H 4
Souciac (46) ....158 C 3
Souclin (01) ....137 E 2
Soucy (02) ....32 B 2
Soucy (89) ....72 D 1
Soudaine-Lavinadière (19) . 130 D 5
Soudan (44) ....65 H 5
Soudan (79) ....114 D 2
Soudat (24) ....129 E 4
Souday (41) ....69 A 3
Soudé (51) ....54 B 2
Soudeilles (19) ....145 F 1
Soudorgues (30) ....177 G 3
Soudron (51) ....54 A 1
Soueich (31) ....205 H 2
Soueix-Rogalle (09) ....206 B 4
Souel (81) ....174 C 4
Soues (65) ....204 C 1
Soues (80) ....15 E 1
Souesmes (41) ....89 H 4
Souffelweyersheim (67) ......59 F 2
Soufflenheim (67) ....39 G 5
Souffrignac (16) ....129 E 5
Sougé (36) ....104 A 3
Sougé (41) ....68 D 5
Sougé-le-Ganelon (72) ....47 H 5
Sougéal (35) ....45 G 3
Sougères-en-Puisaye (89)....90 D 2
Sougères-sur-Sinotte (89)...73 F 5
Sougraigne (11) ....208 B 4
Sougy (45) ....70 C 3
Sougy-sur-Loire (58) ....106 D 3
Les Souhesmes-Rampont (55) .35 G 3
Souhey (21) ....92 B 3
Le Souich (62) ....7 G 4
Souilhanels (11) ....190 A 5
Souilhe (11) ....190 A 4
Souillac (46) ....158 C 4
Souillé (72) ....68 A 2
Souilly (55) ....35 G 4
Soula (09) ....207 F 3
Soulac-sur-Mer (33) ....126 B 5
Soulages (15) ....147 F 4
Soulages-Bonneval (12) .....160 C 3
Soulaincourt (52) ....55 H 4
Soulaines-Dhuys (10) ....54 D 5
Soulaines-sur-Aubance (49)...85 E 4
Soulaire-et-Bourg (49) ......84 D 2
Soulaires (28) ....50 A 4
Soulan (09) ....206 B 3
Soulan (65) ....204 D 4
Soulanger (65) ....85 F 5
Soulanges (51) ....54 C 1
Soulangis (18) ....105 G 1
Soulangy (14) ....27 G 5
Soulatgé (11) ....208 C 4
Soulaucourt-sur-Mouzon (52)..76 B 1
Soulaures (24) ....157 G 3
Soulce-Cernay (25) ....96 C 4
Soulgé-sur-Ouette (53) ......66 D 3
Le Soulié (34) ....191 F 3
Soulière (84) ....195 H 1
Soulières (51) ....33 G 5
Soulièvres (79) ....101 G 4
Soulignac (33) ....155 G 2
Souligné-Flacé (72) ....67 H 3
Souligné-sous-Ballon (72) ...68 A 2
Soulignonne (17) ....126 D 3
Souligny (10) ....73 H 1
Soulitré (72) ....68 C 3
Soullans (85) ....98 D 3
Soulles (50) ....25 F 4
Soulomès (46) ....158 C 3
Soulosse-sous-St-Élophe (88) .56 B 4
Soultz-Haut-Rhin (68) ....78 C 4
Soultz-les-Bains (67) ....58 D 2
Soultz-sous-Forêts (67) .....39 G 4
Soultzbach-les-Bains (68) ...78 C 2
Soultzeren (68) ....78 B 2
Soultzmatt (68) ....78 C 3
Soulvache (44) ....65 G 4
Soumaintrain (89) ....73 G 3
Soumans (23) ....118 C 3
Soumartre (34) ....192 B 2
Soumensac (47) ....156 C 3
Souméras (17) ....141 G 2
Soumont (34) ....192 C 1
Soumont-St-Quentin (14) .....27 G 4
Soumoulou (64) ....186 D 5
Soupex (11) ....190 A 4
Soupir (02) ....33 E 1
Souppes-sur-Loing (77) ......71 H 2
Souprosse (40) ....169 G 5
Le Souquet (40) ....169 E 4
Souraïde (64) ....184 C 4
Sourans (25) ....95 H 3
La Source (45) ....70 C 5
Source-Seine (21) ....92 D 3
Sourcieux-les-Mines (69)...135 G 4
Le Sourd (02) ....17 G 2
Sourdeval (50) ....46 C 2
Sourdeval-les-Bois (50) .....25 E 5
Sourdon (80) ....15 G 3

Sourdun (77) ....52 D 4
Le Sourn (56) ....63 F 3
Sournia (66) ....208 B 5
Souraic (15) ....145 H 3
Sourribes (04) ....181 E 2
Sours (28) ....50 A 5
Soursac (19) ....145 G 3
Sourzac (24) ....142 D 4
Sous-la-Tour (22) ....43 H 4
Sous-Parsat (23) ....131 F 1
Sousceyrac-en-Quercy (46) . 159 F 1
Sousmoulins (17) ....141 G 2
Souspierre (26) ....164 C 4
Soussac (33) ....156 A 2
Soussans (33) ....141 E 4
Soussey-sur-Brionne (21) ....92 C 4
Soustelle (30) ....177 H 2
Soustons (40) ....168 C 5
Sousville (38) ....151 H 5
Souternon (42) ....134 C 2
La Souterraine (23) ....117 F 4
Soutiers (79) ....114 C 1
Souvans (39) ....110 B 2
Souvignargues (30) ....178 A 5
Souvigné (16) ....128 B 1
Souvigné (37) ....86 B 2
Souvigné (79) ....114 C 3
Souvigné-sur-Même (72) .....68 D 1
Souvigné-sur-Sarthe (72) ....67 E 5
Souvigny (03) ....119 H 1
Souvigny-de-Touraine (37) ...87 F 4
Souvigny-en-Sologne (41) ....89 E 2
Souyeaux (65) ....187 F 5
Souzay-Champigny (49) ......85 H 5
Souzy (69) ....135 F 4
Souzy-la-Briche (91) ....51 E 4
Soveria (2B) ....217 E 1
Soyans (26) ....164 C 3
Soyaux (16) ....128 C 4
Soye (25) ....95 G 3
Soye-en-Septaine (18) ......105 G 2
Soyécourt (80) ....16 A 2
Soyers (52) ....76 B 4
Soyons (07) ....163 H 1
Soyria (39) ....123 H 1
Sparsbach (67) ....38 D 5
Spay (72) ....68 A 4
Spechbach (68) ....78 C 5
Spechbach-le-Bas (68).......78 C 5
Speloncato (2B) ....214 D 5
Spelunca (Gorges de) (2A) ..216 C 3
Spéracèdes (06) ....198 D 1
Spézet (29) ....62 B 2
Spicheren (57) ....38 A 2
Spin'a Cavallu
 (Pont génois) (2A) ....219 E 3
Spincourt (55) ....20 B 4
Spontour-sur-Dordogne (19). 145 G 3
Sponville (54) ....36 B 3
Spoy (10) ....74 D 1
Spoy (21) ....93 G 3
Spycker (59) ....3 E 2
Squiffiec (22) ....43 E 3
Staffelfelden (68) ....78 C 4
Stains (93) ....31 F 5
Stainville (55) ....55 G 2
Staple (59) ....3 F 4
Stattmatten (67) ....39 G 5
Stazzona (2B) ....217 G 1
Steenbecque (59) ....3 F 5
Steene (59) ....3 F 2
Steenvoorde (59) ....3 G 3
Steenwerck (59) ....3 H 4
Steige (67) ....58 C 4
Steinbach (68) ....78 C 4
Steinbourg (67) ....58 D 1
Steinbrunn-le-Bas (68)......78 D 5
Steinbrunn-le-Haut (68) ....78 D 5
Steinseltz (67) ....39 G 3
Steinsoultz (68) ....97 F 1
Stella-Plage (62) ....6 C 1
Stenay (55) ....19 G 5
Sternenberg (68) ....78 C 5
Stetten (68) ....97 G 1
Stigny (89) ....74 A 5
Still (67) ....58 D 3
Stiring-Wendel (57) ....38 A 2
Stival (56) ....63 F 3
Stonne (08) ....19 E 4
Storckensohn (68) ....78 B 4
Stosswihr (68) ....78 B 2
Stotzheim (67) ....59 E 4
Strasbourg R (67) ....59 F 2
Strazeele (59) ....3 G 4
Strenquels (46) ....144 D 5
Strueth (68) ....97 E 1
Struth (67) ....38 C 5
Stuckange (57) ....21 E 4
Stundwiller (67) ....39 G 4
Sturzelbronn (57) ....39 E 3
Stutzheim-Offenheim (67) ....59 E 2
Suarce (90) ....97 E 1
Suaucourt-et-Pisseloup (70) ..94 B 1
Suaux (16) ....129 E 2
Le Subdray (18) ....105 F 2
Sublaines (37) ....87 F 5
Subles (14) ....25 H 4
La Subligne (71) ....108 A 4
Sublignonte (18) ....89 H 4
Subligny (18) ....89 H 4
Subligny (50) ....45 H 1
Subligny (89) ....72 C 2
Subtray (36) ....103 G 4
Suc-et-Sentenac (09) ....206 D 5

Succieu (38) ....137 E 5
Sucé-sur-Erdre (44) ....83 F 4
Les Suchaux (25) ....111 H 1
Sucy-en-Brie (94) ....51 G 2
Suèvres (41) ....88 A 1
Sugères (63) ....133 G 5
Sugny (08) ....34 C 1
Suhescun (64) ....185 E 5
Suilly-la-Tour (58) ....90 B 4
Suin (71) ....121 H 2
Suippes (51) ....34 C 3
Suisse (57) ....37 G 4
Suizy-le-Franc (51) ....33 F 5
Sulignat (01) ....122 C 4
Sully (14) ....25 H 2
Sully (60) ....14 C 5
Sully (71) ....108 C 2
Sully-la-Chapelle (45) ......71 E 4
Sully-sur-Loire (45) ....89 F 1
Sulniac (56) ....81 H 2
Sumène (30) ....177 H 4
Sundhoffen (68) ....78 D 2
Sundhouse (67) ....59 E 5
Super-Besse (63) ....132 D 5
Super-Lioran (15) ....146 C 4
Super-Sauze (04) ....167 F 5
Superbagnères (31) ....205 F 5
Superdévoluy (05) ....166 A 2
Supt (39) ....110 D 3
Le Suquet (06) ....183 F 3
Surat (63) ....133 F 2
Surba (09) ....207 E 4
Surbourg (67) ....39 F 4
Surcamps (80) ....7 E 5
Surdon (61) ....48 A 2
Surdoux (87) ....130 D 5
Suré (61) ....48 B 5
Suresnes (92) ....51 E 1
Surfonds (72) ....68 C 3
Surfontaine (02) ....17 E 3
Surgères (17) ....113 H 5
Surgy (58) ....91 E 3
Suriauville (88) ....76 C 1
Surin (79) ....114 A 2
Surin (79) ....115 G 5
Surin (86) ....104 A 4
Suris (16) ....129 E 2
Surjoux (01) ....123 H 4
Surmont (25) ....95 H 4
Surques (62) ....2 C 4
Surrain (14) ....23 H 5
Surtainville (50) ....22 B 4
Surtauville (27) ....29 F 3
Survie (61) ....48 A 1
Surville (14) ....28 A 2
Surville (27) ....29 G 3
Surville (50) ....24 C 1
Survilliers (95) ....31 G 4
Sury (08) ....18 D 3
Sury-aux-Bois (45) ....71 F 4
Sury-en-Vaux (18) ....90 A 4
Sury-ès-Bois (18) ....89 H 3
Sury-le-Comtal (42) ....134 D 5
Sury-près-Léré (18) ....90 A 3
Surzur (56) ....81 H 3
Sus (64) ....185 H 5
Sus-St-Léger (62) ....7 G 4
Susmiou (64) ....185 H 5
Sussac (87) ....130 D 4
Sussargues (34) ....193 G 1
Sussat (03) ....119 G 5
Sussey (21) ....92 B 3
Susville (38) ....151 H 5
Sutrieu (01) ....137 G 1
Suzan (09) ....206 D 2
Suzanne (08) ....18 D 5
Suzanne (80) ....16 A 1
Suzannecourt (52) ....55 G 4
Suzay (27) ....30 A 2
Suze (26) ....164 D 2
Suze-la-Rousse (26)........179 F 1
La Suze-sur-Sarthe (72) .....67 H 4
Suzette (84) ....179 G 2
Suzoy (60) ....16 A 4
Suzy (02) ....17 E 2
Sy (08) ....19 E 5
Syam (39) ....110 D 4
Sylvains-les-Moulins (27) ...29 G 5
Sylvanès (34) ....176 B 5
Sylvéréal (30) ....194 A 3
Le Syndicat (88) ....77 H 2

T

Tabaille-Usquain (64) ......185 G 4
Tabanac (33) ....155 G 2
La Table (73) ....138 B 5
Le Tablier (85) ....112 D 1
Tabre (09) ....207 G 3
Taradeau (83) ....197 G 3
La Tâche (16) ....128 D 2
Tachoires (32) ....188 A 3
Tacoignières (78) ....50 B 1
Taconnay (58) ....91 E 4
Taden (22) ....44 D 3
Tadousse-Ussau (64) ....186 D 3
Taglio-Isolaccio (2B) ......217 G 1
La Tagnière (71) ....108 A 4
Tagnon (08) ....34 A 1
Tagolsheim (68) ....97 F 1
Tagsdorf (68) ....97 F 1
Tailhac (43) ....147 G 5
Taillades (84) ....179 G 5

Le Taillan-Médoc (33) ......141 E 5
Taillancourt (55) ....56 B 3
Taillant (17) ....127 F 2
Taillebois (61) ....47 F 1
Taillebourg (17) ....127 E 2
Taillebourg (47) ....156 B 5
Taillecavat (33) ....156 B 3
Taillecourt (25) ....96 C 2
La Taillée (85) ....113 E 2
Taillefontaine (02) ....32 B 2
Taillepied (50) ....22 C 5
Taillet (66) ....212 D 4
Taillette (08) ....10 C 5
Tailleville (14) ....27 E 2
Taillis (35) ....65 H 1
Tailly (08) ....19 F 5
Tailly (21) ....109 E 2
Tailly (80) ....14 D 1
Tain-l'Hermitage (26) ......149 H 4
Taingy (89) ....90 D 2
Taintrux (88) ....58 A 5
Taisnières-en-Thiérache (59) . 9 G 4
Taisnières-sur-Hon (59) .....9 G 3
Taissy (51) ....33 H 3
Taïx (81) ....174 D 4
Taizé (71) ....122 A 1
Taizé (79) ....101 G 3
Taizé-Aizie (16) ....115 F 5
Taizy (08) ....18 B 5
Tajan (65) ....205 E 1
Tal-Ar-Groas (29) ....41 F 5
Talairan (11) ....208 D 2
Talais (33) ....126 C 5
Talange (57) ....21 E 4
Talant (21) ....93 F 4
Talasani (2B) ....217 G 1
Talau (66) ....212 A 3
La Talaudière (42) ....149 E 1
Talazac (65) ....187 E 5
Talcy (41) ....88 A 1
Talcy (89) ....91 H 2
Talence (33) ....155 E 1
Talencieux (07) ....149 G 3
Talensac (35) ....64 D 2
Talissieu (01) ....137 G 2
Talizat (15) ....147 E 4
Tallans (25) ....95 F 3
Tallard (05) ....166 B 4
Tallenay (25) ....94 D 4
Tallende (63) ....133 F 4
Taller (40) ....169 E 4
Talloires-Montmin (74) .....138 D 2
Tallone (2B) ....217 G 2
Le Tallud (79) ....101 F 5
Tallud-Ste-Gemme (85) .....100 B 5
Talmas (80) ....7 G 5
Talmay (21) ....94 A 4
Talmont-St-Hilaire (85) ....112 B 1
Talmont-sur-Gironde (17) ...126 D 5
Talmontiers (60) ....30 B 1
Talon (58) ....91 E 4
Talus-St-Prix (51) ....53 F 1
Taluyers (69) ....135 H 4
Tamarissière (34) ....193 H 2
La Tamarissière (34) ....192 C 5
Tamerville (50) ....22 D 3
Tamnay-en-Bazois (58) ......107 F 2
Tamniès (24) ....143 H 5
Tanavelle (15) ....146 D 5
Tanay (21) ....93 H 3
Tancarville (76) ....12 C 5
Tancoigné (49) ....85 E 5
Tancon (71) ....121 G 4
Tanconville (54) ....58 A 2
Tancrou (77) ....32 B 5
Tangry (62) ....7 G 2
La Tania (73) ....139 E 5
Taninges (74) ....125 E 4
Tanis (50) ....45 G 3
Taponas (69) ....122 B 5
Taponnat-Fleurignac (16) . 128 D 3
Tarabel (31) ....189 H 3
Taradeau (83) ....197 G 3
Tarare (69) ....135 F 2
Tarascon (13) ....178 C 4
Tarascon-sur-Ariège (09) . 207 E 4
Tarasteix (65) ....187 E 5
Tarbes P (65) ....187 E 5
Tarcenay (25) ....95 F 3
Tardais (28) ....49 F 3
Tardes (23) ....118 C 5
Tardets-Sorholus (64) .....203 E 1
La Tardière (85) ....100 C 5
Tardinghen (62) ....2 B 3
Tarentaise (42) ....149 F 1
Tarerach (66) ....208 C 5

Targassonne (66) ....211 H 4
Targé (86) ....102 C 4
Target (03) ....119 G 4
Targon (33) ....155 G 2
Tarnac (19) ....131 F 4
Tarnès (33) ....141 G 5
Tarnos (40) ....184 C 2
Taron-Sadirac-
 Viellenave (64) ....186 C 3
Tarquimpol (57) ....57 H 1
Tarrano (2B) ....217 G 1
Tarsac (32) ....186 D 2
Tarsacq (64) ....186 A 4
Tarsul (21) ....93 E 2
Tart-l'Abbaye (21) ....93 H 5
Tart-le-Bas (21) ....93 G 5
Tart-le-Haut (21) ....93 G 5
Tartaras (42) ....135 G 5
Tartas (40) ....169 G 5
Tartécourt (70) ....76 D 4
Tartiers (02) ....32 C 1
Tartigny (60) ....15 G 4
Tartonne (04) ....181 H 3
Le Tartre (71) ....109 H 4
Le Tartre-Gaudran (78) .....50 A 2
Tartuguière (34) ....193 H 2
Tarzy (08) ....10 B 5
Tasdon (17) ....113 E 4
Tasque (32) ....187 E 2
Tassé (72) ....67 G 4
Tassenières (39) ....110 A 3
Tassillé (72) ....67 G 3
Tassin-la-Demi-Lune (69) . 135 H 3
Tasso (2A) ....217 E 5
Tassoni (21) ....93 E 5
Tatinghem (62) ....3 E 4
Le Tâtre (16) ....141 H 1
Taugon (17) ....113 G 3
Taulé (29) ....42 A 3
Taulhac-près-le-Puy (43) . 148 B 5
Taulignan (26) ....164 C 5
Taulis (66) ....212 D 4
Taupont (56) ....64 A 3
Tauriac (33) ....141 F 4
Tauriac (46) ....158 D 1
Tauriac (81) ....174 A 5
Tauriac-de-Camarès (12) ...192 A 1
Tauriac-de-Naucelle (12) . 175 E 2
Tauriers (07) ....162 D 4
Taurignan-Castet (09) .....206 B 2
Taurignan-Vieux (09) ......206 B 2
Taurinya (66) ....212 B 3
Taurize (11) ....208 C 2
Taussac (12) ....160 B 1
Taussac-la-Billière (34) . 192 A 2
Taussat (33) ....154 B 2
Tautavel (66) ....208 D 4
Tauxières-Mutry (51) ....33 H 4
Tauxigny (37) ....87 E 5
Tavaco (2A) ....216 D 4
Tavant (37) ....102 B 1
Tavaux (39) ....110 A 2
Tavaux-et-Pontséricourt (02) . 17 G 3
Tavel (30) ....179 E 4
Tavera (2A) ....216 D 4
Tavernay (71) ....108 A 2
Tavernes (83) ....196 D 2
Les Tavernes (30) ....178 A 3
Taverny (95) ....31 E 4
Tavers (45) ....88 A 1
Tavey (70) ....96 C 2
Taxat-Senat (03) ....119 H 4
Taxenne (39) ....94 B 5
Tayac (33) ....142 A 5
Taybosc (32) ....188 B 1
Tayrac (12) ....175 E 2
Tayrac (47) ....172 D 2
Tazilly (58) ....107 H 4
Le Tech (66) ....212 C 5
Técou (81) ....174 C 5
Teghime (Col de) (2B) .....215 F 4
Le Teich (33) ....154 C 3
Teigny (58) ....91 F 4
Teil (07) ....163 G 4
Teilhède (63) ....133 E 1
Teilhet (09) ....207 F 2
Teilhet (63) ....119 F 5
Teillay (35) ....65 G 5
Teillay-le-Gaudin (45) .....70 D 2
Teillay-St-Benoît (45) .....70 D 2
Teillé (44) ....83 H 3
Teillé (72) ....68 A 2
Teillet (81) ....175 E 5
Teillet-Argenty (03) ......118 D 4
Teillots (24) ....144 A 3
Teissières-de-Cornet (15) . 145 H 5
Teissières-lès-Bouliès (15) . 160 A 2
Telgruc-sur-Mer (29) ....41 F 5
Tellancourt (54) ....20 B 2
Tellecey (21) ....93 H 4
Tellières-le-Plessis (61) ...48 B 3
Teloché (72) ....68 A 2
Le Temple (33) ....154 C 1
Le Temple (41) ....69 E 4
Le Temple (79) ....100 C 3
Le Temple-de-Bretagne (44)..83 E 4
Temple-Laguyon (24) ....143 H 3
Le Temple-sur-Lot (47) ....156 D 5
Templemars (59) ....4 C 4
Templeuve (59) ....4 D 4

Templeux-la-Fosse (80) .....16 B 1
Templeux-le-Guérard (80) ...16 C 1
Tempoure (47) ....157 G 4
Tenay (01) ....137 F 1
Tence (43) ....148 D 4
Tencin (38) ....152 A 2
Tende (06) ....183 H 2
Tendon (88) ....77 H 2
Tendron (18) ....106 A 2
Tendu (36) ....104 A 5
Teneur (62) ....7 F 2
Tennie (72) ....67 G 2
Tenteling (57) ....38 A 3
Tercé (86) ....115 H 1
Tercillat (23) ....118 A 3
Tercis-les-Bains (40)......185 F 1
Terdeghem (59) ....3 G 4
Térénez (29) ....42 A 2
Tergnier (02) ....16 D 4
Terjat (03) ....119 E 4
Le Terme (31) ....173 H 5
Termes (08) ....34 D 1
Termes (11) ....208 C 3
Termes (48) ....161 E 2
Termes-d'Armagnac (32) .....187 E 2
Termignon (73) ....153 F 2
Terminiers (28) ....70 B 3
Ternand (69) ....135 F 1
Ternant (17) ....127 F 1
Ternant (21) ....93 E 5
Ternant (58) ....107 G 4
Ternant-les-Eaux (63) .....147 E 1
Ternas (62) ....7 G 3
Ternat (52) ....75 G 4
Ternay (41) ....86 D 1
Ternay (69) ....135 H 4
Ternay (86) ....101 G 2
Les Ternes (15) ....146 D 5
Ternuay-Melay-
 et-St-Hilaire (70) ....77 H 5
Terny-Sorny (02) ....32 D 1
Terramesnil (80) ....7 G 5
Terrans (71) ....109 H 3
La Terrasse (38) ....151 H 2
La Terrasse-sur-Dorlay (42) . 149 F 1
Terrasson-Lavilledieu (24) . 144 A 4
Terrats (66) ....213 E 3
Terraube (32) ....172 B 5
Terre-Clapier (81) ....175 E 5
Terrebasse (31) ....206 A 1
Terrefondrée (21) ....93 E 1
Terrehault (72) ....68 B 1
Terrenoire (42) ....149 E 1
Les Terres-de-Chaux (25) ...96 C 4
La Terrisse (12) ....160 C 2
Terroles (11) ....208 B 3
Terron-sur-Aisne (08) ......18 D 5
Terrou (46) ....159 F 2
Tersanne (26) ....150 C 3
Tersannes (87) ....116 C 3
Terssac (81) ....174 D 4
Tertenoz (74) ....138 C 3
Le Tertre-St-Denis (78) ....30 B 5
Tertry (80) ....16 C 2
Terves (79) ....100 D 4
Terville (57) ....21 E 3
Tessancourt-sur-Aubette (78) . 30 C 4
Tessé-Froulay (47) ....47 E 3
Tessé-la-Madeleine (61) ....47 E 3
Tessel (14) ....27 E 3
Tessens (73) ....139 E 4
Tesson (17) ....127 E 4
Tessonnière (79) ....101 F 4
La Tessoualle (49) ....100 B 2
Tessy Bocage (50) ....25 F 4
La Teste-de-Buch (33) .....154 B 3
Tétaigne (08) ....19 G 3
Téteghem-
 Coudekerque-Village (59) . 3 F 2
Téterchen (57) ....21 G 4
Téthieu (40) ....185 G 1
Teting-sur-Nied (57) ....37 G 3
Teuillac (33) ....141 F 4
Teulat (81) ....189 H 2
Le Teulet (19) ....145 G 5
Teurthéville-Bocage (50) ...23 E 3
Teurthéville-Hague (50) ....22 C 3
Teyjat (24) ....129 E 5
Teyran (34) ....193 F 2
Teyssières (26) ....164 D 5
Teyssieu (46) ....159 F 1
Teyssode (81) ....190 A 2
Thaas (51) ....53 G 3
Thaims (17) ....126 D 4
Thairé (17) ....113 F 5
Thaix (58) ....107 F 4
Thal-Drulingen (67) ....38 B 4
Thal-Marmoutier (67) ....58 D 1
Thalamy (19) ....132 B 5
Thann P (68) ....78 C 4
Thannenkirch (68) ....58 D 5
Thanvillé (67) ....58 D 5
Thaon (14) ....27 F 2
Thaon-les-Vosges (88) ......77 F 1
Tharaux (30) ....178 B 2
Tharoiseau (89) ....91 G 3
Tharon-Plage (44) ....82 B 5
Tharot (89) ....91 G 2

276

Localité *(Département)* Page Coordonnées

Thaumiers *(18)* 105 H 4
Thauron *(23)* 131 E 1
Thauvenay *(18)* 90 A 5
Thèbe *(65)* 205 F 3
Théding *(57)* 38 A 3
Thédirac *(46)* 158 A 3
Thégra *(46)* 158 D 2
Théhillac *(56)* 82 C 1
Le Theil *(03)* 119 H 3
Le Theil *(15)* 146 A 4
Le Theil *(23)* 130 C 2
Le Theil *(50)* 22 D 3
Le Theil *(61)* 68 D 1
Le Theil-Bocage *(14)* 25 H 5
Le Theil-de-Bretagne *(35)* 65 G 4
Le Theil-en-Auge *(14)* 28 B 1
Le Theil-Nolent *(27)* 28 C 3
Theil-Rabier *(16)* 114 D 5
Theil-sur-Vanne *(89)* 72 D 2
Theillay *(41)* 88 D 4
Theillement *(27)* 29 E 2
Theix-Noyalo *(56)* 81 H 2
Theizé *(69)* 135 G 1
Thel *(69)* 121 H 5
Théleville *(28)* 50 A 4
Thélignу *(72)* 69 E 2
Thélis-la-Combe *(42)* 149 F 2
Thélod *(54)* 56 D 3
Thelonne *(08)* 19 F 4
Thélus *(62)* 8 B 3
Théméricourt *(95)* 30 C 4
Thèmes *(89)* 72 D 3
Thémines *(46)* 159 E 2
Théminettes *(46)* 159 E 2
Thénac *(17)* 127 E 4
Thénac *(24)* 156 C 2
Thenailles *(02)* 17 H 2
Thenay *(36)* 103 H 5
Thenay *(41)* 87 H 4
Thenelles *(02)* 17 E 2
Thénésol *(73)* 138 C 3
Theneuil *(37)* 102 B 1
Theneuille *(03)* 119 F 1
Thénezay *(79)* 101 G 5
Thénioux *(18)* 88 C 5
Thenissey *(21)* 92 D 3
Thénisy *(77)* 52 C 4
Thennelières *(10)* 74 A 1
Thennes *(80)* 15 G 2
Thenon *(24)* 143 H 4
Thénorgues *(08)* 35 E 1
Théoule-sur-Mer *(06)* 199 E 2
Therdonne *(60)* 31 E 1
Thérines *(60)* 14 D 4
Thermes-Magnoac *(65)* 188 A 5
Thérondels *(12)* 160 C 1
Thérouanne *(62)* 3 E 5
Thérouldeville *(76)* 12 D 3
Thervay *(39)* 94 B 5
Thésée *(41)* 87 H 4
Thésy *(39)* 110 D 3
Theuley *(70)* 94 C 1
Théus *(05)* 166 C 4
Theuville *(28)* 50 A 5
Theuville *(95)* 30 D 3
Theuville-aux-Maillots *(76)* 12 D 3
Theuvy-Achères *(28)* 49 H 3
Thevet-St-Julien *(36)* 104 D 5
Théville *(50)* 22 D 2
Thevray *(27)* 28 D 5
They-sous-Montfort *(88)* 76 D 1
They-sous-Vaudemont *(54)* 56 D 4
Theys *(38)* 152 A 2
Théza *(66)* 213 F 3
Thézac *(17)* 126 D 4
Thézac *(47)* 157 H 5
Thézan-des-Corbières *(11)* 209 E 2
Thézan-lès-Béziers *(34)* 192 B 4
Thèze *(04)* 166 A 5
Thèze *(64)* 186 C 3
Thézey-St-Martin *(54)* 37 E 5
Théziers *(30)* 178 D 5
Thézillieu *(01)* 137 F 2
Thézy-Glimont *(80)* 15 G 2
Thiais *(94)* 51 F 2
Thiancourt *(90)* 96 D 2
Thianges *(58)* 107 E 3
Thiant *(59)* 9 E 3
Thiat *(87)* 116 B 4
Thiaucourt-Regniéville *(54)* 36 C 4
Thiaville-sur-Meurthe *(54)* 57 H 4
Thiberville *(27)* 28 C 3
Thibie *(51)* 34 A 5
Thibivillers *(60)* 30 C 2
Thibouville *(27)* 29 E 3
Thicourt *(57)* 37 G 4
Thiébauménil *(54)* 57 G 3
Thiéblemont-Farémont *(51)* 54 D 2
Thiébouhans *(25)* 96 C 4
Thiédeville *(76)* 13 F 3
Thieffrain *(10)* 74 B 1
Thieffrans *(70)* 95 F 2
Thiéfosse *(88)* 77 H 3
Thiel-sur-Acolin *(03)* 120 B 1
Thiembronne *(62)* 2 D 5
Thiénans *(70)* 95 F 3
Thiennes *(59)* 3 F 5
Thiepval *(80)* 8 A 5
Thiergeville *(76)* 12 D 3
Thiernu *(02)* 17 G 3
Thiers [SP] *(63)* 133 H 2
Thiers-sur-Thève *(60)* 31 G 3
Thierville *(27)* 28 D 2
Thierville-sur-Meuse *(55)* 35 H 3
Thiéry *(06)* 182 D 3
Thiescourt *(60)* 16 B 5
Thiétreville *(76)* 12 D 3
Le Thieulin *(28)* 49 G 5
Thieulloy-la-Ville *(80)* 14 D 3
Thieulloy-l'Abbaye *(80)* 14 D 2
Thieuloy-St-Antoine *(60)* 14 D 4
La Thieuloye *(62)* 7 G 2
Thieux *(60)* 15 F 5
Thieux *(77)* 31 H 4
Thiéville *(14)* 27 H 4
Thièvres *(62)* 7 H 5
Thiézac *(15)* 146 B 5
Thignonville *(45)* 71 E 1
Thil *(01)* 136 C 2
Thil *(10)* 54 D 5
Le Thil *(27)* 30 A 2
Thil *(31)* 188 D 1
Thil *(51)* 33 G 2
Thil *(54)* 20 C 2
Thil-Manneville *(76)* 13 G 2
Le Thil-Riberpré *(76)* 14 B 4
Thil-sur-Arroux *(71)* 108 A 4
Thilay *(08)* 11 E 5
Le Thillay *(95)* 31 G 4
Thilleux *(52)* 55 E 4
Les Thilliers-en-Vexin *(27)* 30 B 2
Thillois *(51)* 33 G 2
Thillombois *(55)* 35 H 5
Thillot *(55)* 36 A 4
Le Thillot *(88)* 77 H 4
Thilouze *(37)* 86 C 5
Thimert *(28)* 49 G 3
Thimonville *(57)* 37 F 4
Thimory *(45)* 71 G 4
Thin-le-Moutier *(08)* 18 C 3
Thines *(07)* 162 C 4
Thiolières *(63)* 134 A 5
Thionne *(03)* 120 B 2
Thionville [SP] *(57)* 21 E 3
Thiouville *(76)* 12 D 3
Thiraucourt *(88)* 56 D 5
Thiré *(85)* 113 F 1
Thiron-Gardais *(28)* 69 F 1
This *(08)* 18 D 3
Thise *(25)* 95 E 4
Thivars *(28)* 50 A 5
Thivencelle *(59)* 5 F 5
Thiverny *(60)* 31 F 2
Thiverval-Grignon *(78)* 50 C 1
Thivet *(52)* 75 H 3
Thiviers *(24)* 143 G 1
Thiville *(28)* 69 H 3
Thizay *(36)* 104 C 3
Thizay *(37)* 101 H 1
Thizy *(89)* 91 H 2
Thizy-les-Bourgs *(69)* 135 E 1
Thoard *(04)* 181 F 2
Thodure *(38)* 150 D 2
Thoigné *(72)* 68 A 1
Thoiras *(30)* 177 H 3
Thoiré-sous-Contensor *(72)* 48 A 5
Thoiré-sur-Dinan *(72)* 68 B 5
Thoires *(21)* 74 D 4
Thoirette *(39)* 123 G 3
Thoiria *(39)* 123 H 1
Thoiry *(01)* 124 A 3
Thoiry *(73)* 138 A 4
Thoiry *(78)* 50 C 1
Thoissey *(01)* 122 B 4
Thoissia *(39)* 123 F 2
Thoisy-la-Berchère *(21)* 92 B 5
Thoisy-le-Désert *(21)* 92 C 5
Thoix *(80)* 15 E 3
Thol-lès-Millières *(52)* 76 A 2
Thollet *(86)* 116 C 2
Thollon-les-Mémises *(74)* 125 F 2
Le Tholonet *(13)* 196 A 3
Le Tholy *(88)* 77 H 2
Thomer-la-Sôgne *(27)* 29 G 5
Thomery *(77)* 52 A 5
Thomirey *(21)* 108 D 1
Thonac *(24)* 143 H 5
Thônes *(74)* 138 C 2
Thonnance-lès-Joinville *(52)* 55 G 4
Thonnance-les-Moulins *(52)* 55 G 4
Thonne-la-Long *(55)* 19 H 4
Thonne-le-Thil *(55)* 19 H 4
Thonne-les-Prés *(55)* 19 H 5
Thonnelle *(55)* 19 H 4
Thonon-les-Bains [SP] *(74)* 124 D 2
Les Thons *(88)* 76 C 3
Thonville *(57)* 37 G 4
Le Thor *(84)* 179 G 4
Thorailles *(45)* 72 A 3
Thoraise *(25)* 94 D 5
Thorame-Basse *(04)* 181 H 2
Thorame-Haute *(04)* 182 A 2
Thoras *(43)* 161 H 1
Thoré-la-Rochette *(41)* 69 F 5
Thorée-les-Pins *(72)* 85 H 1
Thorenc *(06)* 182 C 5
Thorens-Glières *(74)* 138 B 1
Thorey *(89)* 74 A 4
Thorey-en-Plaine *(21)* 93 G 5
Thorey-Lyautey *(54)* 56 D 4
Thorey-sous-Charny *(21)* 92 C 4
Thorey-sur-Ouche *(21)* 108 D 1
Thorigné *(79)* 114 D 3
Thorigné *(79)* 114 C 3
Thorigné-d'Anjou *(49)* 84 D 1
Thorigné-en-Charnie *(53)* 67 F 3
Thorigné-Fouillard *(35)* 65 F 1
Thorigné-sur-Dué *(72)* 68 C 3
Thorigny *(79)* 114 A 4
Thorigny *(85)* 99 H 5
Thorigny-sur-Marne *(77)* 51 H 1
Thorigny-sur-Oreuse *(89)* 72 D 1
Le Thoronet *(83)* 197 F 3
Thorrenc *(07)* 149 G 3
Thors *(10)* 55 E 5
Thors *(17)* 127 G 2
Thory *(80)* 15 G 3
Thory *(89)* 91 G 2
Thoste *(21)* 92 A 3
Le Thou *(17)* 113 G 5
Thou *(18)* 89 H 3
Thou *(45)* 90 A 2
Thouarcé *(49)* 85 E 5
Thouaré-sur-Loire *(44)* 83 G 4
Thouars *(79)* 101 F 2
Thouars-sur-Arize *(09)* 206 C 1
Thouars-sur-Garonne *(47)* 172 A 1
Thouarsais-Bouildroux *(85)* 100 B 5
Le Thoult-Trosnay *(51)* 53 F 1
Le Thour *(08)* 18 A 5
Le Thoureil *(49)* 85 F 4
Thourie *(35)* 65 G 4
Thouron *(87)* 130 A 1
Thourotte *(60)* 16 B 5
Thoury *(41)* 88 A 2
Thoury-Férottes *(77)* 72 A 1
Thoux *(32)* 188 C 2
Thubœuf *(53)* 47 E 4
Le Thuel *(02)* 17 H 4
Thuès-Entre-Valls *(66)* 212 A 4
Thuès-les-Bains *(66)* 212 A 4
Thueyts *(07)* 162 D 3
Thugny-Trugny *(08)* 18 C 5
La Thuile *(73)* 138 A 5
Les Thuiles *(04)* 167 E 5
Thuilley-aux-Groseilles *(54)* 56 C 3
Thuillières *(88)* 76 D 2
Thuir *(66)* 213 E 3
Thuisy *(10)* 73 G 1
Le Thuit *(27)* 29 H 2
Le Thuit-Anger *(27)* 29 F 2
Thuit-Hébert *(27)* 29 E 2
Le Thuit de l'Oison *(27)* 29 F 2
Le Thuit-Simer *(27)* 29 F 2
Thulay *(25)* 96 C 3
Thumeréville *(54)* 20 C 5
Thumeries *(59)* 4 C 5
Thun-l'Évêque *(59)* 8 D 4
Thun-St-Amand *(59)* 5 E 5
Thun-St-Martin *(59)* 8 D 4
Thurageau *(86)* 102 A 4
Thuré *(86)* 102 B 4
Thuret *(63)* 133 G 1
Thurey *(71)* 109 G 4
Thurey-le-Mont *(25)* 95 E 3
Thurins *(69)* 135 G 4
Thury *(21)* 108 C 2
Thury *(89)* 90 D 2
Thury-en-Valois *(60)* 32 B 3
Thury-Harcourt *(14)* 27 E 4
Thury-sous-Clermont *(60)* 31 F 1
Thusy *(74)* 137 H 1
Thuy *(65)* 187 F 5
Thyez *(74)* 125 E 5
Thyl *(73)* 152 D 2
Tibiran-Jaunac *(65)* 205 F 2
Ticheville *(61)* 28 B 5
Tichey *(21)* 109 H 2
Tieffenbach *(67)* 38 C 4
Tiercé *(49)* 85 E 2
Tiercelet *(54)* 20 C 3
Le Tiercent *(35)* 45 H 5
Tierceville *(14)* 27 E 2
Tieste-Uragnoux *(32)* 187 E 3
La Tieule *(48)* 161 E 5
Tiffauges *(85)* 100 A 2
Tigeaux *(77)* 52 A 1
Tigery *(91)* 51 G 3
Tignac *(09)* 207 F 5
Tigné *(49)* 85 E 5
Tignécourt *(88)* 76 C 3
Tignes *(73)* 139 G 5
Le Tignet *(06)* 198 D 1
Tignieu-Jameyzieu *(38)* 136 D 3
Tigny-Noyelle *(62)* 6 C 3
Tigy *(45)* 71 E 5
Til-Châtel *(21)* 93 G 2
Tilh *(40)* 185 G 2
Tilhouse *(65)* 204 D 2
Tillac *(32)* 187 G 3
Tillay-le-Péneux *(28)* 70 B 2
Tillé *(60)* 15 E 5
Tillenay *(21)* 93 H 5
Le Tilleul *(76)* 12 B 3
Tilleul-Dame-Agnès *(27)* 29 E 4
Le Tilleul-Lambert *(27)* 29 F 4
Le Tilleul-Othon *(27)* 29 E 3
Tilleux *(88)* 56 B 5
Tillières *(49)* 99 H 1
Tillières-sur-Avre *(27)* 49 F 2
Tilloloy *(80)* 16 A 4
Tillou *(79)* 114 D 5
Tilloy-et-Bellay *(51)* 34 C 4
Tilloy-Floriville *(80)* 14 B 1
Tilloy-lès-Conty *(80)* 15 E 3
Tilloy-lès-Hermaville *(62)* 7 H 3
Tilloy-lès-Mofflaines *(62)* 8 B 3
Tilloy-lez-Conty *(59)* 8 D 4
Tilloy-lez-Mofflaines *(59)* 4 D 5
Tilly *(27)* 30 A 3
Tilly *(36)* 116 D 2
Tilly *(78)* 50 A 1
Tilly-Capelle *(62)* 7 F 2
Tilly-la-Campagne *(14)* 27 F 3
Tilly-sur-Meuse *(55)* 35 H 4
Tilly-sur-Seulles *(14)* 26 D 3
Tilques *(62)* 3 E 4
Tincey-et-Pontrebeau *(70)* 94 C 1
Tinchebray *(61)* 46 D 1
Tincourt-Boucly *(80)* 16 B 1
Tincques *(62)* 7 H 2
Tincry *(57)* 37 F 5
Les Tines *(74)* 139 F 1
Tingry *(62)* 2 B 5
Tinqueux *(51)* 33 H 2
Tinténiac *(35)* 45 E 5
Tintry *(71)* 108 C 3
Tintury *(58)* 107 E 2
Tiranges *(43)* 148 B 2
Tirent-Pontéjac *(32)* 188 B 3
Tirepied *(50)* 45 H 2
Tissey *(89)* 73 G 5
Le Titre *(80)* 6 D 4
Tiuccia *(2A)* 216 C 4
Tivernon *(45)* 70 C 2
Tiviers *(15)* 147 E 4
Tivolaggio *(2A)* 218 D 3
Tizac-de-Curton *(33)* 155 H 1
Tizac-de-Lapouyade *(33)* 141 G 4
Tizzano *(2A)* 218 D 4
Tocane-St-Apre *(24)* 142 D 3
Tocqueville *(27)* 28 D 1
Tocqueville *(50)* 23 E 2
Tocqueville-en-Caux *(76)* 13 F 3
Tocqueville-les-Murs *(76)* 12 D 3
Tocqueville-sur-Eu *(76)* 13 H 1
Tœufles *(80)* 6 C 5
Toges *(08)* 34 D 1
Togny-aux-Bœufs *(51)* 54 B 1
Tolla *(2A)* 216 D 5
Tollaincourt *(88)* 76 B 2
Tollent *(62)* 7 E 3
Tollevast *(50)* 22 C 3
La Tombe *(77)* 52 B 5
Tombebœuf *(47)* 156 D 4
Tomblaine *(54)* 57 E 2
Tomino *(2B)* 215 G 1
Les Tonils *(26)* 164 D 3
Tonnac *(81)* 174 B 3
Tonnay-Boutonne *(17)* 127 E 1
Tonnay-Charente *(17)* 126 D 1
Tonneins *(47)* 156 C 5
Tonnerre *(89)* 73 H 5
Tonneville *(50)* 22 C 2
Tonnoy *(54)* 57 E 3
Tonquédec *(22)* 42 D 3
Torcé *(35)* 65 H 2
Torcé-en-Vallée *(72)* 68 B 2
Torcé-Viviers-en-Charnie *(53)* 67 F 2
Torcenay *(52)* 76 A 5
Torchamp *(61)* 46 D 3
Torchefelon *(38)* 137 E 5
Torcheville *(57)* 37 H 5
Torcieu *(01)* 137 E 1
Torcy *(62)* 7 E 1
Torcy *(71)* 108 C 4
Torcy [SP] *(77)* 51 H 1
Torcy-en-Valois *(02)* 32 C 4
Torcy-et-Pouligny *(21)* 92 A 3
Torcy-le-Grand *(10)* 54 A 4
Torcy-le-Grand *(76)* 13 H 2
Torcy-le-Petit *(10)* 54 A 4
Torcy-le-Petit *(76)* 13 H 2
Tordères *(66)* 213 E 3
Tordouet *(14)* 28 B 4
Torfou *(49)* 100 A 1
Torfou *(91)* 51 E 4
Torigny-les-Villes *(50)* 25 G 4
Tornac *(30)* 177 H 4
Tornay *(52)* 94 B 1
Le Torp-Mesnil *(76)* 13 F 3
Torpes *(25)* 94 D 5
Torpes *(71)* 109 H 3
Le Torpt *(27)* 28 B 1
Le Torquesne *(14)* 28 A 2
Torre *(2A)* 219 G 3
Torreilles *(66)* 209 F 5
Torsac *(16)* 128 C 5
Torsiac *(43)* 147 F 2
Tortebesse *(63)* 132 C 3
Tortefontaine *(62)* 6 D 3
Tortequesne *(62)* 8 C 3
Torteron *(18)* 106 B 2
Torteval-Quesnay *(14)* 25 H 3
Tortezais *(03)* 119 F 2
Tortisambert *(14)* 28 A 5
Torville *(45)* 71 E 2
Torvilliers *(10)* 73 H 1
Torxé *(17)* 127 F 1
Tosny *(27)* 29 H 3
Tosse *(40)* 184 D 1
Tossiat *(01)* 123 E 5
Tostat *(65)* 187 E 5
Tostes *(27)* 29 G 2
Totainville *(88)* 56 D 5
Tôtes *(14)* 27 H 5
Tôtes *(76)* 13 G 3
Touchay *(18)* 105 E 5
La Touche *(26)* 163 H 4
Les Touches *(44)* 83 G 3
Les Touches-de-Périgny *(17)* 127 H 2
Toucy *(89)* 90 D 1
Toudon *(06)* 183 E 4
Touët-de-l'Escarène *(06)* 183 F 4
Touët-sur-Var *(06)* 182 D 3
Touffailles *(82)* 173 E 1
Toufflers *(59)* 4 D 3
Touffréville *(14)* 27 G 3
Touffreville *(27)* 30 A 1
Touffreville-la-Cable *(76)* 12 D 5
Touffreville-la-Corbeline *(76)* 13 E 4
Touffreville-sur-Eu *(76)* 14 A 1
Touget *(32)* 188 C 1
Touille *(31)* 206 A 2
Touillon *(21)* 92 B 1
Touillon-et-Loutelet *(25)* 111 G 3
Toujouse *(32)* 171 E 5
Toul [SP] *(54)* 56 C 2
Toulaud *(07)* 163 H 1
Toulenne *(33)* 155 G 4
Touligny *(08)* 18 D 3
Toulis-et-Attencourt *(02)* 17 G 3
Toulon [P] *(83)* 201 E 3
Toulon-la-Montagne *(51)* 53 G 1
Toulon-sur-Allier *(03)* 120 A 1
Toulon-sur-Arroux *(71)* 108 A 5
Toulonjac *(12)* 159 F 5
Toulouges *(66)* 213 E 2
Toulouse [R] *(31)* 189 F 2
Toulouse-le-Château *(39)* 110 B 3
Toulouzette *(40)* 185 H 1
Toulx-Ste-Croix *(23)* 118 B 4
Touques *(14)* 28 A 1
Le Touquet-Paris-Plage *(62)* 6 C 1
Touquettes *(61)* 48 C 1
Touquin *(77)* 52 B 2
La Tour *(06)* 183 E 3
La Tour *(30)* 178 A 2
La Tour *(74)* 124 D 4
La Tour-Blanche *(24)* 142 D 2
La Tour-d'Aigues *(84)* 196 A 1
La Tour-d'Auvergne *(63)* 132 C 5
Tour-de-Faure *(46)* 158 D 5
La Tour-de-Mare *(83)* 198 D 3
La Tour-de-Salvagny *(69)* 135 H 3
La Tour-de-Sçay *(25)* 95 E 3
La Tour-du-Crieu *(09)* 207 E 2
La Tour-du-Meix *(39)* 123 G 1
Le Tour-du-Parc *(56)* 81 H 3
La Tour-du-Pin [SP] *(38)* 137 E 5
Tour-en-Bessin *(14)* 25 H 2
La Tour-en-Jarez *(42)* 149 E 1
Tour-en-Sologne *(41)* 88 A 2
La Tour-St-Gelin *(37)* 102 B 2
La Tour-sur-Orb *(34)* 192 A 2
Tourailles *(41)* 87 G 1
Les Tourailles *(61)* 47 F 1
Tourailles-sous-Bois *(55)* 55 H 4
Tourbes *(34)* 192 C 4
Tourcelles-Chaumont *(08)* 34 C 1
Tourch *(29)* 62 A 3
Tourcoing *(59)* 4 D 3
Tourdun *(32)* 187 F 3
La Tourette *(19)* 131 H 5
La Tourette *(42)* 148 C 1
La Tourette-Cabardès *(11)* 190 D 4
Tourette-du-Château *(06)* 183 E 4
Tourgéville *(14)* 28 A 1
La Tourlandry *(49)* 100 C 1
Tourlaville *(50)* 22 D 2
Tourliac *(47)* 157 F 3
Tourly *(60)* 30 D 3
Tourmignies *(59)* 4 C 5
Tourmont *(39)* 110 B 3
Tournai-sur-Dive *(61)* 47 H 1
Tournan *(32)* 188 B 4
Tournan-en-Brie *(77)* 51 H 2
Tournans *(25)* 95 F 3
Tournavaux *(08)* 11 E 5
Tournay *(65)* 204 D 1
Tournay-sur-Odon *(14)* 27 E 3
Le Tourne *(33)* 155 G 2
Tournebu *(14)* 27 F 5
Tournecoupe *(32)* 172 D 5
Tournedos-Bois-Hubert *(27)* 29 F 4
Tournedos-sur-Seine *(27)* 29 H 2
Tournedoz *(25)* 95 H 3
Tournefeuille *(31)* 189 E 2
Tournefort *(06)* 183 E 3
Tournehem-sur-la-Hem *(62)* 2 D 4
Tournemire *(12)* 176 B 4
Tournemire *(15)* 146 A 5
Tournes *(08)* 18 D 2
Le Tourneur *(14)* 25 H 4
Tourneville *(27)* 29 G 4
Tourniac *(15)* 145 G 3
Tourniaire *(13)* 194 D 2
Tournières *(14)* 25 G 2
Tournissan *(11)* 208 D 2
Tournoisis *(45)* 70 B 3
Tournon *(73)* 138 C 4
Tournon-d'Agenais *(47)* 157 G 5
Tournon-St-Martin *(36)* 103 E 5
Tournon-St-Pierre *(37)* 103 E 4
Tournon-sur-Rhône [SP] *(07)* 149 H 4
Tournous-Darré *(65)* 187 G 5
Tournous-Devant *(65)* 187 H 5
Tournus *(71)* 122 C 1
Tourny *(27)* 30 A 3
Le Tourondel *(19)* 145 E 1
Tourouvre-au-Perche *(61)* 48 D 3
Tourouzelle *(11)* 191 G 5
Tourreilles *(11)* 208 A 3
Les Tourreilles *(31)* 205 F 2
Tourrenquets *(32)* 188 A 1
Tourrette-Levens *(06)* 183 F 5
Les Tourrettes *(26)* 163 H 3
Tourrettes *(83)* 198 C 1
Tourrettes-sur-Loup *(06)* 183 E 5
Tourriers *(16)* 128 C 3
Tours [P] *(37)* 86 D 4
Tours-en-Savoie *(73)* 138 D 4
Tours-en-Vimeu *(80)* 6 C 5
Tours-sur-Marne *(51)* 33 H 4
Tours-sur-Meymont *(63)* 134 A 4
Tourtenay *(79)* 101 G 2
Tourteron *(08)* 18 D 5
Tourtoirac *(24)* 143 H 3
Tourtour *(83)* 197 F 2
Tourtouse *(09)* 206 B 2
Tourtrès *(47)* 156 D 4
Tourtrol *(09)* 207 F 2
Tourves *(83)* 196 D 4
Tourville-en-Auge *(14)* 28 A 2
Tourville-la-Chapelle *(27)* 29 E 2
Tourville-la-Chapelle *(76)* 13 H 1
Tourville-la-Rivière *(76)* 29 G 2
Tourville-les-Ifs *(76)* 12 C 3
Tourville-sur-Arques *(76)* 13 G 2
Tourville-sur-Odon *(14)* 27 E 3
Tourville-sur-Pont-Audemer *(27)* 28 C 1
Tourville-sur-Sienne *(50)* 24 C 4
Toury *(28)* 70 C 2
Toury-Lurcy *(58)* 107 E 5
Toury-sur-Jour *(58)* 106 C 5
Tourzel-Ronzières *(63)* 133 F 5
Toussaint *(76)* 12 C 3
Toussieu *(69)* 136 B 4
Toussieux *(01)* 135 H 1
Tousson *(77)* 51 G 5
La Toussuire *(73)* 152 C 2
Toussus-le-Noble *(78)* 51 E 2
Toutainville *(27)* 28 C 1
Toutenant *(71)* 109 G 3
Toutencourt *(80)* 7 H 5
Toutens *(31)* 189 H 3
Toutlemonde *(49)* 100 C 1
Toutry *(21)* 92 A 3
Touvérac *(16)* 141 H 1
Le Touvet *(38)* 152 A 1
Touville *(27)* 29 E 2
Touvois *(44)* 99 E 3
Touvre *(16)* 128 C 4
Touzac *(16)* 127 H 5
Touzac *(46)* 157 H 4
Tox *(2B)* 217 G 2
Toy-Viam *(19)* 131 E 4
Tracy-Bocage *(14)* 26 D 4
Tracy-le-Mont *(60)* 16 B 5
Tracy-le-Val *(60)* 16 B 5
Tracy-sur-Loire *(58)* 90 A 4
Tracy-sur-Mer *(14)* 26 D 1
Trades *(69)* 122 A 3
Traenheim *(67)* 58 D 2
Tragny *(57)* 37 F 4
Traînel *(10)* 52 D 5
Traînou *(45)* 70 D 4
Le Trait *(76)* 13 E 5
Traitiéfontaine *(70)* 95 E 3
Traize *(73)* 137 G 4
Tralaigues *(63)* 132 B 2
Tralonca *(2B)* 217 F 2
Tramain *(22)* 44 B 4
Tramayes *(71)* 122 A 3
Trambly *(71)* 121 H 3
Tramecourt *(62)* 7 F 2
Tramery *(51)* 33 F 2
Tramezaïgues *(65)* 204 D 4
Tramolé *(38)* 136 D 5
Tramont-Émy *(54)* 56 C 4
Tramont-Lassus *(54)* 56 C 4
Tramont-St-André *(54)* 56 C 4
Tramoyes *(01)* 136 B 2
Trampot *(88)* 55 H 5
Trancault *(10)* 53 E 5
La Tranche-sur-Mer *(85)* 112 C 3
La Tranclière *(01)* 123 E 5
Trancrainville *(28)* 70 C 1
Trangé *(72)* 68 A 3
Le Tranger *(36)* 103 G 3
Trannes *(10)* 74 C 1
Tranqueville-Graux *(88)* 56 C 4
Trans *(53)* 67 F 1
Trans-en-Provence *(83)* 197 G 3
Trans-la-Forêt *(35)* 45 G 3
Trans-sur-Erdre *(44)* 83 G 3
Le Translay *(80)* 14 C 1
Le Transloy *(62)* 8 B 5
Tranzault *(36)* 117 H 1
Trappes *(78)* 50 D 1
Traslepuy *(30)* 179 E 3
Trassanel *(11)* 191 E 5
Traubach-le-Bas *(68)* 97 E 1
Traubach-le-Haut *(68)* 97 E 1
Trausse *(11)* 191 F 5

A B C D E F G H I J K L M N O P Q R S T U V W X Y Z

Localité (Département) Page Coordonnées
277

Travaillan (84) 179 F 2
Travecy (02) 16 D 3
Traversères (32) 188 A 3
Traves (70) 94 D 1
Le Travet (81) 190 D 1
Travexin (88) 78 A 3
Le Trayas (83) 199 E 3
Trayes (79) 101 E 5
Tréal (56) 64 B 4
Tréauville (50) 22 B 3
Trébabu (29) 40 D 4
Treban (03) 119 H 3
Tréban (81) 175 F 3
Trébas (81) 175 F 4
Trébédan (22) 44 C 4
Trèbes (11) 208 B 1
Trébeurden (22) 42 C 2
Trébons (65) 204 C 2
Trébons-de-Luchon (31) 205 F 4
Trébons-sur-la-Grasse (31) 189 H 4
Tréboul (29) 61 F 2
Trébrivan (22) 62 C 1
Trébry (22) 44 A 4
Tréclun (21) 93 H 5
Trécon (51) 53 H 1
Trédaniel (22) 63 H 1
Trédarzec (22) 43 E 2
Trédias (22) 44 C 4
Trédion (56) 81 H 1
Trédrez-Locquémeau (22) 42 C 2
Tréduder (22) 42 C 3
Trefcon (02) 16 C 2
Tréfeuntec (29) 61 F 1
Treffay (39) 110 D 4
Treffendel (35) 64 D 2
Treffiagat (29) 61 F 4
Treffieux (44) 83 F 1
Treffléan (56) 81 H 2
Treffort (38) 151 G 5
Treffort-Cuisiat (01) 123 F 3
Treffrin (22) 62 C 1
Tréflaouénan (29) 41 H 2
Tréflévénez (29) 41 G 4
Tréflez (29) 41 G 2
Tréfols (51) 53 E 1
Tréfumel (22) 44 D 5
Trégarantec (29) 41 G 3
Trégarvan (29) 41 G 5
Trégastel (22) 42 C 1
Trégastel-Plage (22) 42 C 1
Tréglamus (22) 43 E 4
Tréglonou (29) 41 E 2
Trégomar (22) 44 B 3
Trégomeur (22) 43 G 4
Trégon (22) 44 C 3
Trégonneau (22) 43 E 3
Trégourez (29) 62 A 2
Trégrom (22) 42 D 3
Tréguennec (29) 61 F 3
Trégueux (22) 43 H 5
Tréguidel (22) 43 G 3
Tréguier (22) 43 E 2
Trégunc (29) 62 A 5
Tréhet (41) 86 D 1
Tréhiguier (56) 82 A 2
Tréhorenteuc (56) 64 B 3
Le Tréhou (29) 41 G 4
Treignac (19) 131 E 5
Treignat (03) 118 C 3
Treigny (89) 90 C 2
Treilles (11) 209 F 3
Treilles-en-Gâtinais (45) 71 H 3
Treillières (44) 83 F 4
Le Trein (09) 206 C 4
Treix (52) 75 G 2
Treize-Septiers (85) 99 H 2
Treize-Vents (85) 100 B 3
Tréjouls (82) 173 F 1
Trélans (48) 161 E 4
Trélazé (49) 85 E 3
Trélechamp (74) 125 G 5
Trélévern (22) 42 D 1
Trelins (42) 134 C 3
Trélissac (24) 143 F 3
Trélivan (22) 44 C 4
Trelly (50) 24 D 4
Trélon (59) 10 A 3
Trélou-sur-Marne (02) 33 E 4
Trémaouézan (29) 41 G 3
Trémargat (22) 62 D 1
Trémauville (76) 12 D 4
Trémazan (29) 40 D 2
La Tremblade (17) 126 B 3
La Tremblay (44) 82 C 3
Tremblay (35) 45 G 4
Le Tremblay (49) 84 B 1
Tremblay-en-France (93) 31 G 5
Tremblay-les-Villages (28) 49 E 3
Le Tremblay-Omonville (27) 29 E 3
Le Tremblay-sur-Mauldre (78) 50 C 1
Tremblay-Vieux-Pays (93) 31 G 5
Tremblecourt (54) 56 C 1
Le Tremblois (70) 94 B 3
Tremblois-lès-Carignan (08) 19 G 3
Tremblois-lès-Rocroi (08) 10 C 5
Trémeheuc (35) 45 F 4
Trémel (22) 42 C 3
Tréméloir (22) 43 G 4
Trémentines (49) 100 C 1
Tréméoc (29) 61 G 3
Tréméreuc (22) 44 D 3
Trémery (57) 21 E 4
Trémeur (22) 44 B 5
Tréméven (22) 43 F 3
Tréméven (29) 62 C 4
Trémilly (52) 54 D 5
Tréminis (38) 165 H 2
Trémoins (70) 95 H 2
Trémolat (24) 157 F 1
Trémons (47) 157 G 5
Trémont (49) 101 E 1
Trémont (61) 48 B 3
Trémont-sur-Saulx (55) 55 F 1
Trémonzey (88) 77 E 3
Trémorel (22) 64 B 1
Trémorvezen (29) 62 A 5
Trémouille (15) 146 B 2
Trémouille-St-Loup (63) 146 A 1
Trémouilles (12) 175 G 2
Trémoulet (09) 207 F 1
Trémuson (22) 43 G 4
Trenal (39) 110 A 5
Trensacq (40) 169 G 2
Trentels (47) 157 G 5
Tréogan (22) 62 C 2
Tréogat (29) 61 F 3
Tréon (28) 49 H 2
Tréouergat (29) 41 E 3
Trépail (51) 34 A 3
Trépied (62) 6 C 1
Le Tréport (76) 6 A 5
Trépot (25) 95 E 5
Tréprel (14) 27 F 5
Trept (38) 137 E 4
Trésauvaux (55) 36 A 3
Tresbœuf (35) 65 G 4
Trescallan (44) 82 A 3
Trescault (62) 8 C 5
Treschenu-Creyers (26) 165 G 2
Trescléoux (05) 165 H 5
Trescol (30) 177 H 2
Trésilley (70) 94 D 3
Treslon (51) 33 G 2
Tresmes (77) 52 B 1
Tresnay (58) 106 C 5
Trespoux-Rassiels (46) 158 B 5
Tresques (30) 178 D 3
Tressaint (22) 44 D 4
Tressan (34) 192 D 3
Tressandans (25) 95 F 2
Tressange (57) 20 D 3
Tressé (35) 45 E 3
Tresserre (66) 213 E 3
Tresserve (73) 137 H 3
Tresses (33) 155 F 1
Tressignaux (22) 43 F 3
Tressin (59) 4 D 4
Tresson (72) 68 C 4
Treteau (03) 120 B 3
La Trétoire (77) 52 C 1
Trets (13) 196 B 3
Treux (80) 15 H 1
Treuzy-Levelay (77) 72 A 1
Trévé (22) 63 G 2
Trévenans (90) 96 C 2
Tréveneuc (22) 43 G 3
Tréveray (55) 55 H 3
Trévérec (22) 43 F 3
Trévérien (35) 44 D 4
Trèves (30) 176 D 3
Trèves (69) 135 G 5
Trèves-Cunault (49) 85 G 4
Trevey (70) 95 F 2
Trévien (81) 174 D 3
Trévières (14) 25 G 1
Tréviers (34) 193 F 1
Trévignin (73) 138 A 3
Trévillach (66) 208 C 5
Tréville (11) 190 B 4
Trévillers (25) 96 D 4
Trévilly (89) 91 H 2
Trévol (03) 120 A 1
Trévou-Tréguignec (22) 42 D 1
Trévoux (01) 135 H 1
Le Trévoux (29) 62 B 4
Trévron (22) 44 D 4
Trézelles (03) 120 C 3
Trézény (22) 42 D 2
Tréziers (11) 207 G 2
Trézilidé (29) 41 H 2
Trézioux (63) 133 H 4
Triac-Lautrait (16) 128 A 4
Le Triadou (34) 193 F 1
Triaize (85) 113 E 2
Triaucourt-en-Argonne (55) 35 F 4
Tribehou (50) 25 E 2
La Tricherie (86) 102 B 4
Trichey (89) 74 A 4
Triconville (55) 55 H 1
Tricot (60) 15 H 5
Trie-Château (60) 30 C 2
Trie-la-Ville (60) 30 C 2
Trie-sur-Baïse (65) 187 G 5
Triel-sur-Seine (78) 30 D 5
Triembach-au-Val (67) 58 D 4
Trieux (54) 20 C 4
Trigance (83) 181 H 5
Trignac (44) 82 B 4
Trigny (51) 33 G 2
Triguères (45) 72 B 4
Trilbardou (77) 52 A 1
Trilla (66) 208 C 5
Trilport (77) 32 A 5
Trimbach (67) 39 G 4
Trimer (35) 45 E 5
La Trimouille (86) 116 C 2
Trinay (45) 70 D 3
La Trinitat (15) 160 D 2
La Trinité (06) 183 F 5
La Trinité (27) 29 G 5
la Trinité (29) 41 E 4
La Trinité (50) 46 A 1
La Trinité (73) 138 B 5
Trinité (Ermitage de la) (2A) 219 F 5
La Trinité-de-Réville (27) 28 C 5
La Trinité-de-Thouberville (27) 29 E 1
La Trinité-des-Laitiers (61) 48 B 1
La Trinité-du-Mont (76) 12 D 5
La Trinité-Langonnet (56) 62 C 2
La Trinité-Porhoët (56) 64 A 2
La Trinité-sur-Mer (56) 81 E 2
La Trinité-Surzur (56) 81 H 2
Triors (26) 150 C 4
Le Trioulou (15) 159 G 3
Tripleville (41) 70 A 4
Triqueville (76) 12 D 5
Triqueville (27) 28 C 1
Trith-St-Léger (59) 9 E 3
Tritteling-Redlach (57) 37 G 3
Trivy (71) 121 H 3
Trizac (15) 146 A 3
Trizay (17) 126 D 2
Trizay-Coutretot-St-Serge (28) 69 E 1
Trizay-lès-Bonneval (28) 69 H 2
Troarn (14) 27 G 3
Troche (19) 144 B 2
Trochères (21) 93 H 4
Trocy-en-Multien (77) 32 B 4
Troësnes (02) 32 C 3
Troguéry (22) 43 E 2
Trogues (37) 102 C 1
Les Trois-Épis (68) 78 C 2
Trois-Fonds (23) 118 B 4
Trois-Fontaines-l'Abbaye (51) 55 E 2
Trois-Monts (14) 27 E 4
Les Trois-Moutiers (86) 101 H 2
Trois-Palis (16) 128 B 4
Les Trois-Pierres (76) 12 C 5
Trois-Puits (51) 33 H 3
Trois-Vèvres (58) 106 D 3
Trois-Villes (64) 203 E 1
Troischamps (52) 76 A 4
Troisfontaines (52) 55 F 3
Troisfontaines (57) 58 B 2
Troisgots (50) 25 F 4
Troissereux (60) 15 E 5
Troissy (51) 33 F 4
Troisvaux (62) 7 G 2
Troisvilles (59) 9 E 5
Tromarey (70) 94 B 4
Tromborn (57) 21 G 4
Tronçais (03) 105 H 5
Troncens (32) 187 F 3
La Tronche (38) 151 G 3
Le Tronchet (35) 45 E 3
Le Tronchet (72) 67 H 2
Tronchoy (52) 75 H 3
Tronchoy (80) 14 D 2
Tronchoy (89) 73 H 4
Tronchy (71) 109 G 4
Le Troncq (27) 29 F 3
Trondes (54) 56 B 2
Tronget (03) 119 G 2
Le Tronquay (14) 25 H 2
Le Tronquay (27) 30 A 1
Tronsanges (58) 106 B 1
Tronville (54) 36 C 3
Tronville-en-Barrois (55) 55 G 2
Troo (41) 69 E 5
Trosly-Breuil (60) 32 B 1
Trosly-Loire (02) 16 D 5
Trouans (10) 54 A 3
Troubat (65) 205 F 3
Trouhans (21) 109 H 1
Trouhaut (21) 93 E 4
Trouillas (66) 213 E 3
Trouley-Labarthe (65) 187 F 5
Troussencourt (60) 15 F 4
Troussey (55) 56 B 2
Troussures (60) 30 D 1
Trouvans (25) 95 F 3
Trouville (76) 12 D 4
Trouville-la-Haule (27) 28 D 1
Trouville-sur-Mer (14) 28 A 1
Trouy (18) 105 F 2
Troye-d'Ariège (09) 207 G 2
Troyes P (10) 73 H 1
Troyon (55) 35 H 4
La Truchère (71) 122 C 1
Truchtersheim (67) 59 E 1
Trucy (02) 17 F 5
Trucy-l'Orgueilleux (58) 90 D 3
Trucy-sur-Yonne (89) 91 F 2
Le Truel (12) 175 H 3
Truel (30) 179 E 3
Trugny (02) 32 D 4
Trugny (21) 109 G 2
Truinas (26) 164 D 3
Trumilly (60) 32 A 2
Trun (61) 47 H 1
Trungy (14) 25 H 2
Le Truoq (23) 131 G 3
Truttemer-le-Grand (14) 46 C 1
Truttemer-le-Petit (14) 46 C 1
Truyes (37) 87 E 5
Tubersent (62) 6 C 1
Tuchan (11) 208 D 4
Tucquegnieux (54) 20 C 4
Tudeils (19) 145 E 5
Tudelle (32) 187 G 2
Tuffé-Val-de-la-Chéronne (72) 68 C 2
Tugéras-St-Maurice (17) 141 G 1
Tugny-et-Pont (02) 16 C 3
La Tuilière (42) 134 B 2
La Tuilière (84) 180 A 4
Tulette (26) 179 F 1
Tulle P (19) 144 D 3
Tullins (38) 151 F 2
Tully (80) 6 B 5
Tupigny (02) 17 F 1
Tupin-et-Semons (69) 135 H 5
La Turballe (44) 81 H 5
La Turbie (06) 183 G 5
Turcey (21) 92 D 3
Turckheim (68) 78 C 2
Turenne (19) 144 C 4
Turgon (16) 128 D 1
Turgy (10) 73 H 3
Turny (89) 73 F 3
Turquant (49) 85 H 5
Turquestein-Blancrupt (57) 58 B 3
Turqueville (50) 23 E 5
Turretot (76) 12 B 4
Turriers (04) 166 C 5
Tursac (24) 143 H 5
Tusson (16) 128 B 1
Tuzaguet (65) 205 E 2
Le Tuzan (33) 155 E 5
Tuzie (16) 128 B 1
Ty-Sanquer (29) 61 G 2

U

Uberach (67) 39 E 5
Ubexy (88) 57 E 5
Ubraye (04) 182 B 4
Ucciani (2A) 216 D 4
Ucel (07) 163 E 3
Uchacq-et-Parentis (40) 169 H 4
Uchaud (30) 194 A 1
Uchaux (84) 179 E 2
Uchentein (09) 206 A 4
Uchizy (71) 122 C 1
Uchon (71) 108 B 4
Uckange (57) 21 E 4
Ueberstrass (68) 97 E 1
Uffheim (68) 97 G 1
Uffholtz (68) 78 C 4
Ugine (73) 138 C 3
Uglas (65) 205 E 1
Ugnouas (65) 187 E 4
Ugny (54) 20 B 2
Ugny-le-Gay (02) 16 C 4
Ugny-l'Équipée (80) 16 C 2
Ugny-sur-Meuse (55) 56 B 2
Uhart-Cize (64) 202 B 1
Uhart-Mixe (64) 185 F 5
Uhlwiller (67) 39 E 5
Uhrwiller (67) 39 E 5
Ulcot (79) 101 E 2
les Ulis (91) 51 E 2
Ully-St-Georges (60) 31 F 2
Les Ulmes (49) 85 G 5
Umpeau (28) 50 B 4
Unac (09) 207 F 5
Uncey-le-Franc (21) 92 C 4
Unchair (51) 33 F 2
Ungersheim (68) 78 D 4
Unias (42) 135 E 4
Unienville (10) 54 C 5
Unieux (42) 148 D 1
L'Union (31) 189 G 2
Unverre (28) 69 F 2
Unzent (09) 206 D 1
Upaix (05) 180 D 1
Upie (26) 164 C 1
Ur (66) 211 G 4
Urau (31) 206 A 2
Urbalacone (2A) 218 D 1
Urbanya (66) 212 B 3
Urbeis (67) 58 C 5
Urbès (68) 78 B 4
Urbise (42) 120 D 4
Urçay (03) 118 D 1
Urcel (02) 17 F 5
Urcerey (90) 96 C 1
Urciers (36) 118 B 1
Urcuit (64) 184 D 3
Urcy (21) 93 E 5
Urdens (32) 172 C 5
Urdès (64) 186 A 3
Urdos (64) 203 G 3
Urepel (64) 202 A 1
Urgons (40) 186 B 2
Urgosse (32) 187 E 1
Uriage-les-Bains (38) 151 H 3
Uriménil (88) 77 F 2
Urmatt (67) 58 C 3
Urost (64) 186 D 4
Urou-et-Crennes (61) 47 H 2
Urrugne (64) 184 B 4
Urs (09) 207 F 5
Urschenheim (68) 79 E 2
Urt (64) 184 D 3
Urtaca (2B) 215 E 4
Urtière (25) 96 D 4
Uruffe (54) 56 B 3
Urval (24) 157 G 2
Urville (10) 74 D 2
Urville (14) 27 F 4
Urville (50) 22 D 4
Urville (88) 76 B 1
Urville-Nacqueville (50) 22 C 2
Urvillers (02) 16 D 2
Ury (77) 51 G 5
Urzy (58) 106 C 2
Us (95) 30 D 4
Usclades-et-Rieutord (07) 162 D 2
Usclas-d'Hérault (34) 192 C 3
Usclas-du-Bosc (34) 192 C 1
Usinens (74) 137 H 1
Les Usines (34) 193 E 4
Ussac (19) 144 C 3
Ussat (09) 207 E 4
Usseau (17) 113 F 4
Usseau (79) 114 A 4
Usseau (86) 102 C 3
Ussel (15) 146 D 4
Ussel SP (19) 131 H 5
Ussel (46) 158 C 4
Ussel-d'Allier (03) 119 H 4
Usson (63) 133 G 5
Usson-du-Poitou (86) 115 H 4
Usson-en-Forez (42) 148 B 1
Ussy (14) 27 F 5
Ussy-sur-Marne (77) 32 B 5
Ustaritz (64) 184 C 4
Ustou (09) 206 C 4
Utelle (06) 183 F 4
Uttenheim (67) 59 E 4
Uttenhoffen (67) 39 E 4
Uttwiller (67) 38 D 5
Uvernet (04) 167 F 5
Uxeau (71) 107 H 5
Uxegney (88) 77 F 1
Uxelles (39) 110 C 5
Uxem (59) 3 F 2
Uz (65) 204 B 3
Uza (40) 168 D 3
Uzan (64) 186 B 3
Uzay-le-Venon (18) 105 G 4
Uzech (46) 158 B 4
Uzein (64) 186 B 4
Uzel (22) 63 G 1
Uzelle (25) 95 G 2
Uzemain (88) 77 F 2
Uzer (07) 163 E 4
Uzer (65) 204 D 2
Uzerche (19) 144 C 1
Uzès (30) 178 C 4
Uzeste (33) 155 G 5
Uzos (64) 186 C 5

V

Vaas (72) 86 B 1
Vabre (81) 191 E 2
Vabre-Tizac (12) 174 D 1
Vabres (15) 147 F 5
Vabres (30) 177 H 3
Vabres (43) 161 H 1
Vabres-l'Abbaye (12) 176 A 4
Vacherauville (55) 35 H 2
Vachères (04) 180 C 4
Vachères-en-Quint (26) 165 E 1
Vacheresse (74) 125 F 2
La Vacheresse-et-la-Rouillie (88) 76 B 2
Vacheresses-les-Basses (28) 50 A 3
La Vacherie (27) 29 G 3
La Vachette (05) 153 E 5
Vacognes (14) 27 E 4
Vacon (55) 56 A 2
La Vacquerie (14) 25 H 3
La Vacquerie-et-St-Martin-de-Castries (34) 192 C 1
Vacquerie-le-Boucq (62) 7 F 3
Vacqueriette-Erquières (62) 7 E 3
Vacqueville (54) 57 H 3
Vacqueyras (84) 179 G 2
Vacquières (30) 178 B 3
Vacquières (34) 177 H 5
Vacquiers (31) 189 G 1
Vadans (39) 110 B 2
Vadans (70) 94 B 4
Vadelaincourt (55) 35 G 4
Vadenay (51) 34 B 4
Vadencourt (02) 17 F 1
Vadencourt (80) 15 G 1
Vadonville (55) 56 A 1
Vagnas (07) 178 C 1
Vagney (88) 77 H 3
Vahl-Ebersing (57) 37 H 3
Vahl-lès-Bénestroff (57) 37 H 5
Vahl-lès-Faulquemont (57) 37 G 4
Vaiges (53) 67 E 3
Vailhan (34) 192 B 3
Vailhauquès (34) 193 E 2
Vailhourles (12) 174 C 1
Vaillac (46) 158 C 3
Vaillant (52) 93 G 1
Vailly (10) 53 H 5
Vailly (74) 125 E 3
Vailly-sur-Aisne (02) 33 E 1
Vailly-sur-Sauldre (18) 89 H 3
Vains (50) 45 H 2
Vairé (85) 99 E 5
Vaire-Arcier (25) 95 E 4
Vaire-le-Petit (25) 95 E 4
Vaire-sous-Corbie (80) 15 H 1
Vaires-sur-Marne (77) 51 H 1
Vaison-la-Romaine (84) 179 G 1
Vaïssac (82) 174 A 4
Vaite (70) 94 B 2
La Vaivre (70) 77 F 4
Vaivre-et-Montoille (70) 95 E 1
Le Val (83) 196 D 3
Le Val-André (22) 44 A 2
Val-Claret (73) 139 G 5
Le Val-d'Ajol (88) 77 G 3
Val-d'Auzon (10) 54 B 5
Le Val-David (27) 29 G 5
Val-de-Bride (57) 37 H 5
Val-de-Chalvagne (04) 182 C 4
Val-de-Fier (74) 137 H 1
Le Val-de-Gouhenans (70) 95 G 1
Le Val-de-Guéblange (57) 38 A 4
Val-de-la-Haye (76) 29 F 1
Val-de-Mercy (89) 91 E 1
Val-de-Reuil (27) 29 G 2
Val-de-Roulans (25) 95 F 3
Val-de-Saâne (76) 13 F 3
Val-de-Vesle (51) 34 A 3
Val-de-Vière (51) 54 D 1
Val-d'Épy (39) 123 F 2
Val-des-Prés (05) 153 E 5
Val d'Esquières (83) 197 H 4
Val-d'Isère (73) 139 G 5
Val-d'Izé (35) 65 H 1
Val-et-Châtillon (54) 58 A 3
Val-Louron (65) 205 E 4
Val-Maravel (26) 165 G 3
Le Val-St-Éloi (70) 77 E 5
Le Val-St-Germain (91) 50 D 3
Le Val-St-Père (50) 45 H 2
Val-Suzon (21) 93 E 3
Val-Thorens (73) 153 E 2
Valady (12) 160 A 5
Valailles (27) 28 D 3
Valaine (35) 45 H 4
Valaire (41) 87 G 5
Valanjou (49) 84 D 5
Valaurie (26) 163 H 5
Valavoire (04) 181 E 1
Valay (70) 94 B 4
Valbeleix (63) 146 D 1
Valbelle (04) 180 D 2
Valberg (06) 182 C 2
Valbonnais (38) 152 A 5
Valbonne (06) 199 E 1
Valcabrère (31) 205 F 2
Valcanville (50) 23 E 2
Valcebollère (66) 211 H 5
Valcivières (63) 134 B 5
Valcourt (52) 55 E 3
Valdahon (25) 95 F 5
Valdampierre (60) 30 D 2
Valdeblore (06) 183 E 2
Le Valdécie (50) 22 C 4
Valdelancourt (52) 75 F 2
Valderiès (81) 175 E 4
Valderoure (06) 182 B 5
Valdieu-Lutran (68) 97 E 1
Valdivienne (86) 115 H 2
Valdoie (90) 96 C 1
Valdrôme (26) 165 G 4
Valdurenque (81) 190 D 3
Valeille (42) 135 E 4
Valeilles (82) 172 D 1
Valeins (01) 122 C 5
Valempoulières (39) 110 C 3
Valençay (36) 104 A 1
Valence (16) 128 C 2
Valence P (26) 149 H 5
Valence (82) 172 D 3
Valence-d'Albigeois (81) 175 F 4
Valence-en-Brie (77) 52 A 4
Valence-sur-Baïse (32) 172 A 5
Valenciennes SP (59) 9 F 2
Valencin (38) 136 C 4
Valencogne (38) 137 F 5
Valennes (72) 69 E 3
Valensole (04) 181 E 5
Valentigney (25) 96 C 2
La Valentine (13) 196 A 5
Valentine (31) 205 G 2
Valenton (94) 51 G 2
Valergues (34) 193 G 2
Valernes (04) 181 E 1
Valescourt (60) 15 G 5
Valescure (83) 198 D 3
Valette (15) 146 B 3
La Valette (38) 151 H 5
La Valette-du-Var (83) 201 E 3
Valeuil (24) 143 E 2
Valeyrac (33) 140 D 1
Valezan (73) 139 E 4
Valff (67) 59 E 4
Valfin-lès-Saint-Claude (39) 124 A 2
Valfin-sur-Valouse (39) 123 G 2
Valflaunès (34) 193 F 1
Valfleury (42) 135 F 5
Valframbert (61) 48 A 4
Valfréjus (73) 153 E 3
Valfroicourt (88) 76 D 1
Valgorge (07) 162 C 3
Valhey (54) 57 F 2

A B C D E F G H I J K L M N O P Q R S T U V W X Y Z

Localité (Département) Page Coordonnées

Valhuon (62) 7 G 2
Valiergues (19) 145 H 1
Valignat (03) 119 G 5
Valigny (03) 106 A 5
Valines (80) 6 C 5
Valjouffrey (38) 152 A 5
Valjouze (15) 147 E 4
La Valla-en-Gier (42) 149 F 1
La Valla-sur-Rochefort (42) 134 B 3
Vallabrègues (30) 178 D 5
Vallabrix (30) 178 C 3
Vallan (89) 91 E 1
Vallangoujard (95) 31 E 3
Vallans (79) 114 A 4
Vallant-St-Georges (10) 53 G 4
Vallauris (06) 199 E 2
Valle-d'Alesani (2B) 217 G 2
Valle-di-Campoloro (2B) 217 G 1
Valle-di-Mezzana (2A) 216 C 5
Valle-di-Rostino (2B) 215 F 5
Valle-d'Orezza (2B) 217 G 1
Vallecalle (2B) 215 F 4
La Vallée (17) 126 D 2
La Vallée-au-Blé (02) 17 G 2
Vallée des Singes (86) 115 F 4
La Vallée-Mulâtre (02) 9 F 5
Les Vallées (37) 86 C 4
Vallègue (31) 189 H 4
Valleiry (74) 124 A 5
Vallenay (18) 105 F 4
Vallentigny (10) 54 C 4
Vallerange (57) 37 H 4
Vallérargues (30) 178 B 3
Valleraugue (30) 177 F 3
Vallères (37) 86 C 4
Valleret (52) 55 F 4
Vallereuil (24) 142 D 4
Vallerois-le-Bois (70) 95 F 2
Vallerois-Lorioz (70) 95 E 2
Valleroy (25) 95 E 3
Valleroy (52) 94 B 1
Valleroy (54) 20 C 5
Valleroy-aux-Saules (88) 77 E 1
Valleroy-le-Sec (88) 76 D 1
Vallery (89) 72 B 1
Vallesvilles (31) 189 H 2
Vallet (17) 141 G 2
Vallet (44) 83 H 5
Valletot (27) 28 D 1
Vallica (2B) 214 D 5
Vallière (23) 131 F 2
Vallières (10) 73 H 3
Vallières (37) 86 C 4
Vallières (74) 137 H 1
Vallières-les-Grandes (41) 87 G 3
Valliguières (30) 178 D 4
Valliquerville (76) 13 E 4
Valloire (73) 152 D 3
Valloires (80) 6 D 3
Vallois (54) 57 G 4
Les Vallois (88) 77 E 1
Vallon (12) 160 B 2
Vallon-en-Sully (03) 118 D 1
Vallon-Pont-d'Arc (07) 163 E 5
Vallon-sur-Gée (72) 67 G 4
Vallorcine (74) 125 G 5
Vallouise (05) 167 E 1
Valmanya (66) 212 C 4
Le Valmartin (76) 13 G 4
Valmascle (34) 192 B 2
Valmeinier (73) 152 D 3
Valmestroff (57) 21 E 3
Valmigère (11) 208 B 3
Valmondois (95) 31 E 4
Valmont (57) 37 H 3
Valmont (76) 12 D 3
Valmorel (73) 138 D 5
Valmunster (57) 21 G 4
Valmy (51) 34 D 4
Valognes (50) 22 D 4
Valojoulx (24) 143 H 5
Valonne (25) 95 H 3
Valoreille (25) 96 C 4
Valouse (26) 164 D 4
Valprionde (46) 173 F 1
Valprivas (43) 148 C 2
Valpuiseaux (91) 51 F 5
Valras-Plage (34) 192 B 5
Valréas (84) 164 C 5
Valros (34) 192 C 4
Valroufié (46) 158 C 4
Vals (09) 207 F 2
Vals-le-Chastel (43) 147 G 3
Vals-les-Bains (07) 163 E 3
Vals-près-le-Puy (43) 148 B 5
Valsemé (14) 28 A 2
Valserres (05) 166 B 4
Valsonne (69) 135 F 1
Le Valtin (88) 78 B 2
Valuéjols (15) 146 D 4
Valvignères (07) 163 F 4
Valz-sous-Châteauneuf (63) 147 G 1
Valzergues (12) 159 G 4
Vanault-le-Châtel (51) 54 D 1
Vanault-les-Dames (51) 54 D 1
Vançais (79) 115 E 3
Vancé (72) 68 D 5
La Vancelle (67) 58 D 5
Vanclans (25) 111 F 1
Vandeins (01) 122 D 4
Vandelainville (54) 36 C 4
Vandelans (70) 95 E 3
Vandeléville (54) 56 D 4
Vandélicourt (60) 16 A 5
Vandenesse (58) 107 G 3
Vandenesse-en-Auxois (21) 92 D 5
Vandeuil (51) 33 F 2
Vandières (51) 33 F 4
Vandières (54) 36 D 4
Vandœuvre-lès-Nancy (54) 57 E 2
Vandoncourt (25) 96 D 2
Vandré (17) 113 G 5
Vandrimare (27) 29 H 1
Vandy (08) 18 D 5
Les Vanels (48) 177 E 2
Vanémont (88) 78 A 1
Vanlay (10) 73 H 3
Vannaire (21) 74 C 4
Vanne (70) 94 C 1
Le Vanneau (79) 113 H 3
Vannecourt (57) 37 G 5
Vannecrocq (27) 28 C 2
Vannes [P] (56) 81 G 2
Vannes-le-Châtel (54) 56 B 3
Vannes-sur-Cosson (45) 89 E 1
Vannoz (39) 110 D 4
Vanosc (07) 149 F 3
Les Vans (07) 162 D 5
Vantoux (57) 21 E 5
Vantoux-et-Longevelle (70) 94 C 3
Vanves (92) 51 F 1
Vanvey (21) 74 D 5
Vanvillé (77) 52 B 3
Vanxains (24) 142 C 3
Vany (57) 21 E 5
Vanzac (17) 141 G 2
Vanzay (79) 115 E 4
Vanzy (74) 124 A 5
Vaour (81) 174 B 3
Varacieux (38) 151 E 3
Varades (44) 84 A 3
Varage (13) 195 E 3
Varages (83) 196 D 2
Varaignes (24) 129 E 5
Varaire (46) 174 B 1
Varaize (17) 127 G 1
Varambon (01) 123 E 5
Varanges (21) 93 G 5
Varangéville (54) 57 E 2
Varaville (14) 27 G 2
Varces-Allières-et-Risset (38) 151 G 4
Vareilles (23) 117 E 3
Vareilles (71) 121 G 3
Vareilles (89) 73 E 2
Varen (82) 174 C 2
Varengeville-sur-Mer (76) 13 G 1
Varenguebec (50) 22 D 5
La Varenne (49) 83 H 4
Varenne-l'Arconce (71) 121 F 3
Varenne-St-Germain (71) 121 E 2
Varennes (24) 157 E 1
Varennes (31) 189 H 3
Varennes (37) 103 E 2
Varennes (80) 7 H 5
Varennes (82) 173 H 5
Varennes (86) 102 A 4
Varennes (89) 73 G 4
Varennes-Changy (45) 71 H 5
Varennes-en-Argonne (55) 35 F 2
Varennes-Jarcy (91) 51 G 2
Varennes-le-Grand (71) 109 E 5
Varennes-lès-Mâcon (71) 122 B 3
Varennes-lès-Narcy (58) 90 B 5
Varennes-sous-Dun (71) 121 G 3
Varennes-St-Honorat (43) 147 H 3
Varennes-St-Sauveur (71) 123 E 2
Varennes-sur-Allier (03) 120 A 3
Varennes-sur-Amance (52) 76 B 4
Varennes-sur-Fouzon (36) 88 A 5
Varennes-sur-Loire (49) 85 H 5
Varennes-sur-Morge (63) 133 F 2
Varennes-sur-Seine (77) 52 A 5
Varennes-sur-Tèche (03) 120 C 3
Varennes-sur-Usson (63) 133 G 5
Varennes-Vauzelles (58) 106 C 2
Varès (47) 156 C 5
Varesnes (60) 16 C 5
Varessia (39) 123 G 1
Varetz (19) 144 B 3
Varilhes (09) 207 E 2
Varimont (51) 34 D 5
Varinfroy (60) 32 B 4
Variscourt (02) 33 H 1
Varize (28) 70 A 3
Varize (57) 21 G 5
Varmonzey (88) 57 E 5
Varnéville (55) 36 A 5
Varneville-Bretteville (76) 13 G 4
Varogne (70) 77 E 5
Varois-et-Chaignot (21) 93 G 4
Varouville (50) 23 E 2
Varrains (49) 85 G 5
Varreddes (77) 32 A 5
Vars (05) 167 F 3
Vars (16) 128 B 3
Vars (70) 94 A 2
Vars-sur-Roseix (19) 144 B 3
Varsberg (57) 21 H 5
Varvinay (55) 36 A 5
Varzay (17) 127 E 3
Varzy (58) 90 D 4
Vascœuil (27) 29 H 1
Vasles (79) 114 D 1
Vasouy (14) 28 A 1
Vasperviller (57) 58 B 2
Vassel (63) 133 G 3
Vasselay (18) 105 F 1
Vasselin (38) 137 E 4
Vassens (02) 16 C 5
Vasseny (02) 33 E 1
Vassieux-en-Vercors (26) 165 E 1
Vassimont-et-Chapelaine (51) 54 A 2
Vassincourt (55) 55 F 1
Vassogne (02) 33 F 1
Vassonville (76) 13 G 3
Vassy (14) 46 D 1
Vassy (89) 92 A 2
Le Vast (50) 23 E 3
Vastérival (76) 13 G 1
Vasteville (50) 22 B 3
Les Vastres (43) 148 D 5
Vatan (36) 104 C 2
Vathiménil (54) 57 G 3
Vatierville (76) 14 B 3
Vatilieu (38) 151 E 2
Vatimont (57) 37 F 4
Vatry (51) 54 A 1
Vattetot-sous-Beaumont (76) 12 C 4
Vattetot-sur-Mer (76) 12 B 3
Vatteville (27) 29 H 2
Vatteville-la-Rue (76) 13 E 5
Vaubadon (14) 25 H 2
Vauban (71) 121 G 4
Vaubecourt (55) 35 F 5
Vaubexy (88) 57 E 5
Vaucé (53) 46 D 4
Vaucelles (14) 25 H 2
Vaucelles-et-Beffecourt (02) 17 E 5
Vauchamps (25) 95 F 4
Vauchamps (51) 53 E 1
Vauchassis (10) 73 G 1
Vauchelles (60) 16 B 4
Vauchelles-lès-Authie (80) 7 H 5
Vauchelles-lès-Domart (80) 7 E 5
Vauchelles-les-Quesnoy (80) 6 D 5
Vauchignon (21) 108 D 2
Vauchonvilliers (10) 74 C 1
Vauchoux (70) 94 D 1
Vauchrétien (49) 85 E 4
Vauciennes (51) 33 G 4
Vauciennes (60) 32 B 2
Vauclaix (58) 91 G 5
Vauclerc (51) 54 D 2
Vaucluse (05) 165 G 5
Vaucluse (25) 95 H 4
Vauclusotte (25) 96 C 4
Vaucogne (10) 54 B 4
Vauconcourt-Nervezain (70) 94 C 1
Vaucottes-sur-Mer (76) 12 B 3
Vaucouleurs (55) 56 B 3
Vaucourt (54) 57 H 2
Vaucourtois (77) 32 A 5
Vaucresson (92) 51 E 1
Vaudancourt (60) 30 B 2
Vaudebarrier (71) 121 G 2
Vaudelnay (49) 101 F 1
Vaudeloges (14) 27 H 5
Vaudemange (51) 34 A 4
Vaudémont (54) 56 D 4
Vaudes (10) 74 A 2
Vaudesincourt (51) 34 B 2
Vaudesson (02) 17 E 5
Vaudeurs (89) 73 E 2
Vaudevant (07) 149 F 4
Vaudeville (54) 57 E 4
Vaudéville (88) 77 G 1
Vaudeville-le-Haut (55) 56 A 4
Vaudherland (95) 31 G 5
Vaudigny (54) 57 E 4
Le Vaudioux (39) 110 D 4
Vaudoncourt (55) 20 B 4
Vaudoncourt (88) 76 C 1
Le Vaudoué (77) 51 G 5
Vaudoy-en-Brie (77) 52 B 2
Vaudreching (57) 21 G 4
Vaudrecourt (52) 76 B 1
Vaudrémont (52) 75 E 2
Le Vaudreuil (27) 29 G 2
Vaudreuille (31) 190 B 4
Vaudreville (50) 23 E 4
Vaudrey (39) 110 B 2
Vaudricourt (62) 4 A 5
Vaudricourt (80) 6 B 5
Vaudrimesnil (50) 24 D 3
Vaudringhem (62) 2 D 5
Vaudrivillers (25) 95 G 4
Vaudry (14) 46 C 1
Vaufrèges (13) 195 H 5
Vaufrey (25) 96 D 3
Vaugines (84) 180 A 5
Vaugneray (69) 135 G 3
Vaugrigneuse (91) 51 E 3
Vauhallan (91) 51 E 2
Vaujany (38) 152 A 3
Vaujours (93) 31 G 5
Vaulandry (49) 85 G 2
Le Vaulmier (15) 146 A 3
Vaulnaveys-le-Bas (38) 151 H 4
Vaulnaveys-le-Haut (38) 151 H 3
Vaulry (87) 129 H 1
Vault-de-Lugny (89) 91 G 3
Vaulx (62) 7 E 3
Vaulx (74) 138 A 1
Vaulx-en-Velin (69) 136 B 3
Vaulx-Milieu (38) 136 D 4
Vaulx-Vraucourt (62) 8 B 4
Le Vaumain (60) 30 C 2
Vaumas (03) 120 C 2
Vaumeilh (04) 181 E 1
Vaumoise (60) 32 B 2
Vaumort (89) 72 D 2
Vaunac (24) 143 G 2
Vaunaveys-la-Rochette (26) 164 C 2
Vaunoise (61) 48 C 5
La Vaupalière (76) 13 G 5
Vaupillon (28) 49 F 4
Vaupoisson (10) 54 A 4
Vauquois (55) 35 F 2
Vauréal (95) 30 D 4
Vaureilles (12) 159 G 5
Le Vauriat (63) 132 D 2
Le Vauroux (60) 30 C 1
Vausseroux (79) 114 D 1
Vautebis (79) 114 C 1
Vauthiermont (90) 78 B 5
Vautorte (53) 46 C 5
Vauvenargues (13) 196 A 2
Vauvert (30) 194 A 1
Vauville (14) 27 H 2
Vauville (50) 22 B 2
Vauvillers (70) 76 D 4
Vauvillers (80) 15 H 2
Vaux (03) 118 D 2
Vaux (31) 190 A 4
Vaux (57) 36 D 3
Vaux (86) 115 F 3
Vaux (89) 91 E 1
Vaux-Andigny (02) 9 F 5
Vaux-Champagne (08) 18 C 5
Vaux-devant-Damloup (55) 20 A 5
Vaux-en-Amiénois (80) 15 F 1
Vaux-en-Beaujolais (69) 122 A 5
Vaux-en-Bugey (01) 137 E 1
Vaux-en-Dieulet (08) 19 F 5
Vaux-en-Pré (71) 108 D 5
Vaux-en-Vermandois (02) 16 C 2
Vaux-et-Chantegrue (25) 111 F 3
Vaux-la-Douce (52) 76 B 4
Vaux-Lavalette (16) 142 C 1
Vaux-le-Moncelot (70) 94 C 3
Vaux-le-Pénil (77) 51 H 4
Vaux-le-Vicomte
(Château de) (77) 51 H 3
Vaux-lès-Mouron (08) 34 D 2
Vaux-lès-Mouzon (08) 19 G 4
Vaux-lès-Palameix (55) 36 A 4
Vaux-les-Prés (25) 94 C 5
Vaux-lès-Rubigny (08) 18 A 3
Vaux-lès-St-Claude (39) 123 H 2
Vaux-Marquenneville (80) 14 C 1
Vaux-Montreuil (08) 18 C 4
Vaux-Rouillac (16) 128 A 3
Vaux-Saules (21) 93 E 3
Vaux-sous-Aubigny (52) 93 H 1
Vaux-sur-Aure (14) 26 D 1
Vaux-sur-Blaise (52) 55 F 4
Vaux-sur-Eure (27) 29 H 4
Vaux-sur-Lunain (77) 72 A 1
Vaux-sur-Mer (17) 126 C 4
Vaux-sur-Poligny (39) 110 C 3
Vaux-sur-Risle (27) 48 D 1
Vaux-sur-Seine (78) 30 D 4
Vaux-sur-Seulles (14) 27 E 2
Vaux-sur-Somme (80) 15 H 1
Vaux-sur-St-Urbain (52) 55 G 5
Vaux-sur-Vienne (86) 102 C 3
Vaux-Villaine (08) 18 C 2
Vauxaillon (02) 17 E 5
Vauxbons (52) 75 G 4
Vauxbuin (02) 32 C 1
Vauxcéré (02) 33 E 1
Vauxrenard (69) 122 A 4
Vauxrezis (02) 32 C 1
Vauxtin (02) 33 E 1
Vavincourt (55) 55 G 1
Vavray-le-Grand (51) 54 D 1
Vavray-le-Petit (51) 54 D 1
La Vavrette (01) 123 E 5
Vaxainville (54) 57 H 3
Vaxoncourt (88) 57 F 5
Vaxy (57) 37 G 5
Vay (44) 83 E 2
Vaychis (09) 207 F 5
Vaylats (46) 174 A 1
Vayrac (46) 144 D 5
Vayres (33) 155 G 1
Vayres (87) 129 F 3
Vayres-sur-Essonne (91) 51 F 5
Vazeilles-Limandre (43) 148 A 4
Vazeilles-près-Saugues (43) 161 H 1
Vazerac (82) 173 G 2
Veauce (03) 119 G 5
Veauche (42) 135 E 5
Veauchette (42) 135 E 5
Veaugues (18) 89 H 5
Veaunes (26) 149 H 4
Veauville-lès-Baons (76) 13 E 4
Veauville-lès-Quelles (76) 13 E 3
Veaux (84) 179 H 2
Vèbre (09) 207 F 5
Vebret (15) 146 A 2
Vebron (48) 177 E 2
Vecchio (Pont du) (2B) 217 E 3
Veckersviller (57) 38 B 5
Veckring (57) 21 F 3
Vecoux (88) 77 H 3
Vecquemont (80) 15 G 2
Vecqueville (52) 55 G 4
Vedène (84) 179 F 4
Védrines-St-Loup (15) 147 F 4
Végennes (19) 144 D 5
Vého (54) 57 H 2
Veigné (37) 86 D 5
Veigy-Foncenex (74) 124 C 3
Veilhes (81) 190 A 2
Veillac (15) 146 A 1
Veilleins (41) 88 B 4
Veilly (21) 108 D 1
Veix (19) 131 E 5
Velaine-en-Haye (54) 56 D 2
Velaine-sous-Amance (54) 57 E 1
Velaines (55) 55 G 2
Velanne (38) 137 G 5
Velars-sur-Ouche (21) 93 E 4
Velaux (13) 195 G 3
Velennes (60) 15 E 5
Velennes (80) 15 E 3
Velesmes-Echevanne (70) 94 B 3
Velesmes-Essarts (25) 94 C 5
Velet (70) 94 A 3
Vélieux (34) 191 G 4
Vélines (24) 156 B 1
Vélizy-Villacoublay (78) 51 E 1
Velle-le-Châtel (70) 94 D 1
Velle-sur-Moselle (54) 57 E 3
Vellèches (86) 102 C 3
Vellechevreux-
et-Courbenans (70) 95 G 2
Velleclaire (70) 94 C 3
Vellefaux (70) 95 E 2
Vellefrey-et-Vellefrange (70) 94 C 3
Vellefrie (70) 77 E 5
Velleguindry-et-Levrecey (70) 95 E 2
Velleminfroy (70) 95 F 1
Vellemoz (70) 94 C 3
Velleron (84) 179 G 4
Vellerot-lès-Belvoir (25) 95 H 3
Vellerot-lès-Vercel (25) 95 G 4
Velles (36) 104 B 5
Velles (52) 76 B 4
Vellescot (90) 96 D 1
Vellevans (25) 95 G 4
Vellexon-Queutrey-
et-Vaudey (70) 94 C 2
Velloreille-lès-Choye (70) 94 B 3
Velluire (85) 113 G 2
Velogny (21) 92 C 4
Velone-Orneto (2B) 217 G 1
Velorcey (70) 77 E 5
Velorgues (84) 179 G 4
Velosnes (55) 20 A 2
Velotte-et-Tatignécourt (88) 77 E 1
Vélu (62) 8 C 5
Velving (57) 21 G 4
Vélye (51) 33 H 5
Velzic (15) 146 A 5
Vémars (95) 31 G 4
Venables (27) 29 H 3
Venaco (2B) 217 E 3
Venansault (85) 99 F 4
Venanson (06) 183 F 2
Venarey-les-Laumes (21) 92 C 2
Venarsal (19) 144 C 3
Venas (03) 119 E 2
Venasque (84) 179 H 4
Vence (06) 183 E 5
Vendargues (34) 193 G 2
Vendat (03) 120 A 5
Vendays-Montalivet (33) 140 C 1
Vendegies-au-Bois (59) 9 F 4
Vendegies-sur-Ecaillon (59) 9 F 3
Vendègre (63) 133 G 1
Vendel (35) 45 H 5
La Vendelée (50) 24 D 3
Vendelles (02) 16 C 1
Vendémian (34) 192 D 2
Vendenesse-
lès-Charolles (71) 121 G 2
Vendenesse-sur-Arroux (71) 107 H 5
Vendenheim (67) 59 F 1
Vendes (14) 27 E 3
Vendes (15) 145 H 2
Vendeuil (02) 16 D 3
Vendeuil-Caply (60) 15 F 4
Vendeuvre (14) 27 H 4
Vendeuvre-du-Poitou (86) 102 A 4
Vendeuvre-sur-Barse (10) 74 C 1
Vendeville (59) 4 C 4
Vendhuile (02) 16 C 1
Vendières (02) 52 D 1
Vendin-le-Vieil (62) 4 B 5
Vendin-lès-Béthune (62) 7 H 1
Vendine (31) 189 H 2
Vendœuvres (36) 103 H 4
Vendoire (24) 142 C 1
Vendôme [SP] (41) 69 F 5
Vendranges (42) 134 D 2
Vendras (30) 178 B 2
Vendrennes (85) 100 A 3
Vendres (34) 192 B 5
Vendresse (08) 19 E 4
Vendresse-Beaulne (02) 33 F 1
Vendrest (77) 32 B 4
La Vendue-Mignot (10) 73 H 2
Veneffles (35) 65 G 3
Vénéjan (30) 178 D 2
Venelles (13) 196 A 2
Vénérand (17) 127 F 3
Venère (70) 94 B 4
Vénérieu (38) 136 D 4
Vénérolles (02) 17 F 1
Venerque (31) 189 F 4
Vénès (81) 190 C 1
Venesmes (18) 105 F 4
Vénestanville (76) 13 F 2
Venette (60) 32 A 1
Veneux-les-Sablons (77) 52 A 5
Veney (54) 57 H 4
Vengeons (50) 46 C 1
Véniers (86) 101 H 2
Venise (25) 95 E 4
Venisey (70) 76 D 4
Vénissieux (69) 136 B 4
Venizel (02) 32 D 1
Venizy (89) 73 F 3
Vennans (25) 95 F 4
Vennecy (45) 70 D 4
Vennes (25) 95 H 5
Vennezey (54) 57 F 4
Venon (27) 29 F 3
Venon (38) 151 H 3
Venosc (38) 152 B 4
Venouse (89) 73 F 4
Venoy (89) 73 F 5
Vensac (33) 140 C 1
Vensat (63) 133 F 1
Ventabren (13) 195 G 3
Ventavon (05) 166 A 5
Ventelay (51) 33 F 1
Ventenac (09) 207 F 3
Ventenac-Cabardès (11) 190 D 5
Ventenac-en-Minervois (11) 191 H 5
Venterol (04) 166 B 4
Venterol (26) 164 D 5
Les Ventes (27) 29 F 5
Les Ventes-de-Bourse (61) 48 B 4
Ventes-St-Rémy (76) 13 H 3
Venteuges (43) 147 G 5
Venteuil (51) 33 G 4
Venthon (73) 138 C 3
Ventiseri (2B) 217 G 5
Le Ventouret (84) 180 A 2
Ventouse (16) 128 C 2
Ventron (88) 78 A 3
Les Ventrons (13) 195 F 4
La Ventrouze (61) 48 D 3
Venzolasca (2B) 215 G 5
Ver (50) 24 D 5
Ver-lès-Chartres (28) 50 A 5
Ver-sur-Launette (60) 31 H 4
Ver-sur-Mer (14) 27 E 1
Vérac (33) 141 G 5
Véranne (42) 149 G 1
Vérargues (34) 193 H 1
Véraza (11) 208 B 3
Verberie (60) 31 H 2
Verbiesles (52) 75 G 2
Vercel-Villedieu-
le-Camp (25) 95 G 5
Verchain-Maugré (59) 9 E 3
Verchaix (74) 125 F 5
Vercheny (26) 165 E 2
Les Verchers-sur-Layon (49) 101 F 1
Verchin (62) 7 F 1
Verchocq (62) 7 E 1
Vercia (39) 123 F 1
Verclause (26) 165 F 5
Vercoiran (26) 180 A 1
Vercourt (80) 6 C 3
Verdaches (04) 181 G 1
Verdalle (81) 190 C 3
Verde (Col de) (2B) 217 F 4
Verdelais (33) 155 G 3
Verdelot (77) 52 D 1
Verdenal (54) 57 H 2
Verderel (60) 15 E 5
Verderonne (60) 31 G 2
Verdes (41) 69 H 4
Verdèse (2B) 217 G 1
Verdets (64) 186 A 5
Verdey (51) 53 F 2
Le Verdier (81) 174 B 4
La Verdière (83) 196 C 2
Verdigny (18) 90 A 4
Verdille (16) 128 A 2
Verdilly (02) 32 D 4
Verdon (24) 157 E 2
Verdon (51) 33 E 5
Le Verdon-sur-Mer (33) 126 C 5
Verdonnet (21) 92 B 1
Verdun (09) 207 F 5
Verdun [SP] (55) 35 H 3
Verdun-en-Lauragais (11) 190 B 4
Verdun-sur-Garonne (82) 173 F 5
Verdun-sur-le-Doubs (71) 109 F 3
Vereaux (18) 106 A 3
Verel-de-Montbel (73) 137 G 5
Verel-Pragondran (73) 138 A 4
Véretz (37) 87 E 4
Vereux (70) 94 B 2
Verfeil (31) 189 H 2
Verfeil (82) 174 B 2
Verfeuil (30) 178 C 2
Vergaville (57) 37 H 5
Vergéal (35) 65 H 3
La Vergenne (70) 95 G 1
Le Verger (35) 64 D 2
Verger-sur-Dive (86) 101 H 4

A B C D E F G H I J K L M N O P Q R S T U V W X Y Z

Localité (Département) Page Coordonnées
279

Vergeroux *(17)* 126 C 1
Verges *(39)* 110 B 5
Vergetot *(76)* 12 B 4
Vergezac *(43)* 148 A 5
Vergèze *(30)* 193 H 1
Vergheas *(63)* 132 C 1
Vergies *(80)* 14 D 1
Vergigny *(89)* 73 F 4
Vergio *(Col de) (2B)* 216 C 2
Vergisson *(71)* 122 B 3
Vergnas *(19)* 130 D 5
La Vergne *(15)* 145 H 3
La Vergne *(17)* 127 F 1
Vergné *(17)* 114 A 5
Vergoignan *(32)* 186 D 1
Vergoncey *(50)* 45 H 3
Vergongheon *(43)* 147 F 2
Vergonnes *(49)* 66 A 5
Vergons *(04)* 182 A 4
Vergonzac *(43)* 147 H 4
Vergranne *(25)* 95 F 3
Vergt *(24)* 143 F 5
Vergt-de-Biron *(24)* 157 F 3
Le Verguier *(02)* 16 C 1
Véria *(39)* 123 F 2
Vérignon *(83)* 197 F 1
Vérigny *(28)* 49 H 4
Vérin *(42)* 149 G 1
Vérines *(17)* 113 F 4
Vérissey *(71)* 109 G 5
Verjon *(01)* 123 E 3
Verjux *(71)* 109 F 3
Verlans *(70)* 95 H 1
Verlhac-Tescou *(82)* 173 H 4
Verlin *(89)* 72 C 3
Verlincthun *(62)* 2 B 5
Verlinghem *(59)* 4 C 3
Verlus *(32)* 186 D 2
Vermand *(02)* 16 C 2
Vermandovillers *(80)* 16 A 2
Vermelles *(62)* 4 A 5
Vermenton *(89)* 91 F 1
Vermondans *(25)* 96 C 3
Le Vermont *(88)* 58 B 4
Vern-sur-Seiche *(35)* 65 F 2
Vernais *(18)* 105 H 4
Vernaison *(69)* 135 H 4
Vernajoul *(09)* 207 E 3
Vernancourt *(51)* 55 E 1
Vernantes *(49)* 85 H 4
Vernantois *(39)* 110 B 5
La Vernarède *(30)* 177 H 1
Vernas *(38)* 136 D 3
Vernassal *(43)* 148 A 4
Vernaux *(09)* 207 F 5
Vernay *(69)* 121 H 5
La Vernaz *(74)* 125 E 3
Verne *(25)* 95 F 3
Vernègues *(13)* 195 G 1
Verneiges *(23)* 118 C 4
Le Verneil *(73)* 138 B 5
Verneil-le-Chétif *(72)* 86 B 1
Verneix *(03)* 119 E 3
La Vernelle *(36)* 88 A 5
Le Vernet *(03)* 120 B 5
Le Vernet *(04)* 181 H 1
Le Vernet *(09)* 207 E 1
Vernet *(31)* 189 F 4
Le Vernet *(43)* 147 H 5
Vernet-la-Varenne *(63)* 147 G 1
Vernet-les-Bains *(66)* 212 B 3
Le Vernet-
Ste-Marguerite *(63)* 133 E 5
Verneugheol *(63)* 132 B 3
Verneuil *(16)* 129 F 3
Verneuil *(18)* 105 H 4
Verneuil *(51)* 33 F 4
Verneuil *(58)* 107 E 3
Verneuil-
en-Bourbonnais *(03)* 119 H 3
Verneuil-en-Halatte *(60)* 31 G 2
Verneuil-Grand *(55)* 19 H 5
Verneuil-le-Château *(37)* 102 B 2
Verneuil-l'Étang *(77)* 52 A 3
Verneuil-Moustiers *(87)* 116 C 3
Verneuil-Petit *(55)* 19 H 4
Verneuil-sous-Coucy *(02)* 16 D 5
Verneuil-sur-Avre *(27)* 49 F 2
Verneuil-sur-Igneraie *(36)* 104 D 5
Verneuil-sur-Indre *(37)* 103 F 2
Verneuil-sur-Seine *(78)* 30 D 5
Verneuil-sur-Serre *(02)* 17 F 4
Verneuil-sur-Vienne *(87)* 129 H 2
Verneusses *(27)* 28 C 5
Vernéville *(57)* 20 D 5
Les Verneys *(73)* 152 D 3
Vernie *(72)* 67 H 2
Vernierfontaine *(25)* 111 F 1
Vernines *(63)* 132 D 4
Verniolle *(09)* 207 E 2
Vernioz *(38)* 149 H 1
Vernix *(50)* 46 A 2
Vernoil *(49)* 85 H 4
Le Vernois *(39)* 110 B 4
Vernois-le-Fol *(25)* 96 D 3
Vernois-lès-Belvoir *(25)* 95 H 4
Vernois-lès-Vesvres *(21)* 93 G 1
Vernois-sur-Mance *(70)* 76 C 4
Vernols *(15)* 146 C 3
Vernon *(07)* 162 D 4
Vernon *(27)* 30 A 4
Vernon *(86)* 115 G 2
Vernonnet *(27)* 30 A 4
Vernonvilliers *(10)* 54 D 5
Vernosc-lès-Annonay *(07)* 149 G 3
Vernot *(21)* 93 F 3
La Vernotte *(70)* 94 C 2
Vernou-en-Sologne *(41)* 88 B 3
Vernou-la-Celle-sur-Seine *(77)* 52 A 5
Vernou-sur-Brenne *(37)* 87 E 3
Vernouillet *(28)* 49 H 2
Vernouillet *(78)* 30 D 5
Vernoux *(01)* 122 D 2
Vernoux-en-Gâtine *(79)* 100 D 5
Vernoux-en-Vivarais *(07)* 163 G 1
Vernoux-sur-Boutonne *(79)* 114 C 4
Le Vernoy *(25)* 95 H 2
Vernoy *(89)* 72 C 3
Vernusse *(03)* 119 G 4
Verny *(57)* 37 E 4
Vero *(2A)* 216 D 4
Véron *(89)* 72 D 2
Véronne *(26)* 164 D 2
Véronnes *(21)* 93 G 2
Verosvres *(71)* 121 H 2
Verpel *(08)* 35 E 1
La Verpillière *(38)* 136 C 4
Verpillières *(80)* 16 A 4
Verpillières-sur-Ource *(10)* 74 C 3
Verquières *(13)* 179 F 5
Verquigneul *(62)* 4 A 5
Verquin *(62)* 4 A 5
Verrens-Arvey *(73)* 138 C 4
La Verrerie *(03)* 134 B 1
La Verrerie *(83)* 201 G 3
Verreries-de-Moussans *(34)* 191 F 4
Verrey-sous-Drée *(21)* 92 D 4
Verrey-sous-Salmaise *(21)* 92 D 3
Verricourt *(10)* 54 B 4
Verrie *(49)* 85 G 5
La Verrie *(85)* 100 A 2
La Verrière *(78)* 50 D 2
Verrières *(08)* 19 E 5
Verrières *(10)* 74 A 1
Verrières *(12)* 176 B 2
Verrières *(16)* 127 H 5
Verrières *(51)* 35 E 4
Verrières *(61)* 48 D 5
Verrières *(63)* 133 E 5
Verrières *(86)* 115 H 2
Verrières-de-Joux *(25)* 111 G 3
Verrières-du-Grosbois *(25)* 95 F 5
Verrières-en-Forez *(42)* 134 C 5
Verrières-le-Buisson *(91)* 51 E 2
Verrines-sous-Celles *(79)* 114 C 4
Verron *(72)* 85 G 1
Verrue *(86)* 102 A 3
Verruyes *(79)* 114 C 1
Vers *(46)* 158 C 5
Vers *(71)* 122 B 1
Vers *(74)* 124 B 5
Vers-en-Montagne *(39)* 110 D 3
Vers-Pont-du-Gard *(30)* 178 D 4
Vers-sous-Sellières *(39)* 110 A 3
Vers-sur-Méouge *(26)* 180 B 1
Vers-sur-Selles *(80)* 15 F 2
Versailles [P] *(78)* 51 E 1
Versailleux *(01)* 136 C 1
Versainville *(14)* 27 G 5
La Versanne *(42)* 149 F 2
Versaugues *(71)* 121 F 3
Verseilles-le-Bas *(52)* 75 H 5
Verseilles-le-Haut *(52)* 75 H 5
Versigny *(02)* 17 E 4
Versigny *(60)* 31 H 3
Versols-et-Lapeyre *(12)* 176 A 5
Verson *(14)* 27 E 3
Versonnex *(01)* 124 B 3
Versonnex *(74)* 137 H 1
Le Versoud *(38)* 151 H 3
Vert *(40)* 169 H 3
Vert *(78)* 30 B 5
Le Vert *(79)* 114 B 5
Vert-Bois *(17)* 126 B 2
Vert-en-Drouais *(28)* 49 H 2
Vert-la-Gravelle *(51)* 53 G 1
Vert-le-Grand *(91)* 51 F 3
Vert-le-Petit *(91)* 51 F 4
Vert-St-Denis *(77)* 51 H 3
Vertain *(59)* 9 F 4
Vertaizon *(63)* 133 G 3
Vertamboz *(39)* 110 C 5
Vertault *(21)* 74 B 4
Verteillac *(24)* 142 D 2
Vertes-Feuilles *(02)* 32 C 2
Verteuil-d'Agenais *(47)* 156 D 5
Verteuil-sur-Charente *(16)* 128 C 1
Verthemex *(73)* 137 H 4
Vertheuil *(33)* 140 D 2
Verthier *(74)* 138 B 2
Vertilly *(89)* 52 D 5
Vertolaye *(63)* 134 A 4
Verton *(62)* 6 C 2
Vertou *(44)* 83 G 5
Vertrieu *(38)* 137 E 2
Vertus *(51)* 33 H 5
Vertuzey *(55)* 56 B 1
Vervant *(16)* 128 B 2
Vervant *(17)* 127 G 1
Vervezelle *(88)* 77 H 1
Vervins [SP] *(02)* 17 G 2
Véry *(55)* 35 F 2
Verzé *(71)* 122 B 3
Verzeille *(11)* 208 B 2
Verzenay *(51)* 33 H 3
Verzy *(51)* 34 A 3
Vesaignes-
sous-Lafauche *(52)* 75 H 1
Vesaignes-sur-Marne *(52)* 75 G 3
Vesancy *(01)* 124 B 2
Vesc *(26)* 164 D 4
Vescemont *(90)* 78 A 5
Vescheim *(57)* 38 C 5
Vescles *(39)* 123 G 3
Vescours *(01)* 122 C 2
Vescovato *(2B)* 215 G 5
Vesdun *(18)* 118 C 1
Vésigneul-sur-Marne *(51)* 54 B 1
Vésines *(01)* 122 B 3
Le Vésinet *(78)* 31 E 5
Vesles-et-Caumont *(02)* 17 G 4
Veslud *(02)* 17 G 5
Vesly *(27)* 30 B 2
Vesly *(50)* 24 D 2
Vesoul [P] *(70)* 95 E 1
La Vespière-Friardel *(14)* 28 C 4
Vesseaux *(07)* 163 E 3
Vessey *(50)* 45 G 3
Vestric-et-Candiac *(30)* 194 A 1
Vesvres *(21)* 92 C 4
Vesvres-sous-Chalancey *(52)* 93 G 1
Vétheuil *(95)* 30 B 4
Vétraz-Monthoux *(74)* 124 C 4
Vétrigne *(90)* 96 D 1
Veuil *(36)* 104 A 1
Veuilly-la-Poterie *(02)* 32 C 4
Veules-les-Roses *(76)* 13 E 2
Veulettes-sur-Mer *(76)* 12 D 2
Le Veurdre *(03)* 106 B 4
Veurey-Voroize *(38)* 151 G 2
La Veuve *(51)* 34 B 4
Veuves *(41)* 87 G 3
Veuvey-sur-Ouche *(21)* 92 D 5
Veuxhaulles-sur-Aube *(21)* 75 E 4
Vevy *(39)* 110 B 5
Vexaincourt *(88)* 58 B 3
Le Vey *(14)* 27 E 5
Veynes *(05)* 165 H 4
Veyrac *(87)* 129 H 2
Veyras *(07)* 163 F 2
Veyre-Monton *(63)* 133 F 4
Veyreau *(12)* 176 D 2
Veyrier-du-Lac *(74)* 138 B 2
Veyrières *(15)* 145 H 2
Veyrières *(19)* 145 H 1
Veyrignac *(24)* 158 A 1
Veyrines-de-Domme *(24)* 157 H 2
Veyrines-de-Vergt *(24)* 143 F 5
Veyrins *(38)* 137 F 4
Veyrins-Thuellin *(38)* 137 F 4
Les Veys *(50)* 25 F 1
Veyssilieu *(38)* 136 D 4
Veyziat *(01)* 123 G 3
Vez *(60)* 32 B 2
Vézac *(15)* 160 A 1
Vézac *(24)* 158 A 1
Vézannes *(89)* 73 G 4
Vézaponin *(02)* 16 D 5
Vèze *(15)* 146 D 3
La Vèze *(25)* 95 E 5
Vézelay *(89)* 91 F 3
Vézelise *(54)* 56 D 4
Vézelois *(90)* 96 D 1
Vezels-Roussy *(15)* 160 B 2
Vézénobres *(30)* 178 A 3
Vézeronce-Curtin *(38)* 137 F 4
Vezet *(70)* 94 C 2
Vézézoux *(43)* 147 F 1
Le Vézier *(51)* 53 E 1
Vézières *(86)* 101 H 1
Vézillon *(27)* 29 H 3
Vézilly *(02)* 33 F 3
Vezin-le-Coquet *(35)* 65 E 2
Vézinnes *(89)* 73 H 4
Vezins *(49)* 100 C 1
Vezins *(50)* 46 A 3
Vézins-de-Lévézou *(12)* 176 A 1
Vezot *(72)* 48 B 5
Vezzani *(2B)* 217 F 3
Via *(66)* 211 H 4
Viabon *(28)* 70 B 1
Viala-du-Pas-de-Jaux *(12)* 176 B 4
Viala-du-Tarn *(12)* 176 A 3
Vialas *(48)* 177 H 1
La Vialatte *(19)* 145 H 1
Vialer *(64)* 186 D 3
Viam *(19)* 131 E 5
Viane *(81)* 191 F 1
Vianges *(21)* 108 B 1
Vianne *(47)* 171 H 2
Viâpres-le-Grand *(10)* 53 H 3
Viâpres-le-Petit *(10)* 53 H 3
Viarmes *(95)* 31 F 3
Vias *(34)* 192 C 5
Viazac *(46)* 159 F 3
Le Vibal *(12)* 175 H 1
Vibersviller *(57)* 38 A 5
Vibeuf *(76)* 13 F 3
Vibrac *(16)* 128 A 4
Vibrac *(17)* 141 G 2
Vibraye *(72)* 68 D 3
Vic *(30)* 178 C 4
Vic-de-Chassenay *(21)* 92 B 3
Vic-des-Prés *(21)* 108 D 1
Vic-en-Bigorre *(65)* 187 E 4
Vic-Fezensac *(32)* 187 G 1
Vic-la-Gardiole *(34)* 193 F 3
Vic-le-Comte *(63)* 133 F 4
Vic-le-Fesq *(30)* 178 A 5
Vic-sous-Thil *(21)* 92 B 4
Vic-sur-Aisne *(02)* 32 B 1
Vic-sur-Cère *(15)* 146 B 5
Vic-sur-Seille *(57)* 57 G 1
Vicdessos *(09)* 206 D 5
Le Vicel *(50)* 23 E 3
Vichel *(63)* 147 F 1
Vichel-Nanteuil *(02)* 32 C 3
Vichères *(28)* 69 E 1
Vicherey *(88)* 56 C 5
Vichy [SP] *(03)* 120 B 5
Vico *(2A)* 216 C 3
La Vicogne *(80)* 7 G 5
La Vicomté-sur-Rance *(22)* 44 D 3
Vicq *(03)* 119 H 5
Vicq *(52)* 76 A 4
Vicq *(59)* 5 F 5
Vicq *(78)* 50 C 1
Vicq-d'Auribat *(40)* 169 F 5
Vicq-Exemplet *(36)* 118 B 1
Vicq-sur-Breuilh *(87)* 130 B 4
Vicq-sur-Gartempe *(86)* 103 E 5
Vicq-sur-Nahon *(36)* 104 A 1
Vicques *(14)* 27 H 5
Victot-Pontfol *(14)* 27 H 3
Vidai *(61)* 48 B 4
Vidaillac *(46)* 174 B 1
Vidaillat *(23)* 131 E 1
Vidauban *(83)* 197 G 3
Videcosville *(50)* 23 E 3
Videix *(87)* 129 F 3
Videlles *(91)* 51 F 4
Vidou *(65)* 187 G 5
Vidouville *(50)* 25 G 3
Vidouze *(65)* 187 E 4
Viefvillers *(60)* 15 E 4
Le Vieil-Baugé *(49)* 85 G 2
Le Vieil-Dampierre *(51)* 35 E 4
Le Vieil-Évreux *(27)* 29 G 4
Vieil-Hesdin *(62)* 7 F 2
Vieil-Moutier *(62)* 2 C 5
Vieille-Brioude *(43)* 147 G 3
Vieille-Chapelle *(62)* 3 H 5
Vieille-Église *(62)* 2 D 2
Vieille-Église-
en-Yvelines *(78)* 50 C 2
La Vieille-Loye *(39)* 110 B 1
La Vieille-Lyre *(27)* 29 E 5
Vieilles-Maisons-
sur-Joudry *(45)* 71 G 4
Vieillespesse *(15)* 147 E 4
Vieillevie *(15)* 160 A 3
Vieillevigne *(31)* 189 H 4
Vieillevigne *(44)* 99 G 2
Vieilleville *(23)* 117 G 5
Vieilley *(25)* 95 E 4
Vieilmoulin *(21)* 92 D 4
Viel-Arcy *(02)* 33 E 1
Viel-St-Remy *(08)* 18 C 4
Viella *(32)* 186 D 2
Viella *(65)* 204 B 4
Vielle *(30)* 178 A 5
Vielle *(40)* 168 C 4
Vielle-Adour *(65)* 204 C 1
Vielle-Aure *(65)* 205 E 4
Vielle-Louron *(65)* 205 E 4
Vielle-Soubiran *(40)* 171 E 3
Vielle-St-Girons *(40)* 168 C 4
Vielle-Toulouse *(31)* 189 F 3
Vielle-Tursan *(40)* 186 B 1
Viellenave-d'Arthez *(64)* 186 B 4
Viellenave-
de-Navarrenx *(64)* 185 H 4
Viellenave-sur-Bidouze *(64)* 185 F 4
Vielleségure *(64)* 185 H 4
Vielmanay *(58)* 90 C 5
Vielmur-sur-Agout *(81)* 190 B 2
Vielprat *(43)* 162 B 1
Viels-Maisons *(02)* 32 D 5
Vielverge *(21)* 94 A 5
Vielvic *(48)* 162 B 5
Viennay *(79)* 101 F 5
Vienne [SP] *(38)* 136 B 5
Vienne-en-Arthies *(95)* 30 B 4
Vienne-en-Bessin *(14)* 27 E 2
Vienne-en-Val *(45)* 71 E 5
Vienne-la-Ville *(51)* 35 E 3
Vienne-le-Château *(51)* 35 E 3
Viens *(84)* 180 B 4
Vienville *(88)* 78 A 1
Vier-Bordes *(65)* 204 B 2
Viersat *(23)* 118 C 4
Vierville *(28)* 50 C 5
Vierville *(50)* 23 E 5
Vierville-sur-Mer *(14)* 23 G 5
Vierzon [SP] *(18)* 88 D 5
Vierzon-Forges *(18)* 88 D 5
Vierzy *(02)* 32 C 2
Viesly *(59)* 9 E 4
Viessoix *(14)* 46 C 1
Viéthorey *(25)* 95 G 3
Vieu *(01)* 137 G 2
Vieu-d'Izenave *(01)* 123 G 5
Vieugy *(74)* 138 A 2
Vieure *(03)* 119 F 2
Vieussan *(34)* 191 H 3
Vieuvicq *(28)* 69 G 1
Vieuvy *(53)* 46 C 4
Vieux *(14)* 27 F 3
Vieux *(81)* 174 B 4
Vieux-Berquin *(59)* 3 G 4
Vieux-Boucau-les-Bains *(40)* 168 C 5
Vieux-Bourg *(14)* 28 B 2
Le Vieux-Bourg *(22)* 43 F 5
Le Vieux-Cérier *(16)* 128 D 1
Vieux-Champagne *(77)* 52 C 3
Vieux-Charmont *(25)* 96 C 2
Vieux-Château *(21)* 92 A 3
Vieux-Condé *(59)* 5 F 5
Vieux-Ferrette *(68)* 97 F 2
Vieux-Fumé *(14)* 27 G 4
Vieux-lès-Asfeld *(08)* 18 A 5
Vieux-Lixheim *(57)* 58 B 1
Vieux-Maisons *(77)* 52 D 2
Vieux-Manoir *(76)* 13 H 4
Le Vieux-Marché *(22)* 42 D 3
Vieux-Mareuil *(24)* 142 D 1
Vieux-Mesnil *(59)* 9 H 3
Vieux-Moulin *(60)* 32 A 1
Vieux-Moulin *(88)* 58 B 4
Vieux-Moulins *(52)* 75 G 4
Vieux-Passage *(56)* 80 D 2
Vieux-Pont *(61)* 47 G 2
Vieux-Pont-en-Auge *(14)* 27 H 4
Vieux-Port *(27)* 28 D 1
Vieux-Reng *(59)* 10 A 1
Vieux-Rouen-sur-Bresle *(76)* 14 C 2
La Vieux-Rue *(76)* 13 H 5
Vieux-Ruffec *(16)* 128 D 1
Vieux-Thann *(68)* 78 C 4
Vieux-Viel *(35)* 45 G 3
Vieux-Villez *(27)* 29 H 3
Vieux-Vy-sur-Couesnon *(35)* 45 G 5
Vieuzos *(65)* 187 H 5
Viévigne *(21)* 93 G 3
Viéville *(52)* 75 G 1
Viéville-en-Haye *(54)* 36 C 5
Viéville-sous-les-Côtes *(55)* 36 B 4
Viévola *(06)* 183 H 2
Viévy *(21)* 108 C 2
Vievy-le-Rayé *(41)* 69 H 5
Viey *(65)* 204 C 4
Vif *(38)* 151 G 4
Viffort *(02)* 32 D 5
Le Vigan [SP] *(30)* 177 F 4
Le Vigan *(46)* 158 B 2
Le Vigean *(15)* 145 H 3
Le Vigeant *(86)* 115 H 4
Le Vigen *(87)* 130 A 3
Vigeois *(19)* 144 C 2
Viger *(65)* 204 B 2
Vigeville *(23)* 118 A 5
Viggianello *(2A)* 218 D 3
Viglain *(45)* 89 F 1
Vignacourt *(80)* 15 F 1
Vignale *(2B)* 215 G 5
Vignats *(14)* 47 G 1
Le Vignau *(40)* 186 C 1
Vignaux *(31)* 188 D 2
Les Vigneaux *(05)* 167 E 1
Vignec *(65)* 204 D 4
Vignely *(77)* 32 A 5
Vignemont *(60)* 16 A 5
Les Vignères *(84)* 179 G 5
Les Vignes *(03)* 119 G 1
Les Vignes *(48)* 176 C 1
Vignes *(64)* 186 B 3
Vignes *(89)* 92 A 2
Vignes-la-Côte *(52)* 75 H 1
Vigneul-sous-Montmédy *(55)* 19 H 5
Vigneulles *(54)* 57 F 3
Vigneulles-
lès-Hattonchâtel *(55)* 36 B 4
Vigneux-de-Bretagne *(44)* 83 E 4
Vigneux-Hocquet *(02)* 17 H 3
Vigneux-sur-Seine *(91)* 51 F 2
Vignevieille *(11)* 208 C 3
Vignieu *(38)* 137 E 4
Vignoc *(35)* 65 E 1
Vignol *(58)* 91 F 4
Vignoles *(21)* 109 E 2
Vignolles *(16)* 128 A 5
Vignols *(19)* 144 B 2
Vignonet *(33)* 155 H 1
Vignory *(52)* 75 F 1
Vignot *(55)* 56 A 1
Vignoux-sous-les-Aix *(18)* 105 G 1
Vignoux-sur-Barangeon *(18)* 89 E 5
Vigny *(28)* 49 H 3
Vigny *(57)* 37 E 4
Vigny *(95)* 30 C 4
Vigoulant *(36)* 118 A 2
Vigoulet-Auzil *(31)* 189 F 3
Vigoux *(36)* 117 F 2
Vigueron *(82)* 173 E 5
Vigy *(57)* 21 F 5
Vihiers *(49)* 100 D 1
Vijon *(36)* 118 A 2
Vilcey-sur-Trey *(54)* 36 C 5
Vildé-Guingalan *(22)* 44 C 4
Le Vilhain *(03)* 119 F 1
Vilhonneur *(16)* 128 D 4
Vilhosc *(04)* 181 E 2
Villa-Algérienne *(33)* 154 A 2
Villabé *(91)* 51 G 3
Villabon *(18)* 105 H 1
Villac *(24)* 144 A 3
Villacerf *(10)* 53 H 5
Villacourt *(54)* 57 F 4
Villadin *(10)* 73 F 1
Villafans *(70)* 95 G 1
Village-Neuf *(68)* 97 H 1
Villaines-en-Duesmois *(21)* 92 C 1
Villaines-la-Carelle *(72)* 48 B 5
Villaines-la-Gonais *(72)* 68 C 2
Villaines-la-Juhel *(53)* 47 F 5
Villaines-les-Prévôtes *(21)* 92 B 2
Villaines-les-Rochers *(37)* 86 C 5
Villaines-sous-Bois *(95)* 31 F 4
Villaines-sous-Lucé *(72)* 68 C 4
Villaines-sous-Malicorne *(72)* 67 G 5
Villainville *(76)* 12 B 4
Villalbe *(11)* 208 B 1
Villalet *(27)* 29 F 5
Villalier *(11)* 191 E 5
Villamblain *(45)* 70 A 3
Villamblard *(24)* 143 E 5
Villamée *(35)* 46 A 4
Villampuy *(28)* 70 A 3
Villandraut *(33)* 155 G 4
Villandry *(37)* 86 C 4
Villanière *(11)* 190 D 5
Villanova *(2A)* 216 B 5
Villapourçon *(58)* 107 H 3
Villar-d'Arêne *(05)* 152 C 4
Villar-en-Val *(11)* 208 C 2
Villar-Loubière *(05)* 166 B 1
Villar-St-Anselme *(11)* 208 A 2
Villar-St-Pancrace *(05)* 153 E 5
Villard *(23)* 117 G 3
Le Villard *(48)* 161 F 5
Villard *(74)* 124 D 4
Villard-Bonnot *(38)* 151 H 2
Villard-de-Lans *(38)* 151 F 4
Villard-d'Héry *(73)* 138 B 5
Villard-Léger *(73)* 138 B 5
Villard-Notre-Dame *(38)* 152 A 4
Villard-Reculas *(38)* 152 A 4
Villard-Reymond *(38)* 152 A 4
Villard-Sallet *(73)* 138 B 5
Villard-St-Christophe *(38)* 151 H 5
Villard-St-Sauveur *(39)* 124 A 2
Villard-sur-Bienne *(39)* 124 A 1
Villard-sur-Doron *(73)* 138 D 3
Villardebelle *(11)* 208 B 3
Villardonnel *(11)* 190 D 5
Villards-d'Héria *(39)* 123 H 2
Les Villards-sur-Thônes *(74)* 138 C 1
Villarembert *(73)* 152 C 2
Villargent *(70)* 95 G 2
Villargoix *(21)* 92 B 5
Villargondran *(73)* 152 C 2
Villariès *(31)* 189 G 1
Villarlurin *(73)* 138 D 5
Villarodin-Bourget *(73)* 153 E 2
Villaroger *(73)* 139 F 4
Villaroux *(73)* 138 A 5
Villars *(16)* 128 C 5
Villars *(24)* 143 F 1
Villars *(28)* 70 A 1
Villars *(42)* 149 E 1
Le Villars *(71)* 122 C 1
Villars *(84)* 180 A 4
Villars-Colmars *(04)* 182 A 2
Villars-en-Azois *(52)* 74 D 3
Villars-en-Pons *(17)* 127 E 4
Villars-et-Villenotte *(21)* 92 B 3
Villars-Fontaine *(21)* 109 E 1
Villars-le-Pautel *(70)* 76 C 4
Villars-le-Sec *(90)* 96 D 2
Villars-lès-Blamont *(25)* 96 D 3
Villars-les-Bois *(17)* 127 G 3
Villars-les-Dombes *(01)* 136 C 1
Villars-Santenoge *(52)* 75 F 5
Villars-sous-Dampjoux *(25)* 96 C 3
Villars-sous-Écot *(25)* 95 H 3
Villars-St-Georges *(25)* 110 C 1
Villars-St-Marcellin *(52)* 76 C 4
Villars-sur-Var *(06)* 183 E 3
Villarzel-Cabardès *(11)* 191 E 5
Villarzel-du-Razès *(11)* 208 A 1
Villasavary *(11)* 207 H 1
Villate *(31)* 189 F 4
Villaudric *(31)* 173 H 5
Villautou *(11)* 207 F 1
Villavard *(41)* 69 E 5
Villaz *(74)* 138 B 1
Ville *(60)* 16 B 5
Villé *(67)* 58 C 4
La Ville *(69)* 121 G 5
Ville-au-Montois *(54)* 20 B 3
Ville-au-Val *(54)* 36 D 5
La Ville-aux-Bois *(10)* 54 D 5
La Ville-
aux-Bois-lès-Dizy *(02)* 17 H 4
La Ville-aux-Bois-
lès-Pontavert *(02)* 33 G 1
La Ville-aux-Clercs *(41)* 69 F 4
La Ville-aux-Dames *(37)* 86 D 4
La Ville-aux-Nonains *(28)* 49 F 3
La Ville Blanche *(22)* 42 D 2
Ville-d'Avray *(92)* 51 E 1
Ville-devant-Belrain *(55)* 35 H 5
Ville-devant-Chaumont *(55)* 35 H 2
Ville-di-Paraso *(2B)* 214 D 5
Ville-di-Pietrabugno *(2B)* 215 G 3
La Ville-Dieu-du-Temple *(82)* 173 F 3
Ville-Dommange *(51)* 33 G 3
La Ville-du-Bois *(91)* 51 E 3

A B C D E F G H I J K L M N O P Q R S T U V W X Y Z

A–Z

Ville-du-Pont (25) 111 G 2
Ville-en-Blaisois (52) 55 E 4
Ville-en-Sallaz (74) 124 D 4
Ville-en-Selve (51) 33 H 3
Ville-en-Tardenois (51) 33 F 3
Ville-en-Vermois (54) 57 E 2
Ville-en-Woëvre (55) 36 A 3
La Ville-ès-Nonais (35) 44 D 3
Ville-Houdlémont (54) 20 B 2
Ville-Issey (55) 56 A 1
Ville-la-Grand (74) 124 C 4
Ville-Langy (58) 107 E 3
Ville-le-Marclet (80) 7 E 5
Ville-Savoye (02) 33 F 2
Ville-sous-Anjou (38) 149 H 1
Ville-sous-la-Ferté (10) 75 E 2
La Ville-sous-Orbais (51) 33 F 5
Ville-St-Jacques (77) 52 A 5
Ville-sur-Ancre (80) 15 H 1
Ville-sur-Arce (10) 74 B 2
Ville-sur-Cousances (55) 35 G 4
Ville-sur-Illon (88) 77 E 1
Ville-sur-Jarnioux (69) 135 G 1
Ville-sur-Lumes (08) 19 E 3
Ville-sur-Retourne (08) 34 B 1
Ville-sur-Saulx (55) 55 F 2
Ville-sur-Terre (10) 54 D 5
Ville-sur-Tourbe (51) 34 D 3
Ville-sur-Yron (54) 36 C 3
Villeau (28) 70 A 1
Villebadin (61) 48 A 1
Villebarou (41) 87 H 2
Villebazy (11) 208 B 2
Villebéon (77) 72 A 2
Villebernier (49) 85 G 5
Villeberny (21) 92 D 3
Villebichot (21) 109 F 1
Villeblevin (89) 72 B 1
Villebois (01) 137 E 2
Villebois-Lavalette (16) 142 C 1
Villebois-les-Pins (26) 180 C 1
Villebon (28) 49 G 5
Villebon-sur-Yvette (91) 51 E 2
Villebougis (89) 72 C 2
Villebourg (37) 86 C 1
Villebout (41) 69 G 3
Villebramar (47) 156 D 4
Villebret (03) 119 E 4
Villebrumier (82) 173 H 5
Villecelin (18) 105 E 4
Villecerf (77) 52 A 5
Villecey-sur-Mad (54) 36 C 4
Villechantria (39) 123 F 2
Villechaud (58) 90 A 4
Villechauve (41) 87 E 1
Villechenève (69) 135 F 3
Villechétif (10) 74 A 1
Villechétive (89) 73 E 3
Villechien (50) 46 B 3
Villecien (89) 72 D 3
Villécloye (55) 19 H 5
Villecomtal (12) 160 A 4
Villecomtal-sur-Arros (32) 187 F 4
Villecomte (21) 93 F 2
Villeconin (91) 51 E 4
Villecourt (80) 16 B 2
Villecresnes (94) 51 G 2
Villecroze (83) 197 F 2
Villedaigne (11) 209 E 1
Villedieu (15) 147 E 5
La Villedieu (17) 114 B 5
Villedieu (21) 74 B 4
La Villedieu (23) 131 E 3
Les Villedieu (25) 111 F 4
La Villedieu (48) 161 H 2
Villedieu (84) 179 G 1
La Villedieu-du-Clain (86) 115 G 2
La Villedieu-en-Fontenette (70) 77 E 5
Villedieu-la-Blouère (49) 100 A 1
Villedieu-le-Château (41) 86 D 1
Villedieu-lès-Bailleul (61) 47 H 1
Villedieu-les-Poêles-Rouffigny (50) 25 E 5
La Villedieu-lès-Quenoche (70) 95 E 3
Villedieu-sur-Indre (36) 104 A 4
Villedômain (37) 103 G 2
Villedômer (37) 87 E 2
Villedoux (17) 113 F 4
Villedubert (11) 208 B 1
Villefagnan (16) 128 B 1
Villefargeau (89) 73 E 5
Villefavard (87) 116 C 4
Villeferry (21) 92 C 3
Villefloure (11) 208 B 2
Villefollet (79) 114 C 5
Villefontaine (38) 136 D 4
Villefort (11) 207 H 3
Villefort (48) 162 B 5
Villefranche (32) 188 B 4
Villefranche-d'Albigeois (81) 175 E 5
Villefranche-d'Allier (03) 119 F 3
Villefranche-de-Conflent (66) 212 B 3
Villefranche-de-Lauragais (31) 189 H 4

Villefranche-de-Lonchat (24) 142 B 5
Villefranche-de-Panat (12) 175 H 3
Villefranche-de-Rouergue 🅢 (12) 174 D 1
Villefranche-du-Périgord (24) 157 H 3
Villefranche-du-Queyran (47) 171 H 1
Villefranche-le-Château (26) 180 B 1
Villefranche-St-Phal (89) 72 C 4
Villefranche-sur-Cher (41) 88 B 5
Villefranche-sur-Mer (06) 183 F 5
Villefranche-sur-Saône 🅢 (69) 135 H 1
Villefrancœur (41) 87 G 1
Villefranque (64) 184 C 3
Villefranque (65) 187 E 3
Villegagnon (77) 52 C 2
Villegailhenc (11) 190 D 5
Villegardin (89) 72 B 2
Villegats (16) 128 C 1
Villegats (27) 30 A 4
Villegaudin (71) 109 G 4
Villegenon (18) 89 H 3
Villegly (11) 191 E 5
Villegongis (36) 104 A 3
Villegouge (33) 141 G 5
Villegouin (36) 103 H 3
Villegruis (77) 53 E 3
Villegusien (52) 75 H 5
Villehardouin (10) 54 B 5
Villeherviers (41) 88 C 4
Villejésus (16) 128 B 3
Villejoubert (16) 128 B 3
Villejuif (94) 51 F 1
Villejust (91) 51 E 2
Villelaure (84) 195 H 1
Villeloin-Coulangé (37) 103 G 1
Villelongue (65) 204 B 3
Villelongue-d'Aude (11) 207 H 2
Villelongue-de-la-Salanque (66) 209 F 5
Villelongue-dels-Monts (66) 213 H 4
Villelouet (41) 87 H 3
Villeloup (10) 53 G 5
Villemade (82) 173 G 3
Villemagne (11) 190 C 5
Villemagne-l'Argentière (34) 192 A 2
Villemain (79) 128 A 1
Villemandeur (45) 71 H 3
Villemanoche (89) 72 C 1
Villemardy (41) 87 G 1
Villemaréchal (77) 72 A 1
Villemareuil (77) 32 B 5
Villematier (81) 189 H 5
Villemaur-sur-Vanne (10) 73 F 1
Villembits (65) 187 G 5
Villembray (60) 14 D 5
Villemer (77) 72 A 1
Villemer (89) 73 E 4
Villemereuil (10) 73 H 2
Villemervry (52) 93 F 1
Villemétrie (60) 31 G 3
Villemeux-sur-Eure (28) 50 A 2
Villemoirieu (38) 136 D 3
Villemoiron-en-Othe (10) 73 G 2
Villemoisan (49) 84 B 3
Villemoisson-sur-Orge (91) 51 F 3
Villemolaque (66) 213 E 3
Villemomble (93) 51 G 1
Villemontais (42) 134 C 1
Villemontoire (02) 32 D 2
Villemorien (10) 74 B 3
Villemorin (17) 127 H 1
Villemoron (52) 93 G 1
Villemort (86) 116 B 1
Villemotier (01) 123 E 3
Villemoustaussou (11) 190 D 5
Villemoutiers (45) 71 G 3
Villemoyenne (10) 74 A 2
Villemur (65) 187 H 5
Villemur-sur-Tarn (31) 173 H 5
Villemurlin (45) 89 F 1
Villemus (04) 180 C 5
Villenauxe-la-Grande (10) 53 E 5
Villenauxe-la-Petite (77) 52 D 5
Villenave (40) 169 G 4
Villenave-de-Rions (33) 155 G 2
Villenave-d'Ornon (33) 155 F 2
Villenave-près-Béarn (65) 186 D 4
Villenave-près-Marsac (65) 187 E 5
Villenavotte (89) 72 C 1
Villeneuve (04) 180 D 4
Villeneuve (09) 206 A 3
Villeneuve (12) 159 F 5
Villeneuve (13) 194 C 2
La Villeneuve (23) 131 H 2
Villeneuve (33) 141 E 4
La Villeneuve (71) 109 G 2
La Villeneuve-au-Châtelot (10) 53 E 3
La Villeneuve-au-Chemin (10) 73 G 3
La Villeneuve-au-Chêne (10) 74 B 1
La Villeneuve-Bellenoye-et-la-Maize (70) 77 E 5
Villeneuve-d'Allier (43) 147 G 3

Villeneuve-d'Amont (25) 110 D 2
Villeneuve d'Ascq (59) 4 C 4
Villeneuve-d'Aval (39) 110 C 2
Villeneuve-de-Berg (07) 163 F 4
Villeneuve-de-Duras (47) 156 C 2
Villeneuve-de-la-Raho (66) 213 F 3
Villeneuve-de-Marc (38) 136 C 5
Villeneuve-de-Marsan (40) 170 D 4
Villeneuve-de-Mézin (47) 171 H 4
Villeneuve-de-Rivière (31) 205 G 2
Villeneuve-d'Entraunes (06) 182 C 2
Villeneuve-d'Olmes (09) 207 H 4
Villeneuve-du-Bosc (09) 207 E 3
Villeneuve-du-Latou (09) 206 D 1
Villeneuve-du-Paréage (09) 207 E 1
La Villeneuve-en-Chevrie (78) 30 A 4
Villeneuve-en-Montagne (71) 108 D 4
Villeneuve-Frouville (41) 69 H 5
Villeneuve-la-Comptal (11) 190 A 5
Villeneuve-la-Comtesse (17) 114 A 5
Villeneuve-la-Dondagre (89) 72 C 2
Villeneuve-la-Garenne (92) 31 F 5
Villeneuve-la-Guyard (89) 52 B 5
Villeneuve-la-Lionne (51) 52 D 2
Villeneuve-la-Rivière (66) 209 E 5
Villeneuve-la-Salle (05) 153 E 5
Villeneuve-l'Archevêque (89) 73 E 1
Villeneuve-le-Comte (77) 52 A 1
Villeneuve-le-Roi (94) 51 F 2
Villeneuve-Lécussan (31) 205 F 1
Villeneuve-lès-Avignon (30) 179 E 4
Villeneuve-lès-B. (31) 189 F 1
Villeneuve-lès-Béziers (34) 192 B 5
Villeneuve-les-Bordes (77) 52 B 4
Villeneuve-les-Cerfs (63) 133 G 1
La Villeneuve-lès-Charleville (51) 53 F 1
Villeneuve-lès-Charnod (39) 123 F 3
La Villeneuve-les-Convers (21) 92 C 2
Villeneuve-lès-Corbières (11) 209 E 3
Villeneuve-lès-Genêts (89) 90 B 1
Villeneuve-lès-Lavaur (81) 189 H 2
Villeneuve-lès-Maguelone (34) 193 F 3
Villeneuve-lès-Montréal (11) 207 H 1
Villeneuve-les-Sablons (60) 30 D 2
Villeneuve-Loubet (06) 199 F 1
Villeneuve-Loubet-Plage (06) 199 F 1
Villeneuve-Minervois (11) 191 E 5
Villeneuve-Renneville-Chevigny (51) 33 H 5
Villeneuve-sous-Charigny (21) 92 B 3
Villeneuve-sous-Dammartin (77) 31 H 4
Villeneuve-sous-Pymont (39) 110 B 5
La Villeneuve-sous-Thury (60) 32 B 3
Villeneuve-St-Denis (77) 52 A 1
Villeneuve-St-Georges (94) 51 G 2
Villeneuve-St-Germain (02) 32 D 1
Villeneuve-St-Nicolas (28) 70 A 1
Villeneuve-St-Salves (89) 73 F 5
Villeneuve-St-Vistre-et-Villevotte (51) 52 D 5
Villeneuve-sur-Allier (03) 106 C 5
Villeneuve-sur-Auvers (91) 51 E 4
Villeneuve-sur-Bellot (77) 52 D 1
Villeneuve-sur-Cher (18) 105 E 2
Villeneuve-sur-Conie (45) 70 B 3
Villeneuve-sur-Fère (02) 33 E 3
Villeneuve-sur-Lot 🅢 (47) 157 F 5
Villeneuve-sur-Tarn (81) 175 F 4
Villeneuve-sur-Verberie (60) 31 H 4
Villeneuve-sur-Vère (81) 174 C 4
La Villeneuve-sur-Vingeanne (21) 94 A 2
Villeneuve-sur-Yonne (89) 72 D 3
Villeneuve-Tolosane (31) 189 F 3
Villeneuvette (34) 192 C 2
Villennes-sur-Seine (78) 30 D 5
Villenouvelle (17) 114 A 5
Villenouvelle (31) 189 H 4
Villenoy (77) 32 A 5
Villentrois (36) 88 A 5
Villeny (41) 88 B 2
Villepail (53) 47 F 5
Villeparisis (77) 31 H 5
Villeparois (70) 95 E 1
Villeperdrix (26) 165 E 5
Villeperdue (37) 86 C 5
Villeperrot (89) 72 C 1
Villepinte (11) 190 B 5
Villepinte (93) 31 G 5
Villeplane (06) 182 C 2
Villeporcher (41) 87 F 2
Villepot (44) 65 H 5
Villepreux (78) 50 D 1
Villequier (76) 13 E 5
Villequier-Aumont (02) 16 C 4
Villequiers (18) 106 A 2
Viller (57) 37 G 4
Villerable (41) 69 F 5
Villerbon (41) 87 H 1
Villeréal (47) 157 F 3

Villereau (45) 70 D 3
Villereau (59) 9 G 3
Villerest (42) 134 C 1
Villeret (02) 16 C 1
Villeret (10) 54 C 4
Villereversure (01) 123 F 4
Villermain (41) 70 A 5
Villeromain (41) 87 G 1
Villeron (95) 31 G 4
Villerouge-la-Crémade (11) 208 D 2
Villerouge-Termenès (11) 208 D 3
Villeroy (77) 31 H 5
Villeroy (80) 14 C 1
Villeroy (89) 72 C 2
Villeroy-sur-Méholle (55) 56 A 3
Villers (42) 121 G 5
Villers (88) 57 E 5
Villers-Agron-Aiguizy (02) 33 F 3
Villers-Allerand (51) 33 H 3
Villers-au-Bois (62) 8 A 2
Villers-au-Flos (62) 8 B 5
Villers-au-Tertre (59) 8 D 3
Villers-aux-Bois (51) 33 G 5
Villers-aux-Érables (80) 15 H 3
Villers-aux-Nœuds (51) 33 H 3
Villers-aux-Vents (55) 55 F 1
Villers-Bocage (14) 26 D 3
Villers-Bocage (80) 15 F 1
Villers-Bouton (70) 94 D 3
Villers-Bretonneux (80) 15 G 2
Villers-Brûlin (62) 7 H 2
Villers-Buzon (25) 94 C 5
Villers-Campsart (80) 14 C 2
Villers-Canivet (14) 27 G 5
Villers-Carbonnel (80) 16 B 2
Villers-Cernay (08) 19 F 3
Villers-Châtel (62) 7 H 2
Villers-Chemin-et-Mont-lès-Étrelles (70) 94 C 3
Villers-Chief (25) 95 G 5
Villers-Cotterêts (02) 32 B 2
Villers-devant-Dun (55) 35 F 1
Villers-devant-le-Thour (08) 18 A 5
Villers-devant-Mouzon (08) 19 F 4
Villers-Écalles (76) 13 F 5
Villers-en-Argonne (51) 35 E 4
Villers-en-Arthies (95) 30 B 4
Villers-en-Cauchies (59) 9 E 4
Villers-en-Haye (54) 56 D 1
Villers-en-Ouche (61) 48 C 1
Villers-en-Prayères (02) 33 F 1
Villers-en-Vexin (27) 30 A 2
Villers-Farlay (39) 110 C 2
Villers-Faucon (80) 16 C 1
Villers-Franqueux (51) 33 G 2
Villers-Grélot (25) 95 E 4
Villers-Guislain (59) 8 D 5
Villers-Hélon (02) 32 C 2
Villers-la-Chèvre (54) 20 B 2
Villers-la-Combe (25) 95 G 5
Villers-la-Faye (21) 109 E 1
Villers-la-Montagne (54) 20 C 2
Villers-la-Ville (70) 95 G 2
Villers-le-Château (51) 34 A 5
Villers-le-Lac (25) 111 H 1
Villers-le-Rond (54) 20 A 3
Villers-le-Sec (02) 17 E 3
Villers-le-Sec (51) 55 E 1
Villers-le-Sec (55) 55 G 3
Villers-le-Sec (70) 95 E 1
Villers-le-Tilleul (08) 18 D 4
Villers-le-Tourneur (08) 18 C 4
Villers-les-Bois (39) 110 B 3
Villers-lès-Cagnicourt (62) 8 C 4
Villers-lès-Guise (02) 17 F 1
Villers-lès-Luxeuil (70) 77 F 5
Villers-lès-Mangiennes (55) 20 A 3
Villers-lès-Moivrons (54) 57 E 1
Villers-lès-Nancy (54) 56 D 2
Villers-les-Ormes (36) 104 B 3
Villers-les-Pots (21) 93 H 5
Villers-lès-Roye (80) 16 A 3
Villers-l'Hôpital (62) 7 F 4
Villers-Marmery (51) 34 A 3
Villers-Outréaux (59) 8 D 5
Villers-Pater (70) 95 E 3
Villers-Patras (21) 74 C 4
Villers-Plouich (59) 8 C 5
Villers-Pol (59) 9 F 3
Villers-Robert (39) 110 A 2
Villers-Rotin (21) 110 A 1
Villers-Saint-Frédéric (78) 50 C 1
Villers-Semeuse (08) 18 D 3
Villers-Sir-Simon (62) 7 H 3
Villers-Sire-Nicole (59) 9 H 3
Villers-sous-Ailly (80) 7 E 5
Villers-sous-Chalamont (25) 111 E 3
Villers-sous-Châtillon (51) 33 F 4
Villers-sous-Foucarmont (76) 14 B 2
Villers-sous-Montrond (25) 95 E 5
Villers-sous-Pareid (55) 36 B 3
Villers-sous-Prény (54) 36 C 5
Villers-St-Barthélemy (60) 30 D 1
Villers-St-Christophe (02) 16 C 3
Villers-St-Frambourg (60) 31 H 1
Villers-St-Genest (60) 32 A 3
Villers-St-Martin (25) 95 G 4
Villers-St-Paul (60) 31 G 2
Villers-St-Sépulcre (60) 31 E 1
Villers-Stoncourt (57) 37 F 3
Villers-sur-Auchy (60) 14 C 5
Villers-sur-Authie (80) 6 C 3

Villers-sur-Bar (08) 19 E 3
Villers-sur-Bonnières (60) 14 D 5
Villers-sur-Coudun (60) 16 A 5
Villers-sur-Fère (02) 33 E 3
Villers-sur-le-Mont (08) 18 D 3
Villers-sur-le-Roule (27) 29 H 3
Villers-sur-Mer (14) 27 H 1
Villers-sur-Meuse (55) 35 H 4
Villers-sur-Nied (57) 37 G 5
Villers-sur-Port (70) 76 D 5
Villers-sur-Saulnot (70) 95 H 2
Villers-sur-Trie (60) 30 C 2
Villers-Tournelle (80) 15 G 4
Villers-Vaudey (70) 94 C 1
Villers-Vermont (60) 14 C 4
Villers-Vicomte (60) 15 F 4
Villerserine (39) 110 B 3
Villersexel (70) 95 G 2
Villerupt (54) 20 C 2
Villerville (14) 28 A 1
Villery (10) 73 H 2
Villes (01) 123 H 5
Villes-sur-Auzon (84) 179 H 3
Villeselve (60) 16 C 3
Villeseneux (51) 54 A 1
Villesèque (46) 158 A 5
Villesèque-des-Corbières (11) 209 E 3
Villesèquelande (11) 208 A 1
Villesiscle (11) 207 H 1
Villespassans (34) 191 H 4
Villespy (11) 190 C 5
Villetaneuse (93) 31 F 5
La Villetelle (23) 131 H 2
Villetelle (34) 193 H 1
Villethierry (89) 72 B 1
Villeton (47) 156 C 5
Villetoureix (24) 142 D 2
Villetritouls (11) 208 C 2
Villetrun (41) 69 G 5
La Villette (14) 27 E 5
Villette (54) 20 A 2
Villette (73) 139 E 4
Villette (78) 30 B 5
Villette-d'Anthon (38) 136 C 3
Villette-de-Vienne (38) 136 B 5
Villette-lès-Arbois (39) 110 C 3
Villette-lès-Dole (39) 110 A 1
Villette-sur-Ain (01) 136 D 1
Villette-sur-Aube (10) 53 H 4
Les Villettes (43) 148 D 3
Villettes (27) 29 F 3
Le Villey (39) 110 A 3
Villey-le-Sec (54) 56 C 2
Villey-St-Étienne (54) 56 C 1
Villey-sur-Tille (21) 93 G 2
Villez-sous-Bailleul (27) 29 H 4
Villez-sur-le-Neubourg (27) 29 E 3
Villié-Morgon (69) 122 A 4
Villiers (36) 102 A 5
Villiers (86) 103 G 3
Villiers-Adam (95) 31 E 4
Villiers-au-Bouin (37) 86 B 2
Villiers-aux-Bois (52) 55 F 3
Villiers-aux-Corneilles (51) 53 F 3
Villiers-Charlemagne (53) 66 D 4
Villiers-Couture (17) 127 H 1
Villiers-en-Bière (77) 51 G 4
Villiers-en-Bois (79) 114 B 5
Villiers-en-Désœuvre (27) 30 A 5
Villiers-en-Lieu (52) 55 E 2
Villiers-en-Morvan (21) 108 B 1
Villiers-en-Plaine (79) 114 A 2
Villiers-Fossard (50) 25 F 3
Villiers-Herbisse (10) 53 H 3
Villiers-le-Bâcle (91) 51 E 2
Villiers-le-Bel (95) 31 F 4
Villiers-le-Duc (21) 74 D 5
Villiers-le-Mahieu (78) 50 C 1
Villiers-le-Morhier (28) 50 B 2
Villiers-le-Pré (50) 45 H 3
Villiers-le-Roux (16) 115 E 5
Villiers-le-Sec (14) 27 E 2
Villiers-le-Sec (52) 75 F 2
Villiers-le-Sec (58) 90 D 4
Villiers-le-Sec (95) 31 F 4
Villiers-lès-Aprey (52) 75 G 5
Villiers-les-Hauts (89) 92 A 1
Villiers-Louis (89) 72 D 2
Villiers-Saint-Benoît (89) 72 C 5
Villiers-St-Denis (02) 32 D 5
Villiers-Saint-Georges (77) 52 D 3
Villiers-St-Orien (28) 70 A 2
Villiers-sous-Grez (77) 51 H 5
Villiers-sous-Mortagne (61) 48 D 4
Villiers-sous-Praslin (10) 74 A 3
Villiers-sur-Chizé (79) 114 B 5

Villiers-sur-Loir (41) 69 F 5
Villiers-sur-Marne (52) 55 G 5
Villiers-sur-Marne (94) 51 G 1
Villiers-sur-Morin (77) 52 A 1
Villiers-sur-Orge (91) 51 F 3
Villiers-sur-Seine (77) 52 D 4
Villiers-sur-Suize (52) 75 G 3
Villiers-sur-Tholon (89) 72 D 4
Villiers-sur-Yonne (58) 91 E 4
Villiers-Vineux (89) 73 G 4
Villiersfaux (41) 87 F 1
Villieu-Loyes-Mollon (01) 136 D 1
Villing (57) 21 H 4
Villognon (16) 128 B 2
Villon (89) 74 A 4
Villoncourt (88) 57 G 5
Villons-les-Buissons (14) 27 F 2
Villorceau (45) 70 A 5
Villosanges (63) 132 C 2
Villotran (60) 30 D 1
Villotte (88) 76 B 2
Villotte-devant-Louppy (55) 35 F 5
Villotte-St-Seine (21) 92 D 3
Villotte-sur-Aire (55) 35 H 5
Villotte-sur-Ource (21) 74 D 4
Villouxel (88) 56 A 5
Villuis (77) 52 D 5
Villy (08) 19 G 4
Villy (89) 73 F 4
Villy-Bocage (14) 26 D 3
Villy-en-Auxois (21) 92 D 3
Villy-en-Trodes (10) 74 B 1
Villy-le-Bois (10) 73 H 2
Villy-le-Bouveret (74) 124 C 5
Villy-le-Maréchal (10) 73 H 2
Villy-le-Moutier (21) 109 F 2
Villy-le-Pelloux (74) 138 A 1
Villy-lez-Falaise (14) 27 G 5
Villy-sur-Yères (76) 14 A 1
Vilory (70) 77 E 5
Vilosnes-Haraumont (55) 35 G 1
Vilsberg (57) 58 C 1
Vimarcé (53) 67 G 1
Vimbelle (19) 145 E 2
Vimenet (12) 160 D 5
Viménil (88) 77 H 1
Vimines (73) 137 H 5
Vimont (14) 27 G 3
Vimory (45) 71 H 4
Vimoutiers (61) 28 A 5
Vimpelles (77) 52 C 4
Vimy (62) 8 B 2
Vinantes (77) 31 H 4
Vinassan (11) 209 G 1
Vinax (17) 114 C 5
Vinay (38) 151 E 3
Vinay (51) 33 G 4
Vinça (66) 212 C 3
Vincelles (39) 33 E 4
Vincelles (51) 33 E 4
Vincelles (71) 109 H 5
Vincelles (89) 91 F 1
Vincelottes (89) 91 F 1
Vincendières (73) 153 H 1
Vincennes (94) 51 F 1
Vincent (39) 110 A 4
Vincey (88) 57 F 5
Vincly (62) 7 F 1
Vincy-Manœuvre (77) 32 B 4
Vincy-Reuil-et-Magny (02) 17 H 3
Vindecy (71) 121 E 3
Vindefontaine (50) 22 D 5
Vindelle (16) 128 B 3
Vindey (51) 53 F 2
Vindrac-Alayrac (81) 174 C 3
Vinets (51) 54 A 4
Vineuil (36) 104 B 3
Vineuil (41) 87 H 2
Vineuil-St-Firmin (60) 31 G 3
La Vineuse (71) 122 A 2
Vinezac (07) 163 E 4
Vingrau (66) 209 E 4
Vingt-Hanaps (61) 48 A 4
Vinnemerville (76) 12 D 2
Vinneuf (89) 52 C 5
Vinon (18) 90 A 5
Vinon-sur-Verdon (83) 196 C 1
Vins-sur-Caramy (83) 197 E 3
Vinsobres (26) 179 G 1
Le Vintrou (81) 191 E 3
Vinzelles (63) 133 G 2
Vinzelles (71) 122 B 3
Vinzier (74) 125 E 2
Vinzieux (07) 149 G 2
Viocourt (88) 56 C 5
Viodos-Abense-de-Bas (64) 185 G 5
Violaines (62) 4 A 4
Violay (42) 135 E 2
Violès (84) 179 F 2
Violot (52) 76 A 5
Viols-en-Laval (34) 193 E 1
Viols-le-Fort (34) 193 E 1
Vioménil (88) 77 E 2
Vion (07) 149 H 4
Vion (72) 67 F 5
Vions (73) 137 H 2
Vionville (57) 36 C 3
Viozan (32) 187 H 4
Viplaix (03) 118 C 2
Vira (09) 207 F 2
Vira (66) 208 B 3

Localité (Département) Page Coordonnées
281

Virac (81) 174 D 3
Virandeville (50) 22 C 3
Virargues (15) 146 D 4
Virazeil (47) 156 B 4
Viré (71) 122 B 2
Viré-en-Champagne (72) 67 F 3
Vire Normandie (SP) (14) 46 C 1
Vire-sur-Lot (46) 157 H 4
Vireaux (89) 73 H 5
Virecourt (54) 57 F 4
Virelade (33) 155 G 3
Viremont (39) 123 G 2
Vireux-Molhain (08) 11 E 3
Vireux-Wallerand (08) 11 E 3
Virey (50) 46 A 3
Virey (70) 94 C 4
Virey-le-Grand (71) 109 E 3
Virey-sous-Bar (10) 74 B 2
Virginy (51) 34 D 3
Viriat (01) 123 E 4
Viricelles (42) 135 F 4
Virieu (38) 137 F 5
Virieu-le-Grand (01) 137 G 2
Virieu-le-Petit (01) 137 G 1
Virigneux (42) 135 E 4
Virignin (01) 137 G 3
Viriville (38) 150 D 2
Virlet (63) 119 E 5
Virming (57) 37 H 4
Viroflay (78) 51 E 1
Virollet (17) 127 E 5
Vironchaux (80) 6 D 3
Vironvay (27) 29 G 3
Virsac (33) 141 F 4
Virson (17) 113 G 4
Virville (76) 12 C 4
Viry (39) 123 H 3
Viry (71) 121 G 2
Viry (74) 124 B 5
Viry-Châtillon (91) 51 F 2
Viry-Noureuil (02) 16 D 4
Vis-en-Artois (62) 8 B 3
Visan (84) 179 F 1
Viscomtat (63) 134 A 3
Viscos (65) 204 B 3
Le Viseney (39) 110 B 3
Viserny (21) 92 B 2
Visker (65) 204 C 1
Vismes-au-Val (80) 14 C 1
Visoncourt (70) 77 F 5
Vissac (43) 147 H 4
Vissac-Auteyrac (43) 147 H 4
Vissec (30) 177 E 5
Visseiche (35) 65 H 3
Viterbe (81) 190 A 2
Viterne (54) 56 D 3
Vitot (27) 29 E 3
Vitrac (15) 159 H 2
Vitrac (24) 158 A 1
Vitrac (63) 132 D 1
Vitrac-en-Viadène (12) 160 C 2
Vitrac-St-Vincent (16) 128 D 3
Vitrac-sur-Montane (19) 145 E 2
Vitrai-sous-L'Aigle (61) 48 D 2
Vitray (03) 119 E 1
Vitray-en-Beauce (28) 69 H 1
Vitré (35) 66 A 2
Vitré (79) 114 C 3
Vitreux (39) 94 B 5
Vitrey (54) 56 D 4
Vitrey-sur-Mance (70) 76 B 5
Vitrimont (54) 57 F 2
Vitrolles (05) 166 A 4
Vitrolles (13) 195 G 3
Vitrolles-en-Luberon (84) 180 C 5
Vitry-aux-Loges (45) 71 E 4
Vitry-en-Artois (62) 8 C 3
Vitry-en-Charollais (71) 121 E 2
Vitry-en-Montagne (52) 75 F 5
Vitry-en-Perthois (51) 54 C 2
Vitry-la-Ville (51) 54 B 1
Vitry-Laché (58) 91 E 5
Vitry-le-Croisé (10) 74 C 2
Vitry-le-François (SP) (51) 54 C 2
Vitry-lès-Cluny (71) 122 A 2
Vitry-lès-Nogent (52) 75 H 3
Vitry-sur-Loire (71) 107 F 5
Vitry-sur-Orne (57) 20 D 4
Vitry-sur-Seine (94) 51 F 1
Vittarville (55) 35 H 1
Vitteaux (21) 92 C 4
Vittefleur (76) 13 E 2
Vittel (88) 76 C 1
Vittersbourg (57) 38 A 4
Vittoncourt (57) 37 F 4
Vittonville (54) 36 D 4
Vitz-sur-Authie (80) 7 E 3
Viuz-en-Sallaz (74) 124 D 4
Viuz-la-Chiésaz (74) 138 A 2
Vivaise (02) 17 E 4
Vivans (42) 121 E 4
Vivario (2B) 217 E 3
Viven (64) 186 B 3
Viverols (63) 148 B 1
Vivès (66) 213 E 4
Vivey (52) 75 F 5
Le Vivier (36) 117 F 1
Le Vivier (66) 208 C 5
Vivier-au-Court (08) 19 E 3
Le Vivier-sur-Mer (35) 45 E 2
Vivières (02) 32 B 2
Viviers (07) 163 G 4
Viviers (57) 37 F 5
Viviers (89) 73 G 5
Viviers-du-Lac (73) 137 H 4
Viviers-le-Gras (88) 76 C 2
Viviers-lès-Lavaur (81) 190 A 2
Viviers-lès-Montagnes (81) 190 C 3
Viviers-lès-Offroicourt (88) 56 D 5
Viviers-sur-Artaut (10) 74 C 2
Viviers-sur-Chiers (54) 20 B 2
Viviès (09) 207 F 2
Viviez (12) 159 G 4
Viville (près d'Angoulème) (16) 128 C 4
Viville (près de Barbezieux) (16) 128 A 5
Vivoin (72) 68 A 1
Vivonne (86) 115 F 2
Vivy (49) 85 G 4
Vix (21) 74 C 4
Vix (85) 113 G 2
Vizille (38) 151 H 4
Vizos (65) 204 B 3
Vizzavona (2B) 217 E 4
Vizzavona (Col de) (2B) 217 E 4
Vocance (07) 149 F 3
Vodable (63) 133 F 5
Vœgtlinshoffen (68) 78 D 2
Vœlfling-lès-Bouzonville (57) 21 G 4
Vœllerdingen (67) 38 B 4
Vœuil-et-Giget (16) 128 B 5
Vogelgrun (68) 79 E 2
Voglans (73) 137 H 4
Vogüé (07) 163 E 4
Voharies (02) 17 G 2
Void-Vacon (55) 56 A 2
Le Voide (49) 84 D 5
Voigny (10) 74 D 1
Voile de la Mariée (Cascade du) (2A) 217 E 4
Voilemont (51) 34 D 4
Voillans (25) 95 G 3
Voillecomte (52) 55 E 4
Voimhaut (57) 37 F 4
Voinémont (54) 57 E 3
Voingt (63) 132 B 3
Voinsles (77) 52 B 2
Voipreux (51) 33 H 5
Voires (25) 111 F 1
Voiron (38) 151 F 1
Voiscreville (27) 29 E 2
Voise (28) 50 B 5
Voisenon (77) 51 H 3
Voisey (52) 76 C 4
Voisines (52) 75 G 4
Voisines (89) 72 D 1
Voisins-le-Bretonneux (78) 50 D 2
Voissant (38) 137 G 5
Voissay (17) 127 F 1
Voiteur (39) 110 B 4
La Voivre (70) 77 G 4
La Voivre (88) 58 A 5
Les Voivres (88) 77 F 3
Voivres-lès-le-Mans (72) 67 H 4
Volckerinckhove (59) 3 E 3
Volesvres (71) 121 F 2
Volgelsheim (68) 79 E 2
Volgré (89) 72 D 4
Volksberg (67) 38 C 4
Vollore-Montagne (63) 134 A 3
Vollore-Ville (63) 134 A 3
Volmerange-lès-Boulay (57) 21 F 5
Volmerange-les-Mines (57) 20 D 3
Volmunster (57) 38 C 3
Volnay (21) 109 E 2
Volnay (72) 68 C 4
Volon (70) 94 B 1
Volonne (04) 181 E 2
Volpajola (2B) 215 F 5
Volstroff (57) 21 E 4
Volvent (26) 165 E 4
Volvic (63) 133 E 2
Volx (04) 180 D 4
Vomécourt (88) 57 G 5
Vomécourt-sur-Madon (88) 57 E 5
Voncourt (52) 76 B 5
Voncq (08) 18 D 5
Vonges (21) 93 H 4
Vongnes (01) 137 G 2
Vongy (74) 125 E 2
Vonnas (01) 122 C 4
Voray-sur-l'Ognon (70) 94 D 4
Voreppe (38) 151 G 2
Vorey (43) 148 B 3
Vorges (02) 17 F 5
Vorges-les-Pins (25) 94 D 5
Vorly (18) 105 G 3
Vornay (18) 105 G 2
Vors (12) 175 F 1
Vosbles (39) 123 G 3
Vosne-Romanée (21) 109 F 1
Vosnon (10) 73 G 2
Vou (37) 103 E 1
Vouarces (51) 53 G 3
Voudenay (21) 108 B 1
Voué (10) 53 H 4
Vouécourt (52) 75 G 1
Vouël (02) 16 D 4
Vougécourt (70) 76 D 3
Vougeot (21) 93 F 5
Vouglans (39) 123 G 2
Vougrey (10) 74 A 2
Vougy (42) 121 F 5
Vougy (74) 125 E 5
Vouharte (16) 128 B 3
Vouhé (17) 113 G 4
Vouhé (79) 114 C 1
Vouhenans (70) 95 G 1
Vouillé (79) 114 B 3
Vouillé (86) 101 H 5
Vouillé-les-Marais (85) 113 F 2
Vouillers (51) 55 E 2
Vouillon (36) 104 C 4
Vouilly (14) 25 G 2
Voujeaucourt (25) 96 C 2
Voulaines-les-Templiers (21) 75 E 5
Voulangis (77) 52 A 1
Voulême (86) 115 F 5
Voulgézac (16) 128 B 5
Voulmentin (79) 100 D 2
Voulon (86) 115 F 3
Voulpaix (02) 17 G 2
La Voulte-sur-Rhône (07) 163 H 2
Voultegon (79) 100 D 3
Voulton (77) 52 D 3
Voulx (77) 72 B 1
Vouneuil-sous-Biard (86) 115 F 1
Vouneuil-sur-Vienne (86) 102 C 5
Vourey (38) 151 F 2
Vourles (69) 135 H 4
Voussac (03) 119 G 3
Voutenay-sur-Cure (89) 91 G 2
Voutezac (19) 144 B 2
Vouthon (16) 128 D 4
Vouthon-Bas (55) 56 A 4
Vouthon-Haut (55) 56 A 4
Voutré (53) 67 F 2
Vouvant (85) 113 H 1
Vouvray (37) 87 E 4
Vouvray-sur-Huisne (72) 68 C 3
Vouvray-sur-Loir (72) 86 C 1
Vouxey (88) 56 C 5
Vouzailles (86) 101 H 5
Vouzan (16) 128 D 5
Vouzeron (18) 89 E 5
Vouziers (SP) (08) 34 D 1
Vouzon (41) 88 D 2
Vouzy (51) 33 H 5
Voves (28) 70 B 1
Vovray-en-Bornes (74) 124 B 5
Voyenne (02) 17 F 3
Voyennes (80) 16 B 3
Voyer (57) 58 B 2
La Vraie-Croix (56) 81 H 2
Vraignes-en-Vermandois (80) 16 C 2
Vraignes-lès-Hornoy (80) 14 D 2
Vraincourt (52) 75 G 1
Vraiville (27) 29 F 3
Vrasville (50) 23 E 2
Vraux (51) 34 A 4
Vrécourt (88) 76 B 1
Vred (59) 8 D 2
Vregille (70) 94 C 4
Vregny (02) 32 D 1
Vrély (80) 15 H 2
Le Vrétot (50) 22 C 4
Vriange (39) 94 B 5
Vrigne-aux-Bois (08) 19 E 3
Vrigne-Meuse (08) 19 E 3
Vrigny (45) 71 E 3
Vrigny (51) 33 G 2
Vrigny (61) 47 H 2
La Vrine (25) 111 F 2
Vritz (44) 84 A 2
Vrizy (08) 34 D 1
Vrocourt (60) 14 D 5
Vroil (51) 55 E 1
Vron (80) 6 C 3
Vroncourt (54) 56 D 4
Vroncourt-la-Côte (52) 76 A 2
Vroville (88) 57 E 5
Vry (57) 21 F 5
Vue (44) 82 D 5
Vuillafans (25) 111 F 1
Vuillecin (25) 111 F 2
Vuillery (02) 32 D 1
Vulaines (10) 73 F 1
Vulaines-lès-Provins (77) 52 C 3
Vulaines-sur-Seine (77) 51 H 5
Vulbens (74) 124 A 5
Vulmont (57) 37 E 5
Vulvoz (39) 123 H 3
Vy-le-Ferroux (70) 94 D 2
Vy-lès-Filain (70) 95 E 2
Vy-lès-Lure (70) 95 G 1
Vy-lès-Rupt (70) 94 C 1
Vyans-le-Val (70) 96 C 2
Vyt-lès-Belvoir (25) 95 H 3

W

Waben (62) 6 C 2
Wackenbach (67) 58 C 3
Wacquemoulin (60) 15 H 5
Wacquinghen (62) 2 B 4
Wadelincourt (08) 19 E 3
Wadimont (08) 18 A 3
Wagnon (08) 18 C 4
Wahagnies (59) 4 C 5
Wahlbach (68) 97 F 1
Wahlenheim (67) 59 E 1
Wail (62) 7 F 3
Wailly (62) 8 A 3
Wailly (80) 15 E 3
Wailly-Beaucamp (62) 6 C 2
Walbach (68) 78 C 2
Walbourg (67) 39 F 4
La Walck (67) 39 E 5
Waldersbach (67) 58 C 4
Waldhambach (67) 38 C 4
Waldhouse (57) 38 D 2
Waldighofen (68) 97 F 1
Waldolwisheim (67) 58 D 1
Waldweistroff (57) 21 G 3
Waldwisse (57) 21 G 3
Walheim (68) 97 F 1
Walincourt-Selvigny (59) 9 E 5
Wallers (59) 9 E 2
Wallers-en-Fagne (59) 10 A 3
Wallon-Cappel (59) 3 F 4
Walschbronn (57) 38 D 2
Walscheid (57) 58 B 2
Waltembourg (57) 58 C 1
Waltenheim (68) 79 E 5
Waltenheim-sur-Zorn (67) 59 E 1
Waly (55) 35 F 4
Wambaix (59) 8 D 4
Wambercourt (62) 7 E 2
Wambez (60) 14 D 5
Wambrechies (59) 4 C 3
Wamin (62) 7 E 2
Wanchy-Capval (76) 14 A 2
Wancourt (62) 8 B 3
Wandignies-Hamage (59) 8 D 2
Wanel (80) 14 D 1
Wangen (67) 58 D 2
Wangenbourg-Engenthal (67) 58 C 2
Wannehain (59) 4 D 4
Wanquetin (62) 7 H 3
La Wantzenau (67) 59 F 1
Warby (08) 18 C 3
Warcq (08) 18 D 3
Warcq (55) 20 B 5
Wardrecques (62) 3 F 4
Wargemoulin-Hurlus (51) 34 D 3
Wargnies (80) 7 F 5
Wargnies-le-Grand (59) 9 F 3
Wargnies-le-Petit (59) 9 G 3
Warhem (59) 3 F 2
Warlaing (59) 5 E 5
Warlencourt-Eaucourt (62) 8 A 5
Warlincourt-lès-Pas (62) 7 H 4
Warloy-Baillon (80) 15 G 1
Warluis (60) 31 E 1
Warlus (62) 8 A 3
Warlus (80) 14 D 1
Warluzel (62) 7 H 4
Warmeriville (51) 34 A 1
Warnécourt (08) 18 D 3
Warsy (80) 15 H 3
Warvillers (80) 15 H 3
Wasigny (08) 18 B 4
Wasnes-au-Bac (59) 8 D 3
Wasquehal (59) 4 C 3
Wasselonne (67) 58 D 2
Wasserbourg (68) 78 C 2
Wassigny (02) 17 F 1
Wassy (52) 55 E 4
Le Wast (62) 2 C 4
Watigny (02) 10 B 5
Watronville (55) 20 A 5
Watten (59) 3 E 3
Wattignies (59) 4 C 4
Wattignies-la-Victoire (59) 9 H 4
Wattrelos (59) 4 D 3
Wattwiller (68) 78 C 4
Wavignies (60) 15 G 5
Waville (54) 36 C 4
Wavrans-sur-l'Aa (62) 2 D 5
Wavrans-sur-Ternoise (62) 7 G 2
Wavrechain-sous-Denain (59) 9 E 3
Wavrechain-sous-Faulx (59) 8 D 3
Wavrille (55) 35 H 1
Wavrin (59) 4 B 4
Waziers (59) 8 C 2
Weckolsheim (68) 79 E 2
Wegscheid (68) 78 B 4
Weinbourg (67) 38 D 5
Weislingen (67) 38 C 4
Weitbruch (67) 59 F 1
Weiterswiller (67) 38 D 5
Welles-Pérennes (60) 15 G 4
Wemaers-Cappel (59) 3 F 3
Wengelsbach (67) 39 E 3
Wentzwiller (68) 97 G 1
Werentzhouse (68) 97 F 2
Wervicq-Sud (59) 4 C 2
West-Cappel (59) 3 G 2
Westhalten (68) 78 C 3
Westhoffen (67) 58 D 2
Westhouse (67) 59 E 4
Westhouse-Marmoutier (67) 58 D 1
Westrehem (62) 7 G 1
Wettolsheim (68) 78 D 2
Weyer (67) 38 B 5
Weyersheim (67) 59 F 1
Wickerschwihr (68) 78 D 1
Wickersheim-Wilshausen (67) 39 E 5
Wicquinghem (62) 7 E 1
Wicres (59) 4 B 4
Widehem (62) 2 B 5
Widensolen (68) 79 E 2
Wiège-Faty (02) 17 F 2
Wiencourt-l'Équipée (80) 15 H 2
Wierre-au-Bois (62) 2 B 5
Wierre-Effroy (62) 2 B 4
Wiesviller (57) 38 B 3
Wignehies (59) 9 H 5
Wignicourt (08) 18 C 4
Wihr-au-Val (68) 78 C 2
Wildenstein (68) 78 B 3
Wildersbach (67) 58 C 4
Willeman (62) 7 F 3
Willems (59) 4 D 3
Willencourt (62) 7 E 4
Willer (68) 97 F 1
Willer-sur-Thur (68) 78 B 4
Willeroncourt (55) 55 H 2
Willerval (62) 8 B 2
Willerwald (57) 38 A 3
Willgottheim (67) 58 D 1
Williers (08) 19 H 3
Willies (59) 10 A 3
Wilwisheim (67) 58 D 1
Wimereux (62) 2 A 4
Wimille (62) 2 B 4
Wimmenau (67) 38 D 4
Wimy (02) 17 H 1
Windstein (67) 39 E 4
Wingen (67) 39 F 3
Wingen-sur-Moder (67) 38 D 4
Wingersheim-les-Quatre-Bans (67) 59 E 1
Wingles (62) 4 B 5
Winkel (68) 97 F 2
Winnezeele (59) 3 G 3
Wintersbourg (57) 58 C 1
Wintershouse (67) 39 F 5
Wintzenbach (67) 39 H 4
Wintzenheim (68) 78 D 2
Wintzenheim-Kochersberg (67) 59 E 2
Wintzfelden (68) 78 C 3
Wirwignes (62) 2 B 5
Wiry-au-Mont (80) 14 C 1
Wisches (67) 58 C 3
Wisembach (88) 58 B 5
Wiseppe (55) 19 G 5
Wismes (62) 2 D 5
Wisques (62) 3 E 4
Wissant (62) 2 B 3
Wissembourg (SP) (67) 39 G 3
Wissignicourt (02) 17 E 5
Wissous (91) 51 F 2
Witry-lès-Reims (51) 33 H 2
Wittelsheim (68) 78 C 4
Wittenheim (68) 78 D 4
Witternesse (62) 3 F 5
Witternheim (67) 59 E 5
Wittersdorf (68) 97 F 1
Wittersheim (67) 39 E 5
Wittes (62) 3 F 5
Wittisheim (67) 59 E 5
Wittring (57) 38 B 3
Wiwersheim (67) 59 E 2
Wizernes (62) 3 E 4
Woël (55) 36 B 4
Wœlfling-lès-Sarreguemines (57) 38 B 3
Wœrth (67) 39 F 4
Woignarue (80) 6 B 5
Woimbey (55) 35 H 4
Woincourt (80) 6 B 5
Woinville (55) 36 A 5
Woippy (57) 21 E 5
Woirel (80) 14 C 1
Wolfersdorf (68) 97 E 1
Wolfgantzen (68) 79 E 2
Wolfisheim (67) 59 E 2
Wolfskirchen (67) 38 B 5
Wolschheim (67) 58 D 1
Wolschwiller (68) 97 G 2
Wolxheim (67) 59 E 2
Wormhout (59) 3 F 3
Woustviller (57) 38 A 3
Wuenheim (68) 78 C 4
Wuisse (57) 37 G 5
Wulverdinghe (59) 3 E 3
Wy-dit-Joli-Village (95) 30 C 4
Wylder (59) 3 F 3

X

Xaffévillers (88) 57 G 4
Xaintrailles (47) 171 H 2
Xaintray (79) 114 A 1
Xambes (16) 128 B 2
Xammes (54) 36 C 4
Xamontarupt (88) 77 H 2
Xanrey (57) 57 G 1
Xanton-Chassenon (85) 113 H 2
Xaronval (88) 57 E 5
Xermaménil (54) 57 F 3
Xertigny (88) 77 F 2
Xeuilley (54) 56 D 3
Xirocourt (54) 57 E 4
Xivray-et-Marvoisin (55) 36 B 5
Xivry-Circourt (54) 20 B 3
Xocourt (57) 37 F 5
Xonrupt-Longemer (88) 78 A 2
Xonville (54) 36 C 4
Xouaxange (57) 58 A 1
Xousse (54) 57 H 2
Xures (54) 57 G 2

Y

Y (80) 16 B 2
Yainville (76) 13 F 5
Yaucourt-Bussus (80) 7 E 5
Le Yaudet (22) 42 C 2
Ychoux (40) 154 C 5
Ydes (15) 146 A 2
Ydes-Bourg (15) 146 A 2
Yébleron (76) 12 D 4
Yèbles (77) 51 H 3
Yenne (73) 137 G 3
Yermenonville (28) 50 B 3
Yerres (91) 51 G 2
Yerville (76) 13 F 4
Yèvre-la-Ville (45) 71 F 2
Yèvre-le-Châtel (45) 71 F 2
Yèvres (28) 69 G 1
Yèvres-le-Petit (10) 54 C 4
Yffiniac (22) 43 H 5
Ygos-St-Saturnin (40) 169 G 4
Ygrande (03) 119 G 1
Ymare (76) 29 G 1
Ymeray (28) 50 B 4
Ymonville (28) 70 B 1
Yolet (15) 160 A 1
Yoncq (08) 19 F 4
Yonval (80) 6 D 5
Youx (63) 119 F 5
Yport (76) 12 C 3
Ypreville-Biville (76) 12 D 3
Yquebeuf (76) 13 H 4
Yquelon (50) 24 C 5
Yronde-et-Buron (63) 133 G 5
Yrouerre (89) 73 H 5
Yssac-la-Tourette (63) 133 F 2
Yssandon (19) 144 B 3
Yssingeaux (SP) (43) 148 C 4
Ytrac (15) 159 H 1
Ytres (62) 8 C 5
Yutz (57) 21 E 3
Yvecrique (76) 13 F 3
Yvernaumont (08) 18 D 3
Yversay (86) 102 A 5
Yves (17) 113 F 5
Les Yveteaux (61) 47 F 2
Yvetot (76) 13 E 4
Yvetot-Bocage (50) 22 D 4
Yvias (22) 43 F 2
Yviers (16) 142 A 2
Yvignac-la-Tour (22) 44 C 5
Yville-sur-Seine (76) 29 E 1
Yvoire (74) 124 D 2
Yvoy-le-Marron (41) 88 C 2
Yvrac (33) 155 F 1
Yvrac-et-Malleyrand (16) 128 D 3
Yvrandes (61) 46 D 2
Yvré-le-Pôlin (72) 68 A 5
Yvré-l'Évêque (72) 68 A 3
Yvrench (80) 7 E 4
Yvrencheux (80) 7 E 4
Yzengremer (80) 6 B 5
Yzernay (49) 100 C 2
Yzeron (69) 135 G 3
Yzeure (03) 120 A 1
Yzeures-sur-Creuse (37) 103 E 4
Yzeux (80) 15 E 1
Yzosse (40) 185 F 1

Z

Zaessingue (68) 97 F 1
Zalana (2B) 217 G 2
Zarbeling (57) 37 H 5
Zegerscappel (59) 3 F 3
Zehnacker (67) 58 D 1
Zeinheim (67) 58 D 1
Zellenberg (68) 78 D 1
Zellwiller (67) 59 E 4
Zermezeele (59) 3 F 3
Zérubia (2A) 219 E 2
Zetting (57) 38 B 3
Zévaco (2A) 219 E 1
Zicavo (2A) 217 E 5
Zigliara (2A) 218 D 1
Zilia (2B) 214 C 5
Zilling (57) 58 C 1
Zillisheim (68) 78 D 5
Zimmerbach (68) 78 C 2
Zimmersheim (68) 78 D 5
Zimming (57) 21 G 5
Zincourt (88) 57 F 5
Zinswiller (67) 39 E 4
Zittersheim (67) 38 C 4
Zœbersdorf (67) 39 E 5
Zommange (57) 37 H 5
Zonza (2A) 219 F 2
Zoteux (62) 2 C 5
Zouafques (62) 2 D 3
Zoufftgen (57) 21 E 2
Zoza (2A) 219 E 2
Zuani (2B) 217 F 2
Zudausques (62) 3 E 4
Zutkerque (62) 2 D 3
Zuydcoote (59) 3 F 1
Zuytpeene (59) 3 F 4

A B C D E F G H I J K L M N O P Q R S T U V W X Y Z

Plans

Curiosités
Bâtiment intéressant
Édifice religieux intéressant : catholique - protestant

Voirie
Autoroute - Double chaussée de type autoroutier
Échangeurs numérotés : complet - partiels
Grande voie de circulation
Rue réglementée ou impraticable
Rue piétonne - Tramway
Parking - Parking Relais
Tunnel
Gare et voie ferrée
Funiculaire, voie à crémaillère
Téléphérique, télécabine

Signes divers
Information touristique
Mosquée - Synagogue
Tour - Ruines
Moulin à vent
Jardin, parc, bois
Cimetière

Stade - Golf - Hippodrome
Piscine de plein air, couverte
Vue - Panorama
Monument - Fontaine
Port de plaisance
Phare
Aéroport - Station de métro
Gare routière
Transport par bateau :
passagers et voitures, passagers seulement

Bureau principal de poste restante - Hôpital
Marché couvert
Gendarmerie - Police
Hôtel de ville
Université, grande école
Bâtiment public repéré par une lettre :
Musée
Théâtre

Town plans

Sights
Place of interest
Interesting place of worship:
Church - Protestant church

Roads
Motorway - Dual carriageway
Numbered junctions: complete, limited
Major thoroughfare
Unsuitable for traffic or street subject to restrictions
Pedestrian street - Tramway
Car park - Park and Ride
Tunnel
Station and railway
Funicular
Cable-car

Various signs
Tourist Information Centre
Mosque - Synagogue
Tower - Ruins
Windmill
Garden, park, wood
Cemetery

Stadium - Golf course - Racecourse
Outdoor or indoor swimming pool
View - Panorama
Monument - Fountain
Pleasure boat harbour
Lighthouse
Airport - Underground station
Coach station
Ferry services:
passengers and cars - passengers only

Main post office with poste restante - Hospital
Covered market
Gendarmerie - Police
Town Hall
University, College
Public buildings located by letter:
Museum
Theatre

Stadtpläne

Sehenswürdigkeiten
Sehenswertes Gebäude
Sehenswerter Sakralbau:Katholische - Evangelische Kirche

Straßen
Autobahn - Schnellstraße
Nummerierte Voll- bzw. Teilanschlussstellen
Hauptverkehrsstraße
Gesperrte Straße oder mit Verkehrsbeschränkungen
Fußgängerzone - Straßenbahn
Parkplatz - Park-and-Ride-Plätze
Tunnel
Bahnhof und Bahnlinie
Standseilbahn
Seilschwebebahn

Sonstige Zeichen
Informationsstelle
Moschee - Synagoge
Turm - Ruine
Windmühle
Garten, Park, Wäldchen
Friedhof

Stadion - Golfplatz - Pferderennbahn
Freibad - Hallenbad
Aussicht - Rundblick
Denkmal - Brunnen
Yachthafen
Leuchtturm
Flughafen - U-Bahnstation
Autobusbahnhof
Schiffsverbindungen:
Autofähre, Personenfähre
Hauptpostamt (postlagernde Sendungen) - Krankenhaus
Markthalle
Gendarmerie - Polizei
Rathaus
Universität, Hochschule
Öffentliches Gebäude, durch einen Buchstaben gekennzeichnet:
Museum
Theater

Plattegronden

Bezienswaardigheden
Interessant gebouw
Interessant kerkelijk gebouw: Kerk - Protestantse kerk

Wegen
Autosnelweg - Weg met gescheiden rijbanen
Knooppunt / aansluiting: volledig, gedeeltelijk
Hoofdverkeersweg
Onbegaanbare straat, beperkt toegankelijk
Voetgangersgebied - Tramlijn
Parkeerplaats - P & R
Tunnel
Station, spoorweg
Kabelspoor
Tandradbaan

Overige tekens
Informatie voor toeristen
Moskee - Synagoge
Toren - Ruïne
Windmolen
Tuin, park, bos
Begraafplaats

Stadion - Golfterrein - Renbaan
Zwembad: openlucht, overdekt
Uitzicht - Panorama
Gedenkteken, standbeeld - Fontein
Jachthaven
Vuurtoren
Luchthaven - Metrostation
Busstation
Vervoer per boot:
Passagiers en auto's - uitsluitend passagiers

Hoofdkantoor voor poste-restante - Ziekenhuis
Overdekte markt
Marechaussee / rijkswacht - Politie
Stadhuis
Universiteit, hogeschool
Openbaar gebouw, aangegeven met een letter::
Museum
Schouwburg

Piante

Curiosità
Edificio interessante
Costruzione religiosa interessante: Chiesa - Tempio

Viabilità
Autostrada - Doppia carreggiata tipo autostrada
Svincoli numerati: completo, parziale
Grande via di circolazione
Via regolamentata o impraticabile
Via pedonale - Tranvia
Parcheggio - Parcheggio Ristoro
Galleria
Stazione e ferrovia
Funicolare
Funivia, cabinovia

Simboli vari
Ufficio informazioni turistiche
Moschea - Sinagoga
Torre - Ruderi
Mulino a vento
Giardino, parco, bosco
Cimitero

Stadio - Golf - Ippodromo
Piscina: all'aperto, coperta
Vista - Panorama
Monumento - Fontana
Porto turistico
Faro
Aeroporto - Stazione della metropolitana
Autostazione
Trasporto con traghetto:
passeggeri ed autovetture - solo passeggeri

Ufficio centrale di fermo posta - Ospedale
Mercato coperto
Carabinieri - Polizia
Municipio
Università, scuola superiore
Edificio pubblico indicato con lettera:
Museo
Teatro

Planos

Curiosidades
Edificio interessante
Edificio religioso interessante: católica - protestante

Vías de circulación
Autopista - Autovía
Enlaces numerados: completo, parciales
Via importante de circulacion
Calle reglamentada o impracticable
Calle peatonal - Tranvía
Aparcamiento - Aparcamientos «P+R»
Túnel
Estación y línea férrea
Funicular, línea de cremallera
Teleférico, telecabina

Signos diversos
Oficina de Información de Turismo
Mezquita - Sinagoga
Torre - Ruinas
Molino de viento
Jardín, parque, madera
Cementerio

Estadio - Golf - Hipódromo
Piscina al aire libre, cubierta
Vista parcial - Vista panorámica
Monumento - Fuente
Puerto deportivo
Faro
Aeropuerto - Estación de metro
Estación de autobuses
Transporte por barco:
pasajeros y vehículos, pasajeros solamente

Oficina de correos - Hospital
Mercado cubierto
Policía National - Policía
Ayuntamiento
Universidad, escuela superior
Edificio público localizado con letra :
Museo
Teatro

Plans de ville

Comment utiliser les QR Codes ?

1) Téléchargez gratuitement (ou mettez à jour) une application de lecture de QR codes sur votre smartphone

2) Lancez l'application et visez le code souhaité

3) Le plan de la ville désirée apparaît automatiquement sur votre smartphone

4) Zoomez / Dézoomez pour faciliter votre déplacement !

Légendes des plans **282**
Bordeaux **284**
Lille **285**
Lyon **286-287**
Marseille **288**
Nantes **289**
Environs de Paris **290-293**
Paris **294-295**
Toulouse **296**

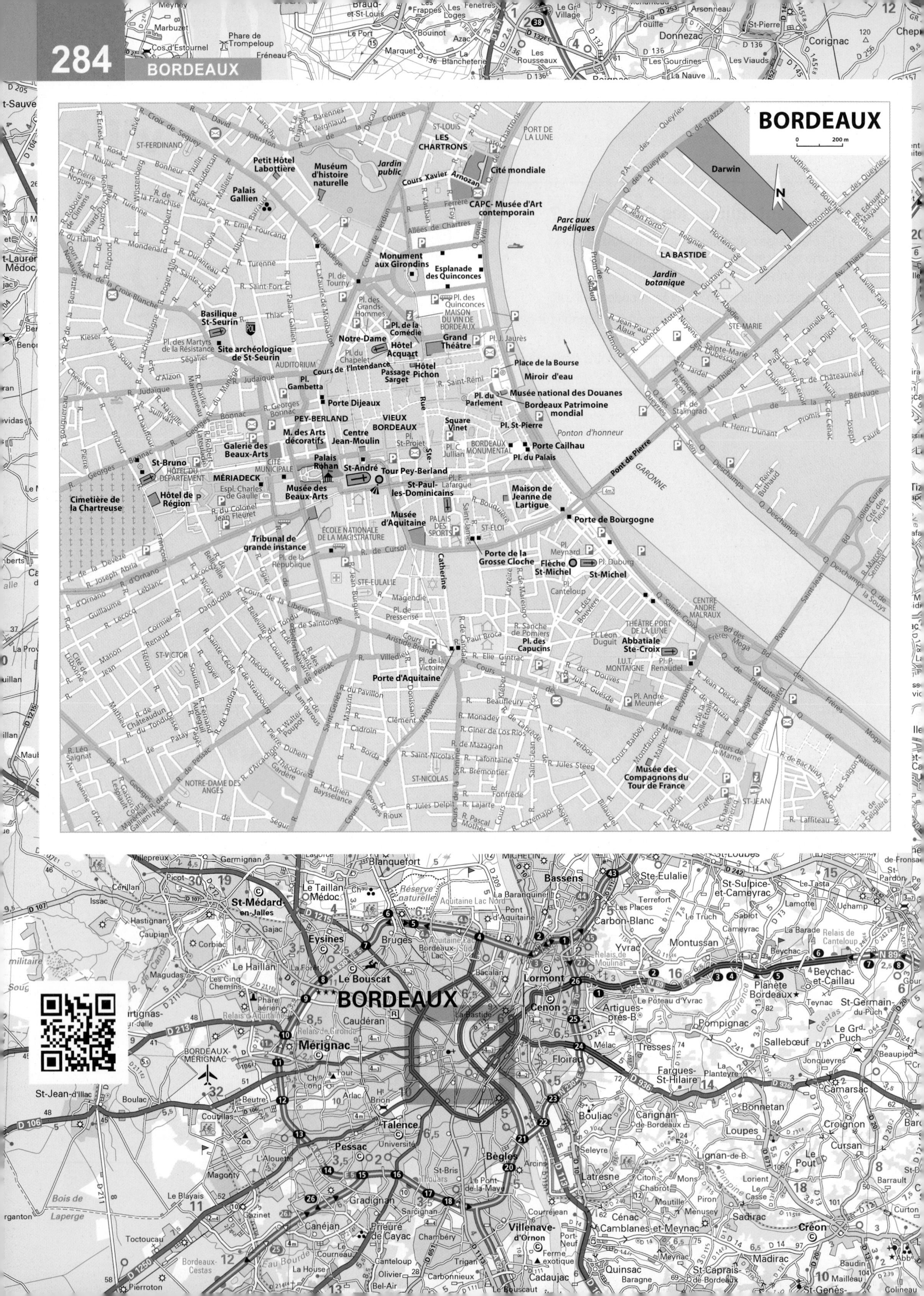

BORDEAUX

0   200 m

N

LES CHARTRONS

LA BASTIDE

Darwin

Jardin botanique

STE-MARIE

Petit Hôtel Labottière
Muséum d'histoire naturelle
Jardin public
Cité mondiale
Palais Gallien
Cours Xavier Arnozan
CAPC- Musée d'Art contemporain
Parc aux Angéliques

Monument aux Girondins
Esplanade des Quinconces
Pl. des Grands-Hommes
Pl. des Quinconces
MAISON DU VIN DE BORDEAUX

Basilique St-Seurin
Site archéologique de St-Seurin
Pl. des Martyrs de la Résistance
Notre-Dame
Pl. de la Comédie
Hôtel Acquart
Grand Théâtre
Place de la Bourse
Miroir d'eau

Pl. Gambetta
Porte Dijeaux
Cours de l'Intendance
Passage Sarget
Hôtel Pichon
Musée national des Douanes
Bordeaux Patrimoine mondial

PEY-BERLAND
M. des Arts décoratifs
Centre Jean-Moulin
VIEUX BORDEAUX
Pl. du Parlement
Square Vinet
Pl. St-Pierre
Porte Cailhau

Galerie des Beaux-Arts
St-Bruno
HÔTEL DU DÉPARTEMENT
MÉRIADECK
Palais Rohan
St-André
Tour Pey-Berland
St-Paul-les-Dominicains
Pl. du Palais
Maison de Jeanne de Lartigue
Porte de Bourgogne

Cimetière de la Chartreuse
Hôtel de Région
Espl. Charles de Gaulle
Musée des Beaux-Arts
Musée d'Aquitaine
PALAIS DES SPORTS
ST-ELOI
Porte de la Grosse Cloche
Flèche St-Michel
St-Michel

Tribunal de grande instance
ÉCOLE NATIONALE DE LA MAGISTRATURE
Pl. de la République
STE-EULALIE
CENTRE ANDRÉ MALRAUX
THÉÂTRE PORT DE LA LUNE

ST-VICTOR
Pl. de la Victoire
Porte d'Aquitaine
Pl. des Capucins
Abbatiale Ste-Croix
I.U.T. MONTAIGNE

NOTRE-DAME DES ANGES
ST-NICOLAS
Musée des Compagnons du Tour de France

Pont de Pierre
GARONNE

ST-MÉDARD-en-Jalles
Le Taillan-Médoc
Réserve naturelle
Blanquefort
Bassens
Ste-Eulalie
St-Sulpice-et-Cameyrac

Eysines
Bruges
Carbon-Blanc
Montussan

Le Bouscat
BORDEAUX
Lormont
Yvrac
Beychac-et-Caillau

Caudéran
La Bastide
Cenon
Artigues-près-B.

BORDEAUX-MÉRIGNAC
Mérignac
Floirac
Tresses
Fargues-St-Hilaire

Talence
Pessac
Bègles
Bouliac
Carignan-de-Bordeaux

Gradignan
Villenave-d'Ornon
Camblanes-et-Meynac
Créon

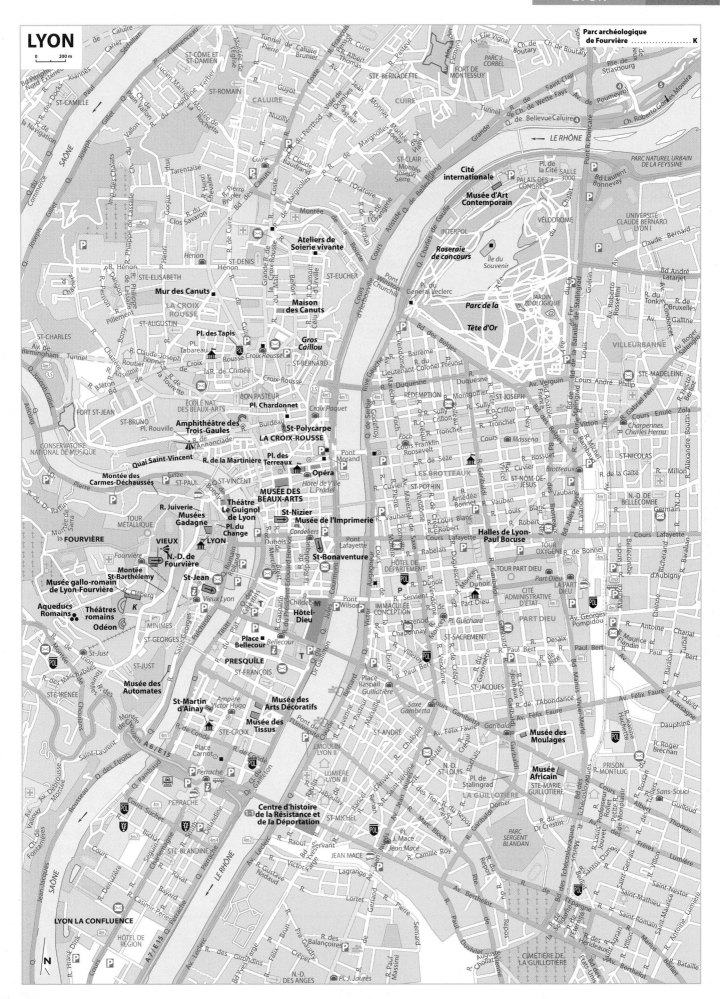

LYON

0 200 m

Parc archéologique
de Fourvière .... K

N

Docks de la Joliette — DIRECTION DU PORT
FRAC
St-Lazare

BASSIN DE LA GRANDE
GARE MARITIME
DIGUE DU LARGE

Pl. de la Joliette
Joliette
S.N.C.M.

Anc. Cath. de la Major
Cath. de la Major
Centre de la Vieille Charité
Hôtel-Dieu

Porte d'Aix
CITÉ DE LA MUSIQUE
Gare St-Charles
Tunnel Saint-Charles

Musée Regards de Provence
MUCEM
Villa Méditerranée
LE PANIER
Montée des Accoules
Préau des Accoules
Maison diamantée
Hôtel de Cabre
Musée d'Histoire de Marseille
Port antique
CENTRE BOURSE
Alcazar
NOAILLES
Mémorial de la Marseillaise
St-Vincent de Paul (Les Réformés)
La Canebière

Palais du Pharo
Fort St-Jean
St-Laurent
Musée des Docks romains
Quai du Port
St-Ferréol
M1
Musée des Beaux-arts
Palais Longchamp
Musée Grobet-Labadié
Muséum d'histoire naturelle
Longchamp
ST-PIERRE ST-PAUL

Mémorial des camps de la mort
Q. de la Fraternité
VIEUX-PORT
Vieux-Port-Hôtel de Ville
Opéra
Pl. du Marché des Capucins
Palais des Arts
Pl. J.
Jaurès

Parc du Pharo
Théâtre de la Criée
Q. de Rive Neuve
Pl. Thiars les Arcenaulx
Cours Honoré d'Estienne-d'Orves
STE-TRINITÉ
Cours Julien
N.-D. du Mont
N.-D.-du-Mont Cours Julien

Fort St-Nicolas
Musée de Santons Marcel Carbonel
Pl. St-Victor
Basilique St-Victor
Jardin P. Puget
Palais de Justice
Musée Cantini
Préfecture
STE-SACREMENT
ST-JEAN-BAPTISTE

ST-LAMBERT
Av. de la Corse
N.-D. DE LOURDES
ST-JOSEPH
R. Paradis
Pl. Castellane
PARC DU 26E CENTENAIRE

Notre-Dame de la Garde
ROUCAS-BLANC
SAINT-FRANÇOIS D'ASSISE
SACRÉ-CŒUR

MARSEILLE
0   300 m

Palais de la Bourse-Musée de la Marine et de l'Economie de Marseille .. M1

Lower regional map:

Parc d'attractions
Ensuès-la-Redonne
La Vesse
Niolon★
La Madrague-de-la-Ville
Rade de Marseille
Madrague-de-Gignac
Mer Bleue
Île Ratonneau
Le Frioul
Île Pomègues
Rade d'Endoume
Château d'If
Cap Caveaux
Îles du Frioul

Les Aygalades
La Batarelle
St-Joseph
Le Merlan
Croix-Rouge
Plan-de-Cuques
N.-D. du Château
Allauch★
Roquevaire
Lascours
Crx de Garlaban
Pont-de-l'Étoile
Tête de Roussargue
MASSIF

St-Louis
Arnavaux
St-Jérôme
St-Just
La Rose
Les Olives
St-Julien
Les Trois-Lucs
Camoins-les-Bains
La Treille
Napollon
St-Pierre-les-A.
St-Jean-de-Garguier
Gémenos

★★★ MARSEILLE
St-Barnabé
La Pomme
La Valentine
Camoins
Éoures
La Bastidonne
Aubagne

Tunnel Prado Carénage
Ste-Marguerite
St-Loup
St-Marcel
Menpenti
La Capelette
Ste-Marguerite
La Penne-sur-Huveaune
Carnoux-en-Provence
Roquefort-la-Bédoule

Prado Carénage
Le Cabot
Plages du Prado
Bonneveine
La Pointe-Rouge
Valmante
Le Redon
PARC NATIONAL
Mt St-Cyr
La Gélade
Mt Carpiagne
Camp militaire
Julhans

La Madrague-de-Montredon
Mazargues
Montredon
Mt Rose
Cap Croisette
Île Tiboulen
Les Goudes
Calanques
Col de la Gineste
Logisson
Luminy
Forêt de la Gardiole
Col de la Gineste
FORÊT DE PUGET
Morgiou
Port-Miou
N.-D. de Bon-Voyage
Cassis
Mt de la Saoupe
Pas de la Colle

Cap Morgiou
Bec Sormiou
Cap Morgiou
Grotte Cosquer
Île Maïre
Île Jarre
Île Calseraigne
Île de Planier
Cal. de Sormiou
Cap Sugiton
★★★ Cap Canaille
Gde Tête
Clos des plaines
Ceyreste

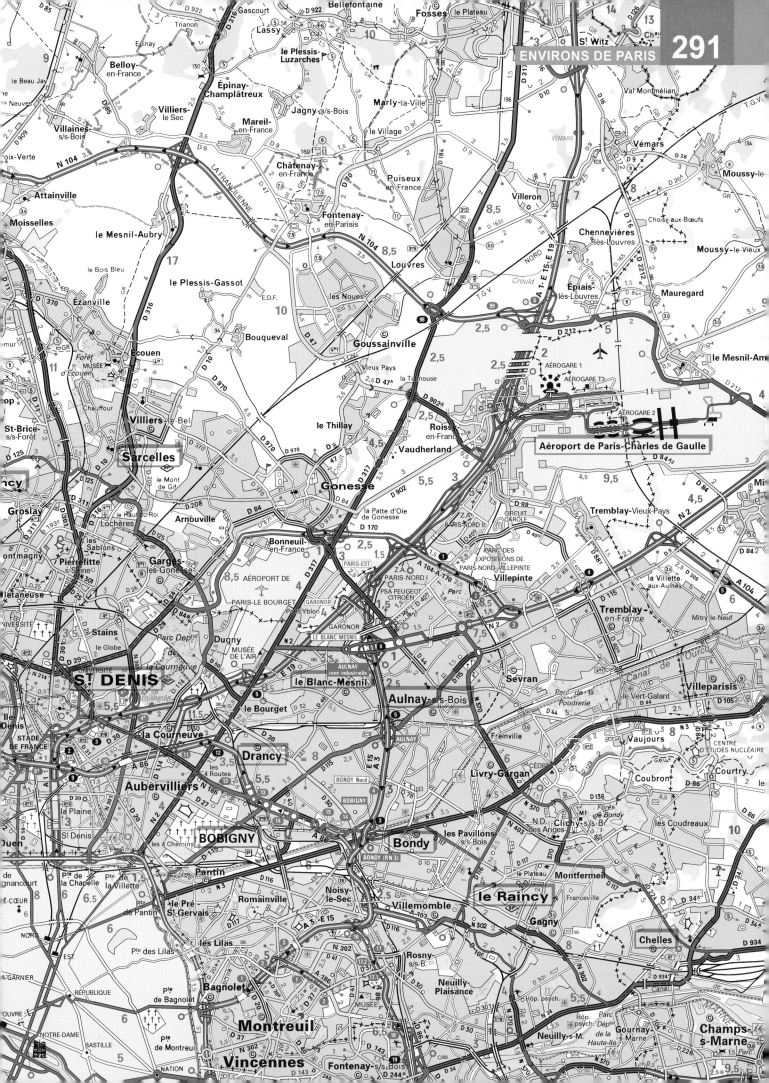

Paris

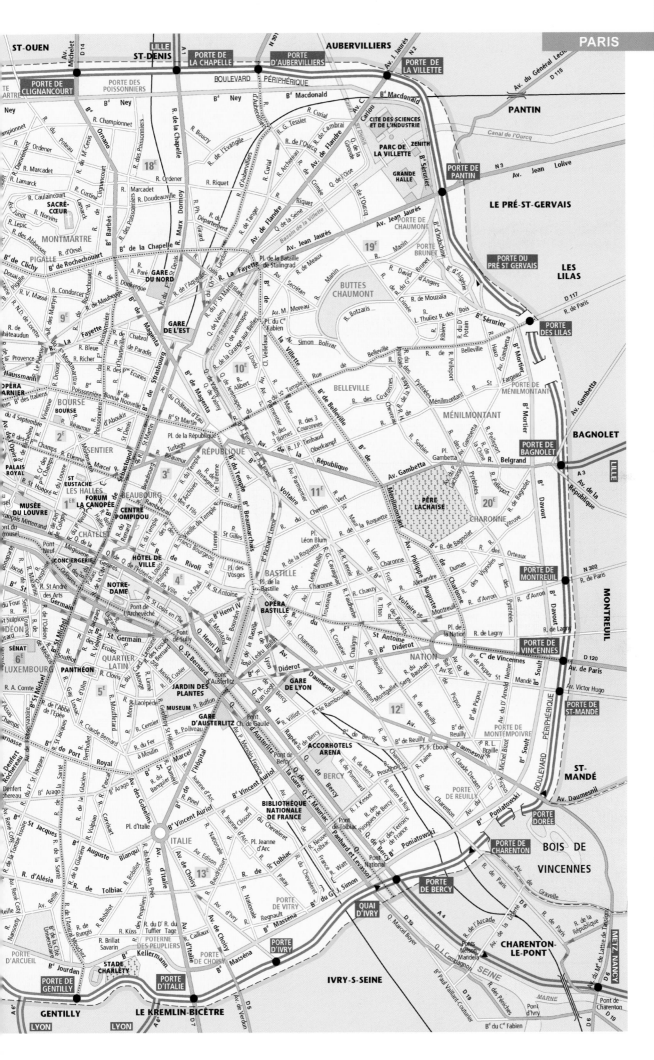

Paris

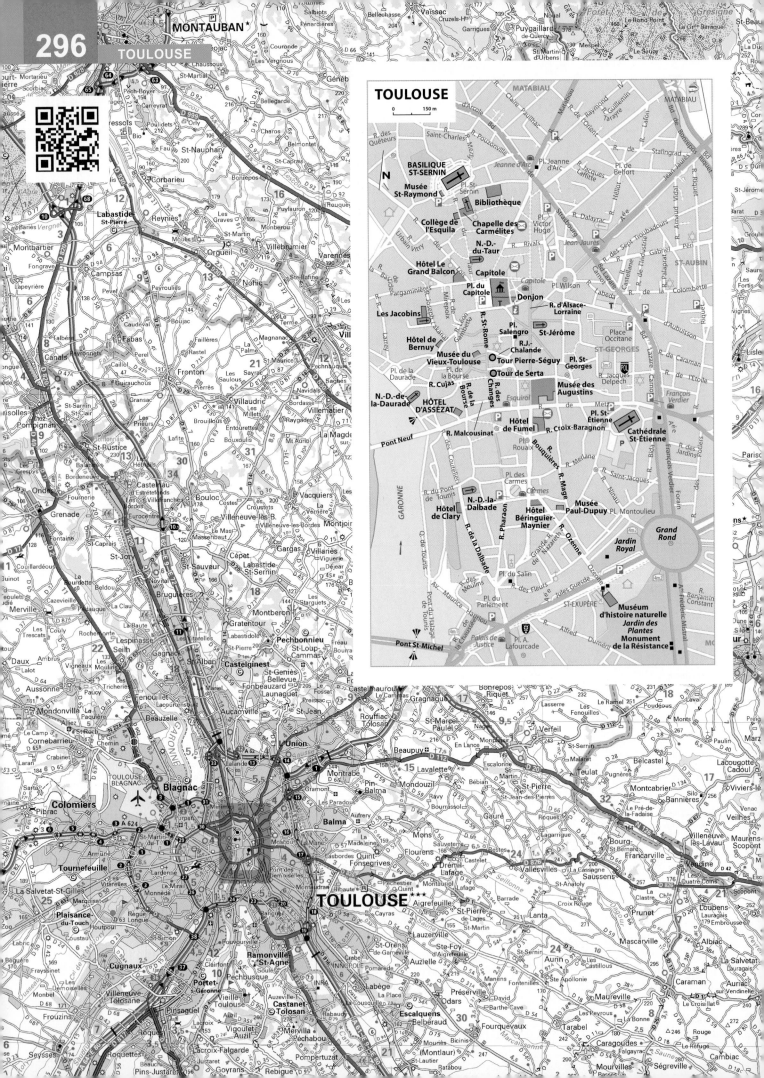

MONTAUBAN ★

TOULOUSE

0 ——— 150 m

N

BASILIQUE ST-SERNIN

Musée St-Raymond

Bibliothèque

Collège de l'Esquila

Chapelle des Carmélites

N.-D.-du-Taur

Hôtel Le Grand Balcon

Capitole

Pl. du Capitole

Donjon

Les Jacobins

Hôtel de Bernuy

Musée du Vieux-Toulouse

Tour Pierre-Séguy

Tour de Serta

R. Cujas

N.-D.-de-la-Daurade

HÔTEL D'ASSÉZAT

R. Malcousinat

Pont Neuf

GARONNE

R. St-Rome

Pl. Salengro

St-Jérôme

R.J.-Chalande

Pl. St-Georges

R. d'Alsace-Lorraine

Place Occitane

ST-GEORGES

R. des Changes

R. de la Bourse

Esquirol

Musée des Augustins

Pl. St-Étienne

Cathédrale St-Étienne

Hôtel de Fumel

R. Croix-Baragnon

Bouquières

R. Mage

Hôtel Béringuier-Maynier

Musée Paul-Dupuy

Pl. Montoulieu

N.-D.-la-Dalbade

Hôtel de Clary

R. Pharaon

R. de la Dalbade

Pl. des Carmes

Grand Rond

Jardin Royal

Pl. du Salin

Pl. du Parlement

ST-EXUPÈRE

Pont St-Michel

Palais de Justice

Pl. A. Lafourcade

Muséum d'histoire naturelle

Jardin des Plantes

Monument de la Résistance

MATABIAU

TOULOUSE ★★★

EUROPE
EUROPA
1/3 500 000

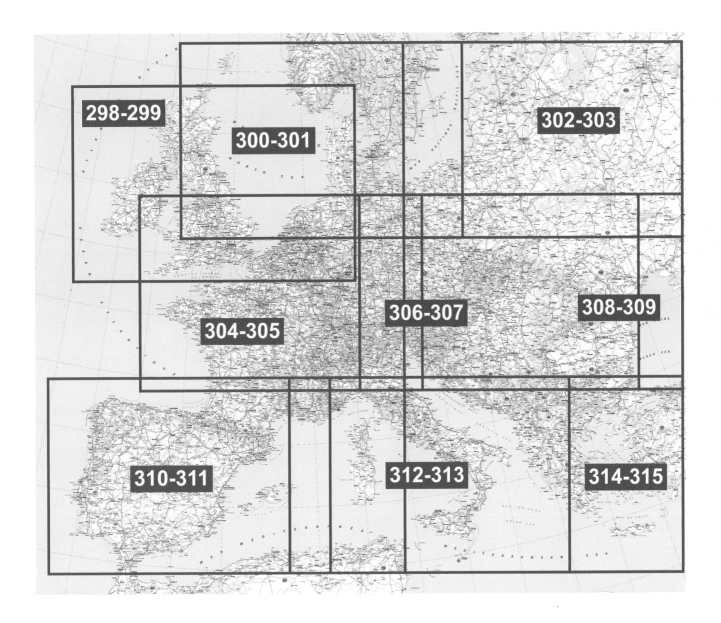

298-299

300-301

302-303

304-305

306-307

308-309

310-311

312-313

314-315

Rockall (GB)

ATLANTIC

OCEAN

Lewis

St. Kilda

North Uist

South Uist

Barra

Castlebay

Sea of the Hebrides

Skye

Harris

Tarbert

Lochmaddy

Lochboisdale

Stornoway

Lochinver

Ullapool

Dunnet Head

Tongue

Thurso

Wick

Lairg

Brora

Dornoch

Moray Firth

Dingwall

Nairn

Elgin

Keith

Inverness

Grantown-on-Spey

Aviemore

Newtonmore

1309

Braemar

112

90

Forfar

Dundee

St And

Uig

Dunvegan

Portree

Kyle of Lochalsh

Mallaig

Fort William

Ben Nevis
1344

R.Tay

Pitlochry

Rhum

Tobermory

Coll

Tiree

Mull

Fionnphort

Craignure

Oban

Colonsay

Crianlarich

Crieff

Perth

Forth

Stirling

59

Kinross

41

Kirkcaldy

Firth of Fo

North

Haddi

SCOTLAND

Islay

Port Askaig

Jura

Port Ellen

Lochgilphead

Loch Fyne

Rothesay

Greenock

Dunoon

Dumbarton

Glasgow

Kilmarnock

Lanark

47

EDINBURGH

Peebles

Galashiels

Kintyre

Campbeltown

Brodick

Ardrossan

Hamilton

Arran

Ayr

212

Moffat

Hawick

Jed

Firth of Clyde

North Channel

Malin Head

Buncrana

Portrush

Giant's Causeway

Ballycastle

Antrim Glens

Londonderry

Coleraine

Ballymena

Cairnryan

Dumfries

99

GB

Letterkenny

Lough Foyle

138

Strabane

71

R.Bann

Larne

Stranraer

75

102

Hadrian's Wall

Donegal

NORTHERN IRELAND

Omagh

48

Lough Neagh

Lisburn

BELFAST

Bangor

Kirkcudbright

Solway Firth

Workington

Carlisle

Bundoran

N 15

Loughs Erne

73

Enniskillen

AA

Armagh

53

Newry

Newcastle

Man

Ramsey

Whitehaven

Keswick

Penrith

977

Belmullet

Achill

Ballina

Sligo

N 16

Monaghan

154

Cavan

Newry

Dundalk

Peel

Douglas

Barrow-in-Furness

Windermere

1093

Kendal

Foun

Castlebar

142

Boyle

Carrick-on-Shannon

N 17

Westport

Knock

215

Longford

Ardee

Navan

Drogheda

91

IRISH SEA

Heysham

Lancaster

Blackpool

20

Burnley

Clifden

Connemara

Lough Mask

246

Lough Corrib

Roscommon

N 7

Athlone

IRL

Mullingar

Kinnegad

R.Boyne

M1

Preston

Southport

27

Bolton

Aran

Lough Ree

M 6

Ballinasloe

Tullamore

M4

DUBLIN

Dún Laoghaire

Bray

Anglesey

Llandudno

Bangor

LIVERPOOL

M

Galway

Loughrea

208

Shannon

Birr

Portlaoise

Naas

926

Glendalough

Wicklow

Holyhead

77

Colwyn Bay

A55

Birkenhead

Chester

Cliffs of Moher

Ennistimon

104

Lough Derg

Roscrea

180

Carlow

17

Arklow

Snowdon
1085

Macclesfield

Wrexham

M6

Stok
on-Tr

Ennis

M 18

Nenagh

250

Kilkenny

140

Caernarfon

Dolgellau

Oswestry

74

Kilrush

M7

Roscrea

171

R.Suir

M8

R.Barrow

Enniscorthy

N11

Cardigan Bay

Welshpool

Newtown

Shrewsbury

Stafford

Listowel

Tralee

Tipperary

57

Caher

79

Cashel

Carrick-on-Suir

New Ross

Wexford

Aberystwyth

Ludlow

66

Wolverhampton

BIRMINGHAM

Dingle

N 21

92

N 20

Clonmel

64

177

N 25

58

Rosslare

WALES

Leominster

Hereford

Worcester

84

Lakes of Killarney
1041

Killarney

Mallow

Fermoy

Dungarvan

Youghal

Waterford

Carnsore Point

Llandrindod Wells

Brecon

Ross-on-Wye

M 50

Cahersiveen

R. Blackwater

N 72

N 25

19

St George's Channel

Cardigan

Carmarthen

Abergavenny

Gloucester

Cirencester

Swind

Ring of Kerry

Kenmare

Glengarriff

Cork

N 25

Cobh

Fishguard

St David's

Haverfordwest

A40

Llanelli

Merthyr Tydfil

Newport

Bristol

M4

Bath

Chipp

Bantry

Lee

Skibbereen

Milford Haven

Pembroke Dock

Swansea

146

Cardiff

33

Bristol Channel

Weston-super-Mare

13

Wells

124

Warminster

Salisbury

Sou

Ilfracombe

Minehead

Exmoor

Taunton

Stol

Land's End

Isles of Scilly

Bude

Barnstaple

Launceston

113

Exeter

Honiton

Dorchester

Poole

Bour

Newquay

Bodmin

Dartmoor

41

Exmouth

Sidmouth

109

CORNWALL

St Ives

Truro

Weymouth

Penzance

Falmouth

Paignton

Torquay

Plymouth

Lizard Point

ENGLISH CH
LA MA

Cap de
la Hag

Alderney

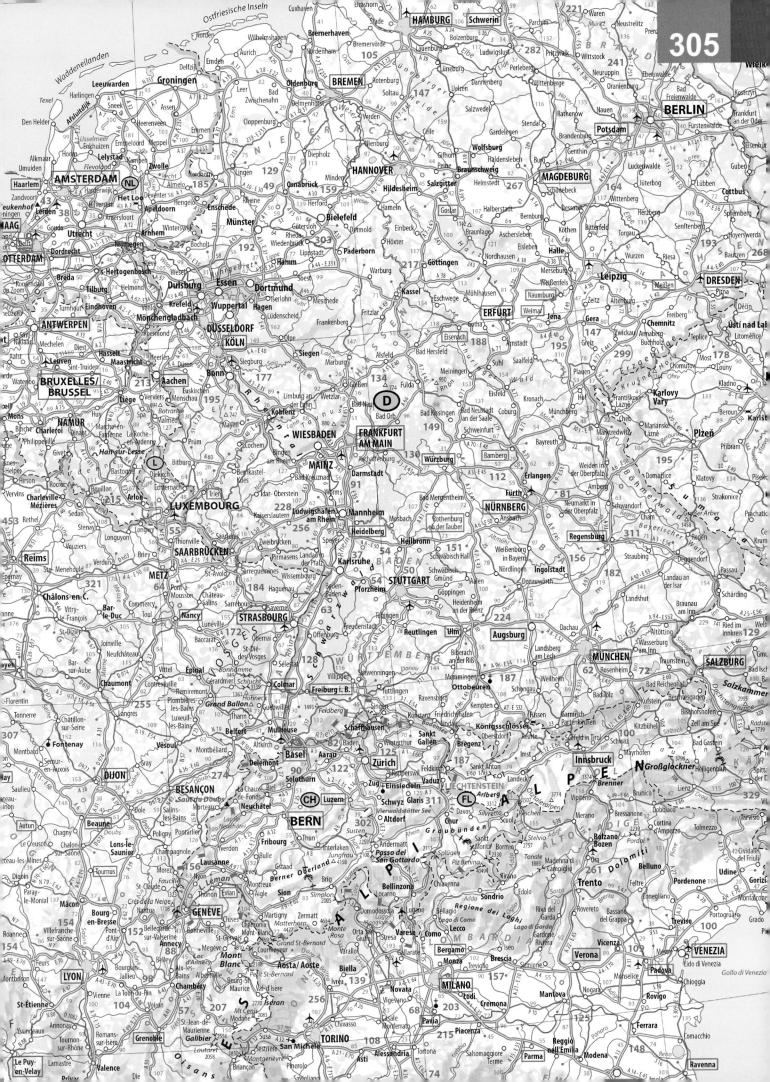

Restez en forme !

Keep fit! / Bleiben Sie fit! / Blijf in vorm!
Mantieniti in forma! / Manténgase en forma

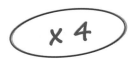

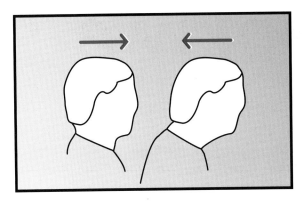

Étirez le cou vers l'avant et l'arrière
Gently tilt your neck forwards and backwards
Strecken Sie den Kopf nach vorn und hinten
Strek de hals naar voren en achteren
Stira il collo in avanti e indietro
Estire el cuello hacia delante y hacia atrás

Basculez la tête vers la droite, puis vers la gauche
Move your head to the right, then the left
Kippen Sie den Kopf nach rechts und dann nach links
Kantel het hoofd naar rechts en links
Inclina la testa verso destra, poi verso sinistra
Oscile la cabeza hacia la derecha, luego hacia la izquierda

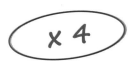

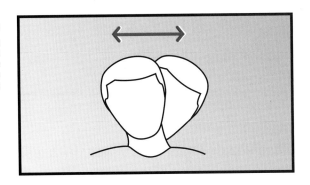

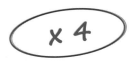

Effectuez une rotation de la tête dans les deux sens
Rotate your head in both directions
Kreisen Sie den Kopf in beide Richtungen
Draai het hoofd in beide richtingen
Ruota la testa nei due sensi
Rotación de la cabeza en uno y otro sentido

Effectuez une rotation des poignets dans les deux sens
Move your hands up and down
Kreisen Sie die Handgelenke in beide Richtungen
Draai de polsen in beide richtingen
Ruota i polsi nei due sensi
Rotación de las muñecas en uno y otro sentido

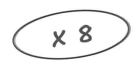

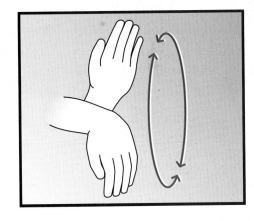

Fléchissez le poignet vers le haut et vers le bas
Move your hands up and down
Bewegen Sie die Hände nach oben und nach unten
Beweeg de handen omhoog en omlaag
Muovi le mani verso l'alto e verso il basso
Movimiento de las manos hacia arriba y hacia abajo

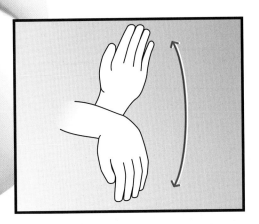

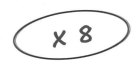

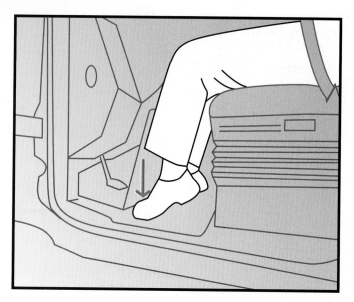

Fléchissez l'avant du pied en appuyant sur le sol

Stretch the front of your foot by pressing the floor with your toes
Strecken Sie die Füße und drücken mit den Zehen auf den Boden
Buig de voorkant van de voet terwijl u op de grond steunt
Fletti l'avampiede appoggiandolo a terra
Flexione los dedos de los pies apretando contra el suelo

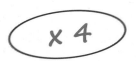

Effectuez une rotation du pied dans les deux sens

Rotate your feet in both directions
Kreisen Sie die Füße in beide Richtungen
Draai de voet in beide richtingen
Ruota i piedi nei due sensi
Rotación de los pies en uno y otro sentido

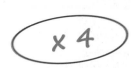

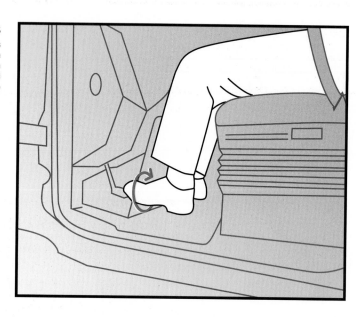

Étirez les pieds vers le haut et vers le bas

Stretch your feet up and down
Strecken Sie die Füße nach oben und nach unten
Strek de voeten omhoog en omlaag
Stira i piedi verso l'alto e verso il basso
Estire los pies hacia arriba y hacia abajo

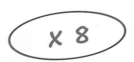

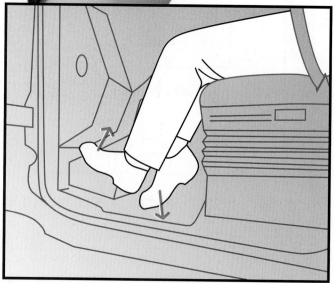

Mettez la main en appui, puis tournez le buste

Support your arm as you turn your upper body
Stützen Sie eine Hand ab und drehen dann den Oberkörper
Steun op uw handen en draai dan de borst
Metti la mano in appoggio e ruota il busto
Apoye la mano y gire el busto

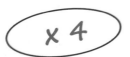

Prenez le pied et rapprochez le talon du corps

Stretch your leg up behind you, gently bringing the heel towards your body
Nehmen Sie den Fuß in die Hand und ziehen die Ferse an den Körper
Pak uw voet en breng de hak naar het bovenlichaam
Afferra il piede e avvicina il tallone al corpo
Coja el pie y acerque el talón al cuerpo

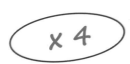

Agenda

2017

JANVIER
JANUARY

D	L	M	M	J	V	S
S	M	T	W	T	F	S
1	2	3	4	5	6	7
8	9	10	11	12	13	14
15	16	17	18	19	20	21
22	23	24	25	26	27	28
29	30	31				

FÉVRIER
FEBRUARY

D	L	M	M	J	V	S
S	M	T	W	T	F	S
			1	2	3	4
5	6	7	8	9	10	11
12	13	14	15	16	17	18
19	20	21	22	23	24	25
26	27	28				

MARS
MARCH

D	L	M	M	J	V	S
S	M	T	W	T	F	S
			1	2	3	4
5	6	7	8	9	10	11
12	13	14	15	16	17	18
19	20	21	22	23	24	25
26	27	28	29	30	31	

AVRIL
APRIL

D	L	M	M	J	V	S
S	M	T	W	T	F	S
						1
2	3	4	5	6	7	8
9	10	11	12	13	14	15
16	17	18	19	20	21	22
23	24	25	26	27	28	29
30						

MAI
MAY

D	L	M	M	J	V	S
S	M	T	W	T	F	S
	1	2	3	4	5	6
7	8	9	10	11	12	13
14	15	16	17	18	19	20
21	22	23	24	25	26	27
28	29	30	31			

JUIN
JUNE

D	L	M	M	J	V	S
S	M	T	W	T	F	S
				1	2	3
4	5	6	7	8	9	10
11	12	13	14	15	16	17
18	19	20	21	22	23	24
25	26	27	28	29	30	

JUILLET
JULY

D	L	M	M	J	V	S
S	M	T	W	T	F	S
						1
2	3	4	5	6	7	8
9	10	11	12	13	14	15
16	17	18	19	20	21	22
23	24	25	26	27	28	29
30	31					

AOÛT
AUGUST

D	L	M	M	J	V	S
S	M	T	W	T	F	S
		1	2	3	4	5
6	7	8	9	10	11	12
13	14	15	16	17	18	19
20	21	22	23	24	25	26
27	28	29	30	31		

SEPTEMBRE
SEPTEMBER

D	L	M	M	J	V	S
S	M	T	W	T	F	S
					1	2
3	4	5	6	7	8	9
10	11	12	13	14	15	16
17	18	19	20	21	22	23
24	25	26	27	28	29	30

OCTOBRE
OCTOBER

D	L	M	M	J	V	S
S	M	T	W	T	F	S
1	2	3	4	5	6	7
8	9	10	11	12	13	14
15	16	17	18	19	20	21
22	23	24	25	26	27	28
29	30	31				

NOVEMBRE
NOVEMBER

D	L	M	M	J	V	S
S	M	T	W	T	F	S
			1	2	3	4
5	6	7	8	9	10	11
12	13	14	15	16	17	18
19	20	21	22	23	24	25
26	27	28	29	30		

DÉCEMBRE
DECEMBER

D	L	M	M	J	V	S
S	M	T	W	T	F	S
					1	2
3	4	5	6	7	8	9
10	11	12	13	14	15	16
17	18	19	20	21	22	23
24	25	26	27	28	29	30
31						

2018

JANVIER
JANUARY

D	L	M	M	J	V	S
S	M	T	W	T	F	S
	1	2	3	4	5	6
7	8	9	10	11	12	13
14	15	16	17	18	19	20
21	22	23	24	25	26	27
28	29	30	31			

FÉVRIER
FEBRUARY

D	L	M	M	J	V	S
S	M	T	W	T	F	S
				1	2	3
4	5	6	7	8	9	10
11	12	13	14	15	16	17
18	19	20	21	22	23	24
25	26	27	28			

MARS
MARCH

D	L	M	M	J	V	S
S	M	T	W	T	F	S
				1	2	3
4	5	6	7	8	9	10
11	12	13	14	15	16	17
18	19	20	21	22	23	24
25	26	27	28	29	30	31

AVRIL
APRIL

D	L	M	M	J	V	S
S	M	T	W	T	F	S
1	2	3	4	5	6	7
8	9	10	11	12	13	14
15	16	17	18	19	20	21
22	23	24	25	26	27	28
29	30					

MAI
MAY

D	L	M	M	J	V	S
S	M	T	W	T	F	S
		1	2	3	4	5
6	7	8	9	10	11	12
13	14	15	16	17	18	19
20	21	22	23	24	25	26
27	28	29	30	31		

JUIN
JUNE

D	L	M	M	J	V	S
S	M	T	W	T	F	S
					1	2
3	4	5	6	7	8	9
10	11	12	13	14	15	16
17	18	19	20	21	22	23
24	25	26	27	28	29	30

JUILLET
JULY

D	L	M	M	J	V	S
S	M	T	W	T	F	S
1	2	3	4	5	6	7
8	9	10	11	12	13	14
15	16	17	18	19	20	21
22	23	24	25	26	27	28
29	30	31				

AOÛT
AUGUST

D	L	M	M	J	V	S
S	M	T	W	T	F	S
			1	2	3	4
5	6	7	8	9	10	11
12	13	14	15	16	17	18
19	20	21	22	23	24	25
26	27	28	29	30	31	

SEPTEMBRE
SEPTEMBER

D	L	M	M	J	V	S
S	M	T	W	T	F	S
						1
2	3	4	5	6	7	8
9	10	11	12	13	14	15
16	17	18	19	20	21	22
23	24	25	26	27	28	29
30						

OCTOBRE
OCTOBER

D	L	M	M	J	V	S
S	M	T	W	T	F	S
	1	2	3	4	5	6
7	8	9	10	11	12	13
14	15	16	17	18	19	20
21	22	23	24	25	26	27
28	29	30	31			

NOVEMBRE
NOVEMBER

D	L	M	M	J	V	S
S	M	T	W	T	F	S
				1	2	3
4	5	6	7	8	9	10
11	12	13	14	15	16	17
18	19	20	21	22	23	24
25	26	27	28	29	30	

DÉCEMBRE
DECEMBER

D	L	M	M	J	V	S
S	M	T	W	T	F	S
						1
2	3	4	5	6	7	8
9	10	11	12	13	14	15
16	17	18	19	20	21	22
23	24	25	26	27	28	29
30	31					

Janvier
January / Januar / Januari
Gennaio / Enero

DEST. ....
Km **01**
⛽ ....

DEST. ....
Km **02**
⛽ ....

DEST. ....
Km **03**
⛽ ....

DEST. ....
Km **04**
⛽ ....

DEST. ....
Km **05**
⛽ ....

DEST. ....
Km **06**
⛽ ....

DEST. ....
Km **07**
⛽ ....

DEST. ....
Km **08**
⛽ ....

DEST. ....
Km **09**
⛽ ....

DEST. ....
Km **10**
⛽ ....

DEST. ....
Km **11**
⛽ ....

DEST. ....
Km **12**
⛽ ....

DEST. ....
Km **13**
⛽ ....

DEST. ....
Km **14**
⛽ ....

DEST. ....
Km **15**
⛽ ....

DEST. ....
Km **16**
⛽ ....

DEST. ....
Km **17**
⛽ ....

DEST. ....
Km **18**
⛽ ....

DEST. ....
Km **19**
⛽ ....

DEST. ....
Km **20**
⛽ ....

DEST. ....
Km **21**
⛽ ....

DEST. ....
Km **22**
⛽ ....

DEST. ....
Km **23**
⛽ ....

DEST. ....
Km **24**
⛽ ....

DEST. ....
Km **25**
⛽ ....

DEST. ....
Km **26**
⛽ ....

DEST. ....
Km **27**
⛽ ....

DEST. ....
Km **28**
⛽ ....

DEST. ....
Km **29**
⛽ ....

DEST. ....
Km **30**
⛽ ....

DEST. ....
Km **31**
⛽ ....

Février
February / Februar / Februari
Febbraio / Febrero

DEST. ....
Km ....
01

DEST. ....
Km ....
02

DEST. ....
Km ....
03

DEST. ....
Km ....
04

DEST. ....
Km ....
05

DEST. ....
Km ....
06

DEST. ....
Km ....
07

DEST. ....
Km ....
08

DEST. ....
Km ....
09

DEST. ....
Km ....
10

DEST. ....
Km ....
11

DEST. ....
Km ....
12

DEST. ....
Km ....
13

DEST. ....
Km ....
14

DEST. ....
Km ....
15

DEST. ....
Km ....
16

DEST. ....
Km ....
17

DEST. ....
Km ....
18

DEST. ....
Km ....
19

DEST. ....
Km ....
20

DEST. ....
Km ....
21

DEST. ....
Km ....
22

DEST. ....
Km ....
23

DEST. ....
Km ....
24

DEST. ....
Km ....
25

DEST. ....
Km ....
26

DEST. ....
Km ....
27

DEST. ....
Km ....
28

Mars
March / März / Maart / Marzo

DEST. ....
Km 01
....

DEST. ....
Km 02
....

DEST. ....
Km 03
....

DEST. ....
Km 04
....

DEST. ....
Km 05
....

DEST. ....
Km 06
....

DEST. ....
Km 07
....

DEST. ....
Km 08
....

DEST. ....
Km 09
....

DEST. ....
Km 10
....

DEST. ....
Km 11
....

DEST. ....
Km 12
....

DEST. ....
Km 13
....

DEST. ....
Km 14
....

DEST. ....
Km 15
....

DEST. ....
Km 16
....

DEST. ....
Km 17
....

DEST. ....
Km 18
....

DEST. ....
Km 19
....

DEST. ....
Km 20
....

DEST. ....
Km 21
....

DEST. ....
Km 22
....

DEST. ....
Km 23
....

DEST. ....
Km 24
....

DEST. ....
Km 25
....

DEST. ....
Km 26
....

DEST. ....
Km 27
....

DEST. ....
Km 28
....

DEST. ....
Km 29
....

DEST. ....
Km 30
....

DEST. ....
Km 31
....

Avril
April / Aprile / Abril

DEST. .... Km 01

DEST. .... Km 02
DEST. .... Km 03
DEST. .... Km 04
DEST. .... Km 05
DEST. .... Km 06

DEST. .... Km 07
DEST. .... Km 08
DEST. .... Km 09
DEST. .... Km 10
DEST. .... Km 11

DEST. .... Km 12
DEST. .... Km 13
DEST. .... Km 14
DEST. .... Km 15
DEST. .... Km 16

DEST. .... Km 17
DEST. .... Km 18
DEST. .... Km 19
DEST. .... Km 20
DEST. .... Km 21

DEST. .... Km 22
DEST. .... Km 23
DEST. .... Km 24
DEST. .... Km 25
DEST. .... Km 26

DEST. .... Km 27
DEST. .... Km 28
DEST. .... Km 29
DEST. .... Km 30

Mai
May / Mei / Maggio / Mayo

DEST. ....
Km............ 01

DEST. ....
Km............ 02

DEST. ....
Km............ 03

DEST. ....
Km............ 04

DEST. ....
Km............ 05

DEST. ....
Km............ 06

DEST. ....
Km............ 07

DEST. ....
Km............ 08

DEST. ....
Km............ 09

DEST. ....
Km............ 10

DEST. ....
Km............ 11

DEST. ....
Km............ 12

DEST. ....
Km............ 13

DEST. ....
Km............ 14

DEST. ....
Km............ 15

DEST. ....
Km............ 16

DEST. ....
Km............ 17

DEST. ....
Km............ 18

DEST. ....
Km............ 19

DEST. ....
Km............ 20

DEST. ....
Km............ 21

DEST. ....
Km............ 22

DEST. ....
Km............ 23

DEST. ....
Km............ 24

DEST. ....
Km............ 25

DEST. ....
Km............ 26

DEST. ....
Km............ 27

DEST. ....
Km............ 28

DEST. ....
Km............ 29

DEST. ....
Km............ 30

DEST. ....
Km............ 31

Juin
June / Juni / Giugno / Junio

DEST. ....
Km..........
01

DEST. ....
Km..........
02

DEST. ....
Km..........
03

DEST. ....
Km..........
04

DEST. ....
Km..........
05

DEST. ....
Km..........
06

DEST. ....
Km..........
07

DEST. ....
Km..........
08

DEST. ....
Km..........
09

DEST. ....
Km..........
10

DEST. ....
Km..........
11

DEST. ....
Km..........
12

DEST. ....
Km..........
13

DEST. ....
Km..........
14

DEST. ....
Km..........
15

DEST. ....
Km..........
16

DEST. ....
Km..........
17

DEST. ....
Km..........
18

DEST. ....
Km..........
19

DEST. ....
Km..........
20

DEST. ....
Km..........
21

DEST. ....
Km..........
22

DEST. ....
Km..........
23

DEST. ....
Km..........
24

DEST. ....
Km..........
25

DEST. ....
Km..........
26

DEST. ....
Km..........
27

DEST. ....
Km..........
28

DEST. ....
Km..........
29

DEST. ....
Km..........
30

Juillet
July / Juli / Luglio / Julio

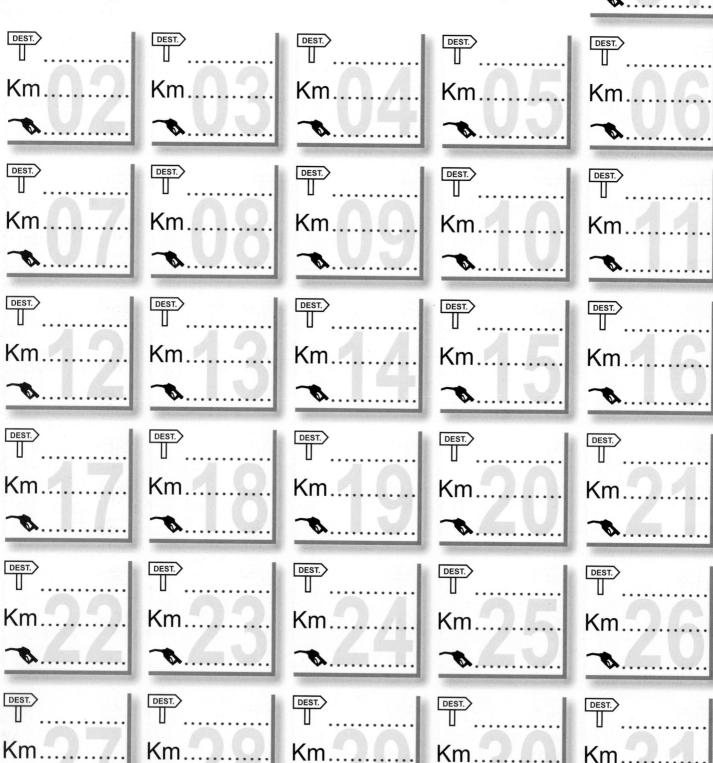

Août
August / Augustus / Agosto

DEST. ....
Km..........
01

DEST. .... Km 02
DEST. .... Km 03
DEST. .... Km 04
DEST. .... Km 05
DEST. .... Km 06

DEST. .... Km 07
DEST. .... Km 08
DEST. .... Km 09
DEST. .... Km 10
DEST. .... Km 11

DEST. .... Km 12
DEST. .... Km 13
DEST. .... Km 14
DEST. .... Km 15
DEST. .... Km 16

DEST. .... Km 17
DEST. .... Km 18
DEST. .... Km 19
DEST. .... Km 20
DEST. .... Km 21

DEST. .... Km 22
DEST. .... Km 23
DEST. .... Km 24
DEST. .... Km 25
DEST. .... Km 26

DEST. .... Km 27
DEST. .... Km 28
DEST. .... Km 29
DEST. .... Km 30
DEST. .... Km 31

Septembre
September / Settembre / Septiembre

DEST. ....
Km 01

DEST. ....
Km 02

DEST. ....
Km 03

DEST. ....
Km 04

DEST. ....
Km 05

DEST. ....
Km 06

DEST. ....
Km 07

DEST. ....
Km 08

DEST. ....
Km 09

DEST. ....
Km 10

DEST. ....
Km 11

DEST. ....
Km 12

DEST. ....
Km 13

DEST. ....
Km 14

DEST. ....
Km 15

DEST. ....
Km 16

DEST. ....
Km 17

DEST. ....
Km 18

DEST. ....
Km 19

DEST. ....
Km 20

DEST. ....
Km 21

DEST. ....
Km 22

DEST. ....
Km 23

DEST. ....
Km 24

DEST. ....
Km 25

DEST. ....
Km 26

DEST. ....
Km 27

DEST. ....
Km 28

DEST. ....
Km 29

DEST. ....
Km 30

Octobre
October / Oktober / Ottobre Octubre

DEST. ....
Km ....
01

DEST. ....
Km ....
02

DEST. ....
Km ....
03

DEST. ....
Km ....
04

DEST. ....
Km ....
05

DEST. ....
Km ....
06

DEST. ....
Km ....
07

DEST. ....
Km ....
08

DEST. ....
Km ....
09

DEST. ....
Km ....
10

DEST. ....
Km ....
11

DEST. ....
Km ....
12

DEST. ....
Km ....
13

DEST. ....
Km ....
14

DEST. ....
Km ....
15

DEST. ....
Km ....
16

DEST. ....
Km ....
17

DEST. ....
Km ....
18

DEST. ....
Km ....
19

DEST. ....
Km ....
20

DEST. ....
Km ....
21

DEST. ....
Km ....
22

DEST. ....
Km ....
23

DEST. ....
Km ....
24

DEST. ....
Km ....
25

DEST. ....
Km ....
26

DEST. ....
Km ....
27

DEST. ....
Km ....
28

DEST. ....
Km ....
29

DEST. ....
Km ....
30

DEST. ....
Km ....
31

Novembre
November / Noviembre

DEST. ....
Km 01
....

DEST. ....
Km 02
....

DEST. ....
Km 03
....

DEST. ....
Km 04
....

DEST. ....
Km 05
....

DEST. ....
Km 06
....

DEST. ....
Km 07
....

DEST. ....
Km 08
....

DEST. ....
Km 09
....

DEST. ....
Km 10
....

DEST. ....
Km 11
....

DEST. ....
Km 12
....

DEST. ....
Km 13
....

DEST. ....
Km 14
....

DEST. ....
Km 15
....

DEST. ....
Km 16
....

DEST. ....
Km 17
....

DEST. ....
Km 18
....

DEST. ....
Km 19
....

DEST. ....
Km 20
....

DEST. ....
Km 21
....

DEST. ....
Km 22
....

DEST. ....
Km 23
....

DEST. ....
Km 24
....

DEST. ....
Km 25
....

DEST. ....
Km 26
....

DEST. ....
Km 27
....

DEST. ....
Km 28
....

DEST. ....
Km 29
....

DEST. ....
Km 30
....

Décembre
December / Dezember / December
Dicembre / Diciembre

DEST. ....
Km.......... 01

DEST. ....
Km.......... 02

DEST. ....
Km.......... 03

DEST. ....
Km.......... 04

DEST. ....
Km.......... 05

DEST. ....
Km.......... 06

DEST. ....
Km.......... 07

DEST. ....
Km.......... 08

DEST. ....
Km.......... 09

DEST. ....
Km.......... 10

DEST. ....
Km.......... 11

DEST. ....
Km.......... 12

DEST. ....
Km.......... 13

DEST. ....
Km.......... 14

DEST. ....
Km.......... 15

DEST. ....
Km.......... 16

DEST. ....
Km.......... 17

DEST. ....
Km.......... 18

DEST. ....
Km.......... 19

DEST. ....
Km.......... 20

DEST. ....
Km.......... 21

DEST. ....
Km.......... 22

DEST. ....
Km.......... 23

DEST. ....
Km.......... 24

DEST. ....
Km.......... 25

DEST. ....
Km.......... 26

DEST. ....
Km.......... 27

DEST. ....
Km.......... 28

DEST. ....
Km.......... 29

DEST. ....
Km.......... 30

DEST. ....
Km.......... 31

Roulez pro !

PERMIS DE CONDUIRE EUROPÉEN

Validité du titre de conduite

⤷ Contrairement à l'ancien "permis français", comme la carte d'identité, le "permis européen" est un titre à durée limitée à :
  - 15 ans pour les catégories "voiture et moto..." ;
  - 5 ans pour les catégories du groupe lourd.

⤷ Après avoir décidé de ne plus renouveler les catégories du groupe lourd, penser à présenter le titre en préfecture pour, en échange, obtenir un nouveau dont la date de validité sera limitée à 15 ans...

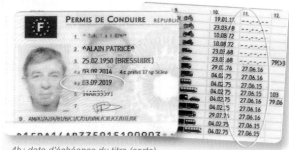

4b : date d'échéance du titre (carte).
11 : date d'expiration de la validité de chaque catégorie.

Catégories européennes

	Catégories	Âges	Définitions
	B	18 ans	⤷ Véhicule comportant 8 places assises maximum et dont la PTAC n'excède pas 3 500 kg.
	B(96)	18 ans	⤷ Véhicule B + remorque > 750 kg et ≤ 3 500 kg, si la somme des PTAC/F.2 > 3 500 kg et ≤ 4 250 kg. ⤷ La mention (96) est délivrée après 7 heures de formation avec présentation de l'attestation en Préfecture.
Groupe lourd	**BE**	18 ans	⤷ Véhicule B + remorque ou semi-remorque > 750 kg et ≤ 3 500 kg, si la somme des PTAC/F.2 > 4 250 kg.
	C1 et C1(97)	18 ans	⤷ Véhicules affectés aux transports de marchandises avec PTAC/F.2 > 3 500 kg et ≤ 7 500 kg. ⤷ C1(97) Mêmes véhicules, non affectés au transport de marchandises (sans tachygraphe).
	C1E	18 ans	⤷ Véhicule C1 + remorque ou semi-remorque > 750 kg et PTRA/F.3 ≤ à 12 000 kg. ou ⤷ véhicule B + remorque ou semi-remorque > 3 500 kg PTRA/F.3 ≤ à 12 000 kg.
	C	21 ans	⤷ Véhicules affectés aux transports de marchandises avec PTAC/F.2 > 3 500 kg.
	CE	21 ans	⤷ Véhicules C avec remorque ou semi-remorque > 750 kg de PTAC/F.2.
	D1	21 ans	⤷ Véhicules affectés aux transports de personnes comprenant 16 places assises maximum + celle du conducteur et dont la longueur n'excède pas 8 mètres.
	D1E	21 ans	⤷ Véhicules D1 avec remorque > 750 kg de PTAC/F.2.
	D	24 ans	⤷ Véhicules affectés aux transports de personnes comprenant + de 8 places assises + celle du conducteur.
	DE	24 ans	⤷ Véhicules D avec remorque > 750 kg de PTAC/F.2.

▶ **Nota**

  ⤷ Il n'est pas obligatoire de détenir la catégorie C1 pour préparer la catégorie C.

  ⤷ La catégorie C1E s'adresse tant aux conducteurs "poids lourds" titulaires de la catégorie C1 qu'aux conducteurs titulaires de la catégorie B voulant tracter une remorque au PTAC/F.2 > 3 500 kg.

▶ **Le futur conducteur devra être détenteur :**
  - de la catégorie B pour l'obtention des catégories C1, C, D1, D, BE ;
  - de la catégorie C1 pour l'obtention de la catégorie C1E ;
  - de la catégorie C pour l'obtention de la catégorie CE.

▶ **Équivalences**

Je possède	⤷ Je peux conduire
C1E, CE, D1E, DE	⤷ BE
CE	⤷ DE (si titulaire de la catégorie D)
C1E	⤷ D1E (si titulaire de la catégorie D1)

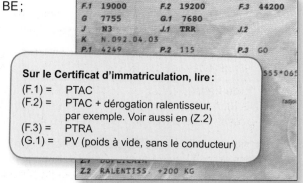

Sur le Certificat d'immatriculation, lire :
(F.1) = PTAC
(F.2) = PTAC + dérogation ralentisseur, par exemple. Voir aussi en (Z.2)
(F.3) = PTRA
(G.1) = PV (poids à vide, sans le conducteur)

ÉVOLUTIONS RÉGLEMENTAIRES

Permis à points

▶ Restitution automatique des points

Les points sont restitués :
- après 6 mois, pour la perte d'un seul point ;
- après 2 ans, sans infraction pour récupérer les 12 points, si la ou les contraventions étaient de 2ᵉ ou 3ᵉ classe ;
- après 3 ans, sans infraction pour récupérer les 12 points, si la ou les contraventions étaient de 4ᵉ ou 5ᵉ classe ou si l'infraction était un délit.

▶ Stages de récupération de points

☞ Un stage de sensibilisation de 2 jours, permet de récupérer 4 points au plus.

☞ Un délai obligatoire d'un an doit s'écouler entre 2 participations.

Il est possible de consulter son capital points sur : www.interieur.gouv.fr (code en préfecture)

Vitesses des poids lourds

☞ Les limitations de vitesse ponctuelles et celles spécifiques aux poids lourds (disques) priment sur la limitation de vitesse générale.

☞ Les limitations de vitesse ponctuelles priment également sur les limitations de vitesse des poids lourds (disques).

☞ La limitation "70 km/h" placée aux entrées de certaines agglomérations ne concerne pas les poids lourds : circuler à 50 km/h au plus.

☞ Limitation de vitesse sur le périphérique parisien : 70 km/h.

Transport à 44 tonnes

☞ Les ensembles routiers "euro IV" (jusqu'au 30/09/2017) et "euro V et VI" équipés de 5 essieux peuvent circuler à 44 tonnes aux conditions suivantes :
- maximum 12 tonnes sur un essieu isolé ;
- maximum 27 tonnes sur le tridem (groupe de 3 essieux) ;
- ne pas utiliser de remorques/semi-remorques avec des ridelles amovibles ou des rehausses non prévues par construction ;
- le PTRA/F.3 du tracteur doit être de 44 tonnes ;
- le PTAC/F.2 des semi-remorques à 2 essieux doit être de 37 tonnes et ceux des semi-remorques à 3 essieux de 38 tonnes.

☞ Les ensembles routiers à 6 essieux bénéficient d'une tonne supplémentaire sur le PTRA/F.3 pour circuler à 45 tonnes.

Interdictions de circulation à certaines périodes

☞ Rappel : Toute l'année, les poids lourds de plus de 7,5 t (PTAC/F.2 ou PTRA/F.3) sont interdits de circulation du samedi ou veille de jour férié à partir de 22 heures jusqu'au dimanche soir ou jour férié 22 heures.

☞ Des dérogations complémentaires s'appliquent aux mêmes véhicules 5 week-ends en périodes estivale et hivernale, aux heures ci-contre.

☞ En Ile-de-france, certaines sections d'autoroutes des A6A, A6B, A106, A6, A10, A13, A12 sont concernées. Pour les jours, heures et sens de circulation concernés voir le JORF du 11/03/2015 - p 4410 - texte 4.

☞ La limite des 150 km, lors des retours à vide, est remplacée par la notion de "régions limitrophes". Sont concernés, entre autres, les transports d'animaux vivants, de denrées périssables, de produits agricoles, pour les ventes ambulantes et les manifestations sportives, culturelles...

ÉTÉ (réseau national)		HIVER (Rhônes-Alpes)	
Samedi	**Dimanche**	**Samedi**	**Dimanche**
0 à 7 h		0 à 7 h	
7 à 19 h	0 à 22 h	7 à 18 h	0 à 22 h
		18 à 22 h	
19 à 24 h	22 à 24 h	22 à 24 h	22 à 24 h

RÉGLEMENTATION SOCIALE EUROPÉENNE: PRINCIPES & RAPPELS

Le règlement européen s'applique aux transports effectués avec des véhicules dont la masse maximale autorisée est supérieure à 3 500 kg dans l'EEE (Espace Économique Européen : Union Européenne + Norvège + Islande + Liechtenstein) et la Suisse.

Conduite, ne pas rouler plus de...

▶ **4 heures 30 d'affilée**

▶ **9 heures par jour**

▶ **56 heures par semaine**
4 périodes de 9 h + 2 périodes de 10 h au plus.

▶ **90 heures sur 2 semaines consécutives**
Les 9 heures peuvent être prolongées jusqu'à 10 heures, deux fois au cours de la même semaine.

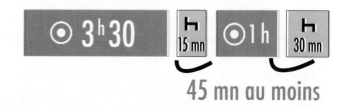

Repos, prendre au moins...

▶ **45 minutes après 4 heures 30 de conduite**
La pause peut être fractionnée en deux périodes au cours des 4 h 30 de conduite :
• la première doit être d'au moins 15 minutes ;
• la seconde doit être d'au moins 30 minutes.

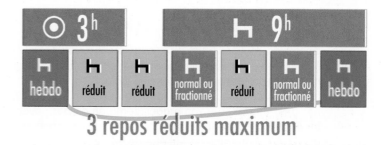

▶ **11 heures par jour**
↪ **Repos journalier fractionné**
Il peut être fractionné en deux tranches :
• la première de 3 heures au moins ;
• la seconde d'au moins 9 heures.
↪ **Repos journalier réduit**
C'est un repos d'une durée comprise entre 9 et 11 heures. Trois repos journaliers réduits (9 heures au moins), peuvent être pris entre deux repos hebdomadaires.

▶ **45 heures par semaine**
Le repos hebdomadaire commence au plus tard à la fin de 6 périodes de 24 heures à compter du temps de repos hebdomadaire précédent.
↪ **Repos hebdomadaire réduit**
Au cours de deux semaines consécutives, le conducteur peut prendre un temps de repos hebdomadaire normal de 45 heures + un temps de repos hebdomadaire réduit d'au moins 24 heures consécutives.
↪ **Récupération**
Les heures manquantes doivent être :
• prises dans les 3 semaines ;
• rattachées en un seul bloc, à un temps de repos d'au moins 9 heures.
Les temps de repos peuvent être pris à bord du véhicule s'il est arrêté et s'il est équipé d'un matériel de couchage.

À cheval sur deux semaines, un repos hebdomadaire n'est compté qu'une seule fois.

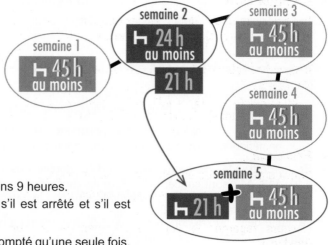

CONDUITE ÉCONOMIQUE ET PRÉVENTIVE

10 conseils pour économiser

1. Ne pas laisser tourner le moteur au ralenti inutilement.
2. Amener le véhicule à sa vitesse de croisière le plus rapidement possible.
3. Respecter les plages du compte-tours.

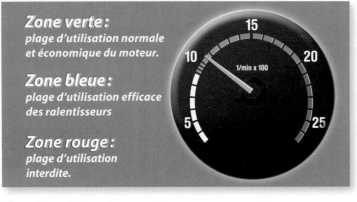

Zone verte :
plage d'utilisation normale et économique du moteur.

Zone bleue :
plage d'utilisation efficace des ralentisseurs

Zone rouge :
plage d'utilisation interdite.

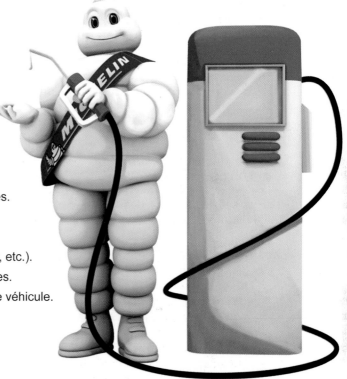

4. Doser l'accélération au plus juste pour maintenir l'allure.
5. Éviter les changements de vitesses qui ne sont pas nécessaires.
6. Adopter une conduite souple.
7. Respecter les limitations de vitesse.
8. Utiliser les aides à la conduite (ordinateur de bord, ralentisseur, etc.).
9. ANTICIPER pour réduire les arrêts et les coups de freins inutiles.
10. Contrôler régulièrement la pression des pneumatiques de votre véhicule.

Conduite préventive

Face à une situation à risque, il faut supposer que le danger est présent, plutôt que l'inverse !

▶ Anticipation

↳ Toujours anticiper, dans les zones sans visibilité, où peuvent être cachés des obstacles, des usagers, des animaux…

↳ Une bonne observation, visuelle et auditive, permet d'anticiper :
- en adaptant sa vitesse à la situation rencontrée ;
- en avertissant si nécessaire (klaxon, feux).

▶ Freinage

↳ Dans l'urgence, avec un ABS, freiner sans retenue.

↳ Éviter le ou les coups de volant brusques qui peuvent provoquer le renversement.

↳ Toujours regarder le lieu de dégagement et non l'obstacle.

VÉRIFICATIONS COURANTES DE SÉCURITÉ

Prise en charge d'un nouveau véhicule

- ☐ Documents Conducteur (permis, carte de qualification)...
- ☐ Documents Véhicule (assurance, certificat d'immatriculation)...
- ☐ Documents Marchandise (lettre de voiture)...
- ☐ Constat amiable.
- ☐ Présence du lot de bord :
  - ○ triangle de présignalisation et gilet haute visibilité ;
  - ○ extincteurs et éthylotest ;
  - ○ boîte d'ampoules de rechange (fortement conseillée).
- ☐ Connaissance des dimensions du véhicule.
- ☐ Absence de surcharge.
- ☐ Fonctionnement du tachygraphe.
- ☐ Présence de rouleaux d'impression ou disques.
- ☐ Assistance de direction (bruits, points durs)
- ☐ Essais de freins (pression, serrage, desserrage, du frein principal et du frein de parc).

Vérifications journalières

▶ État général
- ☐ État de la caisse ou de la bâche.
- ☐ Propreté des plaques, des disques de limitations de vitesses, des dispositifs réfléchissants, des glaces et rétroviseurs.
- ☐ État des essuie-glaces.

▶ Niveaux et tâches
- ☐ Absence de tâches.
- ☐ Huile moteur, liquide de refroidissement.
- ☐ Liquide dépolluant (AdBlue), carburant.
- ☐ Assistance de direction et d'embrayage.

▶ Éclairage
- ☐ Propreté.
- ☐ Fonctionnement.
- ☐ Boîte d'ampoules de rechange.

▶ Roues et pneus
- ☐ État de la bande de roulement, du flanc.
- ☐ Contrôle visuel de la pression de gonflage de chaque pneu.
- ☐ Serrage des écrous de roues.
- ☐ Absence de corps étranger dans les roues jumelées.

▶ Chargement
- ☐ Bonne répartition de la marchandise.
- ☐ Arrimage correct et suffisant.
- ☐ Présence des moyens d'arrimage (sangles, cales, tapis)…
- ☐ Absence de surcharge.

▶ Cabine
- ☐ Contrôler le fonctionnement des témoins et manomètres.
- ☐ Mettre en service le tachygraphe.
- ☐ Essayer les freins.

Attelage des semi-remorques

S'assurer de la compatibilité des éléments et toujours vérifier avant un départ que l'accouplement est correct (branchement des flexibles et essai de traction). Attention, parfois le conducteur peut penser que la semi-remorque est correctement accouplée… Et ce n'est pas toujours le cas !

QUE FAIRE EN CAS D'ACCIDENT?

P.A.S. ⟹ *3 lettres pour 3 gestes* ⟹ **P**rotéger, **A**lerter, **S**ecourir

Protéger

⟹ Arrivé le premier :
- allumer le signal de détresse ;
- utiliser le gilet de sécurité ;
- placer le triangle de présignalisation à au moins 30 mètres pour qu'il soit visible le plus loin possible ;
- éclairer l'accident de nuit (lampe, phares).

⟹ Arrivé après les secours : ne pas s'arrêter pour ne pas gêner.

Alerter ou faire alerter

⟹ Préciser à l'interlocuteur :
- le lieu de l'accident ;
- le nombre et l'état apparent des blessés ;
- le nombre et le type de véhicules ;
- les risques d'incendie ;
- les risques d'immersion.

⟹ Lorsqu'un véhicule transportant des produits dangereux est accidenté, préciser les numéros de plaques de danger.

⟹ Avant de raccrocher, attendre d'y être invité.

Secourir

⟹ Ne jamais déplacer un blessé (sauf cas d'incendie ou de noyade).

⟹ Ne pas donner à boire aux victimes.

⟹ Ne pas retirer le casque d'un motard accidenté.

⟹ Ne pas arracher les vêtements d'un brûlé.

⟹ Ne jamais oublier qu'un blessé dans le coma peut entendre sans pouvoir parler...

⟹ Et surtout ne rien faire, plutôt que de mal faire !

NUMÉROS UTILES

À L'INTERNATIONAL : 112
Le 112 est un numéro européen gratuit.

EN FRANCE :
- **SAMU 15**
- **POLICE / GENDARMERIE 17**
- **POMPIERS 18**

Il est également possible d'utiliser une borne d'appel d'urgence.

Départ de feu dans un tunnel

⟹ Serrer à droite.

⟹ Éteindre le moteur.

⟹ Laisser les clés de contact sur le véhicule.

⟹ Courir en direction d'une issue de secours en suivant les panneaux verts.

⟹ Pour éviter l'asphyxie, se protéger les voies respiratoires et se déplacer tête baissée, nez recouvert d'un mouchoir.

Planifiez vos étapes...

Plan your journeys... / Planen Sie Ihre Pausen...
Plan uw etappes... / Programmate le vostre tappe...
Planifique sus paradas...

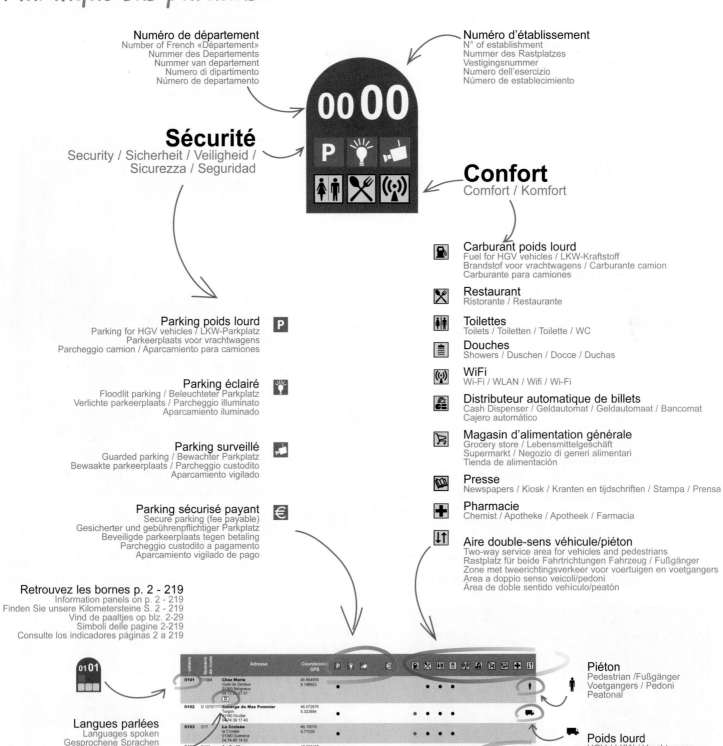

Numéro de département
Number of French «Département»
Nummer des Departements
Nummer van departement
Numero di dipartimento
Número de departamento

Numéro d'établissement
N° of establishment
Nummer des Rastplatzes
Vestigingsnummer
Numero dell'esercizio
Número de establecimiento

Sécurité
Security / Sicherheit / Veiligheid /
Sicurezza / Seguridad

Confort
Comfort / Komfort

Carburant poids lourd
Fuel for HGV vehicles / LKW-Kraftstoff
Brandstof voor vrachtwagens / Carburante camion
Carburante para camiones

Restaurant
Ristorante / Restaurante

Parking poids lourd
Parking for HGV vehicles / LKW-Parkplatz
Parkeerplaats voor vrachtwagens
Parcheggio camion / Aparcamiento para camiones

Toilettes
Toilets / Toiletten / Toilette / WC

Douches
Showers / Duschen / Docce / Duchas

Parking éclairé
Floodlit parking / Beleuchteter Parkplatz
Verlichte parkeerplaats / Parcheggio illuminato
Aparcamiento iluminado

WiFi
Wi-Fi / WLAN / Wifi / Wi-Fi

Distributeur automatique de billets
Cash Dispenser / Geldautomat / Geldautomaat / Bancomat
Cajero automático

Parking surveillé
Guarded parking / Bewachter Parkplatz
Bewaakte parkeerplaats / Parcheggio custodito
Aparcamiento vigilado

Magasin d'alimentation générale
Grocery store / Lebensmittelgeschäft
Supermarkt / Negozio di generi alimentari
Tienda de alimentación

Presse
Newspapers / Kiosk / Kranten en tijdschriften / Stampa / Prensa

Parking sécurisé payant
Secure parking (fee payable)
Gesicherter und gebührenpflichtiger Parkplatz
Beveiligde parkeerplaats tegen betaling
Parcheggio custodito a pagamento
Aparcamiento vigilado de pago

Pharmacie
Chemist / Apotheke / Apotheek / Farmacia

Aire double-sens véhicule/piéton
Two-way service area for vehicles and pedestrians
Rastplatz für beide Fahrtrichtungen Fahrzeug / Fußgänger
Zone met tweerichtingsverkeer voor voertuigen en voetgangers
Area a doppio senso veicoli/pedoni
Área de doble sentido vehículo/peatón

Retrouvez les bornes p. 2 - 219
Information panels on p. 2 - 219
Finden Sie unsere Kilometersteine S. 2 - 219
Vind de paaltjes op blz. 2-29
Simboli delle pagine 2-219
Consulte los indicadores páginas 2 a 219

Piéton
Pedestrian /Fußgänger
Voetgangers / Pedoni
Peatonal

Langues parlées
Languages spoken
Gesprochene Sprachen
Gesproken talen
Lingue parlate
Idiomas hablados

Poids lourd
HGV / LKW / Vrachtwagen
Camion / Camiones

Service sur place
On-site facilities / Service vor Ort / Service ter plekke
Servizi sul posto / Servicio in situ

Service à proximité
Facilities nearby / Service in der Nähe
Service in de buurt / Servizi nelle vicinanze
Servicio a proximidad

Numéro	Numéro de route	Adresse	Coordonnées GPS	P	💡	✋	€	⛽	🍴	WC	🏧	📶			🗺	✚	⬆⬇
0101	D1084	**Chez Marie** route de Genève 01360 Béligneux 04 72 25 07 51 (P)	45.864956 5.146923	●	●				●	●	●	●					
0102	D 1075	**Auberge du Mas Pommier** 01160 Druillat 04 74 39 17 40 (GB)	46.072676 5.323884	●	●			○	●	●	●						
0103	D17	**La Croisée** 2286 route de Belleville 01090 Guéreins 04 74 66 14 93	46.10078 4.77038	●					●	●	●			○			
0105	D1084	**Le Relax** 57 rue du Clou 01430 Maillat 04 74 12 06 07 06 86 97 82 59 (GB) (P)	46.129505 5.54175	●	●			○	●	●	●	●		○	○		
0106	D 1084	**Le Relais des Glacières** 52 route de Genève Lac de Sylans 01130 Les Neyrolles 04 74 75 22 00 (GB)	46.15578 5.65236	●	●	●			●	●	●	●					
0107	D1083	**Relais de Villemotier-Chez Bol** 01270 Villemotier 04 74 51 51 83 (GB)	46.34525 5.320709	●					●	●	●						
0108	A40	**Aire de Bourg-Jasseron** Courtepaille 01250 Saint-Just	46.20902 5.29039	●	●			●	●	●	●			●	●	●	🚹
0109	A40	**Aire de Bourg-Teyssonge** Courtepaille 01250 Saint-Just	46.20905 5.29088	●	●			●	●	●	●				●		🚹
0110	A40	**Aire de Ceignes-Haut Bugey** Stratto 01430 Ceignes	46.11526 5.49451	●	●			●	●	●							
0111	A40	**Aire de Ceignes-Cerdon** L'Arche 01430 Ceignes	46.11897 5.48566	●				●	●	●	●			●	●	●	
0112	A42	**Aire de Lyon-Dagneux** Pomme de Pain 01360 Balan	45.84049 5.07248	●	●			●	●	●				●			
0113	A42	**Aire de Lyon-Montluel** La Croissanterie 01120 Montluel	45.84625 5.06869	●				●	●	●				●			
0114	A46	**Aire de Mionay Est** L'Arche 01390 Mionnay	45.89083 4.89691	●	●			●	●	●	●	●			●		🚹
0115	A46	**Aire de Mionnay Ouest** L'Arche 01390 Mionnay	45.88433 4.89164	●	●			●	●	●	●				●		🚹
0116	D1084	**Le relais des Sapins** Moulin de Charix 01130 Lalleyriat 04 74 75 52 41	46.168619 5.681632	●				●	●	●							
0117	D 1075	**Le Wagon** 1221 route Nationale 01250 Montagnat 04 74 42 72 64 (E) (GB) (I)	46.170066 5.262126	●					●	●	●						
0118	D 1083	**La Mitaine** SD 1083 La Mitaine 01240 Marlieux 04 74 42 86 88	46.049917 5.071065	●					●	●	●						
0201	N31	**L'Auberge Saint Martin** Pontarcher 02290 Ambleny 03 23 74 20 29	49.39505 3.18591	●					●	●	●						
0202	D1044	**La Ferme** 2 route de Reims 02840 Athies-sous-Laon 03 23 24 58 07 (D) (GB)	49.56346 3.681	●	●	●			●	●	●	●					

Numéro	Numéro de route	Adresse	Coordonnées GPS	P	💡	📣	€	⛽	🍴	WC	🏨	📶	🚿	🛒	🗺	✚	⇅
0203	D1044	**Le Relais Sainte Marie** 10 route Nationale 02160 La Ville-aux-Bois-lès-Pontavert Beaurieux 03 23 20 74 34 GB	49.42592 3.86968	●	●	●			●	●	●						
0204	A26	**Aire de Champ-Roland** KM Café 02190 Guignicourt	49.45044 3.93161	●	●			●		●	●	●		●			
0205	A26	**Aire de Mont-de-Nizy** KM Café 02190 Juvincourt-et-Damary	49.4463 3.92174	●	●			●		●	●	●	●				
0206	A4	**Aire de Tardenois Nord** Les Comptoirs Casino 02130 Fresnes-en-Tardenois	49.1302 3.5421	●	●			●	●	●	●			●	●		🚹
0207	A4	**Aire de Tardenois Sud** Les Comptoirs Casino 02130 Fresnes-en-Tardenois	49.12422 3.54292	●	●			●	●	●	●				●		🚹
0208	A26	**Aire d'Urvillers** Arche 02690 Urvillers	49.78141 3.33168	●	●			●	●	●	●	●		●			🚚
0209	D 1044	**Relais de Riqueval "Chez Chantal"** Riqueval 02420 Bellicourt 03 23 09 51 18	49.940672 3.242712	●					●	●	●						
0210	N31	**La Petite Auberge** 3 route de Reims 02220 Ciry-Salsogne 03 23 72 41 51	49.369440 3.468272	●					●	●	●	●					
0211	D1	**Le Relais du Banc de Pierre** 1 route de Soisson, Bétthancourt 02380 Crécy-au-Mont 03 23 52 72 54	49.494497 3.332982	●	●	●		●	●	●	●						
0212	N2	**Chez Greg** 107 Le Pont Rouge 02880 Margival 03 23 53 92 55 P	49.424829 3.408484	●	●	●			●	●	●						
0301	D94	**L'Escale** 2 place de la Liberté 03430 Cosne-d'Allier 04 70 07 21 10	46.47574 2.83013	●	●			◐	●	●	●	●	●	◐	●	●	●
0302	D945	**Le Relais de Deux Chaises** 56 route du Grand Chemin 03240 Deux-Chaises 04 70 47 14 83 D GB	46.38082 3.03575	●		●		●	●	●	●						
0303	N7	**L'Aire des Vérités** ZAC les Prés de la Grand Route 03120 Lapalisse 04 70 99 79 91 GB	46.24544 3.61198	●	●	●		●	●	●	●						
0304	D2371	**Relais de l'Etape** route de Moulins 03390 Montmarault 04 70 07 36 03	46.32209 2.96313	●	●			◐	●	●	●	●	◐	●	◐	◐	◐
0305	N7	**Le Relais de Périgny** 3 route de Lapalisse 03120 Périgny 04 70 31 24 71 GB	46.2508 3.554756	●	●				●	●	●						
0306	N7	**Le Contact** Côte de Bellevue 03150 Saint-Gérand-le-Puy 04 70 57 17 38	46.2772 3.47507	●					●	●	●						
0307	D707	**Au Top du Roulier** ZI Les Gris 03400 Toulon-sur-Allier 04 70 35 13 80 GB	46.50626 3.36134	●	●			●	●	●	●	●	◐				
0309	A 71	**Aire de l'Allier-Doyet** KM Café 03170 Bézenet	46.35171 2.80756	●	●			●	●	●	●			●			🚹
0310	A 71	**Aire de l'Allier-Saulzet** KM Café 03430 Villefranche-d'Allier	46.35689 2.80898	●	●			●	●	●	●				● ●		🚹

Numéro	Numéro de route	Adresse	Coordonnées GPS	P	🔦	🚩	€	⛽	🍴	🚻	📋	📶	🔧	🛒	🗺	✚	⬍
0311	D2009	**Le Relais des Lilas** D 2009 Les Percières 03110 Brout-Vernet 04 70 58 24 61 GB	46,187518 3,259946	●	●			●	●	●	●			●	●	●	
0313	D990	**Le Relais de la Garde** La Garde 03120 Droiturier 09 52 84 64 21	46.251189 3.699364	●					●	●	●						
0314	D943	**Le Relais des Tartasses** Les Tartasses 03380 La Chapelaude 04 70 06 45 06	46.406286 2.527409	●				●	●	●	●						
0315	D 943	**La Halte de Goëlat** Goëlat 03370 Saint-Désiré 04 70 07 10 09 GB I	46.488751 2.420325	●					●	●	●	●					
0316	N145	**L'Aire des Vérités** Centre routier la Loue 03410 Saint-Victor 04 70 06 00 00 E GB I P	46.379561 2.587875	●	●	●		●	●	●	●	●			●		
0401	D900	**Le Relais de L'Ubaye** 04340 Meolans 04 92 62 43 14 06 27 45 28 92 E I	44.39965 6.53179	●	●			●	●	●							
0402	D4096	**Le Relais chez Roger** SARL BOCE 04180 Villeneuve 04 92 78 42 47	43.895886 5.876977	●	●			●	●	●	●						
0403	A51	**Aire d'Aubignosc Est** KM Café 04200 Peipin	44.13271 5.97639	●	●			●	●	●	●						🧍
0404	A51	**Aire d'Aubignosc Ouest** KM Café 04200 Peipin	44.13568 5.98183	●	●			●	●	●	●			●			
0405	A51	**Aire de Manosque** La Croissanterie 04210 Valensole	43.87579 5.87901	●	●			●	●	●	●	●			●		🧍
0406	A51	**Aire de Volx** La Croissanterie 04130 Volx	43.84424 5.84611	●	●			●	●	●							🧍
0501	D1075	**Le Pont de la Barque** route de Grenoble 05700 Sigottier 04 92 53 80 10 E GB	44.44993 5.72402	●				◐	●	●	●	●					
0502	D993	**L'Auberge du Col de Cabre** Col de Cabre 05140 Labaume 04 75 21 41 95 GB	44.549645 5.598151	●	●			●	●	●							
0601	D1	**Sunset Resto** 265 route de la Baronne 06640 Saint-Jeannet 04 97 19 12 36 I	43.743642 7.177039	●	●			●	●	●	●						
0602	A8	**Aire de Beausoleil** Comptoir del Gusto 06320 La Turbie	43.75323 7.41594	●	●			●	●	●	●						
0603	A8	**Aire de la Scoperta** Philéas 06440 Peillon	43.75698 7.39933	●	●			●	●	●	●						
0604	A8	**Aire des Bréguières Nord** Pizza Hut Express 06250 Mougins	43.58793 7.03684	●	●			●	●	●	●					●	
0605	A8	**Aire des Bréguières Sud** Comptoir Casino 06250 Mougins	43.59133 7.03105	●	●			●	●	●	●	●			●	●	
0801	D8043	**Relais du Piquet** 1 rue du Piquet 08150 Tremblois-lès-Rocroi 09 50 80 82 25 GB	49.84619 4.50711	●	●			●	●	●	●						

Numéro	Numéro de route	Adresse	Coordonnées GPS	P	💡	🪧	€	⛽	🍴	🚻	🏢	📶	🚿	🛏	📖	✚	⬍
0802	A34	**Aire des Ardennes Woinic** Bonjour 08270 Saulces-aux-Tournelles	49.59215 4.50528	●	●			●	●	●	●		●	●	●		🚚
0901	D2	**Hotel de la Pierre Blanche** 6 avenue de la Gare 09250 Garanou 05 61 03 26 30 (E) (P)	42.765351 1.752647	●	●	●		●	●		●		●	●	●		
1002	D671	**Au Bon Accueil** 1 avenue de Bourgogne 10390 Clérey 03 25 46 03 20 (GB)	48.19551 4.17861	●				●	●	●	●						
1003	D960	**Le Relais de Creney** 49 route Claude Bertrand 10150 Creney-près-Troyes 03 25 81 12 75	48.33193 4.13376	●				●	●	●				●	●		
1004	D439	**Au Relais** 3 route de Sens 10400 Gumery 03 25 39 16 01	48.45128 3.43369	●	●			●	●								
1005	D661	**La Queue de la Poêle** rue La Fontaine 10440 La Rivière-de-Corps 03 25 74 47 94 (GB)	48.28916 4.00574	●	●	●		●	●	●	●						
1007	D619	**Auberge des Prairies** Les Prairies 10270 Lusigny-sur-Barse 03 25 42 88 19	48.26148 4.23992	●	●	●		●	●		●	●	●	●			
1009	D660	**La Table d'Othe** 10160 Paisy-Cosdon 03 25 40 92 58 (D)	48.24743 3.71374	●		●		●	●	●							
1010	D677	**Le Relais 77** 4 route Impériale 10150 Voué 03 25 37 50 04 (D) (GB)	48.453 4.12166	●	●			●	●	●							
1011	A5	**Aire de Troyes-Fresnoy-le-Château** Autogrill 10270 Fresnoy-le-Château	48.21008 4.23697	●	●			●	●	●	●		●	●	●		🚹
1012	A5	**Aire de Troyes-le Plessis** Autogrill 10270 Fresnoy-le-Château	48.20977 4.23696	●	●			●	●	●	●		●	●	●		🚹
1103	D6009	**Le Relais Saint-Roch** 31 Les Cabanes-de-Fitou 11510 Fitou 04 68 45 71 75 (E) (GB)	42.893978 2.9968	●				●	●	●			●				
1104	D6113	**Le Relais des Corbières** route de Narbonne 11200 Lézignan-Corbières 04 68 27 00 77	43.20754 2.79979	●				●	●	●	●						
1105	VC	**La Croix du Sud** 23 avenue des Étangs 11105 Narbonne 04 68 43 89 81 Euro Truck Service Narbone www.ets-narbonne.com	43.16265 2.98935	●	●	●		●	●	●	●	●		○	○		🚚
1108	VC	**NS Restauration** "Au Relais des Mille Pattes" ZI Croix du Sud 11100 Narbonne 04 68 42 73 50 (E)	43.16165 2.98837	●				●	●	●	●	●	○	○	●		
1111	D6009	**Relais Portes des Corbières** Rd Pt de la réserve africaine 11130 Sigean 04 68 48 29 83 (D) (GB)	43.0703 2.9404	●	●			●	●	●							
1113	A61	**Aire de Carcassonne-Arzens Nord** Brioche Dorée 11290 Arzens	43.21753 2.21138	●	●			●	●	●	●	●	●	●			

Numéro	Numéro de route	Adresse	Coordonnées GPS	P	☼		€	⛽	✕	🚻	🏢	📶			🗺	✚	⇅
1114	A61	**Aire de Carcassonne-Arzens Sud** Brioche Dorée 11290 Arzens	43.221 2.21395	●	●			●	●	●	●	●	●	●			
1115	A61	**Aire des Corbières Nord** Autogrill 11800 Barbaira	43.18153 2.54852	●	●			●	●	●	●	●		●			♦
1116	A61	**Aire des Corbières Sud** Autogrill 11800 Barbaira	43.17524 2.54892	●	●			●	●	●	●	●		●			♦
1117	A9	**Aire de La Palme Est** Cœur de Blé 11540 Roquefort-des-Corbières	42.94875 2.96629	●	●			●	●	●	●	●		●			
1118	A9	**Aire de La Palme Ouest** Bonne Journée 11540 Roquefort-des-Corbières	42.9487 2.97527	●	●			●	●	●	●	●		●			
1119	A9	**Aire de Narbonne-Vinassan Nord** La Croissanterie 11110 Vinassan	43.22412 3.0911	●	●			●	●	●	●	●	●	●			
1120	A9	**Aire de Narbonne-Vinassan Sud** La Croissanterie 11110 Vinassan	43.22186 3.09967	●	●			●	●	●	●	●	●	●			
1121	A61	**Aire de Port-Lauragais Nord** La Dinée 11400 Mas-Saintes-Puelles	43.34971 1.80765	●	●			●	●	●	●	●	●	●			🚚
1122	A61	**Aire de Port-Lauragais Sud** La Dinée 11400 Mas-Saintes-Puelles	43.35382 1.81019	●	●			●	●	●	●	●	●	●	●		🚚
1201	D1	**La Croix de Revel** La Croix de Revel 12390 Anglars-Saint-Félix 05 65 64 76 62 GB	44.4268 2.220805	●				●	●	●	●						
1202	N88	**Le Palous** 184 avenue du Centre 12160 Baraqueville 05 65 69 01 89 E GB	44.27705 2.43282	●	●			○	●	●	●	●	○	●	●	○	
1203	D809	**Centre Routier de Bonsecours** Bonsecours 12560 Campagnac 05 65 47 64 77	44.366577 3.11413	●	●			●	●	●	●						
1204	N88	**Relais de la Plaine** 1700 route de Rodez Gages 12630 Montrosier 05 65 42 29 03 GB	44.391215 2.692519	●	●			●	●	●							
1205	D988	**Le Crystal** route de Lapanousse direction Espalion 12850 Onet-le-Château 05 65 74 91 49 GB	44.38805 2.59402	●	●			○	●	●	●	●	○	●			
1207	D926	**Le Relais de la Glèbe** route de Montauban Plantou-du-Conte 12200 Savignac 05 65 45 18 25 E GB P	44.34957 1.97202	●	●			●	●	●	●						
1209	A 75	**Aire de l'Aveyron** Cafétéria 12150 Sévérac-le-Château	44.33106 3.07803	●	●			●	●	●		●	●	●			🚚
1211	A 75	**Aire du Larzac** Relais Millau-Larzac 12230 L'Hospitalet-du-Larzac D E GB	43.98595 3.18396	●	●	●		●	●	●	●		●	●			🚚
1301	D113	**Le Relais des Chasseurs** Les Grappoux 13130 Berre-l'Étang 04 42 41 47 97 06 65 17 45 51 GB	43.519061 5.199934	●	●	●		○	●	●	●						

346

Numéro	Numéro de route	Adresse	Coordonnées GPS	P	💡	📷	€	⛽	🍴	🚻	🏨	📶		🛒	🗺	✚	⇅
1302	D8n	**Auberge des Mûriers** 450 avenue de Violési Quartier plat marseillais 13320 Bouc-Bel-Air 04 42 22 08 04 (E) (GB)	43.443206 5.39772	●				●	●	●	●	●	●	●	●	●	●
1303	D28	**La brasserie du Min** boulevard Ernest Genevet MIN de Châteaurenard 13160 Châteaurenard 04 32 62 18 02 (E) (GB)	43.88634 4.85687	●	●	●		○	●	●	●	●	●	●	●	●	●
1304	D8n	**Relais des Deux Cigales** Col de l'Ange 13780 Cuges-les-Pins 04 42 71 21 67 (P)	43.265687 5.669557	●					●	●	●	●					
1305	VC	**Le Camarguais** route chemin du Guigonnet 13270 Fos-sur-Mer 04 90 59 40 01 (E) (GB)	43.449449 4.927776	●				●	●	●	●			●	●		
1306	D568	**Le Stella d'Oro** 584 chemin du Littoral 13016 Marseille 04 91 03 89 69 (GB) (I) (R)	43.353934 5.331912	●				●	●	●	●						
1307	D7n	**Restaurant Chez Martine** route Nationale Quartier du Rabet 13550 Noves 04 90 24 87 46	43.85893 4.91656	●		●		●	●	●					○		
1308	D7n	**Le Relais des Fumades** 1510 route de Marseille 13660 Orgon 04 90 73 00 81 (GB) (P)	43.77673 5.05311	●	●	●		●	●	●	●	●					
1309	D7n	**Brasserie Bellevue** Quartier Paradou 13660 Orgon 04 90 73 00 24 (GB)	43.78694 5.04659	●	●			●	●	●	●	●	●	●	●	●	
1310	D7n	**Le Resto Grill** Quartier des Engreneaux 13660 Orgon 04 90 73 35 60 (E) (GB) (I) (PL) (RO)	43.79401 5.01972	●	●	●		○	●	●	●	●					
1312	VC	**Restaurant du Pont** 122 avenue de la Pomme, ZI du Pont 13750 Plan-d'Orgon 04 90 73 20 62 (GB) (I)	43.82054 5.01552	●	●			●	●	●	●	●		●			
1314	VC	**Le Relais de la Gare** impasse de la Gare de Fos-sur-Mer Quarier des Arcades 13110 Port-de-Bouc 04 42 06 25 20 (E) (GB)	43.42719 4.97478	●				○	●	●	●	●					
1317	D113	**La Cabane Bambou** 13310 Saint-Martin-de-Crau 04 90 50 62 52 (E) (I) (P) (RO)	43.639752 4.893261	●	●			●	●	●	●						
1318	D7n	**L'Etape** route Nationale 13560 Senas 04 90 59 95 56	43.74056 5.10343	●	●			●	●	●	●			●	●	●	
1322	VC	**Snack Restaurant Chez Jean** Le Ti-Yann Voie d'Italie ZI de l'Anjoly 13127 Vitrolles 04 42 89 25 43 (E) (I)	43.4264 5.25013	●	●			○	●	●	●				●	●	
1323	A52	**Aire de Baume-de-Marron** 13720 Belcodène	43.40092 5.58184	●	●			●	●	●	●						

Numéro	Numéro de route	Adresse	Coordonnées GPS	P	☀	🚿	€	⛽	🍴	🚻	🏨	📡	◻	◻	🗺	✚	↕
1324	A 51	**Aire de la Champouse** 13480 Cabriès	43.44053 5.39008	●	●			●	●	●	●						
1325	A7	**Aire de Lançon de Provence Est** L'Arche 13680 Lançon-Provence	43.59275 5.18852	●	●			●	●	●	●	●		●	●	●	●
1326	A7	**Aire de Lançon de Provence Ouest** L'Arche 13680 Lançon-Provence	43.5878 5.18524	●	●			●	●	●	●	●	●	●	●	●	●
1327	A8	**Aire de l'Arc** Brioche Dorée 13530 Trets	43.46791 5.65024	●	●			●	●	●	●	●					
1328	A50	**Aire du Liouquet** ENI 13600 La-Ciotat	43.19066 5.66664	●	●			●	●	●	●						
1329	N113	**Aire des Cantarelles** Les Cantarelles 13200 Arles 04 90 18 51 00 GB	43.651343 4.669506	●	●			●	●	●	●	●		●		●	
1330	A51	**Aire des Chabauds** 13320 Bouc-Bel-Air	43.4364 5.39702	●	●			●	●	●	●						
1331	A50	**Aire des Plaines Baronnes** 13600 Ceyreste	43.19641 5.66793	●	●			●	●	●	●						
1332	A51	**Aire de Meyrargues-Fontbelle** KM Café 13610 Le-Puy-Sainte-Réparade	43.63282 5.49141	●	●			●	●	●	●	●					
1333	A52	**Aire de Peypin** 13124 Peypin	43.40026 5.57339	●	●			●	●	●	●	●					
1334	A8	**Aire du Rousset** Comptoir Casino 13790 Rousset	43.47436 5.63762	●	●			●	●	●	●	●		●			
1402	D47	**Les Quatre Routes** carrefour D16-D47 14270 Écajeul 02 31 63 82 99	49.07781 -0.00803	●	●					●	●	●				●	
1403	D675	**Au Vert Galant** 19 route de Rouen 14730 Giberville 02 31 72 36 52 GB	49.17255 -0.27908	●	●			●	●	●	●	●					
1404	VC	**Les Oiseaux de Mer** 28 route des 4 Francs 14600 La Rivière-Saint-Sauveur / Honfleur 02 31 89 11 62 GB	49.41251 0.25268	●	●			●	●	●	●	●		●	●		
1406	VC	**Le Central** rue des Frères Lumière ZI Sud 14120 Mondeville 02 31 82 21 66 E GB	49.156713 -0.31071	●	●	●		●	●	●	●	●					
1407	D572	**Le Relais de la Forêt** L'Embranchement Axe Bayeux/St Lo 14490 Montfiquet 02 31 21 39 78 GB	49.19419 -0.86198	●	●			●	●	●	●	●					
1410	D613	**Au Relais des Amis** route Nationale 14230 Osmanville 02 31 22 14 84	49.333834 -1.069955	●						●	●	●	●				
1411	D675	**Le Div'arrêt** route de Rouen 14430 Putot-en-Auge 02 31 39 16 05 GB	49.222555 -0.076668	●	●			●	●	●	●						
1412	D562	**Le Relais des Landes** Les Landes 14110 Saint-Denis-de-Méré 02 31 69 97 60	48.871393 -0.520193	●						●	●						
1413	D579	**Les Mille et Une Saveurs** Le Bourg 14140 Sainte-Foy-de-Montgommery 02 31 63 09 04 GB	48.960631 0.175524	●						●	●						

Numéro	Numéro de route	Adresse	Coordonnées GPS	P	💡	📷	€	⛽	🍴	🚻	🛏	📶	🚿	🗺	✚	↕
1416	A13	**Aire de Giberville Nord** Paul 14630 Cagny	49.171 -0.27468	●	●			●	●	●	●	●			●	●
1417	A13	**Aire de Giberville Sud** Pomme de Pain 14630 Cagny	49.16469 -0.27531	●	●			●	●	●	●	●			●	●
1501	N122	**Le Relais de la Sablière** route de Toulouse 15000 Aurillac 04 71 64 51 80 [GB]	44.897095 2.407916	●				○	●	●	●	●	●	○	○	●
1502	D120	**L'Escudillier** 5 boulevard du Vialenc 15000 Aurillac 04 71 63 79 30 [GB]	44.91908 2.42869	●				○	●	●	●			●	●	●
1503	D679	**Hôtel des Voyageurs** 2 rue du Commerce 15170 Neussargues 04 71 20 52 05	45.12572 2.97494	●				●	●	●	●	●	○	○	●	●
1601	N10	**La Belle Cantinière** 16560 Aussac-Vadalle 05 45 20 66 89 [E] [GB]	45.82111 0.19269	●	●				●	●	●					
1602	N2141	**Le Relais des Vignes** 7 route d'Angoulème 16200 Bourras 05 45 35 86 95	45.688442 -0.085986	●	●				●	●	●					
1603	D941	**L'Auberge des Routiers** 1319 rue Claude Bonnier 16590 Brie 05 45 65 90 24	45.708277 0.284223	●					●	●	●					
1604	D731	**Pension du Camp** route de Barbezieux face base aérienne 709 16100 Châteaubernard 05 45 82 09 47 [GB]	45.665863 -0.326918	●	●			●	●	●	●					
1605	N141	**Le Relais d'Étagnac** 16150 Étagnac 05 45 89 21 38 [GB]	45.893876 0.787682	●					●	●	●	●			○	
1606	N141	**Le Grizzly** 2 route de la Borne Cent 16130 Gensac-la-Pallue 05 45 32 13 80 06 98 88 03 59	45.67417 -0.27141	●	●			●	●	●	●					
1607	N141	**La Table rouge masures** 122 route Nationale 16270 Roumazières-Loubert 05 45 71 10 24 [E] [GB]	45.884962 0.576125	●				●	●	●	●	●	●	○	○	●
1608	D161	**L'Entracte** 60 rue d'Union 16270 Roumazières-Loubert 05 45 71 21 41 [E] [P]	45.89399 0.5756	●	●			●	●	●	●	●	●	●	●	●
1609	N10	**Casse-Croûte Charentais** La Grolle 16360 Touvérac 05 45 78 33 66 [E] [RU]	45.354724 -0.201611	●	●				●	●	●	●				
1610	N10	**Avia** 16700 Villegats	45.985311 0,20049	●					●	●	●	●				
1611	N10	**Escapade** 16700 Barro	46.001255 0,200865	●					●	●	●	●				
1612	N10	**Relais de Barbezieux** ZA de Plaisance 16300 Barbezieux 05 45 78 79 32 [D] [E] [GB] [P]	45.460131 -0,14393800	●	●			●	●	●	●	●		○		
1701	D145	**La Cantinière de Bédenac** le Jarculet 17210 Bedenac 05 46 86 11 64 [E] [GB]	45.186275 -0.316646	●		●		●	●	●	●	●				

Numéro	Numéro de route	Adresse	Coordonnées GPS
1702	N141	**Auberge de la Boiserie** 15 route des Charmes 17610 Chaniers 05 46 91 11 78 D E GB RO RU	45.74488 -0.55923
1703	D730	**Relais Bel Air** 5 route de Royan 17120 Grézac 05 46 90 84 24 E	45.5833 -0.83596
1704	VC	**Aquarelle 2** 26 boulevard du Maréchal Lyautey 17000 La Rochelle 05 46 43 00 27 GB P	46.16166 -1.20538
1706	D730	**Les Deux Charentes** 1 route de Montendre 17210 Montlieu-la-Garde 05 46 04 44 17 E GB	45.240599 -0.26792
1707	D137	**La Bergerie** 12 route de Brodeaux La Bergerie 17150 Nieul-le-Virouil 05 46 49 62 05 GB	45.4203 -0.56469
1709	D730	**Le Cheval Blanc** 11 avenue de la République 17240 Saint-Ciers-du-Taillon 05 17 24 10 84 GB	45.42374 -0.64316
1710	D137	**Relais d'Usseau** 2 route de Nantes 17220 Sainte-Soulle 05 46 34 39 85 GB	46.20313 -1.02763
1711	D137	**Le Relais de Saintonge** 75 avenue de Saintes 17240 Saint-Genis-de-Saintonge 05 46 70 69 50 E GB	45.48972 -0.5658
1713	VC	**Hôtel de la Gare** 2 rue Clèmenceau 17600 Saujon 05 46 02 80 33 GB	45.6669 -0.92981
1714	D150	**Le Relais de Tout y Faut** 1 route de Saint-Jean d'Angely 17330 Vergné 05 46 33 07 49 GB	46.073197 -0.506696
1716	A10	**Aire de Fenioux Est** LEO Bistrot 17350 Fenioux	45.89116 -0.60234
1717	A10	**Aire de Fenioux Ouest** Brioche Dorée 17350 Fenioux	45.89486 -0.60525
1718	A10	**Aire de St-Léger Est** L'Arche 17800 Saint-Léger	45.61309 -0.59213
1719	A10	**Aire de St-Léger Ouest** L'Arche 17800 Saint-Léger	45.61053 -0.60739
1720	N10	**Aire de Bedenac Ouest** Avia 17201 Bedenac	45,172961 -0,334182
1721	N10	**Aire de Bedenac Est** Esso 17201 Bedenac	45,16983 -0,333688
1801	N142	**Le Relais de Bourges** rue Nicéphore Niepce ZAC de Varennes 18000 Bourges 02 48 67 93 00 GB	47.0435 2.34703

Numéro	Numéro de route	Adresse	Coordonnées GPS	P	💡	🚩	€	⛽	🍴	🚻	🛏	📶	🛍	🗺	📰	✚	🚚
1802	D923	**Au P'tit Bonheur** Le Rond-Point 18410 Clémont 02 48 58 84 16 (E) (GB)	47.56361 2.30492	●					●	●		●			◐	◐	
1803	D2020	**La Plaisance** A 20, sortie 9 18310 Graçay 02 54 49 77 15 (E) (GB)	47.105642 1.882187	●	●				●	●	●						
1804	D2076	**Le Relais de la Route** 18600 Mornay-sur-Allier 02 48 74 53 54	46.81908 3.02775	●	●				●	●							
1806	D2076	**Relais La Grotte** 53 rue de la République 18500 Vignoux-sur-Barangeon 02 48 51 52 22 (GB)	47.19881 2.17425	●					●	●	●	●			●	●	
1807	A71	**Aire de Bourges-Marmagne** Pomme de Pain 18500 Marmagne	47.09717 2.24883	●	●			●	●	●	●			●			
1808	A71	**Aire de Bourges-Ste-Thorette** L'Arche 18500 Sainte-Thorette	47.09175 2.24153	●	●			●	●	●	●		●	●	●		
1809	A71	**Aire du Centre de la France** Autogrill 18200 Farges-Allichamps	46.75167 2.41422	●	●			●	●	●	●		●	●	●		●
1901	D920	**Le Relais d'Antan** La Fontrouvée 19600 Noailles 05 55 85 85 76 (E) (GB)	45.079392 1.51327	●					●	●	●						
1902	D1089	**Le Bistrot du Cadran** ZI de l'Empereur 19200 Ussel 05 55 96 15 54	45.517406 2.271767	●	●	●			●	●			●	●	●		
1903	A89	**Aire de la Corrèze** Le Bœuf Jardinier 19800 Vitrac-sur-Montane	45.35994 1.93704	●	●			●	●	●	●	●	●	●	●		●
1904	A89	**Aire du Pays de Brive** LEO Resto 19600 Saint-Pantaléon-de-Larche	45.15858 1.43072	●	●			●	●	●	●	●	●	●	●		●
1905	A20	**Aire de la Porte de Corrèze** Bonjour 19510 Masseret	45.53958 1.50627	●	●			●	●	●	●	●	●	●	●		●
1906	A89	**Aire de Chavanon** Flunch 19340 Merlines	45.621827 2.459242	●	●			●	●	●	●	●	●	●	●		●
2101	VC	**Le Mariten** 8 rue Yves Bertrand Burgalat 21200 Beaune 03 80 24 77 20 (E) (GB)	47.01195 4.84217	●	●			●	●	●	●		◐	◐	◐	◐	
2102	D974	**L'Auberge du Guidon** 21700 Comblanchien 03 80 62 94 39 (GB)	47.098347 4.913469	●				◐	●	●	●						
2104	D14	**L'Auberge** 2 place du Docteur Chauvot 21230 Lacanche 03 80 84 14 55 (GB)	47.07705 4.56205	●	●				●	●	●					●	
2105	D906	**Le Petit Train** La Guette 21430 Liernais 03 80 84 45 54 (GB)	47.226824 4.31793	●	●				●	●	●						
2107	D974	**Le Relais de la Venelle** 41 route Nationale 21260 Orville 03 80 75 52 80 (GB)	47.56586 5.214112	●	●	●			●	●	●	●					
2109	D906	**Chez Bernard et Ursula** Chelsey 21430 Sussey 03 80 84 40 42 (D) (GB) (I) (PL)	47.200349 4.375874	●	●			◐	●	●	●					●	

Numéro	Numéro de route	Adresse	Coordonnées GPS	P	💡	🚩	€	⛽	🍴	WC	🛏	📶	🛍	🚿	📖	✚	↕
2111	A6	**Aire de Beaune-Merceuil** Truckstor 21200 Montagny-lès-Beaune	46.96579 4.83362	●	●			●	●	●	●	●	●	●	●		🚶
2112	A6	**Aire de Beaune-Tally** Autogrill 21200 Bligny-lès-Beaune	46.96447 4.84159	●	●			●	●	●	●	●	●	●	●		🚶
2113	A36	**Aire de Bois-Guillerot** 21250 Seurre	47.02778 5.11072	●	●			●	●	●	●	●					🚶
2114	A36	**Aire de Glanon** Comptoir Casino 21250 Labruyère	47.03418 5.11031	●	●			●	●	●	●	●					🚶
2115	A31	**Aire de Dijon-Brognon** Autogrill 21490 Saint-Julien	47.42419 5.16485	●	●			●	●	●	●	●		●		●	🚚
2116	A31	**Aire de Dijon-Spoy** Autogrill 21310 Arceau	47.42721 5.17529	●	●			●	●	●	●	●					🚚
2117	A31	**Aire de Gevrey-Chambertin** Autogrill 21220 Gevrey-Chambertin	47.21671 4.99698	●	●			●	●	●	●			●	●		
2118	A31	**Aire de Gevrey-Chambertin** L'Arche 21220 Gevrey-Chambertin	47.22233 5.01298	●	●			●	●	●	●						
2119	A6	**Aire de la Forêt** Philéas 21360 Bligny-sur-Ouche	47.10241 4.71064	●	●			●	●	●				●			
2120	A6	**Aire du Chien Blanc** Autogrill 21350 Gissey-le-Vieil	47.30938 4.49466	●	●			●	●	●	●	●	●	●	●		
2121	A6	**Aire du Creux-Moreau** KM Café 21360 Aubaine	47.11375 4.71759	●	●			●	●	●	●			●	●		
2122	A6	**Aire des Iochères** Autogrill 21350 Gissey-le-Vieil	47.3108 4.50306	●	●			●	●	●	●	●					
2123	A39	**Aire de Pont-Chêne d'Argent** Colombus Café 21130 Les-Maillys	47.18452 5.32323	●	●			●	●	●	●			●	●		
2124	A39	**Aire de Pont-Val de Saône** Colombus Café 21130 Tillenay	47.18838 5.33391	●	●			●	●	●	●	●	●				
2201	D766	**Les Routiers** 40 rue de la Gare 22350 Caulnes 02 96 83 94 14	48.28502 -2.15463	●					●	●			●	●	●	(●)	
2202	D44	**Le Relais des 4 Routes** Les 4 Routes Sortie Tramain, N12 Sortie Plénée-Jugon Plédéliac, N176 22270 Jugon-les-Lacs 02 96 31 68 40 GB	48.4098 -2.34528	●	●			●	●	●	●						
2203	D786	**La Croix Rouge** La Croix Rouge 22300 Lannion 02 96 35 45 08	48.70049 -3.52193	●	●				●	●	●						
2204	D786	**Au p'tit Billy** 175 route de Tréguier L'Hopital 22300 Lannion Rospez 02 96 38 05 54	48.745058 -3.3799	●													
2205	D766	**L'Auberge de Granit** 3 rue de la Gare 22100 Le Hinglé-les-Granits 02 96 83 58 45 GB	48.40637 -2.08567	●					●	●	●	●					
2206	N164	**L'Escale** ZA du Ridor 22210 Plémet 02 96 25 66 37 GB	48.1705 -2.57784	●				●	●	●	●	●	●	●	●	●	
2207	D786	**La Licorne** 7 La Croix-Neuve 22740 Pleumeur-Gautier 02 96 92 31 64 GB	48.781685 -3.184091	●					●	●	●						

Numéro	Numéro de route	Adresse	Coordonnées GPS	P	💡	🗺	€	⛽	🍴	🚻	🏢	📶	🚿	✂	📖	✚	↕
2208	D7	**Le Triskel** ZA Le Radenier RN12 22170 Plouagat 02 96 74 28 13	48.530407 -2.971609	•	•			•	•	•	•	•					
2210	D712	**Relais du Beg Ar C'Hra Snc** Beg-Ar-C'hra 22810 Plounévez-Moëdec 02 96 38 61 08 Ⓔ ⒼⒷ	48.561741 -3.499875	•	•			•	•	•	•	•					
2211	N12	**Au Relais de Bellevue** 1 rue de Bellevue 22200 Saint-Agathon 02 96 43 80 53 ⒼⒷ	48.549967 -3.111212	•	•	•		•	•	•	•	•					
2212	D115	**Relais Routiers** 47 rue de Launay 22800 Saint-Brandan 02 96 74 88 19	48.4007352 -2.8872296	•				•	•	•	•		•	•	•	•	
2213	D706	**L'Envol** ZA Saint-Brieuc Armor 22440 Trémuson 02 96 76 86 74 ⒼⒷ ⓅⓁ	48.53228 -2.85532	•	•	•		•	•	•		•		•	•	•	
2214	D776	**La Borgnette** 17 route de Dinan 22980 Vildé-Guingalan 02 96 27 61 10 ⒼⒷ Ⓘ	48.435746 -2.162206	•				•	•	•							
2215	N12	**Aire de Plerneuf** 22170 Plerneuf 02 96 94 83 14	48.52478 -2.88891	•	•			•	•	•			•				
2216	N12	**Aire de Ploumagoard** 22970 Ploumagoar 02 96 11 98 00	48.55361 -3.11688	•	•			•	•	•			•				
2217	N12	**Aire de Porz an Park** 22810 Plounévez-Moëdec 02 96 38 76 31	48.54925 -3.45247	•	•			•	•	•			•				
2218	N12	**Aire de Porz an Park** 22350 Saint-Jouan-de-l'Isle 02 96 83 82 62	48.27192 -2.17333	•	•			•	•	•			•				
2219	N12	**Aire du Val de Rance** 22350 Caulnes 02 96 83 80 12	48.27281 -2.17551	•	•			•	•	•			•				
2301	N145	**Relais de la Côte d'Auge** La Côte d'Auge Sortie 42 de Montluçon / Sortie 43 de Guéret 23170 Auge 05 55 65 74 85	46.236482 2.318799	•				•	•								
2302	N145	**Relais La Croisière** 17 Lieu dit La Croisière 23300 Saint-Maurice-la-Souterraine 05 87 57 50 39	46.20726 1.38791	•				•	•	•							
2303	D22	**L'Étape Creusoise** ZA L'Étape 23320 Saint-Vaury 05 55 80 14 56	46.200938 1.750345	•				•	•	•			•	•	•		
2304	A20	**Aire de Boismandé** Paul 23160 Azerables	46.31424 1.42112	•	•			•	•	•	•	•		•			
2305	A20	**Aire de Boismandé** Paul 23160 Azerables	46.31448 1.41203	•	•			•	•	•			•	•			
2306	N145	**Aire des Monts de Guéret** Léo Resto 2300 Saint-Sulpice-le-Guérétois 05 55 81 07 07	46,183252 1,845947	•	•			•	•	•	•	•	•	•			🚚
2307	N 145	**Aire de Parsac** La Brioche Dorée 23140 Parsac 05 55 81 80 00	46,197697 2,186254	•	•			•	•	•	•		•				🚚
2401	N21	**Le Relais de Laurière** 105 route de Limoges 24420 Antonne-et-Trigonant 05 53 06 00 28	45.22276 0.85519	•		•		•	•	•							

Numéro	Numéro de route	Adresse	Coordonnées GPS	P	💡	📢	€	⛽	🍴	🚻	🏢	📡	🖼	🛒	📖	➕	↕
2402	N21	**Les Tamaris** La Croix 24140 Campsegret 09 79 73 26 66 GB	44.934503 0.562741	●					●	●	●	●	●				
2403	D703	**Les Clédoux** Chez Seb Les Clédoux 24370 Cazoulès 05 53 59 62 11	44.882214 1.425283	●	●	●			●	●	●	●					
2404	N21	**Chez Chris et Nad** La Tuilière de Mavaleix 24800 Chaleix Chalais 05 53 52 03 85 E GB	45.504659 0.951868	●	●	●			●	●	●	●					
2405	N21	**Relais des Sports** 24450 Firbeix 05 53 52 82 53 GB	45.598955 0.974141	●	●			●	●	●	●						
2407	D6089	**La Table Gourmande** Chez Serge 84 avenue du 8 mai 1945 24570 Le Lardin-Saint-Lazare 05 53 51 79 57 - 06 83 18 82 39 E GB P	45.13352 1.21113	●					●	●	●						
2410	N21	**Le Relais des Oliviers** 24560 Plaisance 05 53 24 15 98 GB I	44.703814 0.563554	●					●	●	●						
2413	D709	**Lou Marmitou** 10 route de Ribérac Lagut 24400 Saint-Front-de-Pradoux 05 53 81 18 86 GB	45.040145 0.371518	●				◐	●	●	●		●	●	●	●	
2414	D6089	**Les Tournissoux** Les Tournissoux 24210 Thenon 05 53 05 20 31 - 06 83 18 82 39 E GB P	45.141988 1.063072	●				◐	●	●	●				●	●	
2415	D939	**Le Gergovie** Bost de Sarazignac 24310 Valeuil 05 53 35 26 05 GB	45.318833 0.647914	●	●				●	●	●						
2416	A89	**Aire du Manoire** L'Arche 24330 Saint-Laurent-sur-Manoire	45.15115 0.79795	●	●			●	●	●	●		●	●	●		🚛
2501	D437	**Restaurant du Pont de l'Oie** 3 rue du Bois de l'Oie 25300 Arçon 03 81 46 63 30	46.945381 6.384274	●	●				●	●	●						
2502	D486	**L'Olivier** 7 route de Marchaux 25640 Braillans 03 81 57 99 50 GB	47.30618 6.08847	●	●				●	●		●					
2503	D673	**La Cocotte** La Cocotte proche ZI de Chemaudin 25320 Chemaudin 03 81 58 09 43 GB	47.208352 5.904618	●	●	●		●	●	●							
2504	A36	**Aire de Besançon-Champoux** Colombus Café 25640 Champoux	47.32935 6.11563	●	●			●	●	●	●				●		🚶
2505	A36	**Aire de Besançon-Marchaux** L'Arche 25640 Marchaux	47.32448 6.12028	●	●			●	●	●	●			●			🚶
2506	A36	**Aire d'Ecot** Eris 25700 Mathay	47.43638 6.73027	●	●			●	●	●	●	●	●	●	●		🚛
2601	N7	**Le Relais de la Tour** Quartier Marcoz 26140 Albon 04 75 03 11 22 GB I	45.24221 4.82075	●	●	●		●	●	●	●	●					

Numéro	Numéro de route	Adresse	Coordonnées GPS	P	💡	📋	€	⛽	🍴	🚻	🏢	📡	🛒		📖	➕	↕
2606	N7	**Le Relais des Roches** Les Roches 26740 La Coucourde 04 75 01 61 64	44.623442 4.762149	●	●				●	●	●						
2607	N7	**Relais de Donzère** 2320 route nationale 26290 Donzère 04 75 51 64 58 [E] [GB]	44.426283 4.712427	●	●	●		●	●	●	●	●	●		●	●	
2608	N7	**Le Rond Point "Le Bolo"** Quartier des Grès 26290 Donzère 04 75 51 61 48	44.42976 4.71152	●				●	●	●	●		●		●	●	
2609	N7	**Relais de l'Espérance** 7660 route Nationale Fiancey 26800 Étoile-sur-Rhône 04 75 61 62 06 [D] [GB]	44.810184 4.85673	●	●	●			●	●	●						
2610	D532	**Le Relais** Le Village 26730 L'Ecancière 04 75 05 38 26	45.048921 5.160543	●	●			●	●	●	●				●		
2611	N7	**Les Châssis** 1330 route du Dauphiné Les Châssis 26600 La-Roche-de-Glun 04 75 84 61 80 [GB]	45.036646 4.867458	●	●				●	●	●						
2613	VC	**L'Escale Relais Routier Snack Bar Restaurant** ZA Champgrand 26270 Loriol-sur-Drôme 04 75 61 43 41 [GB]	44.754566 4.796916	●	●	●			●	●	●						
2614	N 7	**La Tête Noire** L'Homme d'Armes 26740 Savasse 04 75 46 82 06 [GB]	44.603791 4.754151	●	●			●	●	●	●						
2615	N7	**Le Disque Bleu** RN 7 26270 Cliousclat 04 26 52 04 13 [GB]	44.721262 4.805945	●	●			●	●	●	●	●	●	●	●	●	
2616	N7	**La Mule Blanche** Quartier de la Mule Blanche 26600 Tain L'Hermitage 04 75 08 52 75 [GB] [I]	45.057998 4.865302	●	●				●	●	●	●					
2617	A7	**Aire de Latitude 45** L'Arche 26600 Pont-de-l'Isère	45.0169 4.87174	●	●			●	●	●	●	●	●				
2618	A7	**Aire de Montélimar Est** Autogrill 26780 Allan Vinci-autoroutes www.vinci-autoroutes.fr	44.51273 4.78305	●	●	●		●	●	●	●	●			●		
2619	A7	**Aire de Montélimar Ouest** Autogrill 26780 Allan	44.51599 4.77791	●	●			●	●	●	●	●	●				
2620	A7	**Aire de Pont de l'Isère** Mc Donald's 26600 Pont-de-l'Isère	45.01661 4.8704	●	●			●	●	●	●	●	●				
2621	A49	**Aire de Porte de la Drôme** Brioche Dorée 26730 Eymeux	45.07645 5.20645	●	●			●	●	●	●		●		●		👤
2622	A7	**Aire de Portes-lès-Valence Est** Mezzo di Pasta 26800 Etoile-sur-Rhône	44.86623 4.86987	●	●			●	●	●	●	●	●		●		
2623	A7	**Aire de Portes-lès-Valence Ouest** Flunch 26800 Etoile-sur-Rhône	44.86816 4.86774	●	●			●	●	●	●	●			●		
2624	A49	**Aire de Royans-Vercors** Brioche Dorée 26730 La-Baume-d'Hostun	45.06996 5.21386	●	●			●	●	●	●		●		●		👤

Numéro	Numéro de route	Adresse	Coordonnées GPS	P	💡	▸	€	⛽	🍴	🚻	🏨	📶	🚿	🛒	📖	✚	↕
2625	A7	**Aire de la Saulce** Brioche Dorée 26270 Saulce-sur-Rhône	44.7232 4.79016	●	●			●	●	●	●	●	●				
2626	A7	**Aire de St-Rambert d'Albon Est** l'Arche 26140 Anneyron	45.27718 4.83202	●	●			●	●	●	●	●			●		♂
2627	A7	**Aire de St-Rambert d'Albon Ouest** l'Arche 26140 Anneyron	45.27509 4.82657	●	●			●	●	●	●	●	●	●			♂
2723	A13	**Aire de Beuzeville Nord** Brioche Dorée 27210 Beuzeville	49.32595 0.32586	●	●			●	●	●	●	●	●				
2724	A13	**Aire de Beuzeville Sud** On the Run 27210 Beuzeville	49.31996 0.32514	●	●			●	●	●	●			●	●		
2701	D613	**Chez Joël** 17 route départementale 27800 Boisney 02 32 46 23 43 D E GB	49.154692 0.65499	●	●			●	●	●	●						
2702	D613	**Le Relais de la Bretagne** Carrefour Bretagne 27300 Boissy-Lamberville 02 32 44 00 57 D E GB I P	49.152605 0.566236	●		●				●	●						
2703	D613	**L'Escale** Carrefour de Malbrouck 27300 Carsix 02 32 44 79 99 GB	49.15511 0.66971	●	●			●	●	●	●						
2704	D675	**Le Médine** 2 chemin du Nouveau Monde 27350 Cauverville-en-Roumois 02 32 57 01 55 GB	49.35584 0.64797	●		●		●	●	●	●						
2705	N13	**International Hôtel** 1 route Nationale 27120 Chaignes 02 32 36 95 52 GB I	49.01472 1.45233	●	●	●		●	●	●	●						
2706	N2014	**Le Relais Normand** 16 route de Rouen 27420 Château-sur-Epte 01 34 67 68 19	49.21202 1.66125	●	●			●	●	●	●				●	●	
2707	D613	**Auberge du Relais** 4 route Nationale 27170 Écardenville-la-Campagne 02 32 35 05 32	49.122608 0.84842	●	●			●	●	●	●						
2708	D312	**Le Relais de Tancarville** 166 rue des Cigognes 27210 Foulbec 02 32 57 60 69 D	49.399314 0.424996	●	●			●	●	●	●			●	●		
2711	D313	**Auberge du Pont** 40 rue Gilles Nicole 27700 Les Andelys 02 32 54 22 05	49.23671 1.40159	●				●	●	●	●	●	●	●	●		
2710	D830	**Le Relais des Amis** Chagny 27330 La Neuve-Lyre 02 32 30 50 60	48.898327 0.74809	●				●	●	●	●		●	●	●		
2711	D313	**Auberge du Pont** 40 rue Gilles Nicole 27700 Les Andelys 02 32 54 22 05	49.23671 1.40159	●				●	●	●	●			●			
2712	D6154	**Le Relais Européen** 11 route Nationale Tivoly 27320 Marcilly-la-Campagne 02 32 58 31 75 GB	48.822427 1.186175	●	●			●	●	●							
2713	D613	**Le Paris Caen Cherbourg** Feuguerolles 27550 Nassandres 02 32 45 00 26 GB	49.143997 0.742355	●	●			●	●	●	●			●	●	●	

Numéro	Numéro de route	Adresse	Coordonnées GPS	P	💡	🚩	€	⛽	🍴	🚻	🏢	📶	💳	✂	📖	✚	↕
2716	D6014	**La Savoyarde** 2 route Nationale 27420 Suzay 02 32 55 62 14	49.274035 1.518259	●	●			●	●	●	●						
2717	D6154	**Le Relais 154** 7 route d'Orléans 27240 Thomer-la-Sôgne 02 32 67 41 00 **GB**	48.908553 1.16917	●					●	●	●	●					
2718	A13	**Aire de Bosgouet Nord** Segafredo 27310 La-Trinité-de-Thouberville	49.3643 0.86851	●	●			●	●	●	●				●		👤
2719	A13	**Aire de Bosgouet Sud** Le Bœuf Jardinier 27310 La-Trinité-de-Thouberville	49.36072 0.85802	●	●			●	●	●	●	●	●				👤
2720	A28	**Aire du Domaine d'Harcourt** 27290 Le Val Vandrin www.alis-sa.com	49.24406 0.77221	●	●	●			●	●							🚚
2721	A13	**Aire de Vironvay Nord** L'Arche 27400 Heudebouville	49.21102 1.22056	●	●			●	●	●	●	●	●	●	●		👤
2722	A13	**Aire de Vironvay Sud** 27400 Heudebouville	49.2092 1.21218	●	●			●	●	●	●	●	●		●		👤
2802	D955	**La Table Gourmande** 29 avenue du Général de Gaulle 28160 Brou 02 37 47 19 62 **GB**	48.21258 1.16263	●	●			●	●	●	●	●	●	●	●	●	
2803	D2020	**Chez Véronique et Gaëla** 1 rue Charles Péguy Château Gaillard 28310 Santilly 02 37 90 07 03	48.144051 1.904787	●	●	●			●	●	●	●					
2805	D923	**Z'épicuriens** Les Châtelets 28190 Chuisnes 02 37 23 38 24	48.435958 1.168327	●					●	●	●						
2807	D921	**Mon idée** route d'Illiers Mon idée 28630 Fontenay-sur-Eure 02 37 25 10 40	48.413258 1.431355	●	●	●			●	●	●						
2808	N10	**Le Relais Beauceron** Thivars sortie 3 de l'A11, direction Tours 28630 Mignières 02 37 26 46 21 **GB**	48.35454 1.44073	●	●			●	●	●	●						
2810	D923	**Auberge de la Moricerie** Saint-Luperce 28300 Saint-Aubin-des-Bois 02 37 32 99 25 **GB**	48.443152 1.337049	●	●	●			●	●	●						
2811	N154	**Motel du Péage** ZA de la Vallée du Saule 28170 Serazereux 02 37 63 04 50	48.60591 1.42329	●	●	●			●	●	●						
2812	D910	**Le Relais des Essars** Essars 28700 Saint-Symphorien-le-Château 02 37 31 18 30 **GB**	48.505054 1.757705	●	●				●	●	●	●					
2813	D2020	**Le Relais de la Chapelle** 60 avenue de la Chapelle 28310 Toury 02 37 90 64 96 **GB**	48.21258	●	●	●		●	●	●	●	●	●	●			
2814	N154	**Le Relais de Beauce** La Michellerie 28150 Ymonville 02 37 32 26 34	48.274957 1.73916	●					●	●	●						
2815	A11	**Aire de Brou Dampierre** l'Arche 28160 Dampierre-sous-Brou	48.23694 1.08642	●	●			●	●	●	●	●	●		●	●	👤
2816	A11	**Aire des Manoirs du Perche** AMO 28160 Frazé	48.24321 1.08323	●	●			●	●	●	●	●	●		●	●	👤

Numéro	Numéro de route	Adresse	Coordonnées GPS	P	🔦	🚩	€	⛽	🍴	🚻	🛏	📶		🛒	📖	✚	↕
2817	A11	**Aire de Chartres Bois Paris** Autogrill 28700 Champseru	48.46915 1.5737	●	●			●	●	●	●	●	●	●	●	●	🚹
2818	A11	**Aire de Chartres Gasville** L'Arche 28700 Champseru	48.46382 1.57757	●	●			●	●	●	●				●	●	🚹
2819	A10	**Aire des Plaines de Beauce** Autogrill 28310 Fresnay-l'Evêque	48.27111 1.84982	●	●			●	●	●	●	●	●	●	●	●	
2820	A10	**Aire de Val Neuvy** L'Arche 28310 Neuvy-en-Beauce	48.26951 1.85937	●	●			●	●	●	●	●	●	●			
2901	D7	**Le Relais Saint Gildas** 11 et 13 rue du Kreisker 29150 Cast 02 98 73 54 76	48.156818 -4.139139	●				●	●	●	●			●	●	●	
2902	D712	**L'Évasion** Kéraudry 29490 Guipavas 02 98 32 09 09	48.434627 -4.360929	●	●			●	●	●	●						
2903	D69	**Le Coz Ker** route de Sizun 29400 Lampaul-Guimiliau 02 22 55 17 35	48.495475 -4.073846	●				●	●	●	●		●		●	●	●
2904	VC	**Le Terminus** 94 avenue Foch 29400 Landivisiau 02 98 68 02 00	48.514465 -4.057217	●				●	●	●	●	●	●	●	●	●	●
2905	N12	**Le Relais Kériel** Kériel 29800 Plouédern 02 98 20 82 53	48.488137 -4.267073	●				●	●	●	●	●					
2906	D54	**Le Relais de Diane** 1 sentier du Petit Train 29270 Plounévézel 02 98 99 73 12 GB	48.310045 -3.58684	●				●	●	●	●	●	●				
2907	D22	**Ti Lanig** ZA Kervinadou 2 29300 Mellac-Quimperlé 02 98 39 16 07	47.868661 -3.592433	●				●	●	●	●		●	●	●		
2908	D765	**Le Relais la p'tite Auberge** 22 route de Rosporden 29170 Saint-Évarzec 02 98 94 62 35 GB	47.97576 -3.999882	●		●		●	●	●	●		●				
2909	D712	**Restaurant du Commerce** 1 rue de Paris 29410 Saint-Thégonnec 02 98 79 61 07	48.5212 -3.9459	●				●	●	●	●		●	●	●	●	
3001	D15	**Le Domaine** 2086 route de Fourques 30300 Beaucaire 04 66 59 22 61 GB I	43,786215 4,627068	●	●			●	●	●	●						
3004	D 124	**Restaurant L'Oasis** 165 chemin des Canabières 30190 La Rouvière 04 66 75 13 68 D E GB I	43.934163 4.245084	●	●			●	●	●	●						
3008	D6086	**La Trilogie** 26 route de Nîmes 30320 Saint-Gervasy 04 66 75 00 40 E	43.874625 4.466307	●				●	●	●	●	●	●	●			
3009	N86	**Les Terrailles** 42 route Nationale 30200 Saint-Nazaire 04 66 89 66 14	44.188667 4.623474	●	●	●		●	●	●	●				●	●	
3010	N113	**Les Jardins de la Source** route Nationale 30310 Vergèze 04 66 35 50 25 E	43.73403 4.234237	●	●			●	●	●	●			●			
3011	A9	**Aire de Marguerittes Nord** Brioche Dorée 30320 Saint-Gervasy	43.86923 4.4417	●	●			●	●	●	●		●	●	●		

Numéro	Numéro de route	Adresse	Coordonnées GPS	P	☀	📷	€	⛽	✕	🚻	🏢	📡	🛍	🛏	📖	✚	↕
3012	A9	**Aire de Marguerittes Sud** KM Café 30320 Saint-Gervasy	43.87793 4.44768	●	●			●	●	●	●	●	●	●	●		
3013	A9	**Aire de Tavel Nord** Philéas 30126 Tavel	44.00527 4.69931	●	●			●	●	●	●	●			●	●	
3014	A9	**Aire de Tavel Sud** LEO 30126 Tavel	43.99791 4.70467	●	●			●	●	●	●	●			●	●	
3101	D10	**La Nouvelle Vague** route de Carbonne 31410 Capens 05 61 87 52 37 06 09 82 41 91 (E)	43.340551 1.256854	●	●	●		◐	●	●	●	●	●	●	●	●	
3102	D945	**Le Relais Toulousain** 4 rue de l'Ourmède 31620 Castelnau-d'Estretefonds 05 34 27 07 90 (E) (GB)	43.765729 1.368755	●				◐	●	●	●		●	●	●		
3103	VC	**SAS La Fermière** Pater A64 sortie 23 31220 Mondavezan 05 61 97 01 52	43.23292 1.0654	●					●	●	●						
3104	VC	**Le Marclan** 22bis rue de Marclan 31600 Muret 05 61 56 82 93 (GB)	43.48309 1.33463	●	●			◐	●	●							
3105	VC	**Au Top du Roulier de Toulouse** 1 avenue de Fondeyre 31200 Toulouse 05 62 72 34 80 (E) (GB)	43.644468 1.426483	●	●			◐	●	●	●	●	●	◐	◐	◐	●
3106	VC	**Le Fondeyre** 3-5 avenue de Fondeyre 31200 Toulouse 05 62 72 81 87 (E) (GB)	43.64205 1.426665	●	●			●	●	●	●					◐	
3108	D817	**Le Mistral** 31800 Villeneuve-de-Rivière 05 61 94 99 73	43.11723 0.65075	●					●	●	●	●					
3109	A64	**Aire du Comminges** L'Arche 31210 Clarac	43.11044 0.62858	●	●			●	●	●	●	●	●	●	●		🚚
3110	A62	**Aire de Frontonnais Nord** Paul 31620 Castelnau-d'Estrétefonds	43.81003 1.35792	●	●			●	●	●	●	●		●	●		🚹
3111	A62	**Aire de Frontonnais Sud** Paul 31620 Castelnau-d'Estrétefonds	43.81416 1.36263	●	●			●	●	●	●	●	●		●		🚹
3112	A64	**Aire de Garonne** Philéas 31390 Carbonne	43.335261 1.245253	●	●			●	●	●	●						
3113	A61	**Aire de Toulouse-sud Nord** Carrefour 31450 Pompertuzat	43.47924 1.55052	●	●			●	●	●	●			●			
3114	A61	**Aire de Toulouse-sud Sud** La Croissanterie 31450 Pompertuzat	43.48431 1.55606	●	●			●	●	●			●	●			
3115	A64	**Aire de Volvestre** Philéas 31390 Carbonne	43.33672 1.25362	●	●			●	●	●							
3201	D931	**Chez Monique** 32370 Manciet 05 62 08 56 40 (E)	43.799868 0.042564	●	●			◐	●	●	●	●	●		●	●	●
3301	VC	**Les Trois Cardinaux** avenue des Trois Cardinaux 33300 Bordeaux 05 57 19 38 38 (GB)	44.887619 -0.551694	●	●			●	●	●	●						
3304	D137	**Le Relais de Roubisque** Roubisque 33820 Saint-Aubin-de-Blaye 05 57 64 68 28	45.244346 -0.570205	●	●			●	●	●	●						

Numéro	Numéro de route	Adresse	Coordonnées GPS	P	💡	🚩	€	⛽	🍴	🚻	🏢	📶			🗺️	✚	
3305	D1113	**Le Flahutat** route de Marmande Le Flahutat 33190 La Réole 05 56 71 00 37 GB	44.57497 -0.011131	•				◦	•	•	•	•		◦	◦	◦	•
3307	D936	**Le Relais de Gascogne** Peyrouquet 33330 Saint-Pey-d'Armens 05 57 47 15 02 E GB	44.855412 -0.109107	•					•	•	•				•		
3308	A63	**Aire de Bordeaux-Cestas** La Pinasse 33610 Cestas	44.74623 -0.71071	•	•			•	•	•	•		•				👤
3309	A63	**Aire de Bordeaux-Cestas** La Pinasse 33610 Cestas	44.74167 -0.70471	•	•			•	•	•	•		•				👤
3310	A65	**Aire de Coeur d'Aquitaine** LEO 33840 Escaudes	44.28476 -0.22512	•	•			•	•	•	•	•					🚚
3311	A62	**Aire de Terres des Graves Nord** Colombus Café 33720 Saint-Michel-de-Rieufret	44.64591 -0.44128	•	•			•	•	•	•	•	•	•	•		
3312	A62	**Aire de Terres des Graves Sud** Brioche Dorée 33720 Saint-Michel-de-Rieufret	44.64924 -0.43394	•	•			•	•	•				•	•		
3313	A89	**Aire des Palombières** Brioche Dorée 33660 Gours	44.99851 0.03191	•	•			•	•	•	•			•	•	•	🚚
3314	A10	**Aire de L'Estalot** La Croissanterie 33240 Cubzac-les-Ponts	44.9781 -0.43726	•	•			•	•	•	•			•	•	•	
3316	A10	**Aire de Meillac** Autogrill 33240 Cubzac-les-Ponts	44.9739 -0.42862	•	•			•	•	•	•			•			
3318	A10	**Aire de Saugon Est** Autogrill 33860 Reignac	45.18698 -0.4868	•	•			•	•	•	•		•	•			
3319	A10	**Aire de Saugon Ouest** Flunch 33860 Reignac	45.18307 -0.49195	•	•			•	•	•	•			•			
3423	A 75	**Aire du Ceylar** Crocade 34520 Le Caylar	43.85981 3.31305	•	•			•	•	•	•				•	◦	🚚
3401	D2	**Le Garrigou** 34770 Gigean 04 67 78 71 30 E	43.481044 3.69985	•	•				•	•	•						
3402	D609	**Le Relais de L'Oppidum** route de Narbonne Montée des Noyers 34500 Béziers 04 67 28 30 34 E GB	43.318095 3.184745	•	•			◦	•	•	•	•					
3404	VC	**La Pyramide Centre Routier** ZA La Peyrade 34110 Frontignan 04 67 48 97 77 E	43.424447 3.716713	•	•			◦	•	•	•	•	◦	◦	◦		
3406	A9	**Snack Bar** 34400 Lunel Vinci-autoroutes www.vinci-autoroutes.fr	43.70390 4.11942	•	•	•			•	•	•			◦	◦	◦	🚚
3408	VC	**Les Oliviers** 84 avenue de l'Europe 34370 Maureilhan 06 98 28 46 58 E GB TR	43.354854 3.127292	•	•				•	•	•		◦	◦	◦		
3409	D612	**Auberge de Rodomouls** Rodomouls 34360 Pardailhan 04 67 95 20 11 E GB	43.471955 2.85306	•		•			•	•	•	•					

Numéro	Numéro de route	Adresse	Coordonnées GPS	P	🛏	🚩	€	🛡	🍽	🚻	🏨	📶	⬛	⬛	📖	✚	↕	🚛
3410	D613	**Le 7 sur Sete** La Moulière 34560 Poussan 04 67 78 34 55 E GB I	43.464093 3.66762	●	●	●		●	●	●	●							
3411	D613	**Le Pont de Barre** 34570 Saussan 04 67 13 20 69 GB	43.56579 3.80492	●	●	●		●	●	●	●							
3412	D612	**Le Relais du Soleil** 34430 Saint-Jean-de-Vedas 04 67 50 86 53 D	43.562384 3.849608	●				●	●	●	●							
3413	D613	**Les Châtaigners** 500 route Départementale 34740 Vendargues 04 67 70 37 94 E GB I	43.649484 3.95746	●				●	●	●	●				●			
3414	D64	**Truck Etape Béziers** rue de Vienne Zone via Europa-A9 sortie 36 34350 Vendres 04 67 62 06 20 Truck Étape de Béziers www.trucketape.net E GB	43.29541 3.21564	●	●	●		●	●	●		●			●			●
3417	A9	**Aire d'Ambrussum Nord** Bouquet 34400 Saturargues 04 67 86 87 88 E GB I	43.71695 4.12914	●	●			●	●	●	●	●	●	●	●			
3418	A9	**Aire d'Ambrussum Sud** Autogrill 34400 Saturargues	43.71405 4.13406	●	●			●	●	●	●	●	●		●			
3419	A9	**Aire de Béziers-Montblanc Nord** Autogrill 34290 Montblanc	43.36298 3.34315	●	●			●	●	●	●	●	●		●			
3420	A9	**Aire de Béziers-Montblanc Sud** Colombus Café 34290 Montblanc	43.35665 3.34735	●	●			●	●	●	●	●	●					
3421	A9	**Aire de Montpellier-Fabrègues Nord** l'Arche 34690 Fabrègues	43.54686 3.78712	●	●			●	●	●	●	●	●		●			●
3422	A9	**Aire de Montpellier-Fabrègues Sud** l'Arche 34690 Fabrègues	43.54081 3.79259	●	●			●	●	●	●	●	●		●			●
3501	D873	**Les 4 Vents** Les 4 Vents 35600 Bains-sur-Oust 02 99 91 64 69 GB	47.700453 -2.085069	●	●			●	●	●								
3502	N12	**Les Routiers** 19 rue de Paris 35133 Beaucé 02 99 99 08 00 GB	48.33813 -1.155142	●	●			●	●	●								
3504	N157	**Ker Jo Ann** Les Fossés 35220 Châteaubourg 02 99 00 30 31 E GB	48.101415 -1.428807	●				◐	●	●	●							
3505	D110	**La P'tite Fringale** Parc d'activités de la Vigne 35370 Étrelles 02 23 55 31 67 GB	48.06681 -1.19402	●	●			◐	●	●	●	●	●		●	◐		
3507	D463	**Les Routiers** 11 Faubourg d'Anjou 35130 La Guerche-de-Bretagne 02 99 96 23 10	47.94081 -1.22759	●				●	●	●	●	●	●		●	◐		
3508	D73	**Hôtel de la Gare** La Costardais 35540 Miniac-Morvan 02 99 58 58 14 GB	48.53086 -1.9157	●	●			●	●	●	●							

Numéro	Numéro de route	Adresse	Coordonnées GPS	P	💡	📢	€	⛽	🍴	🚻	🏨	📡	🔌	🛒	📖	➕	↕
3509	VC	**L'Auberge de Moutiers** 40 rue du Pont des Arches 35130 Moutiers 02 99 96 21 62	47.96508 -1.22146	•					•	•	•	•					
3510	D837	**Le Vallon** route de Chartre de Bretagne 35230 Noyal-Châtillon 02 99 50 67 12 [E] [GB]	48.06943 -1.697205	•	•			○	•	•	•	•					
3511	D777	**Le Bellevue** Le Fouteau 35550 Pipriac 02 99 34 41 64	47.816935 -1.917138	•				○	•	•	•			○	○		
3512	D47	**L'Estuaire** 105 rue de Rennes 35320 Poligné 02 99 43 73 06 [D] [E] [GB]	47.889028 -1.688	•	•				•	•	•	•		○			
3513	D177	**L'Hermine** route de Rennes 7 lotissement Beauregard 35660 Renac 02 99 72 07 83	47.717567 -1.976198	•				○		•	•					•	
3514	D175	**Relais Bretagne Normandie** route du Mont St Michel 35490 Romazy 02 99 39 62 47 [E] [GB]	48.380611 -1.492848	•	•	•			•	•	•	•			•	•	
3516	D220	**Le Pen Duick** 51 rue de Merdrignac 35290 Saint-Méen-le-Grand 02 99 09 46 03 [GB]	48.18892 -2.1983	•	•			○	•	•	•			•	•	•	○
3517	D795	**Le Relais des Onze Écluses** 11 rue Louis Renault 35190 Tinténiac 02 99 45 46 80 [GB]	48.299012 -1.818565	•	•				•	•	•						
3519	VC	**Le Relais du Val-Blanc** rue du Bois de Soeuvre 35770 Vern-sur-Seiche 02 99 32 32 66	48.076179 -1.62927	•				○	•	•	•	•					
3520	N12	**Aire d'Armor et Argoat** 35590 Saint-Gilles 02 99 59 07 99	48.16624 -1.86706	•	•			○	•		•				•	•	
3523	N157	**Aire d'Erbrée** 35370 Erbrée 02 99 49 37 80	48.09009 -1.10047	•	•			•	•	•	•			•			
3524	N157	**Aire de Mondevert** 35370 Mondevert 02 99 49 31 00	48.08908 -1.09784	•	•			•	•	•	•			•			
3527	N12	**Aire du Pays de Rennes** 35590 Saint-Gilles 02 99 64 88 30	48.16748 -1.87559	•	•			•	•	•	•			•	•		
3528	N137	**Aire de Pomméniac** Crocade 35470 Bain-de-Bretagne 02 99 43 35 60	47.80042 -1.69058	•	•			○	•	•	•			○	•		
3602	D920	**Aire L'Escale Village** avenue Marcel Dassault 36130 Déols 02 54 22 03 77 [GB]	46.853055 1.711666	•				○	•	•	•			○		○	
3603	N151	**Le Relais Issoldunois** 8 route de Bourges 36100 Issoudun 02 54 03 04 05 [GB] [P]	46.95439 2.0093	•	•			○	•	•	•	•		•	•	•	○
3604	D920	**Relais Routiers Lothiers** Lothiers 36350 Luant 02 54 36 78 43 [GB]	46.70089 1.58724	•	•				•	•							
3605	D36	**Relais des Cinq-Routes** Les Cinq-Routes 36170 Parnac 02 54 24 86 86 [GB]	46.44269 1.48659	•	•				•	•	•	•					

Numéro	Numéro de route	Adresse	Coordonnées GPS	P	💡	🚩	€	⛽	🍴	🚻	🏨	((·))	icon	🛋	🎒	✚	↕
3606	D920	**Restaurant des Terres Noires** 80 avenue de l'Occitanie 36250 Saint-Maur 02 54 27 00 64 🇬🇧	46.784548 1.656286	●				●	●	●	●	●	●	●	●		
3607	A20	**Aire des Champs d'Amour** Cafétéria 36150 Vatan	47.08956 1.83927	●	●			●	●	●	●	●		●	●		🚚
3608	A20	**Aire de Mille Etangs** Comptoir Casino 36350 Luant	46.71906 1.59445	●	●			●	●	●	●	●			●		
3609	A20	**Aire du Val de l'Indre** L'Arche 36330 Velles	46.71834 1.60371	●	●			●	●	●							
3701	D31	**Le Chalet de la Rivonnerie** ZA Porte de Touraine 37110 Autrèche 02 47 56 22 42	47.53748 0.986073	●				●	●	●							
3703	D751	**Le Relais de la Forêt** route de Tours 37500 Chinon 02 47 93 19 08 🇬🇧	47.182297 0.272663	●				●	●	●	●		●	●	●		
3704	D952	**Auberge de Port Boulet** 50 route de Tours 37140 Chouzé-sur-Loire 02 47 95 15 92 🇬🇧	47.24221 0.16166	●	●			●	●	●	●						
3705	D910	**La Caravane** 2 route Nationale 37160 La Celle-Saint-Avant 02 47 65 07 82	47.01977 0.60369	●	●			●	●	●	●	●		●	●	●	
3708	D760	**Le Mille Pattes** 26 route de Chinon 37800 Noyant-de-Touraine 02 47 65 80 58 🇪🇸 🇬🇧	47.10862 0.57178	●	●	●		●	●	●	●						
3709	D77	**Relais de Tours'N** ZA du Papillon 37210 Parçay-Meslay 02 47 29 00 56 🇪🇸 🇬🇧	47.44652 0.719004	●	●			●	●	●	●						
3711	D943	**Le P'tit Marmiton** 1 route de Loches 37600 Saint-Jean-Saint-Germain 02 47 94 80 01 🇬🇧	47.08283 1.03498	●	●			●	●	●	●						
3712	D760	**L'Antre Vigne** 22 route de Chinon 37220 Sazilly 02 47 58 55 50 🇬🇧	47.132474 0.342931	●	●			●	●	●							
3713	D67	**L'Étape** 15 rue de la Libération 37330 Villiers-au-Bouin 02 47 24 03 76 🇬🇧	47.5749 0.31349	●				●	●					●			
3714	A10	**Aire de la Fontaine-Colette** Autogrill 37260 Villeperdue	47.16253 0.6211	●	●			●	●	●	●			●			
3715	A10	**Aire de Ste-Maure-de-Touraine** La Croissanterie 37260 Villeperdue	47.16143 0.63176	●	●			●	●	●	●			●	●		
3716	A10	**Aire de Tours-La Longue-Vue** Le Bœuf Jardinier 37380 Monnaie	47.48662 0.79773	●	●			●	●	●	●			●	●		🚹
3717	A10	**Aire de Tours-Val-de-Loire** Brioche Dorée 37380 Monnaie	47.48102 0.803	●	●			●	●	●	●		●	●	●		🚹
3718	A85	**Aire du Val de Cher** LEO Resto 37270 Athée-sur-Cher	47.29963 0.88785	●	●			●	●	●	●			●			🚚
3719	A85	**Aire des Jardins de Villandry** Flunch 37190 Druye	47.30496 0,51948	●	●			●	●	●	●	●		●			

Numéro	Numéro de route	Adresse	Coordonnées GPS	P	💡	✋	€	⛽	🍽	🚻	🏢	📶	🛒	🚿	🗺	✚	↑↓
3801	VC	**Chez Noëlla** ZAC La Gâche 38530 Barraux 04 76 97 71 30	45.430042 5.999329	●	●			●	●	●	●	●		●			
3802	D1090	**Relais du Pont de la Gâche** 90 route Nationale La Gâche 38530 Barraux 04 76 97 30 08 GB	45.43493 6.001719	●		●		●	●	●	●	●	●	●			
3804	D1085	**Relais de la Maison Blanche** 2053 route Nationale 1085 38300 Nivolas-Vermelle 04 74 27 92 86 GB I P	45.563553 5.304111	●				●	●	●	●	●	●	●	●		
3805	D1532	**Les G'S** 20 rue du Maupas 38360 Noyarey 04 76 53 95 61 GB	45.24342 5.6322	●	●			●	●	●	●			●			●
3806	D18	**Le Routier** Le Zepi 30 rue Giffard parking au croisement de la rue Giffard et du bd Gindre Duchavany 38230 Pont-de-Chéruy 04 78 32 20 02 GB I	45.752998 5.181129	●	●			●	●	●	●	●	●	●			
3807	D1532	**Le Nevada** 50 route départementale Le Nevada 38470 Rovon 04 57 33 17 19 06 11 16 34 53	45.203733 5.465516	●				●	●	●	●			●	●		
3808	D519	**Le Rival** ZI du Rival 38870 Saint-Siméon-de-Bressieux 04 74 20 37 53	45.349248 5.27244	●					●	●							
3809	D51	**Relais de la Sanne** 1A route d'Agnin 38150 Salaise-sur-Sanne 04 74 86 37 91 GB RO	45.33645 4.80556	●	●			●	●	●	●	●		●	●	●	
3810	D75	**Le Relais Routier du Chaffard** 401 route de la Boubre 38290 Satolas-et-Bonce 04 74 94 46 35	45.669908 5.144064	●		●		●	●	●							
3812	A41	**Aire de Bois-Claret** 38190 Bernin	45.24686 5.86072	●	●			●	●	●	●	●					
3814	A43	**Aire du Guiers** Courtepaille 38490 Aoste	45.58034 5.63572	●	●			●	●	●	●				●		⛹
3815	A48	**Aire de l'Ile Rose** LEO 38113 Veurey-Voroize	45.2766 5.62061	●	●			●	●	●	●				●		
3816	A 43	**Aire de l'Isle d'Abeau Nord** L'Arche 38080 L'Isle-d'Abeau	45.61591 5.21206	●	●			●	●	●	●	●	●		●		⛹
3817	A43	**Aire de l'Isle-d'Abeau Sud** L'Arche 38080 L'Isle-d'Abeau	45.60905 5.20901	●	●			●	●	●	●	●	●		●		⛹
3819	A43	**Aire de Romagnieu** Courtepaille 38480 Romagnieu	45.58003 5.63482	●	●			●	●	●	●				●		⛹
3820	A7	**Aire de Roussillon** LEO Resto 38550 Saint-Maurice-l'Exil	45.40739 4.81527	●	●			●	●	●	●	●	●				
3821	A41	**Aire de Saint-Nazaire-les-Eymes** Deli2go 38190 Villard-Bonnot	45.23966 5.85846	●	●			●	●	●	●	●					
3822	A48	**Aire de Voreppe** Brioche Dorée 38340 Voreppe	45.27869 5.6279	●	●			●	●	●	●			●	●		

Numéro	Numéro de route	Adresse	Coordonnées GPS	P	☼	✋	€	⛽	🍴	🚻	🏨	📶	▫	▫	📖	✚	↕
3901	D673	**Le Relais de Beauchemin** 72 route National Beauchemin 39120 Chemin 03 84 70 14 50 (E) (P)	46.96587 5.29333	●	●				●	●	●						
3902	N5	**Les Routiers** La Billaude 39300 Le Vaudioux 03 84 51 60 33	46.676976 5.933604	●	●				●	●	●						
3903	D1083	**Aux Gourmets Jurassiens** Montchauvrot 39230 Mantry 03 84 85 52 38	46.804174 5.577619	●				◐		●	●						
3904	D673	**Au Rendez-Vous de la Marine** Moulin-des-Malades 39700 Monteplain 03 84 71 32 10 (D)	47.15065 5.70243	●	●			◐	●	●	●	●					
3905	D472	**La Tonnelle** 39330 Pagnoz 03 84 37 81 17	46.976611 5.810169	●					●	●	●	●	●	◐	●	●	
3906	A36	**Aire de Dole-Audelange** Colombus Café 39700 Audelange	47.14345 5.57797	●	●			●	●	●	●				●		
3907	A36	**Aire de Dole-Romange** 8 à Huit 39700 Romange	47.1514 5.58737	●	●			●	●	●	●				●		
3908	A39	**Aire du Jura** L'Arche 39140 Arlay	46.7717 5.52219	●	●			●	●	●	●			●	●		🚚
4001	D 947	**Le Relais de Castets** 476 rue du Centre Routier 40260 Castets 05 58 55 01 67	43.87317 -1.1343	●					●	●	●						
4002	D817	**SNC Le Haou** 160 route de Labatut 40300 Cauneille 05 58 73 04 60 09 63 50 12 36 (E) (GB)	43.546623 -1.061747	●	●			◐	●	●	●						
4004	D817	**La Guinguette** 746 boulevard de l'Océan 40300 Labatut 05 58 98 18 82	43.551083 -0.994112	●	●	●			●	●	●	●	●	●	●	●	
4005	D10E	**Comme Chez Soi** 622 rue du Vieux Marché 40410 Liposthey 05 58 82 30 30 (E)	44.313391 -0.880867	●					●	●	●						
4006	D43	**L'Auberge de la Poste** 80 route Pissos 40410 Liposthey 05 58 82 34 94	44.318671 -0.878922	●					●	●	●						
4007	D933	**Restaurant Le Tremblant** 40240 Lubbon 05 58 93 62 47	44.12884 0.01357	●					●	●	●						
4009	VC	**Le Relais du Caloy** 30 route de Roquefort 40090 Saint-Avit 05 58 44 65 41	43.942016 -0.407192	●	●				●	●	●						
4010	D817	**Le Relais de l'Adour** 40390 Sainte-Marie-de-Gosse 05 59 56 32 02 (E) (GB)	43.572323 -1.218678	●	●				●	●	●						
4011	D824	**Le Relais de la Lande** 407 route des Augustins 40090 Saint-Perdon 05 58 75 08 25 (E) (GB)	43.87465 -0.5802	●					●	●	●	●			◐	◐	
4012	D924	**Chez Sissouille** 476 avenue du 11 novembre 1918 40250 Souprosse 05 58 71 95 21	43.7894663 -0.7145314	●	●			◐	●	●	●			●	●	●	
4013	A65	**Aire de l'Adour** La Croissanterie 40800 Aire-sur-l'Adour	43.72001 -0.26946	●	●				●	●	●	●	●		●		🚚

Numéro	Numéro de route	Adresse	Coordonnées GPS	P	💡	🚩	€	🚶	🍴	WC	🏨	📶	i6	i7	📖	✚	↕
4014	A63	**Flunch** Porte des Landes Ouest 40410 Saugnacq-et-Muret	44.36138 -0.85197	●	●			●	●	●	●	●			●	●	
4015	A63	**L'Océan Ouest** l'Océan Ouest 40260 Lesperon	43.93693 -1.09265	●	●			●	●	●	●				●		
4016	A63	**Philéas** l'Océan Est 40260 Lesperon	43.93703 -1.09043	●	●			●	●	●	●	●			●	●	
4017	A63	**Aire de Labenne Est** Philéas 40530 Labenne Vinci-autoroutes www.vinci-autoroutes.fr	43.58397 -1.4145	●	●	●		●	●	●	●	●			●		
4018	A63	**Aire de Labenne Ouest** **40530 Labenne**	43.58557 -1.42284	●	●			●	●	●	●	●			●	●	
4019	A63	**Flunch** Porte des Landes Est 40410 Saugnacq-et-Muret	44,360786 -0,85041	●	●			●	●	●	●	●				●	
4102	N10	**Les Platanes** 41310 Huisseau-en-Beauce 02 54 80 86 56 (E)(GB)	47.71583 1.01526	●	●	●		●	●	●	●						
4103	D924	**La Table Beauceronne** La Fosse Sergent 41160 Moisy 02 54 82 06 77	47.90958 1.31095	●	●			●	●	●							
4104	D176 B	**Grill des Nouettes** 110 route Nationale 41140 Noyers-sur-Cher 02 54 75 16 63 (GB)	47.273491 1.406596	●	●			●	●	●			●	●	●	●	
4106	A10	**Aire de Blois-Ménars** Pomme de Pain 41500 Cour-sur-Loire	47.65875 1.3874	●	●			●	●	●	●				●	●	🚹
4107	A10	**Aire de Blois-Villerbon** Autogrill 41500 Mulsans	47.66216 1.37879	●	●			●	●	●	●	●			●	●	🚹
4108	A71	**Aire de Chaumont-sur-Tharonne** LEO Resto 41600 Yvoy-le-Marron	47.65623 1.93116	●	●			●	●	●	●	●	●	●	●	●	
4109	A71	**Aire de la Ferté-Saint-Aubin** 41600 Chaumont-sur-Tharonne	47.65862 1.93829	●	●			●	●	●	●				●		
4110	A71	**Aire de Salbris-la-Loge** L'Arche 41300 Theillay	47.34798 2.05192	●	●			●	●	●	●		●			●	🚹
4111	A71	**Aire de Salbris-Theillay** Brioche Dorée 41300 Theillay	47.34828 2.04451	●	●			●	●	●	●				●		🚹
4112	A85	**Aire de Romorantin** Mezzo di Pasta 41200 Pruniers-en-Sologne	47.338808 1,665802	●	●			●	●	●	●			●		●	🚚
4201	D1086	**Le Relais des Gorges** Grande Gorge 42410 Chavanay 04 74 87 07 82	45.401674 4.737082	●				●	●								
4202	VC	**La Pérolière** 10 rue Paul Roux 42350 La Talaudière 04 77 53 16 64 (E)(GB)(P)	45.474258 4.442296	●				●	●	●	●	●	●	●	●	●	
4203	N7	**Auberge de la Mule** La Mule 42114 Machézal 04 77 62 40 63 (GB)	45.942306 4.285939	●	●			●	●	●							
4204	D207	**Le Relais de Favières** L'Hôpital-sur-Rhins 42123 Saint-Cyr-de-Favières 04 77 64 80 13	45.972782 4.132831	●				●	●	●	●						
4205	D207	**Relais Alsacien** L'Hôpital-sur-Rhins 42123 Saint-Cyr-de-Favières 04 77 64 89 23	45.97615 4.12517	●				●	●	●							

Numéro	Numéro de route	Adresse	Coordonnées GPS	P	💡	✋	€	⛽	🍴	WC	🛁	📶	🧺	🛒	🗺	✚	🚚
4206	D1082	**Le Relais Saint-Laurent** Le Sagnat 42210 Saint-Laurent-la-Conche 04 77 28 93 49 GB	45.682742 4.228312	●	●				●	●	●	●					
4207	N 82	**L'Escale** la Croix de Bard 42122 Saint-Marcel-de-Félines 04 77 64 63 35	45.854682 4.171854	●					●	●	●						
4209	N88	**Aire de Chambon-Feugerolles nord** 42500 Le-Chambon-Feugerolles 04 77 56 14 55	45.38659 4.31385	●				●	●	●							
4210	N88	**Aire de Chambon-Feugerolles sud** 42500 Le-Chambon-Feugerolles	45.39168 4.31091	●				●	●	●							
4211	A89	**Aire du Haut-Forez Nord** L'Arche Comptoir 42440 Les Salles	45.85262 3.81229	●	●			●	●	●	●	●	●		●		
4212	A89	**Aire du Haut-Forez Sud** L'Arche Comptoir 42440 Les Salles	45.85328 3.81005	●	●			●	●	●	●	●	●		●		
4213	A89	**Aire de La Loire** Comptoir Casino 42510 Néronde	45.85268 4.22353	●				●	●	●	●	●	●	●	●		
4215	A47	**Aire du Pays du Gier** Casino 42400 Saint-Chamond	45.44457 4.46911	●	●			●	●	●	●	●			●		🚚
4216	A72	**Aire de Plaine-du-Forez Est** Paul 42600 Magneux-Haute-Rive	45.68296 4.16229	●	●			●	●	●	●	●			●		
4217	A72	**Aire de Plaine-du-Forez Ouest** Deli2go 42600 Magneux-Haute-Rive	45.68187 4.15192	●	●			●	●	●	●	●			●		
4302	N88	**Le Relais de la Chapelle** ZI La Mioulateyre 43120 La Chapelle-d'Aurec 04 71 66 53 55 GB	45.314366 4.230176	●	●				●	●	●	●					
4303	N88	**Café du Col** Le Bourg 43200 Le Pertuis 04 71 57 60 79 GB	45.09678 4.058874	●	●			◐	●	●					●		
4304	N102	**Les Tilleuls** 43230 Saint-Georges-d'Aurac 04 71 77 50 75 GB	45.152593 3.544416	●	●			◐	●	●	●						
4305	D15	**Auberge du Meygal** Boussoulet Le Bourg 43260 Saint-Julien-Chapteuil 04 71 08 71 03	45.029502 4.122786	●				◐	●	●	●	●					
4306	D33	**La Fourchette Auvergnate** Montagnac N88 direction Le Puy en Velay-Pradelles. 43370 Solignac-sur-Loire 04 71 04 02 23 GB	44.96306 3.843573	●					●	●	●						
4307	N102	**Auberge du Cocher** Limandre 43320 Vazeilles-Limandre 04 71 08 66 71 GB	45.119055 3.727222	●	●			◐	●	●	●						
4308	D988	**La Petite Auberge** ZA La Guide 43200 Yssingeaux 04 71 65 57 75	45.156338 4.133445	●	●			◐	●	●	●	●					
4309	A 75	**Aire de la Fayette** Autogrill 43360 Lorlanges	45.34186 3.27329	●	●			●	●	●	●	●	●	●			🚚
4401	D923	**La Halte du Château Rouge** 3 rue de l'Industrie ZI du Château Rouge 44522 Mésanger 02 40 83 21 25 GB	47.41404 -1.19137	●				●	●	●	●	●					

Numéro	Numéro de route	Adresse	Coordonnées GPS	P	☀	📷	€	⛽	🍴	🚻	🏢	📶	🛢	🛋	🗺	✚	↕
4402	D723	**À la Ferme** 65 rue de la Pierre 44340 Bouguenais 02 40 65 11 37	47.18623 -1.5976	●				● (gris)	●	●	●			●			
4404	VC	**Le Paris-Océan** 25-29 rue d'Ancenis 44110 Châteaubriant 02 40 81 21 79 GB	47.71662 -1.370368	●	●			●	●	●	●	●		●	●		
4405	VC	**Le Relais de Derval** Carrefour des Estuaires zone du Mortier 44590 Derval 02 40 07 77 77	47.64693 -1.664	●	●			● (gris)	●	●	●						
4406	D4	**Les Six Croix** 4 rue des Six Croix 44480 Donges 02 40 45 72 83 GB	47.33979 -2.0954	●	●			● (gris)	●	●	●	●					
4407	D163	**Le Saint Hubert** 1 place du Calvaire la Touche 44110 Erbray 02 40 81 34 97 E GB	47.68399 -1.330113	●				● (gris)	●	●	●			●			
4408	D17	**Le Relais du Tillon** route nationale 165 sortie D17 Le Tillon 44260 La Chapelle-Launay 02 40 56 86 22 GB	47.380648 -1.96669	●	●			● (gris)	●	●	●				●		
4409	VC	**Le Cheval Blanc** route de Challans 44270 Machecoul 02 40 31 42 22	46.99128 -1.81635	●					●	●	●	●					
4410	D971	**Le Delphanie** boulevard de Cadréan 44550 Montoir-de-Bretagne 02 40 90 18 80 GB	47.317805 -2.161477	●	●				●	●	●	●					
4411	D965	**Le Relais de Beaulieu** route de Vannes 44160 Pontchâteau 02 40 01 60 58 GB	47.450184 -2.127469	●	●			● (gris)	●	●	●	●					
4412	D11	**Le Relais Côte Ouest** 11 rue de la Flamme Olympique PA de Viais 44860 Pont-Saint-Martin 02 40 32 72 40	47.11276 -1.54049	●	●				●	●	●	●	● (gris)	● (gris)	● (gris)		
4413	D33	**Le Relais de l'Erdre** 124 rue des Chênes ZA Les Fuseaux 44440 Riaillé 02 40 97 80 95 GB	47.51765 -1.30309	●					●	●		●	●	●	●	● (gris)	
4414	D68	**Relais de la Bougrière** 4 rue du Pavillon 44980 Sainte-Luce-sur-Loire 02 40 25 60 84 GB	47.25476 -1.47237	●				● (gris)	●	●	●		●	●	●	●	
4415	D75	**La Halte de la Rivaudière** 20 rue de la Johardière 44800 Saint-Herblain 02 40 92 16 23	47.22708 -1.65093	●					●	●	●						
4416	D878	**Au Fil de l'Eau** 12 rue Alexandre Braud 44540 Saint-Mars-la-Jaille 02 40 97 00 50 GB	47.52063 -1.18424	●	●			● (gris)	●				●	●	●	● (gris)	
4418	D763	**Clair de Lie** 43 rue Saint-Vincent 44330 Vallet 02 40 33 92 55 GB	47.161666 -1.273511	●					●	●	●	●	●	●	●	●	

Numéro	Numéro de route	Adresse	Coordonnées GPS	P	☼	🔊	€	⛽	🍽	🚻	🏢	📡	🛋	🛏	📖	✚	⇅
4419	A83	**Aire de La Grassinières Est** — La Croissanterie — 44840 Les Sorinières	47.16138 -1.50806	●	●			●	●	●	●		●				
4420	N165	**Aire de Vigneux de Bretagne** — 44360 Vigneux de Bretagne	47.32967 -1.78412	●	●			●	●	●	●	●					
4421	N137	**Aire de Treillières Ouest** — Escapade — 44119 Treillières — 02 40 94 67 52	47.33759 -1.65473	●	●			●	●	●	●			●	●		
4422	N137	**Aire de Treillières Est** — 44119 Treillières — 02 28 07 96 30	47.3362 -1.65284	●	●			●	●	●	●			●	●		
4423	A11	**Aire de Varades Pays d'Ancenis** — Brioche Dorée — 44370 Varades	47.41664 -1.01904	●	●			●	●	●	●			●	●		
4424	A11	**Aire de Varades Pays de la Loire** — 44370 Varades	47.42201 -1.01946	●	●			●	●	●	●		●				
4501	D2007	**La Bifur** — 48 route départementale — Le Poteau — 45290 Boismorand — 02 38 31 82 17 — GB	47.77848 2.73226	●	●	●		●	●	●	●						
4502	D2007	**Le Relais de Châtillon** — Gare de Chatillon — 45250 Briare — 02 38 31 44 42	47.608528 2.776322	●	●			●	●	●	●						
4503	D2152	**Le Relais de Fourneaux** — 47 route d'Orléans — 45380 Chaingy — 02 38 80 69 12 — GB P	47.87543 1.7988	●		●			●	●	●						
4505	D524	**Restaurant de la Gare** — 1 rue de la Gare — 45330 Malesherbes — 02 38 34 60 62 — GB	48.29333 2.40195	●					●	●	●	●	○	○	○		
4506	D2157	**La Bagatelle** — 1 Bagatelle — 45130 Rozières-en-Beauce — 02 38 74 22 03 — E GB P	47.92884 1.7009	●	●	●			●	●	●	●					
4507	D2160	**Le Relais de Saint-Maurice** — 132 route d'Orléans — 45700 Saint-Maurice-sur-Fessard — 02 38 97 80 59	47.9937375 2.6249575	●	●				●	●	●			●			
4508	VC	**Au Relais du Pôle 45** — rue des Châtaigniers — 45770 Saran — 02 38 74 76 00 — E GB	47.9495452 1.84349	●				●	●	●	●						
4509	D2060	**Le Relais du Pont des Besniers** — 31 route Nationale — 45530 Sury-aux-Bois — 02 38 55 85 29 — D GB	47.950332 2.374892	●	●				●	●	●						
4510	A10	**Aire de Beaugency-Messas** — Flunch — 45190 Messas	47.81569 1.64073	●	●			●	●	●	●	●		●	●		
4511	A77	**Aire du Jardin-des-Arbres** — Autogrill — 45700 Saint-Hilaire-sur-Puiseaux	47.85133 2.68509	●				●	●	●	●	●			●		🚚
4512	A19	**Aire du Loiret** — LEO Resto — 45340 Beaune-la-Rolande	48.08593 2.47171	●	●			●	●	●	●	●		●	●		🚚
4513	A10	**Aire de Meung-sur-Loire** — Flunch — 45190 Villorceau	47.82003 1.63245	●	●			●	●	●	●	●			●		
4514	A10	**Aire d'Orléans-Gidy** — Le Bœuf Jardinier — 45520 Cercottes	47.97463 1.86173	●	●			●	●	●	●	●	●	●	●		🚶
4515	A10	**Aire d'Orléans-Saran** — L'Arche — 45520 Gidy	47.97457 1.85346	●	●			●	●	●	●	●	●	●	●		🚶

Numéro	Numéro de route	Adresse	Coordonnées GPS
4601	D940	**Tout Simplement** 16 avenue de la République 46130 Biars-sur-Cère 05 81 71 50 02	44.93012 1.84743
4602	D802	**Le Resto'Drome** Aérodrome Figeac Livernon 46320 Durbans 05 65 40 89 48 GB	44.67105 1.78775
4603	D811	**Auberge de l'Esperance** 4 rue Principale 46090 Espère 05 65 30 95 72 GB P	44.505083 1.381005
4606	A20	**Aire du Jardin des Causses du Lot** Autogrill 46240 Vaillac	44.66168 1.56452
4607	A20	**Aire de Pech-Montat** LEO Bistrot 46600 Cressensac	45.02883 1.52471
4701	N21	**Le Relais des Pyrénées** Entre Astaffort et Lectoure 47220 Astaffort 05 53 67 14 57	44.030843 0.671754
4702	D655	**Les Palmiers** Lausseignan-Barbaste 47230 Barbaste 05 53 65 55 02	44.177676 0.255588
4703	D710	**Bar Routier La Soierie** 88 avenue de l'Usine 47500 Fumel 05 53 71 34 22	44.489315 0.9569436
4704	D931	**Restaurant Le Passage** Centre Routier Gaussens 47520 Le Passage 05 53 77 32 40 E GB	44.1658444 0.6040549
4707	D933	**Le Relais du Pont de l'Avance** route de Bordeaux 47430 Sainte-Marthe 05 53 20 70 26	44.439016 0.131667
4708	A62	**Aire d'Agen-Porte d'Aquitaine** Autogrill 47310 Sainte-Colombe-en-Bruilhois	44.19897 0.51031
4709	A62	**Aire de Mas D'agenais** Carrefour 47430 Le Mas-d'Agenais	44.40351 0.18886
4801	A75	**Aire de la Lozère** Les Mégalithes 48220 Albaret-Ste-Marie	44.87525 3.24392
4904	D15	**Relais de la Boule d'Or** 6 rue Notre-Dame 49290 Bourgneuf-en-Mauges 02 41 78 03 61 GB	47.3117 -0.8354
4906	D160	**L'Escale** place du Foirail 49120 Chemillé 02 41 30 63 79	47.207738 -0.723223
4907	D13	**Le Relais des Prairies** 3 boulevard du Pont-de-Pierre 49300 Cholet 02 41 58 09 39 GB	47.072369 -0.876562
4908	D13	**La Godinière** 54 rue de Saint-André 49300 Cholet 02 41 62 31 56 GB	47.06777 -0.90323
4909	VC	**Le Jon'Sar** boulevard du Cormier 49300 Cholet 02 41 55 89 31 GB	47.042876 -0.916511

Numéro	Numéro de route	Adresse	Coordonnées GPS	P	☼	✉	€	⛽	✕	🚻	📋	((·))	🚿	🛒	📖	✚	↕
4910	D347	**Le Relais de la Croix Blanche** route départementale 49630 Corné 02 41 68 59 95 E GB	47.472366 -0.366674	•	•	•		•	•	•	•	•					•
4911	D960	**Le P'tit Coronais** La Promenade 49690 Coron 02 41 55 87 03 GB	47.12788 -0.634262	•	•	•		•	•	•	•			•	•	•	
4912	D323	**La Scierie** La Maison Neuve 49140 Corzé 02 41 18 18 13 GB	47.554478 -0.382073	•				•	•	•	•						
4913	D347	**Le Fief aux Moines** ZA du Blanchard 49400 Distré 02 41 40 70 75	47.23392 -0.11093	•				•	•	•	•			•	•	•	
4914	D960	**Euroroute** Chez Paul 4 rue des Fougerons ZI de la Saulaie 49700 Doué-la-Fontaine 02 41 59 03 33 GB	47.18257 -0.24589	•	•	•		•	•	•	•	•					
4915	D766	**Aire de repos du Moulinet** Le Moulinet 49140 Jarzé 02 41 76 60 21	47.556977 -0.22817	•				•	•	•				•	•	•	
4916	D923	**Au Rendez-Vous des Routiers** 24 rue de la Libération 49440 Loiré 02 41 94 10 83	47.61509 -0.97837	•				•	•	•				•	•		
4917	D347	**Le Relax** 49160 Longué-Jumelles 02 41 52 68 81	47.38614 -0.114369	•				•	•	•	•	•		•	•	•	
4918	D347	**La Tablée Campagnarde** Les Souvenets 49160 Longué-Jumelles 02 41 52 13 86 GB	47.362161 -0.090608	•	•			•	•	•	•						
4919	D160	**Le Nez de Cochon** Le Petit-Chêne-au-Loup 49120 Saint-Georges-des-Gardes 02 41 55 04 04 GB	47.14415 -0.76831	•				•	•	•	•						
4921	D147	**Le Saloon** 7 rue des Pays-Bas 49230 Saint-Germain-sur-Moine 02 41 64 64 61 GB	47.1197 -1.09259	•	•	•		•	•	•	•	•					
4922	D347	**Le Relais de la Ronde** La Ronde 49680 Vivy 02 41 50 83 44	47.304898 -0.035341	•	•			•	•	•	•			•			
4923	A11	**Aire des Portes d'Angers** l'Hyppopotamus 49480 Saint-Sylvain-d'Anjou	47.50332 -0.49445	•	•			•	•	•	•	•		•	•		🚚
4924	A85	**Aire de Longué-La-Couaille** 49250 Brion	47.41273 -0.13089	•	•			•	•	•				•			
4925	A85	**Aire de Longué-Les-Cossonnières** Escapade 49250 Brion	47.41943 -0.1251	•	•			•	•	•	•			•			
4926	A 87	**Aire de Trémentines** LEO Resto 49340 Trémentines	47.13604 -0.82799	•	•			•	•	•	•	•		•			🚚
5001	D974	**Le Relais de la Fourchette** 7 rue de la Fourchette Carentan 50500 Saint-Pellerin 02 33 71 19 15 GB	49.30575 -1.197765	•					•	•	•						

Numéro	Numéro de route	Adresse	Coordonnées GPS	🅿	💡	👆	€	⛽	🍴	🚻	🏨	((•))	💳	🛒	📖	✚	⇅
5002	D974	**Le 101ème Airborne** 55 rue du 101ème Airborne 50500 Carentan 02 33 42 18 22 GB	49.306084 -1.251961	●				◐	●	●			●	●	●	●	
5004	N13	**Au Coup de Frein** Le Rôti 50310 Émondeville 02 33 41 22 74	49.46293 -1.362486	●					●	●	●						
5005	D974	**Le Guilberville** Le Saussey A84 sortie 40 50160 Guilberville 02 33 56 15 48 GB	48.984056 -0.954636	●	●	●		◐	●	●	●						
5006	D71	**À la Sienne** 75 rue Charles de Gaulle Hyenville 50660 Quettreville sur Sienne 02 33 45 82 22 GB	48.99458 -1.464095	●					●	●							
5007	N13	**Le Relais du Bout du Monde** La Maison Bertrand 50470 La Glacerie 02 33 44 13 54 GB	49.595575 -1.596075	●	●			◐	●	●	●		◐	◐	◐	◐	
5008	D902	**Café de la Pernelle** 3 village de la Grande Route 50630 La Pernelle 02 33 54 14 04	49.620713 -1.29135	●					●	●							
5010	D977	**La P'tite Marmite** 3 rue Saint-Berthevin 50600 Parigny 02 33 50 44 19	48.5866568 -1.0900272	●				●	●	●	●	●		●	◐	●	
5011	D976	**Le Relais du V** 9 route des quatre-vents Le V 50220 Pontaubault 02 33 60 49 21	48.623619 -1.345997	●	●			◐	●	●				●	●		
5013	N175	**Au Soleil Levant** 30 voie de la Liberté 50220 Precey 02 33 70 94 34 GB	48.607806 -1.381778	●					●	●	●						
5014	D974	**Hôtel de la Gare** 31 rue de la Gare 50160 Saint-Amand 02 33 56 13 32	49.041131 -0.982461	●	●			◐	●	●	●		●	●	●	◐	
5015	D971	**Le Relais des Forges** 7 route de Périers les Forges 50500 Sainteny 02 33 20 01 08 06 71 63 61 79 GB	49.242084 -1.319175	●	●			◐	●	●	●	●	●	●	●	◐	
5017	D72	**Au Bon Accueil** 17 Village de Varreville 50580 Saint-Lô-d'Ourville 02 33 04 81 06 D GB NL	49.323507 -1.671263	●	●				●	●	●						
5018	D7	**Le Grand Chien** 1 Le Grand Chien 50300 Saint-Martin-des-Champs 02 33 58 04 52 GB	48.657554 -1.353338	●				◐	●	●	●	●	●	●	●	◐	
5019	A 84	**Aire de la Vallée de la Vire-Gouvets** Escapade 50410 Margueray	48.90969 -1.10634	●	●			●	●	●	●			●		🚚
5020	A 84	**Aire de Mont Saint Michel** Casino 50240 Saint-Senier-de-Beuvron	48.57798 -1.33365	●	●			●	●	●			●	●		🚚
5021	N13	**Aire de Cantepie** Philéas 50500 Les Veys	49.303893 -1.161580	●	●			●	●	●	●			●	●	🚚

Numéro	Numéro de route	Adresse	Coordonnées GPS	P	💡	📷	€	⛽	🍴	WC	🏨	📶	◧	◨	📖	✚	↕
5101	D21	**Le Delko** rue de l'Aubépine 51520 La Veuve 03 26 67 30 68 GB TR	49.038589 4.321969	●	●			●	●	●	●	●					
5102	N4	**Le Relais de Linthes** 51230 Linthes 03 26 80 90 90	48.72638 3.85147	●	●	●			●	●	●						
5103	D396	**Le Relais de Luxémont** 14 rue du Rond-Point 51300 Luxémont-et-Villotte 03 26 74 02 42	48.71387 4.6309	●				●	●	●	●				●		
5104	N4	**Relais Total du Grand Morin** 31 route de Paris 51120 Mœurs-Verdey 03 26 80 32 01 GB	48.72752 3.67946	●	●			●	●	●	●	●		●			
5106	VC	**Le Sarlette** 17 rue Gabriel Voisin 51100 Reims 03 26 82 43 63 GB	49.23007 4.06543	●				●	●	●	●		●	●	●	●	
5107	D85	**Le Relais Saint-Christophe** ZA des Accrues 51800 Sainte-Menehould 03 26 60 70 08	49.07857 4.8865	●					●	●	●						
5109	A4	Aire de Gueux Le Bistrot 51390 Gueux	49.24556 3.92134	●	●			●	●	●	●			●			
5110	A4	**Aire de Reims-Champagne Sud et Nord** Autogrill 51380 Villers-Marmery	49.1167 4.24023	●	●			●	●	●	●	●	●	●	●		🚚
5111	A26	**Aire de Sommesous** LEO Resto 51320 Sommesous 03 26 66 55 51	48.72757 4.2297	●	●	●		●	●	●	●	●	●	●	●		🚚
5112	A4	**Aire de Valmy-le-Moulin** Les Comptoirs Casino 51800 Valmy	49.07642 4.78937	●	●			●	●	●	●				●	●	
5113	A4	**Aire de Valmy-Orbeval** Cœur de Blé 51800 La-Chapelle-Felcourt	49.07089 4.79192	●	●			●	●	●	●			●			
5114	A4	**Aire de Vrigny** Le Bistrot 51390 Vrigny	49.23977 3.92114	●	●			●	●	●	●			●			
5201	D65	**La Halte du Viaduc** route de Paris 52000 Chaumont 03 25 01 81 18	48.114767 5.119854	●	●			●	●	●	●						
5202	D428	**Resto Park** 52250 Flagey 03 25 90 62 92 Park+ de langres www.parkplus.fr D GB	47.7964 5.22701	●	●	●		●	●	●	●						🚚
5205	N67	**Les Maisonnettes** 52300 Mussey-sur-Marne 03 25 94 75 41	48.37556 5.15621	●	●	●		●	●	●	●			●			
5206	N4	**Chez Serge** route Nationale 52100 Perthes 03 25 56 40 27	48.657779 4.814426	●	●	●		●	●	●	●				●		
5209	D635	**Les Frouchies** 56 rue Jeanne d'Arc 52100 Saint-Dizier 03 25 56 28 77	48.64682 4.9348	●				●	●	●							
5210	N67	**Le Trucker Land** ZA des Rieppes 52000 Semoutiers 03 25 32 40 55 GB I	48.05448 5.06592	●				●	●	●							
5211	A5	**Aire de Châteauvillain-Orges** Courtepaille 52120 Châteauvillain	48.05918 4.95719	●	●			●	●	●	●				●	●	🚚
5212	A5	**Aire de Châteauvillain-Val Marnay** 52120 Châteauvillain	48.05649 4.95048	●	●			●	●	●	●						🚚

Numéro	Numéro de route	Adresse	Coordonnées GPS	P	🔦	🚩	€	⛽	🍴	🚻	🏨	📡	🧺	🛒	📰	✚	⇅
5213	A31	**Aire de Langres-Noidant** Autogrill 52200 Noidant-le-Rocheux	47.81296 5.22765	●	●			●	●	●	●		●			●	
5214	A31	**Aire de Langres-Perrogney** Autogrill 52200 Courcelles-en-Montagne	47.81529 5.22027	●	●			●	●	●	●		●			●	
5215	A31	**Aire de Montigny-le-Roi** KM Café 52140 Val-de-Meuse	47.97369 5.50198	●	●			●	●	●	●		●				
5216	A31	**Aire de Val-de-Meuse** KM Café 52140 Val-de-Meuse	47.98044 5.49723	●	●			●	●	●	●	●					
5301	N12	**Le Relais des Bruyères** route Mayenne 53440 Aron 02 43 04 13 64	48.338387 -0.541087	●					●	●	●						
5302	N162	**Le Pont Perdreau** 2 avenue René Cassin 53200 Azé 02 43 70 34 96 **GB**	47.840672 -0.697913	●				◐	●	●	●						
5303	N162	**Le Relais de Niafles** 25 rue des Tisserands 53810 Changé 02 43 53 76 15	48.104854 -0.744319	●	●			●	●	●	●						
5304	N12	**Le Lion d'Or** 28 rue Nationale 53640 Le Ribay 02 43 03 90 27 **GB**	48.38426 -0.40772	●	●			◐	●	●	●	●	●	◐	◐	◐	
5305	D57	**L'International** L'Aulne 53940 Saint-Berthevin 02 43 68 93 77 **GB**	48.072495 -0.892693	●					●	●	●	●					
5306	D34	**Au Saint-Julien** Pont de Couterne 53110 Saint-Julien-du-Terroux 02 33 37 25 00	48.507608 -0.417231	●					●	●	●					●	
5307	N12	**La Rabine** La Rabine 53500 Saint-Pierre-des-Landes 02 43 13 03 29 **GB**	48.30742 -1.007507	●	●			●	●	●	●						
5309	A81	**Aire de Laval-Bonchamp** Escapade 53950 Louverné	48.09829 -0.69404	●	●			●	●	●	●			●	●		
5310	A81	**Aire de Laval-le-Coudray** Comptoir Casino 53960 Bonchamp-lès-Laval	48.09349 -0.70239	●				●	●	●	●	●	●	●			
5311	A81	**Aire de Saint-Denis-d'Orques** Paul 53270 Thorigné-en-Charnie	48.02786 -0.33395	●	●			●	●	●	●			●			
5312	A81	**Aire de Vallée de l'Erdre** LEO Resto 53270 Thorigné-en-Charnie	48.02315 -0.34196	●	●			●	●	●	●	●		●			
5401	D974	**L'Auberge Lorraine** 71 rue Carnot 54170 Colombey-les-Belles 03 83 52 00 23	48.5249908 5.8955768	●	●			◐	●	●	●	●	●	●	●	◐	
5403	D400	**Relais Paris Strasbourg** route Nationale 54450 Herbéviller 03 83 72 28 34 **D**	48.55822 6.76222	●	●				●	●	●						
5404	D9	**Le Boeuf d'Or** Grande Rue La Maix La Vaute 54740 Laneuveville-devant-Bayon 03 83 42 43 54 **GB**	48.469444 6.256111	●	●	●					●	●		●			
5405	D910	**Titty Twister** Tête de Saint-Euchamp 54700 Lesménils 03 83 80 97 48 **D** **GB**	48.936808 6.117915	●	●	●			●	●	●	●					

Numéro	Numéro de route	Adresse	Coordonnées GPS	P	💡	📷	€	⛽	🍴	WC	🏨	📶	📠	🛒	🗺	✚	↕
5406	D400	**Le Mouton d'Or** 33 route de Toul 54840 Velaine-en-Haye 03 83 23 28 71 (E) (GB)	48.690844 6.022377	●				●	●	●	●			●			
5407	N333	**Aire de Anthelupt** Crocade 54300 Vitrimont 03 83 77 72 02	48.58888 6.41407	●	●			●	●	●	●		●	●			
5408	A330	**Aire du Canal de l'Est** Philéas 54630 Richardménil	48.60249 6.17224	●	●			●	●	●	●			●	●		
5409	A31	**Aire de l'Obrion** les Comptoirs Casino 54380 Dieulouard	48.86148 6.08599	●	●			●	●	●	●						
5410	A31	**Aire de Loisy** LEO Resto 54380 Bezamont	48.86091 6.09441	●	●	●		●	●	●	●		●				
5411	A31	**Aire de Toul-Chaudeney** Arche Tempo 54200 Dommartin-lès-Toul	48.65493 5.90525	●				●	●	●	●			●			🚚
5412	A31	**Aire de Toul-Dommartin** Arche Tempo 54200 Dommartin-lès-Toul	48.66005 5.90227	●				●	●	●	●		●	●			🚚
5413	N333	**Aire de Vitrimont** Paris-Croissant 54300 Vitrimont 03 83 73 54 51	48.59127 6.42488	●	●			●	●	●	●		●	●	●		
5502	D603	**Au Commerce** 6 rue Principale entre Verdun et Etain 55400 Eix-Abaucourt 03 29 84 65 57 (D) (GB)	49.191198 5.517272	●					●	●	●	●					
5503	D643	**Au Coup de Frein** 9 route Nationale 55600 Iré-le-Sec 03 29 88 13 05 (D) (GB)	49.474869 5.387732	●					●	●	●						
5506	N4	**Relais de la Favorite** 55190 Pagny-sur-Meuse 03 29 90 60 84 (D) (GB)	48.68583 5.72555	●	●			○	●	●	●	●		●	●		
5507	A4	**Aire de Verdun-St Nicolas Nord** L'Arche 55160 Haudiomont	49.11949 5.51251	●	●			●	●	●	●			●			🧍
5508	A4	**Aire de Verdun-St Nicolas Sud** L'Arche 55160 Haudiomont	49.11547 5.50987	●	●	●		●	●	●	●	●	●	●	●		🧍
5613	N 24	**Aire de Brocéliande** Escapade 56800 Ploërmel 02 97 73 61 50	47.91977 -2.36444	●	●			●	●	●	●						
5614	N 24	**Aire de Brocéliande** 56800 Ploërmel 02 97 74 36 22	47.91814 -2.36348	●	●				●	●	●						
5625	N165	**Aire de Muzillac Est** Au portes du Golfe 56190 Muzillac 02 97 41 62 07	47.54972 -2.45989	●	●			●	●	●							
5601	N165	**La Corne du Cerf** ZA de l'Estuaire 56190 Arzal 02 97 45 09 79 (GB)	47.5353 -2.39912	●	●				●	●	●	●					
5602	D26	**Le Relais de Saint-Séverin** Saint Séverin direction pont Scorff 56850 Caudan 02 97 05 70 11 (GB) (P)	47.83046 -3.34126	●					●	●	●						
5603	D164	**Le Dauphin** ZI du Porzo 56700 Kervignac 02 97 36 17 18 (GB)	47.7891 -3.24944	●		●		●	●	●	●		●	●	●	○	

Numéro	Numéro de route	Adresse	Coordonnées GPS	P	🔦	🛰	€	⛽	✕	🚻	🏢	📶	🚿	🧺	📋	✚	⬍
5604	D766A	**Hôtel de la Gare** 28 avenue rue des Frères Rey La Chapelle-Caro 56460 Val d'Oust 02 97 74 93 47	47.86331 -2.43933	•	•			•	•	•	•	•		•	•	•	
5605	N165	**Le Poul Vern** RN 165 sortie 36 Belz, Locoal Landaul 56690 Landaul 02 97 24 66 44 [D] [E] [GB] [I]	47.72907 -3.08766	•	•			•	•	•	•						
5606	D132	**Le Ty Blomen** Zone de Pont Min Ouest 56320 Le Faouët 02 97 23 09 89 [GB]	48.03592 -3.48135	•				•	•	•	•	•	•	•	•	•	
5607	VC	**Le Manegwen** Collec 56390 Locmaria-Grand-Champ 02 97 66 67 50 [GB]	47.75657 -2.7795	•				•	•	•							
5608	VC	**Le Relais de Luscanen** 7 rue Edgar Touffreau (sortie Vannes ouest) 56880 Ploeren 02 97 63 15 77 [E] [GB]	47.66138 -2.80712	•				•	•	•	•	•	•	•	•	•	
5609	D724	**Les Routiers** avenue Georges Pompidou 56800 Ploërmel 02 97 74 00 48 [P]	47.9316 -2.38753	•	•			•	•	•	•		•	•	•	•	
5610	D765	**Le Kényah** ZI du Kényah 56400 Plougoumelen 02 97 56 25 37	47.66636 -2.89742	•				•	•	•							
5611	VC	**Le Relais du Gohelève** ZI du Gohelève 56920 Pontivy 02 97 25 27 50 [E] [GB]	48.05597 -2.93791	•	•			•	•	•	•	•	•	•		•	
5701	N33	**L'Europort** Zone Europort 57500 Saint-Avold 03 87 91 35 00 [D] [GB]	49.14279 6.68894	•	•			•	•	•	•						
5702	D910	**Le Relais de la Nied** 1 rue des Roses 57580 Han-sur-Nied 03 87 64 84 37	48.99107 6.43441	•				•	•	•							
5705	D52	**Lezzet** 9 route de Marange 57280 Maizières-lès-Metz 03 87 80 54 78 [GB]	49.21279 6.15663	•	•			•	•	•	•	•	•	•	•	•	
5706	N4	**Le Saint Augustin** 24 route de Phalsbourg 57370 Mittelbronn 03 87 24 20 70 [D] PL [TR]	48.76911 7.23646	•	•			•	•	•	•		•				
5707	D662	**Restaurant de la Gare** 6 rue de Strasbourg 57410 Petit-Réderching 03 87 09 81 09 [D]	49.04916 7.30065	•				•	•	•	•						
5708	D603	**L'Auberge de la Forêt** 78 rue du Général Mangin 57500 Saint-Avold 03 87 92 68 94 [D] [I] [P]	49.1088 6.73357	•	•			•	•	•	•			•	•	•	
5710	A31	**Aire de la Maxe** Philéas 57140 La-Maxe	49.18029 6.17324	•	•			•	•	•	•			•	•		
5711	A4	**Aire de Longeville-lès-St Avold** Flunch 57740 Longeville-lès-Saint-Avold	49.13639 6.65442	•	•			•	•	•	•	•		•			🚚

Numéro	Numéro de route	Adresse	Coordonnées GPS	P	💡	📷	€	⛽	🍴	🚻	🏨	📶	🖼	🛒	📖	✚	⇅
5712	A4	**Aire de Longeville-lès-St Avold** Flunch 57740 Longeville-lès-Saint-Avold	49.1367 6.65445	●	●			●	●	●	●	●	●	●	●		●
5713	A4	**Aire de Metz-St Privat** Del Arte Express 57280 Fèves	49.17924 6.04882	●	●			●	●	●	●				●	●	●
5714	A31	**Aire de Saint Remy** Philéas 57140 Woippy	49.18165 6.1726	●	●			●	●	●	●				●	●	
5801	N7	**Le Diabolo** route Nationale le Pillet 58240 Chantenay-Saint-Imbert 03 86 38 64 72 (GB)	46.75013 3.14518	●	●			○	●	●	●	●			●		○
5803	D907	**La Tassée** route Nationale 58200 Cosne-Cours-sur-Loire 03 86 22 04 96	47.34502 2.92227	●				○	●	●	●						
5805	D977	**Le Resto des Copains** 8 rue de Lurcy 58700 Prémery 03 86 37 97 59	47.173068 3.330424	●	●			●	●	●	●			○	●	●	○
5806	N151	**Saint Hélène** 5 route Jean Dequennes Ste-Hélène 58400 Varennes-lès-Narcy 03 86 21 57 88 (D) (GB)	47.19774 3.06112	●				●	●	●	●	●					
5808	A77	**Aire des Vignobles** Casino 58150 Tracy-sur-Loire	47.33851 2.92574	●	●			●	●	●	●			●	●	●	●
5810	N7	**La Brioche Dorée** N 7 Station Total 58240 Chantenay-Saint-Imbert 386386981	46.753322 3.140175	●	●			○	●	●	●				○		
5901	D2649	**L'Étang du Pray** 27 rue Georges Marcq 59570 Bavay 03 27 62 32 67	50.30134 3.78163	●					●	●	●			●	●	●	
5902	D643	**La Gargote** 3 route du Cateau 59400 Awoingt 03 27 73 18 57 (GB)	50.16246 3.28744	●				○	●	●	●	●	●	●	●	●	
5903	VC	**La Bécassine** 26 rue des Scieries 59640 Dunkerque 03 28 64 74 00	51.01911 2.36617	●	●			○	●	●	●			○			
5904	N2	**Le Relais des Colombes** 5 route Nationale 59219 Étroeungt 03 27 59 22 11	50.06911 3.9283	●					●	●	●						
5905	D643	**La Bonne Table** 97 route Nationale 59128 Flers-en-Escrebieux 09 81 32 36 96 - 03 27 86 55 12 - 06 36 97 91 56 (E) (I) (P)	50.40575 3.01894	●				○	●	●	●	●					
5907	D941	**Auberge La Bonne Côte** 329 rue du Général de Gaulle 59320 Hallennes-lez-Haubourdin 03 20 07 27 42 (E) (GB) (NL) (PL)	50.60663 2.95181	●	●			○	●	●	●	●				●	
5908	D630	**Le Ripailleur** rue François Durieux PA aérodrome ouest 59174 La Sentinelle 03 27 21 00 20 http://www.trucketape.com (D) (GB)	50.33336 3.46613	●	●	●		●	●	●	●	●	●	●	●	●	●
5909	D191	**Le Mille Pattes** 59 avenue de l'Europe ZI CIC 59223 Roncq 03 20 03 82 52 (D) (GB) (NL) (RUS)	50.75402 3.13673	●	●	●		○	●	●	●						

Numéro	Numéro de route	Adresse	Coordonnées GPS	P	💡	📷	€	⛽	🍴	WC	📋	📶	🚿	🛏	🗺	✚	⇅
5910	D17	**L'Hofland** 730 route d'Herzeele 59470 Wormhout 03 28 65 66 38 GB	50.88247 2.481542	●	●			◐	●	●	●	●	●	●	●		
5912	A23	**Aire de Genech** 59242 Genech	50.52153 3.19906	●	●			●	●	●	●						
5913	A16	**Aire de Grande-Synthe** Petit Bistrot 59760 Grande-Synthe	51.00594 2.30258	●	●			●	●	●	●						
5914	A2	**Aire de la Sentinelle Est** Bonjour 59121 Prouvy	50.33829 3.4701	●	●			●	●	●	●		●	●	●		🚹
5915	A2	**Aire de la Sentinelle Ouest** La Croissanterie 59121 Prouvy	50.34208 3.46773	●	●			●	●	●	●		●	●	●		🚹
5916	A23	**Aire de Petite Forêt** 59590 Raismes	50.36967 3.48715	●	●			●	●	●	●						
5918	A1	**Aire de Phalempin Est** 8 à Huit 59113 Seclin	50.52488 3.04943	●	●			●	●	●	●						
5919	A1	**Aire de Phalempin Ouest** Bonjour 59113 Seclin	50.52776 3.0406	●	●			●	●	●	●			●	●		
5920	A25	**Aire de Saint Eloi** Carrefour 59670 Winnezeele	50.8251 2.58037	●	●			●	●	●	●			●	●		
5921	A25	**Aire de Saint Laurent** Brioche Dorée 59114 Steenvoorde	50.83314 2.58199	●	●			●	●	●	●	●		●			
5922	A16	**A16 E40, sortie 53, direction Car Ferry** 59279 Loon-Plage 03 28 24 90 20 http://dktruckspark.fr/	50.977642 2.215341	●	●	●							●	●	●		
6001	D1001	**Le Relais du Bois-Saint-Martin** 5 rue du Bois-Saint-Martin 60480 Abbeville-Saint-Lucien 03 44 79 13 09	49.51677 2.18088	●						●	●						
6002	D1017	**Le Râtelier** 8 route des Flandres 60190 Blincourt 03 44 41 33 56 D GB	49.38325 2.62004	●	●	●		◐	●	●	●	●					
6003	D931	**Le Saint-Pierre** 1140 rue de Courlieu 60510 La Rue-St-Pierre 03 44 78 93 73 GB	49.41085 2.30322	●	●				●	●	●	●	●				
6004	D155	**La Dernière Minute** 1051 place de la Gare, A1 sortie 9 60710 Chevrières 03 44 41 62 45 GB	49.337564 2.68267	●	●	●			●	●	●	●	●	●	●	●	●
6005	D981	**Auberge Les Mille Bleuets** 1 route de Dangu 60240 Courcelles-lès-Gisors 02 32 55 91 99 GB	49.26298 1.74177	●	●				●	●	●	●					
6006	N31	**Le Relais de Saint-Leu** 20 rue de Saint-Leu 60850 Cuigy-en-Bray 03 44 82 48 78	49.444353 1.825313	●	●			◐	●	●							
6007	D1017	**La Campagnarde** 5 route de Flandres sortie 11 sur l'A1 60490 Cuvilly 03 44 85 00 30 E GB I NL	49.54974 2.70063	●	●	●		◐	●	●	●	●					
6009	N2	**Relais de Gondreville** 6 route Nationale 60117 Gondreville 03 44 88 05 57 GB I	49.21367 2.95619	●							●	●	●	●			

Numéro	Numéro de route	Adresse	Coordonnées GPS	P	💡	📷	€	⛽	🍴	🚻	🏨	📶				✚	⇅
6010	D1017	**Le Relais du Carrefour** Carrefour de Survilliers 60520 La Chapelle-en-Serval 01 34 68 36 10	49.09979 2.53096	●				○	●	●		●	○	○	○		
6011	D129	**Le Bistrot du Coin** 2 route de Beauvais 60390 La Houssoye 03 44 04 12 51	49.35534 1.94191	●					●	●							
6012	D98	**Café de la Gare** 20 rue du Général De Gaulle 60880 Le Meux 03 60 19 04 88	49.359259 2.753939	●		●		●	●	●	●						
6013	A16	**Aire de Hardivillers** Mezzo di Pasta 60480 Puits-la-Vallée	49.60894 2.20498	●	●			●	●	●	●	●	●	●	●		🚚
6015	A1	**Aire de Ressons Est** L'Arche 60490 Ressons-sur-Matz	49.52218 2.72492	●	●			●	●	●	●	●	●	●		●	
6016	A1	**Aire de Ressons Ouest** LEO Resto 60490 Ressons-sur-Matz	49.51906 2.71572	●	●			●	●	●	●	●	●	●			
6101	D955	**Hôtel du Croissant** 10 route de Nogent 61340 Berd'Huis 02 33 83 05 06 **GB**	48.34522 0.7461296	●	●			○	●	●	●	●			●	●	
6102	D438	**L'Escale Routière** Le Bourg Joli 61500 Chailloué 02 33 27 86 08	48.65355 0.19522	●				●	●	●	●			○			
6103	D928	**La Fourche** axe N23/D928 dir. Dreux-Le Mans 61110 Coulonges-les-Sablons 02 37 37 28 71	48.37882 0.89113	●	●			●	●	●	●						
6104	D962	**Relais du Pont-de-Vère** Le Pont-de-Vère 61100 Flers 02 33 65 65 60 **GB**	48.78944 -0.56628	●					●	●	●	●					
6105	D438	**L'Escale "Chez Anny"** La Croix Gaillard 61250 Forges 02 33 28 40 94 **GB**	48.49821 0.12283	●	●				●	●	●						
6107	D924	**L'Escale** Fromentel 61210 La Fresnaye-au-Sauvage 02 33 96 21 00 **GB**	48.71889 -0.26617	●					●	●	●	○					
6108	D976	**Au Fil de l'Eau** route de Mont-Saint-Michel 61700 La-Haute-Chapelle 02 33 30 49 70	48.5871 -0.6649	●	●				●	●	●						
6110	D912	**Chez Ghislaine** La Prise sortie échangeur N12 61250 Le Menil-Broût 02 33 27 10 03	48.48286 0.24312	●	●				●		●						
6111	D923	**La Belle Rencontre** Le Gibet, axe Paris-Nantes 61260 Mâle 02 37 49 68 85 **GB**	48.26931 0.77099	●	●				●	●	●						
6112	D438	**Le Crin d'Argent** Le Bourg 61240 Marmouillé 02 33 31 05 79 **GB**	48.67268 0.20418	●				●	●	●	●	●					
6113	N12	**Le Relais du Chêne** 61250 Pacé 02 33 27 72 06 **GB**	48.44886 -0.0031	●					●	●	●						
6114	D976	**Le Relais de l'Egrenne** 61350 Saint-Mars-d'Égrenne 02 33 38 94 71	48.55918 -0.74915	●					●	●	●						

Numéro	Numéro de route	Adresse	Coordonnées GPS	P	💡	🚿	€	⛽	🍴	🛏	🏨	📶	i	i	🗺	✚	⬍	🚚
6115	D926	**Le Clos Fleuri** route de Paris 61200 Urou-et-Crennes 02 33 67 08 85 [GB]	48.749189 0.01561	•	•			•	•	•	•							
6116	A 88	**Aire du Pays d'Argentan** Flunch 61200 Fontenai-sur-Orne	48.71992 -0.06335	•	•			•	•	•	•	•	•					
6117	A28	**Aire de la Dentelle d'Alençon** L'Arche 61250 Valframbert	48.45771 0.12685	•	•			•	•	•	•	•	•	•	•			🚚
6118	A28	**Aire des Haras** Vival-Casino 61230 Le-Sap-André www.alis-sa.com	48.85199 0.37237	•	•	•		•	•	•	•	•			•			🚚
6202	D917	**Le Relais de Beaulencourt** 24 route Nationale 62450 Beaulencourt 03 21 07 68 81	50.07477 2.88328	•	•				•	•	•							
6203	VC	**Bar de l'Amitié** 37 rue d'Henriville 62200 Boulogne-sur-Mer 03 21 31 46 31	50.7204 1.58946	•	•	•			•	•	•				•	•	•	
6204	D943	**Le Relais du Plantin** 62190 Bourecq 03 21 02 35 05	50.56922 2.45108	•	•			•	•	•	•	•						
6205	N216	**Aux Amis de la Route** rue des Mouettes 62100 Calais 03 21 96 35 46 [E] [GB] [I]	50.96625 1.90085	•	•	•		◦	•	•		•		•				
6206	N25	**Café de la Gare** 51 route Nationale 62158 L'Arbret 03 21 50 99 10 [GB]	50.21183 2.55285	•					•	•		•						
6208	D247	**All4Trucks Transmarck** avenue Henri Ravisse 62730 Marck 03 21 17 71 80 All4Trucks Transmark www.all4trucks.fr	50.94124 1.94318	•	•	•			•	•	•	•						🚚
6209	D 247	**La Croissanterie** 215 rue Marcel Dassault ZA Marcel Doret 62228 Calais 03 21 36 49 05 Polley www.polley-transports.com [GB]	50.94114 1.9389	•	•	•		◦	•	•	•	•	•	•	•	◦		🚚
6210	D943	**La Taverne** 92 route Nationale 62120 Norrent-Fontes 03 21 26 67 10 [GB]	50.59175 2.40429	•					•	•	•	•	•	•	•	◦		
6211	D950	**Au Mille Pattes** 3 route Nationale 62490 Vitry-en-Artois 03 21 07 39 38 [GB] [NL]	50.3333 2.97453	•		•			•	•	•	•						
6212	A26	**Aire d'Angres** Autogrill 62143 Angres [GB] [NL]	50.41099 2.74089	•		•			•	•	•	•	•	•	•			
6213	A26	**Aire de Baralle** Colombus Café 62156 Dury	50.22346 3.06905	•	•				•	•	•				•	•		
6214	A2	**Aire de Graincourt** Bert's Café 62147 Havrincourt	50.12927 3.08985	•	•				•	•	•				•	•		
6215	A2	**Aire de Havrincourt** L'Arche 62147 Havrincourt	50.12233 3.09316	•	•				•	•	•				•	•		
6216	A16	**Aire de l'Epitre** 62250 Offrethun	50.78712 1.68263	•	•				•	•	•					•	•	
6217	A16	**Aire des 2 Caps** Crocade 62250 Leubringhen	50.86465 1.73502	•	•				•	•	•	•				•	•	

Numéro	Numéro de route	Adresse	Coordonnées GPS	P	💡	🪧	€	⛽	🍴	WC	🏢	📶	🚿	🛒	📖	✚	↕
6218	A26	**Aire de Rely** Autogrill 62120 Rely	50.57284 2.37218	●	●			●	●	●	●			●	●	●	
6219	A26	**Aire de Rumaucourt** Le Bistrot 59259 Lécluse	50.2302 3.06488	●	●			●		●	●	●			●		
6220	A1	**Aire de Saint Léger** Colombus Café 62128 Saint-Léger	50.1736 2.873504	●	●			●		●	●						
6221	A26	**Aire de Souchez** Brioche Dorée 62153 Souchez	50.40534 2.73237	●	●			●		●	●				●		
6222	A26	**Aire de St-Hilaire-Cottes** LEO 62120 Linghem	50.57632 2.37845	●	●	●		●		●					●		
6223	A1	**Aire de Wancourt Est** Autogrill 62128 Croisilles	50.25828 2.85748	●	●			●	●	●	●				●		🚹
6224	A1	**Aire de Wancourt Ouest** Autogrill 62128 Croisilles	50.25637 2.86432	●	●				●	●	●			●	●		🚹
6225	A1	**Café Bonjour** Plate Forme Multimodale Delta3 62119 Dourges	50,458119 2,975385	●	●			●		●	●						🚚
6302	D716	**Le Chapeau Rouge** 113 route de Saint-Germain 63500 Issoire 04 73 89 14 74 E GB	45.5219 3.25844	●				●	●	●	●				●		
6303	D943	**Au Chaudron Gourmand** 6 route de la Nugère Le Cratère 63530 Volvic 04 73 33 57 46 GB	45.858056 3.003629	●					●	●	●						
6304	D906	**L'Hôtel de la Gare** route de Thiers 63290 Ris Gare 04 73 51 97 32 D GB NL	46.00376 3.48623	●				●	●	●	●	●					
6305	A 75	**Aire de Authezat** Brioche Dorée 63114 Authezat	45.64404 3.1856	●	●			●		●	●						
6306	A89	**Aire de Limagne Nord** La Croissanterie 63190 Orléat	45.85396 3.40429	●	●			●	●	●	●				●		
6307	A89	**Aire de Manzat** LEO Resto 63410 Manzat	45.95841 2.98635	●	●			●	●	●	●	●		●	●		🚚
6308	A 75	**Aire de Veyre** cafétéria 63450 Tallende	45.65574 3.1548	●	●			●	●	●	●				●		
6309	A 71	**Aire de Volcans d'Auvergne** Autogrill 63440 Champs	46.05872 3.10964	●	●			●	●	●	●	●		●	●		🚚
6310	A89	**Aire de Limagne Sud** La Croissanterie 63190 Orléat	45.850685 3.405702	●	●			●	●	●					●		
6402	D817	**La Denguinoise** 20 route de Bayonne 64230 Denguin 05 59 68 85 32	43.36452 -0.51107	●				●	●	●	●				●	●	
6407	D834	**Les Routiers** 3652 route de Bordeaux 64121 Serres-Castet 05 59 33 91 06 E GB	43.390869 -0.380391	●	●			●	●	●							
6408	A63	**Aire de Bidart Est** La Croissanterie 64210 Ahetze	43.42005 -1.59471	●				●	●	●	●	●			●		
6409	A63	**Aire de Bidart Ouest** La Croissanterie 64210 Bidart	43.42228 -1.60278	●	●			●	●	●	●				●		
6410	A64	**Aire de Hastingues** Flunch 64520 Sames	43.52734 -1.15617	●	●			●	●	●	●	●			●		🚚

Numéro	Numéro de route	Adresse	Coordonnées GPS	P	💡	▣	€	⛽	🍴	WC	🏨	📡	🚿	🗺	📰	✚	⬍
6413	A64	**Aire de Lacq-Audejos Nord** La Mie Caline 64170 Lacq	43.41878 -0.59779	•	•			•	•	•	•	•	•				
6414	A64	**Aire de Lacq-Audejos Sud** La Mie Caline 64170 Lacq	43.42202 -0.58285	•	•			•	•	•	•	•	•				
6415	A64	**Aire des Pyrénées** Mezzo di Pasta 64530 Ger	43.23149 -0.08473	•	•			•	•	•	•	•		•	•	🚚	
6501	D935	**La Belle Auberge** route de Bordeaux 65700 Castelnau-Rivière-Basse 05 62 31 97 99 Ⓔ	43.60043 -0.01958	•	•			•	•	•	•	•	•	•	•	•	
6502	VC	**Ariane** Centre Routier Autoport des Pyrénées 65000 Tarbes 05 62 44 80 42	43.21809 0.08803	•				◦	•	•	•						
6504	A64	**Aire du Pic du Midi Nord** Le Pentascope 65150 Saint-Laurent-de-Neste	43.10521 0.47919	•	•			•	•	•	•	•	•			🚚	
6602	A9	**Aire du Village Catalan** Le Village catalan 66300 Le Village Catalan	42.58281 2.84047	•	•			•	•	•	•	•	•	•	•	🚚	
6701	D392	**Le Forum** 4 avenue de la Gare 67120 Dorlisheim 03 88 38 14 28 Ⓓ	48.5243 7.49337	•				◦	•	•	•	•	•	•	•	◦	
6702	D1083	**À la Couronne** 46 rue de Strasbourg 67230 Kogenheim 03 88 74 70 01 Ⓓ ⒼⒷ	48.33939 7.54232	•					•	•	•	◦	•				
6703	A35	**Aire du Haut-Koenigsbourg** Brioche Dorée 67600 Kintzheim	48.23528 7.40184	•	•			•	•	•	•	•	•	•	•	🚚	
6704	A35	**Aire d'Ostwald** Brioche Dorée 67540 Ostwald	48.53489 7.71755	•	•			•	•	•	•		•				
6705	A35	**Aire d'Ostwald** Escapade 67540 Ostwald	48.53946 7.71422	•	•			•	•	•	•		•				
6708	A4	**Aire de Brumath Est** Carrefour 67170 Brumath	48.72238 7.698	•	•	•		•	•	•	•		•	•			
6709	A4	**Aire de Brumath Ouest** Carrefour 67170 Brumath	48.72251 7.68801	•	•			•	•	•	•			•	•		
6706	A4	**Aire de Keskastel Est** L'Arche 67260 Keskastel	48.97333 7.06116	•	•			•	•	•	•				•		
6707	A4	**Aire de Keskastel Ouest** Le Bistrot 67260 Keskastel	48.97386 7.07174	•	•			•	•	•	•		•				
6710	A4	**Aire de Saverne-Eckartswiller** Bert's Café 67700 Saint-Jean-Saverne	48.76414 7.35899	•	•			•	•	•	•		•				
6711	A4	**Aire de Saverne-Monswiller** L'Arche 67700 Ottersthal	48.75842 7.36187	•	•			•	•	•	•			•	•		
6801	D483	**Au Lion d'Or** 1 rue du Pont D'Aspach 68520 Burnhaupt-le-Haut 03 89 48 70 63 Ⓓ	47.74077 7.14477	•				•	•	•	•	•	•	•	•		
6802	D26	**Le Pont d'Aspach** 2 rue Principale 68520 Burnhaupt-le-Haut 03 89 48 70 86 Ⓓ ⒼⒷ	47.73931 7.14679	•	•			◦	•	•	•	•	◦	•			
6803	A35	**Aire de Battenheim** Casino 68190 Ensisheim	47.83659 7.39722	•	•			•	•	•	•			•	•		

Numéro	Numéro de route	Adresse	Coordonnées GPS	P	💡	🚿	€	⛽	✕	🚻	▦	📶				✚	↕
6808	A36	**Aire de la Porte d'Alsace** Autogrill 68520 Burnhaupt-le-Bas	47.71413 7.1396	●	●			●	●	●	●				●	●	
6809	A36	**Aire de la Porte d'Alsace** 68520 Burnhaupt-le-Bas	47.71968 7.13497	●	●			●	●	●	●				●	●	
6901	D385	**Café de l'Espérance** Le Gélicain 69620 Le Breuil 04 74 71 64 82 Ⓔ ⒼⒷ	45.89658 4.59122	●					●	●				● (gris)		● (gris)	
6902	D306	**L'Avé Maria** 2282 route départementale L'Avé Maria Sortie 31.1A6 69400 Arnas 04 74 65 04 93 Ⓓ ⒼⒷ	46.02071 4.71997	●	●				●	●	●						
6903	D37D	**L'Etape Beaujolaise** Pré d'Outry Outry 69220 Belleville-sur-Saône 04 74 66 29 01 ⒼⒷ	46.10764 4.75502	●				●	●	●	●			●	●	●	●
6904	VC	**Routier P32** 32 rue Marcel Mérieux 69960 Corbas 04 78 40 32 36 QRO Parking Lyon Corbas www.qro-parking-lyon.fr Ⓓ Ⓔ ⒼⒷ Ⓘ Ⓟ	45.67005 4.9223	●	●	●		● (gris)	●	●	●						🚚
6905	VC	**Chez Jeannot** 81 rue Louis Pradel 69960 Corbas 04 78 20 27 13 Ⓔ ⒼⒷ Ⓘ	45.67779 4.91779	●	●			●	●	●	●	●					
6906	D306	**Relais de la Bascule** 25 route Nationale Les Brosses 69570 Dardilly 04 78 35 56 30	45.82653 4.75545	●					●	●	●	●	●	●	●	●	
6908	D318	**Le Cheval Blanc** 273 route d'Heyrieux 69780 Saint Pierre de Chandieu 04 78 40 27 70 Ⓔ ⒼⒷ Ⓘ	45.66137 4.9983	●				●	●	●	●						
6909	D312	**Le Gaulois** 2 rue Saint Nicolas 69360 Ternay 04 78 73 07 34 ⒼⒷ	45.59567 4.79149	●					●	●	●	●					
6910	VC	**Le Relais Caladois** 300 rue Joseph Léon Jacquemaire 69400 Villefranche-sur-Saône 04 74 60 69 88 ⒼⒷ	45.99241 4.7435	●	●			● (gris)	●	●	●	●					
6911	A46	**Aire de Communay Nord** Brioche Dorée 69360 Communay Truck Étape de Communay Nord www.trucketape.net	45.59244 4.82268	●	●	●		●	●	●	●			●			
6912	A46	**Aire de Communay Sud** Cœur de Blé 69360 Communay Truck Étape de Communay Sud www.trucketape.net	45.58699 4.82692	●	●	●		●	●	●	●	●		●			
6913	A6	**Aire de Dracé** Autogrill 69220 Dracé	46.14053 4.76259	●				●	●	●	●	●	●	●	●		
6914	A6	**Aire des Bruyères-Paisy** 69570 Dardilly	45.80336 4.76653	●	●			●	●	●	●						
6915	A6	**Aire des Chères Est** 69480 Morancé	45.90402 4.73571	●	●												
6916	A6	**Aire des Chères Ouest** 69480 Morancé	45.90228 4.72429	●	●			●	●	●	●						
6917	A47	**Aire de Saint Romain en Gier Nord** 69700 Givors	45.57282 4.70926	●	●			●	●	●	●						

Numéro	Numéro de route	Adresse	Coordonnées GPS	P	💡	📢	€	⛽	🍴	🚻	📋	📶	♿	✂	📖	✚	↕
6919	A7	**Aire de Sérézin-du-Rhône** Brioche Dorée 69360 Sérézin-du-Rhône	45.63024 4.82103	●	●			●	●	●	●		●		●		
6920	A7	**Aire de Solaize** La Croissanterie 69360 Sérézin-du-Rhône	45.65236 4.83236	●	●			●	●	●	●		●		●		
6921	A6	**Aire de Taponas** Autogrill 69220 Dracé	46.14083 4.76306	●	●			●	●	●	●			●			
6922	A43	**Aire de Manissieux** Colombus Café 69800 Saint-Priest	45.70045 4.97799	●	●			●	●	●	●						
6923	A43	**Aire de Saint-Priest** Pomme de Pain 69800 Saint-Priest	45.69614 4.97374	●	●			●	●	●	●						
7001	D12	**Le Rond Point** Intersection D12-D67 70150 Bonboillon 06 68 35 99 35	47.34095 5.70098	●					●	●	●	●					
7002	D438	**Le Relais Chez Pierrette** Grande Rue 70400 Couthenans 03 84 56 88 72 D GB	47.58997 6.72518	●		●			●	●	●						
7004	N19	**Au Soleil Levant** 6 rue du Soleil Levant 70120 Malvillers 03 84 91 00 48 D GB	47.73771 5.78011	●				●	●	●	●	●					
7005	N57	**La Charmotte** Maison Neuve 70190 Quenoche 03 84 91 80 54	47.47272 6.09927	●	●			●	●	●	●						
7106	N6	**Le Relais de l'Europe** 790 ancienne route de Paris Le Jonchet 71700 Boyer 03 85 32 96 68 D GB P	46.60443 4.89371	●	●	●		●	●	●	●						
7108	D906	**Auberge de l'Écluse** Le Gauchard 71150 Fontaines 03 85 46 65 65	46.84802 4.80848	●					●	●	●						
7110	D972	**Auberge L'Ombelle** 1620 route de Cuiseaux 71480 Le Miroir 03 85 72 53 20	46.53578 5.33527	●				●	●	●	●	●					
7111	D205	**Restaurant Truck Stop** route de St-Martin-Belle-Roche A6, sortie 26 71000 Sennecé-lès-Mâcon 03 85 37 59 43 GB	46.36611 4.84337	●	●			●	●	●	●	●					●
7112	N6	**Brasserie L'EN K** route de Lyon 71100 Sevrey 03 85 92 96 01	46.74582 4.85109	●				●	●	●	●		●	●			
7115	N6	**La Halte des Routiers** 71000 Varennes-lès-Mâcon 03 85 34 70 44	46.27484 4.79946	●					●	●	●						
7117	D979	**Le Relais Euroscar** Le Rompay 71600 Vitry-en-Charollais 03 85 81 24 71 D E GB	46.46494 4.07812	●	●	●			●	●	●						
7118	A6	**Aire de la Ferté** L'Arche 71240 Laives	46.68952 4.84102	●	●			●	●	●	●						
7119	A39	**Aire du Poulet de Bresse** L'Arche 71480 Dommartin-lès-Cuiseaux	46.50937 5.30842	●	●			●	●	●	●	●	●	●	●	●	🚚
7120	A6	**Aire de Mâcon St Albain** L'Arche 71260 Saint-Albain	46.42242 4.85914	●	●			●	●	●	●	●	●	●	●	●	
7121	A6	**Aire de Mâcon-la-Salle** L'Arche 71260 La-Salle	46.42005 4.86876	●	●			●	●	●	●	●	●	●	●	●	

Numéro	Numéro de route	Adresse	Coordonnées GPS	P	💡	📷	€	⛽	🍴	🚻	🏢	📶	🔭	🛒	🗺	✚	⇅
7122	A6	**Aire de St-Ambreuil** Hyppopotamus 71240 Beaumont-sur-Grosne	46.69022 4.84948	•	•			•	•	•	•			•			
7201	D323	**Auberge du Cheval Blanc** 72400 Avezé 02 43 93 17 05 GB	48.22602 0.68055	•	•			•	•	•	•			•	•		
7202	D1	**L'Auberge Sarthoise** 1 place de l'Église 72320 Berfay 02 43 35 73 01 GB	47.99347 0.76435	•					•	•				◦	◦		
7203	D338	**Le Relais de la Route d'Or** route du Mans 72610 Bérus 02 33 26 83 34 GB	48.37694 0.08762	•	•			•	•	•	•	•	•	•	•		
7204	D357	**L'Escale** 25 route de Saint-Calais 72470 Champagné 02 43 81 31 08	48.00806 0.33568	•	•			•	•	•	•	•					
7205	VC	**Le Chant des Oiseaux** ZA de la Forêt 72470 Champagné 02 43 89 27 28 E GB	48.01577 0.33532	•				◦	•	•	•						
7206	D357	**Le Petit Robinson** 12 rue du Général Leclerc 72540 Chassillé 02 43 51 29 50	48.02063 -0.11562	•					•	•	•			◦			
7207	D323	**Le Créans** 19 rue Nationale 72200 Clermont-Créans 02 43 45 20 13	47.71537 -0.01918	•					•	•							
7209	D306	**Chez Monique et Michel** 5 rue Principale 72300 Louailles 02 43 95 37 06	47.79253 -0.25221	•					•	•	•			◦			
7210	D307	**La Marmotte** ZA Les Sablons 72510 Pontvallain 02 43 44 93 97 GB	47.745 0.1896	•	•			•	•	•	•	•	•	•	•	•	
7211	D357	**Auberge du Narais** St Etienne du Narais 72470 Saint-Mars-la-Brière 02 43 89 87 30 GB I	47.99931 0.4037	•	•				•	•	•						
7212	D23	**Relais Le Tamaris** route de la Suze 72210 Voivres-lès-le-Mans 02 43 88 52 60	47.92779 0.09888	•													
7213	A11	**Aire de La Ferté Bernard** L'Arche 72400 Villaines-la-Gonais	48.12794 0.62046	•				•	•	•	•			•			🚹
7214	A11	**Aire de Parcé-sur-Sarthe Est** LEO 72300 Parcé-sur-Sarthe	47.80513 -0.16361	•	•			•	•	•	•			•			🚹
7215	A11	**Aire de Parcé-sur-Sarthe Ouest** LEO 72300 Parcé-sur-Sarthe	47.80812 -0.17123	•	•			•	•	•	•	•	•	•	•		🚹
7216	A11	**Aire de Sarthe Sargé Le Mans Nord** Cœur de Blé 72190 Neuville-sur-Sarthe	48.05807 0.25572	•	•			•	•	•	•			•	•		🚹
7217	A11	**Aire de Sarthe Sargé Le Mans Sud** L'Arche 72190 Neuville-sur-Sarthe	48.05357 0.25026	•	•			•	•	•	•	•	•	•	•	•	🚹
7218	A28	**Aire de Sarthe-Touraine** Flunch 72500 Dissay-sous-Courcillon	47.65062 0.46187	•	•			•	•	•	•	•	•	•	•		🚚
7219	A11	**Aire de Villaines la Gonais** Courtepaille 72320 Saint-Maixent	48.12395 0.6246	•	•			•	•	•	•			•	•		🚹

Numéro	Numéro de route	Adresse	Coordonnées GPS	P	💡	📷	€	⛽	🍽	🚻	🏨	📶	🛒	🗺	✚	↕
7313	A41	**Aire de Drumettaz** 73420 Drumettaz-Clarafond	45.67647 5.92443	●	●			●	●	●	●	●		●		
7314	A41	**Aire de Mouxy** Autogrill 73420 Drumettaz-Clarafond	45.67522 5.93379	●	●			●	●	●	●			●		
7301	D1006	**La Taverne de L'Arc** 431 ZI Arc-Isére Cidex 73390 Bourgneuf 04 79 36 51 84 **GB**	45.55406 6.25373	●					●	●	●	●				
7302	D1006	**Chez Laurence & Jean-Pierre** 73800 Coise-Saint-Jean-Pied-Gau-thier 04 79 28 81 34	45.5318 6.11799	●					●	●	●					
7303	D 990	**Le Relais Routiers** sortie 36 73260 Feissons-sur-Isère 04 79 22 50 97	45.55885 6.46949	●	●				●	●			●	●		
7305	A43	**Aire de l'Abis** L'Arche 73190 Saint-Jeoire-Prieuré	45.52761 5.97905	●	●			●	●	●	●	●		●		●
7306	A43	**Aire de l'Arclusaz** La Mie Caline 73250 Saint-Pierre-d'Albigny	45.54896 6.15385	●	●			●	●	●	●			●		
7307	A43	**Aire du Granier** L'Arche 73190 Saint-Baldoph	45.52548 5.97047	●	●			●	●	●	●	●		●		●
7309	A43	**Aire de Saint Julien Montdenis** Ciao 73140 Saint-Martin-de-la-Porte	45.24985 6.41665	●	●			●	●	●	●					●
7310	A43	**Aire de Saint Michel de Maurienne** Station du Fréjus 73450 Valloire	45.21302 6.46432	●	●			●	●	●	●					
7312	A43	**Aire de Val-Gelon** La Mie Caline 73800 Coise-Saint-Jean-Pied-Gau-thier	45.54363 6.15493	●	●			●	●	●	●			●		
7401	D14	**Au Bœuf Royal** La Croisée des Routes 74270 Chêne-en-Semine 04 50 45 97 37 **D** **GB**	46.0605 5.86386	●	●				●	●	●		●	●		
7402	D1205	**L'Etape** 620 avenue d'Italie 74300 Cluses 04 50 98 78 35 **I**	46.05021 6.59274	●	●			●	●	●	●					
7403	D1508	**L'Auberge des Aravis** 22 route d'Ombre Marlens 74210 Val de Chaise 04 50 32 79 42	45.76279 6.34136	●	●				●	●	●	●				
7404	N205	**Le Châtelard** 434 route du Châtelard 74190 Passy 04 50 55 32 98 **D** **I**	45.9270955 6.75357	●	●	●		●	●	●	●					
7406	D17	**Le Relais de Paris** 60 route de Clermont 74330 Sillingy 04 50 77 73 13 **GB**	45.94666 6.04764	●				●	●	●	●	●				
7407	D216	**Auberge de Morette** 6 route de la Balme 74230 Thônes 04 50 32 17 71 **GB**	45.89993 6.29411	●					●	●	●	●				
7408	A40	**Aire de Bonneville** Autogrill La Ferme 74130 Bonneville	46.06652 6.40643	●	●			●	●	●	●					●
7409	A40	**Aire de Bonneville** Autogrill La Ferme 74130 Bonneville	46.06116 6.40649	●	●			●	●	●	●					●
7410	A41	**Aire de Fontanelles** Autogrill 74600 Montagny-les-Lanches	45.8755 6.06377	●	●			●	●	●	●	●		●		

Numéro	Numéro de route	Adresse	Coordonnées GPS	P	💡	📷	€	⛽	🍴	🚻	📅	📶	🚿	🛒	📖	✚	↕
7411	A410	**Aire de Groisy** 74570 Groisy	46.00264 6.16535	●	●			●	●	●	●						
7412	A41	**Aire de la Ripaille** 74600 Seynod	45.87275 6.06981	●	●			●	●	●	●	●					
7413	A410	**Aire des Crêts Blancs** 74570 Groisy	45.99933 6.17009	●	●			●	●	●	●	●		●	●		
7414	A40	**Aire de Valleiry** L'Arche 74520 Dingy-en-Vuache	46.09792 5.95855	●	●			●	●	●	●			●			🚹
7415	A40	**Aire de Valleiry** L'Arche 74520 Dingy-en-Vuache	46.0929 5.95776	●	●			●	●	●	●	●		●			🚹
7601	D6015	**Aux Amis de la Route** 76640 Alvimare 02 32 70 09 63 GB	49.60305 0.62886	●	●					●	●	●					
7602	VC	**Chez Colette** 24 route de la Capelle 76780 Croisy-sur-Andelle 02 35 32 54 22 E GB RO	49.459108 1.39297	●						●	●	●				○	
7603	VC	**Café Brasserie de l'Avenir** 10 cours de Dakar 76200 Dieppe 02 35 84 18 10	49.91992 1.08784	●	●	●		○	●	●	●	●	●	●	●	○	
7604	D928	**Le Relais des Hayons** A28, Sortie 10 76270 Les Hayons 02 35 93 13 15 GB	49.6979 1.37019	●	●					●	●	●					
7605	VC	**Le Cormoran** route Industrielle 76700 Gonfreville-l'Orcher 02 35 53 00 00 GB	49.487566 0.209781	●	●			○	●	●	●						
7606	D3	**Le Sud** 42 avenue du Général Leclerc 76120 Le Grand-Quevilly 02 35 69 62 25	49.404628 1.034743	●	●					●	●	●					
7607	VC	**Le Relais** 128 boulevard de Graville 76600 Le Havre 02 35 24 54 48 GB RU	49.483447 0.152457	●	●			○	●	●	●						
7609	VC	**L'Escale** 19 rue Étienne Dolet 76140 Le Petit-Quevilly 02 35 72 26 55 GB	49.43196 1.04517	●				○	●	●	●				●	●	
7610	D925	**Le Relais de Saint-Sauveur** 5 route du Havre 76110 Saint-Sauveur-d'Émalleville 02 35 27 21 56 GB	49.61776 0.29914	●	●					●	●						
7611	D929	**Le Clos de Varvannes** 652 route des Sources 76890 Val-de-Saâne 02 35 32 16 52	49.67634 0.97576	●						●	●						
7612	D929	**L'Escale** 843 avenue Charles de Gaulle 76760 Yerville 02 35 96 78 06	49.663569 0.885574	●	●			○	●	●	●		●	●	●	○	
7613	A29	**Aire de Bolleville** Philéas 76640 Yébleron	49.61315 0.54611	●				●	●	●	●			●	●		🚚
7614	A28	**Aire de Bosc-Mesnil** Lunch Grill 76680 Bosc-Mesnil	49.67588 1.33359	●	●			●	●	●	●		●	●	●		
7615	A28	**Aire de Maucomble** Escapade 76680 Maucomble	49.67594 1.33335	●	●			○		●	●						
7701	N4	**Restaurant La Petite Gare** 77970 Bannost 01 64 01 02 07	48.69413 3.18207	●						●	●	●					

Numéro	Numéro de route	Adresse	Coordonnées GPS	P	💡	📷	€	⛽	🍴	🚻	🏨	📶	a	b	c	✚	↕
7702	D607	**Le Pressoir Km 43** 77310 Boissise-le-Roi 01 60 65 71 01 (E) (P)	48.51023 2.57005	●				◐	●	●	●						
7703	D231	**Aux Gars de la Route** Les Chapelles 77970 Jouy-le-Châtel 01 64 01 58 28	48.64322 3.17145	●					●	●	●						
7704	D606	**Le Petit Périchois** 77940 La Brosse-Montceaux 01 60 96 25 75 (D) (GB)	48.34793 3.02607	●	●				●	●	●						
7705	D50	**La Mandoline** boulevard d'Italie ZI Parisud sortie 25, sur Fjjrancilienne 104 77127 Lieusaint 01 60 60 22 00 (GB)	48.642756 2.551824	●					●	●	●						
7706	N4	**Le Relais de Sancy** 19 rue de Villiers-Saint-Georges 77320 Sancy-lès-Provins 01 64 01 92 07	48.69345 3.39545	●					●	●	●						
7707	D603	**Le Mouflon d'Or** 62 avenue de Verdun 77470 Trilport 01 64 33 24 68 (E) (GB)	48.957913 2.9529	●				●	●	●	●	●	●		●		◐
7710	A6	**Aire d'Achères** 77300 Fontainebleau	48.36384 2.57869	●	●			●	●	●	●	●		●	●		
7711	A6	**Aire d'Achères-la-Forêt** La Croissanterie 77760 Achères-la-Forêt	48.36029 2.57095	●	●			●	●	●	●			●			
7712	A4	**Aire de Bussy-St-Georges** Brioche Dorée 77600 Bussy-Saint-Georges	48.83177 2.73143	●				●	●	●	●	●	●	●	●	●	
7713	A5b	**Aire du Centre Routier Paris Sud Est** Arcotel 77550 Réau Park+ de Paris Sud-Est www.parkplus.fr	48.61841 2.62768	●	●	●		●	●	●	●						🚚
7714	A4	**Aire de Changis-sur-Marne** Go the Fresh way 77440 Jaignes	48.96441 3.04857	●	●			●	●	●	●			●			
7715	A6	**Aire de Darvault** Autogrill 77167 Poligny	48.26432 2.72411	●	●			●	●	●	●		●	●	●		👤
7716	A4	**Aire de Ferrières** Mezzo di Pasta 77600 Bussy-Saint-Georges	48.82674 2.73235	●	●			●	●	●	●			●	●		
7717	A5b	**Aire de Galande la Mare-Laroche** Brioche Dorée 77550 Réau	48.60517 2.63757	●	●			●	●	●	●				●		🚚
7718	A5	**Aire des Jonchet-La grande Paroisse** La Croissanterie 77830 Echouboulains	48.42871 2.93209	●	●			●	●	●	●				●		
7719	A5	**Aire des Jonchet-Les Récompenses** Deli2go 77830 Echouboulains	48.42528 2.92496	●				●	●	●	●			●			
7720	A6	**Aire de Nemours** Autogrill 77167 Poligny	48.26213 2.71844	●	●			●	●	●	●	●	●	●	●		👤
7721	A5a	**Aire du Plessis-Picard-Ourdy** 77550 Ourdy	48.60448 2.60128					●	●	●							
7722	A4	**Aire d'Ussy-sur-Marne** Le Bistrot 77260 Ussy-sur-Marne	48.96951 3.06328	●	●			●	●	●	●			●			
7801	N13	**Au Bon Accueil** 3 route Nationale 78270 Chaufour-lès-Bonnières 01 34 76 11 29 (GB)	49.01728 1.48135	●				◐	●	●	●						

Numéro	Numéro de route	Adresse	Coordonnées GPS	P	💡	✋	€	⛽	🍴	WC	🛏	📶	🚿	🛒	🗺	✚	↕
7803	N10	**Rico Bar** 39 route Nationale 78690 Les Essarts-le-Roi 01 30 41 50 59 (P)	48.717079 1.881885	●	●	●		○	●	●	●	●	●	●	●	●	●
7805	D190	**La Marmite** 1 avenue de la Paix 78520 Limay 01 34 78 65 52 (E)(P)	48.99156 1.75058	●		●		○	●	●	●	●	●	●	●	●	○
7806	A13	**Aire de Morainvilliers Nord** Autogrill 78920 Ecquevilly	48.94785 1.95179	●	●			●	●	●	●	●	●		●		🧍
7807	A13	**Aire de Morainvilliers Sud** Autogrill 78920 Ecquevilly	48.94473 1.94553	●	●			●	●	●	●	●	●	●	●		🧍
7808	A13	**Aire de Rosny-sur-Seine Nord** 78710 Rosny-sur-Seine	48.99446 1.63197	●	●			●			●	●	●		●		
7809	A13	**Aire de Rosny-sur-Seine Sud** Le Bistrot 78710 Rosny-sur-Seine	48.99004 1.63059	●	●			●	●	●	●			●			
7901	D725	**Les Chenes Verts** La Maucarrière 79600 Airvault 05 49 69 71 11 (GB)	46.825293 -0.207601	●						●	●						
7902	VC	**Chez Marinette** 22 route de Bressuire 79300 Breuil-Chaussée 05 49 65 16 31 (GB)	46.84007 -0.551183	●					●	●	●						
7903	VC	**Auberge du Cheval Blanc** 23 place du Champ de Foire 79170 Brioux-sur-Boutonne 05 49 07 52 08 (GB)	46.1413537 -0.2210529	●	●			○	●	●	●	●	●	○	●	●	
7904	D948	**Auberge Le Cerizat** 1 route de Chef-Boutonne 79500 Chail 05 49 29 30 00 (GB)	46.20357 -0.09369	●	●			○	●	●	●						
7906	D7	**Les Pyramides** jonction A10-A83, sortie 11 79260 La Crèche 05 49 25 03 37 SécuritPark www.securitpark.fr (E)(GB)	46.35281 -0.31435	●	●	●		○	●	●	●	●					🚚
7907	N149	**Au Bon Accueil** 10 avenue de Poitiers 79390 La Ferrière-en-Partenay 05 49 63 03 01 (GB)	46.65516 -0.07337	●	●				●	●	●				○		
7908	D938	**Le Relais du Mille Pattes** 18-20 route de la Liberté 79200 Lageon 05 49 69 82 11 (GB)	46.730732 -0.237	●	●				●	●	●	●					
7909	D948	**Le Relais des Routiers** Chaignepain 79190 Les Alleuds 05 49 29 34 61	46.17885 -0.01188	●	●				●	●	●						
7910	D850	**Le Bon Accueil** 424 avenue Saint-Jean-d'Angély 79000 Niort 05 49 79 27 60 (GB)	46.297231 -0.465905	●	●	●			●	●	●						
7911	D948	**Le Bar des Ailes** 558 avenue de Limoges 79000 Niort 05 49 24 38 59	46.317885 -0.407967	●					●	●	●				●		
7913	D938	**Le Relais du Grand Bournais** 17 boulevard Helensburgh 79100 Thouars 05 49 96 13 45 (GB)(P)	46.98765 -0.19634	●	●				●	●	●		●	●	●	●	

Numéro	Numéro de route	Adresse	Coordonnées GPS	P	💡	🔌	€	⛽	🍴	🚻	🏨	📶	🚿	🛒	🗺	✚	↕
7915	A83	**Aire de la Canepetière** E. Leclerc 79160 Faye-sur-Ardin	46.43232 -0.50425	●	●			●	●	●	●	●	●	●			
7916	A83	**Aire de la Chateaudrie** E. Leclerc 79160 Villiers-en-Plaine	46.42667 -0.50482	●	●			●	●	●	●	●	●				
7917	A10	**Aire de Poitou-Charentes Nord** L'Arche 79000 Niort	46.29801 -0.38034	●	●			●	●	●	●	●	●	●	●		🚚
7918	A10	**Aire de Poitou-Charentes Sud** L'Arche 79000 Niort	46.29478 -0.37063	●	●			●	●	●	●	●	●	●	●		🚚
7919	A10	**Aire de Rouillé-Pamproux Nord** Brioche Dorée 79800 Pamproux	46.45383 -0.02085	●	●			●	●	●	●	●	●	●			
7920	A10	**Aire de Rouillé-Pamproux Sud** la Mie Caline 79800 Pamproux	46.45009 -0.01932	●	●			●	●	●	●	●	●	●			
8001	D1001	**Auberge Fleurie** 294 côte de la Justice 80100 Abbeville 03 22 24 88 22 GB	50.1271 1.82975	●				●	●	●	●	●	●	●	●	●	
8002	D934	**La Grenouillère** direction Rouen 80440 Boves 03 22 09 31 26 D GB	49.8475 2.41895	●	●	●		●	●	●	●						
8004	D1029	**Auberge de la Mairie** 40 chaussée Brunehaut 80200 Estrées-Deniécourt 03 22 85 20 16 D GB	49.875182 2.823476	●	●			●	●	●							
8005	D1001	**Chez Jo** 320 route Nationale 80132 Hautvillers-Ouville 03 22 24 26 20 GB	50.1721575 1.8102075	●					●	●	●			●	●		
8006	D925	**Le Relais du Risquetout** 405 rue du Moulin 80600 Hem-Hardinval 03 22 77 06 79 GB	50.16823 2.30189	●					●	●	●	●					
8007	D1029	**Le Relais de Lignières-Châtelain** 33 route de Normandie 80290 Lignières-Châtelain 03 22 46 67 80 GB	49.774802 1.864382	●	●			●	●	●	●				●	●	
8009	D934	**Resto Routiers** Centre Routier 80700 Roye 03 22 87 44 22	49.70695 2.76654	●	●			●	●	●	●			●	●	●	
8011	A1	**Aire d'Assevillers Est** L'Arche 80200 Assevillers	49.88958 2.84545	●	●			●	●	●	●	●	●	●			🚶
8012	A1	**Aire d'Assevillers Ouest** L'Arche 80200 Assevillers	49.89213 2.83672	●	●			●	●	●	●	●	●	●			🚶
8013	A29	**Aire de Croixrault** Pomme de Pain 80290 Bussy-lès-Poix	49.80669 1.97171	●	●			●	●	●	●			●	●		🚚
8014	A28	**Aire de Translay** 80140 Le Translay	49.96785 1.65702	●	●			●	●	●	●			●			
8015	A28	Aire de Translay 80140 Le Translay	49.96508 1.66728	●	●			●	●	●	●			●			
8016	A29	**Aire de Villers-Bretonneux** Go the Fresh Way 80800 Villers-Bretonneux	49.85814 2.52071	●	●			●	●	●	●			●	●		🚚
8017	A16	**Aire de la Baie de Somme** L'Arche 80970 Sailly-Flibeaucourt	50.16729 1.75455	●	●			●	●	●	●			●	●		🚚
8018	D1017	**Au Bon Accueil** 2 route Nationale 17 80320 Omiécourt 03 22 84 44 08	49.80973 2.846765	●	●	●			●	●	●						

Numéro	Numéro de route	Adresse	Coordonnées GPS	P	💡	🎫	€	⛽	🍴	WC	🏨	📶	🛒	🔧	🗺	✚	⇅
8101	D999	**Le Relais Catalan** 87 route de Millau 81000 Albi 05 63 60 30 91	43.9308 2.182744	●				●	●	●	●	●					
8102	D999	**Le Relais Andalou** 174 route de Millau après le 3e rond-point en face la casse Lacan 81000 Albi 05 63 78 85 38 (E)	43.926952 2.201361	●	●				●	●	●			●	●	●	
8104	N126	**La Bombardière** 23 route de Castres 81470 Cuq-Toulza 05 63 75 70 36 (GB)	43.56817 1.8873	●	●	●			●	●	●	●				○	
8106	N2088	**Relais des Farguettes** Les Farguettes 81190 Sainte Gemme 05 63 76 66 97 (D)	44.07906 2.21226	●	●			●	●	●	●	●					
8201	A20	**Les Delices d'Annie** route de Trixe-ZI Bressols 82710 Bressols 05 63 23 00 16	43.9597 1.324	●					●	●	●						
8202	D820	**Le Relais d'Auvergne** ZI de Meaux 82300 Caussade 05 63 93 03 89 (E) (GB)	44.15671 1.52744	●				○	●	●	●	●	○	○	○		
8203	D613	**La Bonne Auberge** 8 avenue de Toulouse 82400 Pommevic 05 63 94 06 86 (E) (GB)	44.09885 0.93661	●					●	●	●						
8204	A20	**Aire de Bois de Dourre** La Croissanterie 46230 Belfort-du-Quercy	44.23237 1.52678	●	●			●	●	●	●	●	●	●			🚚
8205	A62	**Aire de Garonne** La Croissanterie 82210 Castelmayran	44.03996 1.01591	●	●			●	●	●	●	●	●	●			🚚
8206	A20	**Aire de Nauze-Vert** 82710 Bressols	43.95939 1.32444	●	●			●	●	●	●			●			
8301	D67	**Restaurant Les 3 Fréres** 1357 avenue de Draguignan-ZI de Toulon Est 83130 La Garde 04 94 75 65 80	43.1427225 6.0371425	●				○	●	●	●						
8302	DN7	**Les 4 Vents** Quartier de la Forge 83340 Le Cannet-des-Maures 04 94 60 96 41 (GB) (I)	43.3983 6.36473	●				●	●	●	●						
8303	DN7	**Le Mistral** 83340 Le Cannet-des-Maures 04 94 60 92 07 (E) (GB) (I)	43.39954 6.37223	●	●			●	●	●	●						
8304	N7	**La Coupure** route de Brignoles 83340 Le Luc 04 94 72 07 54 (GB)	43.39568 6.27131	●	●				●	●	●						
8306	A8	**Aire de Cambarette Nord** Brioche Dorée 83170 Tourves	43.42545 5.99248	●	●			●	●	●	●		●				
8307	A57	**Aire de la Bigue** Philéas 83130 La-Garde	43.14127 6.01962	●	●			●	●	●	●						
8308	A 57	**Aire de la Chaberte** La Croissanterie 83210 La Farlède	43.15115 6.03193	●	●			●	●	●	●						
8309	A8	**Aire du Canaver** Mc Donald's 83520 Roquebrune-sur-Argens	43.46681 6.67968	●	●			●	●	●	●	●					

Numéro	Numéro de route	Adresse	Coordonnées GPS	P	☀	🪧	€	⛽	🍴	🚻	🏨	📶	🚿	🔧	🗺	➕	⇅
8310	A8	**Aire des Terrasses de Provences** Truck Store 83170 Brignoles	43.41964 5.99308	●	●			●	●	●	●	●	●	●	●		
8311	A8	**Aire de L'Estérel** la Croissanterie Lunch Grill 83600 Les-Adrets-de-l'Estérel	43.54141 6.78664	●	●			●	●	●	●	●	●				
8312	A570	**Aire de St Augustin** 83260 La-Crau	43.1378 6.04599	●	●			●	●	●	●						
8313	A8	**Aire de Vidauban Nord** la Croissanterie Lunch Grill 83460 Les Arcs	43.41886 6.45814	●	●			●	●	●	●	●	●				
8314	A8	**Aire de Vidauban Sud** Eris grill 83460 Les Arcs	43.41271 6.45424	●	●			●	●	●	●						
8401	N7	**Le Relais d'Avignon** 4428 route de Marseille 84000 Avignon-Montfavet 04 90 84 18 28 (D)	43.905539 4.890831	●	●	●		◐	●	●	●	●	●	●	●	●	●
8402	D235	**Restaurant du Marché-Gare** 3200 chemin de Saint-Gens 84200 Carpentras 04 90 63 19 00 (E)(GB)	44.032926 5.041746	●				◐	●	●	●	●					
8404	D907	**Le Relais du Soleil** 2042 route d'Orange 84350 Courthezon 04 90 70 74 36	44.10435 4.8597	●		●		●	●	●	●						
8405	N7	**Le Fanélie** Les Greses Basses 84840 Lapalud 04 90 66 40 31	44.28941 4.68905	●	●	●		●	●	●	●	◐	◐	●	●		
8406	D226	**La Halte** Impasse Copernic, ZI du Fournalet 84700 Sorgues 04 90 83 31 91 (E)(GB)	44.01906 4.8849	●				◐	●	●	●	●					
8407	A7	**Aire de Morières** Autogrill 84310 Morières-lès-Avignon	43.92748 4.91058	●	●			●	●	●	●			●	●		
8408	A7	**Aire de Mornas-lès Adrets** L'Arche 84550 Mornas	44.21765 4.7224	●	●			●	●	●	●	●			●		
8409	A7	**Aire de Mornas-Village** L'Arche 84550 Mornas	44.19224 4.7327	●	●			●	●	●	●	●	●		●		
8410	A7	**Aire de Sorgues** Autogrill 84700 Sorgues	44.02455 4.89459	●	●			●	●	●	●			●	●		
8501	D6	**Le Saint Benoist** 35 rue du Maréchal Leclerc 85190 Aizenay 02 51 07 59 42 (GB)	46.73834 -1.60419	●				◐	●	●	●	●	◐	◐		●	
8502	D949	**Le Relais du Cheval Blanc** 29 rue Jean Grolleau 85480 Bournezeau 02 51 40 71 54	46.63464 -1.16889	●				●	●	●	●	◐	●	●	●		
8504	D160	**La Petite Auberge** Bel-Air 85500 Chambretaud 02 51 67 51 61 (GB)	46.93038 -0.98781	●	●			●	●	●	●						
8506	D60	**Les Chasseurs** ZA Les Landes Blanches 85480 Fougeré 02 51 05 73 13 (E)(GB)	46.66026 -1.22024	●				●	●	●				●	●		
8507	D160	**Chez Juju** route de Cholet Les Chauvières ZI les Ajoncs Est 85000 La Roche-sur-Yon 02 51 37 94 15 (E)(GB)	46.694873 -1.373699	●	●	●		●	●	●	●						

Numéro	Numéro de route	Adresse	Coordonnées GPS
8508	VC	**Le Val d'Yon** 53 boulevard Joseph Cugnot 85000 La Roche-sur-Yon 02 51 62 31 29 GB	46.64193 -1.41388
8509	D160	**L'Échangeur** Le Pinier sortie 5 Les Essarts de l'A83 85140 Les Essarts 02 51 62 81 69	46.78817 -1.18758
8510	D11	**Le Vieux Tacot** La gare des Épesses 85500 Les Herbiers 02 51 67 16 39	46.87323 -0.95925
8513	D949	**Le Chêne Vert** route de Fontenay-le-Comte 85400 Luçon 02 28 14 00 40 GB	46.46065 -1.13511
8514	D960	**Le Relais de la Gare** 52 route de Cholet 85290 Mortagne-sur-Sèvre 02 51 65 11 56	46.99613 -0.94572
8515	D149	**Le Puy Nardon** ZA du Puy Nardon 85290 Mortagne-sur-Sèvre 02 51 65 19 14 E GB	46.98287 -0.93507
8516	D148	**Au P'tit Midi** Châteauroux 85240 Nieul-sur-l'Autise 02 51 00 90 64 GB	46.38876 -0.62964
8517	D137	**Le Relax** Les Landes-de-Roussais 85600 Saint-Hilaire-de-Loulay 02 51 94 02 44 GB	47.02173 -1.34506
8518	D137	**L'Oasis** 61 route Nationale A83, sortie 7 direction La Rochelle 85210 Saint-Jean-de-Beugné 02 51 27 38 80	46.52044 -1.08549
8520	D6	**Les 4 Chemins** Rond-point des 4 chemins 85220 Saint-Révérend 02 51 54 65 67	46.69227 -1.85135
8521	D948	**Le Relais des 4 Moulins** 388 route de Beauvoir Les 4 Moulins 85300 Sallertaine 02 51 68 11 85 GB	46.87418 -1.94601
8522	VC	**Le Guyon** ZI La Landette 85190 Venansault 02 51 07 39 94 E GB	46.65132 -1.51366
8523	A83	**Aire de Chavagnes** Deli2go 85250 Chavagnes-en-Paillers	46.8736 -1.28276
8524	A83	**Aire de La Vendée Est** La Bourrine 85210 Sainte-Hermine	46.58035 -1.11432
8525	A83	**Aire de La Vendée Ouest** La Bourrine 85210 Sainte-Hermine	46.57885 -1.122
8526	A83	**Aire des Brouzils** Chez Sam 85260 Les Brouzils	46.8799 -1.29278
8527	A 87	**Aire des Herbiers** Brioche Dorée 85500 Les Herbiers	46.90314 -1.04872
8602	D347	**Le Mille Pattes** 3 route Nationale 86330 Angliers 05 49 98 01 66 GB	46.9381 0.11511

Numéro	Numéro de route	Adresse	Coordonnées GPS	P	💡	🖐	€	⛽	🍴	🚿	🏨	📡	⑥	⑦	🗺	✚	↕
8603	D749	**Le Relais de l'Aiguillon** 168 route de Richelieu 86100 Chatellerault 05 49 21 24 36 GB	46.8268 0.52844	●					●	●	●						
8604	VC	**Relais 375** 9 avenue de Bordeaux 86700 Couhé 05 49 45 13 26 D E GB	46.29355 0.17688	●	●			●	●	●	●	●	●	●	○		
8606	VC	**Aux Amis de la Route** 8 route de Poitiers 86340 Fleuré 05 49 42 60 25 GB	46.4773 0.52165	●				○	●	●	●				●		
8607	D611	**Auberge de la Garenne** 1 allée des Cerfs 86240 Fontaine-Le-Comte 05 49 57 01 22	46.52774 0.27671	●					●	●	●						
8608	D741	**Au Bistrot Familial** 2 rue René Chiche ZA de Verneuil Sud 86160 Gencay 05 49 54 34 90	46.3691 0.41732	●	●			○	●	●				●	●	●	●
8609	N147	**Le Relais** 30 avenue Recteur Pineau 86320 Lussac-les-Châteaux 05 49 48 40 20 GB	46.40114 0.726114	●					●	●	●		○	○		○	
8610	N147	**La Table Ouverte** 36 route Nationale 86500 Moulismes 05 49 91 90 68	46.32958 0.81284	●					●	●	●				○	○	
8611	D910	**La Halte** Les Barres 86530 Naintré 05 49 86 37 91	46.76801 0.50307	●					●	●	●		●	●	○		
8612	N10	**Le Relais des Minières** Les Minières 86700 Payré 05 49 42 12 00 E GB	46.35884 0.19961	●	●			●	●	●	●							🚚
8613	VC	**Au Top du Roulier** 38 rue des Entrepeneurs ZA de la République 86000 Poitiers 05 49 41 48 18 E GB	46.61734 0.34619	●	●			○	●	●	●	●					
8614	D347	**L'Auberge de la Dive** 12 rue du Moulin Blanc 86120 Pouançay 05 49 22 94 61 GB	47.096389 -0.086056	●				○	●	●	●						
8617	D27	**Relais de Vivonne** Le Champ du Chail 86370 Vivonne 05 49 43 41 03	46.40786 0.23709	●				○	●	●	●						
8618	A10	**Aire de Chatellerault-Antran** L'Arche 86100 Antran	46.90759 0.51642	●	●			●	●	●	●				●		
8619	A10	**Aire de Chatellerault-Usseau** Comptoir Casino 86230 Usseau	46.90516 0.52588	●	●			●	●	●	●				●	●	
8620	A10	**Aire de Poitiers-Chincé** Le Bœuf Jardinier 86130 Jaunay-Clan	46.70422 0.37642	●	●			●	●	●	●				●		
8621	A10	**Aire de Poitiers-Jaunay Clan** Flunch 86130 Jaunay-Clan	46.70672 0.36534	●	●			●	●	●	●	●			●		
8701	D220	**La Terrasse d'Annie** 141 avenue Georges Guingouin ancienne route de Paris Beaune-les-Mines 87280 Limoges 05 55 39 90 58 E GB P	45.916109 1.299085	●	●			○	●	●	●						

Numéro	Numéro de route	Adresse	Coordonnées GPS	P	💡	🚩	€	⛽	🍴	🚻	🏨	📡			🛒	🗺	✚	↕
8702	D420	**La Borne 40** Beausoleil 87380 La Porcherie 05 87 41 10 93 (E)	45.56729 1.51061	●	●				●	●	●	●						
8703	N520	**Au Top du Roulier** 2 rue Jacques Godet Zi nord 87280 Limoges 05 55 38 96 20 (E) (GB) (P)	45.88972 1.2881	●	●			○	●	●	●							
8704	N147	**Auberge du Vincou** route de Poitiers 87300 Peyrat-de-Bellac 05 55 60 27 53	46.124601 1.02926	●					●	●	●							
8705	D420A	**Le Viaduc** ZI de l'Aubeypie 87260 Pierre-Buffière 05 55 00 23 85 (E)	45.68627 1.36847	●	●				●	●	●							
8707	N147	**L'Étape Les Robinsons** Le Bourg 87300 Saint-Bonnet-de-Bellac 05 55 60 09 47 (GB)	46.16985 0.95258	●				○	●	●	●	●				●	●	
8709	N145	**Relais de la Croix Blanche** Chez Sandrine La Croix Blanche 87290 Saint-Sornin-Leulac 05 55 76 20 20	46.19173 1.2563	●	●				●	●	●							
8710	A20	**Aire de Beaune-les-Mines** Philéas 87000 Limoges	45.90845 1.28861	●	●				●	●	●	●				●	●	
8711	A20	**Aire de Beaune-les-Mines** Avia 87000 Limoges	45.90851 1.29492	●	●			●	●	●	●	●			●			
8802	D157	**Aux Amis de la Route** 1010 rue de la Gare 88550 Pouxeux 03 29 36 92 66 (D)	48.103849 6.579984	●	●			○	●	●	●	●	○	○	●			
8804	D415	**Restaurant des Deux Frères** 4 rue des Deux Frères Bietrix 88580 Saulcy-sur-Meurthe 03 29 56 96 02 (D) (GB)	48.2548 6.95778	●				○	●	●	●							
8805	A31	**Aire de Lorraine-Sandaucourt-La Trelle** L'Arche 88170 Sandaucourt	48.27037 5.85419	●	●				●	●	●	●			●		●	♦
8806	A31	**Aire de Lorraine-Sandaucourt-Les Rappes** L'Arche 88170 La-Neuveville-sous-Châtenois	48.27306 5.8632	●	●				●	●	●	●					●	♦
8901	D606	**Le Four à Bois** 89270 Arcy-sur-Cure 03 86 81 90 03	47.6106 3.75747	●	●						●	●						
8902	N65	**Le Sainte-Nitasse** route de Chablis sortie 20, Auxerre Sud 89000 Auxerre 03 86 46 95 07 (GB)	47.789949 3.603376	●	●				●	●	●							
8903	D606	**Le Relais Saint-Christophe** 13 route de Paris 89200 Avallon 03 86 34 07 17 (E)	47.49824 3.89459	●		●		○	●	●	●	●			○			
8904	D606	**Aux Amis de la Route** 43 route Nationale 89340 Champigny-sur-Yonne 03 86 66 20 11	48.3232 3.12991	●	●	●			●	●	●	●			●	●	○	
8906	D905	**Au Bon Accueil** 23 rue de Paris 89210 Champlost 03 86 43 14 71	48.024932 3.669809	●	●				●	●	●	●				○		

Numéro	Numéro de route	Adresse	Coordonnées GPS	P	💡	📷	€	⛽	🍴	🚻	🏢	📡	⑪	⑫	⑬	✚	↕
8907	D606	**Relais 6** A6, sortie 22, dir. Saulieu le sud 89420 Cussy-les-Forges 03 86 33 10 14 GB I	47.47843 4.00818	•	•	•		◐	•	•	•	•			•		
8908	D905	**À la Bonne Auberge** route de Paris 89700 Dannemoine 03 86 55 54 22	47.89525 3.95417	•					•	•	•						
8910	N77	**Le Relais de Pontigny** 9 rue Paul Desjardins 89230 Pontigny 03 86 47 96 74 E GB P	47.913426 3.713862	•	•	•			•	•	•			•	•		
8912	D105	**La Barrière** rue de la Cerce / Bierry 89200 Sauvigny-le-Bois 03 86 34 56 72 GB I P	47.50298 3.9604	•	•				•	•	•						
8913	D660	**Relais de Savigny** 89150 Savigny-sur-Clairis 03 86 86 34 37 GB	48.06099 3.09605	•	•			◐	•	•							
8914	A6	**Aire de la Chaponne** l'Hyppopotamus 89420 Saint-André-en-Terre-Plaine	47.50201 4.03441	•	•				•	•	•						
8915	A6	**Aire de la Couline** Autogrill 89116 Précy-sur-Vrin	47.97706 3.2	•	•				•	•	•						
8916	A6	**Aire de la Réserve** Flunch 89116 Sépeaux	47.97284 3.19501	•	•				•	•	•						
8917	A6	**Aire de Maison Dieu** L'Arche 89420 Sceaux	47.50627 4.03475	•	◐				•	•	•	•					
8918	A6	**Aire de Venoy Grosse Pierre** L'Arche 89530 Chitry	47.78844 3.66477	•	•				•	•	•	•			•		🚹
8919	A6	**Aire de Venoy Soleil Levant** L'Arche 89290 Venoy	47.79185 3.67325	•	•				•	•	•	•	•	•	•		🚹
8920	A5	**Aire de Villeneuve-L'Archevêque** Cœur de Blé 89190 Lailly	48.2424 3.55303	•	•				•	•	•			•	•		
8921	A5	**Aire de Villeneuve-Vauluisant** Cœur de Blé 89190 Lailly	48.24835 3.55552	◐	•				•	•	•	•			•		
8922	A19	**Aire de Villeroy** Autogrill 89150 Fouchères	48.16542 3.17235	•	•				•	•	•	•	•	•	•		🚚
9101	N20	**Au Bon Accueil** 85 avenue de Paris 91790 Boissy-sous-Saint-Yon 01 60 82 14 28 GB	48.54402 2.21368	•	•	•			•	•	•	•			•		
9102	N20	**Relais de Montfort** Entre Etampes et Arpajon 91730 Chamarande 01 60 82 20 80 GB	48.5234 2.20635	•	•	•			•		•				◐		
9104	A10	**Aire de Limours Briis sous Forge** Flunch 91640 Briis-sous-Forges	48.63501 2.15295	•	•				•	•	•	•	•	•	•		
9105	A10	**Aire de Limours Janvry** L'Arche 91640 Briis-sous-Forges	48.64066 2.14866	•	•				•	•	•	•	•	•	•		
9106	N104	**Aire de Fleury** ZA des Ciroliers Mc Donald 91700 Fleury-Mérogis 01 69 46 66 00	48.623718 2.369324	•	•				•	•	•	•					

Numéro	Numéro de route	Adresse	Coordonnées GPS	P	💡	📷	€	⛽	🍴	🚻	🏢	📶			🗺	✚	⇅
9107	A6	**Aire de Lisses** Brioche Dorée 91090 Lisses	48,586369256 2,432479452	•	•			•	•	•	•			•		•	
9108	A6	**Aire de Villabé** Mc Donald's 91100 Villabé	48,594319881 2,455651622	•	•			•	•	•	•			•		•	
9401	VC	**L'Express** 8 rue Bas-Marin 94310 Orly 01 46 75 08 53 Ⓔ ⒼⒷ Ⓘ	48.75121 2.38863	•				◦	•	•	•	•					
9502	D1017	**Le Coq Chantant** 95470 Survilliers 01 34 68 57 96 Ⓔ ⒼⒷ	49.10183 2.53172	•					•	•	•	•	•	•	•		
9503	A1	**Aire de Vemars Est** LEO Resto 95470 Vémars	49.07766 2.55497	•	•			•	•	•	•	•	•	•	•		
9504	A1	**Aire de Vémars Ouest** Mezzo di Pasta 95470 Vémars Vémars Ouest www.sanef.fr	49.07735 2.54731	•	•	•		•	•	•	•			•	•		
2B01	N193	**Le Chalet** Col de la Serra 20219 Vivario 04 95 47 22 40	42.169638 9.165795	•					•	•	•						

France 1/1 200 000
Frankreich - 1: 1 200 000 / Frankrijk - 1: 1 200 000
Francia - 1: 1 200 000

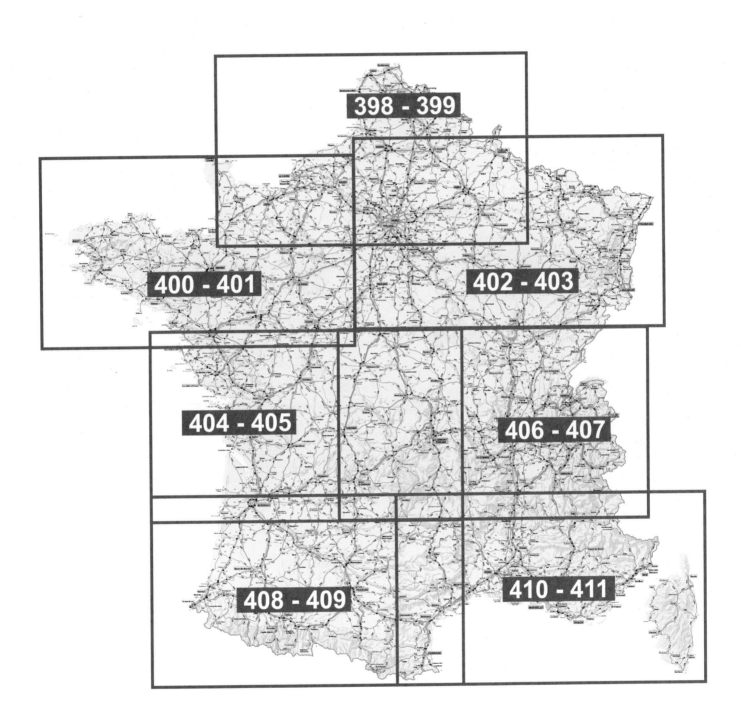

398 - 399

400 - 401

402 - 403

404 - 405

406 - 407

408 - 409

410 - 411

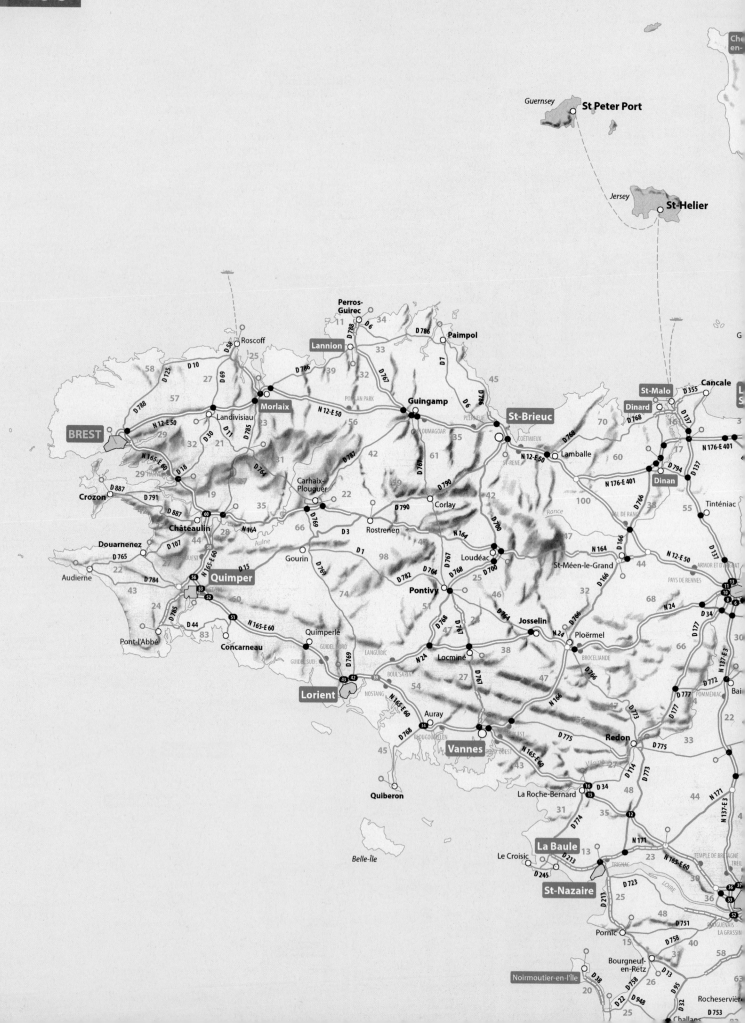

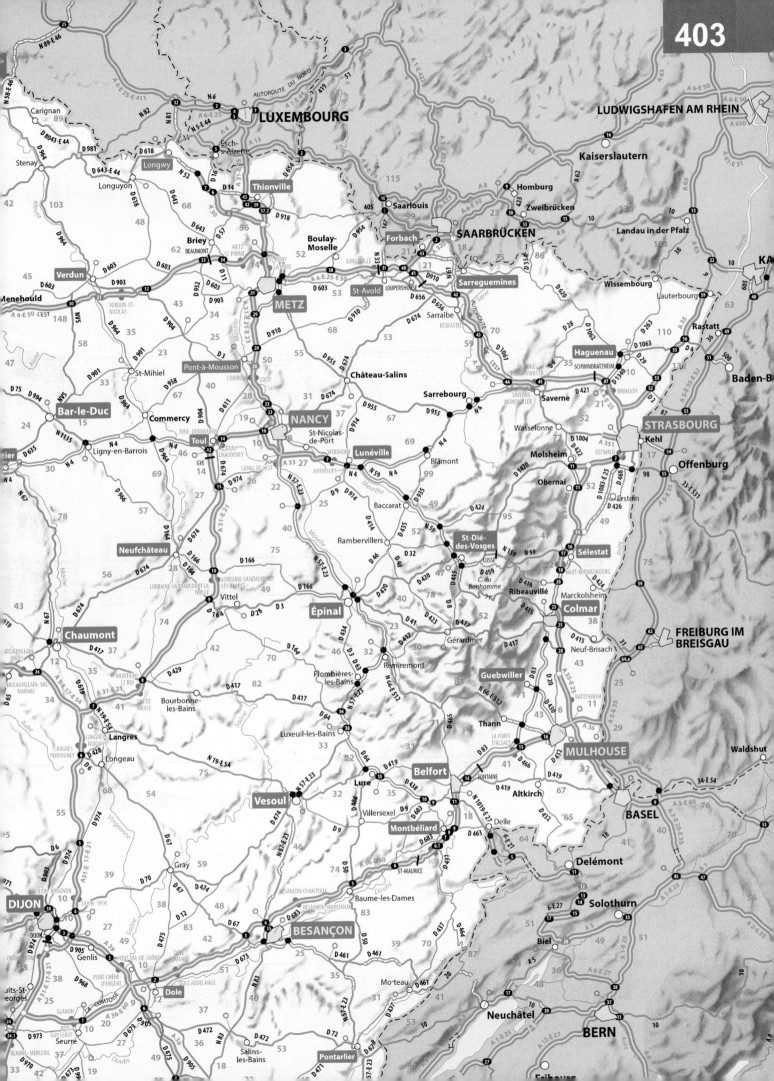

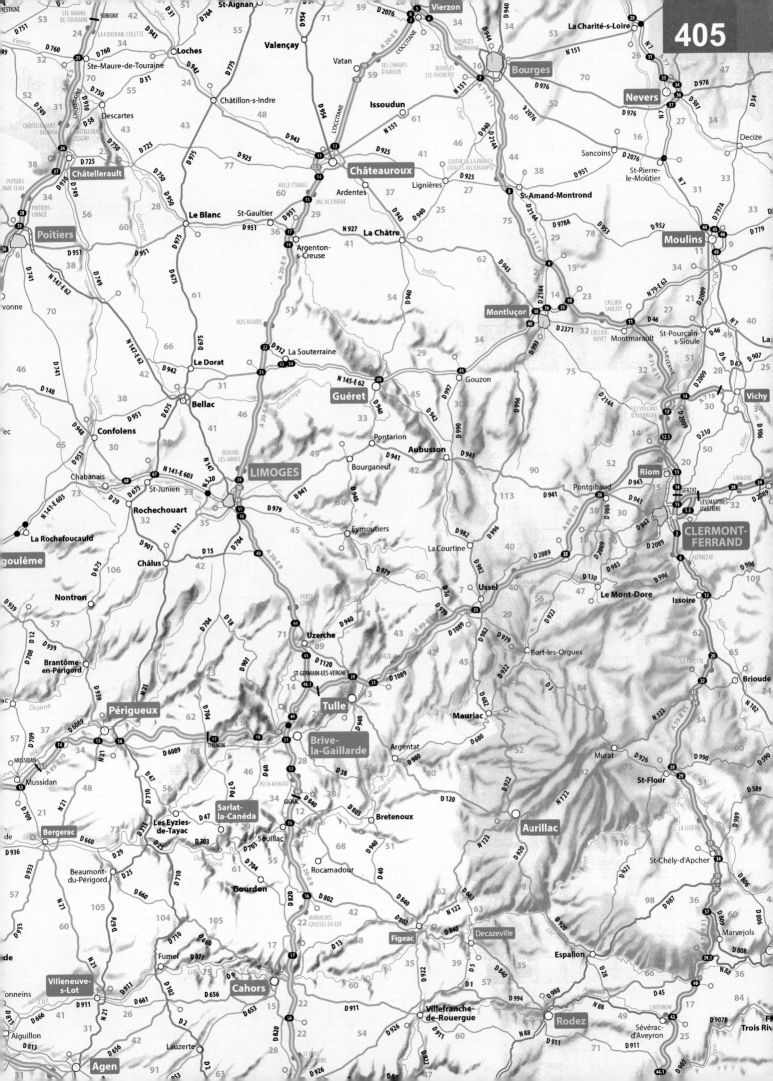

BORDEAUX
Arcachon
Cap Ferret
Lacanau-Océan
Lamarque
Blaye
St-André-de-Cubzac
Libourne
Mussidan
Montpon-Ménestérol
Ribérac
Montlieu-la-Garde
Saugon
Virsac
Palombières
Ste-Foy-la-Grande
Bergerac
Sauveterre-de-Guyenne
La Réole
Langon
Marmande
Villeneuve-s-Lot
Bazas
Casteljaloux
Le Queyran
Tonneins
Aiguillon
Nérac
Condom
Agen Porte d'Aquitaine
Arès
Biscarrosse
Saugnac-et-Muret
La Porte des Landes
Sore
Mimizan
Roquefort
Nogaro
Castets
Mont-de-Marsan
Aire-s-l'Adour
Hossegor
Capbreton
Dax
Bénesse-Maremme
Labenne-Ouest
Labenne-Est
Bayonne
Biarritz
Peyrehorade
Orthez
Lacq-Audéjos
La Pyrénéenne
Mirande
DONOSTIA-SAN SEBASTIÁN
St-Jean-de-Luz
Biriatou
Cambo-les-Bains
Sames
Hastingues
Pau
Tarbes
Castelnau-Magnoac
Lannemezan
Comminges
St-Jean-Pied-de-Port
Oloron-Ste-Marie
Lourdes
Bagnères-de-Bigorre
Montréjeau
PAMPLONA
Argelès-Gazost
Cauterets
St-Lary-Soulan
Bagnères-de-Luchon
Tunnel du Somport
Tunnel d'Aragnouet-Bielsa

Garonne
Dordogne
Adour
Gave d'Oloron
Gave de Pau

AUTOROUTE DES DEUX-MERS
LES PYRÉNÉES
L'OCÉAN

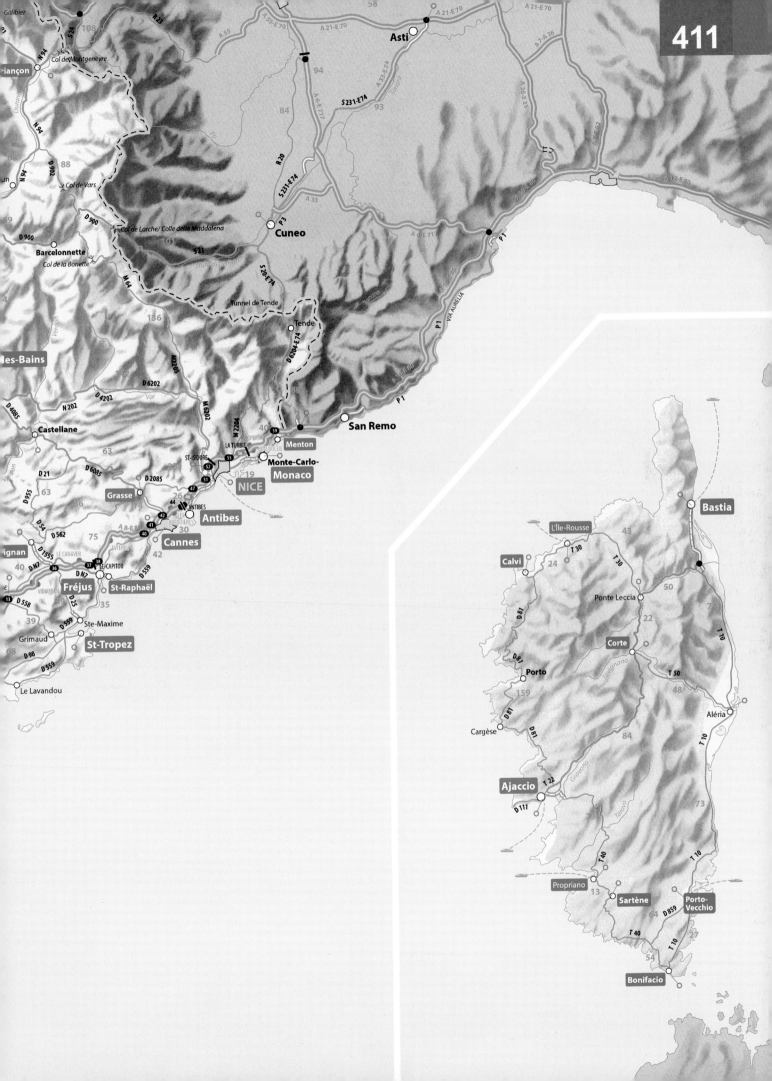

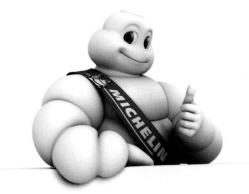

Édition 2017 Dressée par Michelin Travel Partner
© 2017 Michelin , Propriétaires-éditeurs
Société par actions simplifiée au capital de 11 288 880 EUR
27 Cours de l'Île Seguin - 92100 Boulogne-Billancourt (France)
R.C.S. Nanterre 433 677 721

CARTE STRADALI E TURISTICHE PUBBLICAZIONE PERIODICA
Reg. Trib. Di Milano N° 80 del 24/02/1997 Dir. Resp. FERRUCCIO ALONZI

Malgré tout le soin apporté à la réalisation de cet ouvrage, il se peut qu'un exemplaire défectueux ait échappé à notre vigilance.
Dans ce cas, veuillez le rapporter à votre libraire qui vous l'échangera ou contacter :
Michelin
Cartes et Plans
27 cours de l'Île Seguin
92105 Boulogne-Billancourt Cedex
cartes@tp.michelin.com
http://voyages.michelin.fr/
www.viamichelin.fr

QR Code est une marque déposée de DENSO WAVE INCORPORATED
*Accès libre hors frais de connexion éventuels par votre fournisseur d'accès (roaming)
Crédit photo : F. Cormon/hemis.fr
Dépôt légal Novembre 2016
Imprimé en Italie en 08-2016 - Nuovo Istituto Italiano Arti Grafiche (NIIAG) - 24126 Bergamo